과학,
개념에 응용을
더하다

싸플

Science +

싸플은 'science plus'의 줄임말로서, 과학 공부에 어려움을
겪는 이들이 이 책을 공부함으로써 탄탄한 과학 실력을 바탕으로
자신감을 더해갈 수 있도록 기획된 브랜드 이름입니다.

■ **HIGH TOP** ─── 과학으로 대학 가려면 꼭 봐야 하는 30년 역사의
과학 전문 대표 브랜드

중 1~3 / 통합과학 / 물리 I, II / 화학 I, II / 생명과학 I, II / 지구과학 I, II

■  ─── 과학을 어려워하는 이들을 위한 과학 내신 기본서!

중 1~3 / 통합과학

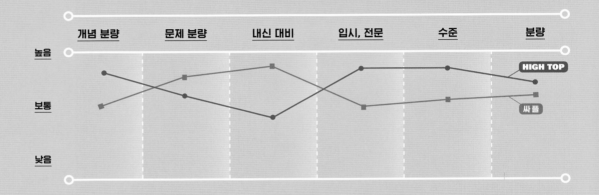

중학교 과학 3

싸플 Science +

개념
학습서

과학, 개념에 응용을 더하여 한 권으로 끝내자!
개념 학습서로 차근차근 공부하고, 시험 전 **시험 대비서**로
복습하면 과학 내신이 완벽해져!

개념 학습서

개념 정리

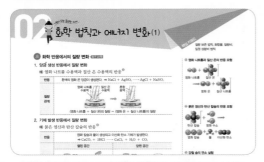

개념 정리 5종 교과서의 내용을 빠짐없이 분석한 후, 그림을 이용하여 개념을 이해하기 쉽게 정리하였습니다.

개념 다지기 학습한 내용을 확인하기 위한 필수 예제로 구성하였습니다. 문제를 풀어 보면서 개념을 이해했는지 바로바로 확인해 보세요.

탐구 & 집중 공략

탐구 학교 시험에 자주 나오는 탐구를 사진을 중심으로 단계별로 구성하였습니다. 관련 문제를 통해 탐구에 자신감을 키울 수 있습니다.

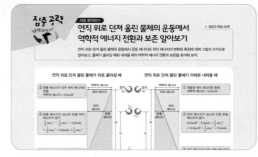

집중 공략 계산 연습하기, 자료 분석하기, 그림으로 한눈에 정리하기 등을 통해 꼭 알고 가야할 중요 내용을 집중 연습할 수 있도록 구성하였습니다.

시험 대비서

시험 대비 정리 노트 빈칸을 채워 보면서 시험 직전에 단원의 핵심 개념을 다시 한번 정리할 수 있습니다.

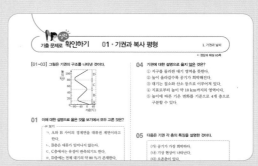

기출 문제로 실력 확인하기 학교 시험에 자주 나오는 문제를 모아서 구성하였습니다. 시험 직전에 최종 점검용으로 풀어 보세요.

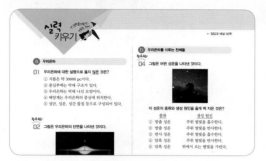

실력 키우기 학교 시험에 자주 나오는 다양한 유형의 문제를 수록하였습니다.

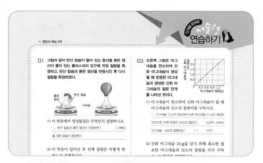

단계별 문제로 서술형 연습하기 단계별 문제로 서술형 문제를 집중 연습할 수 있도록 구성하였습니다. 이 문제로 연습하면 어떤 유형의 서술형 문제가 나와도 자신 있습니다.

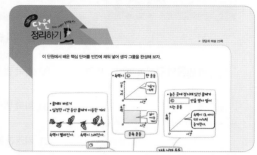

그림으로 단원 정리하기 마인드맵의 빈칸을 채우면서 배운 내용을 그림으로 한눈에 정리할 수 있습니다.

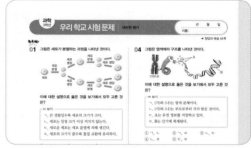

우리 학교 시험 문제 실제 학교 시험지처럼 구성한 학교 시험 예상 문제입니다. 실제 시험 시간에 맞추어 문제를 풀면서 나의 실력을 확인해 보세요.

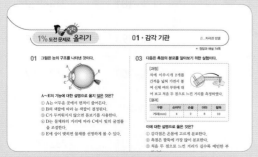

1% 도전 문제로 실력 올리기 이 문제만 풀 수 있다면 어떤 어려운 문제가 나와도 두려워 할 필요가 없어요.

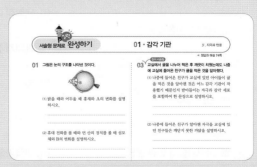

서술형 문제로 실력 완성하기 다양한 유형의 서술형 문제를 풀어 보면서 나의 실력을 업그레이드해 보세요.

내가 배우는 교과서 내용을 싸플에서 찾아보기

내가 배우는 교과서의 **출판사 이름**과 배우는 **내용**을 확인하고,
싸플에서 **해당 쪽수**를 찾아서 공부해 보자.

혼자서 공부할 때는 학업 성취도를 스스로 체크해 보자.
그리고 부족한 부분은 나중에 꼭 다시 확인해 보자.

미래엔	비상교육	천재교육
14~25	12~21	13~23
26~33	26~33	27~36
34~45	34~35, 40~45	37~40, 43~47
56~63	54~61	57~66
64~73	66~75	71~82
74~85	80~91	85~99
98~115	100~109	109~120
116~127	114~121	123~134
138~147	130~137	143~153
148~157	142~148	157~165
158~162	150~153	166~171
174~186	162~169	181~195
188~189	170~171	196~199
190~197	176~181	203~212
198~203	182~189	213~221
214~219	198~203	231~236
220~235	208~217	239~246
246~255	226~233	255~263
256~271	238~257	264~277
282~295	262~275	286~295

공부한 날		학업 성취도
월	일	☆☆☆☆☆
월	일	☆☆☆☆☆
월	일	☆☆☆☆☆
월	일	☆☆☆☆☆
월	일	☆☆☆☆☆
월	일	☆☆☆☆☆
월	일	☆☆☆☆☆
월	일	☆☆☆☆☆
월	일	☆☆☆☆☆
월	일	☆☆☆☆☆
월	일	☆☆☆☆☆
월	일	☆☆☆☆☆
월	일	☆☆☆☆☆
월	일	☆☆☆☆☆
월	일	☆☆☆☆☆
월	일	☆☆☆☆☆
월	일	☆☆☆☆☆
월	일	☆☆☆☆☆
월	일	☆☆☆☆☆
월	일	☆☆☆☆☆

Contents

차례

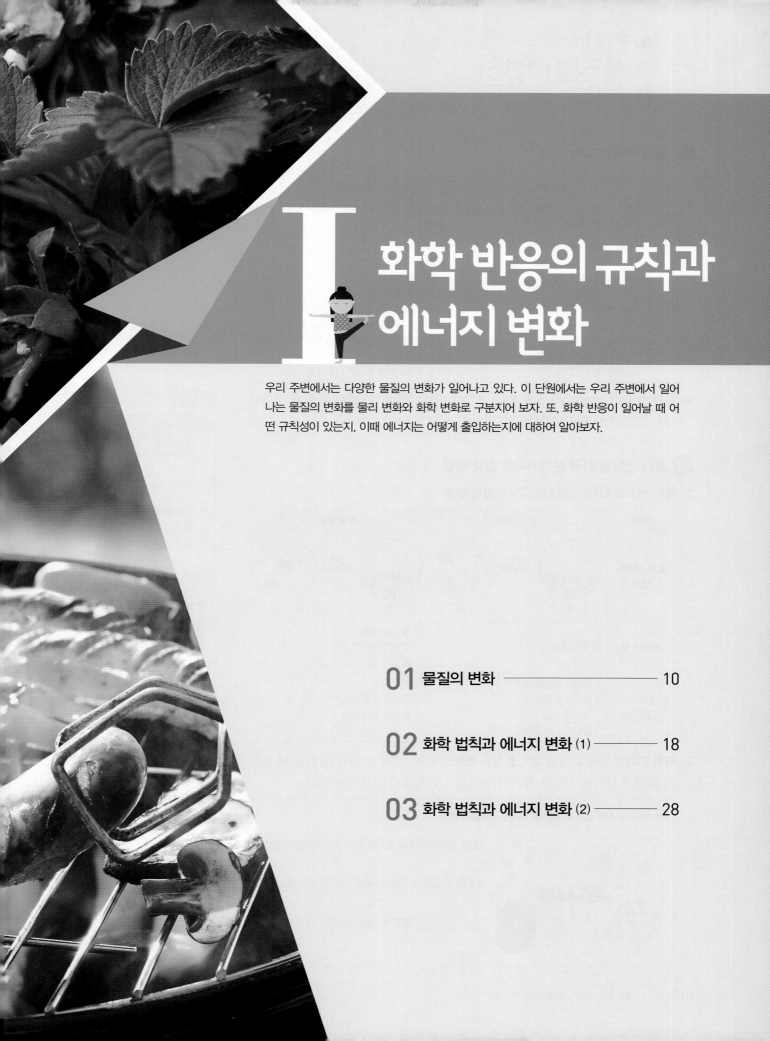

I 화학 반응의 규칙과 에너지 변화

우리 주변에서는 다양한 물질의 변화가 일어나고 있다. 이 단원에서는 우리 주변에서 일어나는 물질의 변화를 물리 변화와 화학 변화로 구분지어 보자. 또, 화학 반응이 일어날 때 어떤 규칙성이 있는지, 이때 에너지는 어떻게 출입하는지에 대하여 알아보자.

01 물질의 변화

a 물리 변화와 화학 변화 ❶❷

구분	물리 변화	화학 변화 ❸
정의	물질 고유의 성질은 변하지 않으면서 상태나 모양 등이 변하는 현상	어떤 물질이 성질이 다른 새로운 물질로 변하는 현상
예	• 유리 그릇이 깨진다. • 철사가 휘어진다. • 종이를 접거나 자른다. • 향기가 퍼진다. • 물에 잉크가 퍼진다. • 물이 끓는다. • 아이스크림이 녹는다. • 드라이아이스가 사라진다. • 설탕을 물에 녹인다.	• 철이 녹슨다. • 양초나 종이가 탄다. • 과일이 익는다. • 불판 위의 고기가 익는다. • 깎아 놓은 사과의 색이 변한다. • 가을이 되면 단풍잎이 붉은색으로 변한다. • 달걀 껍데기와 식초가 반응하면 이산화 탄소가 발생한다. • 발포정을 물에 넣으면 기포가 발생한다.

➡ 물리 변화가 일어날 때는 물질의 성질이 변하지 않지만, 화학 변화가 일어날 때는 물질의 성질이 변한다.

b 물리 변화와 화학 변화에서의 입자 배열

1. 물리 변화와 화학 변화에서 입자 배열의 변화

구분	물리 변화	화학 변화
입자 배열의 변화	물 → (가열) → 수증기	물 → (전류) → 수소＋산소
변하는 것	분자의 배열	• 원자의 배열 • 분자의 종류와 개수 • 물질의 성질
변하지 않는 것	• 원자의 종류와 개수 • 분자의 종류와 개수 • 물질의 성질 • 물질의 전체 질량	• 원자의 종류와 개수 • 물질의 전체 질량

2. 화학 변화가 일어날 때 물질의 성질이 변하는 까닭
화학 변화가 일어날 때 원자의 배열이 달라져 새로운 분자가 생성되므로 물질의 성질이 변한다.

예 **물이 수소와 산소로 분해될 때 원자 배열의 변화**

물을 구성하는 수소 원자와 산소 원자의 배열이 변함

⬇

새로운 물질인 수소 기체와 산소 기체가 생성됨

⬇

물질의 성질이 변함

수소 기체 / 산소 기체 / 물

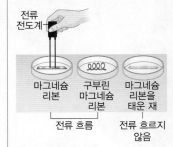
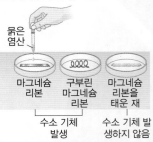

1 물질의 변화에 대한 설명으로 옳은 것은 ○표, 옳지 않은 것은 ×표를 하시오.

(1) 물리 변화는 물질의 성질은 변하지 않으면서 상태나 모양 등이 변하는 현상이다. ······························ ( )

(2) 화학 변화가 일어날 때 물질의 고유한 성질은 변하지 않는다. ····· ( )

(3) 화학 변화가 일어날 때 앙금이 생성되기도 한다. ············· ( )

(4) 화학 변화가 일어날 때 빛과 열이 발생하기도 한다. ·········· ( )

(5) 물리 변화가 일어날 때 분자의 종류가 달라진다. ············· ( )

(6) 화학 변화가 일어날 때 원자의 개수가 달라진다. ············· ( )

2 물질의 변화 중 물리 변화에 해당하는 것은 '물', 화학 변화에 해당하는 것은 '화'라고 쓰시오.

(1) 종이가 탄다. ·· ( )

(2) 철문이 녹슨다. ·· ( )

(3) 김치가 시어진다. ·· ( )

(4) 주전자의 물이 끓는다. ·· ( )

(5) 물에 떨어뜨린 잉크가 퍼져 나간다. ······························ ( )

(6) 가을이 되면 단풍잎이 붉은색으로 변한다. ······················ ( )

(7) 석회암에 묽은 염산을 떨어뜨리면 거품이 생긴다. ·············· ( )

(8) 아이스크림을 포장할 때 사용하는 드라이아이스는 시간이 지나면 사라진다. ·· ( )

3 그림은 물질의 변화를 모형으로 나타낸 것이다.

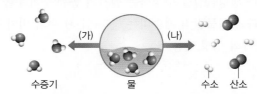

(1) (가)와 (나)를 물리 변화와 화학 변화로 각각 구분하시오.

(2) (가)와 (나) 중 물질의 성질이 변하는 변화를 고르시오.

4 화학 변화가 일어날 때 변하는 것을 보기에서 모두 고르시오.

┌─ 보기 ──────────────────────────────────────┐
│ ㄱ. 원자의 배열   ㄴ. 원자의 종류   ㄷ. 원자의 개수 │
│ ㄹ. 원자의 크기   ㅁ. 분자의 종류   ㅂ. 물질의 성질 │
└──┘

01 물질의 변화

기분이 되는 중요한 자세!

C 화학 반응식

1. **화학 반응** 화학 변화가 일어나 어떤 물질이 다른 물질로 변하는 과정
   ① 반응물질: 화학 반응에 참여한 물질
   ② 생성물질: 화학 반응 후 생성된 물질
   ③ 화학 반응이 일어날 때 원자의 종류와 개수는 변하지 않고, 원자의 배열은 변한다.

2. **화학 반응식** 화학 반응을 화학식❹과 기호를 이용하여 나타낸 것

3. **화학 반응식을 나타내는 방법**❺ 집중 공략 14쪽

	방법	예 물의 생성 반응
1단계	• 반응물질(반응물)과 생성물질(생성물)의 이름과 기호(──, +)로 화학 반응을 표현한다. • 반응물질은 화살표의 왼쪽에, 생성물질은 화살표의 오른쪽에 적는다. • 반응물질이나 생성물질이 여러 가지인 경우에는 '+'로 연결한다.	• 반응물질: 수소, 산소 • 생성물질: 물 수소 + 산소 ── 물
2단계	반응물질과 생성물질을 화학식으로 나타낸다.	• 수소: H_2, 산소: O_2 • 물: H_2O $H_2 + O_2 \longrightarrow H_2O$
3단계	• 화살표 양쪽에 있는 원자의 종류와 개수가 같아지도록 화학식 앞의 계수를 맞춘다. • 계수는 가장 간단한 정수비로 나타내며, 1은 생략한다.❻	• 반응 전후 산소 원자의 개수를 맞춘다. $H_2 + O_2 \longrightarrow \underset{2\times1개}{2H_2O}$ 　　　　2개 ↓ • 반응 전후 수소 원자의 개수를 맞춘다. $\underset{2\times2개}{2H_2} + O_2 \longrightarrow \underset{2\times2개}{2H_2O}$

4. **화학 반응식으로 알 수 있는 것**
   ① 반응물질과 생성물질의 종류를 알 수 있다.
   ② 반응물질과 생성물질을 구성하는 분자의 종류와 개수를 알 수 있다.
   ③ 반응물질과 생성물질을 구성하는 원자의 종류와 개수를 알 수 있다.
   ④ 반응물질과 생성물질의 계수비는 분자(입자) 수의 비와 같음을 알 수 있다.
   예 암모니아의 생성 반응

화학 반응식	N_2	+	$3H_2$	──	$2NH_3$
입자 모형					
물질의 종류	반응물질			생성물질	
	질소	수소		암모니아	
분자의 개수	질소 분자 1개	수소 분자 3개		암모니아 분자 2개	
원자의 개수	질소 원자 2개	수소 원자 6개		질소 원자 2개, 수소 원자 6개	
계수비	1	: 3		: 2	
분자 수의 비	1	: 3		: 2	

---

❹ **여러 가지 물질의 화학식**
물질을 원소 기호와 숫자를 이용하여 나타낸 것

물질	화학식	물질	화학식
수소	H_2	염화 수소	HCl
산소	O_2	과산화 수소	H_2O_2
이산화 탄소	CO_2	마그네슘	Mg
물	H_2O	염화 마그네슘	$MgCl_2$
메테인	CH_4	염화 나트륨	NaCl
암모니아	NH_3	산화 구리(Ⅱ)	CuO

(▨: 분자로 존재하지 않는 물질)

❺ **여러 가지 화학 반응식**
• 물의 분해
　$2H_2O \longrightarrow 2H_2 + O_2$
• 메테인의 연소
　$CH_4 + 2O_2 \longrightarrow CO_2 + 2H_2O$
• 마그네슘의 연소
　$2Mg + O_2 \longrightarrow 2MgO$
• 마그네슘과 염산의 반응
　$Mg + 2HCl \longrightarrow MgCl_2 + H_2$
• 과산화 수소의 분해
　$2H_2O_2 \longrightarrow 2H_2O + O_2$

❻ **화학 반응식에서 계수를 맞추는 까닭**
화학 반응 전후 원자는 새로 생겨나거나 없어지지 않으므로 반응물질과 생성물질의 원자의 개수가 같도록 맞춰 준다.

■ **용어 이해하기**
• **계수**(묶을 係, 셈 數) 화학 반응식에서 화학식 앞에 있는 숫자

개념 다지기

초성 퀴즈 🔍

ⓒ 화학 반응식

- 화학 반응에 참여한 물질은 $\boxed{ㅂ}$ $\boxed{ㅇ}$ 물질이고, 화학 반응 후 생성된 물질은 $\boxed{ㅅ}\boxed{ㅅ}$ 물질이다.
- 화학식과 기호를 이용하여 화학 반응을 나타낸 것을 $\boxed{ㅎ}\boxed{ㅎ}$ $\boxed{ㅂ}\boxed{ㅇ}\boxed{ㅅ}$ 이라고 한다.
- 화학 반응식에서 반응물질과 생성물질의 $\boxed{ㄱ}\boxed{ㅅ}\boxed{ㅂ}$ 는 분자 수의 비와 같다.

5 그림은 물이 생성되는 반응을 모형으로 나타낸 것이다. 빈칸에 알맞을 말을 쓰시오.

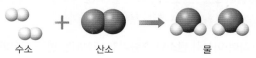

수소   산소   물

> 수소와 산소가 반응하면 물이 생성된다. 이처럼 화학 변화가 일어나 어떤 물질이 다른 물질로 변하는 과정을 (   )이라고 한다.

6 화학 반응식에 대한 설명으로 옳은 것은 ○표, 옳지 않은 것은 ×표를 하시오.

(1) 화학 반응을 화학식과 기호를 이용하여 나타낸 것을 화학 반응식이라고 한다. ……………………………………………………………… (   )

(2) 화학 반응식을 나타낼 때는 '+'와 '⟶' 기호를 사용한다. …… (   )

(3) 화학 반응식을 나타낼 때 화살표의 왼쪽에는 생성물질을, 오른쪽에는 반응물질을 적는다. …………………………………………………… (   )

(4) 화학 반응식에서 반응물질과 생성물질을 이루는 원자의 종류와 개수가 같아지도록 화학식 앞의 계수를 맞춘다. ……………………… (   )

7 다음은 메테인의 연소 반응을 화학 반응식으로 나타낸 것이다. 빈칸에 알맞은 숫자를 쓰시오. (단, 계수가 1인 경우에도 표시한다.)

> $CH_4 + (\ominus \qquad)O_2 \longrightarrow (\mathbb{L} \qquad)CO_2 + (\mathbb{C} \qquad)H_2O$

8 다음은 암모니아의 생성 반응을 화학 반응식으로 나타낸 것이다.

> $N_2 + 3H_2 \longrightarrow 2NH_3$

(1) 반응물질인 분자의 종류와 개수를 각각 쓰시오.

(2) 생성물질인 분자의 종류와 개수를 쓰시오.

(3) 암모니아가 생성될 때 질소 : 수소 : 암모니아의 계수비를 쓰시오.

(4) 암모니아가 생성될 때 질소 : 수소 : 암모니아의 분자 수의 비를 쓰시오.

9 화학 반응식을 통해서 알 수 있는 것을 보기에서 모두 고르시오.

> ┤ 보기 ├
> ㄱ. 반응물질과 생성물질의 종류
> ㄴ. 반응물질과 생성물질의 질량
> ㄷ. 반응물질과 생성물질의 분자(입자) 수의 비
> ㄹ. 반응물질과 생성물질을 구성하는 원자의 종류

답 ⓒ 반응, 생성, 화학반응식, 계수비

화학 반응식으로 나타내기

화학 반응을 알기 쉽게 표현한 것이 화학 반응식이야. 화학 반응식으로 나타내는 게 처음에는 어려울 수 있지만, 단계에 따라 차근차근 적어 보면 쉽게 작성할 수 있을 거야. 화학 반응식으로 나타내는 연습을 더 해 보자!

메테인이 연소하여 이산화 탄소와 수증기가 생성되는 반응을 화학 반응식으로 나타내 보자.

1단계 반응물질과 생성물질의 이름과 기호($\longrightarrow$, $+$)로 화학 반응을 표현한다.

메테인 + 산소 $\longrightarrow$ 이산화 탄소 + 수증기

이것이 Point!
화학 반응식을 작성할 때는 반응 전후 원자의 종류와 개수가 같아야 한다.

2단계 반응물질과 생성물질을 화학식으로 나타낸다.

$$CH_4 + O_2 \longrightarrow CO_2 + H_2O$$

3단계 화살표 양쪽에 있는 원자의 종류와 개수가 같아지도록 화학식 앞의 계수를 맞춘다. (단, 1은 생략한다.)

❶ 반응물질과 생성물질의 원자의 개수를 확인한다.

$$CH_4 + O_2 \longrightarrow CO_2 + H_2O$$

	반응물질		생성물질
C	1개	=	1개
H	4개	≠	2개
O	2개	≠	3개

❷ 수소 원자의 개수를 맞추기 위해 H_2O 앞에 2를 쓴다.

$$CH_4 + O_2 \longrightarrow CO_2 + 2H_2O$$

	반응물질		생성물질
C	1개	=	1개
H	4개	=	4개
O	2개	≠	4개

❸ 산소 원자의 개수를 맞추기 위해 O_2 앞에 2를 쓴다.

$$CH_4 + 2O_2 \longrightarrow CO_2 + 2H_2O$$

	반응물질		생성물질
C	1개	=	1개
H	4개	=	4개
O	4개	=	4개

유제 1 과산화 수소를 분해하면 물과 산소가 생성된다.

(1) **1단계** 와 같이 반응물질과 생성물질의 이름과 기호를 이용하여 화학 반응을 나타내시오.

(2) **2단계** 와 같이 반응물질과 생성물질을 화학식과 기호를 이용하여 나타내시오.

(3) **3단계** 와 같이 화살표 양쪽에 있는 원자의 종류와 개수가 같아지도록 화학식 앞의 계수를 써서 화학 반응식을 완성하시오.

(4) 완성된 화학 반응식에서 반응물질과 생성물질의 원자의 개수를 표에 각각 쓰시오.

구분	반응물질	생성물질
산소 원자의 개수(개)	㉠	㉡
수소 원자의 개수(개)	㉢	㉣

유제 2 다음 빈칸에 알맞은 숫자를 넣어 화학 반응식을 완성하시오. (단, 계수가 1인 경우에도 표시한다.)

(1) (　　)N_2 + (　　)O_2 $\longrightarrow$ (　　)NO_2

(2) (　　)Mg + (　　)O_2 $\longrightarrow$ (　　)MgO

(3) (　　)Cu + (　　)O_2 $\longrightarrow$ (　　)CuO

(4) (　　)Mg + (　　)HCl
$\longrightarrow$ (　　)H_2 + (　　)$MgCl_2$

(5) (　　)Na_2CO_3 + (　　)$CaCl_2$
$\longrightarrow$ (　　)$CaCO_3$ + (　　)$NaCl$

유제 3 다음은 에테인(C_2H_6)을 연소시킬 때 일어나는 반응을 화학 반응식으로 나타낸 것이다.

$$2C_2H_6 + aO_2 \longrightarrow bCO_2 + cH_2O$$

$a \sim c$를 각각 구하시오. (단, $a \sim c$는 임의의 계수이다.)

a 물리 변화와 화학 변화

01 물질의 변화에 대한 설명으로 옳지 <u>않은</u> 것은?

① 물질의 모양 변화는 물리 변화이다.
② 새로운 물질이 생성되는 변화는 화학 변화이다.
③ 물리 변화가 일어날 때 물질의 성질은 변하지 않는다.
④ 화학 변화가 일어날 때 물질의 성질은 변하지 않는다.
⑤ 종이를 자르는 것은 물리 변화이다.

02 표는 마그네슘, 구부린 마그네슘과 마그네슘을 태운 재에 각각 묽은 염산을 떨어뜨렸을 때의 실험 결과이다.

마그네슘	구부린 마그네슘	마그네슘을 태운 재
기포 생성	기포 생성	기포가 생기지 않음

이에 대한 설명으로 옳은 것은?

① 마그네슘의 모양이 변하면 성질도 변한다.
② 마그네슘을 태울 때 물리 변화가 일어난다.
③ 마그네슘을 태우면 새로운 물질이 생성된다.
④ 마그네슘을 구부릴 때 화학 변화가 일어난다.
⑤ 마그네슘을 태워도 마그네슘의 성질은 변하지 않는다.

중요해!

03 다음은 우리 주변에서 일어나는 여러 가지 물질의 변화를 나타낸 것이다.

> (가) 나무가 타서 재가 된다.
> (나) 향수 냄새가 퍼져 나간다.
> (다) 설탕을 물에 넣으면 녹는다.
> (라) 불판 위에 올려놓은 고기가 익는다.
> (마) 발포정을 물에 넣으면 기포가 발생한다.

물리 변화와 화학 변화를 옳게 구분한 것은?

	물리 변화	화학 변화
①	(가), (다)	(나), (라), (마)
②	(가), (라), (마)	(나), (다)
③	(나), (다)	(가), (라), (마)
④	(나), (다), (라)	(가), (마)
⑤	(다), (마)	(가), (나), (라)

04 화학 변화가 일어날 때 나타나는 현상이 <u>아닌</u> 것은?

① 색깔이 변한다.
② 앙금이 생성된다.
③ 빛과 열이 발생한다.
④ 물질의 전체 질량이 변한다.
⑤ 새로운 기체가 발생한다.

b 물리 변화와 화학 변화에서의 입자 배열

중요해!

05 그림은 물이 끓어 수증기가 될 때와 물을 전기 분해할 때의 변화를 모형으로 나타낸 것이다.

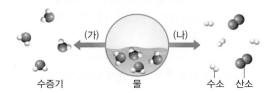

수증기   물   수소 산소

이에 대한 설명으로 옳은 것은?

① (가)는 화학 변화이다.
② (가)에서 물질의 성질은 변한다.
③ (가)에서 분자를 이루는 원자의 배열이 변한다.
④ (나)에서 새로운 분자가 생성된다.
⑤ (나)에서 분자의 종류는 변하지 않는다.

새로워!

06 그림은 우리 주변에서 일어나는 현상을 나타낸 것이다.

(가) 드라이아이스가 사라진다.   (나) 딸기가 익는다.

(가)와 (나)에 대한 설명으로 옳은 것은?

① (가)에서 원자의 배열이 변한다.
② (가)에서 물질의 성질이 변한다.
③ (나)에서 원자의 종류는 변하지 않는다.
④ (나)에서 분자의 종류는 변하지 않는다.
⑤ (가)와 (나)의 변화는 모두 화학 변화이다.

07 화학 변화가 일어날 때 변하지 <u>않는</u> 것은?

① 원자의 배열　　② 원자의 종류

③ 분자의 개수　　④ 분자의 종류

⑤ 물질의 성질

C 화학 반응식

서답형

08 다음은 화학 반응식을 나타내는 방법이다.

> (가) 반응물질과 생성물질을 화학식으로 쓴다.
> (나) 화살표 양쪽에 있는 원자의 종류와 개수가 같
> 아지도록 화학식 앞의 계수를 맞춘다.
> (다) 화살표의 왼쪽에 반응물질의 이름을, 오른쪽
> 에 생성물질의 이름을 쓰고, 반응물질이나 생
> 성물질이 여러 가지인 경우에는 '+'로 연결
> 한다.

(가)~(다)를 순서대로 옳게 나열하시오.

집중 공략 14쪽

09 다음은 메테인의 연소 반응을 화학 반응식으로 나타낸
것이다.

$$CH_4 + (\ ㉠ \ )O_2 \longrightarrow (\ ㉡ \ )CO_2 + (\ ㉢ \ )H_2O$$

㉠~㉢에 들어갈 계수를 옳게 짝 지은 것은? (단, 계수
가 1인 경우에도 표시한다.)

	㉠	㉡	㉢		㉠	㉡	㉢
①	2	1	2	②	2	2	1
③	3	1	1	④	3	2	2
⑤	3	2	1				

중요해!

10 화학 반응식을 옳게 나타낸 것은?

집중 공략 14쪽

① $NO \longrightarrow N_2 + O_2$

② $2C + O_2 \longrightarrow 2CO_2$

③ $H_2 + O_2 \longrightarrow 2H_2O$

④ $2Na + Cl_2 \longrightarrow 2NaCl$

⑤ $Mg + HCl \longrightarrow MgCl_2 + H_2$

11 그림은 질소와 수소가 반응하여 암모니아가 생성되는
반응을 모형으로 나타낸 것이다.

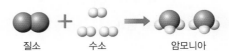

질소　　　수소　　　　암모니아

이 반응을 화학 반응식으로 옳게 나타낸 것은?

① $N + H \longrightarrow NH_3$

② $N_2 + H_2 \longrightarrow NH_3$

③ $2N + 6H \longrightarrow NH_3$

④ $N_2 + H_2 \longrightarrow 2NH_3$

⑤ $N_2 + 3H_2 \longrightarrow 2NH_3$

중요해!

12 화학 반응식을 통해 알 수 있는 것이 <u>아닌</u> 것은?

① 반응물질의 종류

② 반응물질의 분자 수의 비

③ 반응물질을 이루는 원자의 개수

④ 생성물질을 이루는 원자의 종류

⑤ 생성물질을 이루는 원자의 크기

[13~14] 다음은 물이 생성되는 반응을 화학 반응식으로 나
타낸 것이다.

$$2H_2 + O_2 \longrightarrow 2H_2O$$

새로워!

13 이에 대한 설명으로 옳은 것을 모두 고르면? (정답 2
개)

① 반응이 일어나면 원자의 종류가 변한다.

② 반응이 일어나면 분자의 개수가 변한다.

③ 반응이 일어나면 물질의 전체 질량이 변한다.

④ 수소 분자 2개와 반응하는 산소 분자는 2개이다.

⑤ 반응이 일어날 때 원자의 전체 개수는 변하지
않는다.

서답형

14 수소 분자 100개를 충분한 양의 산소와 반응시킬 때
생성되는 물 분자는 몇 개인지 구하시오.

01 그림과 같이 페트리 접시에 길게 자른 마그네슘 리본(A), 구부린 마그네슘 리본(B), 마그네슘 리본을 태운 재(C)를 놓은 다음, A~C에 각각 전류 전도계를 대어 보았다.

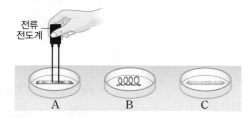

전류
전도계

A   B   C

(1) 실험 결과 A~C 중 전류가 흐르는 것을 모두 고르시오.

↘ (   )는 전류가 흐르기 때문에 전류 전도계가 작동

한다.

(2) A에서 B로의 변화와 A에서 C로의 변화가 각각 물리 변화인지 화학 변화인지를 구분하고, 그 까닭을 설명하시오.

_____

_____

02 그림은 물의 변화를 모형으로 나타낸 것이다.

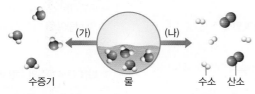

(가)   (나)

수증기   물   수소 산소

(1) (가)와 (나)를 각각 물리 변화와 화학 변화로 구분하시오.

↘ (가)는 (   ) 변화이고, (나)는 (   ) 변화이다.

(2) (1)과 같이 구분한 까닭을 다음 단어를 모두 포함하여 설명하시오.

| 분자   원자   배열 |

_____

03 다음은 산화 철(Fe_2O_3)이 주성분인 철광석으로부터 순수한 철(Fe)을 얻는 과정이다.

$$Fe_2O_3 + 3CO \longrightarrow 2Fe + 3CO_2$$

(1) 철광석으로부터 순수한 철을 얻는 과정은 물리 변화인지 화학 변화인지 설명하시오.

↘ 철광석으로부터 순수한 철을 얻는 과정은 (   ) 변화이다.

(2) 이 변화가 일어날 때 변하지 않는 것은 무엇인지 한 가지만 설명하시오.

_____

_____

04 다음은 암모니아 합성에 대한 글이다.

독일의 과학자 하버는 질소 비료의 원료가 되는 암모니아를 합성한 공로로 노벨 화학상을 받았다. 그는 수소와 공기 중의 질소를 높은 온도와 압력에서 반응시켜 암모니아를 얻는 방법을 개발하였다.

(1) 암모니아 생성 반응에서 반응물질을 쓰시오.

↘ 암모니아의 생성 반응에서 반응물질은 (   )와

(   )이다.

(2) 암모니아의 생성 반응을 화학 반응식으로 나타내시오.

↘ (   ) + (   )$H_2 \longrightarrow$ 2(   )

(3) 암모니아 분자 100개가 생성될 때 최소한 필요한 질소 분자의 개수를 구하고, 그 까닭을 설명하시오. (단, 충분한 양의 수소가 공급된다고 가정한다.)

_____

_____

02 화학 법칙과 에너지 변화(1)

기분이 되는 중요한 자세

핵심 키워드
질량 보존 법칙, 화합물, 질량비,
일정 성분비 법칙

ⓐ 화학 반응에서의 질량 변화 ◀탐구 22쪽

1. 앙금 생성 반응에서 질량 변화

예 염화 나트륨 수용액과 질산 은 수용액의 반응 ❶

반응	흰색의 염화 은 앙금이 생성된다. ➡ $NaCl + AgNO_3 \longrightarrow AgCl + NaNO_3$
질량 관계	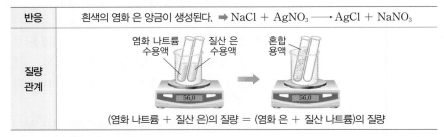 (염화 나트륨 + 질산 은)의 질량 = (염화 은 + 질산 나트륨)의 질량

2. 기체 발생 반응에서 질량 변화

예 묽은 염산과 탄산 칼슘의 반응 ❷

반응	염화 칼슘과 물이 생성되고 이산화 탄소 기체가 발생한다. ➡ $CaCO_3 + 2HCl \longrightarrow CaCl_2 + H_2O + CO_2$	
	열린 공간	**닫힌 공간**
질량 관계	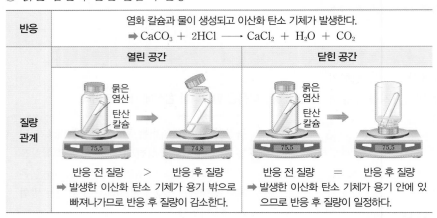 반응 전 질량 > 반응 후 질량 ➡ 발생한 이산화 탄소 기체가 용기 밖으로 빠져나가므로 반응 후 질량이 감소한다.	반응 전 질량 = 반응 후 질량 ➡ 발생한 이산화 탄소 기체가 용기 안에 있으므로 반응 후 질량이 일정하다.

3. 연소 반응에서 질량 변화

구분	나무의 연소	강철 솜의 연소 ❸
반응	나무+산소 ⟶ 재+이산화 탄소+수증기	철 + 산소 ⟶ 산화 철
열린 공간	발생한 이산화 탄소와 수증기가 공기 중으로 빠져나가므로 질량이 감소한다.	반응 후 철에 결합된 산소의 양만큼 질량이 증가한다.
닫힌 공간	반응 전후 물질의 전체 질량은 일정하다.	반응 전후 물질의 전체 질량은 일정하다.

4. 질량 보존 법칙(라부아지에)
화학 반응이 일어날 때 반응물질의 전체 질량과 생성물질의 전체 질량은 변하지 않는다. ❹

> 반응물질의 전체 질량 = 생성물질의 전체 질량

① **질량 보존 법칙이 성립하는 까닭**: 화학 반응이 일어날 때 물질을 이루는 원자의 종류와 개수가 변하지 않기 때문이다.
② 질량 보존 법칙은 물리 변화, 화학 변화에서 모두 성립한다.

---

❶ 염화 나트륨과 질산 은의 반응 모형

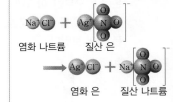

❷ 묽은 염산과 탄산 칼슘의 반응 모형

❸ 강철 솜의 연소 실험

열린 공간에서는 같은 질량의 강철 솜 중 한쪽 강철 솜만 연소시키면 막대저울이 가열하는 쪽으로 기울어진다.
➡ 반응하는 산소의 질량만큼 산화 철의 질량이 증가한 것이다.

❹ 반응 전후 물질의 질량 변화

구분	열린 공간	닫힌 공간
앙금 생성 반응	일정	
기체 발생 반응	감소	일정
나무의 연소	감소	일정
금속의 연소	증가	일정

➡ 닫힌 공간에서는 반응 전후 물질의 질량이 일정하다는 것을 알 수 있다.

■ **용어 이해하기**
· **앙금** 아주 잘고 부드러운 가루가 물에 가라앉아 생긴 층

개념 다지기

+) 정답과 해설 3쪽

1 열린 공간에서 다음과 같은 반응이 일어날 때 질량 변화를 옳게 연결하시오.

(1) 강철 솜의 연소 반응 •   • ㉠ 질량 일정

(2) 나무의 연소 반응 •   • ㉡ 질량 증가

(3) 앙금 생성 반응 •   • ㉢ 질량 감소

2 다음 반응에서 반응물질과 생성물질의 질량 관계를 기호와 등호로 나타내시오.

> 탄산 나트륨 + 염화 칼슘 ⟶ 탄산 칼슘 + 염화 나트륨
>   (가)   (나)   (다)   (라)

3 그림과 같이 묽은 염산과 탄산 칼슘이 주성분인 분필 조각을 반응시키기 전후 질량을 측정하였다. (가)~(다)의 질량을 등호나 부등호로 비교하시오.

묽은 염산
분필 조각

75.5

(가) 반응 전   (나) 반응 후   (다) 뚜껑을 연 후

4 오른쪽 그림과 같이 마그네슘을 연소시키면 빛과 열을 내며 타면서 산화 마그네슘이 생성된다. 마그네슘 12 g을 모두 연소시킨 후 생성된 산화 마그네슘의 질량을 측정하였더니 20 g이었다. 이때 마그네슘과 결합한 산소의 질량은 몇 g인지 구하시오.

마그네슘

5 질량 보존 법칙에 대한 설명으로 옳은 것은 ○표, 옳지 않은 것은 ×표를 하시오.

(1) 앙금이 생성되는 반응에서 반응 후 물질의 전체 질량은 증가한다. ( )

(2) 기체가 발생하는 반응에서는 질량 보존 법칙이 성립하지 않는다. ( )

(3) 반응 전 물질의 전체 질량과 반응 후 물질의 전체 질량은 일정하다. ( )

(4) 화학 반응에서 질량 보존 법칙이 성립하는 까닭은 원자가 없어지거나 새로 생기지 않기 때문이다. ( )

(5) 물질의 상태 변화가 일어날 때는 질량 보존 법칙이 성립하지 않는다. ( )

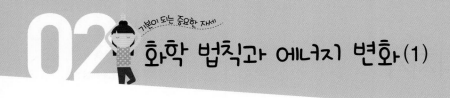
b 화합물을 이루는 성분 원소의 질량비 ·탐구 23쪽

1. 구리의 연소 반응 구리를 가열하면 구리와 공기 중의 산소가 일정한 질량비로 반응하여 산화 구리(Ⅱ)가 생성된다. ⑤

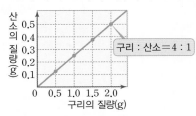

구리와 산소의 질량 관계

구리 : 산소 = 4 : 1

구리와 산화 구리(Ⅱ)의 질량 관계

구리 : 산화 구리(Ⅱ) = 4 : 5

구리 + 산소 ⟶ 산화 구리(Ⅱ)
질량비 ➡ 4 : 1 : 5

2. 아이오딘화 납 생성 반응 아이오딘화 칼륨 수용액과 질산 납 수용액이 반응하면 노란색의 아이오딘화 납 앙금이 생성된다.

반응	아이오딘화 칼륨 + 질산 납 ⟶ 아이오딘화 납↓(노란색 앙금) + 질산 칼륨
실험 과정 및 결과	10 % 아이오딘화 칼륨 수용액 6.0 mL에 10 % 질산 납 수용액의 부피를 다르게 하여 반응시킬 때 ⑥ · A∼C에서는 생성되는 앙금의 높이가 증가한다. · D 이후에는 더 이상 증가하지 않는다. · E, F에는 남은 질산 납과 반응할 아이오딘화 칼륨이 없다. 이때 같은 농도의 두 수용액은 1 : 1의 부피비로 반응한다.
질량 관계	일정량의 아이오딘화 칼륨 수용액과 반응하는 질산 납 수용액의 양은 일정하다. ➡ 아이오딘화 납이 생성될 때는 일정한 질량비가 성립한다.

3. 일정 성분비 법칙(프루스트) 화합물을 구성하는 성분 원소 사이에는 일정한 질량비가 성립한다. ⑦

① 일정 성분비 법칙이 성립하는 까닭: 화합물이 생성될 때 원자는 일정한 개수비로 결합하기 때문이다.

(원자의 상대적 질량은 수소 1, 탄소 12, 질소 14, 산소 16, 구리 64이다.)

구분	물	일산화 탄소	암모니아	산화 구리(Ⅱ)
모형	O H H	C O	N H H H	Cu O
원자의 개수비	수소 : 산소 = 2 : 1	탄소 : 산소 = 1 : 1	수소 : 질소 = 3 : 1	구리 : 산소 = 1 : 1
질량비	수소 : 산소 = (2×1) : (1×16) = 1 : 8	탄소 : 산소 = (1×12) : (1×16) = 3 : 4	수소 : 질소 = (3×1) : (1×14) = 3 : 14	구리 : 산소 = (1×64) : (1×16) = 4 : 1

② 성분 원소의 종류는 같지만 원소의 질량비가 다르면 서로 다른 물질이다. ⑧

---

⑤ **일정량의 구리의 연소 반응**
일정량의 구리를 가열하면 질량이 증가하다가 일정해진다. ➡ 더 이상 산소와 반응할 구리가 없기 때문이다.

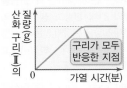

구리가 모두 반응한 지점

⑥ **볼트와 너트를 이용한 아이오딘화 칼륨과 질산 납의 반응 모형**

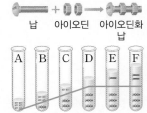

납 아이오딘 아이오딘화 납

볼트(납)를 계속 첨가해도 너트(아이오딘)의 양이 일정하면 볼트와 너트의 결합 모형(아이오딘화 납)을 만드는 데 한계가 있다.

⑦ **혼합물과 일정 성분비 법칙**
화합물과 달리 혼합물은 성분 물질의 양에 따라 혼합 비율이 달라지기 때문에 일정 성분비 법칙이 성립하지 않는다.

⑧ **물과 과산화 수소를 이루는 원자의 개수비와 질량비(수소 : 산소)**

구분	물	과산화 수소
모형		
원자의 개수비	수소 : 산소 = 2 : 1	수소 : 산소 = 1 : 1
질량비	수소 : 산소 = 1 : 8	수소 : 산소 = 1 : 16

(원자의 상대적 질량은 수소 1, 산소 16이다.)

■ 용어 이해하기
· **혼합물**(섞을 混, 합할 合, 물건 物) 여러 가지가 뒤섞여서 이루어진 것

6 오른쪽 그림은 구리를 연소시킬 때 반응하는 구리와 산소의 질량 관계를 나타낸 것이다.

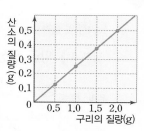

(1) 반응하는 구리와 산소의 질량비(구리 : 산소)를 쓰시오.

(2) 구리 16 g을 완전 연소시킬 때 필요한 산소의 질량은 몇 g인지 구하시오.

7 표는 수소 기체와 산소 기체가 반응하여 물이 생성될 때 반응 전후 질량을 측정한 결과이다. ㉠에 반응 후 남은 기체의 종류와 남은 기체가 몇 g인지 쓰시오.

실험	혼합 기체		반응 후 남은 기체(g)
	수소(g)	산소(g)	
1	0.2	1.6	없음
2	0.4	2.4	수소, 0.1
3	0.4	4.0	㉠

8 그림과 같이 1개의 질량이 5 g인 볼트(B)와 1개의 질량이 2 g인 너트(N)를 이용하여 화합물 모형 BN_2를 만들려고 한다.

B ＋ 2N → BN_2

볼트 10개와 너트 30개를 이용하여 최대로 만들 수 있는 화합물 BN_2의 개수와 만들어진 화합물의 전체 질량은 몇 g인지 쓰시오.

9 일정 성분비 법칙에 대한 설명으로 옳은 것은 ○표, 옳지 않은 것은 ×표를 하시오.

(1) 화합물을 구성하는 원자들은 항상 일정한 개수비로 결합한다. ──── ( )

(2) 화합물을 구성하는 성분 원소 사이에는 일정한 부피비가 성립한다. ( )

(3) 일정 성분비 법칙은 혼합물에서 성립한다. ──────────── ( )

(4) 구리를 공기 중에서 연소시킬 때 반응하는 구리와 산소의 질량비는 변하지 않는다. ──────────────────────── ( )

10 다음 보기에서 일정 성분비 법칙이 성립하는 물질을 모두 고르시오.

┌─ 보기
ㄱ. 물   ㄴ. 공기   ㄷ. 소금물
ㄹ. 흙탕물   ㅁ. 이산화 탄소   ㅂ. 산화 구리(Ⅱ)

화학 반응에서의 질량 변화 확인하기

목표 화학 반응이 일어날 때 반응 전후의 질량 변화를 설명할 수 있다.

과정 및 결과

탐구 A 앙금 생성 반응에서의 질량 변화

염화 나트륨 수용액　질산 은 수용액

❶ 5 % 염화 나트륨 수용액과 5 % 질산 은 수용액을 각각 플라스틱병에 넣은 후, 전체 질량을 측정한다.

혼합 용액

❷ 한 병 안의 수용액을 다른 병에 부어 두 수용액을 섞은 후, 반응이 끝나면 전체 질량을 측정한다.

→ · 혼합 용액에는 흰색 앙금인 염화 은(AgCl)이 생긴다.
· 반응 전 전체 질량은 119.5 g이고, 반응 후 전체 질량도 119.5 g이다. 즉, 반응 전후 물질의 전체 질량은 변하지 않는다.

탐구 B 기체 발생 반응에서의 질량 변화

잠깐

분필 조각의 주요 성분은 탄산 칼슘이다.

분필 조각　묽은 염산

❶ 묽은 염산을 넣은 시험관과 분필 조각을 플라스틱병에 넣은 후, 뚜껑을 닫고 전체 질량을 측정한다.

❷ 시험관의 묽은 염산이 쏟아지도록 플라스틱병을 기울여 묽은 염산과 분필 조각을 반응시킨다.

→ 이산화 탄소 기체가 생성된다.

❸ 묽은 염산과 분필 조각이 반응한 후, 전체 질량을 측정한다.

→ 반응 전후 물질의 전체 질량은 변하지 않는다.

정리

1 앙금 생성 반응에서의 질량 변화　앙금이 생성되는 반응에서 반응 전후 질량은 (㉠　　　)하다.

2 기체 생성 반응에서의 질량 변화　밀폐된 용기에서 기체가 발생하는 반응에서 반응 전후 질량이 (㉡　　　)하다.

3 질량 보존 법칙이 성립하는 까닭　반응 전후 원자의 종류와 (㉢　　　)가 변하지 않기 때문이다.

확인 문제

→ 정답과 해설 **4쪽**

1 탐구 A 에서 반응 전의 전체 질량을 70.5 g으로 다르게 하여 실험하였다. 반응 후의 질량 변화로 옳은 것은?

① 생성된 앙금의 질량은 70.5 g이다.
② 반응 후 전체 질량은 70.5 g보다 작다.
③ 반응 후 전체 질량은 70.5 g으로 같다.
④ 반응 후 전체 질량은 70.5 g보다 크다.
⑤ 생성된 앙금의 질량은 70.5 g보다 크다.

서답형

2 탐구 B 에서 묽은 염산과 분필 조각의 반응이 모두 끝난 후, 플라스틱병의 뚜껑을 열고 질량을 측정하면 질량은 어떻게 변하는지 설명하시오.

_____

_____

탐구

언제나 관찰하는 자세

산화 구리(Ⅱ)를 이루는 원소의 질량비 구하기

목표 구리와 산소의 질량 관계를 그래프로 나타내고, 산화 구리(Ⅱ)를 구성하는 구리와 산소 사이의 질량 관계를 설명할 수 있다.

과정 및 결과

❶ 구리 가루의 질량을 다르게 하면서 모두 산화 구리(Ⅱ)가 되도록 가열한다.

❷ 생성된 산화 구리(Ⅱ)의 질량을 측정하여 기록한다.

➜ 구리 가루와 산화 구리(Ⅱ)의 질량은 다음과 같다.

구리의 질량(g)	산화 구리(Ⅱ)의 질량(g)
0.4	0.5
0.8	1.0
1.2	1.5
1.6	2.0
2.0	2.5

구리와 산화 구리(Ⅱ)의 질량비는 4 : 5로 일정하다.

정리

1 산화 구리(Ⅱ)를 이루는 구리와 산소의 질량비 산화 구리(Ⅱ)를 이루는 구리와 산소의 질량비는 구리 : 산소 = (㉠   )로 일정하다.

구리의 질량(g)	산소의 질량(g)	(구리 : 산소)의 질량비
0.4	0.1	0.4 : 0.1 = 4 : 1
0.8	0.2	0.8 : 0.2 = 4 : 1
1.2	0.3	1.2 : 0.3 = 4 : 1
1.6	0.4	1.6 : 0.4 = 4 : 1
2.0	0.5	2.0 : 0.5 = 4 : 1

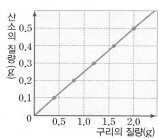

2 일정 성분비 법칙 산화 구리(Ⅱ)를 이루는 성분 원소의 (㉡   )는 일정하므로 일정 성분비 법칙이 성립한다.

3 일정 성분비 법칙이 성립하는 까닭 화합물이 생성될 때 원자는 항상 일정한 (㉢   )로 결합하기 때문에 화합물에서는 구성 원소 사이의 질량비가 항상 일정하다.

확인
문제

+ 정답과 해설 4쪽

서답형

1 이 탐구에 대한 설명으로 옳은 것을 보기에서 모두 고르시오.

┤ 보기 ├

ㄱ. 구리를 가열하면 산화 구리(Ⅱ)가 생성된다.

ㄴ. 구리와 결합하는 산소의 질량은 항상 일정하다.

ㄷ. 산화 구리(Ⅱ)를 이루는 구리와 산소의 질량비는 항상 일정하다.

2 오른쪽 그림은 마그네슘을 연소하여 산화 마그네슘이 생성될 때의 질량 관계를 나타낸 것이다. 마그네슘과 산소의 질량비(마그네슘 : 산소)로 옳은 것은?

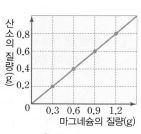

① 1 : 2   ② 1 : 3   ③ 2 : 3

④ 3 : 1   ⑤ 3 : 2

탐구 22쪽

a 화학 반응에서의 질량 변화

서답형

01 다음 빈칸에 알맞은 말을 쓰시오.

> 프랑스의 과학자 라부아지에는 다양한 화학 반응에서 질량을 측정하는 실험을 통해 '반응 전 물질의 전체 질량과 반응 후 물질의 전체 질량은 항상 같다.'는 것을 발견하였는데, 이를 (   ) 법칙이라고 한다.

중요해!

02 질량 보존 법칙이 성립하는 변화로 옳은 것을 보기에서 모두 고른 것은?

> **보기**
> ㄱ. 물이 얼어 얼음이 된다.
> ㄴ. 달걀 껍데기에 식초를 떨어뜨린다.
> ㄷ. 도가니에 구리 가루를 넣고 가열한다.
> ㄹ. 탄산 나트륨 수용액과 염화 칼슘 수용액을 섞는다.

① ㄱ, ㄷ ② ㄷ, ㄹ ③ ㄱ, ㄷ, ㄹ
④ ㄴ, ㄷ, ㄹ ⑤ ㄱ, ㄴ, ㄷ, ㄹ

03 열린 공간에서 화학 반응이 일어날 때 반응 전후 물질의 질량이 같은 경우는?

① 나무를 연소시킨다.
② 강철 솜을 연소시킨다.
③ 묽은 염산에 분필 조각을 넣는다.
④ 과산화 수소가 물과 산소로 분해된다.
⑤ 염화 나트륨 수용액과 질산 은 수용액을 섞는다.

04 그림과 같이 염화 나트륨 수용액과 질산 은 수용액을 각각 담은 시험관을 비커에 넣고 전체 질량을 측정한 다음, 두 수용액을 섞어 반응시킨 후 다시 전체 질량을 측정하였다.

이에 대한 설명으로 옳은 것을 모두 고르면? (정답 2개)

① 반응 후 기체가 공기 중으로 빠져나간다.
② 반응 전후 물질의 전체 질량은 변하지 않는다.
③ 흰색 앙금이 생성되므로 반응 후 질량이 증가한다.
④ 반응 전후 물질을 구성하는 원자가 없어지거나 새로 생성되지 않는다.
⑤ 반응 후 분자의 배열이 변하기 때문에 질량 보존 법칙이 성립하지 않는다.

중요해!

탐구 22쪽

05 그림은 탄산 칼슘이 주성분인 분필 조각과 묽은 염산을 반응시키면서 질량 변화를 측정하는 실험을 나타낸 것이다.

(가) 반응 전   (나) 반응 후   (다) 뚜껑을 연 후

이에 대한 설명으로 옳은 것은?

① 앙금이 생성되는 반응이 일어난다.
② (가)의 질량은 (나)의 질량보다 작다.
③ (가)의 질량과 (다)의 질량과 같다.
④ (나)의 질량은 (다)의 질량보다 크다.
⑤ 반응 전후 물질의 전체 질량은 감소한다.

06 화학 반응이 일어날 때 반응 전후에 물질의 전체 질량이 보존되는 까닭으로 옳은 것은?

① 물질의 성질이 변하기 때문에
② 원자의 배열이 변하기 때문에
③ 새로운 분자가 생성되기 때문에
④ 원자의 종류와 개수가 변하지 않기 때문에
⑤ 서로 다른 원자들이 일정한 개수비로 결합하기 때문에

[07~08] 그림과 같이 막대저울의 양쪽에 같은 질량의 강철 솜을 매달아 수평을 맞춘 후, 강철 솜 B를 가열하였다.

막대저울
강철 솜 A
강철 솜 B
가열

서답형
07 이 실험에서 강철 솜 B를 가열하면 막대저울은 A와 B 중 어느 쪽으로 기우는지 쓰시오.

중요해!
08 이 실험에 대한 설명으로 옳지 않은 것은?

① 강철 솜 A는 자석에 붙지만, 가열한 강철 솜 B는 자석에 붙지 않는다.
② 강철 솜 B는 산화 철이 된다.
③ 강철 솜 B는 가열 후 질량이 감소한다.
④ 강철 솜 B는 공기 중의 산소와 결합한다.
⑤ 강철 솜 B를 가열할 때 화학 변화가 일어난다.

서답형
09 오른쪽 그림과 같이 장치하고 과산화 수소 34 g에 촉매로 이산화 망가니즈 2 g을 넣어 분해시켰더니 물 18 g이 생성되었다. 이때 생성된 산소의 질량은 몇 g인지 구하시오.

과산화 수소
물
이산화 망가니즈

---

b 화합물을 이루는 성분 원소의 질량비

[10~11] 오른쪽 그림은 구리를 연소하여 산화 구리(Ⅱ)가 생성될 때 반응한 구리와 산소의 질량 관계를 나타낸 것이다.

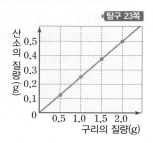
탐구 23쪽
산소의 질량(g)
구리의 질량(g)

중요해!
10 산화 구리(Ⅱ)가 생성될 때 반응한 구리와 산소의 질량비(구리 : 산소)로 옳은 것은?

① 4 : 1 ② 3 : 1 ③ 2 : 1
④ 1 : 4 ⑤ 1 : 5

중요해!
11 반응하는 구리의 질량이 증가해도 변하지 않는 것은?

① 구리와 반응하는 산소의 질량
② 생성되는 산화 구리(Ⅱ)의 질량
③ 반응하는 구리와 산소의 질량비
④ 반응하는 구리와 산소의 전체 질량
⑤ 구리가 완전히 반응하는 데 걸리는 시간

12 표는 마그네슘의 연소 반응에서 반응한 마그네슘과 생성된 산화 마그네슘의 질량 관계를 나타낸 것이다.

마그네슘의 질량(g)	0.3	0.9	1.5	2.1
산화 마그네슘의 질량(g)	0.5	1.5	2.5	3.5

이에 대한 설명으로 옳지 않은 것은?

① 반응한 마그네슘과 산소의 질량비는 3 : 5이다.
② 산화 마그네슘이 생성될 때 일정 성분비 법칙이 성립한다.
③ 반응 후 마그네슘과 결합한 산소의 양만큼 질량이 증가한다.
④ 마그네슘 3.3 g을 완전히 연소시킬 때 필요한 산소의 질량은 2.2 g이다.
⑤ 반응하는 마그네슘의 질량이 증가할수록 산소의 질량도 증가한다.

13 오른쪽 그림은 암모니아를 구성하는 질소와 수소의 질량 관계를 나타낸 것이다. 암모니아 3.4 g을 만들기 위해 필요한 질소의 질량은 몇 g인가?

질소 14.0 수소 3.0

① 0.7 g
② 1.4 g
③ 2.1 g
④ 2.8 g
⑤ 3.5 g

14 표는 수소와 산소를 반응시켜 물을 생성할 때 반응하는 두 기체의 질량 관계를 나타낸 것이다.

실험	반응 전 기체		반응 후 남은 기체(g)
	수소(g)	산소(g)	
1	0.2	2.0	산소, 0.4
2	0.4	2.4	(가)
3	0.6	(나)	수소, 0.2

이에 대한 설명으로 옳은 것을 보기에서 모두 고른 것은?

┌─ 보기 ─────────────────
ㄱ. 실험 2에서 (가)는 산소 0.1 g이다.
ㄴ. 실험 2에서 생성되는 물의 질량은 3.6 g이다.
ㄷ. 실험 3에서 (나)는 3.2 g이다.
ㄹ. 반응하는 수소와 산소의 질량비는 1 : 8이다.
└─────────────────────

① ㄱ, ㄴ
② ㄴ, ㄷ
③ ㄷ, ㄹ
④ ㄱ, ㄷ, ㄹ
⑤ ㄴ, ㄷ, ㄹ

15 일정 성분비 법칙이 성립하지 않는 것은?

① 구리를 연소하면 산화 구리(Ⅱ)가 생긴다.
② 수소와 산소에 전류를 가하면 물이 생긴다.
③ 암모니아를 물에 녹이면 암모니아수가 된다.
④ 산화 은을 가열하면 산소와 은으로 분해된다.
⑤ 황가루와 철가루 혼합물을 가열하면 황화 철이 생긴다.

16 그림 (가)와 같이 10 % 아이오딘화 칼륨 수용액이 6.0 mL씩 들어 있는 시험관 6개에 10 % 질산 납 수용액을 각각 0, 2.0, 4.0, 6.0, 8.0, 10.0 mL씩 넣었을 때 생성되는 앙금의 높이가 그림 (나)와 같았다.

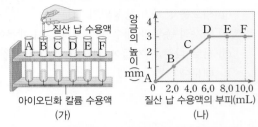

아이오딘화 칼륨 수용액
(가)

앙금의 높이(mm)
질산 납 수용액의 부피(mL)
(나)

이에 대한 설명으로 옳은 것을 모두 고르면? (정답 2개)

① A~C에는 납 이온이 존재한다.
② D에 질산 납 수용액을 더 넣으면 앙금의 높이가 증가한다.
③ E에 아이오딘화 칼륨 수용액을 더 넣어도 앙금의 높이는 변하지 않는다.
④ 같은 농도의 아이오딘화 칼륨 수용액과 질산 납 수용액은 1 : 1의 부피비로 반응한다.
⑤ 일정량의 아이오딘화 칼륨 수용액과 반응하는 질산 납 수용액의 양은 일정하다.

17 볼트(B) 20개와 너트(N) 45개를 사용하여 그림과 같은 화합물 모형 BN_2를 만들었다. 이때 볼트 1개의 질량은 5 g, 너트 1개의 질량은 1 g이다.

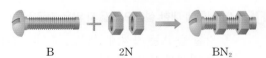

B   2N BN_2

이에 대한 설명으로 옳지 않은 것은?

① 최대한 만들 수 있는 화합물은 20개이다.
② 화합물을 만들고 너트(N) 5개가 남는다.
③ 화합물을 이루는 볼트와 너트의 개수비는 1 : 2이다.
④ 화합물을 이루는 볼트와 너트의 질량비는 5 : 1이다.
⑤ 이 화합물은 일정 성분비 법칙이 성립한다.

18 오른쪽 그림은 이산화 탄소 분자 모형을 나타낸 것이다. 이산화 탄소를 구성하는 탄소와 산소의 질량비(탄소 : 산소)로 옳은 것은? (단, 원자의 상대적 질량은 탄소 12, 산소 16이다.)

① 1 : 2
② 2 : 1
③ 3 : 4
④ 3 : 8
⑤ 4 : 3

✦) 정답과 해설 5쪽

01 그림과 같이 탄산 칼슘이 들어 있는 풍선을 묶은 염산이 들어 있는 플라스크의 입구에 끼워 질량을 측정하고, 탄산 칼슘과 묶은 염산을 반응시킨 후 다시 질량을 측정하였다.

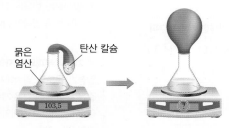

(1) 이 반응에서 생성물질은 무엇인지 설명하시오.

↳ 탄산 칼슘과 묶은 염산이 반응하면 (   ) 기체와

물, 염화 칼슘이 생성된다.

(2) 이 반응이 일어난 후 전체 질량은 어떻게 변하는지 설명하시오.

_____

_____

02 그림은 염화 나트륨 수용액과 질산 은 수용액의 반응을 모형으로 나타낸 것이다.

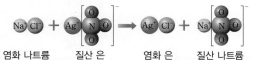

염화 나트륨   질산 은   염화 은   질산 나트륨

(1) 이 반응이 일어날 때 나타나는 현상과 반응 전후 질량 변화에 대해 설명하시오.

↳ 염화 나트륨 수용액과 질산 은 수용액을 반응시키면 흰색의

염화 은(   )이 생성된다. 이때 반응 전후 질량은(   ).

(2) 이 반응에서 질량 보존 법칙이 성립하는 까닭을 원자와 관련지어 설명하시오.

_____

03 오른쪽 그림은 마그네슘을 연소하여 산화 마그네슘이 생성될 때 반응한 마그네슘과 생성된 산화 마그네슘의 질량 관계를 나타낸 것이다.

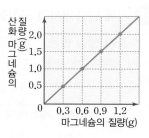

(1) 마그네슘이 연소하여 산화 마그네슘이 생성될 때 마그네슘과 산소의 질량비를 구하시오.

↳ 마그네슘 1.2 g이 연소하여 산화 마그네슘 2.0 g이 생성되

었으므로, 이때 반응한 산소의 질량은 (   ) g이다. 따라서

마그네슘 : 산소의 질량비는 (   ) : (   )이다.

(2) 산화 마그네슘 10 g을 얻기 위해 최소한 필요한 마그네슘과 산소의 질량을 각각 구하고, 그 까닭을 설명하시오.

_____

_____

04 그림은 산소와 수소가 반응하여 물이 생성되는 반응을 모형으로 나타낸 것이다.

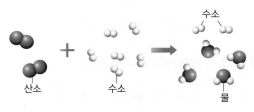

산소   수소   물

(1) 물을 이루는 산소 원자와 수소 원자의 개수비를 설명하시오.

↳ 산소 원자 : 수소 원자의 개수비는 (   ) : (   )이다.

(2) 반응이 모두 끝난 후, 일부 수소가 반응하지 않고 남은 까닭을 일정 성분비 법칙과 관련지어 설명하시오.

_____

_____

03 화학 법칙과 에너지 변화 (2)

기본이 되는 중요한 자세

핵심 키워드

기체 반응 법칙, 부피비, 에너지 출입, 발열 반응, 흡열 반응

ⓐ 기체 반응에서의 규칙성

1. 수증기 생성 반응 일정한 온도와 압력에서 수소 기체와 산소 기체가 반응하여 수증기가 생성되었다. ➡ 이때 반응한 수소 기체와 산소 기체, 생성된 수증기의 부피비는 2 : 1 : 2로 일정하다.

실험	혼합한 기체의 부피		생성된 수증기의 부피(L)	남은 기체와 부피(L)	반응한 기체의 부피	
	수소(L)	산소(L)			수소(L)	산소(L)
1	4	2	4	없음	4	2
2	4	3	4	산소, 1	4	2
3	8	3	6	수소, 2	6	3

2. 기체 반응 법칙(게이뤼삭) 일정한 온도와 압력에서 기체가 반응하여 새로운 기체를 생성할 때 각 기체의 부피 사이에는 간단한 정수비가 성립한다. ➡ 반응물질과 생성물질이 모두 기체인 경우에만 성립한다.❶

3. 화학 반응식에서 계수비와 부피비의 관계 반응물질과 생성물질이 모두 기체인 경우, 화학 반응식의 계수비는 각 기체의 분자 수의 비와 부피비와 같다.❷

계수비 = 분자 수의 비 = 부피비(기체 반응)

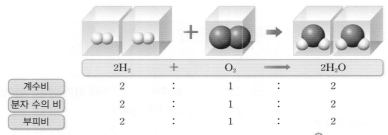

	2H₂		O₂		2H₂O
계수비	2	:	1	:	2
분자 수의 비	2	:	1	:	2
부피비	2	:	1	:	2

수증기 생성 반응의 화학 반응식과 기체 사이의 부피비 관계❸

ⓑ 화학 반응에서의 에너지 출입

구분	에너지를 방출하는 반응(발열 반응)	에너지를 흡수하는 반응(흡열 반응)
특징	• 화학 반응이 일어날 때 주변으로 에너지를 방출하는 반응이다. • 반응이 일어날 때 주변의 온도가 높아진다.	• 화학 반응이 일어날 때 주변으로부터 에너지를 흡수하는 반응이다. • 반응이 일어날 때 주변의 온도가 낮아진다.
예	• 물질의 연소 • 산화 칼슘 또는 황산 칼슘과 물의 반응 • 금속이 녹스는 반응 • 금속과 산의 반응❹ • 산과 염기의 반응❹ • 호흡	• 질산 암모늄과 물의 반응 • 수산화 바륨과 염화 암모늄의 반응 • 식물의 광합성 • 탄산수소 나트륨의 열분해 • 물의 전기 분해
이용	손난로❺, 발열 용기 등	손냉장고, 냉찜질 주머니 등

---

❶ 기체 반응 법칙이 성립하는 반응

기체 반응 법칙은 반응물질과 생성물질이 모두 기체인 경우에만 성립한다.
⟮예⟯ 탄소가 연소하여 이산화 탄소 기체가 발생하는 반응은 탄소가 고체이므로 기체 반응 법칙이 성립하지 않는다.

❷ 기체의 부피와 분자의 수

일정한 온도와 압력에서 모든 기체는 같은 부피 속에 같은 개수의 분자가 들어 있다. 따라서 기체의 부피비와 분자 수의 비는 같다.

❸ 여러 가지 기체 반응에서의 부피비

• 암모니아 기체의 생성 반응

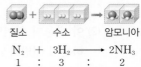

질소		수소		암모니아
N₂	+	3H₂	⟶	2NH₃
1	:	3	:	2

• 염화 수소 기체의 생성 반응

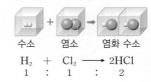

수소		염소		염화 수소
H₂	+	Cl₂	⟶	2HCl
1	:	1	:	2

❹ 산과 염기의 반응 예

산인 염산과 염기인 수산화 나트륨 수용액이 반응할 때 주변으로 에너지를 방출한다.

❺ 손난로

손난로 안에 들어 있는 철 가루가 공기 중의 산소와 반응하면 주변으로 에너지를 방출하기 때문에 손난로가 따뜻해지는 원리를 이용한다.

■ **용어 이해하기**

• **광합성**(빛 光, 합할 合, 이룰 成) 녹색식물이 빛에너지를 이용하여 이산화 탄소와 수분으로 유기물을 합성하는 과정

초성 퀴즈 🔍

ⓐ **기체 반응에서의 규칙성**

• 일정한 온도와 압력에서 기체가 반응하여 새로운 기체가 생성될 때 각 기체의 ㅂㅍ 사이에는 간단한 정수비가 성립한다.

• 기체 반응 법칙이 성립할 때 화학 반응식의 ㄱㅅㅂ는 각 기체의 ㅂㅍㅂ와 같다.

ⓑ **화학 반응에서의 에너지 출입**

• 화학 반응이 일어날 때 주변으로 에너지를 ㅂㅊ하면 주변의 온도가 높아진다.

• 화학 반응이 일어날 때 주변으로부터 에너지를 ㅎㅅ하면 주변의 온도가 낮아진다.

ⓐ 부피, 계수비, 부피비
ⓑ 방출, 흡수

---

1 다음 빈칸에 알맞은 말을 쓰시오.

> 일정한 온도와 압력에서 기체가 반응하여 새로운 기체를 생성할 때 각 기체의 부피 사이에는 간단한 (㉠   )가 성립한다. 이를 (㉡   ) 법칙이라고 하며, 이때 화학 반응식의 계수비는 각 기체의 분자 수의 비와 (㉢   )와 같다.

2 그림은 일정한 온도와 압력에서 수소 기체와 산소 기체가 반응하여 수증기가 생성될 때 각 기체의 부피 관계를 나타낸 것이다.

수소   산소   수증기

(1) 이 반응에서 각 기체의 부피비(수소 : 산소 : 수증기)를 쓰시오.

(2) 이 반응을 화학 반응식으로 나타낼 때 각 기체의 계수비(수소 : 산소 : 수증기)를 쓰시오.

(3) 수소 기체 200 mL가 모두 반응하기 위해 필요한 산소 기체의 부피는 몇 mL인지 구하시오.

(4) 수소 기체 150 mL와 산소 기체 70 mL가 반응하여 수증기가 생성되었다. 이때 생성된 수증기의 부피와 반응 후 남은 기체의 종류와 부피를 쓰시오.

3 화학 반응에서의 에너지 출입과 관련된 설명으로 옳은 것은 ○표, 옳지 <u>않은</u> 것은 ×표를 하시오.

(1) 발열 반응이 일어나면 주변의 온도가 높아진다. ┈┈┈┈┈┈┈┈ (   )

(2) 메테인이 연소할 때 주변으로 에너지를 방출한다. ┈┈┈┈┈┈┈ (   )

(3) 에너지를 흡수하는 반응이 일어나면 주변의 온도가 낮아진다. ┈┈┈ (   )

(4) 수산화 바륨과 염화 암모늄이 반응할 때 주변으로 에너지를 방출한다.
┈┈┈┈┈┈┈┈┈┈┈┈┈┈┈┈┈┈┈┈┈┈┈┈┈┈┈┈┈┈┈┈┈ (   )

(5) 철이 산소와 반응하여 산화 철이 생성될 때 주변으로부터 에너지를 흡수한다. ┈┈┈┈┈┈┈┈┈┈┈┈┈┈┈┈┈┈┈┈┈┈┈┈┈┈┈┈┈┈ (   )

4 화학 반응이 일어날 때 주변으로 에너지를 방출하는 반응을 보기에서 모두 고르시오.

> ┤ 보기 ├
> ㄱ. 식물의 광합성   ㄴ. 나무의 연소
> ㄷ. 마그네슘과 염산의 반응   ㄹ. 탄산수소 나트륨의 열분해 반응

탐구 언제나 관찰하는 자세

수증기 생성 반응에서 규칙성 찾기

목표 수증기 생성 반응에서 규칙성을 찾고 이를 설명할 수 있다.

과정

산소 기체
수소 기체

❶ 물 합성 장치의 기체 주입구를 열고 주사기를 이용하여 수소 기체 6 mL를 넣은 후, 같은 방법으로 산소 기체 6 mL를 넣는다.

점화기

❷ 기체 주입구를 닫고 점화기를 눌러 수소 기체와 산소 기체를 반응시킨 후 남은 기체의 부피를 측정한다.

유의점!
• 실험할 때 일정한 온도와 압력을 유지한다.
• 수소 기체는 가연성이 있으므로 열로부터 멀리한다.

❸ 과정 ❷의 실험 장치에 수소 기체 6 mL를 넣고, 점화기를 눌러 반응시킨 후 남은 기체의 부피를 측정한다.
❹ 수소 기체와 산소 기체의 양을 달리하여 실험을 반복하여 정리한다.

결과

수소 기체와 산소 기체가 반응하여 수증기가 생성될 때 부피 관계는 다음과 같다.

실험	수소의 부피(mL)	산소의 부피(mL)	반응 후 남은 기체의 부피(mL)	반응한 (수소 : 산소)의 부피비
1	6	6	산소, 3	6 : 3 = 2 : 1
2	6	3	모두 반응	6 : 3 = 2 : 1
3	8	8	산소, 4	8 : 4 = 2 : 1

정리

1 수증기가 생성될 때 반응하는 수소 기체와 산소 기체의 부피비 일정한 온도와 압력에서 수소 기체와 산소 기체가 반응하여 수증기가 생성될 때 부피비는 수소 : 산소 = (㉠   )로 일정하다.

2 기체 반응 법칙 일정한 온도와 압력에서 기체가 반응하여 새로운 기체를 생성할 때 각 기체의 부피 사이에는 간단한 (㉡   )가 성립한다.

3 기체 반응 법칙의 성립 조건 기체 반응 법칙은 일정한 온도와 압력에서 반응물질과 생성물질이 모두 (㉢   )인 경우에만 성립한다.

확인문제

+ 정답과 해설 6쪽

서답형

1 표는 일정한 온도와 압력에서 수소 기체와 산소 기체가 모두 반응했을 때의 부피와 생성된 수증기의 부피이다.

수소의 부피(mL)	산소의 부피(mL)	수증기의 부피(mL)
20	㉠	20

위 탐구 결과를 참고하여 ㉠에 알맞은 값을 구하시오.

2 일정한 온도와 압력에서 수소 기체 8 mL와 산소 기체 8 mL가 반응하여 수증기가 생성될 때, 반응 후 남은 기체가 생기지 않도록 하기 위해서 더 넣어 주어야 하는 기체의 종류와 부피로 옳은 것은?

① 수소, 2 mL
② 수소, 4 mL
③ 수소, 8 mL
④ 산소, 2 mL
⑤ 산소, 4 mL

+ 정답과 해설 6쪽

중요해!

01 그림은 일정한 온도와 압력에서 수소 기체와 염소 기체가 반응하여 염화 수소 기체가 생성될 때 각 기체의 부피 관계를 나타낸 것이다.

염화 수소 기체 30 L를 만들기 위해 필요한 수소 기체와 염소 기체의 부피를 옳게 짝 지은 것은?

	수소(L)	염소(L)		수소(L)	염소(L)
①	10	10	②	10	20
③	15	10	④	15	15
⑤	20	10			

[02~03] 표는 일정한 온도와 압력에서 임의의 기체 A와 기체 B가 반응하여 기체 C를 생성할 때 기체의 부피 관계를 나타낸 것이다.

실험	반응 전 기체의 부피		반응 후 남은 기체의 부피(mL)	생성된 기체 C의 부피(mL)
	A(mL)	B(mL)		
1	30	10	A, 10	20
2	20	20	B, 10	(가)
3	40	40	(나)	40

서답형

02 이 반응에서 각 기체의 부피비(A : B : C)를 쓰시오.

03 이에 대한 설명으로 옳은 것을 보기에서 모두 고른 것은?

―• 보기 •―
ㄱ. (가)에서 기체 C 30 mL가 생성된다.
ㄴ. (나)에서 기체 B 20 mL가 남는다.
ㄷ. 반응 후 남는 기체가 생기는 까닭은 기체 반응 법칙과 관련이 있다.

① ㄱ   ② ㄴ   ③ ㄱ, ㄴ
④ ㄴ, ㄷ   ⑤ ㄱ, ㄴ, ㄷ

04 일정한 온도와 압력에서 기체 반응 법칙이 성립하는 화학 반응이 아닌 것은?

① 수소 + 산소 ── 수증기
② 질소 + 수소 ── 암모니아
③ 염소 + 수소 ── 염화 수소
④ 탄소 + 산소 ── 이산화 탄소
⑤ 일산화 탄소 + 산소 ── 이산화 탄소

중요해!

탐구 30쪽

05 그림은 일정한 온도와 압력에서 수소 기체와 산소 기체가 반응하여 수증기가 생성되는 반응을 모형으로 나타낸 것이다.

이에 대한 설명으로 옳은 것을 모두 고르면? (정답 2개)

① 반응 전후 분자의 종류와 개수는 같다.
② 화학 반응식은 $2H_2 + O_2 \longrightarrow 2H_2O$이다.
③ 반응에서 각 기체의 질량비(수소 : 산소 : 수증기)는 2 : 1 : 2이다.
④ 수소 기체 3 L와 산소 기체 2 L가 반응하면 반응 후 남는 기체가 없다.
⑤ 수소 분자 2개와 산소 분자 1개가 반응하면 수증기 분자 2개가 생성된다.

새로워!

06 다음은 일정한 온도와 압력에서 메테인 기체가 연소하여 이산화 탄소 기체와 수증기가 발생하는 반응을 화학 반응식으로 나타낸 것이다.

$$CH_4 + 2O_2 \longrightarrow CO_2 + 2H_2O$$

메테인 기체 10 mL가 모두 연소할 때 생성되는 수증기의 부피는 몇 mL인가?

① 5 mL   ② 10 mL   ③ 15 mL
④ 20 mL   ⑤ 25 mL

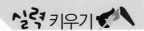

07 표는 일정한 온도와 압력에서 임의의 기체 A와 기체 B가 반응하여 기체 C를 생성할 때 기체의 부피 관계를 나타낸 것이다.

실험	반응하는 기체의 부피		생성된 기체 C의 부피(mL)
	A(mL)	B(mL)	
1	10	30	20
2	20	60	40

실험 1, 2에서 반응 후 남는 기체가 없을 때 이 반응의 화학 반응식으로 옳은 것은?

① A + 3B ⟶ 2C
② A + 3B ⟶ 3C
③ 2A + 3B ⟶ 2C
④ 2A + 3B ⟶ 3C
⑤ 3A + B ⟶ 2C

---

b 화학 반응에서의 에너지 출입

08 화학 반응에서의 에너지 출입에 대한 설명으로 옳지 않은 것은?

① 발열 반응은 주변으로 에너지를 방출하는 반응이다.
② 흡열 반응은 주변으로부터 에너지를 흡수하는 반응이다.
③ 에너지를 흡수하는 반응이 일어나면 주변의 온도는 높아진다.
④ 연료가 연소할 때 주변으로 에너지를 방출한다.
⑤ 식물이 광합성을 할 때는 주변으로부터 에너지를 흡수한다.

09 오른쪽 그림은 화학 반응이 일어날 때의 에너지 출입을 나타낸 것이다. 이러한 에너지 출입이 일어나는 예로 옳은 것은?

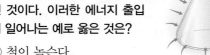

① 철이 녹슨다.
② 산화 칼슘에 물을 떨어뜨린다.
③ 질산 암모늄에 물을 떨어뜨린다.
④ 묽은 염산과 수산화 나트륨 수용액을 섞는다.
⑤ 묽은 염산에 마그네슘 조각을 넣는다.

10 오른쪽 그림은 철 가루가 들어 있는 손난로이다. 이 손난로에 대한 설명으로 옳은 것을 보기에서 모두 고른 것은?

┤ 보기 ├
ㄱ. 철 가루와 산소의 반응을 이용한다.
ㄴ. 손난로를 흔들면 흡열 반응이 일어난다.
ㄷ. 손난로를 흔들면 주변의 온도가 높아진다.

① ㄱ　　② ㄴ　　③ ㄱ, ㄷ
④ ㄴ, ㄷ　　⑤ ㄱ, ㄴ, ㄷ

11 다음은 수산화 바륨과 염화 암모늄의 반응에서 에너지 출입을 알아보기 위한 실험이다.

[과정]
(가) 물이 있는 나무판 위에 삼각 플라스크를 올려놓는다.
(나) 삼각 플라스크에 수산화 바륨과 염화 암모늄을 넣고 섞은 다음, 시간이 지난 후 삼각 플라스크를 들어 올린다.

[결과]
삼각 플라스크를 들어 올리면 나무판이 같이 들린다.

수산화 바륨＋염화 암모늄
나무판
물

이에 대한 설명으로 옳지 않은 것은?

① 나무판 위의 물이 언다.
② 이 반응은 흡열 반응이다.
③ 이 반응이 일어날 때 주변의 온도는 낮아진다.
④ 이 반응이 일어날 때 주변으로 에너지를 방출한다.
⑤ 탄산수소 나트륨이 열에 의해 분해되는 반응이 일어날 때와 같은 에너지 출입이 일어난다.

01 그림은 일정한 온도와 압력에서 질소 기체와 수소 기체가 반응하여 암모니아 기체가 생성되는 반응을 모형으로 나타낸 것이다.

질소   수소   암모니아

(1) 이 반응에서 기체의 부피비(질소 : 수소 : 암모니아)를 쓰시오.

    ↘ 이 반응에서 기체의 부피비는 질소 : 수소 : 암모니아

    =(   ) : (   ) : (   )이다.

(2) 질소 기체 15 mL와 수소 기체 30 mL가 반응할 때 반응하지 않고 남는 기체의 종류와 부피를 쓰고, 그 까닭을 설명하시오.

02 다음은 일정한 온도와 압력에서 임의의 기체 A와 기체 B를 반응시켜 기체 C를 생성할 때의 화학 반응식을 나타낸 것이다.

$$2A + B \longrightarrow 2C$$

(1) 이 반응이 일어날 때 반응물질과 생성물질의 부피비(A : B : C)를 쓰시오.

    ↘ 이 반응에서 기체의 부피비는 A : B : C=(   )

    : (   ) : (   )이다.

(2) 이 반응이 일어날 때 반응물질과 생성물질의 분자 수의 비(A : B : C)를 쓰시오.

    ↘ 이 반응에서 기체의 분자 수의 비는 A : B : C=(   )

    : (   ) : (   )이다.

(3) (1)과 (2)와 같이 쓴 까닭을 설명하시오.

03 그림은 어떤 화학 반응이 일어날 때 에너지 출입을 나타낸 것이다.

에너지 방출

반응물질   생성물질

(1) 이 반응에 대하여 설명하시오.

    ↘ 화학 반응이 일어날 때 주변으로 에너지를 방출하는

    (   )이다.

(2) 이 반응이 일어날 때 주변의 온도는 어떻게 변하는지 다음의 단어를 모두 포함하여 설명하시오.

    | 에너지   온도 |

04 빵을 만들 때 사용하는 베이킹파우더의 주성분은 탄산수소 나트륨이다. 오른쪽 그림과 같이 베이킹파우더를 넣고 빵 반죽을 구우면 빵이 부풀어 오른다.

(1) 빵이 부풀어 오르면서 구멍이 생기는 까닭을 설명하시오.

    ↘ 베이킹파우더의 주성분인 탄산수소 나트륨이 분해되는 반

    응이 일어나면서 (   ) 기체가 발생하기 때문이다.

(2) 탄산수소 나트륨이 열에 의해 분해되는 반응이 일어날 때 에너지의 출입에 대하여 설명하시오.

이 단원에서 배운 핵심 단어를 빈칸에 채워 넣어 생각 그물을 완성해 보자.

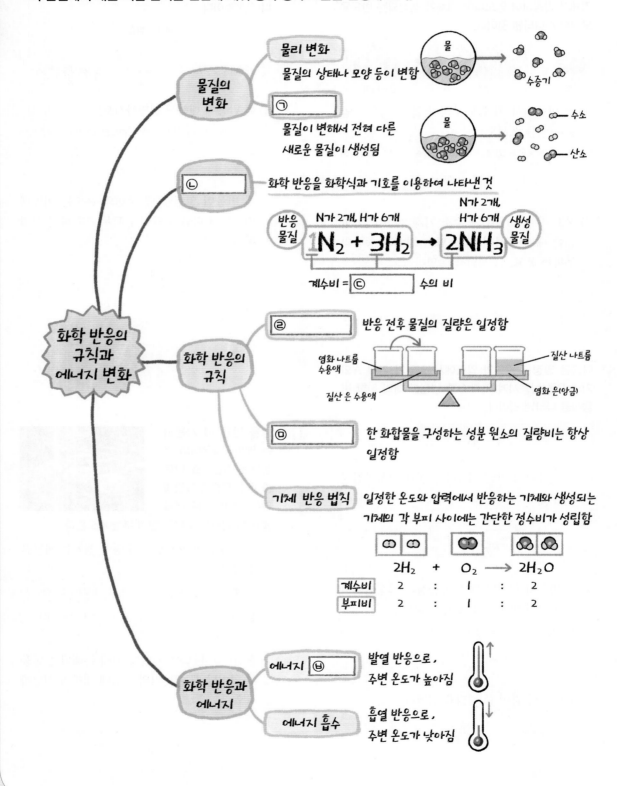

물질의 변화

물리 변화
물질의 상태나 모양 등이 변함

⊙
물질이 변해서 전혀 다른 새로운 물질이 생성됨

ⓛ
화학 반응을 화학식과 기호를 이용하여 나타낸 것

반응물질 N가 2개, H가 6개
N가 2개, H가 6개 생성물질

$$N_2 + 3H_2 \rightarrow 2NH_3$$

계수비 = ⓒ 수의 비

화학 반응의 규칙과 에너지 변화

화학 반응의 규칙

ⓔ
반응 전후 물질의 질량은 일정함

염화 나트륨 수용액
질산 은 수용액
질산 나트륨
염화 은(앙금)

ⓜ
한 화합물을 구성하는 성분 원소의 질량비는 항상 일정함

기체 반응 법칙
일정한 온도와 압력에서 반응하는 기체와 생성되는 기체의 각 부피 사이에는 간단한 정수비가 성립함

$$2H_2 + O_2 \rightarrow 2H_2O$$

| | 계수비 | 2 : 1 : 2 |
| 부피비 | 2 : 1 : 2 |

화학 반응과 에너지

에너지 ⓗ
발열 반응으로, 주변 온도가 높아짐

에너지 흡수
흡열 반응으로, 주변 온도가 낮아짐

과학 3학년

우리 학교 시험 문제 | 대단원 평가
I. 화학 반응의 규칙과 에너지 변화

년   월   일
이름:

+) 정답과 해설 7쪽

01 화학 변화에 대한 설명으로 옳은 것은?

① 물질의 성질은 변하지 않는다.
② 원자의 종류와 배열이 달라진다.
③ 종이를 작게 자르는 것은 화학 변화이다.
④ 주로 물질의 모양이나 상태가 변한다.
⑤ 어떤 물질이 다른 물질로 변한다.

[02~03] 그림은 물질의 변화를 모형으로 나타낸 것이다.

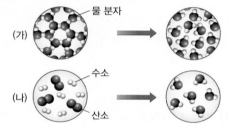

주요해!

02 이에 대한 설명으로 옳은 것은?

① (가)는 화학 변화이고, (나)는 물리 변화이다.
② (가)에서 물질을 이루는 원자의 배열이 변한다.
③ (가)에서 반응 전후 물질의 전체 질량이 변한다.
④ (나)에서 처음 물질과 다른 새로운 물질이 생성된다.
⑤ (나)에서 물질을 이루는 분자의 배열만 변한다.

03 (나)와 같은 변화로 옳은 것을 보기에서 모두 고른 것은?

┤ 보기 ├
ㄱ. 아이스크림이 녹는다.
ㄴ. 나뭇잎에 단풍이 든다.
ㄷ. 벽에 박힌 못에 녹이 슨다.
ㄹ. 추운 겨울에 서리가 내린다.

① ㄱ, ㄴ　　② ㄱ, ㄹ　　③ ㄴ, ㄷ
④ ㄴ, ㄹ　　⑤ ㄷ, ㄹ

04 물질의 변화의 종류가 나머지 넷과 <u>다른</u> 것은?

① 양초가 탄다.
② 포도가 익는다.
③ 따뜻한 우유에 코코아를 녹인다.
④ 깎아 놓은 사과의 색깔이 변한다.
⑤ 발포정을 물에 넣어 기포를 만든다.

05 다음은 메테인의 연소 반응을 화학 반응식으로 나타낸 것이다.

$$CH_4 + 2O_2 \longrightarrow CO_2 + 2H_2O$$

이에 대한 설명으로 옳지 <u>않은</u> 것은?

① 반응물질은 메테인과 산소이다.
② 생성물질은 이산화 탄소와 수증기이다.
③ 반응 전후 원자의 종류와 개수는 같다.
④ 반응 전후 분자의 종류와 개수는 같다.
⑤ 반응한 메테인과 산소의 분자 수의 비는 1 : 2이다.

06 화학 반응식을 옳게 나타낸 것은?

① $C + 2O \longrightarrow CO_2$
② $H_2 + O_2 \longrightarrow 2H_2O$
③ $Cu_2 + O_2 \longrightarrow 2CuO$
④ $N_2 + 3H_2 \longrightarrow 2NH_3$
⑤ $H_2O_2 \longrightarrow H_2O + O_2$

07 다음은 임의의 원소 A와 원소 B가 반응하여 새로운 물질이 생성되는 반응을 모형으로 나타낸 것이다.

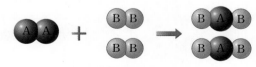

이 반응의 화학 반응식을 옳게 나타낸 것은?

① $A + 2B \longrightarrow AB_2$
② $A_2 + 2B_2 \longrightarrow A_2B_4$
③ $A_2 + 2B_2 \longrightarrow 2AB_2$
④ $2A + 2B_2 \longrightarrow A_2B_4$
⑤ $2A + 4B \longrightarrow 2AB_2$

08 다음은 염화 나트륨 수용액에 질산 은 수용액을 넣었을 때 일어나는 반응을 화학 반응식으로 나타낸 것이다.

$$NaCl + AgNO_3 \longrightarrow AgCl(흰색 앙금) + NaNO_3$$

이 반응에서의 질량 관계를 옳게 나타낸 것은?

① NaCl의 질량=NaNO₃의 질량
② AgNO₃의 질량=AgCl의 질량
③ (NaCl+AgNO₃)의 질량=AgCl의 질량
④ (NaCl+AgNO₃)의 질량=NaNO₃의 질량
⑤ (NaCl+AgNO₃)의 질량=(AgCl+NaNO₃)의 질량

중요해!

09 그림과 같이 장치하고 분필 조각과 묽은 염산을 반응시킬 때 반응 전후의 질량을 측정하였다.

묽은 염산   분필 조각

이에 대한 설명으로 옳지 <u>않은</u> 것은?

① 분필 조각과 묽은 염산이 반응하여 기체가 발생한다.
② 반응 후 전체 질량은 205.5 g보다 크다.
③ 반응 전후 질량은 변하지 않음을 알 수 있다.
④ 반응 전후 물질을 이루는 원자의 개수는 변하지 않는다.
⑤ 풍선 없이 묽은 염산과 분필 조각을 반응시키면 반응 후 질량이 감소할 것이다.

10 숯과 강철 솜을 공기 중에서 각각 연소시킬 때 연소 후 남은 물질의 질량 변화를 옳게 짝 지은 것은?

	숯	강철 솜		숯	강철 솜
①	감소	증가	②	감소	감소
③	증가	감소	④	증가	증가
⑤	일정	일정			

중요해!

11 오른쪽 그림은 밀폐 용기 안에서 철이 산소와 반응하여 산화 철을 생성하는 반응을 모형으로 나타낸 것이다. 이에 대한 설명으로 옳은 것을 보기에서 모두 고른 것은?

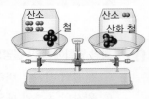

산소 철 산소 산화 철

┤ 보기 ├

ㄱ. 반응 전후 산소 분자의 개수는 일정하다.
ㄴ. 질량 보존 법칙이 성립함을 알 수 있다.
ㄷ. 열린 용기에서 실험하면 저울이 산화 철 쪽으로 기울어진다.

① ㄱ   ② ㄴ   ③ ㄱ, ㄴ
④ ㄴ, ㄷ   ⑤ ㄱ, ㄴ, ㄷ

[12~13] 오른쪽 그림은 마그네슘을 연소하여 산화 마그네슘이 생성될 때 반응한 마그네슘과 생성된 산화 마그네슘의 질량 관계를 나타낸 것이다.

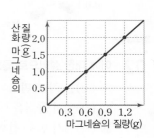

서답형

12 마그네슘을 연소하여 산화 마그네슘이 생성될 때 마그네슘과 산소의 질량비(마그네슘 : 산소)를 쓰시오.

13 마그네슘 1.8 g과 산소 1.0 g이 반응하여 산화 마그네슘이 생성될 때 반응 후 남은 물질의 종류와 질량을 옳게 짝 지은 것은?

① 산소, 0.2 g   ② 산소, 0.3 g
③ 마그네슘, 0.2 g   ④ 마그네슘, 0.3 g
⑤ 마그네슘, 0.4 g

14 오른쪽 그림은 10 % 아이오딘화 칼륨 수용액이 6 mL씩 들어 있는 시험관 A~F에 10 % 질산 납 수용액의 부피를 달리하여 각각 넣었을 때 생성된 앙금의 높이를 나타낸 것이다. 이에 대한 설명으로 옳지 <u>않은</u> 것은?

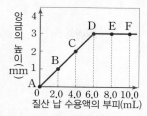

① 노란색의 아이오딘화 납 앙금이 생긴다.
② 반응 전후 전체 질량은 변하지 않는다.
③ 반응물질 사이의 질량비가 일정함을 알 수 있다.
④ B에는 아이오딘화 이온이 남아 있다.
⑤ E에 질산 납 수용액 2 mL를 더 넣어 주면 앙금의 높이가 더 높아진다.

중요해!

15 표는 일정한 온도와 압력에서 기체 A와 기체 B가 반응하여 기체 C를 생성할 때 부피 관계를 나타낸 것이다.

실험	반응 전의 기체		생성된 기체 C(mL)	반응하고 남은 기체(mL)
	A(mL)	B(mL)		
1	10	30	20	B, 20
2	60	40	80	A, 20

이때 기체 A, B, C의 부피비(A : B : C)는?

① 1 : 1 : 2 ② 1 : 3 : 1 ③ 1 : 2 : 2
④ 2 : 1 : 3 ⑤ 2 : 1 : 2

16 다음은 일정한 온도와 압력에서 질소 기체와 수소 기체가 반응하여 암모니아 기체가 생성되는 반응을 화학 반응식으로 나타낸 것이다.

$$N_2 + 3H_2 \longrightarrow 2NH_3$$

이에 대한 설명으로 옳은 것을 보기에서 모두 고른 것은? (단, 원자의 상대적 질량은 수소 1, 질소 14이다.)

┤ 보기 ├
ㄱ. 반응물질은 수소 기체와 질소 기체이다.
ㄴ. 질소 분자 3개는 수소 분자 1개와 반응한다.
ㄷ. 반응하는 질소와 수소의 질량비는 1 : 3이다.
ㄹ. 질소 기체 10 mL와 수소 기체 30 mL가 반응하면 암모니아 기체 20 mL가 생성된다.

① ㄱ, ㄴ ② ㄱ, ㄹ ③ ㄴ, ㄷ
④ ㄴ, ㄹ ⑤ ㄷ, ㄹ

중요해!

17 그림은 일정한 온도와 압력에서 수소 기체와 산소 기체가 반응하여 수증기가 생성되는 반응을 모형으로 나타낸 것이다.

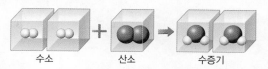
수소　　　　산소　　　　수증기

이에 대한 설명으로 옳지 <u>않은</u> 것은? (단, 원자의 상대적 질량은 수소 1, 산소 16이다.)

① 화학 반응식은 $2H_2 + O_2 \longrightarrow 2H_2O$이다.
② 반응하는 수소 기체와 산소 기체의 부피비는 4 : 1이다.
③ 수증기를 이루는 수소와 산소의 질량비는 1 : 8이다.
④ 반응 전후 원자의 종류와 개수가 변하지 않으므로 질량 보존 법칙이 성립한다.
⑤ 수증기를 이루는 수소 원자와 산소 원자의 개수비가 일정하므로 일정 성분비 법칙이 성립한다.

18 화학 반응에서 에너지 출입에 대한 설명으로 옳은 것은?

① 식물의 광합성은 발열 반응이다.
② 산과 염기의 반응은 발열 반응이다.
③ 금속이 녹슬 때는 주변으로부터 에너지를 흡수한다.
④ 발열 반응이 일어날 때 주변의 온도는 낮아진다.
⑤ 흡열 반응이 일어날 때 주변으로 에너지를 방출한다.

19 그림은 철 가루를 이용하여 손난로를 만드는 과정이다.

철 가루, 소금, 숯가루, 질석 등을 섞는다.　물질들을 부직포 봉투에 넣고 물을 넣는다.　봉투의 입구를 밀봉하고 봉투를 흔든다.

이에 대한 설명으로 옳은 것을 보기에서 모두 고른 것은?

┤ 보기 ├
ㄱ. 흡열 반응을 이용하는 예이다.
ㄴ. 반응이 일어날 때 주변의 온도가 높아진다.
ㄷ. 철 가루가 산소와 반응하여 산화 철이 생성된다.

① ㄴ ② ㄱ, ㄴ ③ ㄱ, ㄷ
④ ㄴ, ㄷ ⑤ ㄱ, ㄴ, ㄷ

II 기권과 날씨

어떤 날은 날씨가 맑고, 어떤 날은 비나 눈이 내리기도 한다. 날씨는 왜 변하는 것일까? 이 단원에서는 지구 기권의 구조와 특징을 알아보고, 우리 생활에 영향을 주는 날씨가 변하는 원인을 알아보자.

01 기권과 복사 평형

기본이 되는 중요한 자세!

핵심 키워드
기권의 구조, 복사 평형, 온실 효과, 지구 온난화

ⓐ 기권❶의 구조

기권은 높이에 따른 기온 변화를 기준으로 4개 층으로 구분한다.❷

구분	특징
열권 (약 80~ 1000 km)	• 높이 올라갈수록 기온이 높아진다. • 공기가 희박하다. • 낮과 밤의 기온 차가 매우 크다. • 오로라가 관측되기도 한다.
중간권 (약 50~ 80 km)	• 높이 올라갈수록 기온이 낮아진다. • 대류가 일어나지만, 수증기가 거의 없어 기상 현상이 일어나지 않는다. • 유성이 관측된다.
성층권 (약 11~ 50 km)	• 높이 올라갈수록 기온이 높아진다. • 대류가 일어나지 않는 안정한 층이다. • 오존층이 있어 태양의 자외선을 흡수한다.
대류권 (지표면~ 약 11 km)	• 높이 올라갈수록 기온이 낮아진다. • 공기 대부분이 모여 있다. • 대류가 활발하고, 수증기가 있다. ➡ 기상 현상

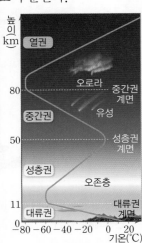

ⓑ 복사 평형 〈탐구 42쪽〉

1. **복사 에너지** 물체가 온도에 따라 복사 형태로 내보내는 에너지
2. **복사 평형** 흡수하는 복사 에너지양과 방출하는 복사 에너지양이 같은 상태
3. **지구의 복사 평형** 지구가 흡수한 태양 복사 에너지양과 지구에서 방출한 지구 복사 에너지양이 같은 상태
   ➡ 지구의 평균 기온이 거의 일정하게 유지된다.

지구가 흡수하는 태양 복사 에너지양(70 %)=지구가 방출하는 지구 복사 에너지양(70 %)❸

ⓒ 온실 효과와 지구 온난화

1. **온실 효과** 대기 중의 온실 기체(수증기, 이산화 탄소, 메테인 등)가 지구 복사 에너지의 일부를 흡수했다가 지표로 재방출하여 지구의 평균 기온이 높게 유지되는 현상

2. **지구 온난화** 온실 효과가 강화되어 지구의 평균 기온이 상승하는 현상 ➡ 대기 중 온실 기체의 증가로 더 높은 온도에서 복사 평형이 이루어지고 있다.❹

---

❶ **기권**
대기는 질소(78 %)와 산소(21 %)가 대부분을 차지하고 있으며, 그 밖에 아르곤, 이산화 탄소 등으로 이루어져 있다.

❷ **기권 각 층의 경계면**
각 층의 경계면은 아래층의 이름을 붙여 대류권 계면, 성층권 계면, 중간권 계면이라고 한다.

❸ **지구의 복사 평형**

❹ **지구의 평균 기온 변화**
지구 온난화로 지구의 평균 기온이 점점 상승하고 있다. 이에 따라 극지방의 빙하가 녹아 해수면이 높아지고, 생태계가 변화하고 있다.

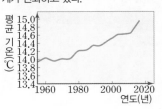

■ **용어 이해하기**
• **기권**(기운 氣, 우리 圈) 지구 표면으로부터 높이 약 1000 km까지 대기가 분포하는 영역
• **대류**(대할 對, 흐를 流) 액체나 기체의 일부가 가열될 때, 뜨거운 부분은 위로 올라가고 차가운 부분은 아래로 내려가는 현상
• **복사**(바퀴살 輻, 쏠 射) 열이 물질의 도움 없이 직접 전달되는 방법. 모든 물체는 복사의 형태로 에너지를 방출하고 흡수한다.

초성 퀴즈 Q

a 기권의 구조

- 기권은 높이에 따른 ⌐ㅇ 분포로 4개 층으로 나눌 수 있다.

- 대류가 일어나지만 수증기가 거의 없어 기상 현상이 나타나지 않는 층은 ㅈㄱㄱ이다.

b 복사 평형

- 흡수하는 복사 에너지양과 방출하는 복사 에너지양이 같은 상태를 ㅂㅅㅍㅎ이라고 한다.

- 지구는 흡수하는 ㅌㅇ 복사 에너지양과 방출하는 ㅈㄱ 복사 에너지양이 같아 평균 기온이 일정하게 유지된다.

c 온실 효과와 지구 온난화

- 지구의 대기에 의해 지구의 평균 기온이 높게 유지되는 현상을 ㅇㅅㅎㄱ라고 한다.

- 온실 효과가 강화되어 지구의 평균 기온이 상승하는 현상을 ㅈㄱㅇㄴㅎ라고 한다.

정답 a 기온, 중간권
b 복사 평형, 태양, 지구
c 온실 효과, 지구 온난화

1 기권의 구조에 대한 설명으로 옳은 것은 ○표, 옳지 <u>않은</u> 것은 ×표를 하시오.

(1) 대류권은 위로 올라갈수록 기온이 낮아진다. ·················· ( )

(2) 대류권은 구름이 발생하고 눈이나 비 등의 현상이 나타난다. ·· ( )

(3) 성층권은 기층이 불안정하다. ······························· ( )

(4) 중간권은 위로 올라갈수록 기온이 높아진다. ················· ( )

(5) 열권은 태양의 자외선을 흡수하여 지상의 생명체를 보호한다. · ( )

2 다음은 기권의 특징을 나타낸 것이다. 각 구조의 이름과 특징을 옳게 연결하시오.

(1) 대류권 •   • ㉠ 오존층이 있다.

(2) 성층권 •   • ㉡ 기상 현상이 나타난다.

(3) 중간권 •   • ㉢ 유성이 관측된다.

(4) 열권 •   • ㉣ 고위도 지방에서 오로라가 관측된다.

3 그림은 지구의 복사 평형을 나타낸 것이다. A와 B에 알맞은 숫자를 쓰시오.

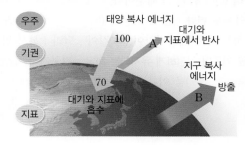

4 다음에서 설명하는 것은 무엇인지 쓰시오.

- 대기 중에서 온실 효과를 일으키는 기체이다.
- 수증기, 이산화 탄소, 메테인 등이 있다.

5 다음은 지구 온난화에 대한 설명이다. (   ) 안에 알맞은 말을 고르시오.

대기 중의 온실 기체 증가 ➡ 온실 효과 (㉠ 강화 , 약화) ➡ 지구의 평균 기온 (㉡ 높아짐 , 낮아짐) ➡ 해수면 (㉢ 높아짐 , 낮아짐)

복사 평형 실험하기

목표 검은색 알루미늄 컵의 온도 변화를 통해 물체의 복사 평형을 설명할 수 있다.

과정

적외선 가열 장치

온도계
알루미늄 컵

❶ 검은색 알루미늄 컵에 온도계를 꽂은 뚜껑을 덮는다.

❷ 적외선 가열 장치에서 30 cm 정도 떨어진 곳에 컵을 놓는다.

❸ 적외선 가열 장치를 켜고, 2분 간격으로 컵 속의 온도를 측정한다.

 잠깐

온도계는 알루미늄 컵 내부의 온도를 측정해야 하므로, 온도계의 구부가 컵에 닿지 않게 장치한다.

유의점!

적외선 가열 장치가 뜨거울 수 있으므로 몸이나 손에 닿지 않도록 주의한다.

결과

시간(분)	0	2	4	6	8	10	12	14
온도(℃)	18	22	25	28	30	33	33	33

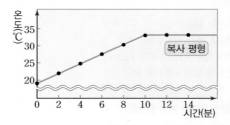

복사 평형

정리

1 0~10분 구간에서의 온도 변화 온도가 점점 높아진다. ➡ 컵이 방출하는 복사 에너지양보다 흡수하는 복사 에너지양이 더 (㉠   ) 때문이다.

2 10분 이후의 온도 변화 컵 속 기온은 (㉡   )한 온도를 유지한다. ➡ 알루미늄 컵이 흡수하는 복사 에너지양과 방출하는 복사 에너지양이 (㉢ 같아 , 달라) 복사 평형을 이루기 때문이다.

3 지구의 평균 기온이 일정하게 유지되는 까닭 지구가 흡수한 태양 복사 에너지양과 방출하는 지구 복사 에너지양이 같아 (㉣   )을 이루기 때문이다.

 확인 문제

➕ 정답과 해설 **9쪽**

1 이 탐구에서 실험 조건을 유지할 때, 30분 후 알루미늄 컵의 온도는 얼마인가?

① 21 ℃   ② 24 ℃   ③ 27 ℃
④ 30 ℃   ⑤ 33 ℃

서답형

2 이 탐구에서 어느 정도 시간이 지나면 알루미늄 컵의 온도가 일정하게 유지되는 까닭을 설명하시오.

_____

_____

3 이 탐구에서 알루미늄 컵과 적외선 가열 장치의 거리를 더 멀리 했을 때의 결과로 옳은 것은?

① 온도는 변하지 않는다.
② 온도는 계속 낮아진다.
③ 온도는 계속 높아진다.
④ 더 낮은 온도에서 복사 평형에 도달한다.
⑤ 더 높은 온도에서 복사 평형에 도달한다.

a 기권의 구조

01 기권에 대한 설명으로 옳지 <u>않은</u> 것은?

① 지구를 둘러싸고 있는 공기층이다.
② 열권은 높이 약 80 km 이상의 기권에 해당한다.
③ 높이에 따른 기온 분포로 4개의 층으로 구분한다.
④ 지표면으로부터 높이 약 1000 km까지의 구간이다.
⑤ 기권에서는 높이에 상관없이 대기의 양이 일정하다.

[02~03] 그림은 기권의 구조를 나타낸 것이다.

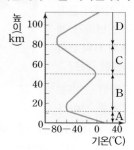

중요해!

02 A~D 각 층의 이름을 옳게 연결한 것은?

① A-중간권
② A-대류권
③ B-열권
④ C-오존층
⑤ D-성층권

03 다음 설명에 해당하는 층을 모두 고른 것은?

• 높이 올라갈수록 온도가 낮아진다.
• 대류가 일어난다.

① A, B
② A, C
③ B, C
④ B, D
⑤ C, D

04 성층권에 대한 설명으로 옳은 것을 보기에서 모두 고른 것은?

┤ 보기 ├
ㄱ. 오존층이 존재하여 태양의 자외선을 흡수한다.
ㄴ. 극지방에서 관측되는 오로라가 나타나는 구간이다.
ㄷ. 기층이 안정하기 때문에 이 층의 하부는 장거리 비행기의 항로로 이용되기도 한다.

① ㄱ
② ㄴ
③ ㄱ, ㄴ
④ ㄱ, ㄷ
⑤ ㄴ, ㄷ

b 복사 평형

서답형

05 지구는 지속적으로 햇빛을 받고 있지만, 온도가 계속 올라가지는 않는다. 그 까닭이 무엇인지 다음 단어를 모두 포함하여 설명하시오.

태양 복사 에너지   지구 복사 에너지   복사 평형

중요해!

탐구 42쪽

06 그림은 물체의 복사 평형 실험과 그 결과를 그래프로 나타낸 것이다.

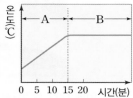

이에 대한 설명으로 옳은 것을 보기에서 모두 고른 것은?

┤ 보기 ├
ㄱ. A 구간과 B 구간에서 컵이 방출하는 복사 에너지의 양은 같다.
ㄴ. A 구간에서 컵이 흡수하는 복사 에너지양은 방출하는 복사 에너지양보다 많다.
ㄷ. B 구간에서 컵이 흡수하는 복사 에너지양은 방출하는 복사 에너지양보다 적다.

① ㄱ
② ㄴ
③ ㄱ, ㄴ
④ ㄱ, ㄷ
⑤ ㄴ, ㄷ

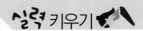

07 그림은 지구의 복사 평형을 나타낸 것이다.

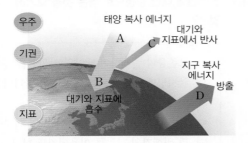

복사 에너지의 양을 나타낸 A~D의 관계를 옳게 나타 낸 것은?

① A+B=C+D ② A=B−D
③ B=C ④ C=D
⑤ B=D

08 복사 에너지에 대한 설명으로 옳지 <u>않은</u> 것은?

① 모든 물체는 복사 에너지를 방출한다.
② 복사 에너지의 양은 온도에 따라 다르다.
③ 열이 공기의 대류를 통해 이동하는 형태이다.
④ 복사 평형을 이루면 온도가 일정하게 유지된다.
⑤ 태양에서 방출하는 복사 에너지의 일부가 지구로 들어온다.

중요해!
09 그림은 지구에 출입하는 에너지를 나타낸 것이다.

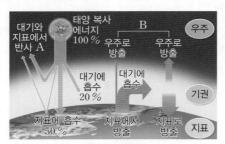

이에 대한 설명으로 옳은 것을 보기에서 모두 고른 것은?

┤ 보기 ├
ㄱ. 대기와 지표에서 반사되는 태양 복사 에너지 양 A는 30 %이다.
ㄴ. 지구에서 우주로 방출되는 지구 복사 에너지 양 B는 50 %이다.
ㄷ. 지구는 복사 평형을 이루어 평균 기온이 거의 일정하게 유지된다.

① ㄱ ② ㄴ ③ ㄱ, ㄴ
④ ㄱ, ㄷ ⑤ ㄴ, ㄷ

C 온실 효과와 지구 온난화

서답형
10 빈칸에 공통으로 들어갈 알맞은 말을 쓰시오.

- 온실 기체의 종류에는 수증기, (   ), 메테인 등이 있다.
- 최근 인간 활동의 영향으로 대기 중 (   )의 양이 증가하고 있다.
- 대기 중 (   ) 농도 변화와 최근 지구의 평균 기온 변화는 밀접한 관련이 있다.

11 오른쪽 그림은 지구의 온실 효과를 나타낸 것이다. 온실 기체가 증가하여 지구 온난화가 계속될 때, A와 B의 변화를 옳게 설명한 것은?

① A만 증가할 것이다.
② B만 증가할 것이다.
③ A는 증가하고, B는 감소할 것이다.
④ A는 감소하고, B는 증가할 것이다.
⑤ 아무런 변화가 없을 것이다.

중요해!
12 지구 온난화에 대한 설명으로 옳은 것을 보기에서 모두 고른 것은?

┤ 보기 ├
ㄱ. 지구의 평균 기온이 상승하는 현상이다.
ㄴ. 지구의 복사 평형이 이루어지지 않는 상태이다.
ㄷ. 주요 원인은 대기 중 온실 기체의 양이 증가했기 때문이다.

① ㄱ ② ㄴ ③ ㄱ, ㄷ
④ ㄴ, ㄷ ⑤ ㄱ, ㄴ, ㄷ

01 그림은 높은 산을 등반하는 사람을 나타낸 것이다.

(1) 여름에도 높은 산에는 눈이 덮여 있다. 그 까닭을 설명하시오.

↘ 지표 부근과 비교할 때 높은 산은 기온이 더 (　　　　) 때문이다.

(2) (1)과 관련지어 대류권의 온도 분포를 설명하시오.

_____

_____

02 그림은 기권의 구조를 나타낸 것이다.

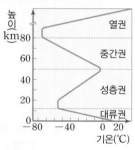

(1) 대류권과 중간권에서 기권의 온도 분포를 설명하시오.

↘ 높이 올라갈수록 기온이 (　　　　)진다.

(2) 대류권과 중간권의 대류와 기상 현상에 대해 설명하시오.

_____

_____

03 그림은 복사 평형 실험을 나타낸 것이다.

 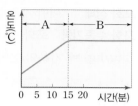

(1) A 구간과 B 구간에서 컵이 흡수하는 복사 에너지양과 방출하는 복사 에너지양을 부등호로 비교하시오.

↘ A 구간에서는 컵이 흡수하는 복사 에너지양 (　　　) 컵이 방출하는 복사 에너지양이고, B 구간에서는 컵이 흡수하는 복사 에너지양 (　　　) 컵이 방출하는 복사 에너지양이다.

(2) 일정한 시간이 지난 후 컵의 온도가 더 이상 높아지지 않는 까닭을 서술하시오.

_____

_____

04 그림은 지구의 평균 기온 변화량을 나타낸 것이다.

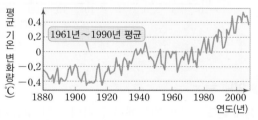

(1) 1880년~2000년 동안 평균 기온의 변화 경향성을 설명하시오.

↘ 평균 기온은 점점 (　　　)지고 있다.

(2) 이와 같은 경향성이 계속된다면 지구의 환경은 어떻게 변할지 다음 단어를 모두 포함하여 설명하시오.

| 기온 | 빙하 | 해수면의 높이 |

02 대기 중의 물

ⓐ 대기 중의 수증기

1. **포화 상태**[1] 어떤 기온에서 일정한 양의 공기가 최대로 수증기를 포함하였을 때

2. **포화 수증기량** 포화 상태인 공기 1 kg에 들어 있는 수증기량을 g으로 나타낸 것(g/kg) ➡ 기온이 높아지면 증가한다. 집중 공략 51쪽

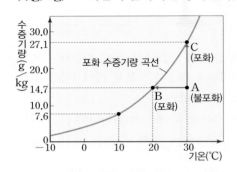

- 포화 수증기량 곡선 아래 공기(A)
  ➡ 불포화 상태
- 포화 수증기량 곡선상의 공기(B, C)
  ➡ 포화 상태(현재 수증기량 = 포화 수증기량)
- A 공기를 포화 상태로 만드는 방법
  ➡ 냉각(A→B)시키거나, 수증기를 공급(A→C)한다.

3. **이슬점**[2] 기온이 낮아져 공기 중의 수증기가 응결[3]하기 시작할 때의 온도
➡ 현재 수증기량이 많을수록 이슬점이 높다.

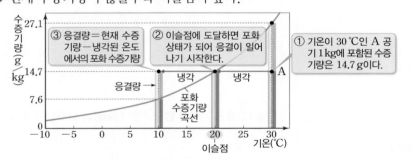

③ 응결량=현재 수증기량－냉각된 온도에서의 포화 수증기량

② 이슬점에 도달하면 포화 상태가 되어 응결이 일어나기 시작한다.

① 기온이 30 ℃인 A 공기 1 kg에 포함된 수증기량은 14.7 g이다.

ⓑ 상대 습도

1. **상대 습도** 현재 기온에서 공기의 포화 수증기량에 대한 실제 포함된 수증기량의 비율을 백분율(%)로 나타낸 것

$$상대 습도(\%) = \frac{현재\ 공기의\ 실제\ 수증기량(g/kg)}{현재\ 기온의\ 포화\ 수증기량(g/kg)} \times 100$$

2. **맑은 날 하루 동안 상대 습도의 변화** 맑은 날 기온과 상대 습도의 변화는 서로 반대로 나타난다. ➡ 수증기량이 일정할 때 기온이 높을수록 포화 수증기량이 증가하기 때문[4]

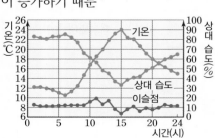

구분	가장 낮을 때	가장 높을 때
기온	해 뜨기 전(새벽)	오후 3시경
상대 습도	오후 3시경	해 뜨기 전(새벽)
이슬점	맑은 날 거의 일정 ➡ 대기 중의 수증기량이 거의 일정하므로	

1 대기 중의 수증기에 대한 설명으로 옳은 것은 ○표, 옳지 않은 것은 ×표를 하시오.

(1) 포화 상태는 공기가 수증기를 최소로 포함한 상태이다. ·············· (　　)

(2) 포화 수증기량은 기온이 높을수록 많아진다. ·············· (　　)

(3) 포화 상태에서는 현재 수증기량과 포화 수증기량이 같다. ·············· (　　)

(4) 기온이 이슬점보다 낮아지면 응결이 일어난다. ·············· (　　)

(5) 이슬점에서의 포화 수증기량은 현재 수증기량보다 많다. ·············· (　　)

2 그림은 포화 수증기량 곡선을 나타낸 것이다.

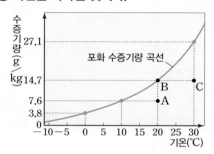

(1) A~C 중 포화 상태인 공기를 쓰시오.

(2) A~C 중 불포화 상태인 공기를 쓰시오.

(3) C 공기의 이슬점을 쓰시오.

3 상대 습도에 대한 설명으로 옳은 것은 ○표, 옳지 않은 것은 ×표를 하시오.

(1) 포화 수증기량에 대한 실제 수증기량을 백분율로 나타낸 것을 상대 습도
라고 한다. ·············· (　　)

(2) 현재의 기온과 이슬점이 같을 때 공기의 상대 습도는 100 %이다. (　　)

(3) 기온이 일정할 때 수증기량이 많을수록 상대 습도는 낮아진다. ·············· (　　)

(4) 수증기량이 일정할 때 기온이 높아질수록 상대 습도는 높아진다. ··· (　　)

4 맑은 날 기온, 상대 습도, 이슬점의 특징을 옳게 연결하시오.

(1) 기온 · · ㉠ 크게 변하지 않는다.

(2) 상대 습도 · · ㉡ 낮에는 낮아지고 밤에는 높아진다.

(3) 이슬점 · · ㉢ 낮에는 높아지고 밤에는 낮아진다.

02 대기 중의 물

C 구름과 강수

1. 단열 팽창⑤ 공기가 주변과 열을 주고받지 않고 팽창하는 현상

2. 구름 공기 중의 수증기가 응결하여 생긴 물방울이 하늘에 떠 있는 것 〔탐구 50쪽〕

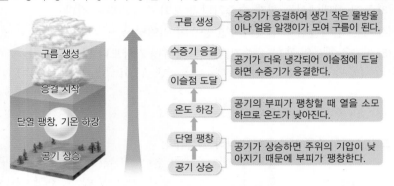

구름 생성	수증기가 응결하여 생긴 작은 물방울이나 얼음 알갱이가 모여 구름이 된다.
수증기 응결	공기가 더욱 냉각되어 이슬점에 도달하면 수증기가 응결한다.
이슬점 도달	
온도 하강	공기의 부피가 팽창할 때 열을 소모하므로 온도가 낮아진다.
단열 팽창	공기가 상승하면 주위의 기압이 낮아지기 때문에 부피가 팽창한다.
공기 상승	

3. 구름이 생성되는 경우 구름은 공기 덩어리가 상승할 때 만들어진다.⑥

지표면 중 일부분이 강하게 가열될 때	기압이 낮은 곳으로 공기가 모여들 때	공기가 산을 타고 오를 때	따뜻한 공기와 찬 공기가 만날 때

4. 구름의 종류

적운형 구름	위로 솟는 모양의 구름 ➡ 공기가 강하게 상승할 때 만들어진다.
층운형 구름	옆으로 퍼지는 모양의 구름 ➡ 공기가 약하게 상승할 때 만들어진다.

5. 강수 구름에서 비나 눈이 지표로 떨어지는 것

중위도나 고위도 지방(빙정설)	지역	저위도 지방(병합설)
얼음 알갱이 −40℃ 얼음 알갱이 물방울 수증기 0℃ 빗방울	모습	0℃ 물방울
물방울, 얼음 알갱이(빙정)	구름의 구성	물방울
물방울에서 증발한 수증기가 얼음 알갱이에 달라붙어 얼음 알갱이가 성장한다. ➡ 얼음 알갱이가 그대로 내리면 눈이 되고, 떨어지는 과정에서 녹으면 비가 된다.	강수 과정	물방울들이 서로 충돌하여 만들어진 큰 물방울이 떨어져 비가 된다.

---

⑤ 단열 변화

공기 덩어리가 주위 공기와 열을 주고받지 않고 부피 팽창이나 수축을 하며 온도가 변한다.

공기 상승	공기 하강
상승 ↕ 단열 팽창 기온 하강 공기 덩어리	공기 덩어리 하강 ↓ 단열 압축 기온 상승

⑥ 안개와 구름

지표 가까이에서 응결이 일어나 만들어지는 것은 안개이고, 높은 곳에서 응결이 일어나 만들어지는 것은 구름이다.

■ **용어 이해하기**

• **단열**(끊을 斷, 더울 熱) 물체와 물체 사이에 열이 서로 통하지 않는 상태

• **빙정**(얼음 氷, 맑을 晶) 기온이 0 ℃ 이하로 내려갈 때 대기 중의 수증기가 승화하여 만들어진 얼음 결정이다.

초성 퀴즈

C 구름과 강수

- 공기가 외부와 열을 주고받지 않고 부피가 팽창하는 것을 ㄷㅇㅍㅊ이라고 한다.
- 구름은 공기가 ㅅㅅ할 때 만들어진다.
- 중위도나 고위도 지역에서 만들어지는 구름은 물방울과 ㅇㅇㅇㄱㅇ로 이루어져 있다.

답 C 단열 팽창, 상승, 얼음 알갱이

5 오른쪽 그림은 구름의 생성 과정을 나타낸 것이다. 이에 대한 설명으로 옳은 것은 ○표, 옳지 않은 것은 ×표를 하시오.

(1) 공기가 상승하여 단열 팽창한다. ( )

(2) 공기가 상승하여 기온이 상승한다. ( )

(3) A 지점에서 기온과 이슬점은 같다. ( )

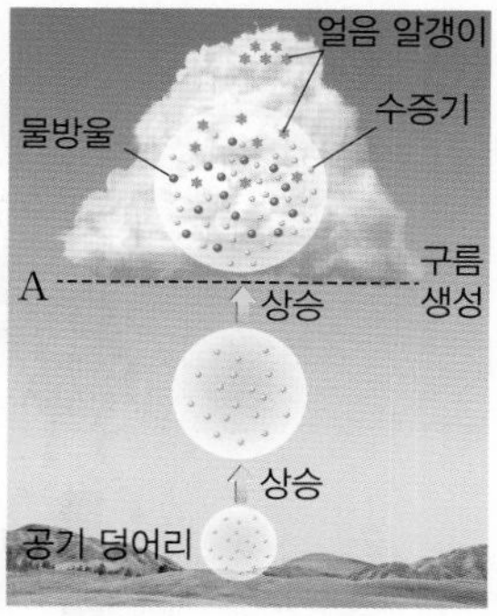

6 다음은 구름이 생성되는 과정을 나타낸 것이다. ( ) 안에 알맞은 말을 고르시오.

> 공기 상승 → 주위 기압 (㉠ 하강 , 상승) → 단열 (㉡ 압축 , 팽창) → 온도 (㉢ 하강 , 상승) → 이슬점 도달 → 구름 생성

7 다음 중 구름이 생성되는 경우로 옳은 것은 ○표, 옳지 않은 것은 ×표를 하시오.

(1) 공기가 산을 타고 오를 때 ( )

(2) 지표면 중 일부분이 냉각될 때 ( )

(3) 기압이 낮은 곳으로 공기가 모여들 때 ( )

(4) 따뜻한 공기와 찬 공기가 만날 때 ( )

8 다음 빈칸에 알맞은 말을 쓰시오.

> 공기가 강하게 상승할 때 생기는 위로 솟아 오른 모양의 구름을 (㉠) 구름이라고 하고, 공기가 약하게 상승할 때 생기는 옆으로 퍼진 모양의 구름을 (㉡) 구름이라고 한다.

9 다음 빈칸에 알맞은 말을 쓰시오.

> 중위도나 고위도 지방에서 구름 속의 (㉠)가 (㉡)에 달라붙어 (㉡)가 성장한다. (㉡)가 그대로 지표면에 내리면 눈, 떨어지다 녹으면 비가 된다.

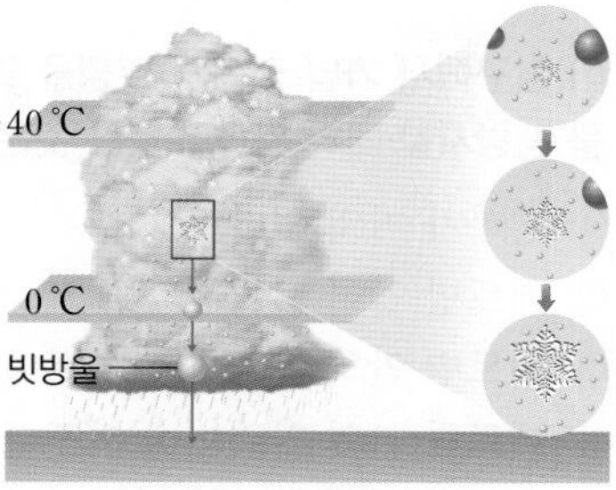

구름 발생 실험하기

목표 구름이 발생하는 원리를 설명할 수 있다.

과정

❶ 페트병에 약간의 물을 넣고 액정 온도계를 넣은 후, 간이 가압 장치가 달린 뚜껑을 닫고 온도를 측정한다.

❷ 간이 가압 장치를 여러 번 누른 후 페트병 내부의 변화를 관찰하고 온도를 확인한다.

❸ 뚜껑을 열어 페트병 내부의 공기가 팽창하게 하면서 페트병 내부의 변화를 관찰하고 온도를 확인한다.

❹ 페트병에 향 연기를 조금 넣은 다음 과정 ❷와 ❸을 반복한다.

유의점! 향을 피우기 위해 불을 다룰 때는 안전에 유의한다.

결과

구분		페트병 내부의 변화	온도 변화
향 연기를 넣기 전	압축할 때	변화가 거의 없음	상승
	팽창할 때	흐려짐	하강
향 연기를 넣은 후	압축할 때	변화가 거의 없음	상승
	팽창할 때	더 흐려짐	하강

정리

1 간이 가압 장치의 펌프를 누를 때 페트병 내부 온도가 높아진다. ➡ 포화 수증기량이 (㉠ 증가 , 감소)한다.

2 뚜껑을 열었을 때 공기의 부피가 팽창하면서 페트병 내부 온도는 낮아진다. ➡ 포화 수증기량이 (㉡ 증가 , 감소)하고 수증기가 물방울로 (㉢   )하여 페트병 내부가 흐려진다. 이는 구름이 생성될 때의 변화와 같다.

3 향 연기는 수증기가 더 쉽게 물방울로 응결될 수 있도록 돕는 응결핵 역할을 한다.

확인문제

+ 정답과 해설 11쪽

1 이 탐구에서 가압 장치의 뚜껑을 열어 페트병 내부의 공기를 팽창시킬 때의 결과로 옳은 것은?

① 변화가 거의 없다.
② 페트병 안이 맑아진다.
③ 페트병 안의 공기가 압축된다.
④ 페트병 안의 압력이 높아진다.
⑤ 페트병 안의 온도가 낮아진다.

서답형

2 이 실험에서 향 연기의 역할을 설명하시오.

포화 수증기량 곡선 분석하기

+) 정답과 해설 11쪽

포화 수증기량 곡선을 분석하면 현재 수증기량, 포화 수증기량, 상대 습도, 이슬점, 응결량까지 모두 알 수 있어. 포화 수증기량 곡선에서 출제될 수 있는 다양한 문제 유형을 알아보자.

1 포화 수증기량 곡선의 기본 이해하기

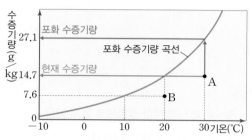

A 공기의 현재 수증기량은 세로축 값인 14.7 g/kg이고, 포화 수증기량은 포화 수증기량 곡선과 만나는 점의 세로축 값인 27.1 g/kg이다.

이것이 Point!

포화 수증기량 곡선은 각 온도에서 공기 1 kg에 최대로 포함할 수 있는 수증기의 양(g)을 연결하여 나타낸 곡선이다.

유제 1 위 그림에서 공기 B의 현재 수증기량과 포화 수증기량은 각각 얼마인지 순서대로 쓰시오.

2 이슬점 구하기

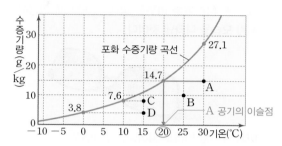

A 공기의 이슬점은 온도를 낮추었을 때(그래프의 왼쪽으로 이동) 포화 수증기량 곡선과 만나는 지점에서의 온도이다.

이것이 Point!

이슬점은 온도가 낮아지다가 포화 수증기량 곡선과 만나는 지점에서의 온도이다. ➡ 이슬점은 현재 수증기량이 많을수록 높다.

유제 2 위 그림에서 공기 A~D의 이슬점을 부등호로 비교하시오.

3 상대 습도 구하기

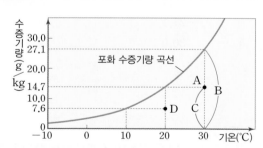

A 공기의 상대 습도(%)는 $\dfrac{C}{B} \times 100$이다.

이것이 Point!

상대 습도(%) = $\dfrac{\text{현재 공기의 실제 수증기량(g/kg)}}{\text{현재 기온의 포화 수증기량(g/kg)}} \times 100$

유제 3 위 그림에서 D의 상대 습도는 몇 %인가?

① 약 10 % 　② 약 20 % 　③ 약 32 %
④ 약 40 % 　⑤ 약 52 %

4 응결량 구하기

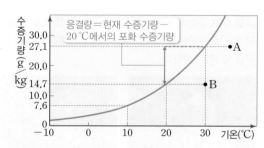

A 공기 1 kg을 20 ℃로 낮추면 포화 수증기량이 A의 현재 수증기량보다 감소한다. 이때의 차이 값(27.1 g/kg − 14.7 g/kg = 12.4 g/kg)만큼 응결이 일어난다.

이것이 Point!

응결량 = 현재 수증기량 − 냉각된 온도에서의 포화 수증기량

유제 4 위 그림에서 B 공기 2 kg을 10 ℃로 낮추었을 때 응결량은 몇 g인지 쓰시오.

ⓐ 대기 중의 수증기

01 그림은 추운 겨울 따뜻한 방에 들어갈 때 안경에 김이 서린 모습을 나타낸 것이다.

이와 유사한 원리로 일어나는 현상은?

① 가뭄　　　　② 이슬　　　　③ 바람
④ 황사　　　　⑤ 오로라

02 이슬점에 대한 설명으로 옳지 <u>않은</u> 것은?

① 수증기가 응결하기 시작하는 온도이다.
② 공기가 포화 상태에 도달했을 때의 온도이다.
③ 포화 수증기량이 증가하면 이슬점은 높아진다.
④ 현재 수증기량이 감소하면 이슬점은 낮아진다.
⑤ 이슬점에서는 현재 수증기량과 포화 수증기량이 같다.

03 그림 (가), (나)와 같이 플라스크에 따뜻한 물을 조금 넣고 입구를 막은 후, 헤어드라이어로 가열하였다가 다시 찬물에 넣어 식혔다.

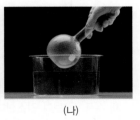

　　　(가)　　　　　　　　　(나)

이에 대한 설명으로 옳은 것을 보기에서 모두 고른 것은?

보기
ㄱ. (가)에서 플라스크 내부가 맑아진다.
ㄴ. (나)에서 플라스크 내부가 흐려진다.
ㄷ. (가)보다 (나)에서 포화 수증기량이 증가한다.

① ㄱ　　　　② ㄴ　　　　③ ㄷ
④ ㄱ, ㄴ　　　⑤ ㄴ, ㄷ

[04~07] 그림은 기온에 따른 포화 수증기량 곡선을 나타낸 것이다.

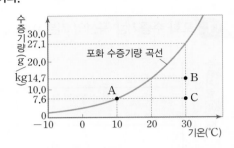

04 A∼C 공기에 대한 설명으로 옳지 <u>않은</u> 것은?

① A 공기는 포화 상태이다.
② B와 C 공기는 불포화 상태이다.
③ 현재 수증기량은 A<B=C이다.
④ B와 C 공기의 포화 수증기량은 같다.
⑤ B 공기의 온도를 20 ℃로 낮추면 포화 상태가 된다.

05 B 공기의 현재 수증기량과 포화 수증기량은?

	현재 수증기량(g/kg)	포화 수증기량(g/kg)
①	14.7	27.1
②	14.7	30.0
③	27.1	7.6
④	27.1	14.7
⑤	30.0	14.7

서답형
06 B 공기 1 kg의 온도를 10 ℃까지 낮추었을 때 응결량은 몇 g인지 쓰시오.

중요해!
07 C 공기의 이슬점은 몇 ℃인가?

① 10 ℃　　　② 20 ℃　　　③ 30 ℃
④ 40 ℃　　　⑤ 50 ℃

08 표는 기온에 따른 포화 수증기량을 나타낸 것이다.

기온(℃)	10	20	30
포화 수증기량(g/kg)	7.6	14.7	27.1

20 ℃인 공기 10 kg 속에 최대한 포함될 수 있는 수증기의 양은?

① 14.7 g   ② 27.1 g   ③ 128 g
④ 147 g   ⑤ 271 g

새로워!
09 그림은 기온에 따른 포화 수증기량 곡선을 나타낸 것이다.

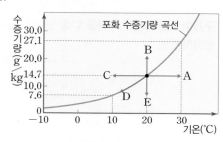

창문이 모두 닫힌 자동차에서 창문 안쪽에 생긴 김을 없애기 위해 히터를 틀었다면, A~E 중 이때의 변화로 옳은 것은?

① A   ② B   ③ C
④ D   ⑤ E

b 상대 습도

중요해!
10 상대 습도에 대한 설명으로 옳지 않은 것은?

① 맑은 날 거의 일정하게 유지된다.
② 비 오는 날은 맑은 날보다 높게 나타난다.
③ 현재 기온과 이슬점이 같을 때 100 %이다.
④ 기온이 일정할 때 현재 수증기량이 많을수록 높아진다.
⑤ 수증기량이 일정할 때 포화 수증기량이 많을수록 낮아진다.

중요해!
11 그림은 기온에 따른 포화 수증기량 곡선을 나타낸 것이다.

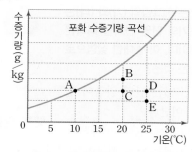

A~E 공기 중 상대 습도가 가장 낮은 공기는?

① A   ② B   ③ C
④ D   ⑤ E

12 표는 기온에 따른 포화 수증기량을 나타낸 것이다.

기온(℃)	10	20	30
포화 수증기량(g/kg)	7.6	14.7	27.1

현재 기온이 30 ℃, 이슬점이 10 ℃인 공기의 상대 습도를 구하는 식으로 옳은 것은?

① $\dfrac{7.6 \text{ g/kg}}{14.7 \text{ g/kg}} \times 100$ ② $\dfrac{14.7 \text{ g/kg}}{27.1 \text{ g/kg}} \times 100$

③ $\dfrac{7.6 \text{ g/kg}}{27.1 \text{ g/kg}} \times 100$ ④ $\dfrac{14.7 \text{ g/kg}}{7.6 \text{ g/kg}} \times 100$

⑤ $\dfrac{27.1 \text{ g/kg}}{7.6 \text{ g/kg}} \times 100$

13 상대 습도가 ㉠ 높아지는 경우와 ㉡ 낮아지는 경우를 보기에서 옳게 고른 것은?

┤ 보기 ├
ㄱ. 비가 내린다.
ㄴ. 밤이 되어 기온이 낮아진다.
ㄷ. 집안에 젖은 빨래를 널어 둔다.
ㄹ. 집안에서 보일러를 틀어 온도를 높인다.

	㉠ 높아지는 경우	㉡ 낮아지는 경우
①	ㄱ, ㄷ	ㄴ, ㄹ
②	ㄱ, ㄴ, ㄷ	ㄹ
③	ㄴ	ㄱ, ㄷ, ㄹ
④	ㄴ, ㄹ	ㄱ, ㄷ
⑤	ㄷ	ㄱ, ㄴ, ㄹ

C 구름과 강수

14 오른쪽 그림의 (가)와 (나)는 공기의 단열 변화를 나타낸 것이다. 이에 대한 설명으로 옳은 것은?

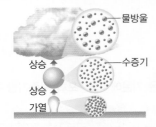

① (가)는 단열 압축이 일어난다.
② (가)는 기온이 낮아진다.
③ (나)는 단열 팽창이 일어난다.
④ (나)는 기온이 변하지 않는다.
⑤ (나)에서 구름이 잘 만들어진다.

탐구 50쪽

[15~16] 그림과 같이 페트병에 약간의 물과 액정 온도계를 넣고 (가) 공기 펌프로 압축시킨 후 (나) 다시 뚜껑을 열어 페트병 안에 일어나는 변화를 관찰하였다.

좋요해!

15 (나) 페트병 안의 변화를 옳게 짝 지은 것은?

	기압	기온	현상
①	증가	상승	흐려진다.
②	증가	하강	맑아진다.
③	감소	하강	변화 없다.
④	감소	상승	맑아진다.
⑤	감소	하강	흐려진다.

16 페트병에 향 연기를 넣은 후 같은 실험을 반복했을 때 (나)의 결과로 옳은 것은?

① 더욱 맑아진다.
② 온도가 올라간다.
③ 증발이 잘 일어난다.
④ 아무런 변화가 없다.
⑤ 더욱 뿌옇게 흐려진다.

17 구름이 만들어지는 경우로 옳지 <u>않은</u> 것은?

① 공기가 산을 타고 오를 때
② 지표면이 강하게 가열될 때
③ 기압이 낮은 곳으로 공기가 모여들 때
④ 공기가 위에서 아래로 내려올 때
⑤ 따뜻한 공기와 찬 공기가 만날 때

서답형 ✏

18 그림은 구름이 만들어지는 과정을 나타낸 것이다.

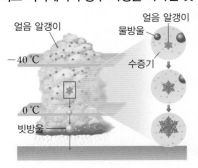

구름이 만들어지는 과정을 다음 단어를 모두 포함하여 설명하시오.

단열 팽창	이슬점	응결

_____

_____

좋요해!

19 그림은 어느 지역에서의 강수 과정을 나타낸 것이다.

이에 대한 설명으로 옳은 것을 보기에서 모두 고른 것은?

┤ 보기 ├
ㄱ. 저위도 지방의 강수 과정이다.
ㄴ. 주로 물방울끼리 충돌하여 비가 내린다.
ㄷ. 얼음 알갱이에 수증기가 달라붙어 성장한다.

① ㄱ   ② ㄴ   ③ ㄷ
④ ㄱ, ㄷ   ⑤ ㄴ, ㄷ

정답과 해설 13쪽

01 그림은 기온에 따른 포화 수증기량 곡선을 나타낸 것이다.

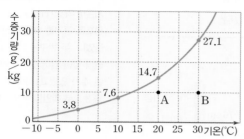

(1) A 공기 1 kg을 10 ℃까지 냉각시킬 때 응결량은 몇 g인지 구하시오.

↳ 응결량=(　　　) 수증기량−냉각된 온도에서의 (　　　)

수증기량=(　　　)g−(　　　)g=(　　　)g이다.

(2) B 공기의 상대 습도를 구하는 식을 쓰시오.

02 그림은 맑은 날 하루 동안의 기온, 상대 습도, 이슬점을 나타낸 것이다.

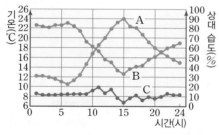

(1) A, B, C는 각각 무엇을 나타내는지 쓰시오.

↳ A는 (　　　), B는 (　　　), C는 (　　　)이다.

(2) 맑은 날 기온과 상대 습도의 관계를 다음 단어를 모두 포함하여 설명하시오.

> 기온　　포화 수증기량　　상대 습도

03 그림은 공기가 산을 타고 상승하는 모습을 나타낸 것이다.

(1) 공기가 상승할 때 상대 습도는 어떻게 변하는지 쓰시오.

↳ 공기 덩어리가 상승하면 단열 팽창하여 기온이 (　　　)지

고, 이때 포화 수증기량이 감소하여 상대 습도는 (　　　)진다.

(2) 위 상황 외에 공기가 상승하여 구름이 만들어지는 다른 예를 두 가지만 설명하시오.

04 그림은 어느 지역에서의 강수 과정을 나타낸 것이다.

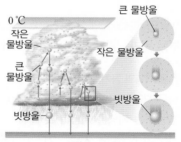

(1) 이 강수 과정은 어느 지역에서 주로 일어나는지 설명하시오.

↳ 주로 (　　　)위도 지역에서 비가 내리는 과정이다.

(2) 이 지역에서 비가 내리는 과정을 설명하시오.

03 날씨의 변화

기분이 되는 중요한 자세!

핵심 키워드
기압, 바람, 기단, 전선, 고기압과 저기압

ⓐ 기압

1. **기압** ❶ 공기가 단위 넓이에 작용하는 힘 ➡ 모든 방향으로 작용한다. ❷
2. **기압의 측정** 토리첼리가 수은을 이용하여 처음으로 측정하였다.

실험	수은이 담긴 수조에 수은을 가득 채운 유리관을 거꾸로 세운다.
결과	유리관의 수은 기둥이 내려오다가 수은 기둥의 높이가 약 76 cm일 때 멈춘다. ➡ 수은 면에 작용하는 기압과 유리관 속 수은 기둥의 압력이 같아졌기 때문
정리	수은 면에 작용하는 대기압(A)=수은 기둥 76 cm가 누르는 압력(B)
수은 기둥의 높이 변화	• 기압이 같을 때: 유리관의 굵기나 기울기와 관계없이 수은 기둥의 높이는 일정하다. • 기압이 높아질 때: 수은 기둥의 높이 증가 • 기압이 낮아질 때: 수은 기둥의 높이 감소

> 1기압 = 76 cmHg(수은 기둥 76 cm의 압력) ≒ 1013 hPa(헥토파스칼) ❸
> = 물기둥 약 10 m의 압력 = 공기 기둥 약 1000 km의 압력

3. **기압의 변화**
   ① 높이 올라갈수록 급격히 낮아진다. ❹ ➡ 공기는 대부분 대류권에 있기 때문
   ② 측정하는 장소와 시간에 따라 달라진다. ➡ 공기가 계속 움직이기 때문

ⓑ 바람

1. **바람** 기압이 높은 곳에서 낮은 곳으로 공기가 수평 방향으로 이동하는 것
2. **바람이 부는 원리** 지표면의 온도 차이가 생기면 기압 차이가 생겨 바람이 분다.

탐구 62쪽

• 온도가 높은 지역의 공기는 상승하고, 온도가 낮은 지역의 공기는 하강함
• 공기가 상승하는 지역은 기압이 낮아지고, 공기가 하강하는 지역은 기압이 높아짐 ➡ 기압이 높은 곳에서 낮은 곳으로 바람이 분다.

공기 상승 / 공기 하강
바람은 기압 차가 클수록 세게 분다.
따뜻한 지표(기압이 낮다.) / 차가운 지표(기압이 높다.)

3. **해륙풍** 해안에서 하루를 주기로 풍향이 바뀌는 바람 ❺

해풍

낮에는 육지가 바다보다 빨리 가열됨
• 기온: 육지>바다
• 기압: 육지<바다
• 바람: 바다 → 육지

육지 / 해풍 / 바다
고온(기압 낮음) / 저온(기압 높음)

육풍

밤에는 육지가 바다보다 빨리 냉각됨
• 기온: 육지<바다
• 기압: 육지>바다
• 바람: 육지 → 바다

육지 / 육풍 / 바다
저온(기압 높음) / 고온(기압 낮음)

---

❶ **게리케의 반구 실험**
1654년 독일의 과학자였던 게리케는 지름이 약 50 cm인 두 반구를 붙인 뒤 펌프로 공기를 빼내어 진공 상태를 만들었다. 두 반구는 양쪽에서 각각 8마리의 말이 끌어당긴 후에야 겨우 떼어낼 수가 있었고, 이를 통해 기압의 힘을 눈으로 확인할 수 있었다.

❷ **생활에서 우리가 기압을 느끼지 못하는 까닭**
기압과 같은 크기의 압력이 몸속에서 외부로 작용하고 있기 때문이다.

❸ **1 hPa(헥토파스칼)**
1 m²의 넓이에 100 N의 힘이 작용할 때의 압력

❹ **높이에 따른 기압 변화**
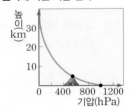
높이 km / 기압(hPa)

❺ **계절풍**
계절에 따라 대륙과 해양에서도 해륙풍과 비슷한 현상이 나타난다. 겨울에는 대륙이 해양보다 빨리 냉각되어 고기압이 되고, 여름에는 더 빨리 가열되므로 저기압이 된다. 따라서 계절에 따라 풍향이 바뀌어 바람이 분다.

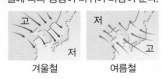
고 / 저 / 겨울철
저 / 고 / 여름철

■ **용어 이해하기**
• **진공**(참 眞, 빌 空) 아무것도 없는 상태

개념 다지기

+ 정답과 해설 13쪽

1 기압에 대한 설명으로 옳은 것은 ○표, 옳지 <u>않은</u> 것은 ×표를 하시오.

(1) 기압은 모든 방향으로 작용한다. ·· (   )
(2) 높은 산에 올라가면 기압이 높아진다. ······························· (   )
(3) 기압은 시간이나 장소에 관계없이 항상 일정하다. ··············· (   )
(4) 토리첼리가 수은을 이용하여 최초로 측정하였다. ··············· (   )

2 그림은 토리첼리의 실험을 나타낸 것이다. (   ) 안에 알맞은 말을 고르시오.

• 수은 면에 작용하는 기압과 수은 기둥의 압력은 (㉠ 같다 , 다르다).
• 기압이 높아지면 수은 기둥의 높이는 (㉡ 높아 , 낮아)진다.
• 수은 기둥을 똑바로 세울 때와 기울일 때의 수은 기둥의 높이는 (㉢ 같다 , 다르다).

3 다음 빈칸에 알맞은 숫자를 쓰시오.

(㉠   )기압 = 76 cmHg ≒ (㉡   ) hPa(헥토파스칼)
= 물기둥 약 (㉢   ) m의 압력 = 공기 기둥 약 1000 km의 압력

4 다음은 바람이 부는 원리를 나타낸 것이다. (   ) 안에 알맞은 말을 고르시오.

가열된 지표면 ➡ 공기 (㉠ 상승 , 하강) ➡ 지표면 기압 (㉡ 상승 , 하강) ➡ 기압이 높은 곳에서 낮은 곳으로 바람이 분다.

냉각된 지표면 ➡ 공기 (㉢ 상승 , 하강) ➡ 지표면 기압 (㉣ 상승 , 하강) ➡ 기압이 높은 곳에서 낮은 곳으로 바람이 분다.

5 오른쪽 그림에 대한 설명이다. (   ) 안에 알맞은 말을 고르시오.

(1) (육풍 , 해풍)이라고 한다.
(2) 기온은 (육지 , 바다)가 더 높다.
(3) 기압은 (육지 , 바다)가 더 낮다.

03 날씨의 변화

기분이 되는 중요한 자세

C 기단

1. **기단** 같은 장소에 오랫동안 머물러 기온과 습도 등의 성질이 비슷한 큰 공기 덩어리 ➡ 기단의 성질은 만들어진 장소의 성질에 따라 정해진다. ⑥

발생 장소	고위도	저위도	대륙	해양
기단의 성질	저온(한랭)	고온(온난)	건조	다습

2. **우리나라 주변의 기단**

기단	성질	영향을 주는 계절
시베리아 기단	한랭 건조	겨울
오호츠크해 기단 ⑦	저온 다습	초여름
양쯔강 기단	온난 건조	봄, 가을
북태평양 기단	고온 다습	여름

d 전선 · 탐구 63쪽

1. **전선** 성질이 다른 두 기단이 만나 생기는 경계면을 전선면이라고 하고, 전선면이 지표면과 만나는 경계선을 전선이라고 한다. ➡ 전선을 경계로 기온, 습도, 풍향 등이 크게 달라진다.

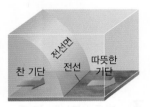

2. **전선의 종류**
   ① 한랭 전선(▲▲▲▲▲): 찬 기단이 따뜻한 기단 쪽으로 이동하여 따뜻한 기단 아래로 파고들며 만들어지는 전선
   ② 온난 전선(●●●●●): 따뜻한 기단이 찬 기단 쪽으로 이동하여 찬 기단 위로 올라가며 만들어지는 전선
   ③ 폐색 전선(▲▲●▲●): 한랭 전선과 온난 전선이 만나 겹쳐져 생기는 전선
   ④ 정체 전선(▼●▼●▼): 두 기단의 세력이 비슷하여 오랫동안 머물러 있는 전선 예 장마 전선 ⑧

3. **한랭 전선과 온난 전선**

한랭 전선	구분	온난 전선
(그림)	모습	(그림)
급하다	전선면의 기울기	완만하다
적운형	구름의 모양	층운형
전선 뒤쪽 좁은 지역에 소나기성 비	강수 형태	전선 앞쪽 넓은 지역에 지속적인 비
빠르다	이동 속도	느리다
낮아진다	통과 후 기온	높아진다

---

⑥ 기단의 변질
기단이 다른 곳으로 이동하다가 온도나 습도 등의 성질이 다른 지표면을 만나면 그 지표면의 영향을 받아 기단의 성질이 변한다.

⑦ 오호츠크해 기단의 영향
초여름 우리나라 동해안 지역에서는 오호츠크해 기단의 영향으로 저온 현상이 나타나기도 한다.

⑧ 장마 전선
우리나라에서 여름에 북태평양 기단이 세력을 확장하면서 북쪽의 찬 기단과 만나 오랫동안 머물면 장마 전선이 형성된다. 이때 북태평양 기단이 찬 기단 위로 상승하면서 넓은 지역에서 많은 비가 내린다.

- **용어 이해하기**
  · **기단**(기운 氣, 둥글 團) 성질이 일정하고 거대한 공기 덩어리
  · **정체**(머무르다 停, 막히다 滯) 사물이 발전하거나 나아가지 못하고 한 자리에 머물러 그침

6 기단에 관한 설명으로 옳은 것은 ○표, 옳지 <u>않은</u> 것은 ×표를 하시오.

(1) 성질이 비슷한 큰 공기 덩어리이다. ·· ( )

(2) 육지에서 만들어진 기단은 습도가 낮다. ·································· ( )

(3) 만들어진 장소에 따라 성질이 다르다. ···································· ( )

(4) 고위도 지방에서 만들어진 기단은 온도가 높다. ······················ ( )

(5) 기단이 이동해도 기단의 성질은 변하지 않는다. ······················ ( )

7 그림은 우리나라에 영향을 주는 기단을 나타낸 것이다.

A~D 기단의 이름을 쓰시오.

8 오른쪽 그림은 성질이 다른 두 기단이 만난 모습을 나타낸 것이다.

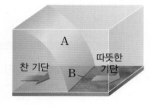

(1) 찬 기단과 따뜻한 기단이 만나는 경계면인 A의 이름을 쓰시오.

(2) A와 지표면이 만나는 경계선인 B의 이름을 쓰시오.

9 다음은 전선에 대한 설명이다. (   ) 안에 알맞은 말을 고르시오.

> • 차가운 공기와 따뜻한 공기가 만나면 차가운 공기는 (㉠ 위쪽 , 아래쪽)으로 이동한다.
>
> • 한랭 전선과 온난 전선이 만나 겹쳐지면 (㉡ 폐색 전선 , 정체 전선)이 만들어진다.

10 온난 전선과 한랭 전선의 특징을 옳게 연결하시오.

(1) 온난 전선	•	• ㉠ 전선면의 기울기가 급하다.	•	• ⓐ 넓은 지역에 지속적인 비
(2) 한랭 전선	•	• ㉡ 전선면의 기울기가 완만하다.	•	• ⓑ 좁은 지역에 소나기성 비

03 날씨의 변화
기본이 되는 중요한 자세

ⓔ 날씨

1. 고기압과 저기압

구분	고기압	저기압
정의	주위보다 기압이 높은 곳	주위보다 기압이 낮은 곳
바람의 방향 (북반구)	시계 방향으로 불어 나간다.	시계 반대 방향으로 불어 들어온다.
중심 기류	하강	상승
날씨	구름이 생기지 않음 ➡ 맑음	구름 생성 ➡ 흐리거나 비

2. 온대 저기압
중위도 온대 지방에서 북쪽의 찬 기단과 남쪽의 따뜻한 기단이 만나 생성된다. ➡ 온대 저기압은 편서풍⑨의 영향으로 서에서 동으로 이동한다.

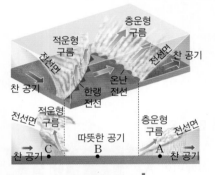

A 지역 (온난 전선 통과 전)	• 기온 낮음 • 층운형 구름 • 넓은 지역에 지속적인 비
B 지역 (온난 전선 통과 후)	• 기온 높음 • 날씨 맑음
C 지역 (한랭 전선 통과 후)	• 기온 낮음 • 적운형 구름 • 좁은 지역에 소나기성 비

3. 우리나라의 계절별 일기도

봄	여름⑩
• 건조한 날씨 • 이동성 고기압과 저기압이 지나며 변덕스러운 날씨 • 황사, 꽃샘추위	• 초여름 장마 전선으로 많은 비 • 북태평양 기단의 영향으로 무더위, 열대야 • 남고북저형의 기압 배치⑪로 남동 계절풍
가을	겨울
• 이동성 고기압 • 맑은 하늘 • 낮과 밤의 기온 차가 커지며 첫서리	• 시베리아 기단의 영향으로 차고 건조 • 서고동저형의 기압 배치로 북서 계절풍 • 한파와 폭설

---

⑨ 편서풍
중위도 지역에서 일 년 내내 서에서 동으로 부는 바람

⑩ 태풍
여름과 초가을에는 적도 부근에서 발생한 태풍이 지나가기도 한다.

⑪ 여름철과 겨울철 기압 배치

북태평양 고기압이 확장하면 우리나라에 더운 날씨가 나타나고, 시베리아 고기압이 확장하면 우리나라에 추운 날씨가 나타난다.

■ 용어 이해하기
• **층운**(층 層, 구름 雲) 수평으로 잘 퍼진 구름
• **적운**(쌓을 積, 구름 雲) 덩어리 모양의 수직으로 발달한 구름
• **일기도**(날 日, 기운 氣, 그림 圖) 일정한 시각의 날씨 상태를 지도 위에 기호나 숫자 등으로 나타낸 것

개념 다지기

초성 퀴즈

🅔 **날씨**

• 일기도에서 ㄱ 기압이 있는 지역은 날씨가 맑고, ㅈ 기압이 있는 지역은 구름이 많고 날씨가 흐리다.

• 한랭 전선에서는 ㅈ ㅇ ㅎ 구름이 생기고 통과 후에는 기온이 낮아진다.

• 시베리아 기단의 영향으로 차고 건조하며, 북서 계절풍이 부는 계절은 ㄱ ㅇ 철이다.

11 고기압과 저기압에 대한 설명으로 옳은 것은 ○표, 옳지 <u>않은</u> 것은 ×표를 하시오.

(1) 저기압은 주위보다 기압이 낮은 곳이다. ⸺⸺⸺⸺⸺⸺ ( )

(2) 고기압에서는 날씨가 흐리고 비가 온다. ⸺⸺⸺⸺⸺ ( )

(3) 저기압에서는 구름이 소멸된다. ⸺⸺⸺⸺⸺⸺⸺ ( )

(4) 고기압의 중심부에는 하강 기류가 발달한다. ⸺⸺⸺ ( )

(5) 바람은 고기압에서 저기압으로 분다. ⸺⸺⸺⸺⸺ ( )

12 고기압과 저기압에 따른 북반구에서의 바람 방향을 옳게 연결하시오.

(1) 고기압 •

(2) 저기압 •

• ㉠ 시계 반대 방향으로 불어 들어온다.

• ㉡ 시계 방향으로 불어 나간다.

13 그림은 온대 저기압을 나타낸 것이다.

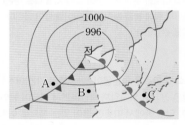

A~C 지역의 날씨를 옳게 연결하시오.

(1) A •

(2) B •

(3) C •

• ㉠ 기온이 높고 맑음

• ㉡ 기온이 낮고 지속적인 비

• ㉢ 기온이 낮고 소나기성 비

14 그림은 우리나라의 계절별 일기도를 나타낸 것이다. (가)와 (나)의 계절을 쓰시오.

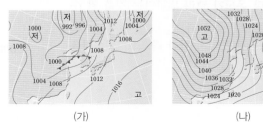

(가)　　　　　　　(나)

정답 겨울 7. 고, 저 12. 적란운 13. 겨울

바람의 발생 원인 알아보기

목표 바람이 부는 원리를 설명할 수 있다.

과정

❶ 사각 접시 두 개에 각각 물과 모래를 담는다.
❷ 접시 주위에 두꺼운 판지로 만든 바람막이를 세우고, 물과 모래에 온도계를 놓는다.
❸ 적외선등을 켜서 10분 동안 가열한 후 물과 모래의 온도를 측정한다.
❹ 물과 모래 사이에 향을 피우고 향 연기의 이동 방향을 관찰한다.

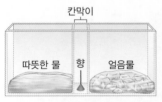

결과

향 연기는 물이 있는 쪽에서 모래가 있는 쪽으로 이동한다.

정리

1 물 위보다 모래 위 공기가 더 (㉠ 빨리 , 천천히) 데워져 위로 상승한다.
2 모래 위 공기의 양이 줄어 기압이 (㉡ 높아 , 낮아)지므로, 상대적으로 기압이 (㉢ 높은 , 낮은) 물 쪽의 공기가 모래 쪽으로 이동하면서 바람이 불고, 향 연기도 바람을 따라 이동한다.
3 지표에 기온 차이가 생기면 기압 차이가 생기고, 이에 따라 공기는 (㉣ 기온 , 기압)이 높은 곳에서 낮은 곳으로 이동하여 바람이 분다.

> **같은 주제 다른 탐구** ▶ **따뜻한 물과 얼음물을 이용하여 바람의 발생 원인 알아보기**
>
> ### 과정
>
> ❶ 수조 가운데에 향을 세우고 칸막이를 설치한다.
> ❷ 칸막이 양쪽 칸에 각각 따뜻한 물과 얼음물이 담긴 지퍼 백을 넣는다.
> ❸ 시간이 5분 정도 지난 후 향에 불을 붙이고, 칸막이를 들어 올린다.
> ❹ 향 연기의 이동 방향을 관찰한다.
>
>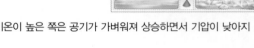
>
> ### 결과 및 정리
>
> **1** 따뜻한 물이 있는 쪽의 기온은 얼음물이 있는 쪽의 기온보다 높아진다. 기온이 높은 쪽은 공기가 가벼워져 상승하면서 기압이 낮아지고, 기온이 낮은 쪽은 공기가 무거워져 하강하면서 기압이 높아진다.
> **2** 향 연기는 얼음물이 있는 쪽에서 따뜻한 물이 있는 쪽으로 이동한다.

 확인문제

✛ 정답과 해설 **14**쪽

1 이 탐구에 대한 설명으로 옳지 <u>않은</u> 것은? (정답 2개)

① 모래가 물보다 빨리 가열된다.
② 육풍이 부는 원리를 설명할 수 있다.
③ 낮에는 육지의 기압이 바다의 기압보다 낮다.
④ 육지가 바다보다 온도가 빨리 변한다는 것을 알 수 있다.
⑤ 낮에는 바람이 육지 쪽에서 바다 쪽으로 부는 것을 알 수 있다.

서답형
2 그림과 같이 장치한 후 칸막이를 들어 올리는 실험을 하였다.

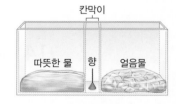

이때 향 연기가 움직이는 방향을 설명하시오.

_____

_____

탐구 언제나 관찰하는 자세

전선이 형성되는 원리 알아보기

목표 성질이 다른 두 기단이 만나 전선면이 형성되는 과정을 설명할 수 있다.

과정

❶ 칸막이가 있는 수조에 빨간색 색소를 탄 따뜻한 물과 파란색 색소를 탄 찬물을 넣는다.
❷ 수조의 칸막이를 들어 올리면서 따뜻한 물과 찬물이 만나는 모습을 관찰한다.

결과

찬물은 아래쪽으로, 따뜻한 물은 위쪽으로 이동한다.

정리

1 찬물과 따뜻한 물이 만나면 찬물은 밀도가 크므로 (㉠ 위 , 아래)쪽으로 이동하고, 따뜻한 물은 밀도가 작으므로 (㉡ 위 , 아래)쪽으로 이동한다.
2 찬물과 따뜻한 물 사이의 경계면과 같이 찬 공기와 따뜻한 공기 사이에도 경계면이 형성되는데, 이를 (㉢　　　　), 전선면과 지표면이 만나는 선을 (㉣　　　　)이라고 한다.

같은 주제 다른 탐구 | **향 연기를 이용하여 전선이 형성되는 원리 알아보기**

과정

❶ 수조 한쪽에 얼음을 넣고, 얼음을 넣은 곳에 향을 피운 후 5분 정도 둔다.
❷ 수조의 칸막이를 들어 올리고 수조 안의 변화를 관찰한다.

결과 및 정리

1 얼음이 들어 있는 칸의 공기는 온도가 낮으므로 옆 칸에 있는 공기보다 밀도가 크다. ➡ 칸막이를 들어 올리면 얼음이 있던 칸의 무거운 공기가 옆 칸의 가벼운 공기 아래로 비스듬히 가라앉으며 이동한다.
2 향 연기는 옆 칸의 공기 아래로 비스듬한 경계면을 이루며 내려간다.

확인 문제

✚ 정답과 해설 14쪽

1 이 탐구에서 알아보고자 하는 것은?

① 구름의 생성 원리　　② 바람의 발생 원리
③ 기단의 생성 원리　　④ 전선의 생성 원리
⑤ 지구의 복사 평형

서답형

2 이 탐구에서 칸막이를 들어 올리면 따뜻한 물과 찬물은 각각 어떻게 이동하는지 빈칸에 알맞은 말을 쓰시오.

(㉠　　　　)은 무거워 아래쪽으로 이동하고 (㉡　　　　)은 가벼워 위쪽으로 이동한다.

3 이 탐구에서 칸막이를 들어 올렸을 때 따뜻한 물과 찬물의 움직임으로 옳은 것은?

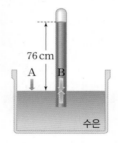

실력 키우기
내 실력을 더욱 더 키우는 자세

ⓐ 기압

01 오른쪽 그림과 같이 물을 담고 종이로 잘 덮은 후에 컵을 거꾸로 세우면 물이 쏟아지지 않는다. 그 까닭은 무엇인가?

① 물이 무겁기 때문
② 종이가 무겁기 때문
③ 물의 응집 현상 때문
④ 공기의 압력이 작용하기 때문
⑤ 유리의 압력이 작용하기 때문

[02~03] 오른쪽 그림과 같이 유리관에 수은을 가득 채우고 수은이 담긴 수조에 거꾸로 세웠더니 수은 기둥이 내려오다가 멈추었다.

서답형

02 그림에서 수은 면을 누르는 기압 A와 수은 기둥이 누르는 압력 B를 부등호로 비교하시오.

_____

03 위 실험에서 수은 기둥을 기울였을 때 수은 기둥의 변화로 옳은 것은?

① 76 cm를 유지한다.
② 76 cm보다 높아진다.
③ 76 cm보다 낮아진다.
④ 수조의 수은 면까지 내려온다.
⑤ 수은 기둥의 위쪽 끝까지 올라간다.

중요해!

04 A와 B에 알맞은 숫자를 각각 옳게 고른 것은?

(A)기압＝(B) cmHg≒1013 hPa＝물기둥 약 10 m의 압력＝공기 기둥 약 1000 km의 압력

	A	B
①	1	76
②	1	1013
③	76	1
④	76	100
⑤	76	1013

ⓑ 바람

05 바람에 대한 설명으로 옳은 것은?

① 기온이 높은 곳에서 낮은 곳으로 분다.
② 기압이 높은 곳에서 낮은 곳으로 분다.
③ 기압 차가 클수록 바람의 세기가 약하다.
④ 바람을 일으키는 힘은 대부분 지구 내부의 힘이다.
⑤ 일반적으로 공기의 수직 방향의 흐름을 바람이라 한다.

중요해!

06 오른쪽 그림은 해안에서 부는 바람을 나타낸 것이다. 이에 대한 설명으로 옳은 것을 보기에서 모두 고른 것은?

보기

ㄱ. 해풍이다.
ㄴ. 밤에 부는 바람이다.
ㄷ. 바다보다 육지가 더 빨리 냉각되어 나타난다.

① ㄱ ② ㄴ ③ ㄱ, ㄴ
④ ㄱ, ㄷ ⑤ ㄴ, ㄷ

서답형

07 다음 단어를 모두 포함하여 바람이 부는 원리를 설명하시오.

불균등 가열   기온   기압

_____

_____

C 기단

08 기단에 대한 설명으로 옳은 것을 보기에서 모두 고른 것은?

┤ 보기 ├

ㄱ. 대륙에서 만들어진 기단은 습도가 낮다.

ㄴ. 고위도에서 만들어진 기단은 기온이 낮다.

ㄷ. 생성된 기단은 장소가 변하더라도 성질이 달라지지 않는다.

① ㄱ   ② ㄴ   ③ ㄱ, ㄴ

④ ㄱ, ㄷ   ⑤ ㄴ, ㄷ

중요해!

09 그림은 우리나라에 영향을 주는 기단을 나타낸 것이다.

A~D에 대한 설명으로 옳지 <u>않은</u> 것은?

① A는 한랭 건조하다.

② B는 저온 다습하다.

③ C는 봄과 가을에 영향을 준다.

④ C는 우리나라 장마철에 영향을 준다.

⑤ D는 무더위에 영향을 준다.

d 전선

10 전선과 전선면에 대한 설명으로 옳은 것은?

① 이동 속도가 다른 두 전선이 겹쳐지면 정체 전선이 된다.

② 찬 기단이 따뜻한 기단 쪽으로 이동할 때 한랭 전선이 된다.

③ 전선은 성질이 다른 두 기단이 만나서 이루는 경계면이다.

④ 세력이 비슷한 두 기단이 한곳에 오래 머무르면 폐색 전선이 된다.

⑤ 서로 성질이 다른 두 기단이 만나면 잘 섞여서 하나의 기단이 된다.

중요해!

11 그림 (가)와 (나)는 어떤 전선의 단면을 나타낸 것이다.

(가)   (나)

이에 대한 설명으로 옳은 것을 보기에서 모두 고른 것은?

┤ 보기 ├

ㄱ. (가)는 (나)보다 이동 속도가 빠르다.

ㄴ. (가)는 온난 전선, (나)는 한랭 전선이다.

ㄷ. (가)는 좁은 지역에 소나기성 비를, (나)는 넓은 지역에 지속적인 비를 내린다.

① ㄱ   ② ㄴ   ③ ㄷ

④ ㄱ, ㄴ   ⑤ ㄱ, ㄷ

12 온난 전선과 한랭 전선을 옳게 비교한 것은?

	구분	온난 전선	한랭 전선
①	일기 기호	▲▲▲▲	▲▲▲▲
②	전선면 기울기	완만하다	급하다
③	이동 속도	빠르다	느리다
④	구름의 모양	적운형	층운형
⑤	통과 후 기온	하강	상승

서답형 ✐

13 온난 전선의 특징을 다음 단어를 모두 포함하여 설명하시오.

전선면의 기울기   구름의 모양

_____

_____

e 날씨

좋요해!

14 그림 (가)와 (나)는 북반구에서 나타나는 서로 다른 기압의 종류를 나타낸 것이다.

이에 대한 설명으로 옳은 것을 보기에서 모두 고른 것은?

┌─ 보기 ─────────────────────┐
ㄱ. (가)는 고기압이다.
ㄴ. (가)에서는 대체로 날씨가 맑다.
ㄷ. 바람은 (나)→(가) 방향으로 분다.
└────────────────────────┘

① ㄱ   ② ㄴ   ③ ㄱ, ㄴ
④ ㄱ, ㄷ   ⑤ ㄴ, ㄷ

[15~16] 그림은 온대 저기압을 나타낸 것이다.

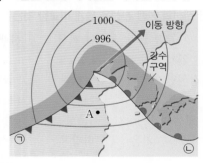

서답형

15 ㉠과 ㉡의 이름을 쓰시오.

_____

좋요해!

16 그림의 A 지역의 날씨에 대한 설명으로 옳은 것은?

① 기온이 높다.
② 이슬비가 내린다.
③ 소나기가 내린다.
④ 적운형 구름이 많다.
⑤ 층운형 구름이 많다.

17 북반구 고기압과 저기압 지역에서 바람의 방향을 옳게 나타낸 것은?

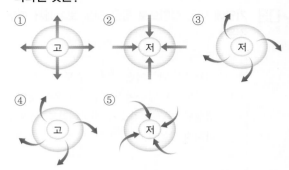

18 그림은 북태평양 기단의 확장을 나타낸 것이다.

이때 우리나라의 날씨로 옳은 것은?

① 황사가 나타난다.
② 꽃샘추위가 나타난다.
③ 높고 맑은 하늘이 나타난다.
④ 삼한 사온 현상이 나타난다.
⑤ 무더위와 열대야 현상이 나타난다.

19 그림은 어느 계절의 일기도를 나타낸 것이다.

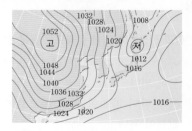

이 기간에 우리나라의 날씨는?

① 황사와 꽃샘추위가 나타난다.
② 따뜻하고 맑은 하늘이 나타난다.
③ 무더위와 열대야 현상이 나타난다.
④ 장마가 지속되어 비가 많이 내린다.
⑤ 춥고 건조하며 한파가 기승을 부린다.

정답과 해설 15쪽

01 그림은 높이에 따른 공기의 양을 나타낸 것이다.

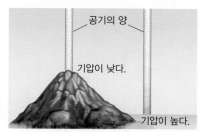

공기의 양
기압이 낮다.
기압이 높다.

(1) 높이 올라갈수록 공기의 양은 어떻게 달라지는지 쓰시오.

↘ 높이 올라갈수록 공기의 양이 (　　　)한다.

(2) 고도와 기압의 관계를 공기의 양과 관련지어 설명하시오.

02 그림은 해안에서 부는 바람을 나타낸 것이다.

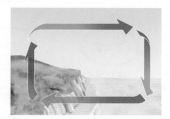

(1) 낮과 밤 중 언제 부는 바람인지와 이 바람의 이름을 쓰시오.

↘ 그림은 (　　　)에 부는 (　　　)이다.

(2) 바람이 그림과 같이 부는 까닭을 온도, 기압과 관련지어 설명하시오.

03 그림은 우리나라의 날씨에 영향을 주는 기단을 나타낸 것이다.

A
B
동해
C
D

(1) 초여름 서늘하고 습한 날씨와 관련이 있는 기단의 기호와 이름을 쓰시오.

↘ 우리나라 초여름에 영향을 주는 기단은 (　　　),
(　　　) 기단이다.

(2) A 기단의 성질을 기단이 발생한 장소의 특징과 관련지어 설명하시오.

04 그림은 온대 저기압을 나타낸 것이다.

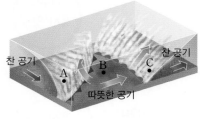

찬 공기
A
B
C
찬 공기
따뜻한 공기

(1) A~C 중 현재 날씨가 맑고, 기온이 높은 지역의 기호를 쓰시오.

↘ 현재 날씨가 맑고, 기온이 높은 지역은 (　　　)이다.

(2) C 지역의 현재 날씨를 기온과 구름의 모양, 강수 여부를 포함하여 설명하시오.

그림으로 단원 정리하기 이제! 마무리 동작입니다!

+) 정답과 해설 16쪽

이 단원에서 배운 핵심 단어를 빈칸에 채워 넣어 생각 그물을 완성해 보자.

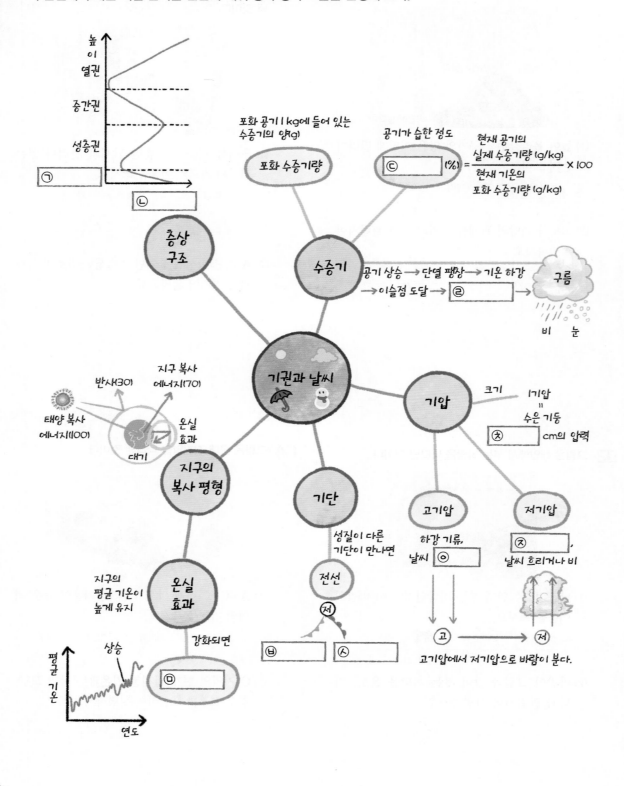

과학
3학년
우리 학교 시험 문제 | 대단원 평가
II. 기권과 날씨

년   월   일
이름:

◆ 정답과 해설 **16**쪽

01 기권에 대한 설명으로 옳은 것은?

① 높이 약 10 km까지의 영역이다.

② 높이 올라갈수록 공기가 희박하다.

③ 수증기는 기권 전체에 고루 분포한다.

④ 높이에 따른 기압 분포에 따라 크게 4개 층으로 구분한다.

⑤ 지구에 대기가 없다면 지구의 평균 온도는 현재보다 높을 것이다.

중요해!

02 그림은 기권의 구조를 나타낸 것이다.

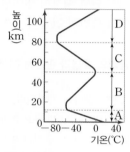

이에 대한 설명으로 옳은 것은?

① A에서는 오로라가 나타난다.

② A에는 수증기가 거의 없다.

③ B에서는 최저 기온이 나타난다.

④ C에서는 대류가 일어나지 않는다.

⑤ D는 낮과 밤의 기온 차가 매우 크다.

서답형

03 그림은 지구에 출입하는 복사 에너지를 나타낸 것이다.

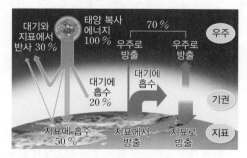

그림을 보고 빈칸에 알맞은 숫자를 쓰시오.

- 지구가 흡수하는 태양 복사 에너지: (㉠   ) %
- 대기와 지표에서 반사되는 태양 복사 에너지: (㉡   ) %
- 지구 복사로 방출되는 에너지: (㉢   ) %

04 그림과 같이 장치하고 가열 장치를 켠 다음 2분마다 알루미늄 컵 속 공기의 온도를 측정하였다.

이 실험의 결과로 옳은 것은?

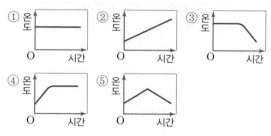

05 그림은 대기 중 이산화 탄소 농도 변화를 나타낸 것이다.

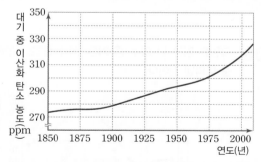

최근 지구 환경의 변화에 대한 설명으로 옳은 것을 보기에서 모두 고른 것은?

┤ 보기 ├

ㄱ. 해수면이 상승했을 것이다.

ㄴ. 북극 빙하가 확장되었을 것이다.

ㄷ. 온실 효과가 약화되었을 것이다.

① ㄱ   ② ㄴ   ③ ㄱ, ㄴ

④ ㄱ, ㄷ   ⑤ ㄴ, ㄷ

[06~07] 그림은 기온에 따른 포화 수증기량 곡선을 나타낸 것이다.

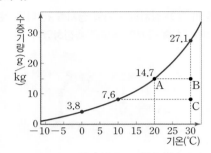

06 이에 대한 설명으로 옳지 <u>않은</u> 것은?

① A 공기의 상대 습도는 100 %이다.
② A 공기의 현재 수증기량은 포화 수증기량과 같다.
③ B와 C 공기는 불포화 상태이다.
④ B 공기는 C 공기보다 증발이 잘 일어난다.
⑤ B 공기의 기온을 낮추거나 수증기를 공급하면 포화 상태에 도달한다.

07 B 공기의 이슬점과 상대 습도로 옳은 것은?

	이슬점	상대 습도
①	10 ℃	약 54 %
②	10 ℃	100 %
③	20 ℃	약 54 %
④	20 ℃	100 %
⑤	30 ℃	약 54 %

08 그림은 맑은 날 하루 중 기온, 상대 습도, 이슬점 변화를 나타낸 것이다.

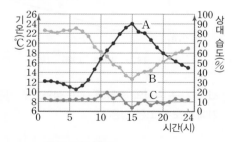

이에 대한 설명으로 옳은 것은?

① A는 상대 습도이다.
② B는 이슬점이다.
③ A와 B는 비슷한 경향을 띤다.
④ A가 높아지면 포화 수증기량이 증가한다.
⑤ C가 증가하면 포화 수증기량이 증가한다.

09 그림과 같이 페트병을 간이 가압 장치로 닫고 압축 펌프로 여러 번 누른 후(가) 뚜껑을 열었다(나).

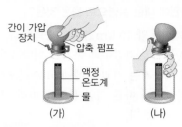

이에 대한 설명으로 옳은 것은?

① (가)에서 압력은 낮아진다.
② (가)에서 온도는 낮아진다.
③ (가)에서 응결이 활발히 일어난다.
④ (나)에서 단열 팽창이 일어난다.
⑤ (나)에서 증발이 활발히 일어난다.

서답형

10 다음은 공기의 흐름과 관련된 현상들을 나타낸 것이다.

- 지표면이 강하게 가열된다.
- 공기가 기압이 낮은 곳으로 모여든다.
- 따뜻한 공기와 찬 공기가 만난다.

(1) 위에서 나타나는 공통적인 공기의 흐름을 쓰시오.

_____

(2) 구름의 생성을 (1)과 관련지어 설명하시오.

_____

_____

11 그림은 수직으로 발달한 구름의 모습을 나타낸 것이다.

이에 대한 설명으로 옳은 것을 보기에서 모두 고르시오.

┌─ 보기 ─
ㄱ. 열대 지방에서 발달하는 구름이다.
ㄴ. A 구간은 얼음 알갱이로만 이루어져 있다.
ㄷ. 눈이 내리다가 기온이 높아 녹으면 비가 된다.

12 다음은 기압의 작용을 알아본 활동이다.

> • 신문지를 펼쳐 자로 빠르게 들어 올리면 잘 올라오지 않는다.
> • 유리컵에 물을 담고 종이를 덮은 후 거꾸로 뒤집어도 물이 쏟아지지 않는다.
> • 페트병에 뜨거운 물을 조금 넣고 뚜껑을 닫아 얼음물에 넣으면 페트병이 찌그러진다.

위와 같은 결과가 나타나는 까닭은 무엇일까?

① 공기는 무게가 거의 없기 때문
② 기압이 모든 방향으로 작용하기 때문
③ 온도가 높아지면 공기가 팽창하기 때문
④ 온도가 낮아지면 수증기가 응결하기 때문
⑤ 바람이 고기압에서 저기압으로 불기 때문

서답형

13 토리첼리의 기압 측정 실험을 높은 산에 올라가서 한다고 가정했을 때 지표면에서 실험할 때와 비교하여 수은 기둥의 높이 변화와 그 까닭을 설명하시오.

_____

_____

중요해!

14 그림과 같이 칸막이를 한 수조에 각각 따뜻한 물과 찬물을 넣은 후, 칸막이를 천천히 들어 올렸다.

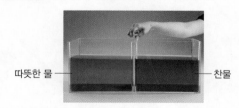

이에 대한 설명으로 옳은 것을 보기에서 모두 고른 것은?

┤ 보기 ├
ㄱ. 전선의 생성을 알아보기 위한 실험이다.
ㄴ. 찬물과 따뜻한 물은 칸막이를 올리자마자 바로 잘 섞인다.
ㄷ. 찬물이 따뜻한 물 아래쪽으로 이동하면서 경계면이 형성된다.

① ㄱ   ② ㄷ   ③ ㄱ, ㄴ
④ ㄱ, ㄷ   ⑤ ㄴ, ㄷ

15 그림은 우리나라에 영향을 주는 기단의 모습과 기단의 성질을 나타낸 것이다.

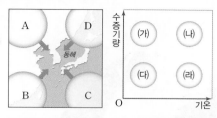

겨울철에 영향을 주는 기단과 그 성질을 옳게 짝 지은 것은?

① A―(가)   ② A―(다)   ③ B―(다)
④ B―(라)   ⑤ C―(다)

중요해!

16 그림은 북반구 고기압과 저기압에서의 바람 방향을 순서 없이 나타낸 것이다.

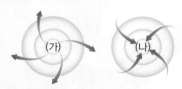

이에 대한 설명으로 옳은 것을 보기에서 모두 고른 것은?

┤ 보기 ├
ㄱ. (가)는 저기압이다.
ㄴ. (나)에서는 흐리거나 비가 온다.
ㄷ. 바람은 (가)에서 (나)로 분다.

① ㄱ   ② ㄷ   ③ ㄱ, ㄴ
④ ㄱ, ㄷ   ⑤ ㄴ, ㄷ

17 그림은 온대 저기압의 단면도를 나타낸 것이다.

그림에 대한 설명으로 옳은 것은? (정답 2개)

① ㉠은 한랭 전선, ㉡은 온난 전선이다.
② A 지역은 넓은 지역에 이슬비가 내린다.
③ B 지역은 기온이 높다.
④ C 지역은 적운형 구름이 발달한다.
⑤ C 지역은 현재 날씨가 맑다.

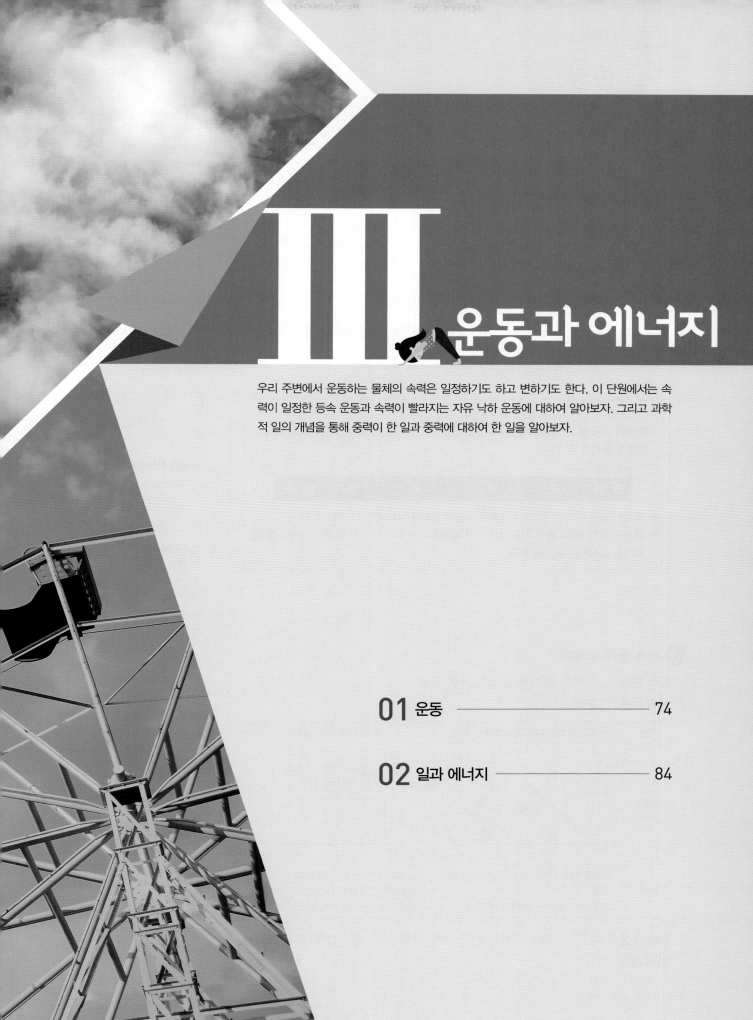

III 운동과 에너지

우리 주변에서 운동하는 물체의 속력은 일정하기도 하고 변하기도 한다. 이 단원에서는 속력이 일정한 등속 운동과 속력이 빨라지는 자유 낙하 운동에 대하여 알아보자. 그리고 과학적 일의 개념을 통해 중력이 한 일과 중력에 대하여 한 일을 알아보자.

01 운동

기분이 되는 중요한 자세

핵심 키워드 속력, 등속 운동, 자유 낙하 운동

ⓐ 속력

1. **운동의 표현** 물체의 위치를 일정한 시간 간격으로 나타내어 운동을 표현한다. ㉱ 다중 섬광 사진❶

2. **속력** 단위시간 동안 물체가 이동한 거리. 운동하는 물체의 빠르기를 나타내며, 단위는 m/s(미터 매 초), km/h(킬로미터 매 시) 등을 사용한다.❷

$$\text{속력}(m/s) = \frac{\text{이동 거리}(m)}{\text{걸린 시간}(s)}$$

3. **평균 속력** 물체가 전체 이동한 거리를 걸린 시간으로 나누어 구한 속력

$$\text{평균 속력}(m/s) = \frac{\text{전체 이동 거리}(m)}{\text{걸린 시간}(s)}$$

- **물체의 운동 분석**: 물체의 운동을 0.1초 간격으로 나타낸 다중 섬광 사진으로 물체의 운동을 분석할 수 있다.

운동 방향 ➡

● ● ●   ●   ●   ●   ● ● ●

➡ 물체와 물체 사이의 거리: 0.1초 동안 이동한 거리를 나타내므로 속력으로 볼 수 있다.
➡ 물체의 운동 분석: 물체 사이의 거리가 넓어지다가 좁아지므로, 물체는 속력이 빨라지다가 느려지는 운동을 한다.

ⓑ 등속 운동 ◀탐구 78쪽

1. **등속 운동**❸ 속력이 변하지 않고 일정한 운동

2. **등속 운동의 그래프**

구분	시간에 따른 이동 거리 그래프❹	시간에 따른 속력 그래프
그래프	이동거리 기울기 = $\dfrac{\text{이동 거리}}{\text{시간}}$ = 속력 O ──── 시간	속력 넓이 = 속력 × 시간 = 이동 거리 O ──── 시간
해석	• 원점을 지나고 기울기가 일정한 직선 형태이다. • 그래프의 기울기는 속력을 나타낸다.	• 시간축과 나란한 직선 형태이다. • 그래프 아랫부분과 시간축으로 둘러싸인 부분의 넓이는 이동 거리를 나타낸다.

3. **등속 운동의 예**❺ 공항의 수하물 컨베이어, 무빙워크, 에스컬레이터, 케이블카의 운동 등

---

❶ **다중 섬광 사진**
물체의 움직임을 일정한 시간 간격으로 한 장의 사진에 담아낸 것으로, 물체 사이의 거리를 분석하여 속력 변화를 알 수 있다.

❷ **속력의 단위**
- 1 m/s: 1초(s)마다 1 m를 이동하는 빠르기
- 1 km/h: 1시간(h)마다 1 km를 이동하는 빠르기
- 단위 변환: $1 \text{ km/h} = \dfrac{1 \text{ km}}{1 \text{ h}}$
$= \dfrac{1000 \text{ m}}{3600 \text{ s}} = \dfrac{5}{18} \text{ m/s}$

❸ **등속 직선 운동**
속력과 운동 방향이 모두 일정한 운동

❹ **시간에 따른 이동 거리 그래프의 기울기**
시간에 따른 이동 거리 그래프에서 그래프의 기울기가 작으면 속력이 작고, 기울기가 크면 속력이 큰 것을 의미한다.

❺ **등속 운동하는 물체와 힘**
운동하는 물체에 힘이 작용하지 않으면 물체는 등속 운동을 한다. ㉱ 얼음판 위에서 아이스하키 퍽이 등속 운동하는 동안에는 힘이 작용하지 않는다.

■ 용어 이해하기
- **운동**(옮길 運, 움직일 動) 물체가 시간의 경과에 따라 그 공간적 위치를 바꾸는 일
- **다중 섬광 사진**(많을 多, 겹칠 重, 번쩍 閃, 빛 光, 베낄 寫, 참 眞) 어두운 곳에서 일정한 시간 간격으로 플래시를 터뜨려 찍은 사진
- **등속**(가지런할 等, 빠를 速) 속력이 일정함

074 ■■■ Ⅲ. 운동과 에너지

개념 다지기

초성 퀴즈

ⓐ 속력

- 단위시간 동안 물체가 이동한 거리를 ⬚ㅅ ㄹ 이라고 한다.
- ㅍ ㄱ ㅅ ㄹ 은 물체가 전체 이동한 거리를 걸린 시간으로 나누어 구한 속력이다.

ⓑ 등속 운동

- 속력이 변하지 않고 일정한 운동을 ㄷ ㅅ ㅇ ㄷ 이라고 한다.
- 등속 운동을 하는 물체의 시간에 따른 이동 거리 그래프에서 직선의 기울기는 ㅅ ㄹ 을 나타낸다.

1 속력에 대한 설명으로 옳은 것은 ○표, 옳지 **않은** 것은 ×표를 하시오.

(1) 속력은 단위시간 동안 물체가 이동한 거리이다. ·········· (   )
(2) 속력은 이동 거리를 걸린 시간으로 나누어 구한다. ·········· (   )
(3) 10초 동안 1 m를 이동하는 물체의 속력은 10 m/s이다. ·········· (   )
(4) 걸린 시간을 전체 이동 거리로 나눈 값을 평균 속력이라고 한다. (   )
(5) 속력의 단위는 m/s(미터 매 초), km/h(킬로미터 매 시) 등을 사용한다.
·········· (   )

2 다음과 같이 운동하는 물체의 속력, 이동 거리, 걸린 시간을 구하시오.

(1) 100 m를 10초 동안 달리는 운동선수의 속력: (   ) m/s
(2) 30 m/s의 일정한 속력의 트럭이 20초 동안 이동한 거리: (   ) m
(3) 자전거가 1000 m를 20 m/s의 일정한 속력으로 이동할 때 걸리는 시간:
(   )초

3 그림은 나비의 운동을 0.1초 간격으로 나타낸 다중 섬광 사진을 나타낸 것이다. 빈 칸에 알맞은 말을 쓰시오.

나비와 나비 사이의 거리는 0.1초 동안 (㉠   )를 나타내므로 속력으로 볼 수 있다. 또한 나비 사이의 거리가 점점 넓어지다가 좁아지므로, 나비는 속력이 (㉡   )지다가 (㉢   )지는 운동을 한다.

4 다음은 등속 운동의 그래프에 대한 설명이다. 각 그래프에 해당하는 설명을 옳게 연결하시오.

(1) | 시간축과 나란한 직선 형태이다. •

(2) | 기울기가 클수록 속력이 크다. •

(3) | 그래프 아랫부분과 시간축으로 둘러싸인 부분의 넓이는 이동 거리를 나타낸다. •

(4) | 그래프의 기울기는 속력을 나타낸다. •

• ㉠ (이동 거리 - 시간 그래프)

• ㉡ (속력 - 시간 그래프)

5 우리 주변에서 볼 수 있는 여러 가지 운동 중 등속 운동의 예를 모두 고르시오.

ㄱ. 공항의 수하물 컨베이어   ㄴ. 자이로드롭
ㄷ. 무빙워크   ㄹ. 에스컬레이터
ㅁ. 엘리베이터   ㅂ. 케이블카

C 자유 낙하 운동

1. **자유 낙하 운동** 공기의 저항이 없을 때, 정지해 있던 물체가 중력만을 받아 아래로 떨어지는 운동[6]
   ① 물체에 작용하는 힘: 물체의 무게와 같은 크기이고, 연직 아래 방향으로 작용한다.
   ② 물체의 운동 방향: 중력의 방향, 즉 연직 아래 방향이다. ➡ 힘의 방향과 같은 방향으로 운동하므로 속력이 증가한다.[7]

2. **자유 낙하 운동을 하는 물체의 속력** 매초 9.8 m/s만큼 속력이 일정하게 증가한다. 즉, 물체의 속력은 물체가 자유 낙하 운동을 한 시간에 비례한다.

3. **자유 낙하 운동을 하는 물체의 시간에 따른 속력 그래프** 자유 낙하 운동을 하는 물체의 시간에 따른 속력 그래프는 기울기가 일정한 직선 모양이며, 그래프의 기울기는 9.8이다.[8]

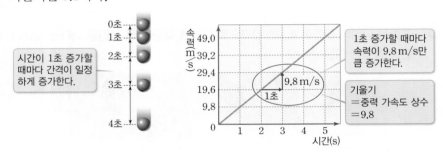

시간이 1초 증가할 때마다 간격이 일정하게 증가한다.

1초 증가할 때마다 속력이 9.8 m/s만큼 증가한다.

기울기=중력 가속도 상수=9.8

d 질량이 다른 물체의 자유 낙하 운동

1. **중력 가속도 상수와 무게**
   ① 중력 가속도 상수: 중력만을 받아 자유 낙하 운동을 하는 물체의 시간에 따른 속력 변화 정도를 나타내는 값인 9.8을 중력 가속도 상수라 한다.
   ② 중력 가속도 상수와 물체의 무게: 물체에 작용하는 중력의 크기인 무게(N)는 물체의 질량(kg)과 중력 가속도 상수의 곱과 같다.

물체의 무게=9.8×질량

2. **질량이 다른 물체의 자유 낙하 운동** 물체가 자유 낙하 운동을 할 때 물체의 종류나 크기, 질량에 관계없이 물체의 속력은 1초마다 9.8 m/s씩 증가한다.[9]

진공에서 물체의 자유 낙하 운동 탐구 79쪽
- 진공에서 쇠구슬과 깃털을 동시에 같은 높이에서 떨어뜨리면 쇠구슬과 깃털은 동시에 떨어진다. ➡ 같은 높이에서 동시에 자유 낙하 운동을 시작한 모든 물체들은 지면에 동시에 도달한다.
- 물체의 질량이나 모양에 관계없이, 자유 낙하 운동을 하는 물체는 속력이 1초마다 9.8 m/s씩 증가하는 운동을 한다.

⑥ 등속 운동과 자유 낙하 운동의 차이점
등속 운동은 속력이 일정하지만, 자유 낙하 운동은 속력이 일정하게 증가한다. 따라서 등속 운동은 시간에 따른 이동 거리 그래프의 기울기가 일정한 직선 형태이며, 자유 낙하 운동은 시간에 따른 속력 그래프의 기울기가 일정한 직선 형태이다.

⑦ 힘의 방향과 속력의 관계
- 물체의 운동 방향으로 힘이 작용할 때: 물체의 속력이 증가한다.
- 물체의 운동 방향과 반대 방향으로 힘이 작용할 때: 물체의 속력이 감소한다.

⑧ 자유 낙하 운동을 하는 물체의 시간에 따른 이동 거리 그래프

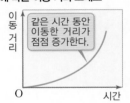

같은 시간 동안 이동한 거리가 점점 증가한다.

⑨ 공기 중에서 물체의 낙하 운동
공기 중에서는 공기 저항이 있기 때문에 무거운 쇠구슬이 가벼운 깃털보다 먼저 떨어진다.

■ 용어 이해하기
- **중력**(무거울 重, 힘 力) 지구 위의 물체가 지구 중심으로부터 받는 힘
- **가속도**(더할 加, 빠를 速, 법 度) 단위시간 내에 속도가 증가하는 비율
- **진공**(참 眞, 빌 空) 공기 따위의 물질이 전혀 없는 공간

6 자유 낙하 운동에 대한 설명으로 옳은 것은 ○표, 옳지 않은 것은 ×표를 하시오.

(1) 물체의 운동 방향은 연직 아래 방향이다. ─────────── (   )
(2) 운동 방향과 반대 방향으로 힘이 작용하여 속력이 증가한다. ──── (   )
(3) 정지해 있던 물체가 중력만을 받아 떨어지는 운동이다. ──────── (   )
(4) 물체에 작용하는 힘의 크기는 물체의 무게에 관계없이 모두 같다. (   )

7 다음은 등속 운동과 자유 낙하 운동에 대한 설명이다. 각 운동에 해당하는 설명을 옳게 연결하시오.

(1) 속력이 일정하게 증가하는 운동이다. •

(2) 속력이 일정한 운동이다. •

(3) 이동 거리가 일정하게 증가하는 운동이다. •

(4) 운동 방향으로 일정한 크기의 힘을 받는다. •

• ㉠ 등속 운동

• ㉡ 자유 낙하 운동

8 다음 빈칸에 공통으로 들어갈 알맞은 말을 쓰시오.

• 중력 가속도 상수: 자유 낙하 하는 물체의 시간에 따른 속력 변화 정도를 나타내는 값인 (   )이다.
• 물체의 무게: 물체에 작용하는 중력의 크기인 무게는 질량에 (   )을 곱하여 구할 수 있다.

9 오른쪽 그림은 자유 낙하 운동을 하는 물체의 시간에 따른 속력 그래프이다. 빈칸에 알맞은 말을 쓰시오.

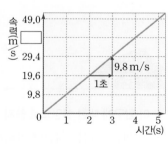

(1) 낙하 시간이 1초 증가할 때 물체의 속력은 (   ) m/s씩 증가한다.
(2) 4초일 때 물체의 속력은 (   ) m/s 이다.
(3) 물체의 속력은 물체가 자유 낙하 운동을 한 시간에 (   )한다.

10 다음은 질량과 속력 변화에 대한 설명이다. 빈칸에 알맞은 말을 쓰시오.

물체의 질량이나 모양에 관계없이 자유 낙하 운동을 하는 물체는 속력이 1초마다 (㉠   ) m/s씩 증가하는 운동을 한다. 따라서 (㉡   )에서 구슬과 깃털을 동시에 같은 높이에서 떨어뜨리면 구슬과 깃털의 속력이 1초마다 (㉢   ) m/s씩 동일하게 증가하므로 지면에 동시에 떨어진다.

등속 운동 표현하고 분석하기

목표 등속 운동을 하는 물체의 시간과 이동 거리, 시간과 속력 관계를 표현하고 설명할 수 있다.

잠깐

과정 및 결과

과정 ❷에서 구한 속력은 시간 구간에서의 평균 속력이므로 시간에 따른 속력 그래프에서 각 시간 구간의 가운데에 속력값을 표시한다.

오른쪽 그림은 직선 경로를 따라 등속 운동하는 장난감 자동차를 1초 간격으로 나타낸 것이다.

❶ 장난감 자동차의 처음 위치를 기준으로 1초, 2초, … 동안 장난감 자동차의 이동 거리를 기록한다.

시간(s)	0	1	2	3	4
이동 거리(cm)	0	25	50	75	100

❷ 1초 간격의 시간 구간마다 장난감 자동차의 이동 거리를 구하고, 그 시간 구간에서의 속력을 계산하여 기록한다.

시간 구간(s)	0~1	1~2	2~3	3~4
각 구간에서의 이동 거리(cm)	25	25	25	25
속력(cm/s)	25	25	25	25

❸ 표에 쓴 값을 토대로 장난감 자동차의 시간에 따른 이동 거리와 속력을 그래프로 나타낸다.

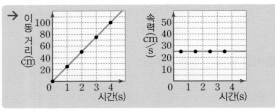

❹ 다른 속력으로 등속 운동하는 장난감 자동차의 시간에 따른 이동 거리와 속력을 그래프로 나타내고 과정 ❸의 결과와 비교한다.

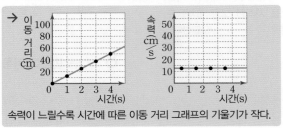

속력이 느릴수록 시간에 따른 이동 거리 그래프의 기울기가 작다.

정리

등속 운동하는 물체의 시간에 따른 이동 거리 그래프의 기울기는 일정한 시간 동안 이동한 거리인 (㉠   )을 의미하고, 물체의 속력이 클수록 기울기는 (㉡   ).

확인 문제

╋ 정답과 해설 17쪽

1 이 탐구에 대한 설명으로 옳지 않은 것은?

① 이동 거리는 시간에 반비례한다.
② 속력은 시간에 관계없이 일정하다.
③ 이동 거리는 시간에 따라 일정하게 증가한다.
④ 같은 시간 구간 동안 이동한 거리는 항상 같다.
⑤ 시간에 따른 이동 거리 그래프에서 기울기는 속력을 의미한다.

2 시간에 따른 속력 그래프에서 그래프 아랫부분과 시간축으로 둘러싸인 부분의 넓이가 의미하는 것은?

① 속력   ② 이동 거리   ③ 걸린 시간
④ 이동 방향   ⑤ 사진 사이의 거리

3 일상생활에서 이 탐구에서와 같은 운동을 하는 예가 아닌 것은?

① 무빙워크   ② 컨베이어   ③ 케이블카
④ 자이로드롭   ⑤ 에스컬레이터

서답형

4 이 탐구에서 장난감 자동차 사이의 거리가 더 길어진다면 시간에 따른 이동 거리 그래프는 어떻게 변할지 그 까닭과 함께 쓰시오.

_____

_____

질량이 다른 두 물체의 자유 낙하 운동 비교하기

목표   자유 낙하 운동을 하는 질량이 다른 두 물체의 시간에 따른 속력 변화를 비교할 수 있다.

과정 및 결과

❶ 무거운 구슬과 가벼운 깃털이 들어 있는 속이 진공인 두 관을 동시에 세워, 구슬과 깃털이 자유 낙하 운동을 하게 한다.

❷ 자유 낙하 운동을 하는 구슬과 깃털의 운동을 동영상으로 촬영한다.

❸ 5회 이상 반복하여 실험하고 바닥에 도착할 때까지 공과 깃털의 운동 모습을 비교한다.

➜ 0.1초 간격으로 나타낸 구슬과 깃털의 위치가 같은 것으로 보아 구슬과 깃털이 동시에 떨어진다.

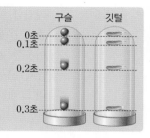

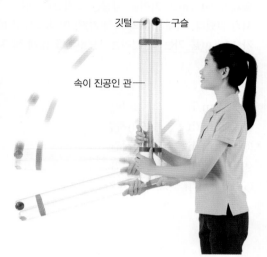

❹ 공기 중에서 구슬과 깃털을 같은 높이에서 떨어뜨릴 때 구슬과 깃털의 모습이 어떤지 관찰하고 그 까닭을 알아본다.

➜ 공기의 저항 때문에 구슬이 깃털보다 먼저 떨어진다.

정리

1 자유 낙하 운동의 시간과 속력의 관계   시간이 지날수록 물체의 속력이 일정하게 (㉠ 빨라 , 느려)진다. 이때 물체의 속력은 매초 9.8 m/s씩 (㉡ 빨라 , 느려)진다.

2 물체의 질량과 자유 낙하 운동   공기의 저항이 없다면, 물체의 질량이나 모양에 관계없이 자유 낙하 운동을 하는 물체는 속력이 1초마다 (㉢   ) m/s씩 증가하는 운동을 한다.

➕ 정답과 해설 18쪽

1 자유 낙하를 하는 물체의 속력에 대한 설명으로 옳은 것은?

① 속력이 일정하다.
② 속력이 일정하게 느려진다.
③ 속력이 일정하게 빨라진다.
④ 속력이 빨라지다가 느려진다.
⑤ 속력이 느려지다가 빨라진다.

2 진공에서 질량 100 g인 물체를 가만히 떨어뜨렸더니 1초마다 속력이 9.8 m/s씩 증가하였다. 질량 200 g인 물체를 떨어뜨린다면 1초마다 속력은 얼마씩 증가하는가?

① 2.45 m/s   ② 4.9 m/s   ③ 9.8 m/s
④ 19.6 m/s   ⑤ 39.2 m/s

3 진공에서 보기의 물체를 같은 높이에서 동시에 낙하 시킬 때 가장 먼저 떨어지는 것은?

┤█ 보기 ├
ㄱ. 20 g인 동전   ㄴ. 25 g인 신문지
ㄷ. 100 g인 나무 도막   ㄹ. 500 g인 금속 조각

① ㄱ   ② ㄴ   ③ ㄷ
④ ㄹ   ⑤ 모두 같다.

서답형 ✏

4 오른쪽 그림과 같이 공기 중에서 구슬과 깃털을 동시에 떨어뜨리면 구슬이 먼저 떨어진다. 그 까닭을 쓰시오.

_____

_____

a 속력

01 물체가 **10 km**의 거리를 일정한 속력으로 가는 데 2 시간 걸렸다. 이때 물체의 속력(가)와 이 속력으로 물체가 **15 km**를 가는 데 걸리는 시간(나)를 옳게 짝 지은 것은?

	(가)	(나)
①	2 km/h	2시간
②	2 km/h	7.5시간
③	5 km/h	3시간
④	5 km/h	4시간
⑤	10 km/h	1.5시간

중요해!

02 그림과 같이 장난감 자동차가 A 지점에서 B 지점을 거쳐 C 지점까지 가는 데 각각 2초, 4초가 걸렸다.

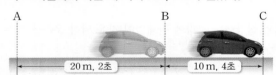

이 자동차가 A 지점에서 C 지점까지 운동하는 동안 평균 속력은 몇 **m/s**인가?

① 2.5 m/s   ② 5 m/s   ③ 6 m/s
④ 10 m/s   ⑤ 12.5 m/s

서답형

03 그림은 육상 선수 A, B, C의 기록을 나타낸 것이다.

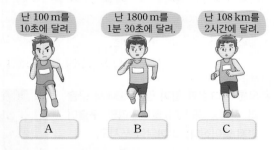

A~C 중 속력이 가장 빠른 선수를 쓰시오.

b 등속 운동

04 등속 운동하는 물체에 대한 설명으로 옳지 <u>않은</u> 것은?

① 등속 운동은 속력이 일정한 운동이다.
② 같은 시간 동안 이동한 거리가 클수록 속력이 크다.
③ 등속 운동하는 물체는 같은 시간 동안 같은 거리만큼 이동한다.
④ 등속 운동을 하는 물체의 다중 섬광 사진에서 이웃한 물체 사이의 거리는 항상 같다.
⑤ 등속 운동을 하는 물체의 시간에 따른 이동 거리 그래프는 시간축과 나란한 직선 형태이다.

서답형   **탐구 78쪽**

05 그림은 수평 구간을 움직이는 장난감 자동차를 1초 간격으로 찍은 연속 사진을 나타낸 것이다.

장난감 자동차가 어떤 운동을 하였는지 쓰고, 장난감 자동차의 속력이 몇 **m/s**인지 구하시오.

06 그림은 고속 열차와 버스의 시간에 따른 이동 거리 그래프를 나타낸 것이다.

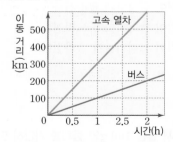

고속 열차가 **300 km** 지점에 도착하고 난 후 얼마가 지난 후에 버스가 같은 지점에 도착하는가?

① 0.5시간   ② 1시간   ③ 1.5시간
④ 2시간   ⑤ 3시간

07 오른쪽 그림은 직선상에서 움직이는 물체 A와 B의 시간에 따른 이동 거리를 그래프로 나타낸 것이다. 이에 대한 설명으로 옳지 <u>않은</u> 것은?

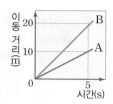

① 5초일 때 B의 속력은 A의 2배이다.
② 2초일 때 A의 속력은 10 m/s이다.
③ A는 속력이 일정한 운동을 한다.
④ B의 이동 거리는 시간에 비례한다.
⑤ 5초 동안 B가 이동한 거리는 A의 2배이다.

08 1977년에 발사된 무인 탐사선 보이저 1호는 태양으로부터 약 200억 km 거리에서 61200 km/h의 일정한 속력으로 날아가고 있다. 이때 보이저 1호가 일정한 속력으로 날아가는 까닭으로 옳은 것은?

① 중력이 작용하므로
② 태양풍에 의해 날아가므로
③ 아무런 힘이 작용하지 않으므로
④ 힘이 운동 방향으로 계속 작용하므로
⑤ 힘이 운동 방향과 반대 방향으로 계속 작용하므로

09 그림은 리프트와 공항의 수하물 컨베이어가 직선 구간에서 운동하는 모습을 각각 나타낸 것이다.

리프트의 운동과 컨베이어의 운동의 공통점을 보기에서 모두 고른 것은?

┌─ 보기 ─────────────────────
ㄱ. 속력이 일정한 운동을 한다.
ㄴ. 이동 거리가 시간에 비례하여 증가한다.
ㄷ. 시간에 따른 속력 그래프는 원점을 지나는 직선 모양이다.
└──────────────────────────

① ㄱ   ② ㄴ   ③ ㄷ
④ ㄱ, ㄴ   ⑤ ㄴ, ㄷ

C 자유 낙하 운동

[10~11] 오른쪽 그림은 공을 가만히 놓았을 때 공이 아래로 떨어지는 모습을 나타낸 것이다. (단, 공기의 저항은 무시한다.)

정지
운동 방향

10 이 공의 운동에 대한 설명으로 옳은 것을 보기에서 모두 고른 것은?

┌─ 보기 ─────────────────────
ㄱ. 공의 속력이 일정하게 빨라진다.
ㄴ. 공에는 운동 방향과 반대 방향으로 힘이 작용한다.
ㄷ. 공이 떨어지는 동안 공에 작용하는 힘의 크기는 일정하다.
└──────────────────────────

① ㄱ   ② ㄴ   ③ ㄷ
④ ㄱ, ㄷ   ⑤ ㄴ, ㄷ

11 공이 떨어지는 동안 공의 시간에 따른 속력을 나타낸 그래프로 옳은 것은?

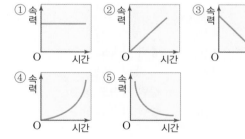

서답형

12 오른쪽 그림과 같이 일정한 간격으로 동일한 가림막을 설치하여, 가림막 뒤에서 물체가 떨어지면 가림막이 없는 부분에서만 물체가 보이게 장치하였다. 물체를 떨어뜨려 물체가 보일 때마다 손뼉을 쳤더니 손뼉을 치는 소리가 점점 빨라졌다. 그 까닭을 설명하시오.

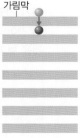
가림막

13 자유 낙하 운동에 대한 설명으로 옳은 것을 보기에서 모두 고른 것은?

┌─ 보기 ────────────────────┐
ㄱ. 낙하 하는 동안 중력을 받는다.
ㄴ. 1초마다 이동하는 거리가 일정하다.
ㄷ. 시간에 따라 속력이 일정하게 증가한다.
└───────────────────────────┘

① ㄱ　　　　② ㄴ　　　　③ ㄱ, ㄷ
④ ㄴ, ㄷ　　　⑤ ㄱ, ㄴ, ㄷ

---

d 질량이 다른 물체의 자유 낙하 운동

14 자유 낙하 운동을 하는 물체의 시간에 따른 속력 그래프에 대한 글에서 ㉠과 ㉡에 들어갈 숫자나 말을 옳게 짝 지은 것은?

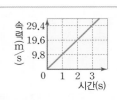

자유 낙하 하는 물체는 물체의 질량에 관계없이 속력이 1초마다 (㉠) m/s씩 증가하며, 이때 (㉠)을 (㉡)(이)라고 한다.

　　　㉠　　　　　　㉡
① 　4.9　　　　　등속 운동
② 　4.9　　　　중력 가속도 상수
③ 　9.8　　　　　등속 운동
④ 　9.8　　　　중력 가속도 상수
⑤ 　19.6　　　　중력 가속도 상수

중요해!

15 오른쪽 그림은 진공에서 구슬과 깃털이 동시에 낙하 할 때 이를 일정한 시간 간격으로 촬영한 사진을 나타낸 것이다. 이에 대한 설명으로 옳은 것을 보기에서 모두 고른 것은? **탐구 79쪽**

┌─ 보기 ────────────────────┐
ㄱ. 깃털에는 중력이 작용하지 않는다.
ㄴ. 구슬이 낙하 하는 속력은 일정하다.
ㄷ. 구슬과 깃털은 동시에 바닥에 도달한다.
└───────────────────────────┘

① ㄱ　　　　② ㄷ　　　　③ ㄱ, ㄴ
④ ㄴ, ㄷ　　　⑤ ㄱ, ㄴ, ㄷ

서답형

16 그림 (가)는 질량이 3 kg인 물체가 진공에서 자유 낙하를 할 때의 모습을 연속 사진으로 나타낸 것이고, (나)는 이를 시간에 따른 속력 그래프로 나타낸 것이다.

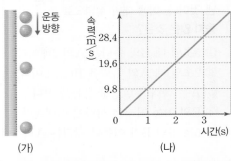

(가)　　　　　　　　　　(나)

(나)와 비교하여 질량 6 kg인 물체가 자유 낙하를 할 때 시간에 따른 속력 그래프의 기울기를 그 까닭과 함께 설명하시오.

_____

_____

_____

17 진공에서 보기의 물체를 같은 높이에서 동시에 떨어뜨렸다.

┌─ 보기 ────────────────────┐
ㄱ. 질량 50 g인 돌
ㄴ. 질량 1 g인 종이
ㄷ. 질량 2 kg인 강철
ㄹ. 질량 100 g인 나무 조각
└───────────────────────────┘

낙하 하는 동안 속력 변화가 가장 큰 것은?

① ㄱ　　　　② ㄴ　　　　③ ㄷ
④ ㄹ　　　　⑤ 모두 같다.

18 자유 낙하 운동을 하는 물체에 대한 설명으로 옳지 않은 것은? (단, 공기의 저항은 무시한다.)

① 물체에는 중력이 작용한다.
② 질량이 클수록 물체에 작용하는 힘도 커진다.
③ 물체에는 운동 방향으로 계속 힘이 작용한다.
④ 물체의 속력은 낙하 시간에 비례하여 증가한다.
⑤ 물체의 질량이 클수록 속력이 더 크게 증가한다.

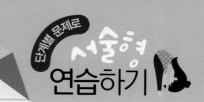

01 어두운 밤에 달리는 자동차의 사진을 찍으면 그림과 같이 자동차의 불빛이 선처럼 나타난다.

(1) 자동차의 빠르기와 자동차 불빛이 그린 선의 길이는 어떤 관계가 있는지 설명하시오.

↘ 자동차가 빠르게 달릴수록 불빛이 그린 선의 길이가 사진

에 (　　　) 나타난다.

(2) 자동차의 불빛이 그린 선의 길이로 자동차의 속력을 비교할 수 있는 까닭을 설명하시오.

02 그림은 직선상에서 움직이는 물체 A와 B의 시간에 따른 이동 거리를 그래프로 나타낸 것이다.

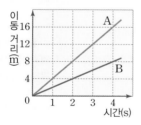

(1) 물체 A와 B의 속력을 각각 구하시오.

↘ 물체 A는 (　　　) m/s의 속력으로 움직였고, 물체 B는

(　　　) m/s의 속력으로 움직였다.

(2) 물체 A와 B는 어떤 운동을 하는지 쓰고 그 까닭을 설명하시오.

03 그림 (가)는 등속 운동을, (나)는 자유 낙하를 하는 물체를 다중 섬광 사진으로 나타낸 것이다.

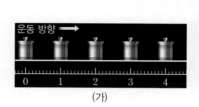 

(1) 두 운동의 차이점을 시간에 따른 속력 변화와 관련하여 설명하시오.

↘ (가)는 속력이 (　　　) 운동이며, (나)는 속력이 일정하게

(　　　) 운동이다.

(2) 두 물체의 운동의 차이점을 물체에 작용하는 힘과 관련하여 설명하시오.

04 오른쪽 그림은 질량이 45 g인 고무공과 질량이 3 g인 탁구공을 같은 높이에서 동시에 떨어뜨리는 모습을 나타낸 것이다. (단, 공기의 저항은 무시한다.)

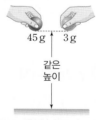

(1) 두 공에 작용하는 힘의 종류와 운동 방향을 각각 설명하시오.

↘ 고무공과 탁구공에는 모두 (　　　)이 작용하며 두 공 모두

(　　　) 방향으로 운동한다.

(2) 두 물체의 속력 변화의 비(고무공 : 탁구공)를 구하고 그 까닭을 설명하시오.

02 일과 에너지

ⓐ 일

1. **과학에서의 일** 물체에 힘이 작용하여 물체가 힘의 방향으로 이동할 때, 과학에서는 힘이 물체에 일을 한다고 한다. ❶

2. **일의 양** 물체에 작용한 힘의 크기와 물체가 힘의 방향으로 이동한 거리의 곱과 같다.

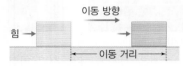

$$일(J) = 힘(N) \times 이동 거리(m)$$

① 단위: J(줄) ❷

② 1 J: 1 J은 1 N의 힘이 작용하여 물체가 힘의 방향으로 1 m 이동했을 때 한 일의 양이다. ➡ $1\,J = 1\,N \times 1\,m$

3. **물체에 한 일이 0인 경우**

물체에 작용하는 힘이 0일 때	물체의 이동 거리가 0일 때	힘의 방향과 이동 방향이 수직일 때
얼음판 위를 일정한 속력으로 움직이는 썰매에 작용하는 힘은 0이므로 사람이 한 일은 0이다.	역기에 힘이 위 방향으로 작용하지만 역기의 이동 거리가 0이므로, 힘이 역기에 한 일은 0이다.	상자가 힘의 방향으로 이동한 거리는 0이므로 힘이 상자에 한 일은 0이다.

ⓑ 일과 에너지

1. **에너지** 일을 할 수 있는 능력

2. **일과 에너지의 전환** 일과 에너지는 서로 전환될 수 있다.
   ① 물체가 가진 에너지는 일로 전환될 수 있고, 물체에 한 일은 물체의 에너지로 전환될 수 있다.
   ② 에너지의 단위: 일의 단위와 같은 J(줄)을 사용한다.

3. **일과 에너지의 관계** 물체가 다른 물체에 일을 하면 일을 한 물체의 에너지는 감소하고, 일을 받은 물체의 에너지는 증가한다. ❸

일을 한 물체의 에너지 변화	일을 받은 물체의 에너지 변화
에너지 → 일을 함 → 에너지	에너지 → 일을 받음 → 에너지

---

❶ **과학에서의 일이 아닌 경우**
일상생활에서 정신적인 활동은 과학에서의 일에 해당하지 않는다.
예 • 공부를 열심히 한다.
  • 착한 일을 한다.

❷ **줄(Joule, J. P., 1818~1889)**
영국의 과학자로, 일과 에너지의 이론에 관한 여러 업적을 남겼다. 그의 이름을 따서 일의 단위로 J을 사용한다.

❸ **일과 에너지의 관계**
일과 에너지는 같은 물리량으로, 모두 단위로 J(줄)을 사용한다. 물체가 지닌 에너지 양은 그 에너지를 써서 할 수 있는 일의 양을 측정하면 알 수 있다.

■ 용어 이해하기
• **전환**(구를 轉, 바꿀 換) 다른 방향이나 상태로 바뀜

1 다음 빈칸에 공통으로 들어갈 알맞은 말을 쓰시오.

> • 물체에 힘이 작용하여 물체가 (　　　　)으로 이동할 때, 과학에서는 힘이 물체에 일을 한다고 한다.
>
> • 물체에 한 일의 양은 물체에 작용한 힘의 크기와 물체가 (　　　　)으로 이동한 거리의 곱과 같다.
>
> • 물체에 힘을 작용하더라도 물체가 (　　　　)으로 이동한 거리가 0이면 한 일은 0이다.

2 수평면 위에 놓인 상자에 다음과 같이 일을 하였을 때 한 일의 양은 몇 J인지 구하시오.

(1) 2 N의 힘으로 상자를 밀어 상자가 5 m만큼 이동하였다.

(2) 10 N의 힘으로 상자를 들고 3 m만큼 수평 방향으로 걸어갔다.

(3) 상자에 1 N의 힘을 가했지만 상자가 움직이지 않았다.

3 한 일이 0인 경우는 A를, 한 일이 0이 <u>아닌</u> 경우는 B를 쓰시오.

(1) 역기를 들고 서 있었다. ……………………………………………………… (　　)

(2) 가방을 들고 복도를 걸어갔다. ………………………………………………… (　　)

(3) 교실에서 책상을 뒤로 밀었다. ………………………………………………… (　　)

(4) 가방을 들고 계단을 따라 올라갔다. …………………………………………… (　　)

(5) 무거운 바위를 밀었으나 움직이지 않았다. …………………………………… (　　)

4 일과 에너지에 대한 설명으로 옳은 것은 ○표, 옳지 <u>않은</u> 것은 ×표를 하시오.

(1) 물체가 가진 에너지는 일로 전환될 수 없다. ………………………………… (　　)

(2) 물체에 한 일은 물체의 에너지로 전환될 수 있다. …………………………… (　　)

(3) 에너지의 단위로 일의 단위와 같은 cal을 사용한다. ………………………… (　　)

(4) 에너지의 크기는 다른 물체에 할 수 있는 일의 양을 나타낸다. …………… (　　)

5 일을 할 때와 일을 받을 때 물체의 에너지 변화를 옳게 연결하시오.

(1) 일을 한 물체의 에너지 변화 •

(2) 일을 받은 물체의 에너지 변화 •

• ㉠

• ㉡

02 일과 에너지

기본이 되는 중요한 자세

C 중력에 의한 위치 에너지

1. 중력에 의한 위치 에너지 높은 곳에 있는 물체가 중력을 받아 떨어져 일을 할 수 있는 능력[4]

위치 에너지[5]	위치 에너지와 질량	위치 에너지와 높이
높은 곳에 있는 물체는 일을 할 수 있는 능력인 중력에 의한 위치 에너지를 갖는다. (힘, 이동 거리)	(위치 에너지 / 질량 그래프, 높이 일정)	(위치 에너지 / 높이 그래프, 질량 일정)
• 위치 에너지(J) $=9.8 \times$ 질량(kg)$\times$높이(m) • $E_{위치}=9.8mh$	높이가 일정할 때 위치 에너지는 질량에 비례한다.	질량이 일정할 때 위치 에너지는 높이에 비례한다.

2. 중력에 대하여 한 일과 중력에 의한 위치 에너지 물체를 중력과 반대 방향으로 들어 올려 중력에 대하여 일을 하면 일은 중력에 의한 위치 에너지로 전환된다.

> 중력에 대하여 한 일=힘×이동 거리
> =9.8×질량×들어 올린 높이 ➡ 위치 에너지

d 중력이 한 일과 운동 에너지[6]

1. 운동 에너지 운동하는 물체가 가지는 에너지 〔탐구 88쪽〕

운동 에너지	운동 에너지와 질량	운동 에너지와 속력
(운동 방향, 힘, 정지, 이동 거리) 운동 에너지를 가진 수레는 수평면에서 나무 도막을 미는 일을 할 수 있다.	(운동 에너지 / 질량 그래프, 속력 일정)	(운동 에너지 / (속력)² 그래프, 질량 일정)
• 운동 에너지(J) $=\frac{1}{2} \times$ 질량(kg)$\times${속력(m/s)}² • $E_{운동}=\frac{1}{2}mv^2$	속력이 일정할 때 운동 에너지는 질량에 비례한다.	질량이 일정할 때 운동 에너지는 속력의 제곱에 비례한다.

2. 중력이 한 일과 운동 에너지 정지 상태에서 떨어지는 물체는 중력을 받아 중력의 방향으로 이동한다. ➡ 자유 낙하 운동은 중력이 일을 하는 과정이며, 이때 중력이 한 일은 물체의 운동 에너지로 전환된다. 〔탐구 89쪽〕

> 중력이 한 일의 양
> =힘×이동 거리
> =9.8×질량×낙하 한 거리 ➡ 운동 에너지

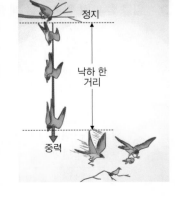

(정지, 낙하 한 거리, 중력)

---

④ 기준면에 따른 화분의 위치 에너지

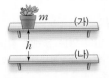

(m, (가), h, (나))

• 기준면이 (가)일 때: 기준면으로부터의 높이가 0 ➡ 위치 에너지는 0
• 기준면이 (나)일 때: 기준면으로부터의 높이가 h ➡ 위치 에너지는 $9.8mh$

⑤ 중력에 대하여 한 일과 위치 에너지의 계산

질량이 m인 물체를 h만큼 들어 올릴 때 중력에 대하여 한 일의 양은 중력×높이$=9.8\times$질량×높이$=9.8mh$이므로 중력에 의한 위치 에너지는 $9.8mh$이다.

⑥ 일상생활에서 위치 에너지와 운동 에너지를 가지고 있는 예

• 위치 에너지: 말뚝을 박는 데 사용하는 파일해머의 추, 하늘에 떠 있는 구름, 수력 발전소의 댐에 저장된 물, 출발 위치에 있는 스키점프 선수, 나무에 열린 사과 등
• 운동 에너지: 포수를 향해 날아가는 야구공, 레일 위를 굴러가는 볼링공, 도로 위를 달리는 자동차, 떨어지는 빗방울, 길을 걸어가는 사람 등

■ **용어 이해하기**

• **비례(견줄 比, 법식 例)** 어떤 수나 양의 변화에 따라 다른 수나 양이 변화하는 것
• **파일해머(pile hammer)** 말뚝을 땅에 박는 기계의 철퇴

6 위치 에너지에 대한 설명으로 옳은 것은 ○표, 옳지 않은 것은 ×표를 하시오.

(1) 기준면에 관계없이 위치 에너지는 일정하다. .... (　　)

(2) 높은 곳에 있는 물체는 위치 에너지를 가진다. .... (　　)

(3) 운동하는 물체가 가지는 에너지를 위치 에너지라고 한다. .... (　　)

(4) 위치 에너지는 높이에 비례하고 질량에 반비례한다. .... (　　)

7 오른쪽 그림과 같이 질량이 2 kg인 상자를 2 m 높이까지 들어 올렸다.

(1) 상자를 들어 올리는 동안 중력에 대하여 한 일의 양은 몇 J인지 구하시오.

(2) 지면을 기준으로 할 때, 2 m 높이에 있는 상자의 위치 에너지는 몇 J인지 구하시오.

8 다음은 중력에 대하여 힘이 한 일과 중력이 한 일에 대한 설명이다. 빈칸에 알맞은 말을 쓰시오.

> · 중력에 대하여 한 일의 양=(㉠　　　)×이동 거리
>   =9.8×질량×(㉡　　　　　)
> · 중력이 한 일의 양=(㉢　　　)×이동 거리
>   =9.8×질량×(㉣　　　　　)

9 오른쪽 그림과 같이 질량이 2 kg인 수레가 1 m/s의 속력으로 움직일 때 수레의 운동 에너지가 1 J이었다. 수레의 속력이 2 m/s가 된다면 수레의 운동 에너지는 몇 J이 되는지 구하시오.

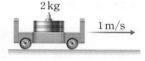

10 위치 에너지와 운동 에너지에 대한 설명으로 옳은 것은 ○표, 옳지 않은 것은 ×표를 하시오.

(1) 물체의 질량이 일정할 때 물체의 운동 에너지는 속력에 비례한다. (　　)

(2) 같은 높이에 있더라도 물체의 질량이 클수록 위치 에너지가 크다. (　　)

(3) 중력에 대하여 한 일이 클수록 물체의 위치 에너지는 커진다. .... (　　)

(4) 물체의 질량에 관계없이 물체가 자유 낙하를 한 거리가 같다면 물체의 운동 에너지도 같다. .... (　　)

질량 및 속력과 운동 에너지의 관계 알아보기

목표 물체의 질량 및 속력이 운동 에너지에 미치는 영향을 설명할 수 있다.

과정 및 결과

그림과 같이 장치하고 수레를 밀어 나무 도막과 충돌시켜 수레가 나무 도막을 밀고 가는 일을 하게 하였다.

탐구 A 질량이 1 kg, 2 kg, 3 kg인 수레를 같은 속력으로 밀어 나무 도막의 이동 거리를 측정하였다.

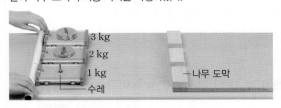

수레의 질량(kg)	1	2	3
나무 도막의 이동 거리(cm)	4	8	12

→ 나무 도막의 이동 거리는 수레의 질량에 비례한다.

탐구 B 같은 수레를 1 m/s, 2 m/s, 3 m/s의 속력으로 밀어 나무 도막의 이동 거리를 측정하였다.

수레의 속력(m/s)	1	2	3
나무 도막의 이동 거리(cm)	4	16	36

→ 나무 도막의 이동 거리는 수레의 속력의 제곱에 비례한다.

정리

1 수레의 운동 에너지와 나무 도막의 이동 거리의 관계 수레의 운동 에너지는 나무 도막을 미는 (㉠   )로 전환된다. 따라서 수레의 운동 에너지가 크면 나무 도막의 이동 거리도 (㉡   )다.

2 운동 에너지와 질량 및 속력과의 관계 나무 도막의 이동 거리는 수레의 (㉢   )과 (㉣   )²에 각각 비례한다.

➡ 나무 도막의 이동 거리는 수레의 운동 에너지에 비례하므로, 수레의 운동 에너지는 수레의 (㉤   )과 (㉥   )²에 각각 비례한다.

+) 정답과 해설 20쪽

1 탐구 A에서 긴 막대로 세 수레를 동시에 밀었을 때 세 수레가 같은 값을 가지는 것은?

① 수레의 속력
② 수레의 질량
③ 수레의 운동 에너지
④ 나무 도막의 이동 거리
⑤ 수레가 나무 도막에 한 일

2 탐구 B에서 수레가 나무 도막을 밀어 나무 도막이 이동하였을 때, 수레의 운동 에너지는 무엇으로 전환되는가?

① 수레의 질량
② 수레의 속력
③ 수레의 위치 에너지
④ 사람이 수레에 한 일
⑤ 수레가 나무 도막에 한 일

3 질량이 2 kg이고 속력이 2 m/s인 수레의 운동 에너지는 질량이 4 kg이고 속력이 1 m/s인 수레의 운동 에너지의 몇 배인가?

① 0.25배
② 0.5배
③ 1배
④ 2배
⑤ 4배

서답형

4 이 탐구에서 나무 도막의 이동 거리를 측정하는 까닭을 쓰시오.

중력이 한 일과 운동 에너지의 관계 알아보기

목표 자유 낙하 운동에서 중력이 한 일과 운동 에너지의 관계를 설명할 수 있다.

과정 및 결과 **유의점!** 추가 낙하 하는 동안 투명 플라스틱 관에 부딪히면 그때의 실험 결과는 무시하고 다시 실험한다.

❶ 스탠드에 투명 플라스틱 관, 자, 속력 측정기, 종이컵, 실로 묶은 질량이 100 g인 추를 그림과 같이 장치한다.

❷ 추를 관 아래쪽으로부터 10 cm, 20 cm, 30 cm 높이에서 떨어뜨려 속력 측정기에 나타난 값을 5회 측정하고, 그 평균값을 구한다.

추의 낙하 높이(cm)	속력 측정기에 나타난 값(m/s)					
	1회	2회	3회	4회	5회	평균
10	1.39	1.40	1.37	1.41	1.42	1.40
20	1.95	1.96	2.01	1.98	1.99	1.98
30	2.41	2.38	2.50	2.42	2.39	2.42

❸ 추의 낙하 높이에 따른 중력이 한 일과 측정한 평균 속력에 따른 추의 운동 에너지를 구한다. 그리고 중력이 추에 한 일의 양과 추의 운동 에너지를 비교해 본다.

추의 낙하 높이(cm)	10	20	30
중력이 추에 한 일의 양(J)	0.098	0.196	0.294
추의 운동 에너지(J)	0.098	0.196	0.293

중력이 추에 한 일의 양과 추의 운동 에너지는 거의 일치한다.

❹ 만약 질량이 200 g인 추를 이용하여 같은 실험을 한다면, 중력이 추에 한 일의 양과 추의 운동 에너지는 어떻게 달라질지 예상해 본다.

→ 질량이 200 g인 추를 이용하면 중력이 2배가 되어 중력이 추에 한 일의 양과 추의 운동 에너지 모두 2배가 될 것이다.

정리

중력이 추에 한 (㉠   )의 양과 추의 (㉡   )는 같다. ➡ 물체가 자유 낙하 운동을 할 때 중력이 물체에 한 일이 물체의 운동 에너지로 (㉢   )된다.

✦) 정답과 해설 21쪽

1 이 탐구에서 추의 운동 에너지를 계산하는 식으로 옳은 것은?

① 추의 질량
② 9.8×추의 질량
③ 추의 질량×속력
④ $\frac{1}{2}$×추의 질량×속력^2
⑤ 9.8×추의 질량×낙하 높이

서답형
2 이 탐구에서 추가 자유 낙하 하는 동안 중력이 추에 한 일의 양과 추의 운동 에너지의 관계를 쓰시오.

_____

_____

3 이 탐구에서 추가 떨어지는 동안 그 값이 증가하는 것을 보기에서 모두 고른 것은?

┤• 보기 ├
ㄱ. 추의 질량   ㄴ. 추의 위치 에너지
ㄷ. 추의 운동 에너지   ㄹ. 중력이 추에 한 일

① ㄱ, ㄴ   ② ㄴ, ㄷ   ③ ㄷ, ㄹ
④ ㄱ, ㄴ, ㄹ   ⑤ ㄴ, ㄷ, ㄹ

4 질량이 400 g인 추가 10 cm 자유 낙하 할 때 운동 에너지는 질량이 100 g인 추가 20 cm 자유 낙하 할 때의 몇 배인가?

① 0.5배   ② 1배   ③ 2배
④ 4배   ⑤ 8배

a 일

중요해!

01 과학에서의 일에 대한 설명으로 옳지 <u>않은</u> 것은?

① 일의 양은 힘과 물체의 속력의 곱과 같다.
② 일의 양을 나타내는 단위로 J(줄)을 사용한다.
③ 물체에 힘이 작용하더라도 물체가 이동하지 않으면 힘이 물체에 한 일은 0이다.
④ 물체에 힘이 작용하여 물체가 힘의 방향으로 이동할 때 힘이 물체에 일을 한 것이다.
⑤ 물체에 작용한 힘의 방향과 물체가 이동한 방향이 수직이면 힘이 물체에 한 일은 0이다.

02 그림과 같이 10 N의 힘을 가하여 나무 도막을 2 m 이동시켰다.

10 N

2 m

힘이 나무 도막에 한 일은 몇 J인가? (단, 공기 저항과 마찰은 무시한다.)

① 2 J ② 5 J ③ 10 J
④ 20 J ⑤ 40 J

서답형

03 그림은 무거운 가방을 들고 계단을 올라가는 모습을 나타낸 것이다.

이때 한 일의 양을 구하는 방법을 쓰고, 그 까닭을 서술하시오.

_____

_____

b 일과 에너지

04 일과 에너지의 관계에 대한 설명으로 옳은 것은?

① 일과 에너지는 서로 전환될 수 없다.
② 에너지의 단위와 일의 단위는 다르다.
③ 일을 할 수 있는 능력을 에너지라고 한다.
④ 사람이 물체에 일을 해 주면 물체의 에너지가 감소한다.
⑤ 사람이 물체를 천천히 들어 올리면 중력이 물체에 한 일의 양만큼 운동 에너지가 증가한다.

05 다음은 추를 들어 올렸다 떨어뜨려 말뚝을 박는 일을 하는 동안 에너지의 변화에 대한 설명이다.

- 사람이 추를 들어 올리는 동안 중력에 대해 일을 하면 추의 (㉠)가 증가한다.
- 줄을 놓아 추를 떨어뜨리면 중력이 한 일의 양만큼 추의 (㉡)가 증가한다.
- 추가 말뚝을 박아 말뚝에 일을 하면 추의 (㉢)가 감소한다.

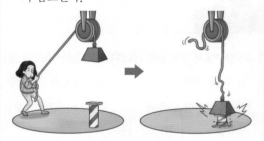

㉠~㉢에 들어갈 말을 옳게 짝 지은 것은?

	㉠	㉡	㉢
①	운동 에너지	위치 에너지	운동 에너지
②	운동 에너지	위치 에너지	위치 에너지
③	위치 에너지	운동 에너지	운동 에너지
④	위치 에너지	위치 에너지	운동 에너지
⑤	위치 에너지	위치 에너지	위치 에너지

06 오른쪽 그림과 같이 컬링 선수가 힘을 주어 스톤을 밀 때 일과 에너지 전환을 옳게 설명한 것은?

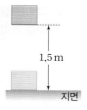

① 일이 힘으로 전환되었다.
② 일이 운동 에너지로 전환되었다.
③ 일이 위치 에너지로 전환되었다.
④ 운동 에너지가 일로 전환되었다.
⑤ 위치 에너지가 일로 전환되었다.

07 150 J의 에너지를 가진 물체가 외부에 50 J의 일을 하였다. 일을 하고 난 후 물체가 가진 에너지는 몇 J인가?

① 50 J   ② 100 J   ③ 150 J
④ 200 J   ⑤ 300 J

C   중력에 의한 위치 에너지

08 위치 에너지에 대한 설명으로 옳지 <u>않은</u> 것은?

① 기준면에서 위치 에너지는 0이다.
② 물체가 떨어져 일을 할 수 있는 능력이다.
③ 높이가 같을 때 물체의 질량이 작을수록 위치 에너지가 크다.
④ 질량이 같을 때 물체의 높이가 높을수록 위치 에너지가 크다.
⑤ 기준면에 놓인 물체를 들어 올릴 때 중력에 대해 한 일이 위치 에너지로 전환된다.

09 어떤 물체를 지면으로부터 5 m 높이까지 들어 올렸다. 이때 물체에 한 일이 100 J이라면 이 물체의 위치 에너지는 몇 J인가? (단, 기준면은 지면이다.)

① 10 J   ② 20 J   ③ 50 J
④ 100 J   ⑤ 500 J

10 오른쪽 그림과 같이 지면에 놓인 물체를 일정한 속력으로 1.5 m 들어 올리는 동안 물체에 30 J의 일을 하였다. 이 물체에 작용하는 중력의 크기는 몇 N인가?

① 5 N   ② 9.8 N
③ 19.6 N   ④ 20 N   ⑤ 45 N

11 물체의 높이가 일정할 때 물체의 질량(m)에 따른 위치 에너지(E_p) 그래프로 옳은 것은?

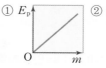

12 오른쪽 그림과 같이 질량과 높이를 다르게 하여 추를 떨어뜨려 원통형 나무에 충돌시켰을 때 원통형 나무가 이동한 거리를 측정하였다. 이 실험에 대한 설명으로 옳지 <u>않은</u> 것은?

① 추의 위치 에너지는 추의 질량에 비례한다.
② 추의 위치 에너지는 추의 높이에 비례한다.
③ 추의 위치 에너지가 클수록 원통형 나무가 밀려난 거리가 크다.
④ 추의 높이가 일정할 때 추의 질량이 2배가 되면 원통형 나무가 밀려난 거리는 4배가 된다.
⑤ 이 실험에서 추의 위치 에너지가 일로 전환되는 것을 확인할 수 있다.

13 그림은 물체 A~C의 질량과 지면으로부터 떨어진 높이를 각각 나타낸 것이다.

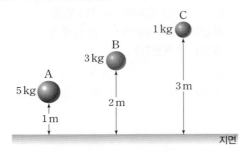

세 물체가 가지는 위치 에너지를 옳게 비교한 것은?

① A=B=C ② A>B>C ③ B>A>C
④ B=C>A ⑤ C>B>A

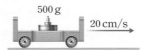 **중력이 한 일과 운동 에너지**

서답형 ✎ 탐구 88쪽

14 그림과 같이 질량이 1 kg, 2 kg, 3 kg인 수레를 긴 막대기로 나란히 밀어 나무 도막과 충돌시킨 후 수레가 나무 도막을 밀고 이동한 거리를 측정하였다.

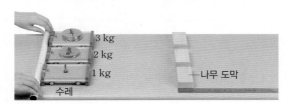

이 실험을 통해 알 수 있는 것은 무엇인지 그 까닭과 함께 서술하시오. (단, 공기 저항과 마찰은 무시한다.)

_____

_____

15 그림은 질량이 500 g인 수레가 20 cm/s의 속력으로 운동하고 있는 모습을 나타낸 것이다.

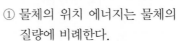

이때 수레의 운동 에너지는 몇 J인가? (단, 공기 저항과 마찰은 무시한다.)

① 0.01 J ② 0.04 J ③ 1 J
④ 2 J ⑤ 10 J

---

16 그림과 같이 질량이 2 kg인 수레가 2 m/s의 속력으로 운동하다가 정지해 있는 나무 도막을 2 m 밀고 간 후 정지하였다.

동일한 수레가 4 m/s의 속력으로 나무 도막을 밀고 간다면 나무 도막이 이동한 거리는 몇 m가 되는가? (단, 공기 저항과 마찰은 무시한다.)

① 0.5 m ② 1 m ③ 2 m
④ 4 m ⑤ 8 m

---

17 오른쪽 그림은 공을 수직으로 던져 올렸을 때의 모습을 나타낸 것이다. 이에 대한 설명으로 옳은 것을 보기에서 모두 고른 것은? (단, 공기 저항은 무시한다.)

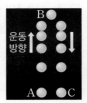

┤ 보기 ├

ㄱ. A→B 구간에서 공의 위치 에너지는 증가한다.
ㄴ. B→C 구간에서 공의 운동 에너지는 감소한다.
ㄷ. A와 C의 높이가 같다면 각 위치에서 위치 에너지는 같다.

① ㄱ ② ㄴ ③ ㄷ
④ ㄱ, ㄷ ⑤ ㄴ, ㄷ

중요해!

18 오른쪽 그림과 같이 추를 떨어뜨렸을 때 낙하 높이에 따른 속력을 측정하는 실험을 하였다. 이 실험을 통해 알 수 있는 것은?

탐구 89쪽

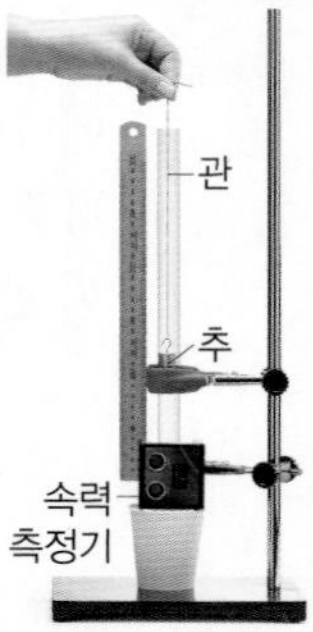

① 물체의 위치 에너지는 물체의 질량에 비례한다.
② 물체의 운동 에너지는 물체의 질량에 비례한다.
③ 중력이 물체에 한 일은 물체의 운동 에너지로 전환된다.
④ 자유 낙하 운동에서 물체의 속력은 일정하게 감소한다.
⑤ 물체에 작용하는 중력의 크기는 물체의 질량에 비례한다.

단계별 문제로 **서술형** **연습하기**

01 그림 (가)와 (나)는 사람이 일을 하는 모습을 나타낸 것이다.

(가) 상자를 들고 수평 방향 으로 움직였다.

(나) 수레에 상자를 싣고 수 레를 밀었다.

(1) (가)와 (나)에서 수레에 한 일의 양을 비교하 시오.

↳ ( )보다 ( )에서 한 일의 양이 더 크다.

(2) (1)에서와 같이 비교한 까닭을 설명하시오.

02 오른쪽 그림과 같이 지면에 놓인 질량이 2 kg인 물체를 서서히 들어 올렸더니, 지면을 기준으로 물체의 위치 에너지가 39.2 J이 되었다. (단, 공기의 저항은 무시 한다.)

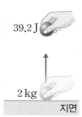

39.2 J

2 kg

지면

(1) 중력에 대하여 한 일의 양은 몇 J인지 쓰고, 그 까닭을 설명하시오.

↳ ( ), 물체를 들어 올릴 때 중력에 대하여 한 일의 양은

( ) 증가량과 같기 때문이다.

(2) 물체를 들어 올린 높이는 몇 m인지 그 까닭 과 함께 쓰시오.

03 오른쪽 그림은 2.5 m 높이에서 가만히 놓은 질량 2 kg인 물체 의 운동을 나타낸 것이다. (단, 공 기 저항은 무시한다.)

2 kg

2.5 m

지면

(1) 지면에 도달한 순간 물체의 운동 에너지는 몇 J인지 그 까닭과 함께 설명하시오.

↳ ( ), 중력이 물체에 한 일은 (9.8×2) N $\times$ 2.5 m $=$

( )이고, 중력이 물체에 한 일은 물체의 ( )로

전환되기 때문이다.

(2) 지면에 도달한 순간 물체의 속력은 몇 m/s 인지 그 까닭과 함께 구하시오.

04 그림과 같이 쇠구슬의 높이를 동일하게 하고, 쇠구 슬의 질량을 다르게 하면서 쇠구슬이 나무 도막에 충돌하기 직전의 속력과 쇠구슬과 충돌한 나무 도막 이 밀려나는 거리를 측정하였다.

쇠구슬

속력 측정기

나무 도막

자

(1) 이 실험을 통해 알 수 있는 결과를 설명하시오.

↳ 쇠구슬의 질량이 클수록 나무 도막이 밀려난 거리가 크다.

이때 쇠구슬의 ( ) 에너지는 나무 도막을 미는 ( )

로 전환되므로 쇠구슬의 ( )이 클수록 쇠구슬의 ( )

에너지가 크다는 것을 알 수 있다.

(2) 이 실험에서 쇠구슬의 속력과 운동 에너지 의 관계를 알아보기 위한 실험 과정을 설계 하시오.

이 단원에서 배운 핵심 단어를 빈칸에 채워 넣어 생각 그물을 완성해 보자.

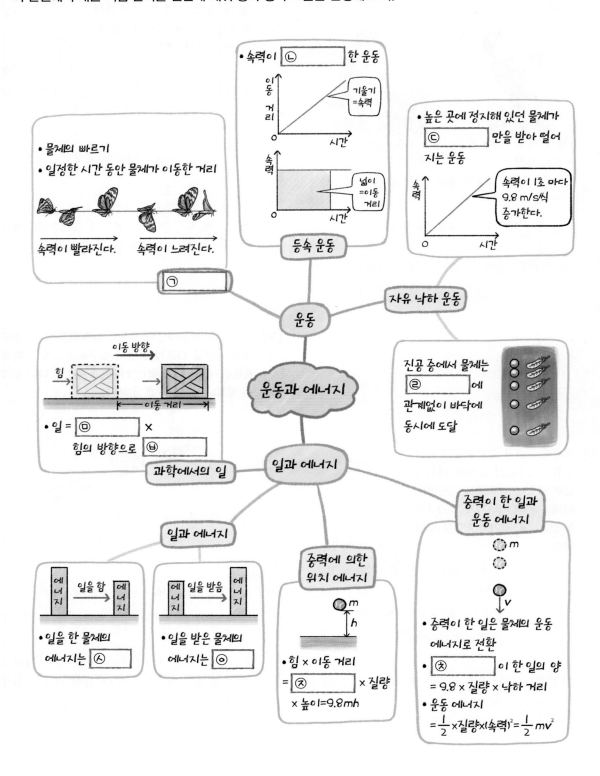

• 속력이 ⓛ [ ] 한 운동

기울기
=속력

넓이
=이동
거리

등속 운동

• 높은 곳에 정지해 있던 물체가 ⓒ [ ] 만을 받아 떨어지는 운동

속력이 1초 마다 9.8 m/s씩 증가한다.

• 물체의 빠르기
• 일정한 시간 동안 물체가 이동한 거리

속력이 빨라진다.   속력이 느려진다.

㉠ [ ]

운동

자유 낙하 운동

운동과 에너지

이동 방향

힘

이동 거리

• 일 = ⓓ [ ] × 힘의 방향으로 ⓗ [ ]

과학에서의 일

일과 에너지

진공 중에서 물체는 ㉣ [ ] 에 관계없이 바닥에 동시에 도달

종력이 한 일과 운동 에너지

일과 에너지

에너지 일을 함 에너지

에너지 일을 받음 에너지

• 일을 한 물체의 에너지는 ㉦ [ ]

• 일을 받은 물체의 에너지는 ㉧ [ ]

종력에 의한 위치 에너지

• 힘 × 이동 거리 = ㉩ [ ] × 질량 × 높이 = 9.8mh

• 종력이 한 일은 물체의 운동 에너지로 전환
• ㉪ [ ] 이 한 일의 양 = 9.8 × 질량 × 낙하 거리
• 운동 에너지 = $\frac{1}{2}$ × 질량 × (속력)² = $\frac{1}{2}mv^2$

과학 3학년
우리 학교 시험 문제 | 대단원 평가
Ⅲ. 운동과 에너지

년   월   일
이름:

→ 정답과 해설 23쪽

01 A역에서 B역까지의 거리가 216 km이다. 기차가 오전 10시에 A역을 출발하여 오후 1시에 B역에 도착하였다면, 이 기차의 평균 속력은 몇 km/h인가?

① 36 km/h   ② 48 km/h   ③ 72 km/h
④ 84 km/h   ⑤ 108 km/h

02 그림은 오른쪽으로 가는 자전거의 위치를 1초마다 나타낸 연속 사진이다.

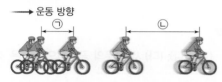

→ 운동 방향

이에 대한 설명으로 옳은 것을 보기에서 모두 고른 것은?

┤ 보기 ├
ㄱ. ㉠ 구간보다 ㉡ 구간에서 속력이 더 빠르다.
ㄴ. 자전거가 ㉠ 구간을 이동하는 데 걸리는 시간은 1초이다.
ㄷ. 자전거가 ㉡ 구간을 이동하는 데 걸리는 시간은 ㉠ 구간을 이동하는 데 걸리는 시간보다 길다.

① ㄱ   ② ㄷ   ③ ㄱ, ㄴ
④ ㄴ, ㄷ   ⑤ ㄱ, ㄴ, ㄷ

서답형

03 그림 (가)와 (나)는 장난감 자동차의 운동을 다중 섬광 장치를 이용하여 기록한 것이다.

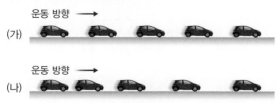

운동 방향 →

(가)

운동 방향 →

(나)

(가)와 (나)에서 장난감 자동차의 운동의 차이점을 다중 섬광 사진을 분석하여 설명하시오.

04 오른쪽 그림은 운동하는 물체 a, b, c, d의 시간에 따른 이동 거리를 그래프로 나타낸 것이다. 이에 대한 설명으로 옳지 않은 것은?

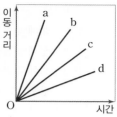

① a의 속력이 가장 빠르다.
② 모두 속력이 일정한 운동이다.
③ 직선의 기울기는 속력을 의미한다.
④ 같은 거리를 이동할 때 걸린 시간은 c가 b보다 짧다.
⑤ 같은 시간 동안 이동한 거리가 가장 짧은 것은 d이다.

05 오른쪽 그림은 이동하고 있는 두 물체 A와 B의 시간에 따른 속력을 그래프로 나타낸 것이다. 이때 A, B 두 물체가 5초 동안 이동한 거리를 옳게 짝 지은 것은?

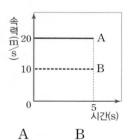

	A	B		A	B
①	50 m	50 m	②	50 m	100 m
③	100 m	50 m	④	100 m	100 m
⑤	150 m	50 m			

06 오른쪽 그림은 공항의 수하물 컨베이어가 일정한 속력으로 움직이는 모습을 나타낸 것이다. 이에 대한 설명으로 옳은 것은?

① 등속 운동이다.
② 이동 거리는 시간에 관계없이 일정하다.
③ 1초 동안 이동한 거리가 점점 감소한다.
④ 물체의 이동 방향으로 중력이 작용한다.
⑤ 시간에 따른 이동 거리 그래프는 시간축에 나란한 직선 모양이다.

중요해!

07 진공에서 자유 낙하 운동을 하는 물체에 대한 설명으로 옳은 것을 보기에서 모두 고른 것은?

┌─ 보기 ──────────────────────────┐
ㄱ. 물체의 속력은 일정하게 증가한다.
ㄴ. 물체의 질량이 클수록 속력은 빠르게 증가한다.
ㄷ. 물체의 운동 방향과 같은 방향으로 중력이 작용한다.
└────────────────────────────────┘

① ㄱ   ② ㄴ   ③ ㄱ, ㄴ
④ ㄱ, ㄷ   ⑤ ㄴ, ㄷ

08 등속 운동(가)와 자유 낙하 운동(나)에 해당하는 것을 보기에서 골라 옳게 짝 지은 것은?

┌─ 보기 ──────────────────────────┐
ㄱ. 1초 동안 움직인 거리가 일정하다.
ㄴ. 1초마다 속력이 $9.8 \, \text{m/s}$씩 증가한다.
ㄷ. 물체가 중력을 받아 아래로 떨어진다.
ㄹ. 시간에 따른 속력 그래프는 시간축에 나란하다.
└────────────────────────────────┘

	(가)	(나)		(가)	(나)
①	ㄱ, ㄴ	ㄷ, ㄹ	②	ㄱ, ㄷ	ㄴ, ㄹ
③	ㄱ, ㄹ	ㄴ, ㄷ	④	ㄴ, ㄷ	ㄱ, ㄹ
⑤	ㄴ, ㄹ	ㄱ, ㄷ			

서답형

09 그림 (가)와 (나)는 쇠구슬과 깃털이 공기 중과 진공에서 낙하 운동을 하는 모습을 순서 없이 나타낸 것이다.

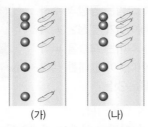

(가)   (나)

(가)와 (나)는 각각 어떤 조건에서 실험한 것인지 쓰고 그 까닭을 설명하시오.

_____

_____

10 일과 에너지에 대한 설명으로 옳은 것을 보기에서 모두 고른 것은?

┌─ 보기 ──────────────────────────┐
ㄱ. 에너지의 단위는 J(줄)이다.
ㄴ. 높은 곳에 있는 물체가 가지는 에너지를 위치 에너지라고 한다.
ㄷ. 10 N의 물체를 1 m 들어 올리면 물체의 위치 에너지는 10 J 증가한다.
ㄹ. 물체가 외부에 일을 하면 한 일의 양만큼 물체의 에너지가 증가한다.
└────────────────────────────────┘

① ㄷ   ② ㄱ, ㄹ   ③ ㄴ, ㄹ
④ ㄱ, ㄴ, ㄷ   ⑤ ㄱ, ㄴ, ㄹ

중요해!

11 (가), (나), (다) 세 경우의 공통점으로 옳은 것은?

┌─────────────────────────────────┐
(가) 큰 힘으로 벽을 밀지만 벽이 꿈쩍도 하지 않는다.
(나) 가방을 들고 앞으로 걸어간다.
(다) 피겨 선수가 일정한 속력으로 빙판 위를 미끄러진다.
└─────────────────────────────────┘

① 작용한 힘이 0이다.
② 한 일의 양이 0이다.
③ 물체가 움직이지 않았다.
④ 작용한 힘과 이동 거리가 모두 0이다.
⑤ 작용한 힘의 방향과 이동 방향이 수직이다.

12 그림과 같이 지면으로부터 높이가 h인 위치에 질량이 m인 물체가 있다.

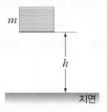

이 물체가 지면까지 낙하 하면서 할 수 있는 일의 양으로 옳은 것은? (단, 공기 저항은 무시한다.)

① mh ② $9.8mh$ ③ $\frac{1}{2}mh$

④ $\frac{1}{2}mh^2$ ⑤ $\frac{1}{2}m^2h$

13 그림과 같이 장치하고 질량과 낙하 높이가 다른 쇠구슬 A∼E를 레일 위에 놓아 나무 도막과 충돌시켰다.

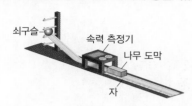

쇠구슬	A	B	C	D	E
질량(g)	200	200	400	400	400
낙하 높이(cm)	60	40	60	40	20

이때 충돌한 나무 도막의 이동 거리가 가장 큰 경우는?

① A ② B ③ C
④ D ⑤ E

14 오른쪽 그림과 같이 높이가 50 cm인 책상 위로 높이가 25 cm인 위치에 질량이 2 kg인 공을 들고 있다. 지면을 기준면으로 할 때 공의 위치 에너지(A)와 책상면을 기준면으로 할 때 공의 위치 에너지(B)의 비 A : B는?

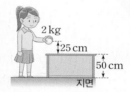

① 1 : 1 ② 1 : 2 ③ 1 : 3
④ 2 : 1 ⑤ 3 : 1

[15~16] 그림과 같이 질량이 2 kg인 수레가 5 m/s의 속력으로 운동하고 있다. (단, 공기 저항이나 마찰은 무시한다.)

15 이 수레가 가진 운동 에너지는 몇 J인가?

① 5 J ② 10 J ③ 15 J
④ 25 J ⑤ 50 J

16 이 수레가 다른 물체에 할 수 있는 일의 양은 몇 J인가?

① 5 J ② 10 J ③ 15 J
④ 25 J ⑤ 50 J

17 그림과 같이 질량이 1 kg, 2 kg, 3 kg인 수레를 긴 막대기로 나란히 밀어 나무 도막과 충돌시킨 후 수레가 나무 도막을 밀고 이동한 거리를 측정하였다.

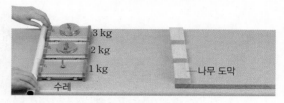

이에 대한 설명으로 옳지 <u>않은</u> 것은?

① 물체의 운동 에너지는 물체의 속력에 비례한다.
② 물체의 운동 에너지는 물체의 질량에 비례한다.
③ 수레의 질량이 클수록 나무 도막을 밀고 이동한 거리가 크다.
④ 수레의 운동 에너지가 수레가 나무 도막을 미는 일로 전환된다.
⑤ 막대로 수레를 나란히 민 까닭은 수레의 속력을 같게 하기 위해서이다.

서답형

18 오른쪽 그림은 다이빙을 하는 모습을 나타낸 것이다. 다이빙을 할 때 사람의 위치 에너지가 어떻게 변하는지 그 까닭과 함께 설명하시오.

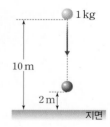

_____

[19~20] 오른쪽 그림과 같이 10 m 높이에서 정지해 있던 질량이 1 kg인 물체가 자유 낙하를 하기 시작하였다. (단, 공기의 저항은 무시한다.)

19 물체가 지면에서 2 m 높이까지 낙하 했을 때 중력이 한 일의 양은 몇 J인가?

① 9.8 J ② 19.6 J ③ 29.4 J
④ 49 J ⑤ 78.4 J

20 물체가 지면에서 2 m 높이를 지날 때 물체가 가진 운동 에너지는 몇 J인가?

① 9.8 J ② 19.6 J ③ 29.4 J
④ 49 J ⑤ 78.4 J

IV 자극과 반응

동물은 외부의 다양한 자극을 받아들이고 판단한 다음에 행동한다. 이 단원에서는 인체가 자극을 감지하고 전달하는 과정에 관여하는 뉴런과 신경계의 구조와 기능 및 자극의 전달 과정을 이해해 보자. 또, 우리 몸이 받아들인 자극에 대해 신경계, 내분비계를 거쳐 반응하게 되는 과정을 통해 우리 몸을 최적의 상태로 유지시킬 수 있음을 이해하도록 하자.

기본이 되는 중요한 자세!

감각 기관

a 시각

1. 눈의 구조와 기능 [탐구 104쪽]

공막 눈의 가장 바깥을 싸고 있는
막으로, 흰자위에 해당한다.

각막 홍채의 바깥을 싸는 투명
한 막이다.

홍채 눈으로 들어오는 빛의 양
을 조절한다.

동공 눈 안쪽으로 빛이 들어가
는 구멍이다.

수정체 볼록 렌즈와 같이 빛을 굴절
시켜 망막에 상이 맺히게 한다.

맥락막 검은색 색소가 있어 눈 속을
어둡게 한다.

유리체 눈 속을 채우고 있는 투명한
물질로 눈의 형태를 유지한다.

시각 신경 시각 세포에서 받아들인
자극을 뇌로 전달한다.

망막 상이 맺히는 곳으로, 시각 세포❶
가 있다.

맹점 시각 신경이 모여 나가는 부분
으로, 시각 세포가 없어 상이 맺히더
라도 볼 수 없다.

섬모체 수정체의 두께를 조절한다.

❶ 황반
망막에서 시각 세포가 밀집된 부분으
로 황반에 상이 맺힐 때 가장 뚜렷하게
보인다.

2. 사물을 보는 과정
물체에 반사된 빛 → 각막 → 수정체 → 유리체 → 망막의
시각 세포 → 시각 신경 → 뇌

3. 눈의 조절 작용 ❷

밝기에 따른 조절 작용		거리에 따른 조절 작용	
밝을 때	홍채 확장 ↓ 동공 축소 ↓ 눈으로 들어오는 빛의 양 감소	가까운 곳을 볼 때	섬모체 수축 ↓ 수정체 두꺼워짐
어두울 때	홍채 축소 ↓ 동공 확대 ↓ 눈으로 들어오는 빛의 양 증가	먼 곳을 볼 때	수정체 얇아짐 ↓ 섬모체 이완

❷ 눈의 이상
• 근시: 수정체가 얇아지지 않거나 안
구의 길이가 길어 상이 망막의 앞에
맺히므로 먼 곳이 잘 보이지 않는다.
➡ 오목 렌즈로 교정
• 원시: 수정체가 두꺼워지지 않거나
안구의 길이가 짧아 상이 망막의 뒤
에 맺히므로 가까운 곳이 잘 보이지
않는다. ➡ 볼록 렌즈로 교정

b 청각과 평형 감각

1. 귀의 구조와 기능

귓바퀴 소리를 모은다.

귓속뼈 고막의 진동을
증폭하여 달팽이관으로
전달한다.

반고리관 몸의 회전을 감지한다.

전정 기관 몸의 기울어짐을 감지
한다.

청각 신경 청각 세포에서 받아들
인 자극을 뇌로 전달한다.

달팽이관 청각 세포가 있어 소리
를 자극으로 받아들인다.

외이도 귓바퀴와 고
막 사이의 통로이다.

고막 소리에 의해 진동
하는 얇은 막이다.

귀인두관 고막 안쪽과 바깥쪽의
압력을 같게 조절한다.

❸ 평형 감각
• 회전 감각: 반고리관 내부의 림프가
관성에 의해 움직여 감각 세포를 흥
분시킴으로써 몸의 회전을 느낄 수
있다.
• 위치 감각: 전정 기관에 들어 있는
작은 돌(이석)이 중력 방향으로 움직
여 감각 세포를 흥분시킴으로써 몸
의 기울어짐을 느낄 수 있다.

2. 소리를 듣는 과정
소리 → 귓바퀴 → 외이도 → 고막 → 귓속뼈 → 달팽이관
(청각 세포) → 청각 신경 → 뇌

3. 평형 감각 ❸

① 반고리관(회전 감각): 몸의 회전 자극을 받아들인다.
② 전정 기관(위치 감각): 중력 자극을 받아들여 몸의
　 기울어짐을 느낀다.

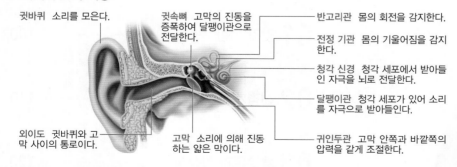

반고리관

평형 감각
신경

청각
신경

전정 기관

■ 용어 이해하기
• 시각(볼 視, 깨달을 覺) 눈으로 보는
감각
• 청각(들을 聽, 깨달을 覺) 귀로 소리
를 듣는 감각

1 눈의 구조에 대한 설명으로 옳은 것은 ○표, 옳지 <u>않은</u> 것은 ×표를 하시오.
(1) 홍채의 바깥을 둘러싸는 투명한 막을 공막이라고 한다. ⋯⋯⋯⋯⋯⋯ (   )
(2) 홍채는 눈으로 들어오는 빛의 양을 조절한다. ⋯⋯⋯⋯⋯⋯⋯⋯⋯⋯ (   )
(3) 수정체는 볼록 렌즈와 같이 빛을 굴절시킨다. ⋯⋯⋯⋯⋯⋯⋯⋯⋯⋯ (   )
(4) 망막에는 검은 색소가 있어 눈 속을 어둡게 한다. ⋯⋯⋯⋯⋯⋯⋯⋯ (   )
(5) 망막에서 상이 가장 뚜렷하게 맺히는 부분을 맹점이라고 한다. ⋯⋯ (   )

2 다음은 빛 자극이 전달되는 경로이다. 빈칸에 알맞은 눈의 구조를 쓰시오.

> 빛 → 각막 → (㉠   ) → 유리체 → (㉡   )의 시각 세포 → 시각 신경 → (㉢   )

3 눈의 구조와 조절 작용을 옳게 연결하시오.

(1) 홍채 •   • ㉠ 수정체의 두께 조절

(2) 섬모체 •   • ㉡ 동공의 크기 조절

4 귀의 구조에 대한 설명으로 옳은 것은 ○표, 옳지 <u>않은</u> 것은 ×표를 하시오.
(1) 고막은 소리에 의해 진동하는 얇은 막이다. ⋯⋯⋯⋯⋯⋯⋯⋯⋯⋯ (   )
(2) 청각 자극을 받아들이는 곳은 달팽이관이다. ⋯⋯⋯⋯⋯⋯⋯⋯⋯⋯ (   )
(3) 귀에서는 소리의 진동만을 자극으로 받아들인다. ⋯⋯⋯⋯⋯⋯⋯⋯ (   )
(4) 귓속뼈는 고막 안쪽과 바깥쪽의 압력을 같게 조절한다. ⋯⋯⋯⋯⋯ (   )

5 다음은 소리 자극이 전달되는 경로를 나타낸 것이다. 빈칸에 알맞은 귀의 구조를 쓰시오.

> 소리 → 귓바퀴 → 외이도 → (㉠   ) → (㉡   ) → 달팽이관의 청각 세포 → 청각 신경 → (㉢   )

6 귀의 구조와 기능을 옳게 연결하시오.

(1) 반고리관 •   • ㉠ 몸의 기울기 감지

(2) 전정 기관 •   • ㉡ 몸의 회전 감지

ⓒ 후각과 미각

1. 후각 코에서 기체 상태의 물질을 자극으로 받아들여 냄새를 맡는다.
　① 후각의 특징: 매우 예민한 감각이지만 쉽게 피로해지는 특징이 있어서 같은 냄새를 계속 맡고 있으면 그 냄새에 둔해지는 경향이 있다.
　② 냄새를 맡는 과정: 기체 상태의 물질 → 후각 상피의 후각 세포 → 후각 신경 → 뇌

2. 미각 혀에서 액체 상태의 물질을 자극으로 받아들여 맛을 느낀다.
　① 기본 맛: 맛봉오리의 맛세포를 통해 느끼는 기본 맛에는 단맛, 짠맛, 신맛, 쓴맛, 감칠맛❹이 있다. ❺
　② 맛을 느끼는 과정: 액체 상태의 물질 → 유두 → 맛봉오리의 맛세포 → 미각 신경 → 뇌

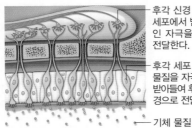

후각 신경 후각 세포에서 받아들인 자극을 뇌로 전달한다.
후각 세포 기체 물질을 자극으로 받아들여 후각 신경으로 전달한다.
기체 물질

코의 구조

액체 물질
미각 신경 맛세포에서 받아들인 자극을 뇌로 전달한다.
유두
맛봉오리
맛세포 액체 물질을 자극으로 받아들여 미각 신경으로 전달한다.

혀의 구조

3. 후각과 미각의 상호 작용 기본 맛 외의 다양한 맛은 후각과 미각의 상호 작용으로 느끼는 경우가 많아 코가 막히면 음식 맛을 구분하기 어렵다. ❻

ⓓ 피부 감각

1. 피부 감각 피부에 분포하는 피부 감각점에서 부드러움, 딱딱함, 차가움, 따뜻함, 아픔 등을 느낀다. 피부 감각점은 일부 내장 기관에도 분포한다.

2. 피부 감각점의 종류 통점❼, 압점, 촉점, 냉점, 온점이 있다. 탐구 105쪽

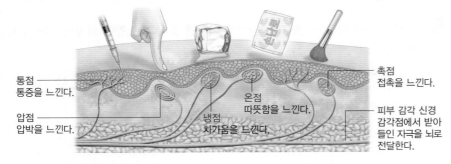

통점 통증을 느낀다.
압점 압박을 느낀다.
온점 따뜻함을 느낀다.
냉점 차가움을 느낀다.
촉점 접촉을 느낀다.
피부 감각 신경 감각점에서 받아들인 자극을 뇌로 전달한다.

　① 감각점의 종류에 따른 분포: 대체로 통점의 수가 가장 많으며, 온점의 수가 가장 적다.
　② 신체 부위에 따른 감각점의 분포: 감각점의 수가 많은 부위일수록 예민하다. 예를 들어, 손가락 끝은 손바닥보다 감각점의 수가 많아 예민하다.

3. 피부 감각을 느끼는 과정 자극 → 피부 감각점 → 감각 신경 → 뇌

❹ **감칠맛**
아미노산의 일종인 글루탐산의 맛으로 고기 삶은 물, 치즈 등에서 느껴지는 맛이다.

❺ **매운맛과 떫은맛**
매운맛은 통각, 떫은맛은 압각으로, 기본 맛이 아닌 피부 감각에 해당한다.

❻ **다양한 음식 맛을 느낄 수 있는 까닭**
기본 맛은 5종류이지만 다양한 음식의 맛을 느낄 수 있는 것은 미각과 후각, 피부 감각, 시각 등이 함께 작용하기 때문이다. 실제로 눈을 감고 코를 막으면 사과주스와 포도주스의 맛을 구분하기가 어렵다.

❼ **통점**
피부 감각점 중 가장 수가 많은 것은 통점이다. 통증은 위험과 직결된 감각이므로 통점의 수가 많으면 통증에 예민하게 반응하여 위험으로부터 우리 몸을 보호할 수 있다. 온도 자극이나 접촉 자극도 강도가 높을 때는 통점에서 받아들여 통각으로 느낀다.

■ **용어 이해하기**
・**후각**(맡을 嗅, 깨달을 覺) 코에서 냄새를 맡는 감각
・**미각**(맛 味, 깨달을 覺) 혀에서 맛을 느끼는 감각

초성 퀴즈 Q

c 후각과 미각

• 코의 윗부분의 후각 상피에는 ㅎㄱㅅㅍ 가 있어 기체 상태의 물질을 감지한다.

• 혀의 유두 옆면의 ㅁㅂㅇㄹ 에 맛세포가 모여 있다.

d 피부 감각

• 피부에 분포하는 ㄱㄱㅈ 을 통해 차가움, 따뜻함, 접촉, 압박, 통증 등의 감각을 느낄 수 있다.

• 우리 몸이 통증에 가장 예민하게 반응하는 것은 피부 감각점 중에서 ㅌㅈ 이 가장 많이 분포하기 때문이다.

7 코와 혀의 구조와 기능에 대한 설명으로 옳은 것은 ○표, 옳지 <u>않은</u> 것은 ×표를 하시오.

(1) 후각 세포는 기체 상태의 물질을 받아들인다. ──────── ( )

(2) 후각은 쉽게 피로해지므로 같은 냄새를 오래 맡으면 그 냄새에 둔해진다.
────────────────────────────── ( )

(3) 맛봉오리는 액체 상태의 물질을 받아들이는 감각 세포이다. ── ( )

(4) 혀에서 느끼는 기본 맛에는 단맛, 신맛, 쓴맛, 짠맛, 감칠맛 외에 매운맛, 떫은맛이 있다. ────────────────────── ( )

(5) 음식 맛을 다양하게 느끼는 것은 미각, 후각, 피부 감각 등이 수많은 조합을 이루기 때문이다. ──────────────────── ( )

8 그림은 사람의 감각 기관에 분포하는 감각 세포를 나타낸 것이다. 각 감각 세포와 받아들이는 자극을 옳게 연결하시오.

(1) •   • ㉠ 액체 상태의 물질

(2) •   • ㉡ 기체 상태의 물질

9 다음은 후각, 미각, 피부 감각이 전달되는 경로를 나타낸 것이다. 빈칸에 알맞은 말을 쓰시오.

• 기체 상태의 물질 → 후각 상피의 후각 세포 → (㉠   ) → 뇌
• 액체 상태의 물질 → 맛봉오리의 맛세포 → (㉡   ) → 뇌
• 통증, 차가움, 따뜻함, 접촉, 압력 → 피부 감각점 → (㉢   ) → 뇌

10 피부의 구조와 기능에 대한 설명으로 옳은 것은 ○표, 옳지 <u>않은</u> 것은 ×표를 하시오.

(1) 피부에서 느끼는 다양한 감각은 감각점에서 받아들인다. ──── ( )

(2) 주사를 맞을 때 느끼는 따끔함은 온점에서 받아들인다. ──── ( )

(3) 감각점은 피부 외에 내장 기관에도 분포한다. ──────── ( )

(4) 감각점은 몸 전체에 균등하게 분포한다. ────────── ( )

(5) 두 감각점 사이의 거리가 멀수록 그 감각에 예민하다. ──── ( )

c 후각 세포, 맛봉오리
d 감각점, 통점

시각 관련 실험하기

목표 시각 관련 활동을 통해 물체를 보는 과정과 눈으로 들어오는 빛의 양을 조절하는 방법을 설명할 수 있다.

과정 및 결과

탐구 A 맹점 확인 실험

❶ 그림의 맹점 확인 검사지를 눈높이만큼 들고 왼쪽 눈을 가린다.

❷ 오른쪽 눈으로 검사지의 고양이를 응시하면서 검사지를 눈앞에서 천천히 앞뒤로 움직인다.

→ 특정 거리에서 쥐가 안 보이게 된다.

탐구 B 빛의 세기에 따른 동공의 변화

❶ 손전등 앞에 흰 종이를 붙이고, A와 B가 모둠이 되어 A는 두 눈을 감고 손으로 가린다.

❷ 1분 후 A는 눈을 뜨고, B가 A의 눈에 흰 종이를 붙인 손전등을 비추면서 홍채와 동공의 변화를 관찰한다.

유의점! 손전등을 너무 오랫동안 눈에 비추지 않도록 한다.

홍채   동공

→ 홍채의 전체 면적이 넓어지고 동공은 줄어든다.

정리

1 맹점은 망막에서 (㉠   )이 모여 나가는 곳으로, (㉡   )가 분포하지 않아 상이 맺혀도 인지할 수 없다. 두 눈을 뜨고 있을 때는 한쪽 눈의 맹점에 상이 맺혀도 다른 눈으로 볼 수 있어 불편을 느끼지 않는다.

2 빛의 양이 많을 때는 홍채의 면적이 넓어지고 동공이 (㉢   )져서 눈으로 들어오는 빛의 양을 줄인다. 어두울 때는 홍채의 면적이 줄어들고 동공이 (㉣   )져서 눈으로 들어오는 빛의 양을 늘린다.

+ 정답과 해설 25쪽

1 눈의 구조 중 물체의 상이 맺히는 부분으로 시각 세포가 있어 빛을 받아들이는 곳은?

① 각막   ② 망막   ③ 맥락막

④ 공막   ⑤ 동공

서답형
2 다음에서 설명하는 눈의 구조를 쓰시오.

> • 시각 신경이 모여 안구 밖으로 나가는 부분이다.
> • 시각 세포가 없어서 물체의 상이 맺혀도 볼 수 없다.

3 눈에 손전등을 비출 때 동공의 크기가 변하는 것과 관련이 깊은 눈의 구조로 옳은 것은?

① 홍채   ② 맹점   ③ 각막

④ 유리체   ⑤ 수정체

서답형
4 어두운 방에 있다가 갑자기 형광등을 켰을 때 나타나는 눈의 구조 변화를 설명하시오.

피부 감각 실험하기

목표 몸의 부위에 따라 피부 감각점의 수가 다르다는 것과 냉각과 온각을 설명할 수 있다.

과정 및 결과 **유의점!** 이쑤시개의 끝이 뾰족하므로 너무 세게 눌러 다치지 않도록 조심한다.

탐구 A 피부 감각점의 분포 조사

❶ 8 cm×8 cm 하드보드지의 각 면에 이쑤시개를 2개씩 각각 2 mm, 4 mm, 6 mm, 8 mm 간격으로 붙인 측정 도구를 만든다.

❷ 눈을 가린 사람의 손바닥, 손가락 끝, 손등에 다른 사람이 8 mm, 6 mm, 4 mm, 2 mm 간격의 순서로 각각 측정 도구를 대고 살짝 누른 다음, 이쑤시개가 2개로 느껴지는지 1개로 느껴지는지 말해 보도록 한다.

 손바닥, 손가락 끝, 손등에서 2개로 느껴지는 최소 거리는 각각 다르다.

부위	손바닥	손가락 끝	손등
2개로 느낀 최소 거리(mm)	4	2	8

이쑤시개 2개가 각각 감각점에 닿지 않으면 1개로 느끼게 된다.

탐구 B 피부의 온도 감각 알아보기

❶ 오른손은 15 ℃ 물에, 왼손은 35 ℃ 물에 10초 동안 담근다.

❷ 10초 후, 동시에 두 손을 25 ℃의 물에 담근다.

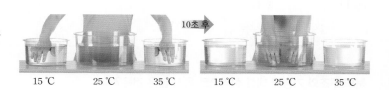

15 ℃   25 ℃   35 ℃   10초 후   15 ℃   25 ℃   35 ℃

오른손은 따뜻함을, 왼손은 차가움을 느낀다.

정리

1 손바닥, 손가락 끝, 손등에 분포하는 피부 감각점의 밀도는 (㉠ 같다 , 다르다). ➡ 몸의 부위별로 피부 감각점의 분포 수가 다르다.

2 이쑤시개가 2개로 느껴지는 최소 거리가 짧을수록 피부 감각점이 (㉡ 많이 , 적게) 분포하여 감각에 예민한 부위이다. ➡ 손가락 끝이 손등보다 예민하다.

3 따뜻해지는 변화는 (㉢   )에서, 차가워지는 변화는 (㉣   )에서 감각한다.

4 온점과 냉점은 절대적인 온도를 감각하는 것이 아니라, (㉤   ) 온도 변화를 감각한다.

+ 정답과 해설 25쪽

1 탐구 A 에서 조사하는 감각점에 해당하는 것은?

① 통점   ② 촉점   ③ 온점
④ 압점   ⑤ 냉점

서답형

2 탐구 A 에서 부위에 따라 이쑤시개를 2개로 느끼는 최소 거리가 다른 까닭은 무엇인지 설명하시오.

_____

_____

3 탐구 B 를 통해 내릴 수 있는 결론으로 옳은 것을 보기에서 모두 고른 것은?

보기

ㄱ. 오른손과 왼손의 냉점과 온점의 분포는 다르다.

ㄴ. 25 ℃ 이상은 온점에서, 25 ℃ 이하는 냉점에서 감각한다.

ㄷ. 같은 온도라도 온점에서 감각할 때가 있고 냉점에서 감각할 때가 있다.

① ㄱ   ② ㄴ   ③ ㄷ
④ ㄱ, ㄴ   ⑤ ㄴ, ㄷ

ⓐ 시각

중요해!

01 그림은 눈의 구조를 나타낸 것이다.

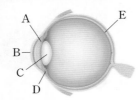

A~E 중 시각 세포가 분포하는 곳은?

① A   ② B   ③ C
④ D   ⑤ E

02 눈의 구조와 기능에 대한 설명으로 옳지 않은 것은?

① 홍채: 동공의 크기를 변화시킨다.
② 맥락막: 검은 색소가 있어 눈 속을 어둡게 한다.
③ 각막: 눈의 가장 앞쪽에 있는 흰색의 질긴 막이다.
④ 수정체: 볼록 렌즈와 같은 모양으로 빛을 굴절시킨다.
⑤ 유리체: 눈 속을 채우고 있으며 눈의 형태를 유지한다.

새로워!

03 맹점을 확인하기 위해 한쪽 눈을 감고 그림의 검사지를 눈앞에서 앞뒤로 움직이며 응시하는 실험을 하였다. ▶탐구 104쪽

이에 대한 설명으로 옳지 않은 것은?

① 두 눈을 뜨고 실험하면 맹점을 확인할 수 없다.
② 맹점은 망막에서 시각 신경이 모여 나가는 부위이다.
③ 쥐가 보이지 않는 순간에 쥐의 상은 맹점에 맺힌 것이다.
④ 오른쪽 눈을 감고 왼쪽 눈으로 쥐를 응시하며 실험하면 어느 순간 고양이가 보이지 않게 된다.
⑤ 왼쪽 눈을 감고 오른쪽 눈으로 고양이를 응시하며 실험하면 왼쪽 눈의 맹점을 확인할 수 있다.

중요해!

04 눈의 수정체가 그림과 같이 변할 때의 상황으로 옳은 것은?

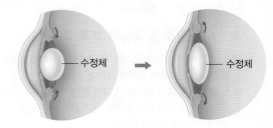

① 햇빛 아래에서 선글라스를 꼈다.
② 감았다 뜬 눈에 손전등을 비추었다.
③ 책을 보다가 창밖의 먼 산을 보았다.
④ 어두운 방안에서 갑자기 형광등을 켰다.
⑤ 설명서의 작은 글씨를 집중해서 보았다.

서답형

05 그림 (가)와 (나)는 동공의 크기 변화를 나타낸 것이다. ▶탐구 104쪽

(가)   (나)

(가)와 (나) 중 더 밝은 상황에 해당하는 것을 쓰시오.

06 사물을 보는 과정에 대한 설명으로 옳은 것을 보기에서 모두 고른 것은?

┤ 보기 ├
ㄱ. 빛이 전혀 없는 곳에서는 아무것도 보이지 않는다.
ㄴ. 황반에 상이 맺힐 때 가장 선명하게 인식할 수 있다.
ㄷ. 시각 세포에서 받아들인 자극은 시각 신경을 통해 뇌로 전달된다.

① ㄱ   ② ㄷ   ③ ㄱ, ㄴ
④ ㄴ, ㄷ   ⑤ ㄱ, ㄴ, ㄷ

b 청각과 평형 감각

[07~08] 그림은 귀의 구조를 나타낸 것이다.

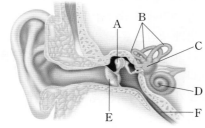

서답형
07 A~F 중 소리에 의해 최초로 진동하는 것(가)과 그 진동을 증폭하는 것(나)의 기호를 쓰시오.

중요해! **서답형**
08 다음에서 설명하는 현상과 관련이 깊은 부분을 그림에서 찾아 기호와 이름을 쓰시오.

> 비행기가 이륙하거나 착륙할 때 귀가 먹먹해지는데, 이때 침을 삼키거나 하품을 하면 먹먹한 증상이 사라진다.

09 귀의 구조와 기능에 대한 설명으로 옳지 <u>않은</u> 것은?
① 귓속뼈: 소리를 증폭시킨다.
② 외이도: 소리가 이동하는 통로이다.
③ 달팽이관: 청각 세포에서 소리를 받아들인다.
④ 전정 기관: 몸이 회전하는 자극을 받아들인다.
⑤ 귀인두관: 고막 안팎의 압력을 같게 조절한다.

중요해! **서답형**
10 다음은 소리 자극이 전달되는 경로를 나타낸 것이다. (가)~(다)에 알맞은 말을 쓰시오.

> 소리 → 귓바퀴 → 외이도 → (가) → 귓속뼈 →
> (나)의 청각 세포 → (다) → 뇌

중요해!
11 귀의 구조 중에서 다음 상황과 관련된 구조는?

> • 평균대 위를 걸어갈 때 떨어지지 않으려고 팔을 벌리며 몸을 좌우로 기울였다.
> • 오르막길을 올라갈 때 몸을 앞으로 숙였다.

① 귓속뼈
② 귀인두관
③ 반고리관
④ 달팽이관
⑤ 전정 기관

12 오른쪽 그림은 귀의 구조 중 일부를 나타낸 것이다. A~D에 대한 설명으로 옳은 것을 보기에서 모두 고른 것은?

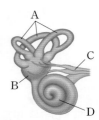

┤ 보기 ├
ㄱ. A는 회전 자극을 받아들인다.
ㄴ. B에서 진동이 증폭된다.
ㄷ. C를 통해 소리 자극이 뇌로 전달된다.
ㄹ. D는 소리의 진동을 자극으로 받아들인다.

① ㄱ, ㄷ
② ㄱ, ㄹ
③ ㄴ, ㄷ
④ ㄴ, ㄹ
⑤ ㄷ, ㄹ

c 후각과 미각

13 오른쪽 그림은 우리 몸의 감각 기관 중 하나를 나타낸 것이다. 이에 대한 설명으로 옳은 것은?

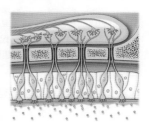

① 많은 수의 감각점이 분포한다.
② 사람의 감각 중 가장 둔하다.
③ 같은 자극을 오래 받으면 그 자극에 둔해진다.
④ 물이나 침에 녹은 물질을 자극으로 받아들인다.
⑤ 받아들인 자극을 미각 신경을 통해 뇌로 보낸다.

14 그림은 혀의 구조를 나타낸 것이다.

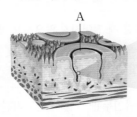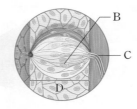

이에 대한 설명으로 옳지 <u>않은</u> 것은?

① A는 혀 표면의 돌기이다.
② A의 옆면에 맛봉오리가 있다.
③ B에서는 액체 상태의 물질을 자극으로 받아들인다.
④ B에서 받아들인 자극은 C를 통해 뇌로 전달된다.
⑤ D에서는 매운맛과 떫은맛을 감각한다.

서답형

15 다음은 맛을 느끼는 과정을 나타낸 것이다. (가)~(다)에 알맞은 말을 쓰시오.

> 액체 상태의 물질 → (가) → 맛봉오리의 (나) → (다) → 뇌

중요해!

16 맛을 구별하는 실험을 다음과 같이 실시하였다.

안대로 눈을 가린 채 음료를 면봉에 묻혀 맛을 보게 하였더니 음료의 종류를 모두 구별할 수 있었다.

안대로 눈을 가리고 코를 막은 채 음료를 면봉에 묻혀 맛을 보게 하였더니 일부 음료를 구별하지 못하였다.

이 실험을 통해 확인할 수 있는 것으로 옳은 것은?

① 맛은 미각에 의해서만 느낀다.
② 후각과 미각은 쉽게 피로해진다.
③ 후각이 미각보다 훨씬 예민하다.
④ 미각과 후각의 전달 경로는 다르다.
⑤ 맛은 미각과 후각이 함께 작용하여 느낀다.

---

d 피부 감각

새로워!

17 피부 감각점에 대한 설명으로 옳지 <u>않은</u> 것은?

① 내장 기관에도 감각점이 있다.
② 온점과 냉점은 온도 변화를 감지한다.
③ 하나의 감각점에서는 한 종류의 자극을 받아들인다.
④ 강도가 강한 자극은 종류에 상관없이 통점에서 감각한다.
⑤ 몸의 부위에 따라 감각점의 분포 밀도는 다르지만, 한 부위에는 각각의 감각점이 고르게 분포한다.

서답형 · 탐구 105쪽

18 촉점의 분포를 알아보기 위해 다음과 같은 실험을 하였다.

> 이쑤시개 2개의 간격을 조절하며 신체 여러 부위에 대어 보고 두 점으로 느낀 최소 거리를 측정하였다.

신체 부위	손등	이마	손가락 끝
최소 거리(mm)	4	20	2

손등, 이마, 손가락 끝 중에서 촉점의 밀도가 가장 높은 곳은 어디인지 쓰시오.

중요해! · 탐구 105쪽

19 오른손은 20 ℃의 물에, 왼손은 40 ℃의 물에 10초 동안 담갔다가 두 손을 모두 30 ℃의 물에 담갔다.

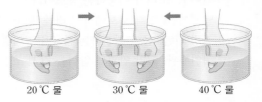

20 ℃ 물   30 ℃ 물   40 ℃ 물

양손에서 온도 변화를 받아들이는 감각점을 옳게 짝 지은 것은?

	오른손	왼손
①	온점	온점
②	냉점	온점
③	온점	냉점
④	냉점	냉점
⑤	냉점 → 온점	온점 → 냉점

01 그림 (가)는 눈앞의 책을 보는 모습을, (나)는 창밖의 풍경을 내다보는 모습을 나타낸 것이다.

(가)   (나)

(1) 물체와의 거리에 따른 눈의 조절 작용을 설명하시오.

↘ 물체와의 거리에 따라 (   )의 수축과 이완으로 (   )

의 두께가 조절된다.

(2) (가)와 (나)에서의 눈의 조절 작용을 각각 설명하시오.

_____

_____

02 다음은 달 탐사 중인 두 사람의 대화이다.

> A: 이제 그만 돌아갈까?
> B: 뭐라고?
> A: 이제 그만 우주선으로 돌아가자니까.
> B: 전혀 안 들려. 뭐라는 거야?

(1) B가 A의 말을 듣지 못하는 까닭을 설명하시오.

↘ 소리는 (   )의 (   )으로 전달되는데 달에는

(   )가 없으므로 A의 말소리가 B에게 전달되지 않았다.

(2) 소리를 듣는 과정을 다음 단어를 모두 포함하여 설명하시오.

소리	진동	고막	귓속뼈
	청각 세포	청각 신경	

_____

_____

03 다음은 미각에 대한 설명이다.

> 혀 표면에는 유두라는 돌기가 있고 유두 옆에는 (가)가 모인 맛봉오리가 있다. 혀에서는 5가지 기본 맛을 감각하는데, (가)에서 자극을 받아들여 미각 신경을 통해 뇌로 전달한다.

(1) (가)의 이름을 쓰고 (가)에서 받아들이는 기본 맛 5가지를 쓰시오.

↘ (가)는 맛을 감지하는 세포인 (   )로 (   ), 짠맛,

(   ), 신맛, (   )의 5가지 기본 맛을 느낀다.

(2) 꽁꽁 언 아이스크림을 입에 넣으면 처음에는 단맛이 느껴지지 않지만, 곧 아이스크림이 녹으면서 단맛이 느껴진다. 그 까닭을 (가)와 관련지어 설명하시오.

_____

_____

04 그림은 피부의 특정 부위에 분포하는 감각점의 종류를 나타낸 것이다.

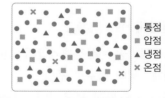

● 통점
■ 압점
▲ 냉점
✕ 온점

(1) 이 피부에서 가장 예민한 감각과 가장 둔한 감각은 무엇인지 쓰시오.

↘ 가장 예민한 감각은 (   )이고, 가장 둔한 감각은

(   )이다.

(2) (1)과 같이 판단한 까닭을 감각점의 밀도와 관련지어 설명하시오.

_____

_____

02 신경계

핵심 키워드

뉴런, 신경계의 구성, 중추 신경계, 말초 신경계, 자극의 전달 경로

ⓐ 뉴런의 구조와 기능

1. **신경계** 감각 기관에서 받아들인 자극을 전달하고, 이 자극을 판단하여 적절한 반응이 나타나도록 신호를 전달하는 기관계로, 무수히 많은 신경 세포(뉴런)로 구성되어 있다.

2. **뉴런의 구조** 신경 세포체, 가지 돌기, 축삭 돌기로 구성

신경 세포체
핵이 있으며 다양한 생명 활동이 일어난다.

핵

축삭 돌기
신경 세포체에서 뻗어 나온 한 개의 긴 돌기로 다른 뉴런이나 기관으로 자극을 전달한다.

가지 돌기
신경 세포체에서 뻗어 나온 여러 개의 짧은 돌기로 감각 기관이나 다른 뉴런으로부터 오는 자극을 받아들인다.

자극의 전달 방향

3. **뉴런의 종류❶**

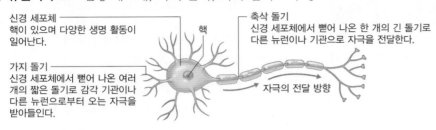

- 감각 신경을 구성
- 감각기에서 받아들인 자극을 연합 뉴런에 전달한다.

감각 뉴런 — 신경 세포체

- 뇌와 척수를 구성
- 감각 뉴런을 통해 전달받은 자극을 종합하여 적절한 명령을 내린다.

연합 뉴런

- 운동 신경을 구성
- 연합 뉴런의 명령을 팔, 다리 등과 같은 반응기로 전달한다.

운동 뉴런

근육

감각기

반응기

3. **자극의 전달 경로** 자극 → 감각기 → 감각 뉴런 → 연합 뉴런 → 운동 뉴런 → 반응기 → 반응

ⓑ 중추 신경계 · 집중 공략 115쪽

1. **신경계의 구성** 중추˙ 신경계와 말초˙ 신경계로 구성
2. **중추 신경계** 뇌와 척수로 구성
   ① 뇌: 머리뼈에 싸여 보호되며, 기능에 따라 대뇌, 소뇌, 간뇌, 중간뇌, 연수로 구분한다.
   ② 척수: 연수 아래쪽에 있으며, 척추에 싸여 보호된다.

뇌 — 중추 신경계
척수

말초 신경계

뇌와 척수의 기능

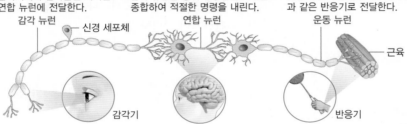

뇌	대뇌❷	• 여러 자극을 해석하고 운동 기관에 명령을 내림 • 기억, 추리, 판단, 학습 등의 정신 활동 담당
	소뇌	• 근육 운동을 조절 • 몸의 자세와 균형 유지
	중간뇌	눈의 운동, 홍채의 수축과 이완 조절(동공 반사)
	간뇌	체온, 혈당량, 체액의 농도 유지
	연수❸	심장 박동, 소화 운동, 호흡 운동 등을 조절
척수		뇌와 말초 신경 사이에서 정보를 전달. 무릎 반사, 배변, 배뇨 등의 반사 중추

대뇌
간뇌
중간뇌
연수
소뇌

❶ 뉴런의 종류에 따른 구조적 특징
- 감각 뉴런: 가지 돌기는 감각 기관에 분포하며, 신경 세포체는 축삭 돌기 옆에 있어서 연합 뉴런, 운동 뉴런과 구분된다.
- 연합 뉴런: 가지 돌기가 발달되어 있으며 뇌와 척수에 밀집되어 분포한다.
- 운동 뉴런: 축삭 돌기가 길게 발달되어 있다.

❷ 대뇌
좌우 반구로 나누어져 있고 신경 세포체가 밀집되어 있는 회색의 겉질과 신경 돌기가 분포하는 백색의 속질로 구분된다. 겉질은 주름이 많고 기억, 사고, 언어, 각성 등의 기능을 담당한다.

❸ 연수
소화, 순환, 호흡 등 생명 유지와 직결된 기능을 담당한다. 뇌와 척수를 연결하는데 연수에서 신경의 좌우 교차가 일어나므로 대뇌 좌반구가 우반신의 감각과 운동을, 우반구가 좌반신의 감각과 운동을 담당한다.

■ **용어 이해하기**
- **중추(가운데 中, 근본 樞) 신경계** 중심적인 역할을 하는 신경계
- **말초(끝 末, 말단 梢) 신경계** 나뭇가지 모양으로 갈라져 온몸에 퍼져 있는 신경계

1 뉴런의 구조에 대한 설명으로 옳은 것은 ○표, 옳지 <u>않은</u> 것은 ×표를 하시오.

(1) 여러 개의 신경 세포가 모여 뉴런을 이룬다. ⋯⋯⋯⋯⋯⋯⋯⋯⋯ ( )

(2) 신경 세포체에는 핵이 있어 다양한 생명 활동이 일어난다. ⋯⋯⋯ ( )

(3) 뉴런 내부에서 자극은 축삭 돌기에서 가지 돌기 방향으로 이동한다. ( )

(4) 연합 뉴런은 감각 뉴런과 운동 뉴런을 연결한다. ⋯⋯⋯⋯⋯⋯⋯⋯ ( )

(5) 감각 뉴런, 연합 뉴런, 운동 뉴런은 뇌와 척수 같은 중추 신경을 이룬다.

( )

2 그림은 기능이 다른 뉴런의 연결을 나타낸 것이다.

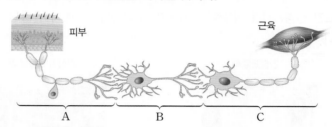

피부   근육

A   B   C

(1) 뉴런 A, B, C의 이름을 각각 쓰시오.

(2) A, B, C 사이에 자극이 전달되는 경로를 순서대로 쓰시오.

3 오른쪽 그림은 신경계의 구성을 나타낸 것이다. (가)와 (나)에 알맞은 말을 각각 쓰시오.

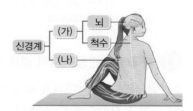

신경계 ─ (가) ─ 뇌 / 척수
      └ (나)

4 중추 신경계의 구조와 기능에 대한 설명으로 옳은 것은 ○표, 옳지 <u>않은</u> 것은 ×표를 하시오.

(1) 뇌는 대뇌, 소뇌, 중간뇌, 간뇌, 연수, 척수로 이루어져 있다. ⋯⋯⋯ ( )

(2) 대뇌는 감각 중추이자 운동 중추이다. ⋯⋯⋯⋯⋯⋯⋯⋯⋯⋯⋯⋯⋯ ( )

(3) 척추는 척수에 싸여 보호된다. ⋯⋯⋯⋯⋯⋯⋯⋯⋯⋯⋯⋯⋯⋯⋯⋯ ( )

5 뇌의 각 부분과 기능을 옳게 연결하시오.

(1) 간뇌 •   • ㉠ 몸의 자세와 균형 유지

(2) 소뇌 •   • ㉡ 혈당, 체온, 체액 농도 유지

(3) 연수 •   • ㉢ 눈의 운동 및 동공 크기 조절

(4) 중간뇌 •   • ㉣ 호흡 운동, 심장 박동, 소화 운동 조절

C 말초 신경계

1. 말초 신경계

① 뇌와 척수에서 뻗어 나와 온몸 구석구석까지 퍼져 있다.

② 자극을 중추로 전달하는 감각 신경과 중추의 명령을 반응기로 전달하는 운동 신경으로 구성된다. ❹

2. 자율 신경 ❺ 대뇌의 명령을 받지 않고 자율적으로 우리 몸의 작용을 조절하며, 운동 신경으로 구성된다.

① 교감 신경: 긴장하거나 위기 상황에 처했을 때 우리 몸을 대처하기 알맞은 상태로 만들어 준다.

② 부교감 신경: 긴장 상황이 종료되면 우리 몸을 원래의 안정된 상태로 되돌린다.

긴장했을 때	긴장이 풀렸을 때
교감 신경이 작용하여 심장 박동과 호흡이 빨라지고 소화 운동이 억제된다.	부교감 신경이 작용하여 심장 박동과 호흡 등이 원래대로 돌아온다.

d 자극에서 반응까지의 경로 〔탐구 114쪽〕

1. 의식적인 반응 대뇌가 중추가 되어 일어나는 반응으로, 대뇌에서의 판단 과정이 복잡할수록 반응이 나타나는 데 시간이 오래 걸린다. **예** 자전거 경적 소리를 듣고 피하기, 신호등을 보고 길을 건너기, 어두워지면 불을 켜기 등

2. 무조건 반사 ❻

① 자극이 대뇌에 도달하기 전에 척수, 연수, 중간뇌의 명령이 반응기로 전달되어 나타나는 반응

② 대뇌의 판단을 거치지 않아 반응이 매우 빠르게 일어나므로 갑작스러운 위험으로부터 우리 몸을 보호한다.

의식적인 반응 경로	무조건 반사 경로
자극 → 감각기(눈) → 감각 신경 → 대뇌 → 척수 → 운동 신경 → 반응기(팔의 근육)	자극 → 감각기(피부) → 감각 신경 → 척수 → 운동 신경 → 반응기(팔의 근육)

❹ 뉴런과 신경

뉴런은 자극을 전달하는 한 개의 신경 세포이고, 신경은 여러 개의 뉴런이 모여 다발을 이룬 것이다.

❺ 자율 신경의 조절 작용

구분	교감 신경	부교감 신경
호흡 운동	촉진	억제
심장 박동	촉진	억제
소화 운동	억제	촉진
소화액 분비	억제	촉진
동공	확대	축소

❻ 무조건 반사의 예

• 연수 반사: 하품, 재채기, 침 분비, 눈물 분비, 구토 등

• 중간뇌 반사: 동공 반사(동공의 크기 조절)

• 척수 반사: 무릎 반사, 회피 반사(갑작스런 통증을 느꼈을 때 재빨리 피하는 행동), 배변 · 배뇨 반사 등

■ 용어 이해하기

• **자율(스스로 自, 법 律) 신경** 대뇌의 명령 없이 몸의 작용을 조절하는 신경

• **반사(되돌리다 反, 쏘다 射)** 대뇌의 의식과는 관계없이 자극에 대하여 기계적으로 일어나는 반응

초성 퀴즈 Q

c 말초 신경계
• 말초 신경계는 그물처럼 온몸에 퍼져 있어 몸의 각 부분과 [ㅈ][ㅊ][ㅅ][ㄱ][ㄱ]를 연결한다.
• [ㅈ][ㅇ][ㅅ][ㄱ][ㄱ]는 운동 신경으로 구성되며, 대뇌와 관계없이 몸의 작용을 조절한다.

d 자극에서 반응까지의 경로
• 의식적인 반응은 자극이 [ㄷ][ㄴ]로 전달되어 나타나는 반응이다.
• 대뇌가 관여하지 않고 나타나는 무의식적인 반응을 [ㅁ][ㅈ][ㄱ][ㅂ][ㅅ]라고 한다.

6 각 신경계와 그에 대한 설명을 옳게 연결하시오.

(1) 중추 신경계 •
(2) 말초 신경계 •
(3) 자율 신경계 •

• ㉠ 연합 신경으로 구성된다.
• ㉡ 교감 신경과 부교감 신경이 있다.
• ㉢ 감각 신경과 운동 신경으로 구성된다.

7 신경계에 대한 설명으로 옳은 것은 ○표, 옳지 <u>않은</u> 것은 ×표를 하시오.
(1) 말초 신경계는 몸의 각 부분에 그물처럼 퍼져 있다. ·············· ( )
(2) 자율 신경은 감각 신경과 운동 신경으로 구성된다. ·············· ( )
(3) 중추 신경은 내장 기관에 분포하여 내장 기관의 운동을 조절한다. ··· ( )
(4) 자율 신경은 대뇌의 직접적인 지배를 받지 않는다. ·············· ( )

8 그림 (가)와 (나)에서 반응이 일어나게 한 중추는 각각 무엇인지 쓰시오.

(가)

주전자를 들고 원하는 만큼의 물을 따른다.

(나)

뜨거운 주전자에 손이 닿은 순간 나도 모르게 급히 손을 떼었다.

9 의식적인 반응은 '의', 무조건 반사는 '무'라고 쓰시오.
(1) 책을 읽었다. ·············· ( )
(2) 재채기를 했다. ·············· ( )
(3) 딸꾹질을 했다. ·············· ( )
(4) 날아오는 공을 잡았다. ·············· ( )
(5) 뾰족한 것을 밟은 순간 나도 모르게 발을 떼었다. ·············· ( )
(6) 어두운 방에서 벽을 더듬어 전등 스위치를 눌렀다. ·············· ( )

답 c 중추 신경계, 자율 신경계
d 대뇌, 무조건 반사

자극에 대한 반응 실험하기

목표 자극이 중추에 전달되어 반응하기까지의 과정을 확인하고, 자극에서 반응이 일어나기까지의 경로를 표현할 수 있다.

과정 및 결과

탐구 A 시각과 청각에 의한 반응

❶ 두 사람이 짝이 되어 한 사람은 자의 윗부분을 잡고 다른 한 사람은 자의 눈금 '0' 부분에서 손가락을 벌리고 자를 잡을 준비를 한다.

❷ 자를 든 사람이 예고 없이 자를 떨어뜨리면 자를 잡고 자가 떨어진 거리를 측정한다.

❸ 자를 잡을 사람은 눈을 가리고 자의 눈금 '0' 부분에서 손가락을 벌리고 있다가 자를 떨어뜨리는 사람이 '땅' 소리를 내면서 자를 떨어뜨리면 자를 잡은 후 자가 떨어진 거리를 측정한다.

→ 과정 ❷에서 측정한 거리보다 과정 ❸에서 측정한 거리가 약간 더 길다.

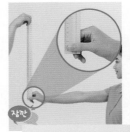

떨어지는 자를 보고 잡는 것은 시각에 의한 반응이고 눈을 가리고 소리를 듣고 자를 잡는 것은 청각에 의한 반응이다.

탐구 B 무릎 반사

❶ 두 사람이 짝이 되어 한 사람은 발이 땅에 닿지 않는 의자에 앉는다.

❷ 의자에 앉은 사람은 눈을 가리고, 다른 한 사람은 고무망치로 앉아 있는 사람의 무릎뼈 바로 아래를 가볍게 친다.

→ 고무망치로 무릎뼈 바로 아래를 치면 무의식적으로 다리가 올라간다.

유의점! 다리에 힘을 주지 않아야 한다.

정리

1 의식적인 반응은 (㉠   )의 조절로 일어나며, 자극이 반응으로 나타나기까지 어느 정도 시간이 걸린다.

2 시각과 청각 자극이 반응으로 나타나는 경로와 전달 속도는 (㉡ 같다 , 다르다).

3 무릎 반사는 자신의 의지와 관계없이 일어나는 (㉢   )로 반응 중추는 (㉣   )이다.

╋ 정답과 해설 27쪽

1 떨어지는 자를 보고 잡는 반응과 소리를 듣고 잡는 반응을 비교한 것으로 옳은 것은?

① 둘 다 대뇌의 조절로 일어난다.
② 자극이 전달되는 경로가 동일하다.
③ 반응이 나타나기까지 걸리는 시간이 같다.
④ 모든 사람에게 동일한 결과를 얻을 수 있다.
⑤ 두 가지 반응은 척수를 거치지 않고 일어난다.

서답형
2 보기에서 중추가 나머지와 다른 반응의 기호를 쓰시오.

╺╋ 보기
ㄱ. 날아오는 공을 보고 잡는다.
ㄴ. 출발 신호를 듣고 달리기를 시작한다.
ㄷ. 가시에 찔렸을 때 자신도 모르게 손을 움츠린다.

[3~4] 그림은 자극에서 반응이 일어나기까지의 경로를 나타낸 것이다.

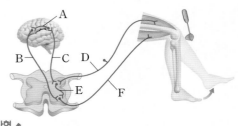

서답형
3 무릎 반사의 경로를 기호로 나타내시오.

_____

4 무릎 반사의 중추로 옳은 것은?

① 대뇌   ② 소뇌   ③ 중간뇌
④ 연수   ⑤ 척수

그림으로 한눈에 정리하기
중추 신경계 정리하기

★ 정답과 해설 27쪽

중추 신경계는 뇌와 척수로 이루어져 있어. 뇌는 기능에 따라 대뇌, 소뇌, 간뇌, 중간뇌, 연수로 구분되고, 연수 아래에 척수가 연결되어 있지. 중추 신경계는 여러 감각 정보를 종합하여 적절한 반응을 하도록 명령을 내리는데, 각 부분의 역할을 정리해 보자.

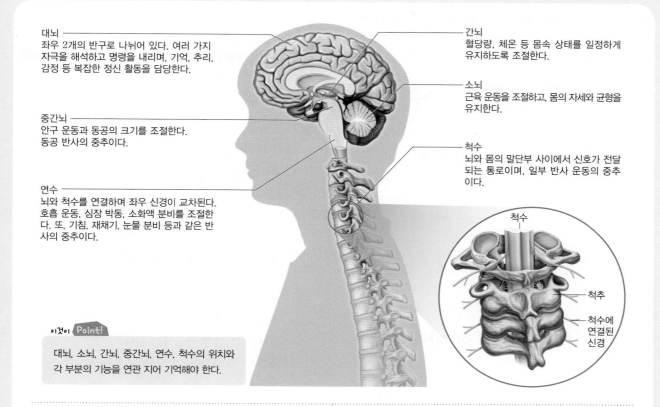

대뇌
좌우 2개의 반구로 나뉘어 있다. 여러 가지 자극을 해석하고 명령을 내리며, 기억, 추리, 감정 등 복잡한 정신 활동을 담당한다.

중간뇌
안구 운동과 동공의 크기를 조절한다. 동공 반사의 중추이다.

연수
뇌와 척수를 연결하며 좌우 신경이 교차된다. 호흡 운동, 심장 박동, 소화액 분비를 조절한다. 또, 기침, 재채기, 눈물 분비 등과 같은 반사의 중추이다.

간뇌
혈당량, 체온 등 몸속 상태를 일정하게 유지하도록 조절한다.

소뇌
근육 운동을 조절하고, 몸의 자세와 균형을 유지한다.

척수
뇌와 몸의 말단부 사이에서 신호가 전달되는 통로이며, 일부 반사 운동의 중추이다.

척수
척추
척수에 연결된 신경

이것이 **Point!**

대뇌, 소뇌, 간뇌, 중간뇌, 연수, 척수의 위치와 각 부분의 기능을 연관 지어 기억해야 한다.

유제 1 그림은 중추 신경계의 구조를 나타낸 것이다.

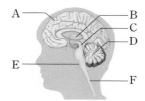

A~F의 이름을 각각 쓰시오.

유제 2 뇌의 구조 중 뇌와 척수를 연결하는 부위에 대한 설명으로 옳은 것은?

① 동공 반사의 중추이다.
② 좌우 반구로 나뉘어 있다.
③ 몸의 자세와 균형을 유지한다.
④ 심장 박동과 호흡 운동을 조절한다.
⑤ 혈당량과 체온을 일정하게 유지한다.

유제 3 다음 기능을 하는 중추 신경으로 옳은 것은?

• 수학 문제를 푼다.
• 소리 내어 책을 읽는다.
• 사진을 보면서 과거의 기억을 떠올린다.

① 대뇌   ② 소뇌   ③ 간뇌
④ 연수   ⑤ 척수

유제 4 중추 신경계 중 뇌와 말초 신경 사이에서 신호를 전달하는 통로 역할을 하며, 무릎 반사, 회피 반사의 중추에 해당하는 것으로 옳은 것은?

① 대뇌   ② 소뇌   ③ 간뇌
④ 척수   ⑤ 중간뇌

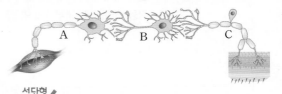

a 뉴런의 구조와 기능

[01~02] 그림은 우리 몸의 세포 중 하나의 구조를 나타낸 것이다.

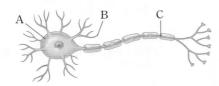

서답형

01 그림의 세포를 무엇이라고 하는지 쓰시오.

중요해!

02 A~C에 대한 설명으로 옳은 것을 보기에서 모두 고른 것은?

┌─ 보기 ─────────────────────────────
ㄱ. A에는 핵과 대부분의 세포질이 모여 있다.
ㄴ. B는 반응 기관으로 자극을 보낸다.
ㄷ. C는 감각 기관으로부터 자극을 받는다.
ㄹ. 자극은 B → C 방향으로 이동한다.
└────────────────────────────────────

① ㄱ, ㄷ   ② ㄱ, ㄹ   ③ ㄴ, ㄷ
④ ㄴ, ㄹ   ⑤ ㄷ, ㄹ

03 뉴런에 대한 설명으로 옳지 않은 것은?

① 뉴런은 하나의 세포로 이루어져 있다.
② 뉴런은 신경계를 구성하는 기본 단위이다.
③ 신경 세포체에서는 생명 활동을 조절한다.
④ 길이가 길어서 약 1 m에 달하는 것도 있다.
⑤ 하나의 가지 돌기와 여러 개의 축삭 돌기가 있다.

[04~05] 그림은 3가지 뉴런의 연결을 나타낸 것이다.

서답형

04 A, B, C에서 자극의 이동 방향을 화살표로 나타내시오.

05 A~C에 대한 설명으로 옳은 것은?

① A는 감각 기관에 연결되어 있다.
② B에는 축삭 돌기가 없다.
③ B는 자극을 판단하여 명령을 내린다.
④ C에는 신경 세포체가 없다.
⑤ C는 팔, 다리의 근육에 연결되어 있다.

b 중추 신경계

06 오른쪽 그림은 신경계의 구성을 나타낸 것이다. 이에 대한 설명으로 옳지 않은 것은?

① A는 기능에 따라 여러 부위로 구분된다.
② A, B에는 연합 뉴런이 분포한다.
③ C는 온몸에 그물 모양으로 퍼져 있다.
④ 감각 뉴런과 운동 뉴런은 모두 C에 속한다.
⑤ A, B, C는 중추 신경계를 구성한다.

[07~08] 그림은 뇌의 단면 구조를 나타낸 것이다.

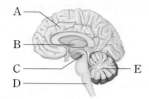

07 A~E의 이름을 짝 지은 것으로 옳지 <u>않은</u> 것은?

(정답 2개)

① A - 대뇌　② B - 중간뇌　③ C - 간뇌
④ D - 연수　⑤ E - 소뇌

중요해! 서답형

집중 공략 115쪽

08 다음 반응의 중추를 그림에서 찾아 기호로 쓰시오.

(가) 날아오는 공을 두 손으로 잡았다.
(나) 손전등을 비추니 동공이 작아졌다.
(다) 평균대 위에서 균형을 잡고 서 있다.
(라) 영하의 날씨에도 사람의 체온은 일정하다.
(마) 음식물을 삼키면 위에서 소화액이 분비된다.

새로워! 서답형

09 다음에서 설명하는 뇌의 부위를 쓰시오.

• 좌우 2개의 반구로 이루어져 있다.
• 표면의 부위에 따라 기능이 다르다.
• 고무찰흙으로 뇌 모형을 만들 때 가장 많은 양
 의 고무찰흙이 필요하다.

[10~11] 그림은 척추의 내부 구조를 나타낸 것이다.

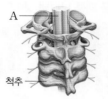

척추

서답형

10 A를 무엇이라고 하는지 쓰시오.

11 A에 대한 설명으로 옳은 것을 보기에서 모두 고른 것
은?

보기

ㄱ. 말초 신경계에 속한다.
ㄴ. 무릎 반사의 중추이다.
ㄷ. 소화, 순환, 호흡 운동을 조절하여 생명을 유
 지하는 기능을 한다.

① ㄱ　　　② ㄴ　　　③ ㄱ, ㄷ
④ ㄴ, ㄷ　　⑤ ㄱ, ㄴ, ㄷ

C 말초 신경계

12 말초 신경계에 대한 설명으로 옳지 <u>않은</u> 것은?

① 감각 신경은 자율 신경을 구성한다.
② 자율 신경은 내장 기관의 운동에 관여한다.
③ 운동 신경은 중추의 명령을 반응기에 전달한다.
④ 말초 신경은 감각 신경과 운동 신경으로 구성
 된다.
⑤ 자율 신경은 교감 신경과 부교감 신경으로 구분
 된다.

13 교감 신경의 작용으로 옳지 <u>않은</u> 것은?

① 동공 확대　　　② 심장 박동 촉진
③ 호흡 운동 촉진　④ 소화 운동 촉진
⑤ 소화액 분비 억제

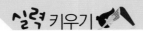

14 그림 (가)는 위험한 상황에 처했을 때, (나)는 위험한 상황이 지나갔을 때를 나타낸 것이다.

(가)   (나)

이에 대한 설명으로 옳은 것을 보기에서 모두 고른 것은?

┤ 보기 ├
ㄱ. (가), (나) 모두 대뇌가 관여한다.
ㄴ. (가)에서 교감 신경이, (나)에서 부교감 신경이 관여한다.
ㄷ. (가)에서 심장 박동과 호흡이 빨라지고, (나)에서 원래대로 돌아온다.

① ㄱ   ② ㄴ   ③ ㄷ
④ ㄱ, ㄴ   ⑤ ㄴ, ㄷ

---

d 자극에서 반응까지의 경로

15 오른쪽 그림은 선인장 가시에 손이 닿았을 때 무의식적으로 손을 피한 반응을 나타낸 것이다. 이에 대한 설명으로 옳지 <u>않은</u> 것은?

① 무의식적인 반응이다.
② 대뇌가 관여하지 않는 반응이다.
③ 따가움은 대뇌로 전달되지 않는다.
④ 따가움은 감각 신경을 통해 척수로 전달된다.
⑤ 척수의 명령이 운동 신경을 통해 팔의 근육으로 전달된다.

16 반응의 중추가 <u>다른</u> 하나는?

① 졸려서 하품을 했다.
② 달리기를 하니 호흡이 빨라졌다.
③ 음식을 입에 넣었더니 입안에 침이 고였다.
④ 뜨거운 것에 손이 닿아 나도 모르게 손을 뗐다.
⑤ 늦을까봐 빨리 걸었더니 심장 박동이 빨라졌다.

---

17 그림은 감각기에서 받아들인 자극이 신경계를 거쳐 반응기에 전달되는 여러 가지 경로를 나타낸 것이다.

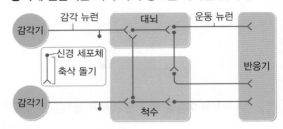

다음의 반응 (가), (나)에 해당하는 경로를 쓰시오.

(가) 굴러오는 공을 보고 골대 방향으로 공을 찼다.
(나) 뾰족한 것을 밟고 나도 모르게 발을 들었다.

---

18 자극에 따른 반응의 경로를 알아보기 위해 다음과 같은 실험을 하였다.

탐구 114쪽

(가) A, B 두 사람 중 B는 자의 위쪽 끝을 잡고, A는 기준선에 맞춰 손가락을 벌리고 자를 잡을 준비를 한다. B가 예고 없이 자를 떨어뜨리면 A는 떨어지는 자를 보자마자 잡고, 기준선으로부터 잡은 곳까지의 거리를 측정한다.
(나) A, B 두 사람 중 A는 눈을 가리고 발이 땅에 닿지 않는 의자에 앉고, B는 A의 무릎뼈 바로 아래를 고무망치로 친다.

(가)와 (나) 반응에 대한 설명으로 옳지 <u>않은</u> 것은?

① (가)는 의식적인 반응의 경로를 알아보는 실험이다.
② (가) 실험을 반복할수록 자의 낙하 거리는 짧아진다.
③ (가)는 대뇌, (나)는 척수에 의해 조절된다.
④ (가)보다 (나) 반응에 걸리는 시간이 더 길다.
⑤ (나)는 무조건 반사의 경로를 알아보는 실험이다.

01 그림은 기능이 다른 3가지 뉴런을 나타낸 것이다.

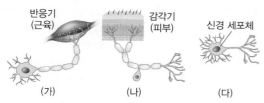

반응기
(근육)

감각기
(피부)

신경 세포체

(가)   (나)   (다)

(1) (가)~(다)의 이름과 기능을 설명하시오.

↳ (가)는 중추의 명령을 반응기로 전달하는 (   ) 뉴

런, (나)는 감각 기관에서 받아들인 자극을 중추로 전달하는

(   ) 뉴런, (다)는 중추를 구성하는 (   ) 뉴런이다.

(2) 자극을 받아들이고 반응하기까지 신호가 전
달되는 과정을 (가)~(다)의 이름을 포함하여
설명하시오.

_____

_____

02 그림은 사람의 뇌와 척수를 나타낸 것이다.

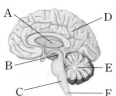

A   D

B

C   E

          F

(1) A~F의 기능을 설명하시오.

↳ A는 체온, 혈당량 등을 일정하게 유지하고 (   )는

안구 운동과 동공의 크기를 조절한다. (   )는 심장 박

동, 호흡 운동을 조절하고 D는 감각과 운동의 중추이며 고

등 (   )활동을 담당한다. E는 몸의 (   )을 유지하며

(   )는 뇌와 말초 신경을 연결한다.

(2) A~F 중 자는 동안에도 활발하게 활동하는
부분은 어디인지 근거를 들어 설명하시오.

_____

_____

03 그림 (가)는 두 학생이 공포관을 체험할 때, (나)는
공포관을 나온 이후의 상황을 나타낸 것이다.

으악!

휴, 이제
살겠네.

재밌
었어!

(가)   (나)

(1) (가)와 (나)에서 자율 신경의 작용을 설명하
시오.

↳ (가)에서는 (   ) 신경이 작용하여 긴장 및 위험에 대처

하는 상태가 유지되고, (나)에서는 (   ) 신경이 작용하여

원래의 안정된 상태로 돌아온다.

(2) (가)와 (나)에서 자율 신경의 작용으로 우리
몸에 나타나는 변화를 설명하시오.

_____

_____

04 그림 (가)는 컵을 보면서 주전자의 물을 따를 때,
(나)는 뜨거운 주전자에 손이 닿아 피할 때의 반응
경로를 나타낸 것이다.

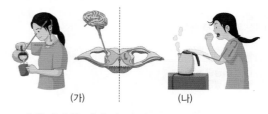

(가)   (나)

(1) (가)와 (나) 반응의 차이를 설명하시오.

↳ (가)는 중추 신경계 중 (   )가 관여하는 의식적인 반응

이고, (나)는 (   )가 관여하는 (   )이다.

(2) (나) 반응이 위험으로부터 우리 몸을 보호할
수 있는 까닭을 (가)와 비교하여 설명하시오.

_____

_____

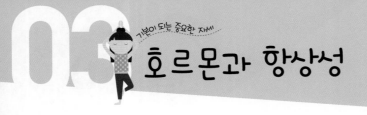

03 기본이 되는 중요한 자세

호르몬과 항상성

핵심 키워드 항상성, 호르몬, 내분비계, 내분비샘, 혈당량, 체온

a 호르몬의 조절 작용

1. **항상성** 우리 몸이 환경 변화에 적절히 반응하여 몸의 상태를 일정하게 유지하려는 성질. 호르몬과 신경계의 조절 작용으로 항상성이 유지된다.
2. **호르몬** 내분비샘❶에서 혈액으로 분비되어 표적 세포나 표적 기관❷으로 신호를 전달하는 화학 물질
   ① 매우 적은 양으로 생명 활동을 조절한다.
   ② 분비량이 너무 많거나 적으면 몸에 이상 증상이 나타날 수 있다.
   ③ 대부분의 척추동물에서 같은 효과를 나타낸다.
3. **신경과 호르몬의 작용 비교**

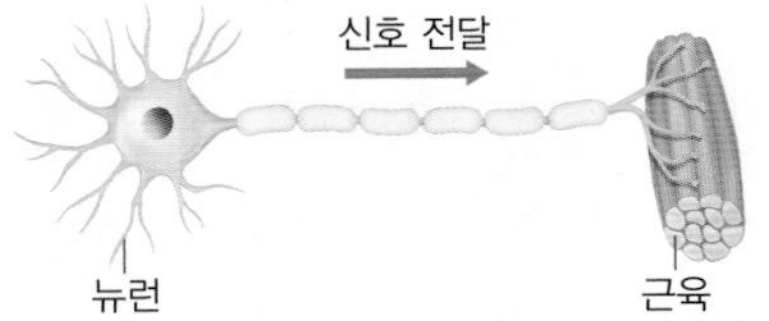
신호 전달
뉴런
근육

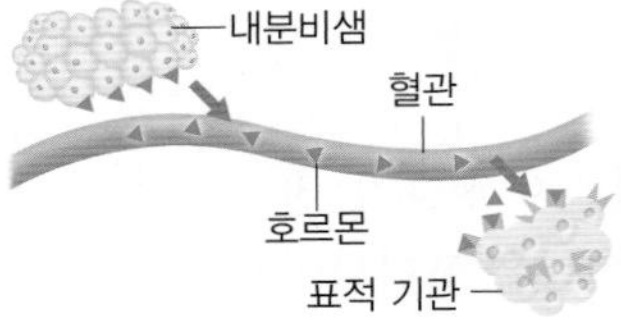
내분비샘
혈관
호르몬
표적 기관

구분	전달 속도	작용 범위	효과의 지속성
신경	빠름	좁음	일시적
호르몬	느림	넓음	지속적

b 사람의 내분비계

1. **내분비계** 호르몬을 생성하여 분비하는 기관들의 모임
2. **사람의 내분비샘과 호르몬**

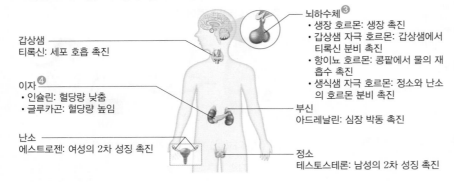

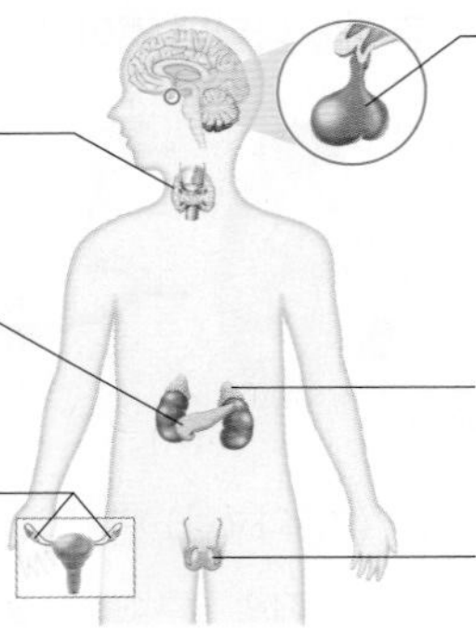
뇌하수체❸
• 생장 호르몬: 생장 촉진
• 갑상샘 자극 호르몬: 갑상샘에서 티록신 분비 촉진
• 항이뇨 호르몬: 콩팥에서 물의 재흡수 촉진
• 생식샘 자극 호르몬: 정소와 난소의 호르몬 분비 촉진
갑상샘
티록신: 세포 호흡 촉진
이자❹
• 인슐린: 혈당량 낮춤
• 글루카곤: 혈당량 높임
부신
아드레날린: 심장 박동 촉진
난소
에스트로젠: 여성의 2차 성징 촉진
정소
테스토스테론: 남성의 2차 성징 촉진

3. **호르몬 분비 이상**

호르몬	분비 이상	증상
생장 호르몬	과다	거인증: 키가 비정상적으로 크다. 말단 비대증: 신체의 말단 부분(입, 손, 발, 코, 턱 등)이 비대해진다.
	부족	소인증: 키가 비정상적으로 작다.
티록신	과다	갑상샘 기능 항진증: 체중 감소, 더위를 많이 타며 피로감을 많이 느낀다.
	부족	갑상샘 기능 저하증: 체중 증가, 추위를 많이 타며 생장이 저하된다.
인슐린	부족	당뇨병: 오줌에 포도당이 섞여 나온다.

❶ **내분비샘과 외분비샘**
• 내분비샘: 혈관으로 호르몬을 분비하는 조직이나 기관
• 외분비샘: 별도의 분비관으로 분비물(침, 소화액, 눈물 등)을 분비하는 조직이나 기관

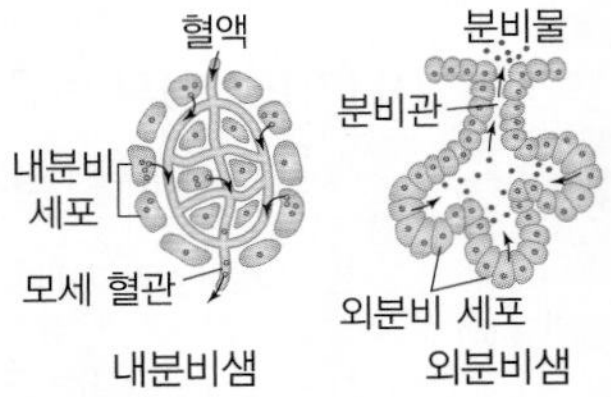
혈액
분비물
분비관
내분비 세포
모세 혈관
외분비 세포
내분비샘
외분비샘

❷ **표적 세포, 표적 기관**
호르몬이 작용하는 세포나 기관. 호르몬은 혈액을 통해 이동하다가 표적 세포나 표적 기관에서만 작용한다.

❸ **뇌하수체**
간뇌의 시상 하부 아래쪽에 매달려 있는 내분비샘으로 다른 내분비샘의 호르몬 분비를 조절하는 호르몬을 분비한다.

❹ **이자**
소화액을 분비하는 외분비샘이자 호르몬을 분비하는 내분비샘이기도 하다.

■ 용어 이해하기
• **항상성(항상 恒, 항상 常, 성질 性)** 외부 환경이 변하더라도 몸의 내부 상태는 항상 일정하게 유지하려는 성질
• **내분비(안 內, 나눌 分, 샘물 흐르는 모양 泌)** 내분비샘에서 호르몬을 혈액 · 림프 · 체액으로 내보내는 작용

+) 정답과 해설 29쪽

1 내분비샘과 호르몬에 대한 설명으로 옳은 것은 ○표, 옳지 않은 것은 ×표를 하시오.

(1) 호르몬은 내분비샘에서 생성되어 분비관을 통해 몸 밖으로 분비된다.
.... ( )

(2) 호르몬은 혈액을 따라 순환하다가 표적 세포나 표적 기관에만 작용하여 신호를 전달한다. .... ( )

(3) 돼지의 인슐린은 사람의 체내에서 작용하지 않는다. .... ( )

(4) 신경에 비해 호르몬은 넓은 범위에 지속적으로 작용한다. .... ( )

(5) 우리 몸에서 항상성은 호르몬의 조절 작용에 의해서만 유지된다. .... ( )

2 그림은 우리 몸에서 신호가 전달되는 과정을 나타낸 것이다.

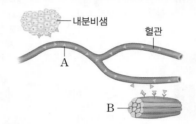

(1) A와 같은 신호 전달 물질을 무엇이라고 하는지 쓰시오.
(2) 신호를 받아들이는 B와 같은 세포나 기관을 무엇이라고 하는지 쓰시오.

3 그림은 사람의 내분비계를 나타낸 것이다.

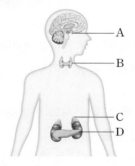

(1) 내분비샘 A~D의 이름을 쓰시오.
(2) A~D와 A~D에서 분비되는 호르몬을 옳게 연결하시오.

① A ·   · ㉠ 티록신

② B ·   · ㉡ 아드레날린

③ C ·   · ㉢ 인슐린, 글루카곤

④ D ·   · ㉣ 생장 호르몬, 갑상샘 자극 호르몬, 항이뇨 호르몬

03 호르몬과 항상성

C 혈당량 조절 · 집중 공략 124쪽

1. **혈당량** 혈액 속에 있는 포도당⑤의 양

2. **혈당량 조절 과정**

   ① 고혈당일 때: 이자에서 인슐린이 분비되어 간에서 포도당이 글리코젠⑥으로 합성되는 작용을 촉진하거나 온몸의 조직 세포에서 혈액 속의 포도당 흡수를 촉진함으로써 혈당량을 낮춘다.

   ② 저혈당일 때: 이자에서 글루카곤이 분비되어 간에서 글리코젠이 포도당으로 분해되는 과정을 촉진함으로써 혈당량을 높인다.

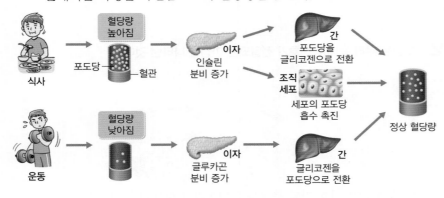

d 체온 조절

1. **체온이 낮을 때**

   ① 간뇌는 신경계를 통해 피부 근처의 혈관을 수축⑦시켜서 열이 외부로 빠져나가는 것을 막고(열 방출 감소), 근육 떨림으로 열을 발생시킨다(열 발생 증가).

   ② 간뇌는 호르몬을 통해 티록신 분비를 증가시켜 세포 호흡을 촉진함으로써 열 발생을 증가시킨다(열 발생 증가).

2. **체온이 높을 때**

   ① 간뇌는 신경계를 통해 피부 근처의 혈관을 확장시켜서 외부로 빠져나가는 열의 양을 늘린다(열 방출 증가).

   ② 간뇌는 신경계를 통해 땀 분비⑧를 촉진한다(열 방출 증가).

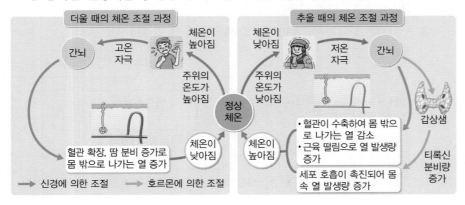

---

⑤ **포도당**
생명 활동에 필요한 에너지를 공급하는 주요 에너지원

⑥ **글리코젠**
많은 수의 포도당으로 이루어진 다당류로 동물의 간이나 근육 등에 저장되어 있다.

⑦ **추울 때와 더울 때 피부 근처 혈관의 변화**

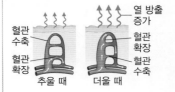

⑧ **땀 분비와 기화열**
액체가 기체로 될 때 흡수하는 열에너지를 기화열이라고 한다. 땀이 나면 땀이 증발할 때 피부로부터 기화열을 흡수하므로 체온이 낮아진다.

■ **용어 이해하기**
• **혈당량**(피 血, 사탕 糖, 헤아릴 量) 혈액 속에 들어 있는 포도당의 양
• **체온**(몸 體, 따뜻할 溫) 몸의 따뜻한 정도

+) 정답과 해설 **29쪽**

4 혈당량 조절에 대한 설명으로 옳은 것은 ○표, 옳지 <u>않은</u> 것은 ×표를 하시오.
(1) 포도당은 생활에 필요한 에너지를 공급하는 주요 에너지원이다. ····· (   )
(2) 식사 직후에는 글루카곤의 분비량이 증가한다. ····· (   )
(3) 간은 인슐린과 글루카곤의 표적 기관이다. ····· (   )
(4) 글루카곤이 분비되면 간에서 글리코젠의 분해가 활발해진다. ····· (   )
(5) 인슐린은 온몸의 조직 세포가 포도당을 흡수하는 것을 억제한다. ····· (   )

5 그림은 혈당량 조절 과정을 나타낸 것이다. 빈칸에 알맞은 호르몬의 이름을 쓰시오.

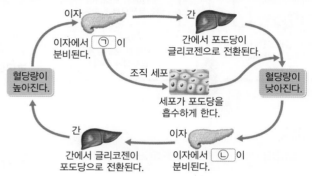

6 그림은 체온 조절 과정을 나타낸 것이다.

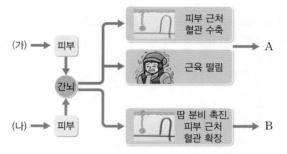

(1) (가)는 (㉠ 더울 때 , 추울 때), (나)는 (㉡ 더울 때 , 추울 때)의 체온 조절 과정이다.
(2) A에서 몸 밖으로 나가는 열의 양은 (㉠ 증가 , 감소)하고, B에서 몸 밖으로 나가는 열의 양은 (㉡ 증가 , 감소)한다.

7 체온 조절에 대한 설명으로 옳은 것은 ○표, 옳지 <u>않은</u> 것은 ×표를 하시오.
(1) 더울 때 얼굴이 붉게 달아오르는 것은 피부 근처의 모세 혈관이 확장했기 때문이다. ····· (   )
(2) 추울 때 몸이 떨리는 것은 호르몬에 의한 조절 작용이다. ····· (   )
(3) 땀 분비는 외부로 나가는 열의 양을 감소시킨다. ····· (   )
(4) 티록신 분비가 증가하면 몸속의 열 발생량이 증가한다. ····· (   )

자료 분석하기
혈당량 조절에 관한 자료 해석하기

+) 정답과 해설 29쪽

혈당량 조절에 관한 문제가 출제될 확률은 100 %에 가까워. 하지만 제시되는 자료의 유형은 달라질 수 있지. 그래서 여러 가지 자료를 모두 공부해 두어야 해. 대표적인 자료를 분석해 보고 관련 문제를 풀어 보자.

1 호르몬에 의한 혈당량 조절 분석하기

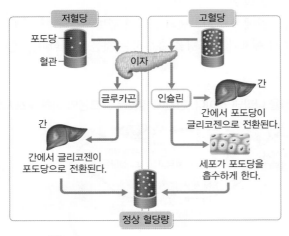

이것이 Point!
인슐린은 혈당량을 낮추고 글루카곤은 혈당량을 높인다.

[유제 **1**~유제 **2**] 그림은 건강한 사람이 식사와 운동을 하였을 때의 혈당량 변화를 나타낸 것이다.

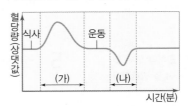

유제 **1** 구간 (가)와 (나)에서 분비량이 증가하는 이자 호르몬의 이름을 각각 쓰시오.

유제 **2** 구간 (가)와 (나)에서 분비량이 증가하는 이자 호르몬이 표적 기관에서 하는 작용을 각각 설명하시오.

2 혈당량 변화에 따른 호르몬 분비량 분석하기

그림은 식사 후 시간 경과에 따른 혈액의 포도당, 인슐린, 글루카곤의 농도 변화를 나타낸 것이다.

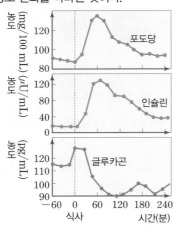

❶ 포도당 증가 → 인슐린 증가, 글루카곤 감소
❷ 포도당 감소 → 인슐린 감소, 글루카곤 증가

이것이 Point!
인슐린 분비량의 변화는 혈당량 변화와 일치하고 글루카곤 분비량의 변화는 혈당량 변화와 반비례한다.

유제 **3** 그림은 혈당량에 따라 이자에서 분비되는 호르몬 A, B의 농도 변화를 나타낸 것이다.

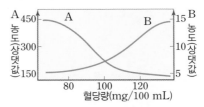

호르몬 A, B의 이름을 쓰시오.

유제 **4** 그림은 어떤 당뇨병 환자와 정상인의 식사 후 혈당량과 혈중 인슐린 농도를 나타낸 것이다. 이 환자의 당뇨병 원인이 무엇인지 쓰시오.

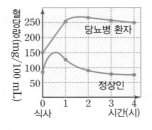
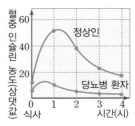

a 호르몬의 조절 작용

01 항상성에 대한 설명으로 옳은 것을 보기에서 모두 고른 것은?

---|| 보기 ||---
ㄱ. 호르몬에 의해서만 조절된다.
ㄴ. 체온, 혈당량, 체액의 농도 등이 항상성에 따라 조절된다.
ㄷ. 외부 환경 변화에 따라 몸 안의 상태가 달라지는 성질이다.

① ㄱ　　　　② ㄴ　　　　③ ㄷ
④ ㄱ, ㄴ　　　⑤ ㄴ, ㄷ

중요해!

02 호르몬에 대한 설명으로 옳지 <u>않은</u> 것은?

① 내분비샘에서 생성된다.
② 효과는 빠르고 일시적이다.
③ 혈액을 따라 온몸을 순환한다.
④ 표적 세포나 표적 기관에만 신호를 전달한다.
⑤ 분비량이 너무 많거나 적으면 몸에 이상이 나타난다.

중요해!

03 그림은 우리 몸에서 신호가 전달되는 과정을 나타낸 것이다.

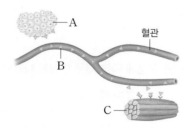

A~C에 대한 설명으로 옳은 것을 보기에서 모두 고른 것은?

---|| 보기 ||---
ㄱ. A는 분비관이 따로 있다.
ㄴ. B는 대부분의 척추동물에서 동일한 효과를 나타낸다.
ㄷ. C를 표적 세포 또는 표적 기관이라고 한다.

① ㄱ　　　　② ㄴ　　　　③ ㄷ
④ ㄱ, ㄴ　　　⑤ ㄴ, ㄷ

b 사람의 내분비계

[04~05] 그림은 사람의 내분비계 일부를 나타낸 것이다.

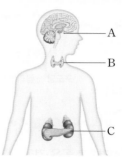

04 A~C에서 분비되는 호르몬을 옳게 짝 지은 것은?

	A	B	C
①	티록신	갑상샘 자극 호르몬	인슐린
②	인슐린	생장 호르몬	글루카곤
③	생장 호르몬	티록신	글루카곤
④	글루카곤	생장 호르몬	티록신
⑤	항이뇨 호르몬	아드레날린	인슐린

05 A~C에서 분비되는 호르몬에 대한 설명으로 옳은 것을 보기에서 모두 고른 것은?

---|| 보기 ||---
ㄱ. A에서는 B의 호르몬 분비를 촉진하는 호르몬이 분비된다.
ㄴ. B에 이상이 생기면 당뇨병에 걸릴 수 있다.
ㄷ. C에서는 서로 반대되는 작용을 하는 호르몬이 분비된다.

① ㄱ　　　　② ㄷ　　　　③ ㄱ, ㄴ
④ ㄱ, ㄷ　　　⑤ ㄴ, ㄷ

새로워! 서답형

06 오른쪽 그림에서 왼쪽 사람은 보통 사람에 비해 키가 크다. 이러한 증상을 나타내는 것과 관련이 깊은 내분비샘과 호르몬의 이름을 각각 쓰시오.

c 혈당량 조절

07 그림은 우리 몸의 혈당량 조절 과정을 나타낸 것이다.

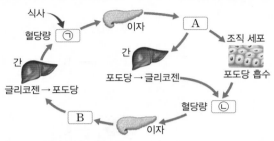

이에 대한 설명으로 옳은 것을 보기에서 모두 고른 것은?

─ 보기 ─
ㄱ. A는 글루카곤이다.
ㄴ. B는 식사 후 분비량이 증가한다.
ㄷ. ㉠은 증가, ㉡은 감소이다.
ㄹ. A와 B는 서로 반대되는 작용으로 혈당량을 일정하게 조절한다.

① ㄱ, ㄴ　　　② ㄱ, ㄹ　　　③ ㄷ, ㄹ
④ ㄱ, ㄴ, ㄷ　　　⑤ ㄴ, ㄷ, ㄹ

08 그림은 식사 후와 운동을 할 때 이자에서 분비되는 호르몬 A, B의 분비량과 혈당량 변화를 나타낸 것이다.

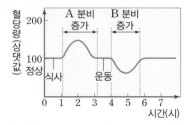

이에 대한 설명으로 옳은 것은?

① A는 글루카곤, B는 인슐린이다.
② A는 간에서 글리코젠의 분해를 촉진한다.
③ A가 부족하면 오줌에서 포도당이 검출될 수 있다.
④ B는 부족해도 몸에 이상이 나타나지 않는다.
⑤ B는 혈액 속의 포도당을 조직 세포로 흡수시킨다.

d 체온 조절

09 추울 때 일어나는 신체 반응으로 옳지 <u>않은</u> 것은?

① 세포 호흡이 촉진된다.
② 피부 근처 혈관이 확장된다.
③ 몸속의 열 발생량이 증가한다.
④ 근육의 떨림 현상이 나타난다.
⑤ 몸 밖으로 나가는 열의 양이 감소한다.

서답형

10 다음은 추울 때 호르몬에 의해 체온이 조절되는 과정을 순서 없이 나열한 것이다.

(가) 체온이 상승한다.
(나) 간뇌에서 체온이 낮음을 감지한다.
(다) 티록신에 의해 세포 호흡이 촉진된다.
(라) 갑상샘이 자극을 받아 티록신을 분비한다.
(마) 뇌하수체에서 갑상샘 자극 호르몬이 분비된다.

체온 조절 과정의 순서대로 기호를 나열하시오.

11 그림은 운동에 따른 체온 변화를 나타낸 것이다.

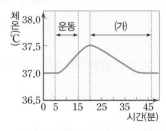

(가) 구간에서 우리 몸에 일어나는 일로 옳은 것은?

① 땀이 분비되지 않는다.
② 피부 근처 혈관이 수축한다.
③ 체외로의 열 방출량이 증가한다.
④ 세포에서 열 발생량이 증가한다.
⑤ 갑상샘 자극 호르몬 분비량이 증가한다.

01 그림 (가), (나)는 각각 신경과 호르몬을 통한 조절 작용을 나타낸 것이다.

(가)   (나)

(1) (가), (나)의 신호 전달 방식을 설명하시오.

↘ (가)에서는 감각기와 중추, 중추와 반응기 사이에 연결된

(   )을 통해 신호가 직접 전달되고, (나)에서는 혈관으로

분비된 (   )이 (   )을 따라 순환하다가 (   ) 세포

나 (   ) 기관에 도달하면 신호가 전달된다.

(2) (가), (나)의 신호 전달 속도와 범위, 효과의 지속성을 비교하여 설명하시오.

_____

_____

02 그림은 뇌하수체와 갑상샘의 호르몬 분비 조절을 나타낸 것이다.

뇌하수체   갑상샘   세포 호흡 촉진

(1) 호르몬 B의 분비량이 부족하면 갑상샘 기능 저하증이 나타날 수 있다. 이때의 증상을 설명하시오.

↘ (   )이 억제되어 체중이 (   )하고 체내 열 발

생량이 감소하여 (   )를 잘 탄다. 또, 쉽게 피로해진다.

(2) 호르몬 B가 부족해지면 어떤 조절 작용이 일어나는지 호르몬 A의 분비를 포함하여 설명하시오.

_____

_____

03 그림은 어떤 사람의 혈당량 변화를 나타낸 것이다.

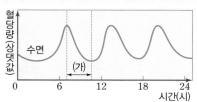

(1) 하루 동안 인슐린의 분비는 몇 번 증가하는지, 그 까닭은 무엇인지 설명하시오.

↘ 하루 동안 (   )이 3번 증가하므로 인슐린의 분비도

(   )번 증가한다.

(2) 혈당량을 낮추기 위해 인슐린이 촉진하는 반응 2가지를 설명하시오.

_____

_____

04 그림은 체온 조절 과정을 나타낸 것이다.

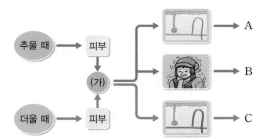

(1) A, B, C에서 체내 열 발생량과 체외로의 열 방출량 변화를 설명하시오.

↘ A에서는 피부 근처 혈관의 (   )으로 열 방출량이

(   )하고, B에서는 근육 떨림으로 (   )이 증가

하며, C에서는 피부 근처 혈관의 (   )으로 열 방출량이

(   )한다.

(2) 추울 때 체온이 조절되는 원리를 체온 조절 중추 (가)를 포함하여 설명하시오.

_____

_____

이 단원에서 배운 핵심 단어를 빈칸에 채워 넣어 생각 그물을 완성해 보자.

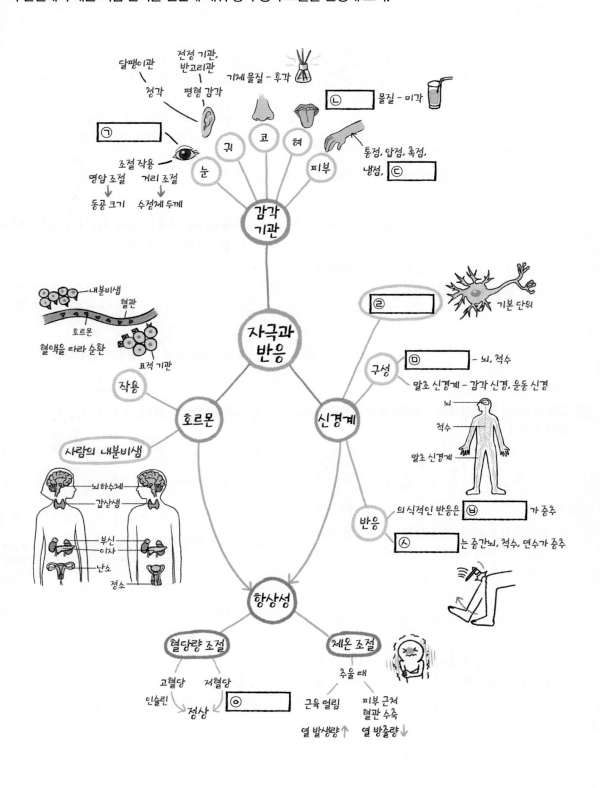

과학 3학년

우리 학교 시험 문제 | 대단원 평가

IV. 자극과 반응

년   월   일

이름:

+ 정답과 해설 31쪽

중요해!

01 오른쪽 그림은 눈의 구조를 나타낸 것이다. A~E에 대한 설명으로 옳지 <u>않은</u> 것은?

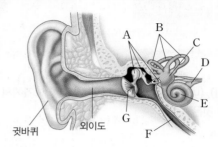

① A - 수정체의 두께를 조절한다.
② B - 투명한 막으로 빛을 통과시킨다.
③ C - 눈으로 들어오는 빛의 양을 조절한다.
④ D - 볼록 렌즈 모양으로 망막에 상이 맺히게 한다.
⑤ E - 시각 신경이 모여 지나는 부분으로 상이 맺히지 않는다.

[02~03] 그림은 동공의 크기가 변하는 과정을 나타낸 것이다.

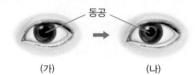

동공

(가)   (나)

서답형

02 (가)에서 (나)로 동공의 크기가 변하는 것은 눈의 구조 중 무엇과 관련이 있는지 쓰시오.

중요해! 서답형

03 (가) → (나)로 동공의 크기가 변하는 것은 주변의 밝기와 어떤 관련이 있는지 설명하시오.

04 다음은 눈의 구조를 확인하기 위한 시각 관련 실험이다.

왼쪽 눈을 가리고 오른쪽 눈으로 고양이를 응시한 후 검사지를 눈앞에서 천천히 앞뒤로 움직인다.

이 실험에서 확인하려는 눈의 구조로 옳은 것은?

① 맥락막   ② 맹점   ③ 황반
④ 홍채   ⑤ 공막

[05~06] 그림은 귀의 구조를 나타낸 것이다.

궛바퀴   외이도

서답형

05 청각 세포가 있어 소리를 받아들이는 곳의 기호와 이름을 쓰시오.

중요해! 서답형

06 소리 자극이 전달되는 경로를 위 그림의 기호로 나타내시오.

[07~08] 오른쪽 그림은 내이의 구조를 나타낸 것이다.

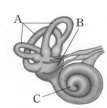

서답형

07 중력 자극을 받아들이는 곳으로 우주와 같은 무중력 공간에서 자극을 받아들이기 어려운 기관의 기호와 이름을 쓰시오.

08 A 기관에서 받아들이는 자극으로 옳은 것은?

① 기압   ② 몸의 회전
③ 소리의 세기   ④ 몸의 기울기
⑤ 공기의 진동

09 그림은 사람의 감각 기관 중 일부를 나타낸 것이다.

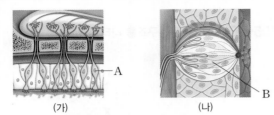

(가)   (나)

(가), (나)에 대한 설명으로 옳은 것을 보기에서 모두 고른 것은?

┌── 보기 ──────────────────────────────┐
ㄱ. A는 액체 상태의 물질을 받아들인다.
ㄴ. B는 기체 상태의 물질을 받아들인다.
ㄷ. A, B에서 받아들인 자극은 감각 뉴런을 통해 중추로 전달된다.
ㄹ. (가), (나) 작용의 조합으로 다양한 음식 맛을 느낄 수 있다.
└──────────────────────────────────┘

① ㄱ, ㄴ   ② ㄷ, ㄹ   ③ ㄱ, ㄴ, ㄷ
④ ㄱ, ㄴ, ㄹ   ⑤ ㄴ, ㄷ, ㄹ

서답형
10 뜨거운 차를 마실 때 찻잔이 뜨거워 손으로 잡기는 힘들어도 차를 마실 수는 있다. 그 까닭을 손과 입안의 감각점 분포의 차이로 설명하시오.

_____

_____

11 그림은 우리 몸을 구성하는 어느 세포를 나타낸 것이다.

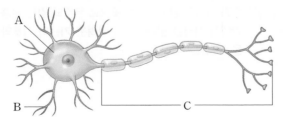

이에 대한 설명으로 옳지 않은 것은?

① 신경계를 구성하는 기본 단위이다.
② 뉴런의 종류 중 감각 뉴런의 구조이다.
③ A에는 핵과 대부분의 세포질이 모여 있다.
④ B는 다른 뉴런으로부터 자극을 받아들인다.
⑤ C는 자극을 다른 뉴런이나 기관으로 전달한다.

[12~13] 그림은 세 종류의 뉴런을 나타낸 것이다.

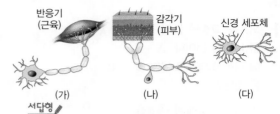

(가)   (나)   (다)

서답형
12 (가)~(다) 중 다음 설명에 해당하는 것의 기호와 이름을 쓰시오.

┌──────────────────────────────────┐
• 말초 신경계에 속한다.
• 감각기에서 받은 자극을 중추로 보낸다.
• 시각 신경, 청각 신경, 후각 신경을 이룬다.
└──────────────────────────────────┘

서답형
13 (가)~(다) 중 다음의 밑줄 친 ㉠과 관련이 깊은 것의 기호와 이름을 쓰시오.

┌──────────────────────────────────┐
루게릭병의 정식 명칭은 '근위축성 축삭 경화증'인데, 근육이 사라지고 ㉠ 척수에서 근육으로 이어진 신경 다발이 딱딱하게 굳어 가는 증상을 뜻한다.
└──────────────────────────────────┘

중요해!
14 오른쪽 그림은 뇌의 구조를 나타낸 것이다. A~E에 대한 설명으로 옳은 것은?

① A는 의식적인 반응의 중추이다.
② B는 빛의 양에 따라 동공의 크기를 조절한다.
③ C는 추리, 판단, 기억 등의 정신 작용을 담당한다.
④ D는 체온, 혈당량 조절의 중추이다.
⑤ E에는 운동 뉴런이 밀집되어 있다.

15 그림은 축구를 할 때 볼 수 있는 모습이다.

(가) 날아오는 공을 보며 떨어질   (나) 눈앞으로 갑자기 공이 날아
위치를 예측하고 달려갔다.   와서 저절로 눈이 감겼다.

(가), (나) 반응에 대한 설명으로 옳은 것을 보기에서 모두 고른 것은?

┌── ■ 보기 ──────────────────────┐
│ ㄱ. (가)는 선천적, (나)는 후천적 반응이다.   │
│ ㄴ. (가)는 의식적, (나)는 무의식적인 반응이다.   │
│ ㄷ. (나)의 반응 중추는 무릎 반사의 중추와 같다. │
│ ㄹ. (나)는 갑작스러운 위험에 처했을 때 우리 몸   │
│   을 보호하는 역할을 한다.   │
└──────────────────────────────┘

① ㄱ, ㄴ   ② ㄱ, ㄷ   ③ ㄱ, ㄹ
④ ㄴ, ㄹ   ⑤ ㄷ, ㄹ

16 무조건 반사에 해당하지 <u>않는</u> 것은?

① 먼지 때문에 재채기가 나왔다.
② 등에 땀이 나서 겉옷을 벗었다.
③ 귤을 입에 넣으니 침이 분비되었다.
④ 뾰족한 것을 밟자마자 발을 뗐다.
⑤ 뜨거운 냄비에 손이 닿아 나도 모르게 손을 움츠렸다.

17 우리 몸에서 일어나는 여러 가지 반응 중 항상성 유지와 관련된 것을 모두 고르면? (정답 2개)

① 더우면 피부에서 땀이 흐른다.
② 평균대 위에서 양팔을 벌려 균형을 잡는다.
③ 식사 후 간에서 포도당이 글리코젠으로 전환된다.
④ 미각과 후각의 조합으로 다양한 음식 맛을 느낄 수 있다.
⑤ 무릎뼈 아래쪽을 고무망치로 가볍게 치면 다리가 올라간다.

18 오른쪽 그림은 우리 몸의 분비샘 중 하나를 나타낸 것이다. 이와 같은 분비샘에서 분비되는 물질에 대한 설명으로 옳지 <u>않은</u> 것은?

① 표적 세포에서 작용한다.
② 혈액을 따라 온몸을 순환한다.
③ 부족하면 이상 증상이 나타날 수 있다.
④ 신경과 함께 항상성 유지에 관여한다.
⑤ 소화액, 눈물, 땀 등이 여기에 해당한다.

19 다음 설명에 해당하는 호르몬과 이를 분비하는 내분비샘의 이름을 쓰시오.

┌──────────────────────────────┐
│ • 세포 호흡을 촉진한다.   │
│ • 부족 시 체중이 증가하고 추위를 많이 느낀다.   │
│ • 과다 분비 시 체중이 감소하고 피로감을 많이   │
│   느낀다.   │
└──────────────────────────────┘

20 표는 겨울에 외출에서 돌아온 후 시간 경과에 따른 체온 변화를 나타낸 것이다.

경과 시간	귀가 직후	10분 후	20분 후	30분 후
체온(℃)	36.4	36.6	36.8	37

집에 돌아온 후 일어난 조절 작용으로 옳은 것은?

① 땀이 분비되었다.
② 오줌의 양이 증가하였다.
③ 세포 호흡이 억제되었다.
④ 피부 근처 혈관이 확장하였다.
⑤ 티록신의 분비량이 증가하였다.

V 생식과 유전

부모에게서 태어난 개체는 자라서 자손을 남기고 언젠가 죽음을 맞는다. 그러나 한 개체의 삶이 끝나도 그 개체가 포함된 종은 계속 유지된다. 이 단원에서는 세포 분열과 수정, 수정란으로부터 개체가 발생되는 과정, 부모의 형질이 자손에게 전달되는 유전의 기본 원리와 사람의 유전 현상을 학습하여 생물종이 고유의 특성을 간직한 채 계속 이어지는 원리를 이해하도록 하자.

01 세포 분열

ⓐ 세포의 분열

1. **세포** 생물을 구성하는 기본 단위
   ① 세포의 크기❶: 대부분의 세포는 지름이 10 μm~100 μm 정도로 크기가 매우 작다.
   ② 세포의 분열과 생물의 생장: 세포는 일정 크기에 도달하면 2개의 작은 세포로 나누어진다. 생물은 세포 수를 늘리며 생장한다.

2. **세포가 분열하는 까닭** 세포의 크기가 작을수록 외부 환경과 접촉하는 표면적이 넓어 생명 활동에 필요한 물질을 교환❷하는 데 더 유리하다. 탐구 138쪽

세포의 물질 교환

3. **세포 주기** 분열을 마친 세포가 자라서 다시 세포 분열을 마치기까지의 과정

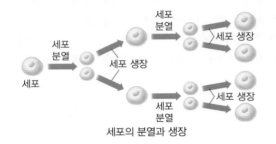

세포의 분열과 생장

세포 주기

ⓑ 염색체

1. **염색체의 구조** 분열하는 세포에서 관찰되는 막대 모양의 구조물로, DNA와 단백질로 구성된다. 세포가 분열하지 않을 때는 가는 실처럼 풀어져 있다.

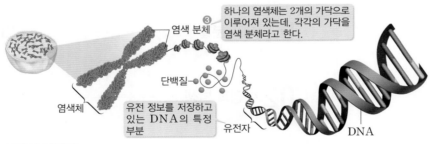

하나의 염색체는 2개의 가닥으로 이루어져 있는데, 각각의 가닥을 염색 분체라고 한다.

염색 분체
단백질
염색체
유전 정보를 저장하고 있는 DNA의 특정 부분
유전자
DNA

2. **사람의 염색체**
   ① 상동* 염색체❹: 체세포에 있는 모양과 크기가 같은 한 쌍의 염색체로, 사람의 체세포 1개에는 23쌍의 상동 염색체가 있다.
   ② 염색체 구성: 사람의 체세포 1개에는 46개의 염색체가 있으며, 이 가운데 22쌍은 남녀 공통으로 있는 상염색체이고, 1쌍은 성별을 결정하는 성염색체이다. 남자의 성염색체는 XY, 여자의 성염색체는 XX이다.

남자의 염색체 구성(44+XY) 여자의 염색체 구성(44+XX)

❶ 다양한 크기의 세포

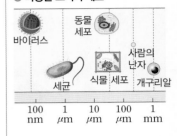

바이러스, 동물 세포, 세균, 식물 세포, 사람의 난자, 개구리알

100 nm · 1 μm · 10 μm · 100 μm · 1 mm

❷ 세포의 물질 교환
세포는 생명 활동에 필요한 산소, 영양소를 받아들이고 생명 활동 결과 생긴 이산화 탄소, 노폐물을 외부로 내보내는 물질 교환을 한다.

❸ 두 가닥의 염색 분체
세포가 분열하기 전에 DNA를 복제하여 두 가닥의 염색 분체를 형성하기 때문에 염색 분체 상의 유전 정보는 서로 동일하다.

❹ 상동 염색체와 염색 분체

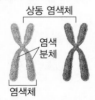

상동 염색체
염색 분체
염색체

상동 염색체는 부모로부터 하나씩 물려받은 것이므로 유전 정보는 동일하지 않다.

■ 용어 이해하기
· **상동**(서로 相, 같을 同) 서로 같음
· **체세포**(몸 體, 가늘 細, 태보 胞) 생물의 몸을 구성하는 모든 세포

1 다음은 세포의 분열에 대한 설명이다. 빈칸에 알맞은 말을 쓰시오.

(1) ( )는 생물체를 구성하는 기본 단위이다.

(2) 생명 활동에 필요한 ( )이 원활하게 일어나려면 작은 세포가 큰 세포보다 유리하다.

(3) 몸집이 큰 생물은 작은 생물보다 몸을 구성하는 ( )의 수가 많다.

2 세포 주기에 대한 설명으로 옳은 것은 ○표, 옳지 않은 것은 ×표를 하시오.

(1) 세포 분열을 마친 세포가 자라서 다시 분열을 마칠 때까지의 기간에 해당한다. ⋯⋯⋯⋯⋯⋯⋯⋯⋯⋯⋯⋯⋯⋯⋯⋯⋯⋯⋯⋯⋯⋯⋯⋯ ( )

(2) 간기는 세포가 휴면 상태에 있는 시기로, 이때에는 생명 활동이 거의 일어나지 않는다. ⋯⋯⋯⋯⋯⋯⋯⋯⋯⋯⋯⋯⋯⋯⋯⋯⋯⋯⋯ ( )

(3) 분열기에 비해 간기가 훨씬 길다. ⋯⋯⋯⋯⋯⋯⋯⋯⋯⋯⋯⋯ ( )

(4) 세포 주기를 반복할수록 세포의 크기는 점점 작아진다. ⋯⋯⋯ ( )

3 그림은 염색체와 염색체를 구성하는 물질을 나타낸 것이다.

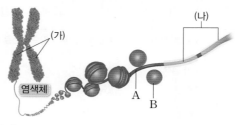

(1) 염색체를 구성하는 물질 A, B의 이름을 쓰시오.

(2) 하나의 염색체를 이루고 있는 두 개의 (가)를 무엇이라고 하는지 쓰시오.

(3) 유전 정보를 저장하고 있는 (나)와 같은 부위를 무엇이라고 하는지 쓰시오.

4 사람의 염색체에 대한 용어와 설명을 옳게 연결하시오.

(1) 상염색체 •		• ㉠ 남자에게만 있는 염색체

(2) 성염색체 •		• ㉡ 성별을 구별하는 한 쌍의 염색체

(3) X 염색체 •		• ㉢ 모양과 크기가 같은 한 쌍의 염색체

(4) Y 염색체 •		• ㉣ 남자와 여자가 공통으로 가지고 있는 성염색체

(5) 상동 염색체 •		• ㉤ 남자와 여자의 체세포에 공통으로 22쌍이 있다.

01 세포 분열

C 체세포 분열 · 탐구 139쪽

1. **체세포 분열 과정** 생물의 몸을 구성하는 체세포가 둘로 나누어지는 과정
   ① 간기: 핵 속에 들어 있는 유전 물질이 복제되어 두 가닥의 염색 분체를 형성
   ② 핵분열: 염색체의 행동에 따라 전기, 중기⑤, 후기, 말기로 구분한다.

간기	전기	중기	후기	말기
핵막				
핵막 뚜렷, 염색체 풀어져 있음	핵막 사라지고 염색체 나타남	염색체가 세포 중앙에 배열	염색 분체가 분리되어 양쪽 끝으로 이동	염색체가 풀어지고 핵막 생김

   ③ 세포질 분열⑥: 핵분열 말기에 세포질이 나누어져 2개의 딸세포⑦ 형성
2. **체세포 분열 결과** 딸세포의 염색체 수와 유전 정보는 모세포와 동일하다.

d 생식세포 형성 과정

1. **생식세포** 생식 기관에서 만들어지며 염색체 수는 체세포의 절반이다.
2. **감수 분열** 생식세포 형성 과정에서는 염색체 수가 절반으로 줄어드는 감수 분열이 일어난다. 연속 2회 분열로 4개의 딸세포 형성
   ① 감수 1분열: 상동 염색체가 접합한 2가 염색체⑧가 나타나고, 후기에 상동 염색체가 분리되어 딸세포의 염색체 수는 모세포의 절반이 된다.

간기	감수 1분열 전기	감수 1분열 중기	감수 1분열 후기	감수 1분열 말기
핵막 / 모세포	2가 염색체			
핵막 뚜렷, 유전 물질 복제	핵막 사라지고 2가 염색체 나타남	2가 염색체가 세포 중앙에 배열	상동 염색체가 분리되어 양 끝으로 이동	세포질이 분열되어 2개의 딸세포 형성

   ② 감수 2분열: 염색 분체가 분리되므로 염색체 수는 변하지 않는다.⑨

감수 2분열 전기	감수 2분열 중기	감수 2분열 후기	감수 2분열 말기
유전 물질 복제 없이 핵막 사라지고 2분열 시작	염색체가 세포 중앙에 나란히 배열	염색 분체가 나뉘어 양쪽 끝으로 이동	세포질이 분열되어 4개의 딸세포 형성

⑤ **핵분열 중기의 특징**
핵분열 중 가장 짧은 시기이며 염색체를 가장 뚜렷하게 관찰할 수 있는 시기이다.

⑥ **동물 세포와 식물 세포의 세포질 분열**
· 동물 세포: 세포막이 안쪽으로 잘록하게 들어가면서 세포질이 나누어짐
· 식물 세포 : 세포 중앙에서 바깥쪽으로 세포판이 만들어지면서 세포질이 나누어짐

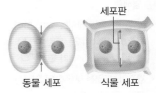

동물 세포   식물 세포

⑦ **모세포와 딸세포**
분열 전의 세포를 모세포, 분열하여 생긴 새로운 세포를 딸세포라고 한다.

⑧ **2가 염색체**
상동 염색체가 접합한 것으로, 4분 염색체라고도 한다.

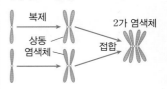

⑨ **감수 1분열과 감수 2분열의 비교**
· 감수 1분열: 상동 염색체가 나누어지므로 분열 후 염색체 수가 절반이 된다.
· 감수 2분열: 염색 분체가 나누어지므로 분열 후 염색체 수가 변하지 않는다.

■ **용어 이해하기**
· **감수 분열**(덜 減, 셀 數, 나눌 分, 찢을 裂) 염색체 수가 줄어드는 분열

5 체세포 분열 과정의 각 단계와 염색체의 행동을 옳게 연결하시오.

(1) 간기 •

(2) 전기 •

(3) 중기 •

(4) 후기 •

(5) 말기 •

• ㉠ 염색체가 세포의 중앙에 나란히 배열한다.

• ㉡ 두 가닥의 염색 분체가 분리되어 각각 세포 양쪽 끝으로 이동한다.

• ㉢ 핵막이 사라지고 두 가닥의 염색 분체로 이루어진 염색체가 나타난다.

• ㉣ 핵막이 나타나면서 2개의 핵이 만들어지고 세포질 분열이 일어난다.

• ㉤ 핵막이 뚜렷하며 유전 물질이 복제되어 그 양이 2배로 늘어난다.

6 세포 분열에 대한 설명으로 옳은 것은 ○표, 옳지 않은 것은 ×표를 하시오.

(1) 체세포 분열 결과 만들어진 딸세포의 염색체 수와 유전 정보는 모세포와 같다. ······ ( )

(2) 동물 세포는 중앙에 세포판이 만들어지면서 세포질이 나누어진다. ( )

(3) 감수 분열은 2회 연속 분열로 4개의 딸세포를 형성한다. ······ ( )

(4) 체세포 분열과 감수 1분열 전기에 2가 염색체가 나타난다. ······ ( )

(5) 감수 2분열 결과 염색체 수가 절반으로 줄어든다. ······ ( )

7 그림은 체세포 분열과 생식세포 형성 과정의 감수 분열을 비교하여 나타낸 것이다. 그림을 보고 표의 빈칸에 알맞은 말을 쓰시오.

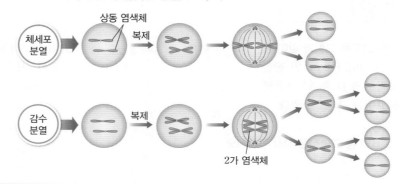

구분	체세포 분열	감수 분열
분열 횟수(회)	1회	㉠
딸세포 수(개)	2개	㉡
2가 염색체의 형성 유무	㉢	형성됨
분열 전후 염색체 수 변화	변화 없음	㉣

탐구 세포가 분열하는 까닭 알아보기

목표 세포의 표면적과 부피에 따른 물질의 이동을 알아보는 실험을 통해 세포 분열의 필요성을 설명할 수 있다.

과정 **유의점!** 한천 조각을 수산화 나트륨 수용액에 10분 이상 담가 두지 않는다.

❶ 페놀프탈레인이 들어 있는 한천 덩어리를 잘라 한 변의 길이가 1 cm, 2 cm인 정육면체 A, B를 만든다.

❷ 한천 조각 A, B를 비커에 넣고 4 % 수산화 나트륨 수용액을 한천 조각이 잠길 정도로 붓는다.

잠깐! 수산화 나트륨 수용액 대신 비눗물을 사용할 수도 있다.

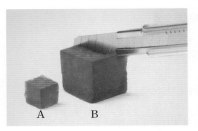

❸ 5분 후 A, B를 꺼내 종이 수건으로 표면을 닦고 가운데를 잘라 관찰한다.

결과

1 A는 B보다 크기가 작고 표면에서 중심까지의 거리가 짧다.

2 A는 중심까지 수산화 나트륨 수용액이 스며들어 붉은색으로 변했고, B는 표면만 붉게 변했다.

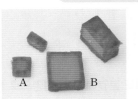

구분	A	B
표면적(cm^2)	6	24
부피(cm^3)	1	8
$\dfrac{표면적(cm^2)}{부피(cm^3)}$	6	3

정리

1 세포의 크기가 (㉠ 클수록 , 작을수록) 단위 부피당 표면적이 커지므로 생명 활동에 필요한 물질이 빠른 시간 안에 세포 중심까지 퍼져나가 (㉡   )이 효율적으로 이루어질 수 있다.

2 세포의 크기가 커지면 단위 부피당 (㉢   )이 줄어들어 생명 활동에 필요한 물질 교환을 하는 데 효율적이지 못하므로 세포가 일정 크기로 커지면 2개로 나뉘는 (㉣   )이 일어난다.

확인 문제

+ 정답과 해설 **34**쪽

[1~2] 오른쪽 그림과 같이 한 변의 길이가 2 cm인 한천 조각 A와 B 중 A는 8등분하고 B는 그대로 두었다.

1 cm 2 cm
A   B

서답형
1 A, B의 총 표면적을 각각 구하시오.

_____

서답형
2 A와 B의 부피에 대한 표면적의 비를 근거로 물질 교환 효율이 높은 것은 어느 것인지 설명하시오.

_____

3 이 실험의 결과를 해석한 것으로 옳은 것을 보기에서 모두 고른 것은?

보기

ㄱ. 세포가 클수록 물질 교환이 효율적이다.

ㄴ. 세포가 작을수록 부피에 대한 표면적의 비가 커진다.

ㄷ. 세포가 작으면 생명 활동에 필요한 물질을 얻는 데 유리하다.

① ㄷ   ② ㄱ, ㄴ   ③ ㄱ, ㄷ
④ ㄴ, ㄷ   ⑤ ㄱ, ㄴ, ㄷ

체세포 분열 관찰하기

목표 양파 뿌리 끝을 이용하여 체세포 분열 과정을 관찰하고 각 단계의 특징을 설명할 수 있다.

과정

고정

해리
물
묽은 염산

염색
아세트산 카민 용액

분리
해부 침
압착
거름종이

❶ 양파 뿌리 끝을 에탄올과 아세트산을 3 : 1로 혼합한 용액에 하루 정도 담가 둔다. → 세포 상태를 보존

❷ 양파 뿌리 끝을 거즈에 싸서 60 ℃의 묽은 염산에 8분 동안 담가 둔다. → 조직을 연하게

❸ 받침유리에 양파 뿌리 끝을 놓고 아세트산 카민 용액을 떨어뜨린다. → 염색체 관찰을 뚜렷하게

❹ 양파 뿌리 끝을 해부 침으로 잘게 찢고 덮개유리를 덮은 후 손가락으로 지그시 누른다. → 세포를 따로따로 분리

❺ 완성된 현미경 표본을 현미경으로 관찰하여 전기, 중기, 후기, 말기에 해당하는 세포를 찾는다.

잠깐 간기에 비해 분열기가 짧으므로 분열 중인 세포 수가 훨씬 적게 관찰된다.

결과

간기	전기	중기	후기	말기

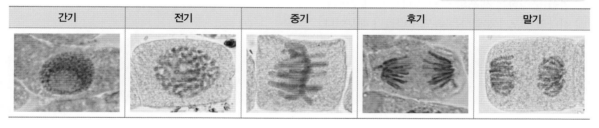

정리

1 양파 뿌리의 끝부분에는 생장점이 있어서 (㉠   )이 활발하게 일어난다.

2 분열하기 전 세포의 핵과 분열하는 세포의 (㉡   )는 아세트산 카민 용액에 염색된다.

3 (㉢   )에는 핵막이 뚜렷하고 전기에는 핵막이 사라진다. (㉣   )에는 염색체가 세포 중앙에 배열하고 후기에는 염색체가 양 끝으로 끌려가며, (㉤   )에는 2개의 핵이 형성된다.

확인 문제

＋ 정답과 해설 34쪽

1 체세포 분열을 관찰하기 위한 실험 재료로 적절한 것은?

① 백합의 꽃밥
② 식물 잎의 단면
③ 양파의 뿌리 끝
④ 사람의 머리카락
⑤ 양파의 표피 세포

2 체세포 분열 과정 중 오른쪽 그림의 세포에 해당하는 단계로 옳은 것은?

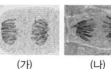

① 간기
② 전기
③ 중기
④ 후기
⑤ 말기

서답형

3 그림은 양파의 체세포 분열 과정을 현미경으로 관찰한 것이다.

(가)   (나)   (다)   (라)

체세포 분열 과정 순서대로 기호로 나열하시오.

a 세포의 분열

01 쥐와 코끼리의 몸집이 그림과 같이 크게 차이가 나는 까닭으로 옳은 것은?

① 유전자의 수가 다르기 때문이다.
② DNA의 길이가 다르기 때문이다.
③ 몸을 구성하는 세포 수가 다르기 때문이다.
④ 몸을 구성하는 세포의 크기가 다르기 때문이다.
⑤ 하나의 세포가 분열하는 속도가 다르기 때문이다.

중요해!

탐구 138쪽

02 페놀프탈레인이 섞인 두 가지 크기의 한천 조각을 그림 (가)와 같이 수산화 나트륨 수용액에 담가 두었다가 반으로 잘라 보았더니 (나)와 같았다.

이에 대한 설명으로 옳은 것을 보기에서 모두 고른 것은?

┤ 보기 ├
ㄱ. 세포가 분열하는 까닭을 알아보기 위한 실험이다.
ㄴ. 한천 조각의 크기에 따라 수산화 나트륨 수용액이 스며드는 속도가 다르다.
ㄷ. 한천 조각이 붉게 물든 것은 페놀프탈레인과 수산화 나트륨이 반응하였기 때문이다.

① ㄱ   ② ㄷ   ③ ㄱ, ㄴ
④ ㄱ, ㄷ   ⑤ ㄱ, ㄴ, ㄷ

중요해!

03 그림은 세포 분열 과정을 나타낸 것이다.

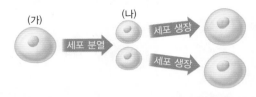

(가)와 (나) 세포를 비교하여 설명한 것으로 옳지 않은 것은?

① (가)는 (나)보다 부피가 크다.
② (가)는 (나)보다 표면적이 크다.
③ 단위 부피당 표면적은 (나)가 (가)보다 크다.
④ (가)는 (나)보다 물질 교환이 효율적으로 이루어진다.
⑤ 생명 활동에 필요한 물질을 얻는 데 (가)보다 (나)가 더 유리하다.

b 염색체

04 그림은 염색체, DNA, 유전자의 관계를 나타낸 것이다.

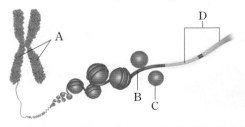

A~D에 대한 설명으로 옳은 것을 보기에서 모두 고른 것은?

┤ 보기 ├
ㄱ. A는 부모로부터 하나씩 받은 것이다.
ㄴ. B, C 중 유전 물질은 B이다.
ㄷ. D는 유전 정보를 저장하고 있는 부위이다.

① ㄱ   ② ㄷ   ③ ㄱ, ㄴ
④ ㄴ, ㄷ   ⑤ ㄱ, ㄴ, ㄷ

05 염색체에 대한 설명으로 옳지 <u>않은</u> 것은?

① 염색액에 의해 염색된다.

② DNA와 단백질로 구성된다.

③ 분열할 때 굵고 짧게 뭉쳐진다.

④ 염색체 수는 같은 종이라도 개체마다 다르다.

⑤ 분열 전에는 가느다란 실 모양으로 풀어져 있다.

06 그림은 사람의 염색체 구성을 나타낸 것이다.

이에 대한 설명으로 옳지 <u>않은</u> 것은?

① 남자의 성염색체는 XY이다.

② 남녀 모두 22쌍의 상염색체가 있다.

③ 남녀 모두 23쌍의 상동 염색체가 있다.

④ 체세포 하나에 들어 있는 염색체는 모두 46개이다.

⑤ 세포 분열 전에 복제되어 상동 염색체가 쌍을 이룬다.

C 체세포 분열

[07~08] 그림은 체세포 분열 과정을 순서 없이 나타낸 것이다.

(가)　　　　(나)　　　　(다)　　　　(라)　　　　(마)

중요해! 서답형

07 (가)~(마)를 순서대로 나열하시오.

08 (가)~(마)에 대한 설명으로 옳은 것은?

① (가)에서 염색체 수가 반으로 줄어든다.

② (나)에서 염색체가 가장 뚜렷하게 관찰된다.

③ (다)에서 핵막과 인이 관찰된다.

④ (라)에서 염색 분체가 양쪽 끝으로 끌려간다.

⑤ (마)는 세포 주기 중 가장 오래 걸리는 시기이다.

09 오른쪽 그림은 어느 세포의 세포 분열 과정 중 일부를 나타낸 것이다. 이에 대한 설명으로 옳은 것을 보기에서 모두 고른 것은?

세포판

┌─ 보기 ──────────────────────┐

ㄱ. 이 세포는 동물 세포이다.

ㄴ. 세포 분열 말기에 해당한다.

ㄷ. 세포질 분열 과정을 나타낸다.

└────────────────────────────┘

① ㄱ　　　　② ㄴ　　　　③ ㄷ

④ ㄱ, ㄴ　　　⑤ ㄴ, ㄷ

[10~11] 다음은 양파의 뿌리 끝에서 일어나는 세포 분열을 관찰하기 위해 현미경 표본을 만드는 과정을 순서 없이 나열한 것이다.

┌────────────────────────────────────┐

(가) 뿌리 끝을 해부 침으로 잘게 찢기

(나) 묽은 염산에 뿌리 끝을 넣고 가열하기

(다) 아세트산 카민 용액을 한 방울 떨어뜨리기

(라) 덮개유리를 덮고 엄지손가락으로 지그시 누르기

(마) 에탄올과 아세트산의 혼합액에 양파의 뿌리 끝을 하루 동안 담가 두기

└────────────────────────────────────┘

중요해! 서답형　　　　　　　　　　탐구 139쪽

10 이 실험 과정을 순서대로 기호로 나열하시오.

중요해!　　　　　　　　　　　탐구 139쪽

11 이 실험의 각 단계를 거치는 까닭을 설명한 것으로 옳은 것은?

① (가)는 뿌리 조직을 연하게 하기 위한 과정이다.

② (나) 과정을 통해 염색체를 뚜렷하게 관찰할 수 있게 된다.

③ (다)에서 세포 분열이 멈추고 그 상태가 보존된다.

④ (라)는 세포를 얇게 퍼뜨려서 명확하게 관찰하기 위한 과정이다.

⑤ (마)는 세포 분열을 촉진하기 위한 과정이다.

d 생식세포 형성 과정

12 오른쪽 그림은 어느 생물의 세포 분열 과정 중 일부를 나타낸 것이다. 이에 대한 설명으로 옳은 것을 보기에서 모두 고른 것은?

┤ 보기 ├
ㄱ. 감수 2분열 중기에 해당한다.
ㄴ. 이 생물의 체세포 염색체 수는 4개이다.
ㄷ. 분열 결과 만들어진 딸세포의 염색체 수는 4개이다.

① ㄱ   ② ㄴ   ③ ㄷ
④ ㄱ, ㄴ   ⑤ ㄴ, ㄷ

[13~15] 그림은 감수 분열 과정을 나타낸 것이다.

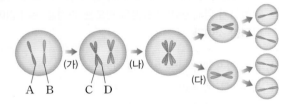

13 이에 대한 설명으로 옳은 것을 모두 고르면? (정답 2개)

① A와 B의 유전자 구성은 같다.
② C와 D는 감수 1분열 전기에 접합한다.
③ (가)에서 유전 물질이 복제된다.
④ (나)에서 염색체 수가 2배로 증가한다.
⑤ (다)에서 상동 염색체가 분리된다.

14 위 세포 분열을 관찰할 수 있는 재료로 적절한 것은?

① 번식 중인 효모   ② 양파의 뿌리 끝
③ 양파의 표피 세포   ④ 백합의 어린 꽃밥
⑤ 재생되는 도마뱀 꼬리

15 위와 같은 세포 분열의 특징으로 옳지 않은 것은?

① 유전 정보는 2회 복제된다.
② 2회 연속 분열로 4개의 딸세포가 형성된다.
③ 딸세포의 염색체 수는 모세포의 절반이다.
④ 정자와 난자가 형성될 때 일어나는 분열이다.
⑤ 위와 같은 분열 때문에 세대를 거듭해도 염색체 수가 유지된다.

16 오른쪽 그림은 어떤 생물의 체세포에 들어 있는 염색체 구성을 나타낸 것이다. 이 생물의 생식세포에 들어 있는 염색체 구성으로 옳은 것은?

①   ②   ③   ④   ⑤

17 그림은 어떤 생물의 생식세포 형성 과정 중 일부를 나타낸 것이다.

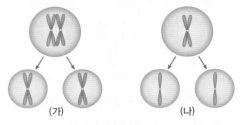

(가)   (나)

이에 대한 설명으로 옳은 것을 보기에서 모두 고른 것은?

┤ 보기 ├
ㄱ. (가)는 감수 1분열, (나)는 감수 2분열이다.
ㄴ. (가)에서 염색체 수가 절반으로 줄어든다.
ㄷ. (나)에서는 유전 물질의 양이 변하지 않는다.

① ㄱ   ② ㄷ   ③ ㄱ, ㄴ
④ ㄴ, ㄷ   ⑤ ㄱ, ㄴ, ㄷ

18 그림은 어느 생물의 체내에서 일어나는 2가지 세포 분열 과정을 나타낸 것이다.

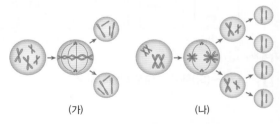

(가)   (나)

(가)와 (나)를 비교한 것으로 옳지 않은 것은?

		(가)	(나)
①	분열 횟수	1	2
②	딸세포 수	2	4
③	2가 염색체 형성	무	유
④	염색체 수 변화	반감	변화 없음
⑤	분열 장소	체세포	생식 기관

01 그림은 페놀프탈레인이 섞인 우무 덩어리를 한 변의 길이가 각각 1 cm, 2 cm, 3 cm인 정육면체 조각으로 잘라 묽은 수산화 나트륨 수용액에 담갔다가 꺼낸 후, 각 조각의 단면을 비교한 것이다.

(1) 우무 조각을 세포로 가정할 때 물질 교환에 더 유리한 것은 어느 조각인지 설명하시오.

↘ 가장 (   ) 조각만 중심까지 붉은색이 된 것으로 보아

세포의 크기가 (   )수록 물질 교환에 더 유리하다.

(2) 세포는 일정 크기에 도달하면 더 이상 커지지 않고 분열한다. 그 까닭을 다음 단어를 모두 포함하여 설명하시오.

> 부피   표면적   물질 교환   세포 분열

_____

_____

02 그림은 염색체의 구조를 나타낸 것이다.

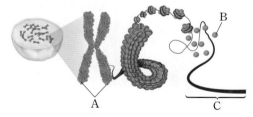

(1) 염색체의 구성을 B, C의 이름을 포함하여 설명하시오.

↘ 염색체는 B(   )와 C(   )로 구성된다. C에는

(   )가 저장되어 있다.

(2) 세포 분열 초기에 A가 두 가닥으로 나타나는 까닭을 설명하시오.

_____

_____

03 그림 (가)~(다)는 생물의 생명 활동을 설명한 것이다.

> (가) 나무의 키가 자란다.
> (나) 상처 부위에 새살이 돋는다.
> (다) 도마뱀의 잘린 꼬리가 다시 자란다.

(1) (가)~(다)에서 공통으로 나타나는 생명 현상은 무엇인지 설명하시오.

↘ 식물의 (   ), 조직이나 기관의 (   )은 (   )

로 이루어진다.

(2) 체세포 분열 결과 형성된 딸세포가 모세포와 염색체 구성이 동일한 까닭을 설명하시오.

_____

_____

_____

04 그림 (가), (나)는 각각 염색체가 두 쌍인 어느 두 세포의 분열 과정 중 일부를 나타낸 것이다.

(가)   (나)

(1) (가)와 (나)는 체세포 분열과 감수 분열 과정의 어느 단계에 해당하는지 근거를 들어 설명하시오.

↘ (가)는 염색체가 세포 중앙에 배열한 것으로 보아 (   )

분열 (   )에 해당한다. (나)는 (   ) 염색체가 접합하

여 형성된 (   ) 염색체가 세포 중앙에 배열한 것으로 보아

(   )분열 (   )에 해당한다.

(2) (가)와 (나) 세포가 1회 분열한 이후 염색체 수는 어떻게 변화할지 설명하시오.

_____

_____

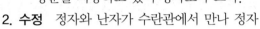

02 수정과 발생

핵심 키워드 · 수정, 발생, 난할

ⓐ 생식세포와 수정

1. **사람의 생식세포** 생식세포 형성 과정을 통해 정소❶에서는 정자가, 난소❷에서는 난자가 만들어진다.
    ① 정자: 머리에 유전 물질이 들어 있는 핵이 있으며, 꼬리를 이용하여 스스로 움직일 수 있다.
    ② 난자: 유전 물질이 들어 있는 핵이 있고, 스스로 움직이지 못한다. 세포질에 많은 양분을 저장하고 있어 정자보다 크다.

2. **수정** 정자와 난자가 수란관에서 만나 정자의 핵과 난자의 핵이 결합하는 과정
    ① 난소에서 수란관으로 배란❸된 난자에게 수많은 정자가 접근한다.
    ② 일반적으로 하나의 정자와 하나의 난자만 수정에 성공한다.
    ③ 수정 과정을 거치면 체세포와 염색체 수가 같은 수정란이 된다.

ⓑ 사람의 발생 〈집중 공략 146쪽〉

1. **발생** 수정란이 하나의 개체로 되기까지의 과정
    ① 난할: 수정란의 초기 세포 분열. 세포의 크기는 자라지 않고 분열만 계속하므로 난할을 거듭할수록 세포 하나의 크기는 점점 작아진다.
    ② 착상: 수정 후 5~7일 경, 포배 상태의 배아❹가 자궁 안쪽 벽에 파고 들어가는 현상

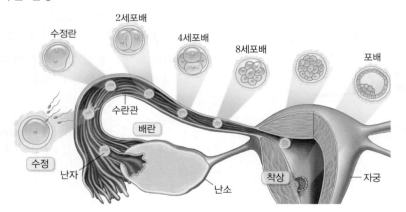

③ 기관 형성: 착상 후 모체로부터 영양분을 공급받으며 기관을 형성하면 사람의 모습을 갖춘 태아가 된다.

2. **출산** 일반적으로 수정 후 약 266일이 지나면 출산 과정을 거쳐 태아가 모체 밖으로 나온다.

태아의 발생 과정

시기	태아의 특징
수정 후 6주	뇌 발달, 심장 박동 시작
수정 후 8주	대부분의 기관 형성
수정 후 12주	근육 발달, 움직임 활발, 성별 구분 가능
수정 후 24주	골격 형성

❶ 남자의 생식 기관

수정관 정자가 이동하는 통로

정소 정자가 만들어지는 장소

❷ 여자의 생식 기관

수란관 난자와 수정란이 자궁으로 이동하는 통로

자궁 태아가 자라는 장소

난소 난자가 만들어지는 장소

질

❸ 배란
약 28일을 주기로 난소에서 난자가 성숙하여 수란관으로 배출되는 현상. 양쪽 난소에서 교대로 1개씩 배출된다.

❹ 배아
정자와 난자가 수정된 후 사람의 형태를 갖추기 전 7주 정도까지를 배아라고 한다. 사람의 형태를 갖추면 태아라고 한다.

■ 용어 이해하기
· **발생**(쏠 發, 날 生) 수정란이 하나의 개체가 되는 과정
· **난할**(알 卵, 나눌 割) 수정란의 초기 세포 분열 과정

개념 다지기

✦ 정답과 해설 37쪽

1 사람의 수정과 발생에 대한 설명으로 옳은 것은 ○표, 옳지 <u>않은</u> 것은 ×표를 하시오.

(1) 정자와 난자는 체세포 분열로 형성된다. ⋯⋯⋯⋯⋯⋯⋯⋯⋯ ( )

(2) 수정란의 염색체 수는 체세포의 염색체 수와 동일하다. ⋯⋯⋯ ( )

(3) 난할을 하는 동안 딸세포의 염색체 수는 모세포의 절반이 된다. ⋯ ( )

(4) 난할을 거듭하는 동안 배아의 크기는 점점 커진다. ⋯⋯⋯⋯⋯ ( )

(5) 태아는 모체로부터 영양분을 공급받아 발생한다. ⋯⋯⋯⋯⋯⋯ ( )

2 그림은 사람의 생식세포의 형성, 수정, 발생 과정을 나타낸 것이다.

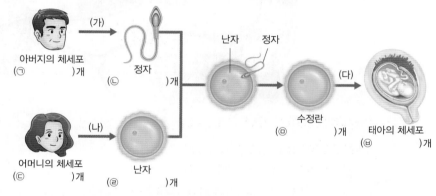

(1) 빈칸에 알맞은 염색체 수를 각각 쓰시오.

(2) (가), (나), (다)에서 일어나는 세포 분열은 각각 무엇인지 쓰시오.

3 그림은 수정란의 초기 세포 분열 과정을 나타낸 것이다.

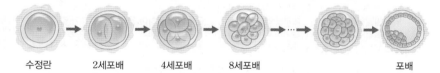

수정란 → 2세포배 → 4세포배 → 8세포배 → ⋯ → 포배

(1) 위 과정에서 염색체 수는 (감소한다 , 변하지 않는다 , 증가한다).

(2) 포배 단계에 이르러 자궁 안쪽 벽에 파고 들어가는 현상을 무엇이라고 하는지 쓰시오.

4 사람의 발생에 대한 다음 설명의 빈칸에 알맞은 말을 쓰시오.

> 난소에서 배란된 난자는 (㉠   )에서 정자와 결합한다. 수정란은 (㉡   )을 하며 자궁으로 이동하여 착상한 후 모체로부터 영양분을 공급받으며 (㉢   )을 형성하여 태아로 자란다.

사람의 수정과 발생 정리하기

+) 정답과 해설 **37쪽**

사람의 수정 과정과 난할 이후 발생 과정을 그림으로 정리해 보자.

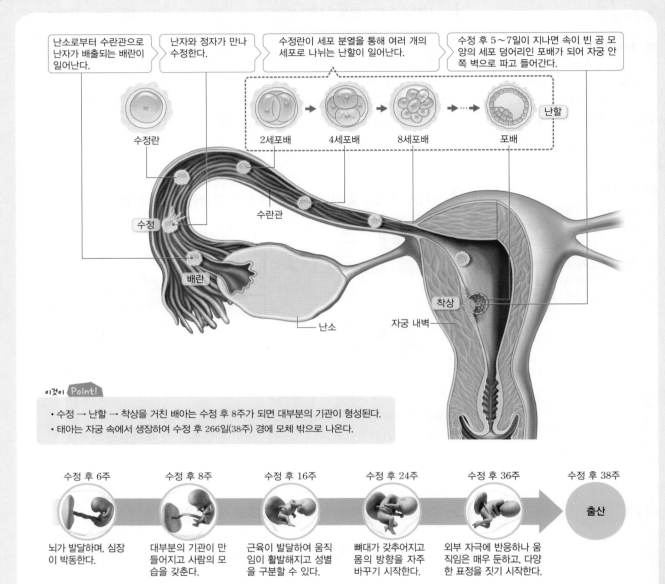

난소로부터 수란관으로 난자가 배출되는 배란이 일어난다.

난자와 정자가 만나 수정한다.

수정란이 세포 분열을 통해 여러 개의 세포로 나뉘는 난할이 일어난다.

수정 후 5〜7일이 지나면 속이 빈 공 모양의 세포 덩어리인 포배가 되어 자궁 안쪽 벽으로 파고 들어간다.

수정란

2세포배　4세포배　8세포배　포배　난할

수정

수란관

배란

난소

착상

자궁 내벽

이것이 **Point!**

• 수정 → 난할 → 착상을 거친 배아는 수정 후 8주가 되면 대부분의 기관이 형성된다.
• 태아는 자궁 속에서 생장하여 수정 후 266일(38주) 경에 모체 밖으로 나온다.

수정 후 6주	수정 후 8주	수정 후 16주	수정 후 24주	수정 후 36주	수정 후 38주
뇌가 발달하며, 심장이 박동한다.	대부분의 기관이 만들어지고 사람의 모습을 갖춘다.	근육이 발달하여 움직임이 활발해지고 성별을 구분할 수 있다.	뼈대가 갖추어지고 몸의 방향을 자주 바꾸기 시작한다.	외부 자극에 반응하나 움직임은 매우 둔하고, 다양한 표정을 짓기 시작한다.	출산

유제 1 사람의 수정과 발생 과정에 대한 설명으로 옳지 <u>않은</u> 것은?

① 정자와 난자는 수란관에서 만나 수정한다.
② 수정란은 난할을 계속하며 자궁으로 이동한다.
③ 배아가 착상하면 임신이 되었다고 말한다.
④ 수정 후 8주가 지나면 대부분의 기관이 완성된다.
⑤ 수정 후 약 266일 후에 태아가 자궁 밖으로 나오는 출산 과정이 진행된다.

유제 2 다음은 사람의 수정과 발생 과정을 순서 없이 나타낸 것이다. 순서대로 기호로 나열하시오.

(가) 태아가 모체 밖으로 나온다.
(나) 자궁 내벽에 파묻혀 자리를 잡는다.
(다) 정자의 핵과 난자의 핵이 융합한다.
(라) 기관이 형성되어 사람의 모습을 갖춘다.
(마) 수정란이 초기 세포 분열을 거쳐 포배 단계의 배아가 된다.

a 생식세포와 수정

[01~03] 그림은 사람의 생식세포를 나타낸 것이다.

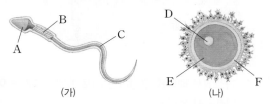

서답형

01 그림은 남자와 여자의 생식 기관을 나타낸 것이다.

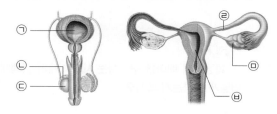

(가), (나)의 이름과 (가), (나)가 생성되는 곳의 기호를 각각 쓰시오.

02 (가)와 (나)에서 유전 물질이 저장된 부분을 옳게 짝 지은 것은?

	(가)	(나)		(가)	(나)
①	A	D	②	A	E
③	B	D	④	B	F
⑤	C	E			

03 (가)와 (나)의 공통점으로 옳은 것을 보기에서 모두 고른 것은?

보기
ㄱ. 운동을 할 수 있다.
ㄴ. 감수 분열 과정을 거쳐 형성된다.
ㄷ. 핵 속의 염색체 수는 체세포의 절반이다.
ㄹ. 발생에 필요한 양분을 많이 저장하고 있다.

① ㄱ, ㄴ ② ㄱ, ㄹ ③ ㄴ, ㄷ
④ ㄴ, ㄹ ⑤ ㄷ, ㄹ

중요해!
04 오른쪽 그림은 생식세포의 수정 과정을 나타낸 것이다. (가)~(라)에 대한 설명으로 옳은 것을 보기에서 모두 고른 것은?

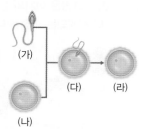

보기
ㄱ. (가)는 꼬리로 운동하여 (나)가 있는 곳까지 이동한다.
ㄴ. (가), (나) 염색체 수의 합은 (라)의 염색체 수와 같다.
ㄷ. (다)에서 정자의 핵과 난자의 핵이 융합된다.
ㄹ. (라)는 이후 감수 분열을 반복한다.

① ㄱ, ㄷ ② ㄱ, ㄹ ③ ㄴ, ㄷ
④ ㄱ, ㄴ, ㄷ ⑤ ㄱ, ㄷ, ㄹ

b 사람의 발생

[05~06] 그림은 수정란의 초기 세포 분열 과정을 나타낸 것이다.

05 그림과 같은 과정을 무엇이라고 하는가?
① 수정 ② 난할 ③ 감수 분열
④ 기관 형성 ⑤ 생식세포 형성

중요해!
06 위 과정에 대한 설명으로 옳은 것은?
① 과정 중에 기관이 형성된다.
② 분열기와 생장기가 반복된다.
③ 정자와 난자가 형성되는 과정이다.
④ 분열이 진행될수록 염색체 수가 줄어든다.
⑤ 분열이 진행되어도 배아의 크기는 거의 변하지 않는다.

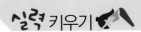

[07~09] 그림은 여자의 생식 기관에서 수정 이후 초기 발생이 진행되는 과정을 나타낸 것이다.

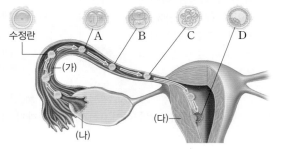

07 (가)~(다)에서 일어나는 일을 옳게 짝 지은 것은?

◀ 집중 공략 146쪽

	(가)	(나)	(다)
①	배란	수정	착상
②	배란	난할	수정
③	수정	배란	착상
④	수정	난할	착상
⑤	난할	배란	수정

08 A~D에 대한 설명으로 옳지 않은 것은?

① A는 수정란의 체세포 분열로 만들어진 것이다.
② B의 세포 수는 A의 2배이다.
③ 세포 1개당 유전 물질의 양은 B가 C보다 많다.
④ C와 D의 크기는 거의 비슷하다.
⑤ D 이후 배아의 세포 수는 계속 증가한다.

09 그림에 대한 설명으로 옳은 것을 보기에서 모두 고른 것은?

┤ 보기 ├
ㄱ. 포배 단계에서 착상이 일어난다.
ㄴ. 수정에 참여하는 정자는 자궁을 지나온 것이다.
ㄷ. 수정란은 세포 수를 늘리며 자궁으로 이동한다.
ㄹ. 수정란의 염색체 수와 D의 염색체 수는 같다.

① ㄱ, ㄴ, ㄷ   ② ㄱ, ㄴ, ㄹ   ③ ㄱ, ㄷ, ㄹ
④ ㄴ, ㄷ, ㄹ   ⑤ ㄱ, ㄴ, ㄷ, ㄹ

[10~11] 그림은 난소에서 형성된 난자가 수정 후 자궁으로 이동하는 경로를 나타낸 것이다.

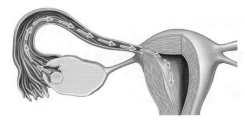

서답형

10 이 과정에서 배아를 구성하는 세포 1개의 크기는 어떻게 변하는지 쓰시오.

서답형

11 이 과정에서 배아를 구성하는 세포 1개의 염색체 수는 어떻게 변하는지 쓰시오.

12 그림은 사람의 발생 과정을 시기별로 구분하여 나타낸 것이다.

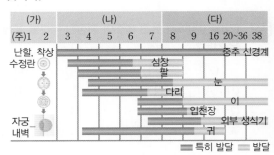

이에 대한 설명으로 옳은 것을 보기에서 모두 고른 것은?

┤ 보기 ├
ㄱ. (가), (나), (다) 시기에 걸쳐 체세포 분열이 일어난다.
ㄴ. 대부분의 기관이 (나) 시기에 형성된다.
ㄷ. (나) 시기에 각 딸세포는 커지지 않고 분열을 반복한다.
ㄹ. 난자가 형성된 지 38주 후 태아가 출산된다.

① ㄱ, ㄴ   ② ㄴ, ㄷ   ③ ㄷ, ㄹ
④ ㄱ, ㄴ, ㄹ   ⑤ ㄴ, ㄷ, ㄹ

01 그림은 사람의 생식세포를 나타낸 것이다.

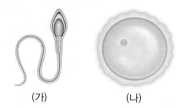

(가)   (나)

(1) (가)와 (나)의 이름과 형성 과정을 설명하시오.

↳ (가)는 (   )로 (   )에서 생식세포 형성 과정을 통해

만들어지며, (나)는 (   )로 (   )에서 생식세포 형성 과

정을 통해 만들어진다.

(2) (가)와 (나)의 공통점과 차이점을 설명하시오.

02 그림은 사람의 생식세포가 수정하는 과정을 나타낸 것이다.

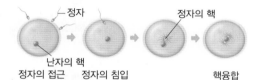

정자

정자의 핵

난자의 핵

정자의 접근   정자의 침입   핵융합

(1) 위 과정에서 염색체 수의 변화를 설명하시오.

↳ 정자와 난자의 핵에는 체세포의 (   )에 해당하는

(   )개의 염색체가 들어 있는데, (   ) 과정을 통해 정

자의 핵과 난자의 핵이 융합하여 염색체 수가 체세포와 같은

(   )개가 된다.

(2) 수정의 의미를 다음 단어를 모두 포함하여 설명하시오.

| 정자   난자   핵   수정란 |

03 그림은 수정란의 발생 과정을 나타낸 것이다.

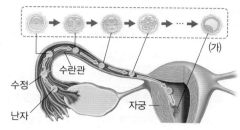

(가)

수란관

수정

난자

자궁

(1) (가) 과정의 특징을 설명하시오.

↳ (가)에서는 (   ) 분열이 일어나지만 세포의 크기는 자

라지 않고 (   )만 빠르게 반복하므로 이 과정이 진행될수

록 세포의 수는 (   )하고, 크기는 점점 (   )진다.

(2) 수정란이 착상하게 되기까지의 과정을 다음 단어를 모두 포함하여 설명하시오.

| 난할   수란관   자궁 |

04 그림은 사람의 발생 과정을 나타낸 것이다.

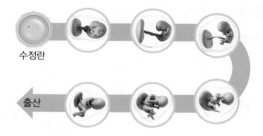

수정란

출산

(1) 임신부터 출산까지의 발생 과정을 설명하시오.

↳ 착상한 배아는 모체로부터 영양분을 공급받으며 여러 가지

(   )을 형성하여 사람의 모습을 갖춘 (   )가 된다. 태

아는 (   ) 후 약 266일 후에 출산된다.

(2) 발생의 의미를 설명하시오.

03 유전의 원리

기분이 되는 중요한 자세

ⓐ 멘델의 유전 실험

1. 유전 용어

유전	부모의 형질을 자손에게 물려주는 현상
형질	씨의 모양, 꽃잎 색깔 등 생물의 고유한 특성
표현형	둥근 모양, 주름진 모양처럼 겉으로 드러나는 형질
유전자형	표현형을 결정하는 유전자 구성을 RR, rr처럼 알파벳 기호로 나타낸 것
순종	몇 세대를 자가 수분해도 계속 같은 형질의 자손이 나오는 개체
잡종	대립 형질이 다른 순종끼리 교배하여 얻은 자손

2. 멘델의 실험 멘델은 완두를 교배하여 유전의 원리를 밝혀냈다.

① 완두❶의 특성: 한 세대가 짧고, 한 번의 교배로 얻을 수 있는 자손의 수가 많으며, 자가 수분❷이 가능하고, 대립 형질이 뚜렷하다.

② 완두의 7가지 대립 형질

형질	씨 모양	씨 색깔	꽃 색깔	콩깍지 모양	콩깍지 색깔	꽃이 피는 위치	줄기의 키
대립 형질	둥글다.	노란색	보라색	매끈하다.	초록색	줄기 옆 / 줄기 끝	크다. / 작다.
	주름지다.	초록색	흰색	주름지다.	노란색		

ⓑ 우열의 원리

1. 멘델의 교배 실험❸

타가 수분

순종의 둥근 완두꽃 수술을 자르고 암술머리에 순종의 주름진 완두꽃 꽃가루를 묻힌다.

순종의 어버이를 교배하여 얻은 잡종 1대에서 둥근 완두만 나왔다.

잡종 1대

잡종 1대에서 표현된 둥근 대립 형질이 우성이다.

형질	완두의 모양	
표현형	둥글다.	주름지다.
유전자형	RR(순종) Rr(잡종)	rr(순종)

2. 우열의 원리

① 대립 형질이 다른 순종끼리 교배하면 잡종 1대에서 우성 형질만 나타난다.

② 잡종 1대에서 표현되는 대립 형질을 우성, 표현되지 않는 대립 형질을 열성이라고 한다.

③ 우성 유전자는 알파벳 대문자로, 열성 유전자는 알파벳 소문자로 표시한다.

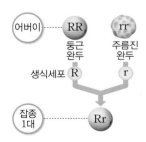

어버이 — RR (둥근 완두) / rr (주름진 완두)
생식세포 R / r
잡종 1대 — Rr

❶ 완두꽃의 특징

암술과 수술이 꽃잎에 싸여 있어 자가 수분을 한다. 그래서 멘델은 순종의 대립 형질을 가진 개체를 얻을 수 있었다. 또, 인위적인 타가 수분으로 원하는 형질을 가진 개체와 자유로운 교배가 가능하다.

❷ 자가 수분과 타가 수분

• 자가 수분: 수술의 꽃가루(생식세포)가 같은 그루의 꽃에 있는 암술머리에 붙는 현상 ➡ 자손의 유전자 구성은 부모와 동일하다.

• 타가 수분: 수술의 꽃가루가 다른 그루의 꽃에 있는 암술머리에 붙는 현상 ➡ 자손의 유전자 구성은 부모와 다를 수 있다.

타가 수분 / 자가 수분

❸ 멘델의 가설

• 특정 형질은 부모로부터 하나씩 물려받은 한 쌍의 유전 인자로 결정된다.

• 한 쌍의 유전 인자는 생식세포 형성 시 분리되어 각각 다른 생식세포로 들어가고, 자손에게 전달되어 다시 쌍을 이룬다.

• 특정 형질에 대한 한 쌍의 유전 인자가 서로 다르면 그중 하나만 표현된다.

■ 용어 이해하기

• **자가 수분**(스스로 自, 집 家, 받을 受, 가루 粉) 같은 그루의 꽃에서 꽃가루를 받아 열매나 씨를 맺는 일. 자화 수분이라고도 한다.

• **대립 형질**(대할 對, 설 立, 모양 形, 바탕 質) 한 가지 형질에 대해 서로 대비되는 형질

개념 다지기

✦) 정답과 해설 38쪽

초성 퀴즈 Ω

ⓐ 멘델의 유전 실험

• 완두의 형질 중 씨의 모양이 둥근 것과 주름진 것처럼 서로 뚜렷하게 구별되는 형질을 [ㄷ][ㄹ][ㅎ][ㅈ]이라고 한다.

• 표현형을 결정하는 유전자 구성을 알파벳 기호로 나타낸 것을 [ㅇ][ㅈ][ㅈ][ㅎ]이라고 한다.

ⓑ 우열의 원리

• 몇 세대를 자가 수분해도 계속 같은 형질의 자손이 나오는 개체를 [ㅅ][ㅈ]이라고 한다.

• 대립 형질이 다른 두 순종 개체를 교배하여 얻은 잡종 1대에서 표현되는 형질을 [ㅇ][ㅅ], 표현되지 않는 형질을 [ㅇ][ㅅ]이라고 한다.

1 멘델의 유전 실험에 대한 설명으로 옳은 것은 ○표, 옳지 <u>않은</u> 것은 ×표를 하시오.

(1) 완두 씨의 둥근 모양과 초록색의 색깔은 서로 대립 형질이다. ····· ( )

(2) 순종은 여러 세대에 걸친 타가 수분을 통해 얻는다. ····· ( )

(3) 둥근 모양, 주름진 모양, 노란색, 초록색과 같이 겉으로 드러나는 형질을 표현형이라고 한다. ····· ( )

(4) 표현형은 유전자의 구성에 의해 결정된다. ····· ( )

(5) RY처럼 유전자 구성이 서로 다를 때 잡종이라고 한다. ····· ( )

2 완두의 대립 형질을 서로 연결하시오.

(1) 크다.

(2) 노란색

(3) 둥글다.

(4) 보라색

ⓐ 초록색

ⓑ 주름지다.

ⓒ 흰색

ⓓ 작다.

3 멘델의 교배 실험에 대한 다음 설명의 빈칸에 알맞은 말을 쓰시오.

> 멘델은 (㉠   )의 둥근 완두와 주름진 완두를 교배하여 잡종 1대를 얻었는데, 잡종 1대의 완두는 모두 (㉡   ) 모양이었다. 이때 잡종 1대에서 표현된 (㉢   ) 모양이 우성 형질이고, 표현되지 않은 (㉣   ) 모양이 열성 형질이다.

4 오른쪽 그림은 완두를 이용한 멘델의 교배 실험에서 유전자가 전달되는 과정을 나타낸 것이다.

(1) 어버이의 둥근 완두의 유전자형을 RR, 주름진 완두의 유전자형을 rr라 할 때 생식세포 ㉠, ㉡의 유전자형을 쓰시오.

(2) 잡종 1대의 표현형과 유전자형을 쓰시오.

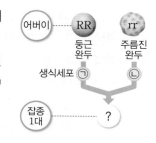

어버이 — RR (둥근 완두) rr (주름진 완두)

생식세포 ㉠ ㉡

잡종 1대 — ?

ⓐ 대립 형질, 유전자형
ⓑ 순종, 우성, 열성

03 유전의 원리

기분이 되는 중요한 자세!

c 분리의 법칙

1. **대립유전자** 대립 형질을 나타내는 한 쌍의 유전자
   ① 완두의 모양을 결정하는 유전자 R와 r는 대립유전자이다.
   ② 대립유전자는 상동 염색체 쌍의 같은 위치에 있다.

2. **분리의 법칙** 생식세포가 만들어질 때 대립유전자 쌍이 분리되어 서로 다른 생식세포로 나뉘어 들어가는 현상[4]
   ① 잡종 1대에서 대립유전자 R와 r가 나뉘어 유전자형이 R, r인 생식세포가 1 : 1의 비율로 생성된다.
   ② 잡종 1대를 자가 수분하면 잡종 2대에서는 잡종 1대에서 나타나지 않았던 열성 형질이 일정한 비율(우성 : 열성=3 : 1)로 나타난다. `집중 공략 154쪽`

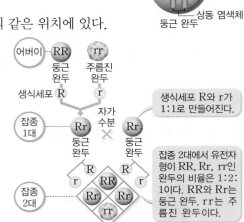

- 대립유전자
- R, r
- 상동 염색체
- 둥근 완두

- 어버이 RR(둥근 완두) rr(주름진 완두)
- 생식세포 R / r
- 자가 수분
- 잡종 1대 Rr(둥근 완두) × Rr(둥근 완두)
- 잡종 2대 RR Rr Rr rr

생식세포 R와 r가 1:1로 만들어진다.

잡종 2대에서 유전자형이 RR, Rr, rr인 완두의 비율은 1:2:1이다. RR와 Rr는 둥근 완두, rr는 주름진 완두이다.

d 독립의 법칙

1. **두 쌍의 대립 형질이 유전될 때**
   ① 순종의 둥글고 노란색인 완두(RRYY)와 순종의 주름지고 초록색인 완두(rryy)를 교배하여 잡종 1대(RrYy)를 얻는다. ➡ 완두의 모양과 색깔을 나타내는 각각의 유전자 쌍은 서로 다른 염색체에 있기 때문에 잡종 1대는 4종류의 생식세포 RY, Ry, rY, ry를 1 : 1 : 1 : 1의 비율로 생성한다.
   ② 잡종 1대를 자가 수분하여 잡종 2대를 얻는다. ➡ 잡종 2대에서는 표현형이 둥글고 노란색, 둥글고 초록색, 주름지고 노란색, 주름지고 초록색인 완두가 9 : 3 : 3 : 1의 비율로 나타난다.

2. **독립의 법칙** 두 가지 이상의 형질이 함께 유전될 때 한 형질을 나타내는 유전자 쌍이 다른 형질을 나타내는 유전자 쌍에 영향을 받지 않고 독립적으로 우열의 원리, 분리의 법칙에 따라 유전되는 현상

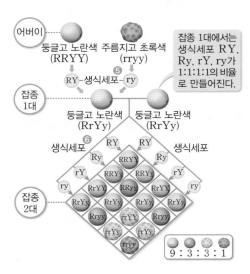

- 어버이 둥글고 노란색(RRYY) 주름지고 초록색(rryy)
- RY – 생식세포 – ry
- 잡종 1대 둥글고 노란색(RrYy) 둥글고 노란색(RrYy)
- 잡종 1대에서는 생식세포 RY, Ry, rY, ry가 1:1:1:1의 비율로 만들어진다.
- 생식세포 RY Ry rY ry
- 잡종 2대

9 : 3 : 3 : 1

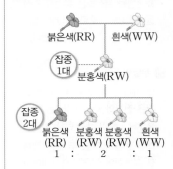
R r Y y

---

❹ 중간 유전

빨간색 분꽃과 흰색 분꽃을 교배하면 잡종 1대에는 중간 형질인 분홍색 분꽃만 나온다. 이는 대립유전자 사이의 우열 관계가 불분명하기 때문이다. 그러나 잡종 1대를 자가 수분하면 잡종 2대에서는 분리의 법칙에 따라 빨간색 분꽃과 흰색 분꽃이 다시 나타난다.

- 붉은색(RR) 흰색(WW)
- 잡종 1대 분홍색(RW)
- 잡종 2대 붉은색(RR) 분홍색(RW) 분홍색(RW) 흰색(WW)
- 1 : 2 : 1

❺ 어버이 세대에서 만들어지는 생식세포

RRYY에서는 RY만, rryy에서는 ry만 만들어진다.

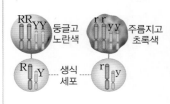

- RRYY 둥글고 노란색
- rryy 주름지고 초록색
- RY 생식세포 ry

❻ 잡종 1대에서 만들어지는 생식세포

4종류의 생식세포가 같은 비율로 만들어진다.

RY Ry rY ry

■ 용어 이해하기

· **대립유전자**(대할 對, 설 立, 끼칠 遺, 전할 傳, 아들 子) 대립 형질에 대응하는 한 쌍의 유전자로 상동 염색체의 서로 대응하는 부위에 있다. 우성은 알파벳의 대문자로, 열성은 소문자로 표시한다.

기본을 다지는 자세! 개념 다지기

+ 정답과 해설 38쪽

초성 퀴즈

c 분리의 법칙
- 완두의 모양을 나타내는 둥근 완두 유전자와 주름진 완두 유전자는 대립 형질을 나타내는 ㄷㄹㅇㅈㅈ 이다.
- 생식세포가 만들어질 때 쌍으로 있던 유전자가 분리되어 서로 다른 생식세포로 하나씩 나뉘어 들어가는 현상을 ㅂㄹㅇ ㅂㅊ 이라고 한다.

d 독립의 법칙
- 둥글고 노란색인 완두(RrYy)에서 만들어지는 ㅅㅅ 세포의 유전자 구성은 4종류이다.
- 두 가지 이상의 형질이 함께 유전될 때 한 형질을 나타내는 유전자 쌍이 다른 형질을 나타내는 유전자 쌍에 영향을 받지 않고 독립적으로 분리되어 유전되는 현상을 ㄷㄹㅇ ㅂㅊ 이라고 한다.

d 생식, 독립의 법칙
c 대립형질, 분리의 법칙

5 분리의 법칙에 대한 설명으로 옳은 것은 ○표, 옳지 않은 것은 ×표를 하시오.

(1) 완두 씨의 둥근 모양 유전자 R와 주름진 모양 유전자 r는 대립유전자이다. ( )

(2) 대립유전자는 상동 염색체 상의 같은 위치에 있다. ( )

(3) 유전자형이 Rr인 완두에서 유전자 R, r는 서로 다른 생식세포로 들어간다. ( )

(4) 유전자형이 Rr인 완두에서 만들어지는 생식세포의 유전자형은 RR, rr의 두 종류이다. ( )

(5) 잡종의 둥근 완두를 자가 수분하면 자손에서 우성 형질만 나온다. ( )

6 오른쪽 그림은 순종의 둥근 완두(RR)와 순종의 주름진 완두(rr)를 교배하여 얻은 잡종 1대를 자가 수분하여 잡종 2대를 얻는 과정을 나타낸 것이다.

(1) ㉠~㉯에 알맞은 생식세포의 유전자 구성을 쓰시오.

(2) 잡종 2대에서 우성 형질과 열성 형질의 표현형과 비율을 순서대로 쓰시오.

(3) 잡종 2대의 둥근 완두 중에서 순종과 잡종의 유전자형과 비율을 순서대로 쓰시오.

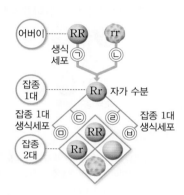

7 오른쪽 그림은 순종의 둥글고 노란색인 완두와 순종의 주름지고 초록색인 완두를 교배하여 잡종 1대를 얻은 다음, 잡종 1대를 자가 수분하여 얻은 잡종 2대의 유전자형과 표현형을 나타낸 것이다.

(1) 잡종 1대의 표현형을 쓰시오.

(2) 잡종 1대에서 만들어지는 생식세포의 종류와 비율을 쓰시오.

(3) 잡종 2대에서 둥근 완두 : 주름진 완두의 비율을 쓰시오.

(4) 잡종 2대에서 노란색 완두 : 초록색 완두의 비율을 쓰시오.

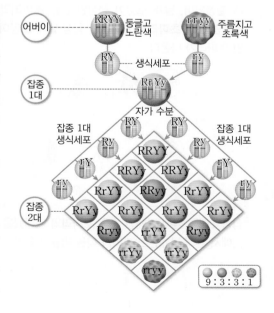

집중 공략
집중력을 높이는 자세!

유전 확률 구하기

정답과 해설 39쪽

완두의 교배 실험을 통해 멘델의 유전 원리를 이해했다면 이제 멘델의 유전 원리가 적용되는 확률 문제에 도전해 보자.

1 검정 교배

- 멘델은 잡종 1대(Rr)의 자가 수분 결과 잡종 2대에서 열성 개체가 25 % 나타난 것을 보고, 특정한 형질은 한 쌍의 유전 인자로 결정되고 각각의 유전 인자는 부모로부터 물려받은 것으로 생식세포를 만들 때 분리되어 자손에게 전달되며, 잡종의 표현형은 우성 형질만 나타난다는 가설을 세웠다.
- 주름진 완두의 유전자형은 rr이지만, 둥근 완두의 유전자형은 RR, Rr 두 가지이다.
- 둥근 완두의 유전자형은 열성 개체와 교배한 결과를 통해 확인할 수 있는데, 이를 검정 교배라고 한다.

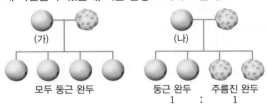

(가)

모두 둥근 완두

(나)

둥근 완두 : 주름진 완두
1 : 1

이것이 **Point!**

> 검정 교배 결과 자손의 표현형이 모두 우성인 (가)는 유전자형이 RR이며, 자손의 표현형이 우성 : 열성=1 : 1로 나타난 (나)는 유전자형이 Rr이다.

유제 1 초파리의 날개 모양은 2개의 유전자 L, l에 의해 결정되며, 날개 모양이 정상인 순종 초파리와 흔적 날개인 순종 초파리를 교배하면 항상 날개 모양이 정상인 초파리가 나온다.

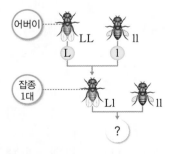

어버이

LL ll
L   l

잡종 1대

Ll   ll

?

잡종 1대를 흔적 날개인 순종 초파리와 교배했을 때 자손에서 흔적 날개인 초파리가 나올 확률로 옳은 것은?

① $\frac{1}{5}$ ② $\frac{1}{4}$ ③ $\frac{1}{2}$

④ $\frac{3}{4}$ ⑤ 1

2 퍼넷 사각형의 이용

- 퍼넷 사각형: 어떤 조합을 구성하는 요소를 X, Y축으로 나란히 배열하여 가능한 조합을 쉽게 나타내기 위한 그림. 오른쪽 그림은 2개의 동전을 던져 앞면 또는 뒷면이 나올 확률을 나타낸다.

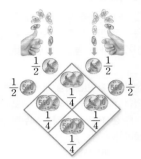

- 유전자형이 Rr인 잡종 1대의 완두는 2가지 생식세포 R과 r를 1 : 1의 비율로 만들기 때문에 유전자형이 R 또는 r인 생식세포가 나올 확률은 동전을 던져 앞면 또는 뒷면이 나올 확률과 같다.

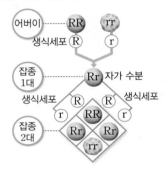

어버이 RR   rr
생식세포 R   r

잡종 1대 Rr 자가 수분
생식세포 R   R

r RR r
잡종 2대 Rr Rr
rr

이것이 **Point!**

> 퍼넷 사각형을 이용하면 자손 세대에서 나타날 수 있는 모든 유전자형의 조합과 표현형을 확인할 수 있다.

[유제 2 ~ 유제 3] 씨의 모양이 둥근 순종의 완두와 주름진 순종의 완두를 교배하여 잡종 1대를 얻고, 이를 자가 수분하여 잡종 2대를 얻었다.

유제 2 잡종 2대에서 유전자형이 **Rr**인 완두가 나올 확률로 옳은 것은?

① 20 % ② 25 % ③ 50 %

④ 75 % ⑤ 100 %

유제 3 잡종 2대에서 **400**개의 완두를 얻었을 때 어버이의 둥근 완두와 유전자형이 같은 것은 이론상 몇 개인지 쓰시오.

a 멘델의 유전 실험

01 유전 용어에 대한 설명으로 옳지 <u>않은</u> 것은?

① 겉으로 드러나는 형질을 표현형이라고 한다.
② 생존력이 강하고 우수한 형질을 우성이라고 한다.
③ 유전자 구성을 기호로 나타낸 것을 유전자형이라고 한다.
④ 한 형질을 나타내는 유전자 구성이 같은 개체를 순종이라고 한다.
⑤ 수술의 꽃가루를 다른 그루의 꽃에 있는 암술에 묻히는 것을 타가 수분이라고 한다.

02 완두가 교배 실험 재료로 적합했던 까닭으로 옳지 <u>않은</u> 것은?

① 재배하기가 쉽다.
② 대립 형질의 차이가 뚜렷하다.
③ 한 번에 얻는 자손의 수가 많다.
④ 형질은 유전자 외에 환경의 영향을 받는다.
⑤ 씨를 뿌려 다음 세대를 얻기까지의 시간이 짧다.

새로워! 03 그림은 멘델이 순종의 둥근 완두와 주름진 완두를 교배한 실험을 나타낸 것이다.

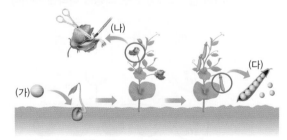

이에 대한 설명으로 옳은 것을 보기에서 모두 고른 것은?

┤ 보기 ├
ㄱ. (가)는 여러 세대를 거쳐 심어도 같은 형질의 자손을 만든다.
ㄴ. (나)에서 같은 그루의 꽃가루를 묻힌다.
ㄷ. (다)에서 한 가지 형질의 완두만 나타난다.

① ㄱ ② ㄴ ③ ㄱ, ㄷ
④ ㄴ, ㄷ ⑤ ㄱ, ㄴ, ㄷ

b 우열의 원리

[04~05] 오른쪽 그림과 같이 순종의 노란색 완두와 순종의 초록색 완두를 교배하였더니 자손에서 노란색 완두만 나왔다.

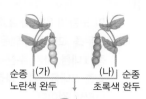

순종 (가) 노란색 완두 ↓ (나) 순종 초록색 완두

(다)

서답형 ✐ 04 완두의 씨 색깔은 2개의 유전자 Y, y에 의해 결정된다고 할 때 (가)~(다)의 유전자형을 각각 쓰시오.

중요해! 05 (다)에 대한 설명으로 옳지 <u>않은</u> 것은?

① 모두 잡종이다.
② 우성 형질만 표현된다.
③ 열성 대립유전자를 가지고 있다.
④ 자가 수분하면 노란 완두만 나온다.
⑤ 어버이로부터 유전자를 하나씩 물려받았다.

새로워! 06 오른쪽 그림과 같이 순종의 키 큰 완두와 키 작은 완두를 교배하여 자손에서 키 큰 완두만 얻었다. 이에 대한 설명으로 옳은 것을 보기에서 모두 고른 것은?

순종 키 큰 완두

타가 수분

순종 키 작은 완두

키 큰 완두

┤ 보기 ├
ㄱ. 자손은 잡종이다.
ㄴ. 키 큰 형질이 우성이다.
ㄷ. 어버이의 키 큰 완두는 한 종류의 생식세포만 만든다.

① ㄱ ② ㄷ ③ ㄱ, ㄴ
④ ㄴ, ㄷ ⑤ ㄱ, ㄴ, ㄷ

c 분리의 법칙

[07~08] 오른쪽 그림은 순종 의 노란색 완두와 초록색 완두를 교배하여 얻은 잡 종 1대를 자가 수분하여 잡종 2대를 얻는 과정을 나타낸 것이다.

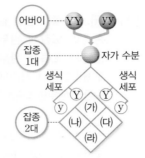

서답형

07 (가)~(라) 중 유전자형이 같은 것을 모두 고르시오.

집중 공략 154쪽

08 이 교배 실험 결과 잡종 2대에서 열성 형질을 나타내는 개체가 나올 확률로 옳은 것은?

① 0 %   ② 25 %   ③ 50 %

④ 75 %   ⑤ 100 %

[09~10] 오른쪽 그림은 순 종의 둥근 완두와 주름 진 완두를 교배하여 얻 은 잡종 1대의 자가 수 분을 나타낸 것이다.

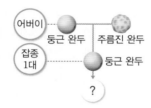

중요해!

09 이에 대한 설명으로 옳지 않은 것은?

① 어버이의 주름진 완두는 한 종류의 생식세포를 만든다.

② 잡종 1대의 둥근 완두는 두 종류의 생식세포를 만든다.

③ 자손의 유전자는 부모로부터 하나씩 받아 쌍을 이룬다.

④ 생식세포를 만들 때 한 쌍의 유전자는 동일한 생식세포로 들어간다.

⑤ 잡종 1대의 자가 수분 결과 열성 형질을 가진 개체가 나타난다.

중요해!

집중 공략 154쪽

10 이 교배 실험 결과 잡종 2대에서 1000개의 완두를 얻었다고 할 때 이론상 잡종 1대와 유전자형이 같은 개체의 개수로 옳은 것은?

① 0개   ② 250개   ③ 500개

④ 750개   ⑤ 1000개

---

d 독립의 법칙

[11~12] 그림은 순종의 둥근 노란색 완두(RRYY)와 주름 진 초록색 완두(rryy)를 교배하여 얻은 잡종 1대를 자 가 수분하여 잡종 2대를 얻는 과정을 나타낸 것이다.

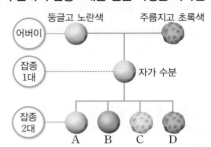

중요해! 서답형

11 잡종 2대에서 A, B, C, D의 표현형의 비를 쓰시오.

중요해!

12 잡종 2대에서 어버이의 주름지고 초록색인 완두와 유 전자형이 같은 개체의 비율로 옳은 것은?

① $\dfrac{1}{2}$ ② $\dfrac{1}{3}$ ③ $\dfrac{1}{4}$ ④ $\dfrac{1}{16}$ ⑤ $\dfrac{9}{16}$

새로워!

13 그림은 순종의 둥글고 초록색인 완두와 주름지고 노란 색인 완두를 교배하여 잡종 1대를 얻은 후, 이를 자가 수분하여 잡종 2대를 얻는 과정을 나타낸 것이다.

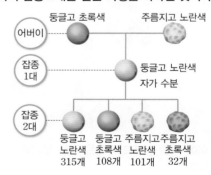

이에 대한 설명으로 옳지 않은 것은?

① 둥근 모양과 노란색이 우성이다.

② 잡종 1대에서 만들어지는 생식세포 유전자형의 비는 9 : 3 : 3 : 1이다.

③ 잡종 2대의 모양은 우성 : 열성이 약 3 : 1이다.

④ 잡종 2대의 색깔은 우성 : 열성이 약 3 : 1이다.

⑤ 씨의 모양과 색깔 유전자는 각각 우열의 원리와 분리의 법칙에 따라 유전된다.

01 다음은 멘델의 가설을 정리한 것이다.

> (가) 특정 형질은 부모로부터 하나씩 물려받은 한 쌍의 유전 인자로 결정된다.
> (나) 한 쌍의 유전 인자는 생식세포 형성 시 분리되어 각각 다른 생식세포로 들어가고, 자손에게 전달되어 다시 쌍을 이룬다.
> (다) 특정 형질에 대한 한 쌍의 유전 인자가 서로 다르면 그중 하나만 표현된다.

(1) 멘델이 가정한 유전 인자가 오늘날 의미하는 것은 무엇인지 설명하시오.

↳ 특정 대립 형질을 결정하는 (　　　　)를 의미한다.

(　　　)는 (　　　　)의 같은 위치에 있어 (　　　)

형성 시 분리되었다가 자손에서 다시 쌍을 이룬다.

(2) (다)의 원리를 오늘날의 용어로 설명하시오.

_____

_____

02 오른쪽 그림은 순종의 둥근 완두와 주름진 완두를 교배한 결과를 나타낸 것이다.

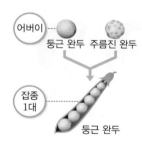

어버이
둥근 완두　주름진 완두

잡종
1대

둥근 완두

(1) 멘델이 정의한 우성과 열성의 개념을 설명하시오.

↳ 서로 다른 (　　　) 형질을 지닌 (　　　)의 개체들끼리 교

배했을 때 잡종 1대에서 나타나는 형질을 (　　　), 나타나지

않는 형질을 (　　　)이라고 한다.

(2) 완두의 모양을 나타내는 대립유전자를 R, r 라고 할 때 잡종 1대의 표현형과 우열의 원리를 근거로 어버이의 유전자형을 설명하시오.

_____

_____

03 다음은 유전 원리에 관한 모의 실험 과정이다.

> R, r라고 쓴 흰색, 검은색 바둑알을 암술과 수술 주머니에 1개씩 넣고 각 주머니에서 바둑알 하나씩을 꺼내어 자손의 유전자형을 기록한 후 다시 주머니에 넣는 과정을 반복한다.

암술　수술

(1) 위에 적용된 멘델의 유전 원리를 설명하시오.

↳ 생식세포 형성 시 (　　　　)의 대립유전자는 서로 다른

(　　　　)로 분리된다는 (　　　　)이 적용되었다.

(2) 바둑알을 하나씩 꺼내어 2개의 유전자를 구성하는 것이 무엇을 의미하는지 설명하시오.

_____

_____

04 그림은 둥글고 노란색인 완두와 주름지고 초록색인 완두를 교배한 결과를 나타낸 것이다.

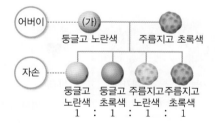

어버이　·····　(가)

둥글고 노란색　주름지고 초록색

자손

둥글고　둥글고　주름지고　주름지고
노란색　초록색　노란색　초록색
1　：　1　：　1　：　1

(1) (가)의 유전자형을 쓰고 그렇게 판단한 까닭을 설명하시오. (단, 완두의 모양 대립유전자는 R와 r, 색깔 대립유전자는 Y와 y로 한다.)

↳ 자손에서 둥근 모양 : (　　　) 모양, 노란색 : (　　　)의

비가 각각 (　　　)이므로 (가)의 유전자형은 (　　　)이다.

(2) (가)를 자가 수분하여 얻은 자손의 표현형의 비를 근거를 들어 설명하시오.

_____

_____

04 사람의 유전

기분이 되는 중요한 자세!

핵심 키워드

사람의 유전 연구, 가계도 조사, 상염색체 유전, 성염색체 유전

a 사람의 유전 연구

1. 사람의 유전 연구가 어려운 까닭

① 한 세대가 길고 자손의 수가 적다.

② 형질의 수가 많고 복잡하며 환경의 영향을 받는다.

③ 자유로운 교배 실험을 할 수 없다.

2. 사람의 유전 연구 방법

가계도 조사 ❶	특정한 형질이 한 집안의 여러 세대에 걸쳐 어떻게 나타나는지 알아보는 방법 ➡ 가계도를 분석하여 특정 형질의 우열 관계, 유전자의 전달 경로 등을 확인
쌍둥이 연구 ❷	1란성 쌍둥이와 2란성 쌍둥이를 대상으로 성장 환경과 특정 형질의 발현이 어느 정도 일치하는지 조사하는 방법 ➡ 특정 형질의 차이가 유전자에 의한 것인지 환경에 의한 것인지 확인
통계 조사 (집단 조사)	특정 형질이 사람에게 나타난 사례를 가능한 한 많이 수집하여 자료를 통계적으로 분석 ➡ 형질이 유전되는 특징과 유전자의 분포 등을 추측할 수 있다.
염색체와 유전자 연구 ❸	염색체 이상에 의한 유전병 진단, 특정 형질에 관여하는 유전자 확인, 부모의 유전자가 자손에게 전달될 가능성 확인 등

b 사람의 형질 유전 [집중 공략 162쪽]

1. 상염색체에 있는 한 쌍의 대립유전자에 의해 결정되는 형질
멘델의 유전 원리에 따라 유전되며, 성별에 따라 형질이 나타나는 빈도에 차이가 없다.

혀 말기		눈꺼풀		귓불 모양	
가능	불가능	쌍꺼풀	외까풀	분리형	부착형
이마 모양		**엄지 모양**		**보조개**	
V자형	일자형	굽는 엄지	굽지 않는 엄지	있음	없음

2. 혀 말기 유전

① 혀 말기 형질은 상염색체에 있는 한 쌍의 대립유전자에 의해 결정된다.

② 혀 말기 유전은 멘델의 유전 원리를 따르며, 혀 말기 가능한 형질이 우성이다.

③ 혀 말기 가계도 분석: 오른쪽 가계도에서 1, 2, 7, 8은 부모나 자식 중에 열성 형질이 있으므로 유전자형이 잡종이고, 3, 6은 열성 순종이다.

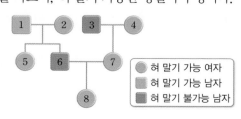

- 🟠 혀 말기 가능 여자
- 🟧 혀 말기 가능 남자
- ⬛ 혀 말기 불가능 남자

❶ 가계도에 사용하는 기호

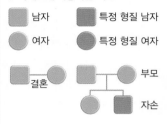

남자　특정 형질 남자

여자　특정 형질 여자

결혼　부모

자손

❷ 1란성 쌍둥이와 2란성 쌍둥이

• 1란성 쌍둥이: 1개의 난자와 1개의 정자가 수정된 수정란이 발생 과정에서 둘로 나뉘어 2명의 태아로 자랐으므로 유전 정보가 동일하다.

• 2란성 쌍둥이: 2개의 난자가 각각 1개의 정자와 수정된 후 각각의 수정란이 2명의 태아로 자랐으므로 유전 정보가 다르다.

1란성 쌍둥이

둘로 갈라짐

2란성 쌍둥이

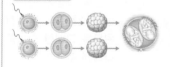

❸ 핵형 분석

염색체의 형태, 수, 배열 상태 등을 나타내는 핵형을 비교, 조사하는 것으로 성별을 판단할 수 있고, 염색체의 구조나 형태, 개수 등의 이상으로 발생하는 돌연변이(예 다운 증후군) 여부를 확인할 수 있다.

■ 용어 이해하기

• **가계도**(집 家, 이을 繼, 그림 圖) 한 집안 구성원이 나타내는 특정 형질을 그림으로 그려 정리한 것

1 사람의 유전 연구에 대한 설명으로 옳은 것은 ○표, 옳지 <u>않은</u> 것은 ×표를 하시오.

(1) 자유로운 교배 실험을 할 수 있다. ·················· (   )

(2) 한 번에 많은 자손을 얻을 수 있어서 통계 분석이 가능하다. ········· (   )

(3) 1란성 쌍둥이를 연구하면 어떤 형질이 유전에 의한 것인지, 환경에 의한 것인지 확인할 수 있다. ·················· (   )

(4) 가계도를 분석하면 특정 형질의 우열 관계 및 일부 구성원의 유전자형을 확인할 수 있다. ·················· (   )

(5) 세계의 여러 지역에서 ABO식 혈액형이 나타나는 비율의 차이를 알아보려면 염색체를 직접 분석해야 한다. ·················· (   )

2 오른쪽 표는 한 부모에게서 태어난 세 명의 1란성 쌍둥이 (가)~(다)의 키와 몸무게를 나타낸 것이다. (가)~(다)는 중학생 시절까지 한집에서 자랐으나 그 이후 운동선수가 된 (다)는 형제들과 떨어져 다른 곳에서 생활하였다.

구분	(가)	(나)	(다)
키(cm)	177	177.5	177.5
몸무게 (kg)	70	71	82

(1) 이와 같은 사람의 유전 연구 방법을 무엇이라고 하는지 쓰시오.

(2) 표에 대한 다음 설명의 빈칸에 알맞은 말을 고르시오.

> • (가)~(다)의 유전자 구성은 (㉠ 같다 , 다르다).
> • 키는 (㉡ 유전자 , 환경)의 영향을 더 많이 받는 형질이다.
> • 몸무게는 (㉢ 유전자 , 환경)의 영향을 더 많이 받는 형질이다.

3 그림은 어느 가족의 혀 말기 형질을 조사하여 나타낸 것이다.

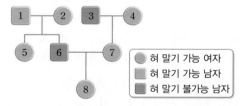

혀 말기 가능 여자
혀 말기 가능 남자
혀 말기 불가능 남자

(1) 이와 같은 사람의 유전 연구 방법을 무엇이라고 하는지 쓰시오.

(2) 그림에 대한 다음 설명의 빈칸에 알맞은 말을 고르시오.

> • 혀 말기 유전자는 상염색체에 있으므로 성별에 따라 형질이 나타나는 빈도에 차이가 (㉠ 있다 , 없다).
> • 혀 말기 가능은 혀 말기 불가능에 대해 (㉡ 우성 , 열성)으로 유전된다.
> • 혀 말기 형질이 2개의 대립유전자 A, a에 의해 유전된다고 할 때, 7의 유전자형은 (㉢ AA , Aa , aa)이다.

기본이 되는 중요한 자세!

C ABO식 혈액형 유전

1. 복대립 유전④

① ABO식 혈액형 유전자는 상염색체에 있으며 한 쌍의 대립유전자에 의해
형질이 결정된다.

② A, B, O의 3가지 대립유전자가 관여하므로 표현형이 4가지, 유전자형이
6가지로 나타난다.

③ 유전자 A, B는 O에 대해 우성이지만, A, B 사이에는 우열 관계가 없다.⑤

2. ABO식 혈액형의 표현형과 유전자형

표현형	A형		B형		AB형	O형
유전자형	A A	A O	B B	B O	A B	O O

d 성염색체 유전 ◀ 집중 공략 162쪽

1. 사람의 성 결정 방식

① 아들은 어머니로부터 X 염색체, 아버지
로부터 Y 염색체를 물려받아 성염색체
구성이 XY가 된다.

② 딸은 어머니와 아버지로부터 X 염색체
를 하나씩 물려받아 성염색체 구성이
XX가 된다.

아버지 44+XY   어머니 44+XX
정자 ↓   난자 ↓
22+Y 22+X
22+X → 44+XY 아들
44+XX 딸 | 44+XY 아들
44+XX 딸
22+X

2. 반성유전
유전자가 성염색체에 있어 유전
형질이 나타나는 빈도가 남녀에 따라 차이
가 나는 유전 현상 예 적록 색맹 유전, 혈우병 유전

3. 적록 색맹 유전⑥

① 적록 색맹 대립유전자는 열성으로 유전되며, X 염색체에 있다.

② 남자는 적록 색맹 대립유전자가 한 개만 있어도 적록 색맹이 되지만, 여자
는 2개의 X 염색체에 모두 적록 색맹 대립유전자가 있어야 적록 색맹이
된다. ➡ 적록 색맹은 여자보다 남자에게 더 많이 나타난다.

성염색체와 적록 색맹 대립유전자
- 정상 대립유전자(X)
- 정상 대립유전자를 가진 X 염색체
- 적록 색맹 대립유전자(X')
- 적록 색맹 대립유전자를 가진 X 염색체
- Y 염색체

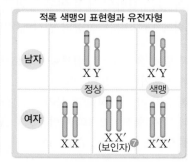

적록 색맹의 표현형과 유전자형

남자	X Y 정상	X'Y 색맹
여자	X X	X X' (보인자)⑦ X'X'
		정상 색맹

④ 복대립 유전
하나의 형질을 결정하는 데 3개 이상
의 대립유전자가 관여하고 개체의 형
질은 이 중 2개의 대립유전자에 의해
결정되는 유전 방식

⑤ 공동 우성
멘델의 우열의 원리에 의하면 2개의
대립유전자 중 우성에 해당하는 하나
의 형질만 표현되어야 하지만 유전자
의 힘이 비슷해서 모두 자기 형질을 나
타내는 경우 공동 우성이라고 한다.

⑥ 적록 색맹 대립유전자의 전달
· 아들의 X 염색체는 어머니로부터
전달받기 때문에 아들의 적록 색맹
대립유전자는 어머니로부터 받은 것
이다.
· 아버지의 X 염색체는 딸에게만 전
달되기 때문에 아버지의 적록 색맹
대립유전자는 딸에게로 유전된다.

⑦ 보인자
돌연변이나 유전병 등의 유전 인자는
가지고 있으나, 겉으로 드러나지는 않
는 사람이나 생물

■ 용어 이해하기
· **반성유전**(짝 伴, 성품 性, 끼칠 遺,
전할 傳) 유전자가 성염색체에 있어
서 남녀에 따라 형질이 나타나는 빈
도가 다른 유전 현상
· **적록 색맹**(붉을 赤, 초록빛 綠, 빛
色, 소경 盲) 붉은색과 초록색을 구
별하지 못하는 증상 또는 사람

기본을 다지는 자세!
개념 다지기

◆ 정답과 해설 **41**쪽

4 ABO식 혈액형과 적록 색맹 유전의 원리에 대한 설명으로 옳은 것은 ○표, 옳지 않은 것은 ×표를 하시오.

(1) 한 사람의 혈액형을 결정하는 데 3개의 대립유전자가 관여한다. ┈┈┈ ( )

(2) 대립유전자 A와 B는 우열 관계가 없어서 모두 표현된다. ┈┈┈┈┈ ( )

(3) 적록 색맹은 남녀에 따라 나타나는 빈도가 다르다. ┈┈┈┈┈┈┈ ( )

(4) 정상 대립유전자와 적록 색맹 대립유전자가 하나씩 있는 여자의 표현형은 정상이다. ┈┈┈┈┈┈┈┈┈┈┈┈┈┈┈┈┈┈┈┈┈┈┈┈┈┈ ( )

(5) 아버지가 색맹이면 아들은 100 % 색맹이다. ┈┈┈┈┈┈┈┈┈ ( )

5 그림은 어느 집안의 ABO식 혈액형 가계도이다.

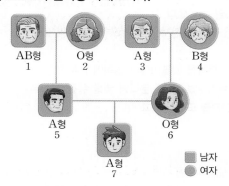

(1) 3, 4의 ABO식 혈액형 유전자형을 각각 쓰시오.

(2) 5와 6에서 태어날 수 있는 자손의 ABO식 혈액형 종류를 모두 쓰시오.

(3) 7의 동생이 태어난다면 동생의 ABO식 혈액형이 7과 같을 확률을 구하시오.

6 그림은 어느 가족의 적록 색맹 가계도이다.

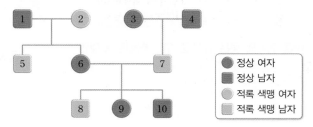

(1) 이 가족 구성원 중 보인자에 해당하는 사람을 모두 쓰시오.

(2) 8의 적록 색맹 대립유전자는 누구로부터 물려받은 것인지 세대별로 쓰시오.

(3) 9가 정상인 남자와 결혼했을 때 자녀 중 적록 색맹이 태어날 확률을 구하시오.

자료 분석하기
가계도 분석하기

정답과 해설 42쪽

가계도는 늘 시험에 출제되는 단골 소재야. 가계도를 분석해서 특정 형질이 우성인지 열성인지, 유전자가 상염색체에 있는 형질인지 성염색체에 있는 형질인지를 판단하고 앞으로 태어날 자녀에게 형질이 나타날 확률을 계산할 수 있도록 연습해 보자.

1 상염색체에 있는 형질의 유전

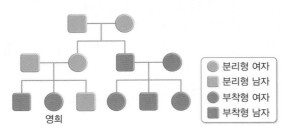

분리형 여자
분리형 남자
부착형 여자
부착형 남자

영희

• 영희는 부모와 달리 부착형 귓불이므로 부착형 귓불이 열성 형질이다.
• 귓불 유전자가 X 염색체에 있다면 아버지가 분리형인데 영희가 부착형일 수는 없다.
• 영희의 부착형 귓불 유전자는 부모로부터 하나씩 물려받은 것이다.
• 영희의 부모는 분리형 귓불이면서 영희에게 부착형 귓불 유전자를 물려주었으므로 분리형 귓불 유전자와 부착형 귓불 유전자를 모두 가지고 있다.

이것이 Point!

부모에 없는 형질이 자손에 나타났다면 자손에 나타난 형질이 열성, 부모의 형질이 우성이다.

[유제 1 ~ 유제 2] 그림은 어느 집안의 귀지 형질에 대한 가계도를 나타낸 것이다.

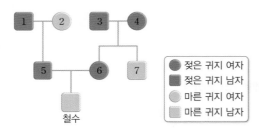

젖은 귀지 여자
젖은 귀지 남자
마른 귀지 여자
마른 귀지 남자

철수

유제 1 마른 귀지와 젖은 귀지 중 우성 형질은 무엇인지 쓰시오.

유제 2 귀지 형질 유전자는 상염색체와 X 염색체 중 어디에 있는지 쓰시오.

2 X 염색체에 있는 형질의 유전

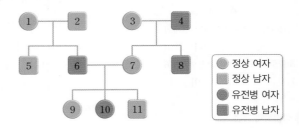

정상 여자
정상 남자
유전병 여자
유전병 남자

• 유전병 유전자는 X 염색체에 있는데, 6이 유전병 형질을 나타낸 것으로 보아 6에게 X 염색체를 물려준 1은 정상 유전자와 유전병 유전자가 모두 있는 보인자임을 알 수 있다.
• 보인자가 정상 형질을 나타내는 것으로 보아 이 유전병 유전자는 정상 유전자에 대해 열성으로 유전됨을 확인할 수 있다.
• 위 가계도에서 1, 3, 7, 9는 모두 보인자이고 10은 유전병 유전자를 2개 가지고 있다.

이것이 Point!

특정 유전자가 X 염색체에 있을 때에는 보인자에서 표현되는 형질이 우성이고 표현되지 않는 형질이 열성이다.

[유제 3 ~ 유제 4] 그림은 어느 집안의 적록 색맹 유전 가계도를 나타낸 것이다.

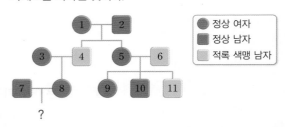

정상 여자
정상 남자
적록 색맹 남자

?

유제 3 정상이면서 적록 색맹 대립유전자가 있는 사람을 모두 고르면? (정답 2개)

① 1   ② 2   ③ 7   ④ 9   ⑤ 10

유제 4 7과 8에게서 태어난 아들이 적록 색맹일 확률을 구하시오.

ⓐ 사람의 유전 연구

중요해!

01 사람의 유전 연구가 어려운 까닭으로 옳지 <u>않은</u> 것은?

① 한 세대가 길다.
② 자손의 수가 적다.
③ 대립 형질이 복잡하다.
④ 자유로운 교배 실험이 가능하다.
⑤ 형질이 유전자 외에 환경의 영향을 받는다.

02 어떤 집안의 가족 구성원들에게 유전되는 특정 형질의 유전 방식을 알아보기 위한 연구 방법으로 옳은 것은?

① 통계 조사　　　　② 핵형 분석
③ 쌍둥이 연구　　　④ 가계도 조사
⑤ 유전자 검사

새로워!

03 그림은 1란성 쌍둥이와 2란성 쌍둥이 사이에서 나타나는 형질의 일치율을 나타낸 것이다.

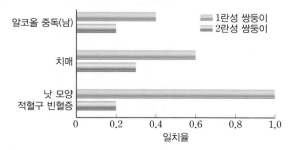

이에 대한 설명으로 옳은 것을 보기에서 모두 고른 것은?

┌─ 보기 ──────────────────
ㄱ. 알코올 중독과 치매는 유전과 환경의 영향을 모두 받는다.
ㄴ. 낫 모양 적혈구 빈혈증은 유전자에 의해서 나타난다.
ㄷ. 1란성 쌍둥이의 일치율이 높을수록 환경의 영향이 큰 형질임을 뜻한다.
└──────────────────────

① ㄱ　　　② ㄷ　　　③ ㄱ, ㄴ
④ ㄴ, ㄷ　　　⑤ ㄱ, ㄴ, ㄷ

ⓑ 사람의 형질 유전

중요해!

04 그림은 혀 말기 가능과 불가능 여부를 표시한 영희네 집안의 가계도이다.

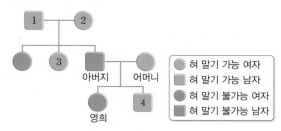

이에 대한 설명으로 옳지 <u>않은</u> 것은?

① 혀 말기 유전자는 상염색체에 있다.
② 혀 말기 불가능 형질은 우성으로 유전된다.
③ 1은 혀 말기 가능과 불가능 대립유전자가 각각 하나씩 있다.
④ 어머니의 혀 말기 형질 유전자형은 2와 동일하다.
⑤ 영희는 어머니로부터 혀 말기 불가능 대립유전자를 하나 받았다.

중요해!　　　　　　　　　　　　　집중 공략 162쪽

05 그림은 어떤 가족의 미맹 가계도를 나타낸 것이다. (PTC 용액의 쓴맛을 느끼지 못하는 형질을 미맹이라 하며, 미맹 형질은 대립유전자 T와 t에 의해 결정된다.)

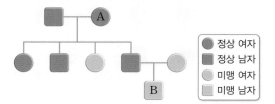

이에 대한 설명으로 옳은 것을 보기에서 모두 고른 것은?

┌─ 보기 ──────────────────
ㄱ. 미맹은 정상에 대해 열성으로 유전된다.
ㄴ. A의 유전자형은 TT이다.
ㄷ. B는 아버지로부터 미맹 유전자를 물려받았다.
ㄹ. B의 동생이 미맹일 확률은 50 %이다.
└──────────────────────

① ㄱ, ㄴ　　　② ㄱ, ㄷ　　　③ ㄴ, ㄹ
④ ㄱ, ㄷ, ㄹ　　　⑤ ㄴ, ㄷ, ㄹ

c ABO식 혈액형 유전

06 ABO식 혈액형 유전에 대한 설명으로 옳지 <u>않은</u> 것은?

① 유전자가 상염색체에 있다.
② 대립유전자는 A, B, O이다.
③ 표현형은 4가지로 나타난다.
④ 유전자형은 6가지 조합이 있다.
⑤ 한 사람의 혈액형을 결정하는 데 3개의 대립유전자가 모두 필요하다.

서답형 ✎

07 그림은 어느 가족의 ABO식 혈액형 유전을 나타낸 것이다.

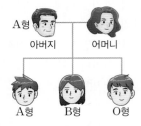

어머니의 ABO식 혈액형 유전자형을 쓰시오.

중요해!

08 그림은 어느 가족의 ABO식 혈액형을 조사하여 나타낸 가계도이다.

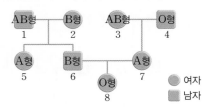

이에 대한 설명으로 옳은 것을 보기에서 모두 고른 것은?

┤ 보기 ├
ㄱ. 5와 7은 유전자형이 서로 다르다.
ㄴ. 6은 2로부터 대립유전자 B를 받았다.
ㄷ. 8의 동생이 태어난다면 동생의 ABO식 혈액형이 8과 같을 확률은 $\frac{1}{4}$이다.

① ㄱ   ② ㄴ   ③ ㄷ
④ ㄱ, ㄴ   ⑤ ㄴ, ㄷ

d 성염색체 유전

09 적록 색맹 유전에 대한 설명으로 옳은 것은?

① 유전자가 상염색체에 있다.
② 적록 색맹은 정상에 대해 우성이다.
③ 정상인 여자의 유전자형은 1가지이다.
④ 남녀에 따라 형질이 나타나는 빈도가 다르다.
⑤ 남자는 열성 유전자 2개가 있어야 적록 색맹이 된다.

중요해! 서답형 ✎   집중 공략 162쪽

10 그림은 어느 집안의 적록 색맹 가계도를 나타낸 것이다.

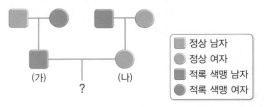

정상 남자
정상 여자
적록 색맹 남자
적록 색맹 여자

(가)와 (나) 사이에서 적록 색맹인 자녀가 태어날 확률은 몇 %인지 구하시오.

중요해!

11 그림은 어느 집안의 적록 색맹 가계도를 나타낸 것이다.

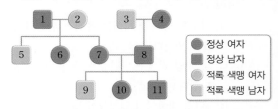

정상 여자
정상 남자
적록 색맹 여자
적록 색맹 남자

9에게 적록 색맹 대립유전자를 물려준 사람을 옳게 짝지은 것은?

① 8   ② 1, 7   ③ 2, 7
④ 3, 8   ⑤ 4, 8

단계별 문제로 **서술형** **연습하기**

01 수연과 지연은 1란성 쌍둥이이다.

(1) 수연과 지연의 유전자 구성에 대해 발생 과정을 근거로 설명하시오.

↳ 1란성 쌍둥이는 하나의 (　　　)이 (　　　) 초기에 둘로

나뉘어 각각 (　　　)한 것으로 유전자 구성이 (　　　).

(2) 이들이 성장하면서 점차 지능, 몸무게 등 형질에서 차이가 나타난다면 그 까닭은 무엇인지 설명하시오.

_____

_____

02 그림은 철수 가족의 혀 말기 가능 여부를 나타낸 가계도이다.

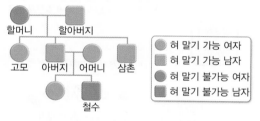

할머니　할아버지

고모　아버지　어머니　삼촌

철수

● 혀 말기 가능 여자
■ 혀 말기 가능 남자
● 혀 말기 불가능 여자
■ 혀 말기 불가능 남자

(1) 혀 말기 형질이 2개의 대립유전자 R와 r에 의해 결정된다고 할 때 아버지와 어머니의 유전자형을 설명하시오.

↳ 아버지와 어머니는 혀 말기가 가능한데 철수는 혀 말기

가 불가능하므로 혀 말기 가능이 (　　　), 혀 말기 불가능이

(　　　) 형질이다. 따라서 아버지와 어머니 둘 다 유전자형은

잡종인 (　　　)이다.

(2) 철수의 동생이 혀 말기 불가능일 확률을 풀이 과정을 포함하여 설명하시오.

_____

_____

03 오른쪽 그림은 어느 가족의 ABO식 혈액형을 나타낸 가계도이다.

A형 ── B형

O형

(가)

(1) 아버지와 어머니의 ABO식 혈액형 유전자형을 유추하시오.

↳ (가)의 유전자형은 (　　　)이며, 대립유전자 O는 부모로

부터 하나씩 물려받은 것이다. 따라서 부모에게는 대립유전자

(　　　)가 하나씩 있으므로 아버지의 유전자형은 (　　　), 어

머니의 유전자형은 (　　　)이다.

(2) (가)의 동생이 태어난다고 할 때 나올 수 있는 ABO식 혈액형은 무엇인지 설명하시오.

_____

_____

04 그림은 준수 가족의 적록 색맹 가계도이다.

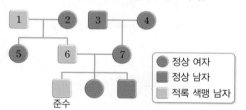

1 ── 2　3 ── 4

5　6 ── 7

준수

● 정상 여자
■ 정상 남자
■ 적록 색맹 남자

(1) 준수의 적록 색맹 대립유전자는 누구로부터 받은 것인지 설명하시오.

↳ 준수의 X 염색체는 (　　　)로부터 받은 것이므로 7은

(　　　)이다. (　　　)은 정상이므로 7의 적록 색맹 대립유전

자는 (　　　)로부터 받은 것이다. 즉, 준수의 적록 색맹 대립

유전자는 (　　　)와 (　　　)로부터 받은 것이다.

(2) 적록 색맹이 여자보다 남자에게 더 많이 나타나는 까닭을 설명하시오.

_____

_____

이 단원에서 배운 핵심 단어를 빈칸에 채워 넣어 생각 그물을 완성해 보자.

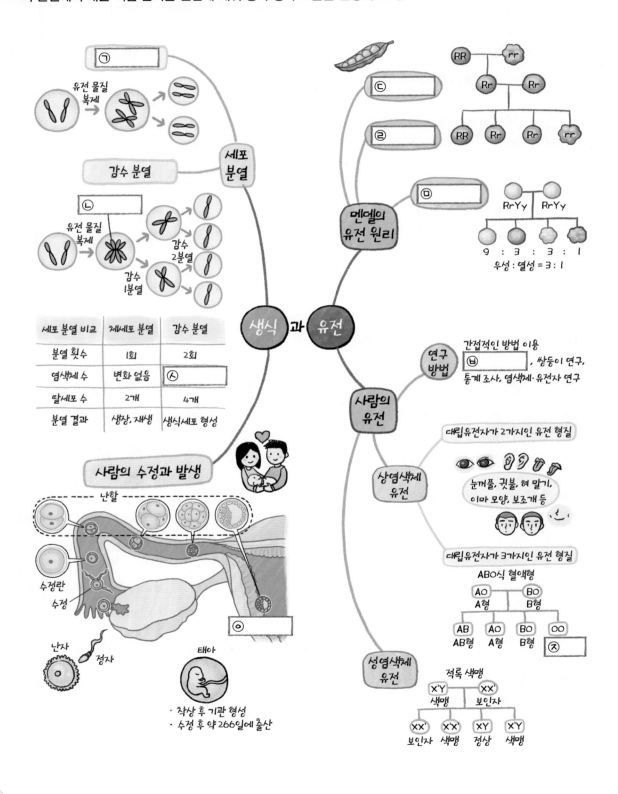

과학
3학년

우리 학교 시험 문제 | 대단원 평가
V. 생식과 유전

년   월   일
이름:

＋ 정답과 해설 44쪽

중요해!
01 그림은 세포가 분열하는 과정을 나타낸 것이다.

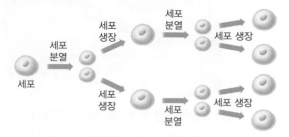

이에 대한 설명으로 옳은 것을 보기에서 모두 고른 것은?

┤ 보기 ├
ㄱ. 큰 생물일수록 세포의 크기가 크다.
ㄴ. 세포는 일정 크기 이상 커지지 않는다.
ㄷ. 새로운 세포는 세포 분열에 의해 생긴다.
ㄹ. 세포의 크기가 클수록 물질 교환에 유리하다.

① ㄱ, ㄴ   ② ㄱ, ㄹ   ③ ㄴ, ㄷ
④ ㄴ, ㄹ   ⑤ ㄷ, ㄹ

02 다음 생명 현상 중 의미가 <u>다른</u> 하나는?

① 성장기에 키가 자란다.
② 수정란에서 난할이 일어난다.
③ 싹튼 씨앗에서 뿌리, 줄기, 잎이 자란다.
④ 생식 기관에서 정자와 난자가 만들어진다.
⑤ 꼬리가 잘린 도마뱀의 꼬리가 다시 자란다.

중요해!
03 그림은 체세포 분열 과정을 순서 없이 나타낸 것이다.

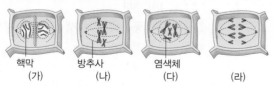

핵막   방추사   염색체
(가)   (나)   (다)   (라)

이에 대한 설명으로 옳지 <u>않은</u> 것은?

① 핵분열 시기에 유전 물질이 복제된다.
② 분열 결과 염색체 수는 변하지 않는다.
③ 끈이나 막대 모양의 염색체를 관찰할 수 있다.
④ (가)를 통해 이 세포는 식물 세포임을 확인할 수 있다.
⑤ 분열 순서는 (다)→(나)→(라)→(가)이다.

04 그림은 염색체의 구조를 나타낸 것이다.

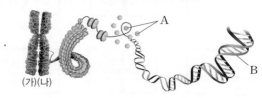

(가)(나)

이에 대한 설명으로 옳은 것을 보기에서 모두 고른 것은?

┤ 보기 ├
ㄱ. (가)와 (나)는 염색 분체이다.
ㄴ. (가)와 (나)는 부모로부터 각각 받은 것이다.
ㄷ. A는 유전 정보를 저장하고 있다.
ㄹ. B는 간기에 복제된다.

① ㄱ, ㄴ   ② ㄱ, ㄹ   ③ ㄴ, ㄷ
④ ㄴ, ㄹ   ⑤ ㄷ, ㄹ

05 그림은 사람의 체세포에서 관찰한 염색체를 나타낸 것이다.

(가)   (나)

이에 대한 설명으로 옳지 <u>않은</u> 것은?

① (가)는 남자, (나)는 여자의 염색체이다.
② 사람의 체세포에는 46개의 염색체가 있다.
③ 1~22번 염색체는 남녀에게 공통으로 있다.
④ 상동 염색체는 체세포 분열 후기에 분리된다.
⑤ 사람의 체세포에는 23쌍의 상동 염색체가 있다.

[06~08] 그림은 감수 분열 과정을 순서 없이 나열한 것이다.

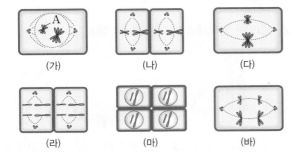

(가) (나) (다)

(라) (마) (바)

서답형

06 A를 무엇이라고 하는지 쓰시오.

서답형

07 (가)~(바)를 감수 1분열, 감수 2분열 과정으로 구분하여 순서대로 나열하시오.

서답형

08 감수 1분열과 감수 2분열 과정에서 염색체 수의 변화를 염색체의 행동을 근거로 설명하시오.

중요해!

09 그림은 어떤 생물에서 일어나는 두 가지 세포 분열 방식 (가), (나)를 나타낸 것이다.

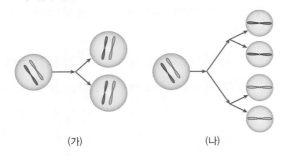

(가) (나)

이에 대한 설명으로 옳지 <u>않은</u> 것은?

① (가)에서 유전 정보의 복제는 1회 일어난다.
② (가)에서 딸세포는 모세포와 유전 정보가 동일하다.
③ (나)는 생식 기관에서 진행된다.
④ (나)에서 2가 염색체가 관찰된다.
⑤ 수정란의 세포 분열은 (나) 방식으로 일어난다.

중요해!

10 그림은 수정란의 초기 발생 과정을 나타낸 것이다.

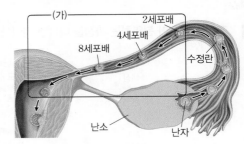

(가)의 특징에 대한 설명으로 옳지 <u>않은</u> 것은?

① 빠르게 세포 수가 늘어난다.
② 염색체 수는 변하지 않는다.
③ 배아의 크기는 점점 커진다.
④ 세포 하나의 크기는 점점 작아진다.
⑤ 딸세포의 유전 정보는 모세포와 동일하다.

[11~12] 그림은 순종의 둥근 완두와 주름진 완두를 교배하는 실험을 나타낸 것이다.

11 이에 대한 설명으로 옳은 것을 보기에서 모두 고른 것은?

┤ 보기 ├

ㄱ. (가)는 자가 수분 과정이다.
ㄴ. 완두 씨의 모양에서 우성과 열성을 판단할 수 있다.
ㄷ. 잡종 1대를 자가 수분하면 자손의 표현형은 9 : 3 : 3 : 1이 된다.
ㄹ. 잡종 1대의 둥근 완두가 생식세포를 형성할 때 분리의 법칙이 적용된다.

① ㄱ, ㄴ   ② ㄱ, ㄹ   ③ ㄴ, ㄷ
④ ㄴ, ㄹ   ⑤ ㄷ, ㄹ

서답형

12 잡종 1대의 둥근 완두를 주름진 완두와 교배했을 때 자손에서 표현형의 분리비를 쓰시오.

13 순종의 노란색 완두(YY)와 초록색 완두(yy)를 교배하여 잡종 1대를 얻었고, 잡종 1대를 자가 수분하여 400개의 잡종 2대를 얻었다. 이 중 초록색 완두는 이론상 몇 개일까?

① 100개　　② 200개　　③ 250개
④ 300개　　⑤ 400개

14 그림은 순종의 둥글고 노란색인 완두와 주름지고 초록색인 완두를 교배하여 얻은 잡종 1대를 자가 수분하여 잡종 2대를 얻는 과정을 나타낸 것이다.

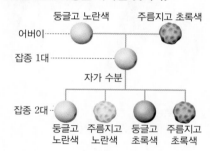

이에 대한 설명으로 옳은 것을 보기에서 모두 고른 것은?

┌─ 보기 ─────────────────────
ㄱ. 잡종 1대는 4종류의 생식세포를 형성한다.
ㄴ. 잡종 2대에서 표현형의 비는 1 : 1 : 1 : 1이다.
ㄷ. 주름지고 초록색인 완두의 유전자형은 2가지이다.
ㄹ. 완두의 모양과 색깔 유전자는 서로 다른 염색체에 있다.
└──────────────────────────

① ㄱ, ㄴ　　② ㄱ, ㄹ　　③ ㄴ, ㄷ
④ ㄴ, ㄹ　　⑤ ㄷ, ㄹ

15 사람의 형질 중 다음 형질의 유전에 대한 설명으로 옳지 않은 것은?

┌───────────────────────────
눈꺼풀 / 혀 말기 / 미맹 / 귓불 모양
└───────────────────────────

① 유전자가 상염색체에 있다.
② 우성과 열성이 뚜렷하게 구분된다.
③ 멘델의 유전 원리에 따라 유전된다.
④ 남녀에 따라 형질이 나타나는 빈도가 다르다.
⑤ 한 쌍의 유전자에 의해 개체의 형질이 결정된다.

[16~17] 그림은 어느 집안의 ABO식 혈액형 가계도이다.

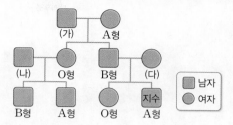

16 (가), (나), (다)의 ABO식 혈액형의 유전자형을 쓰시오.

17 지수의 동생이 태어난다고 할 때 ABO식 혈액형이 AB형일 확률을 구하는 과정을 설명하시오.

18 적록 색맹의 유전에 대한 설명으로 옳지 않은 것은?
(정답 2개)

① 유전자가 X 염색체에 있다.
② 정상에 대해 열성으로 유전한다.
③ 3개의 대립유전자에 의해 형질이 결정된다.
④ 아버지가 색맹이면 아들은 반드시 색맹이다.
⑤ 남녀에 따라 형질이 나타나는 빈도가 다르다.

19 그림은 어느 집안의 적록 색맹 가계도이다.

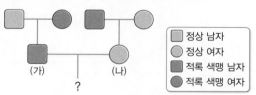

이에 대한 설명으로 옳은 것을 보기에서 모두 고른 것은?

┌─ 보기 ─────────────────────
ㄱ. (나)는 적록 색맹 대립유전자가 하나 있다.
ㄴ. (가)와 (나) 사이에서 태어난 딸이 적록 색맹일 확률은 0 %이다.
ㄷ. (가)와 (나) 사이에서 태어난 아들이 적록 색맹일 확률은 50 %이다.
└──────────────────────────

① ㄱ　　② ㄷ　　③ ㄱ, ㄷ
④ ㄴ, ㄷ　　⑤ ㄱ, ㄴ, ㄷ

VI 에너지 전환과 보존

일상 생활에서 에너지는 전환되고 보존된다. 이 단원에서는 역학적 에너지의 전환과 보존을 알아보고 역학적 에너지가 전기 에너지로 전환되는 것을 발전기를 통해 확인하자. 또 가정에서 전기 에너지가 어떤 형태의 에너지로 전환되는지 알아보자.

01 역학적 에너지 전환과 보존

핵심 키워드 | 역학적 에너지 전환, 역학적 에너지 보존

a 역학적 에너지 전환

1. **역학적 에너지**❶ 중력에 의한 위치 에너지와 운동 에너지의 합

> 역학적 에너지 = 위치 에너지 + 운동 에너지

2. **역학적 에너지 전환** 중력을 받아 운동하는 물체에서 위치 에너지와 운동 에너지가 서로 전환되어 그 크기가 달라진다.
   - 예 물방울이 낙하 할 때 위치 에너지가 운동 에너지로 전환되어 위치 에너지는 감소하고 운동 에너지는 증가한다.

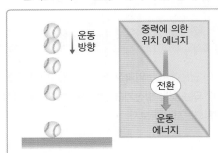

자유 낙하 하는 물체의 역학적 에너지 전환
- 물체가 자유 낙하 운동을 하면 물체의 위치 에너지가 운동 에너지로 전환된다.
- 물체의 높이가 낮아지고, 위치 에너지가 감소한다.
- 물체의 속력이 증가하고, 운동 에너지가 증가한다.

❶ **역학적 에너지**
물체가 중력을 받아 떨어지는 동안 물체의 높이와 속력이 달라지므로 위치 에너지와 운동 에너지 또한 계속해서 달라진다. 이처럼 물체가 낙하 할 때 위치 에너지와 운동 에너지는 함께 변하는데, 이때 두 에너지의 합을 역학적 에너지라고 한다.

b 역학적 에너지 보존 〔탐구 176쪽〕

1. **역학적 에너지 보존 법칙** 공기의 저항이나 마찰이 없을 때 운동하는 물체의 역학적 에너지는 높이에 관계없이 항상 일정하게 보존된다.

> 역학적 에너지 = 위치 에너지 + 운동 에너지 = 일정

2. **자유 낙하 하는 물체의 역학적 에너지 보존**❷
   ① 자유 낙하 운동을 하는 물체의 역학적 에너지는 항상 일정하다.
   ② 물체가 자유 낙하 운동을 하는 동안 감소한 위치 에너지는 증가한 운동 에너지와 같다.

❷ **중력과 역학적 에너지 보존**
운동하는 물체에 중력만 작용하면 역학적 에너지가 보존된다. 그러나 물체에 공기의 저항이나 마찰이 작용하면 역학적 에너지의 일부가 열에너지 등으로 전환되어 역학적 에너지가 보존되지 않고 감소한다.

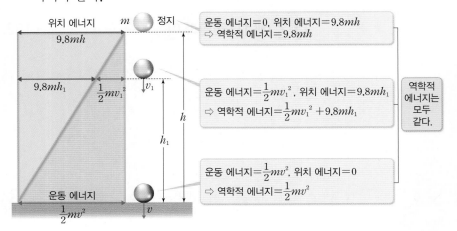

- **용어 이해하기**
  - **전환**(구를 轉, 바꿀 換) 다른 방향이나 상태로 바뀌거나 바꿈
  - **보존**(지킬 保, 있을 存) 보호하고 간수해서 남김

개념 다지기

+) 정답과 해설 **45**쪽

초성 퀴즈 🔍

ⓐ **역학적 에너지 전환**

· 운동 에너지와 위치 에너지의 합
을 ☐ㅎㅈ☐ㄴㅈ
라고 한다.

· 중력을 받아 운동하는 물체에서
☐ㅊ 에너지와 ☐ㄷ 에
너지가 서로 전환되어 그 크기
가 달라진다.

ⓑ **역학적 에너지 보존**

· 운동하는 물체의 역학적 에너지는
높이에 관계없이 항상 일정한데,
이를 역학적 에너지 ㅂㅈ
법칙이라고 한다.

· 역학적 에너지는 보존되므로, 자
유 낙하 운동을 하는 동안 ㄱ
ㅅ 한 위치 에너지의 양은 ㅈ
ㄱ 한 운동 에너지의 양과 같다.

1 오른쪽 그림은 야구공이 자유 낙하 하는
모습과 낙하 할 때의 역학적 에너지 전환
을 나타낸 것이다. ㉠과 ㉡에 들어갈 알맞
은 에너지를 쓰시오.

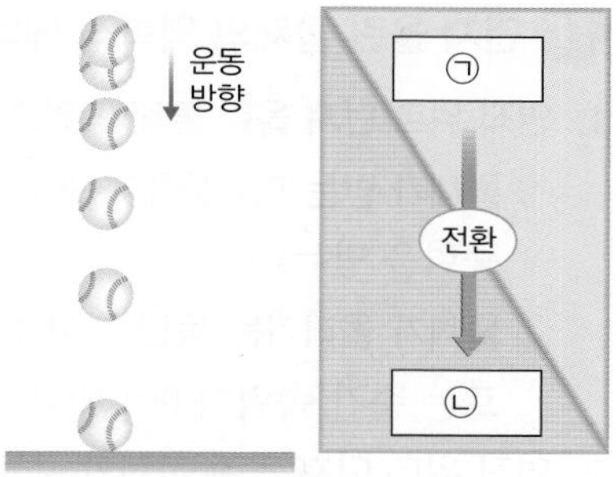

운동
방향 ↓

㉠

전환

㉡

2 자유 낙하 하는 물체의 역학적 에너지 전환에 대한 설명으로 옳은 것은 ○표, 옳지
않은 것은 ×표를 하시오.
(1) 물체의 속력은 증가한다. ·· (　　)
(2) 물체의 운동 에너지는 감소한다. ·································· (　　)
(3) 물체의 위치 에너지는 증가한다. ·································· (　　)
(4) 운동 에너지와 위치 에너지의 합을 역학적 에너지라고 한다. ··· (　　)
(5) 물체가 낙하 하는 동안 위치 에너지가 운동 에너지로 전환된다. ·· (　　)

3 일정한 높이에서 가만히 놓은 물체가 자유 낙하 하여 기준면인 지면에 도달하였
다. (가)~(다)는 자유 낙하 하는 물체의 높이에 따른 에너지를 나타낸 것이다.
(가)~(다)의 크기를 등호 또는 부등호로 비교하시오. (단, 공기의 저항과 마찰은
무시한다.)

> (가) 처음 높이에서의 위치 에너지
> (나) 어느 높이를 지날 때의 역학적 에너지
> (다) 지면에 도달하는 순간의 운동 에너지

4 질량이 2 kg인 물체가 지면으로부터 5 m 높이에서 자유 낙하 할 때 지면에 도달
한 순간 물체의 운동 에너지는 몇 J인지 구하시오.

5 기준면인 지면으로부터 10 m 높이에서 질량이 1 kg인 물체가 자유 낙하 하였다.
이때 물체가 높이 5 m에 도달했을 때 물체의 위치 에너지(가)와 물체의 운동 에너
지(나)를 구하시오.

c 던져 올린 물체의 역학적 에너지 전환과 보존 ·집중 공략 177쪽

1. 연직 위로 던져 올린 물체가 위로 올라갈 때[3]

① 물체가 받는 힘: 물체가 올라가는 동안, 물체는 운동 방향과 반대 방향으로 중력을 받는다.

② 물체가 올라가는 동안 속력 변화: 속력이 감소하다가, 가장 높은 지점에 이르는 순간 속력이 0이 된다.

2. 연직 위로 던져 올린 물체의 운동과 역학적 에너지 보존 공기의 저항이나 마찰이 없다면, 던져 올린 물체의 역학적 에너지는 일정하게 보존된다.[4]

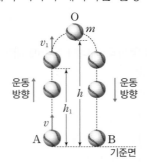

물체가 위로 올라갈 때
- 속력 감소
  ➡ 운동 에너지 감소
- 높이 증가
  ➡ 위치 에너지 증가
- 운동 에너지가 위치 에너지로 전환

물체가 아래로 내려올 때
- 속력 증가
  ➡ 운동 에너지 증가
- 높이 감소
  ➡ 위치 에너지 감소
- 위치 에너지가 운동 에너지로 전환

① 역학적 에너지는 보존되므로, 처음 위치 A에서의 역학적 에너지, 높이 h_1에서의 역학적 에너지, 가장 높은 지점 O에서의 역학적 에너지, 처음과 높이가 같은 위치 B에서의 역학적 에너지는 모두 같다.

➡ $\frac{1}{2}mv^2 = \frac{1}{2}mv_1^2 + 9.8mh_1 = 9.8mh$

② 역학적 에너지는 보존되므로, 던져 올린 물체가 올라가는 동안 감소한 운동 에너지는 증가한 위치 에너지와 같다.

➡ $\frac{1}{2}mv^2 - \frac{1}{2}mv_1^2 = 9.8mh_1$

d 역학적 에너지 전환과 보존의 예[5]

자유 낙하 운동이나 던져 올린 물체의 운동 외에도, 공기의 저항이나 마찰이 없을 때 중력이 작용하여 운동하는 물체의 역학적 에너지는 보존된다.

여러 가지 운동 예	롤러코스터의 운동				반원형 그릇 속 물체의 운동				
물체의 위치	A	B	C	D	A	→	O	→	B
운동 에너지	0	증가	최대	감소	0	증가	최대	감소	0
위치 에너지	최대	감소	최소	증가	최대	감소	최소	증가	최대
역학적 에너지	모든 지점에서 같다.				모든 지점에서 같다.				

---

[3] **연직 위로 v의 속력으로 던진 물체가 올라가는 최고 높이**

처음 물체의 운동 에너지가 최고점에서 전부 위치 에너지로 전환된다. 따라서 $\frac{1}{2}mv^2 = 9.8mh$에서 물체가 올라가는 최고 높이 $h = \frac{v^2}{19.6}$ 이다.

[4] **공기의 저항이나 마찰이 없을 때 높이 h까지 연직 위로 던져 올린 물체의 운동 그래프**

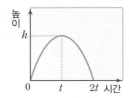

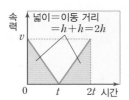

넓이＝이동 거리
＝$h+h=2h$

[5] **주변에서 볼 수 있는 역학적 에너지 전환**
- 롤러코스터가 레일을 따라 운동할 때 높이 변화에 따라 위치 에너지와 운동 에너지가 서로 전환된다.
- 추가 실에 매달려 흔들리며 왕복 운동을 할 때 위치 에너지와 운동 에너지가 주기적으로 서로 전환된다.

■ 용어 이해하기
- **저항**(거스를 抵, 막을 抗) 물체의 운동 방향과 반대의 방향으로 버팀
- **롤러코스터**(roller coaster) 나선 모양의 경사진 레일에 기차 모양의 차체를 끌어 올렸다가 급속도로 미끄러져 내려가게 하는 놀이 기구

개념 다지기

➕ 정답과 해설 45쪽

초성 퀴즈 🔍

ⓒ 던져 올린 물체의 역학적 에너지 전환과 보존

• 던져 올린 물체가 위로 올라갈 때 물체의 위치 에너지는 점점 ⬚ㅈ⬚ㄱ⬚하고, 운동 에너지는 점점 ⬚ㄱ⬚ㅅ⬚한다.

• 공기의 저항이나 마찰이 없다면, 던져 올린 물체의 역학적 에너지는 일정하게 ⬚ㅂ⬚ㅈ⬚된다.

ⓓ 역학적 에너지 전환과 보존의 예

• 중력이 작용하여 운동하는 물체의 역학적 에너지는 ⬚ㅂ⬚ㅈ⬚된다.

• 롤러코스터가 내려올 때는 높이가 낮아지면서 속력이 빨라진다. 이때 ⬚ㅇ⬚ㅊ⬚ 에너지가 ⬚ㅇ⬚ㄷ⬚ 에너지로 전환된다.

6 연직 위로 던져 올린 물체의 운동에 대한 설명으로 옳은 것은 ○표, 옳지 않은 것은 ×표를 하시오.

(1) 물체가 위로 올라갈 때 운동 에너지는 점점 증가한다. ············· (　　)
(2) 물체가 운동하는 동안 역학적 에너지 전환이 일어난다. ············· (　　)
(3) 물체가 아래로 내려올 때 위치 에너지는 점점 감소한다. ············· (　　)
(4) 물체의 속력은 물체가 위로 올라갈 때는 증가하고 아래로 내려올 때는 감소한다. ·· (　　)

7 연직 위로 던져 올린 물체의 에너지 전환을 옳게 연결하시오.

(1) 물체가 아래로 내려오는 동안 •		• ㉠ 운동 에너지 → 위치 에너지
(2) 물체가 위로 올라가는 동안 •		• ㉡ 위치 에너지 → 운동 에너지

8 연직 위로 던져 올린 물체가 위로 올라가다가 최고 높이에 이른 후, 아래로 내려왔다. (가)~(다)는 물체의 높이에 따른 물체의 에너지를 나타낸 것이다. 이때 (가)~(다)의 크기를 등호 또는 부등호로 비교하시오. (단, 공기의 저항이나 마찰은 무시하며, 기준면은 물체의 처음 위치이다.)

> (가) 처음 던지는 순간의 운동 에너지
> (나) 어느 높이를 지날 때의 운동 에너지
> (다) 최고 높이에서의 위치 에너지

9 그림은 정지해 있던 롤러코스터가 레일을 따라 운동하는 모습을 나타낸 것이다.

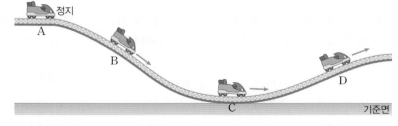

A~D 지점 중 다음 설명에 해당하는 지점을 쓰시오.

(1) 운동 에너지가 최대이다. ······································· (　　)
(2) 위치 에너지가 최대이다. ······································· (　　)
(3) 운동 에너지가 위치 에너지로 전환된다. ··················· (　　)
(4) 위치 에너지가 운동 에너지로 전환된다. ··················· (　　)

ⓒ 증가, 감소, 보존
ⓓ 보존, 위치, 운동

자유 낙하 운동을 하는 물체의 역학적 에너지 알아보기

목표 자유 낙하 운동을 하는 물체의 역학적 에너지에 대하여 설명할 수 있다.

과정 및 결과

❶ 오른쪽 그림과 같이 투명 플라스틱 관과 자를 스탠드에 연직 방향으로 고정한다. 이때 투명 플라스틱 관 위쪽 끝을 자의 눈금 100 cm에 맞춘다.

❷ 투명 플라스틱 관의 0 cm, 50 cm인 지점에 각각 속력 측정기를 설치하고, 아래에 종이컵을 둔다.

❸ 투명 플라스틱 관을 통해 쇠구슬을 떨어뜨린 후, 각 속력 측정기에 나타난 값을 측정한다. 이 과정을 5회 반복하여 그 평균값을 구한다.

유의점! 쇠구슬이 낙하 하는 동안 투명 플라스틱 관에 부딪치면 그때의 실험 결과는 무시하고 다시 실험한다.

쇠구슬
자
투명
플라스틱
관
속력 측정기
속력
측정기
종이컵

속력 측정기 위치(cm)	측정값(m/s)					평균값 (m/s)
	1회	2회	3회	4회	5회	
0	4.41	4.45	4.44	4.42	4.43	4.43
50	3.10	3.17	3.11	3.12	3.13	3.13

❹ 전자저울을 이용하여 떨어뜨린 쇠구슬의 질량을 측정한다.

❺ 각 높이에서 쇠구슬의 운동 에너지, 위치 에너지, 역학적 에너지를 구한다.

높이(cm)	운동 에너지(J)	위치 에너지(J)	역학적 에너지(J)
100	0	0.16	0.16
50	0.08	0.08	0.16
0	0.16	0	0.16

잠깐

- 운동 에너지 $= \frac{1}{2} \times$ 질량 $\times$ 속력^2
- 위치 에너지 $= 9.8 \times$ 질량 $\times$ 높이

정리

1 자유 낙하 운동에서 역학적 에너지의 보존 쇠구슬의 높이에 관계없이 운동 에너지와 위치 에너지의 합인 역학적 에너지는 (㉠ 증가한다 , 일정하다 , 감소한다).

2 자유 낙하 운동에서 위치 에너지와 운동 에너지 물체가 자유 낙하 운동을 하는 동안 (㉡ 증가 , 감소)한 위치 에너지는 (㉢ 증가 , 감소)한 운동 에너지와 같다.

확인 문제

✛ 정답과 해설 46쪽

1 이 탐구에서 쇠구슬이 어느 높이를 지날 때의 운동 에너지가 0.06 J이었다면 이 높이에서 쇠구슬의 위치 에너지는 몇 J인가?

① 0.03 J   ② 0.06 J   ③ 0.10 J
④ 0.16 J   ⑤ 0.22 J

서답형
2 이 탐구에서 쇠구슬이 25 cm인 지점을 지날 때의 역학적 에너지(A)와 75 cm인 지점을 지날 때의 역학적 에너지(B)의 크기를 등호 또는 부등호로 비교하시오.

3 질량 1 kg인 쇠구슬을 기준면인 지면으로부터 2 m 높이에서 가만히 떨어뜨렸다. 이때 높이에 따른 에너지 중 가장 큰 값으로 옳은 것은? (단, 공기의 저항이나 마찰은 무시한다.)

① 2 m 높이에서 운동 에너지
② 1 m 높이를 지날 때의 운동 에너지
③ 0.5 m 높이를 지날 때의 역학적 에너지
④ 지면에 도달하는 순간의 위치 에너지
⑤ 1.5 m 높이를 지날 때의 위치 에너지

자료 분석하기

연직 위로 던져 올린 물체의 운동에서 역학적 에너지 전환과 보존 알아보기

✛ 정답과 해설 46쪽

연직 위로 던져 올린 물체의 운동에서 운동 에너지와 위치 에너지의 변화와 특징에 대해 그림과 수식으로 알아보고, 물체가 올라갈 때와 내려올 때의 역학적 에너지 전환과 보존을 분석해 보자.

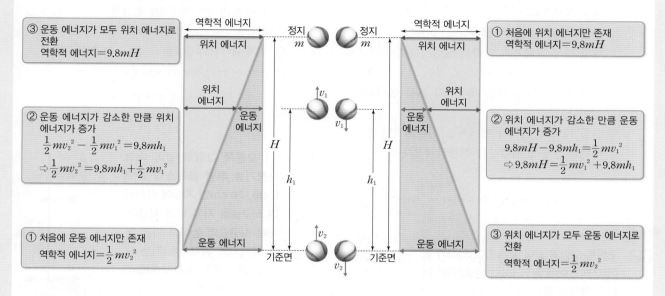

연직 위로 던져 올린 물체가 위로 올라갈 때

③ 운동 에너지가 모두 위치 에너지로 전환
역학적 에너지 = $9.8mH$

② 운동 에너지가 감소한 만큼 위치 에너지가 증가
$\frac{1}{2}mv_2{}^2 - \frac{1}{2}mv_1{}^2 = 9.8mh_1$
$\Rightarrow \frac{1}{2}mv_2{}^2 = 9.8mh_1 + \frac{1}{2}mv_1{}^2$

① 처음에 운동 에너지만 존재
역학적 에너지 = $\frac{1}{2}mv_2{}^2$

연직 위로 던져 올린 물체가 아래로 내려올 때

① 처음에 위치 에너지만 존재
역학적 에너지 = $9.8mH$

② 위치 에너지가 감소한 만큼 운동 에너지가 증가
$9.8mH - 9.8mh_1 = \frac{1}{2}mv_1{}^2$
$\Rightarrow 9.8mH = \frac{1}{2}mv_1{}^2 + 9.8mh_1$

③ 위치 에너지가 모두 운동 에너지로 전환
역학적 에너지 = $\frac{1}{2}mv_2{}^2$

이것이 Point!

- 물체를 연직 위로 던져 올리면 물체가 올라가는 동안 물체의 운동 에너지가 위치 에너지로 전환된다. 이때 물체의 운동 에너지가 감소한 만큼 위치 에너지가 증가한다.
- 물체가 최고 높이에 도달하는 순간에는 물체의 위치 에너지가 최대이고 운동 에너지가 0이 된다. 이때 물체의 역학적 에너지는 위치 에너지와 같은 값이 된다.

이것이 Point!

- 연직 위로 던져 올린 물체가 내려오는 동안 물체의 위치 에너지가 운동 에너지로 전환된다. 이때 물체의 위치 에너지가 감소한 만큼 운동 에너지가 증가한다.
- 물체가 자유 낙하 하여 기준면에 도달하는 순간에는 운동 에너지가 최대이고 위치 에너지가 0이 된다. 이때 물체의 역학적 에너지는 물체의 운동 에너지와 같은 값이 된다.

유제 1 연직 위로 던져 올린 물체가 위로 올라가는 동안 물체의 역학적 에너지에 대한 설명으로 ㉠과 ㉡에 알맞은 말을 쓰시오.

> 물체를 연직 위로 던져 올려 물체가 위로 올라가면 물체의 속력은 감소하고 높이가 증가한다. 이때 물체의 운동 에너지는 (㉠)하고 위치 에너지는 (㉡)하는데, 공기의 저항이나 마찰을 무시하면 (㉠)한 운동 에너지는 (㉡)한 위치 에너지와 같다.

유제 2 연직 위로 던져 올린 물체의 역학적 에너지 전환과 보존에 대한 설명으로 옳지 않은 것은? (단, 공기의 저항이나 마찰은 무시하며 물체를 던져 올린 위치가 기준면이다.)

① 최고 높이에서 운동 에너지는 최대이다.
② 높이와 관계없이 물체의 역학적 에너지는 보존된다.
③ 최고 높이에서 위치 에너지는 역학적 에너지와 같다.
④ 올라갈 때와 내려올 때의 역학적 에너지 전환은 반대로 일어난다.
⑤ 최고 높이에서 위치 에너지는 기준면에 도달하는 순간의 운동 에너지와 같다.

a 역학적 에너지 전환

01 역학적 에너지와 역학적 에너지의 전환에 대한 설명으로 옳지 <u>않은</u> 것은?

① 운동 에너지는 $\frac{1}{2}$ × 질량 × 속력^{2}이다.

② 위치 에너지는 9.8 × 질량 × 높이이다.

③ 낙하 하는 물체에서 역학적 에너지 전환이 일어난다.

④ 역학적 에너지는 위치 에너지와 운동 에너지의 합이다.

⑤ 운동 에너지는 위치 에너지로 전환되지만 위치 에너지는 운동 에너지로 전환되지 않는다.

중요해!

02 오른쪽 그림과 같이 공을 잡고 있다가 떨어뜨렸다. 이때 공의 운동과 에너지에 대한 설명으로 옳지 <u>않은</u> 것은? (단, 공기의 저항이나 마찰은 무시한다.)

① 속력이 빨라진다.

② 높이가 낮아진다.

③ 위치 에너지가 감소한다.

④ 운동 에너지가 감소한다.

⑤ 위치 에너지가 운동 에너지로 전환된다.

서답형

03 수영장에 간 진영이는 준비 운동을 한 후, 다이빙대에서 다이빙을 하였다. 다이빙을 하는 동안 진영이의 운동 에너지와 위치 에너지의 변화를 주어진 단어를 모두 포함하여 설명하시오.

| 속력 | 운동 에너지 | 높이 | 위치 에너지 |

b 역학적 에너지 보존

서답형

04 자유 낙하 하는 물체의 역학적 에너지에 대한 설명이다. ㉠과 ㉡에 알맞은 말을 쓰시오.

> 공기의 저항이나 마찰이 없을 때 자유 낙하 하는 물체의 역학적 에너지가 일정하게 보존된다는 법칙을 (㉠) 법칙이라 한다. 이때 물체의 감소한 위치 에너지와 증가한 (㉡) 에너지는 같다.

[05~06] 오른쪽 그림과 같이 속력 측정기를 투명 플라스틱 관의 0 cm, 50 cm인 지점에 설치하여 쇠구슬을 자유 낙하 시켰다. 이때 쇠구슬의 높이에 따른 운동 에너지와 위치 에너지는 표와 같았다. (단, 공기의 저항이나 마찰은 무시한다.)

쇠구슬의 높이(cm)	운동 에너지(J)	위치 에너지(J)
100	0	㉠
50	0.25	0.25
0	0.5	0

05 ㉠에 알맞은 값은?

① 0 ② 0.25 ③ 0.4

④ 0.5 ⑤ 0.75

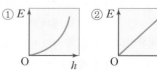

탐구 176쪽

06 쇠구슬의 높이 h에 따른 역학적 에너지 E의 그래프로 옳은 것은?

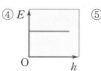

07 오른쪽 그림은 지면으로부터 15 m 높이에서 공이 낙하 할 때 5 m마다 공의 위치를 나타낸 것이다. 각 구간에서 운동 에너지 증가량의 크기 A, B, C를 옳게 비교한 것은? (단, 공기의 저항이나 마찰은 무시한다.)

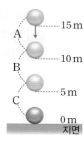

① A>B>C   ② A=B>C
③ A=B=C   ④ C>A=B
⑤ C>B>A

[08~09] 오른쪽 그림과 같이 지면으로부터 12 m 높이에서 공을 가만히 떨어뜨렸다. (단, 공기의 저항이나 마찰은 무시하며, 기준면은 지면이다.)

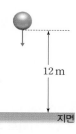

08 공의 높이가 지면으로부터 몇 m가 되었을 때 위치 에너지와 운동 에너지가 같아지는가?

① 2 m   ② 3 m   ③ 4 m
④ 6 m   ⑤ 8 m

09 공의 높이가 4 m가 되었을 때 운동 에너지는 위치 에너지의 몇 배가 되는가?

① $\frac{1}{3}$배   ② $\frac{1}{2}$배   ③ 2배
④ 3배   ⑤ 4배

10 질량 2 kg인 물체를 10 m 높이에서 가만히 떨어뜨렸더니 지면에 닿는 순간의 속력이 14 m/s였다. 만약 같은 물체를 떨어뜨려 속력이 7 m/s가 되게 하려면 물체를 몇 m 높이에서 떨어뜨려야 하는가?

① 2 m   ② 2.5 m   ③ 5 m
④ 7.5 m   ⑤ 8 m

C 던져 올린 물체의 역학적 에너지 전환과 보존

11 오른쪽 그림은 연직 위로 쏘아 올린 공이 위로 올라가는 모습을 나타낸 것이다. 공은 E 지점에서 속력이 0이 되었다. 이때 각 지점에서의 에너지 값이 다른 것은? (단, 공기의 저항이나 마찰은 무시한다.)

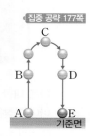

① A 지점에서의 운동 에너지
② B 지점에서의 역학적 에너지
③ C 지점에서의 운동 에너지
④ D 지점에서의 역학적 에너지
⑤ E 지점에서의 위치 에너지

12 오른쪽 그림은 공을 연직 위로 던졌을 때 일정한 시간 간격으로 공의 위치를 나타낸 것이다. 이에 대한 설명으로 옳은 것은? (단, B와 D 지점에서의 높이는 같으며, 공기의 저항이나 마찰은 무시한다.)

집중 공략 177쪽

① 공이 C 지점에 있을 때 위치 에너지가 최소이다.
② 운동하는 동안 운동 에너지의 크기는 항상 같다.
③ A→B 구간에서는 위치 에너지가 운동 에너지로 전환된다.
④ D→E 구간에서는 운동 에너지가 위치 에너지로 전환된다.
⑤ B→C 구간에서 증가한 위치 에너지는 CD 구간에서 증가한 운동 에너지와 같다.

서답형

13 공을 연직 위로 던져 올렸을 때 공의 높이에 따른 공의 위치 에너지와 운동 에너지가 다음과 같았다. (단, 공기의 저항이나 마찰은 무시한다.)

높이(m)	위치 에너지(J)	운동 에너지(J)
2	19.6	78.4
5	49.0	49.0
10	98.0	0

공이 올라가는 최고 높이는 몇 m인지 그 까닭과 함께 쓰시오.

_____

_____

14 질량이 2 kg인 물체를 4 m/s의 속력으로 연직 위로 던져 올렸다. 물체가 최고 높이에 도달했을 때 물체의 위치 에너지는 몇 J인가? (단, 공기의 저항이나 마찰은 무시하며, 물체의 처음 위치를 기준면으로 한다.)

① 0   ② 2 J   ③ 8 J

④ 16 J   ⑤ 32 J

새로워!
15 그림은 연직 위로 던져 올린 물체의 운동을 0.2초 간격으로 나타낸 것이다.

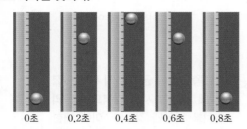

이에 대한 설명으로 옳지 <u>않은</u> 것은? (단, 공기의 저항이나 마찰은 무시한다.)

① 0.4초일 때 운동 에너지는 0이다.

② 0초와 0.8초일 때 운동 에너지는 같다.

③ 0.4초일 때 역학적 에너지는 최소이다.

④ 0.2초일 때와 0.6초일 때의 속력은 같다.

⑤ 0.2초일 때와 0.6초일 때의 운동 에너지는 같다.

d 역학적 에너지 전환과 보존의 예

16 오른쪽 그림은 A, B 두 지점 사이를 왕복하는 추의 운동을 나타낸 것이다. 이에 대한 설명으로 옳은 것을 보기에서 모두 고른 것은? (단, 공기의 저항이나 마찰은 무시한다.)

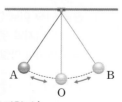

┌─ 보기
ㄱ. A 지점과 O 지점에서의 역학적 에너지는 같다.
ㄴ. A → O 구간 동안 위치 에너지는 증가한다.
ㄷ. O → B 구간 동안 운동 에너지는 증가한다.
└─

① ㄱ   ② ㄴ   ③ ㄱ, ㄷ

④ ㄴ, ㄷ   ⑤ ㄱ, ㄴ, ㄷ

중요해!
17 그림은 쇠구슬이 레일 위에서 운동하는 모습을 나타낸 것이다. 쇠구슬은 A, B, C 지점을 지나 D 지점에 이르러 순간적으로 정지하였다.

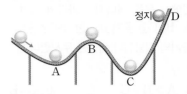

쇠구슬에 대한 설명으로 옳은 것을 보기에서 모두 고른 것은? (단, 공기의 저항이나 마찰은 무시한다.)

┌─ 보기
ㄱ. B 지점에서 운동 에너지는 0이다.
ㄴ. 위치 에너지는 C 지점에서 가장 작다.
ㄷ. D 지점에서 역학적 에너지가 가장 크다.
ㄹ. A→B 구간에서 운동 에너지가 위치 에너지로 전환된다.
└─

① ㄱ, ㄴ   ② ㄱ, ㄷ   ③ ㄱ, ㄹ

④ ㄴ, ㄹ   ⑤ ㄷ, ㄹ

중요해!
18 그림은 공기의 저항이나 마찰이 없는 반원형 그릇에서 구슬이 A~E 지점 사이를 왕복 운동하는 것을 나타낸 것이다.

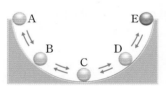

A~E 중 구슬의 운동 에너지가 가장 큰 지점은?

① A   ② B   ③ C

④ D   ⑤ 모든 지점에서 같다.

19 그림은 공기 저항과 마찰을 무시할 때 롤러코스터가 레일을 따라 운동하는 모습을 나타낸 것이다.

출발점에서 속력이 0인 롤러코스터가 도착점에 도착할 수 있는지 그 까닭과 함께 설명하시오.

_____

_____

01

오른쪽 그림은 가만히 떨어뜨린 야구공의 운동을 일정한 시간 간격으로 나타낸 것이다. (단, 공기의 저항이나 마찰은 무시한다.)

(1) 야구공이 낙하 하는 동안 위치 에너지와 운동 에너지의 변화를 설명하시오.

ㄴ 야구공이 낙하 할 때 (　　　) 에너지는 점점 감소하고,

(　　　) 에너지는 점점 증가한다.

(2) 야구공이 낙하 하는 동안 역학적 에너지의 전환을 설명하시오.

02

다음은 공이 자유 낙하 운동을 할 때 역학적 에너지에 대하여 설명한 것이다. (단, 공기의 저항이나 마찰은 무시한다.)

질량이 m인 공이 높이 h_1에서 h_2로 떨어지는 동안 속력이 v_1에서 v_2로 증가하고, 공의 위치 에너지가 감소한 만큼 운동 에너지가 증가한다. 이것을 식으로 나타내면

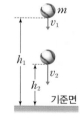

$$9.8mh_1 - 9.8mh_2 = \frac{1}{2}mv_2^2 - \frac{1}{2}mv_1^2$$

이고, 이 식을 정리하면 다음과 같다.

$$9.8mh_1 + \frac{1}{2}mv_1^2 = 9.8mh_2 + \frac{1}{2}mv_2^2 \cdots \text{㉠}$$

(1) ㉠ 식에 대하여 설명하시오.

ㄴ ㉠ 식의 좌변은 높이 h_1에서의 공의 (　　　) 에너지이고,

우변은 높이 h_2에서의 공의 (　　　) 에너지이다.

(2) 공의 높이에 따른 역학적 에너지를 설명하시오.

03

오른쪽 그림은 연직 위로 던져 올린 공이 위로 올라가는 모습을 일정한 시간 간격으로 나타낸 것이다. 이때 A 지점에서 공의 운동 에너지는 98 J이다. (단, 공기의 저항이나 마찰은 무시한다.)

(1) E 지점에서 공의 위치 에너지는 몇 J인지 설명하시오.

ㄴ 공이 위로 올라가는 동안 공의 운동 에너지가 위치 에너지로 (　　　)되고 E 지점에서 공의 운동 에너지가 0이므로 위치 에너지는 (　　　) J이다.

(2) 공의 질량이 2 kg이라면 E 지점에서의 높이는 몇 m인지 계산 과정과 함께 구하시오.

04

그림은 스케이트보드 선수가 하프파이프에서 운동을 하는 모습을 나타낸 것이다. (단, 공기의 저항이나 마찰은 무시한다.)

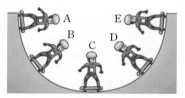

(1) A→B→C 구간에서 스케이트보드 선수의 운동 변화를 설명하시오.

ㄴ A→B→C 구간에서는 선수의 높이가 (　　　), 선수의 속력이 (　　　).

(2) C→D→E 구간에서 선수의 위치 에너지와 운동 에너지가 각각 어떻게 변하는지 설명하시오.

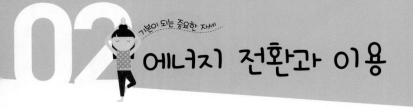

02 에너지 전환과 이용

기분이 되는 중요한 자세

핵심 키워드
전자기 유도, 소비 전력, 전기 에너지의 전환

ⓐ 전자기 유도 〈탐구 188쪽〉

1. 전자기 유도 코일 근처에서 자석을 움직이거나 자석 근처에서 코일을 움직이면 코일에 전류가 흐르는 현상 ❶❷

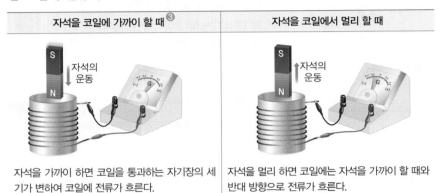

자석을 코일에 가까이 할 때 ❸	자석을 코일에서 멀리 할 때
자석을 가까이 하면 코일을 통과하는 자기장의 세기가 변하여 코일에 전류가 흐른다.	자석을 멀리 하면 코일에는 자석을 가까이 할 때와 반대 방향으로 전류가 흐른다.

2. 유도 전류 전자기 유도 현상이 일어날 때 코일에 흐르는 전류

ⓑ 발전기

1. 발전기 전자기 유도 현상을 이용하여 전기를 만드는 장치

① 발전기의 구조: 자석과 코일로 이루어져 있다.

② 발전기의 원리: 자석 사이에서 코일이 회전하면 전자기 유도 현상이 일어나 코일에 전류가 흐른다.

전자기 유도 현상이 일어나 유도 전류가 흐른다.

발전기의 코일이 자석 사이에서 회전한다.

③ 발전기에서 에너지 전환: 역학적 에너지 → 전기 에너지

2. 여러 가지 발전소 수력 발전소, 풍력 발전소, 화력 발전소 등 여러 발전소에서는 발전기에서 전자기 유도 현상을 이용하여 전기 에너지를 생산한다. ❹

구분	수력 발전소	풍력 발전소	화력 발전소
모습			
발전 원리	댐에 있는 물을 흘려보내 터빈을 돌려 발전기에서 전기를 생산한다.	바람의 힘으로 터빈을 돌려 발전기에서 전기를 생산한다.	연료를 태워 물을 가열하여 생긴 수증기로 터빈을 돌려 발전기에서 전기를 생산한다.
에너지 전환	물의 역학적 에너지 → 터빈의 역학적 에너지 → 전기 에너지	바람의 역학적 에너지 → 터빈의 역학적 에너지 → 전기 에너지	연료의 화학 에너지 → 수증기의 열에너지 → 터빈의 역학적 에너지 → 전기 에너지

❶ 전자기 유도

자석을 코일 속에 넣고 가만히 있으면 전류가 흐르지 않지만 자석을 코일에 가까이 하거나 멀리 하면 전류가 흐른다. 코일 근처에서 자석을 움직이면 코일을 통과하는 자기장의 세기가 변하게 되어 코일에 전류가 흐른다.

❷ 전자기 유도의 이용

전자기 유도는 주변에서 다양하게 이용된다. 전자기 유도를 이용하는 예로 발전기 외에 자가 발전 손전등, 발로 페달을 돌리면 전기가 발생하는 운동 기구, 발광 인라인 스케이트, 교통카드 단말기 등이 있다.

❸ 자석의 극을 반대로 하여 코일에 가까이 할 때 유도 전류의 방향

자석의 운동

코일에 자석의 S극을 가까이 할 때 코일에 흐르는 전류의 방향은 자석의 N극을 가까이 할 때 코일에 흐르는 전류의 방향과 반대이다.

❹ 발전소에서의 발전기

코일 자석 터빈 회전축

실제 발전소에서는 코일 대신 자석을 회전시키기도 한다. 터빈이 회전하면 터빈과 연결된 자석이 회전하여 전자기 유도에 의해 전기 에너지를 생산한다.

■ 용어 이해하기

• **터빈**(turbine) 날개가 많이 달린 회전체로 증기나 물 또는 바람 등에 의해 회전한다.

1 전자기 유도에 대한 설명으로 옳은 것은 ○표, 옳지 않은 것은 ×표를 하시오.
(1) 자석을 코일 속에 넣고 가만히 있어도 전류가 흐른다. ⋯⋯⋯ (　　)
(2) 코일 주위에서 자석이 움직이면 코일에 전류가 흐른다. ⋯⋯⋯ (　　)
(3) 자석 주위에서 코일이 움직이면 코일에 전류가 흐른다. ⋯⋯⋯ (　　)
(4) 자석의 극을 바꾸면 코일에 흐르는 전류의 방향이 달라진다. ⋯⋯ (　　)
(5) 자석을 코일에 가까이 할 때나 멀리 할 때 코일에 흐르는 전류의 방향이 같다. ⋯⋯⋯⋯⋯⋯⋯⋯⋯⋯⋯⋯⋯⋯⋯⋯⋯⋯⋯⋯⋯⋯⋯⋯⋯⋯ (　　)

2 오른쪽 그림과 같이 자석의 N극을 코일에 가까이 하였더니 전구에 A 방향으로 전류가 흘렀다. 자석의 N극을 코일에서 멀리 할 때 전구에 흐르는 전류의 방향을 쓰시오.

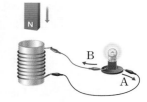

3 자석을 코일에 가까이 할 때 코일에 유도 전류가 흐른다. 이때 전류의 방향을 바꾸는 방법으로 옳은 것을 보기에서 모두 고르시오.

> 보기
> ㄱ. 자석을 빠르게 움직인다.
> ㄴ. 코일의 감은 수를 많이 한다.
> ㄷ. 자석의 같은 극을 코일에서 멀리 한다.
> ㄹ. 자석의 다른 극을 코일에 가까이 한다.

4 발전기의 구조와 원리에 대한 설명의 빈칸 ㉠～㉢에 알맞은 말을 쓰시오.

> 발전기는 (㉠　　　　)과 코일로 이루어져 있다. 자석 사이에서 코일이 회전하면 (㉡　　　　) 현상이 일어나 코일에 전류가 흐른다. 이때 코일이 회전하는 역학적 에너지가 (㉢　　　　) 에너지로 전환된다.

5 각 발전 방식에서 일어나는 에너지의 전환을 옳게 연결하시오.

(1) 수력 발전 • ・㉠ 바람의 역학적 에너지 → 전기 에너지

(2) 풍력 발전 • ・㉡ 물의 역학적 에너지 → 전기 에너지

02 에너지 전환과 이용

기본이 되는 중요한 자세

ⓒ 에너지 전환과 보존

1. **에너지 전환** 에너지는 한 형태에서 다른 형태의 에너지로 전환된다. ❺
   • 전자기 유도와 에너지 전환: 역학적 에너지가 전기 에너지로 전환된다.

2. **에너지 보존 법칙** 에너지가 전환되는 과정에서 에너지는 새로 만들어지거나 사라지지 않고, 그 총합은 항상 일정하게 보존된다.

자동차에서 일어나는 에너지 전환과 보존

자동차에 공급된 화학 에너지는 여러 가지 에너지로 전환된다.

화학 에너지 → 전기 에너지 / 빛에너지 / 소리 에너지 / 열에너지 / 역학적 에너지

• 자동차는 연료를 이용하여 주행한다.(화학 에너지 ❻ ➡ 역학적 에너지)
• 연료의 화학 에너지의 일부는 열에너지로 전환되며, 그 외에도 전기 에너지로 전환되어 전조등이나 라디오 등 각종 전기 장치에서 소리 에너지, 빛에너지 등으로 전환된다.
• 전환된 모든 에너지의 총합은 일정하게 보존된다.
➡ 화학 에너지＝열에너지＋전기 에너지(소리 에너지＋빛에너지)＋역학적 에너지

ⓓ 전기 에너지

1. **전기 에너지의 생산** ❼ 일상생활에서 사용하는 전기 에너지는 화력 발전소, 수력 발전소, 풍력 발전소 등으로부터 얻는다.

2. **전기 에너지의 장점** <u>집중 공략 189쪽</u>
   ① 전선을 이용하여 비교적 쉽게 먼 곳까지 전달할 수 있다.
   ② 전지에 저장하여 휴대하고 다니며 필요할 때 사용할 수 있다.
   ③ 각종 전기 기구를 통해 다른 에너지로 쉽게 전환하여 이용할 수 있다.

3. **전기 에너지의 전환**

선풍기	전기밥솥	세탁기
전기 에너지 ➡ 운동 에너지	전기 에너지 ➡ 열에너지	전기 에너지 ➡ 운동 에너지
전등	**스피커**	**배터리 충전**
전기 에너지 ➡ 빛에너지	전기 에너지 ➡ 소리 에너지	전기 에너지 ➡ 화학 에너지

---

❺ **에너지 전환의 예**
• 휴대 전화: 배터리로부터 전기를 얻어 화면, 소리, 진동 등 다양하게 이용한다. (화학 에너지 → 전기 에너지 → 빛에너지＋소리 에너지＋운동 에너지 등)
• 조명 : 불이 켜지고, 오랫동안 작동하면 따뜻해진다. (전기 에너지 → 빛에너지＋열에너지)

❻ **화학 에너지**
화학 결합에 의해 물질 속에 저장된 에너지로, 음식이나 건전지 등 각종 연료에는 화학 에너지가 저장되어 있다.

❼ **전기 에너지**
전류가 흐를 때 공급되는 에너지로, 단위로 J(줄)을 사용한다.

■ **용어 이해하기**
• **전지**(번개 電, 못 池) 화학 반응 따위에 의해 전류를 일으키는 장치

개념 다지기

+) 정답과 해설 48쪽

초성 퀴즈 Ω

ⓒ 에너지 전환과 보존

• 에너지는 한 형태에서 다른 형 태로 전환되는데 이를 ⬜ⓞ ⬜ⓝ ⬜ⓩ ⬜ⓩ ⬜ⓗ 이라고 한다.

• ⬜ⓞ ⬜ⓝ ⬜ⓩ ⬜ⓑ ⬜ⓩ ⬜ⓑ ⬜ⓒ 은 에너지가 전환되는 과정에 서 에너지가 새로 만들어지거 나 사라지지 않고, 그 총합은 항상 일정하게 보존된다는 법 칙이다.

ⓓ 전기 에너지

• ⬜ⓩ ⬜ⓖ 에너지는 각종 전기 기구를 통해 다른 에너지로 쉽 게 전환하여 이용할 수 있다.

• 전기밥솥에서는 전기 에너지가 ⬜ⓞ 에너지로 전환된다.

6 오른쪽 그림과 같이 코일 근처에서 자석을 움직여 코일에 전류가 흘렀다. 이때 일어난 에너지 전환 과정을 쓰시오.

자석의 운동

7 방에서 전등을 사용할 때 전등에서 일어나는 에너지 전환에 대한 다음의 식에서 ㉠에 알맞은 비율은 몇 %인지 구하시오.

전기 에너지(100 %)＝빛에너지(81 %)＋열에너지(㉠)

8 전기 에너지에 대한 설명으로 옳은 것은 ○표, 옳지 <u>않은</u> 것은 ×표를 하시오.

(1) 전선을 이용하여 비교적 가까운 곳에만 전달할 수 있다. ·················· (   )

(2) 전지에 저장하여 휴대하고 다니며 필요할 때 사용할 수 있다. ········· (   )

(3) 각종 전기 기구를 통해 다른 종류의 에너지로 쉽게 전환하여 이용한다.
·· (   )

9 각 전기 기구에서 전기 에너지는 주로 어떤 에너지로 전환되는지 쓰시오.

(1) 선풍기: 전기 에너지 ➡ (   ) 에너지

(2) 전등: 전기 에너지 ➡ (   )에너지

(3) 스피커: 전기 에너지 ➡ (   ) 에너지

(4) 배터리 충전: 전기 에너지 ➡ (   ) 에너지

10 스마트폰의 사용 용도와 이때 이용하는 전기 에너지의 전환을 옳게 연결하시오.

(1) | 음악을 듣는다. | •   • ㉠ | 전기 에너지 → 빛에너지 |

(2) | 화면에 나타난 사진을 본다. | •   • ㉡ | 전기 에너지 → 소리 에너지 |

(3) | 전화가 온 것을 진동 을 통해 안다. | •   • ㉢ | 전기 에너지 → 운동 에너지 |

ⓓ 열 ⓒ 에너지 전환, 에너지 보존 법칙

02 에너지 전환과 이용

기본이 되는 중요한 자세

ⓔ 소비 전력

1. **소비 전력** 전기 기구가 1초 동안 소비하는 전기 에너지의 양
   ① 단위: W(와트), kW(킬로와트) 등 ⑧
   ② 가전제품의 소비 전력: 가전제품은 종류마다 소비 전력이 다르며, 같은 제품이라도 사용 방법에 따라 소비 전력이 다를 수도 있다.

   ③ 소비 전력을 구하는 식: 전기 에너지를 사용한 시간으로 나누어 구한다.

   $$소비\ 전력(W) = \frac{전기\ 에너지(J)}{사용\ 시간(s)}$$

   ⑩ 1초 동안 전기 에너지 20 J을 소비하는 전기 기구의 소비 전력은 20 W이다.

2. **소비 전력과 에너지** 같은 목적으로 사용하더라도, 사용 과정에서 불필요하게 낭비되는 열에너지가 많은 전기 기구일수록 소비 전력이 크다.

   - 1초 동안 두 LED 전구 (가)와 (나)가 방출하는 빛에너지의 양은 같다.
   - (가)와 (나)에서 발생하는 열에너지의 양이 다르다. ⑨
   - 소비 전력은 (가)>(나)이다. ➡ (가)가 (나)보다 더 많은 전기 에너지를 소비한다.

   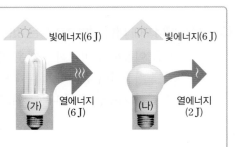

ⓕ 전력량과 에너지의 효율적 이용

1. **전력량** 일정 시간 동안 사용한 전기 에너지의 양
   ① 단위: Wh(와트시), kWh(킬로와트시) 등
   ② 전력량을 구하는 식: 소비 전력에 사용 시간을 곱하여 구한다.

   $$전력량(Wh) = 소비\ 전력(W) \times 사용\ 시간(h)$$

   ⑩ 소비 전력이 20 W인 전기 기구를 1시간 동안 사용할 때의 전력량은 20 Wh이다.

2. **에너지의 효율적 이용**
   ① 에너지 소비 효율 등급 표시제: 가전제품이 에너지를 효율적으로 이용하는 정도를 1등급에서 5등급으로 구분하여 이를 표시한다. ➡ 1등급으로 갈수록 전기 에너지를 효율적으로 이용하는 가전제품이다.

   ② 에너지 절약 표시: 에너지 효율이 뛰어나거나, 대기전력이 작은 가전제품에 표시한다. ⑩

---

⑧ **접두어로 표현한 단위**
매우 작거나 매우 큰 숫자들을 나타내기 위해 10의 거듭제곱을 나타내는 접두어를 사용하기도 한다. 그 중 접두어 k는 10^3을 나타낸다.
- 1000 W = 1 kW
- 1000 Wh = 1 kWh

⑨ **열화상 사진기로 본 두 전구**

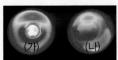

빛의 밝기가 거의 같은 두 전구의 모습을 열화상 사진기를 통해 보았을 때 소비 전력이 큰 (가)가 (나)보다 많은 열이 방출되고 있다는 것을 알 수 있다.

⑩ **대기전력**
가전제품을 실제로 사용하지 않는 대기 상태에서 소비되는 전력으로, 가전제품의 전원이 꺼져 있더라도 플러그가 콘센트에 연결되어 있으면 대기전력을 소비하기도 한다.

■ **용어 이해하기**
- **절약**(절약할 節, 아낄 約) 함부로 쓰지 않고 꼭 필요한 데만 써서 아낌

초성 퀴즈

e 소비 전력

• 전기 기구가 1초 동안 소비하는 ⬜⬜⬜⬜⬜의 양을 소비 전력이라고 한다.

• 사용 과정에서 불필요하게 낭비되는 ⬜⬜⬜⬜가 많은 전기 기구일수록 소비 전력이 크다.

f 전력량과 에너지의 효율적 이용

• 일정 시간 동안 사용한 전기 에너지의 양을 ⬜⬜⬜이라고 한다.

11 소비 전력에 대한 설명으로 옳은 것은 ○표, 옳지 <u>않은</u> 것은 ×표를 하시오.

(1) 가전 제품의 종류에 관계없이 소비 전력은 같다. ·············· (　)

(2) 소비 전력의 단위는 W(와트), kW(킬로와트) 등을 사용한다. ·· (　)

(3) 소비 전력은 전기 에너지를 사용한 시간으로 나누어 구한다. ·· (　)

(4) 소비 전력은 전기 기구가 1시간 동안 소비하는 전기 에너지의 양이다.
··· (　)

12 오른쪽 그림은 전구 (가)와 (나)에서 1초 동안 방출한 에너지를 나타낸 것이다.

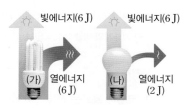

(1) 전구 (가)와 전구 (나)가 1초 동안 소비하는 전기 에너지는 각각 몇 J인지 쓰시오.

(2) (가), (나) 중 소비 전력이 더 큰 전구는 어느 것인지 쓰시오.

13 각 전기 기구의 소비 전력이나 전력량, 전기 에너지를 구하시오.

(1) 전기 기구가 10초 동안 200 J의 에너지를 사용하였을 때의 소비 전력

(2) 소비 전력이 100 W인 전기 기구를 2시간 동안 사용하였을 때의 전력량

(3) 소비 전력이 10 W인 전기 기구를 10초 동안 사용했을 때 사용한 전기 에너지

14 소비 전력이 2000 W인 에어컨 1대와 소비 전력이 80 W인 선풍기 1대가 있다.

(1) 에어컨 1대와 선풍기 1대를 각각 2시간씩 사용했을 때 소비한 전력량은 몇 Wh인지 구하시오.

(2) 두 전기 기구를 매일 2시간씩 30일 동안 사용했을 때 소비한 전력량의 차이는 몇 Wh인지 구하시오.

15 에너지의 효율적 이용에 대한 설명으로 옳은 것은 ○표, 옳지 <u>않은</u> 것은 ×표를 하시오.

(1) 에너지 절약 표시는 에너지 효율이 작거나, 대기전력이 큰 가전제품에 표시한다. ·· (　)

(2) 에너지 소비 효율 등급이 5등급으로 갈수록 전기 에너지를 효율적으로 이용하는 가전제품이다. ······································· (　)

(3) 에너지 소비 효율 등급 표시제는 가전제품이 에너지를 효율적으로 이용하는 정도를 1등급에서 5등급으로 구분하여 이를 표시한다. ····· (　)

자석이나 코일을 움직여 전류 만들기

목표 자석이나 코일이 움직일 때 전류가 발생하는 것을 설명할 수 있다.

과정 및 결과

❶ 코일에 검류계를 연결한 후 자석을 코일에 천천히 넣으면서 검류계 바늘의 움직임을 관찰한다.

→ 검류계의 바늘이 움직인다.

❷ 자석을 코일 속에 넣고 움직이지 않을 때 검류계 바늘의 움직임을 관찰한다.

→ 검류계의 바늘이 움직이지 않는다.

❸ 자석을 코일에서 천천히 빼면서 검류계 바늘의 움직임을 관찰한다.

→ 과정 ❶의 결과와 반대 방향으로 검류계의 바늘이 움직인다.

❹ 코일을 움직여 자석을 코일에 넣으면서 검류계 바늘의 움직임을 관찰한다.

→ 검류계의 바늘이 움직인다.

검류계 자석 코일

정리

1 코일에 흐르는 전류 자석이 코일 근처에서 움직일 때 코일에 (㉠   )가 흐른다.
2 자석의 운동 방향에 따른 유도 전류의 방향 자석이 코일에 가까워질 때와 멀어질 때 코일에 흐르는 전류의 방향은 (㉡ 같다 , 다르다).
3 코일 근처에서 자석이 움직일 때 에너지 전환 (㉢   ) 에너지 ➡ 전기 에너지

같은 주제 다른 탐구 ▶ 간이 발전기 만들기

과정

❶ 플라스틱 관에 에나멜선을 감아 코일을 만들고, 에나멜선의 양 끝을 사포로 문지른다.

❷ 에나멜선을 발광 다이오드의 양 끝에 각각 연결하고 플라스틱 관에 자석을 넣는다.

❸ 플라스틱 관의 양 끝을 마개로 막고 플라스틱 관을 흔들면서 발광 다이오드를 관찰한다.

결과 및 정리

1 플라스틱 관을 흔들 때 발광 다이오드에 불이 켜진다.
2 플라스틱 관을 빠르게 흔들수록 발광 다이오드의 밝기가 밝다.
3 발광 다이오드에 불이 켜질 때 역학적 에너지가 전기 에너지, 빛에너지로 전환된다.

＋) 정답과 해설 **49**쪽

1 이 탐구에서 검류계 바늘이 움직이지 <u>않는</u> 경우는?

① 자석의 N극을 코일에 가까이 할 때
② 자석의 N극을 코일에서 멀리 할 때
③ 자석의 S극을 코일에 가까이 할 때
④ 자석의 S극을 코일에서 멀리 할 때
⑤ 자기력이 강한 자석을 코일 속에 넣고 가만히 있을 때

2 이 탐구에서 자석을 코일 근처에서 움직여 코일에 전류가 흐를 때 에너지 전환으로 옳은 것은?

① 빛에너지 → 열에너지
② 역학적 에너지 → 빛에너지
③ 전기 에너지 → 소리 에너지
④ 역학적 에너지 → 전기 에너지
⑤ 전기 에너지 → 역학적 에너지

그림으로 한눈에 정리하기

전기 에너지의 장점과
전기 에너지의 전환 알아보기

➕ 정답과 해설 **49쪽**

우리 가정에서 사용하는 각종 전기 기구에서 일어나는 에너지 전환을 그림을 통해 한눈에 알아보고 전기 에너지의 장점을 이해하자.

유제 **1** 가정에서 사용하는 전기 에너지의 장점 한 가지를 쓰시오.

_____

_____

유제 **2** 가정에서 사용하는 전기 기구와 전기 기구에서 주로 일어나는 에너지 전환을 짝 지은 것으로 옳지 <u>않은</u> 것은?

① 세탁기: 전기 에너지 → 열에너지
② 형광등: 전기 에너지 → 빛에너지
③ 전기밥솥: 전기 에너지 → 열에너지
④ 오디오: 전기 에너지 → 소리 에너지
⑤ 청소기: 전기 에너지 → 운동 에너지

유제 **3** 전기포트에서 물을 끓일 때 일어나는 에너지 전환을 쓰시오.

_____

_____

유제 **4** 집 안의 냉장고에서 일어나는 에너지 전환에 대한 설명의 빈칸에 알맞은 단어를 쓰시오.

냉장고에 음식을 넣어 음식을 차게 보관할 수 있는 것은 냉장고에서 전기 에너지를 이용하여 전동기를 돌려 냉매를 순환시키기 때문이다. 이때, 냉장고는 전기 에너지를 전동기를 돌리는 데에 사용하므로 전기 에너지가 (   ) 에너지로 전환된다.

a 전자기 유도

[01~02] 오른쪽 그림과 같이 검류계와 연결된 코일 속에 자석을 넣었다가 빼는 실험을 하였다.

탐구 188쪽

중요해!

01 이에 대한 설명으로 옳지 않은 것은?

① 전자기 유도 현상이 일어난다.
② 코일에 흐르는 전류를 유도 전류라고 한다.
③ 전원에 연결하지 않아도 코일에 전류가 흐른다.
④ 코일 속에 자석을 넣을 때 검류계 바늘이 움직인다.
⑤ 코일 속에서 자석을 뺄 때 검류계 바늘이 움직이지 않는다.

탐구 188쪽

02 검류계의 바늘이 움직이게 하는 방법으로 옳은 것을 보기에서 모두 고른 것은?

┤ 보기 ├
ㄱ. 자석을 코일에 더 빠르게 가까이 한다.
ㄴ. 자석 대신 코일을 같은 빠르기로 움직인다.
ㄷ. 더 센 자석을 코일 속에 넣고 가만히 있는다.

① ㄱ   ② ㄷ   ③ ㄱ, ㄴ
④ ㄴ, ㄷ   ⑤ ㄱ, ㄴ, ㄷ

b 발전기

03 오른쪽 그림은 간단한 발전기의 모습을 나타낸 것이다. 이에 대한 설명으로 옳은 것을 보기에서 모두 고른 것은?

┤ 보기 ├
ㄱ. 자석과 코일로 이루어져 있다.
ㄴ. 정전기 유도 현상을 이용한다.
ㄷ. 자석 사이에서 코일이 회전하면 코일에 전류가 흐른다.

① ㄴ   ② ㄷ   ③ ㄱ, ㄴ
④ ㄱ, ㄷ   ⑤ ㄱ, ㄴ, ㄷ

04 오른쪽 그림은 풍력 발전기의 모습을 나타낸 것이다. 풍력 발전에서 일어나는 에너지의 전환 과정으로 옳은 것은?

① 열에너지 → 전기 에너지
② 빛에너지 → 소리 에너지
③ 역학적 에너지 → 전기 에너지
④ 역학적 에너지 → 화학 에너지
⑤ 전기 에너지 → 역학적 에너지

중요해!

05 그림과 같은 회로에서 손발전기를 돌려 전구에 불을 켰다.

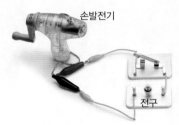

손발전기
전구

이때 일어나는 에너지 전환으로 옳은 것은?

① 전기 에너지 → 화학 에너지 → 빛에너지
② 빛에너지 → 전기 에너지 → 역학적 에너지
③ 화학 에너지 → 역학적 에너지 → 열에너지
④ 역학적 에너지 → 전기 에너지 → 빛에너지
⑤ 역학적 에너지 → 화학 에너지 → 열에너지

c 에너지 전환과 보존

06 에너지 전환과 보존에 대한 설명으로 옳은 것을 보기에서 모두 고른 것은?

┤ 보기 ├
ㄱ. 전자기 유도에서 역학적 에너지는 전기 에너지로 전환된다.
ㄴ. 에너지가 전환될 때 에너지가 새로 생기거나 사라지지 않고 그 양은 항상 일정하게 보존된다.
ㄷ. 한 종류의 에너지에서 다른 종류의 에너지로 변하는 것을 에너지 보존 법칙이라고 한다.

① ㄱ   ② ㄷ   ③ ㄱ, ㄴ
④ ㄴ, ㄷ   ⑤ ㄱ, ㄴ, ㄷ

[07~08] 그림은 자동차에서 일어나는 에너지 전환을 나타낸 것이다.

07 이에 대한 설명으로 옳은 것을 보기에서 모두 고른 것은?

> **보기**
>
> ㄱ. 화학 에너지는 열에너지로 가장 많이 전환되었다.
> ㄴ. 화학 에너지가 빛에너지로 전환된 비율은 15 %이다.
> ㄷ. 화학 에너지는 열에너지와 역학적 에너지로만 전환된다.

① ㄱ   ② ㄷ   ③ ㄱ, ㄴ
④ ㄴ, ㄷ   ⑤ ㄱ, ㄴ, ㄷ

08 화학 에너지로 공급된 에너지의 양이 **1000 J**이었다면 역학적 에너지로 전환된 양은 몇 J인가?

① 100 J   ② 150 J   ③ 350 J
④ 500 J   ⑤ 1000 J

서답형 ✎

09 그림은 자석이 코일을 감은 플라스틱 관을 통과하여 떨어지는 동안 자석의 역학적 에너지를 나타낸 것이다.

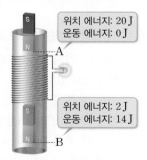

위치 에너지: 20 J
운동 에너지: 0 J
——A

위치 에너지: 2 J
운동 에너지: 14 J
——B

자석이 A에서 B 지점까지 낙하 하는 동안 역학적 에너지에서 전환된 전기 에너지는 몇 J인지 그 까닭과 함께 설명하시오. (단, 공기의 저항이나 마찰은 무시한다.)

_____

_____

10 다음의 여러 상황에서 주로 일어나는 에너지 전환으로 옳지 **않은** 것은?

① 손전등: 전기 에너지 → 빛에너지
② 손뼉: 역학적 에너지 → 소리 에너지
③ 모닥불: 화학 에너지 → 빛, 열에너지
④ 기타 연주: 역학적 에너지 → 소리 에너지
⑤ 손발전기: 전기 에너지 → 화학 에너지

d 전기 에너지

새로워!   집중 공략 **189**쪽
11 가전제품 중에서 전기 에너지를 주로 운동 에너지로 전환하는 것은?

① 전등   ② 스피커   ③ 토스터

④ 진공청소기   ⑤ 전기난로

집중 공략 **189**쪽
12 전기 에너지의 특징을 보기에서 모두 고른 것은?

> **보기**
>
> ㄱ. 전선을 이용하여 비교적 먼 곳까지 쉽게 전달한다.
> ㄴ. 각종 전기 기구를 통해 다양한 다른 에너지로 전환할 수 있다.
> ㄷ. 전기 에너지를 저장하고 휴대하기 어려워 필요할 때 바로 사용하기 힘들다.

① ㄱ   ② ㄷ   ③ ㄱ, ㄴ
④ ㄴ, ㄷ   ⑤ ㄱ, ㄴ, ㄷ

e 소비 전력

중요해!

13 소비 전력에 대한 설명으로 옳지 않은 것은?

① 소비 전력의 단위로 W(와트)를 사용한다.

② 전기 기구가 1초 동안 사용한 전기 에너지이다.

③ 가전제품은 종류마다 소비 전력이 다르다.

④ 소비 전력이 클수록 같은 시간 동안 더 많은 전기 에너지를 소비한다.

⑤ 어떤 전기 기구가 1초 동안 5 J의 에너지를 사용했다면, 이 기구의 소비 전력은 5 Wh이다.

14 어떤 전기 제품에 사용하는 전구를 살펴보니 '220 V−30 W'라고 오른쪽 그림과 같이 적혀 있었다. 이 전구에 대한 설명으로 옳은 것을 보기에서 모두 고른 것은?

┌─ 보기 ─────────────────────────
ㄱ. 소비 전력은 30 W이다.

ㄴ. 1초에 소비하는 전기 에너지는 30 J이다.

ㄷ. 전기 에너지를 주로 역학적 에너지로 전환한다.
└──────────────────────────────

① ㄱ   ② ㄷ   ③ ㄱ, ㄴ

④ ㄴ, ㄷ   ⑤ ㄱ, ㄴ, ㄷ

f 전력량과 에너지의 효율적 이용

서답형

15 오른쪽 그림은 소비 전력이 45 W인 선풍기를 나타낸 것이다. 이 선풍기를 10시간 사용했을 때의 전력량을 계산 과정과 함께 구하시오.

_____

_____

[16~17] 표는 여러 가지 가전제품의 소비 전력을 나타낸 것이다.

가전제품	LED등	형광등	전기난로	전기장판
소비 전력(W)	15	35	1000	250

새로워!

16 이에 대한 설명으로 옳지 않은 것은?

① LED등과 형광등은 전기 에너지를 주로 빛에너지로 전환한다.

② 전기난로와 전기장판은 전기 에너지를 주로 열에너지로 전환한다.

③ LED등이 형광등보다 같은 시간 동안 소비하는 전기 에너지의 양이 적다.

④ 전기 에너지를 열에너지로 전환하는 기구보다 빛에너지로 전환하는 기구가 더 많은 전기 에너지를 사용한다.

⑤ 전기장판을 4시간 동안 사용한 전기 에너지의 양과 전기난로를 1시간 동안 사용한 전기 에너지의 양은 같다.

17 어느 가정에서 형광등을 2시간, 전기난로를 1시간, 전기장판을 3시간 사용했다면 이 가정에서 사용한 총 전력량은 몇 Wh인가?

① 1285 Wh   ② 1320 Wh   ③ 1780 Wh

④ 1820 Wh   ⑤ 3320 Wh

18 전기 에너지의 절약에 대한 설명으로 옳지 않은 것은?

① 에너지 절약을 위해 에너지 소비 효율 등급 표시제를 시행하고 있다.

② 에너지 소비 효율 등급은 5등급으로 갈수록 전기 에너지를 효율적으로 이용한다.

③ 전기 에너지를 효율적으로 소비하는 가전제품에는 별도의 인증 표시를 붙이기도 한다.

④ 에너지 소비 효율 등급은 에너지를 효율적으로 이용하는 정도를 1등급에서 5등급으로 구분한다.

⑤ 가전제품의 전원이 꺼져 있더라도 플러그가 콘센트에 연결되어 있으면 대기전력을 소비하기도 한다.

단계별 문제로
서술형
연습하기

01 그림은 흔들어서 불을 켤 수 있는 자가 발전 손전등의 구조를 나타낸 것이다.

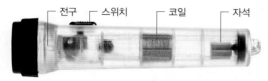

전구 — 스위치 — 코일 — 자석

(1) 손전등에 불이 들어오는 과정을 설명하시오.

↳ 손전등을 흔들면 손전등 안의 (   )이 움직이면서 전자

기 유도 현상에 의해 코일에 (   )가 흘러 손전등에 불이 켜

진다.

(2) 손전등에 불이 들어오는 과정에서 에너지 전환을 설명하시오.

_____

_____

02 그림은 높은 곳에 있는 물을 이용하여 전기를 만드는 수력 발전소의 모습을 나타낸 것이다.

(1) 수력 발전소에서 전기를 만드는 과정을 설명하시오.

↳ 높은 곳에 있는 (   )이 아래로 떨어지면서 터빈을 돌려

터빈과 연결된 (   )에서 전기를 생산한다.

(2) 수력 발전소에서의 에너지 전환을 설명하시오.

_____

03 공을 높은 곳에서 떨어뜨리면 그림과 같이 공이 튀면서 튀어 오르는 높이가 점점 낮아진다.

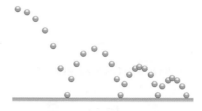

(1) 공의 운동에서 역학적 에너지가 보존되는지에 대하여 그 까닭과 함께 설명하시오.

↳ 공의 운동에서 공이 처음 높이만큼 올라오지 못하므로 역

학적 에너지는 (   ).

(2) 위와 같은 현상이 나타나는 까닭을 에너지 전환과 보존으로 설명하시오.

_____

_____

04 그림과 같이 소비 전력이 1200 W인 헤어드라이어를 사용하였다.

(1) 헤어드라이어에서 일어나는 에너지 전환을 설명하시오.

↳ 헤어드라이어에 전류가 흐르면 따뜻한 바람이 나오므로 전

기 에너지는 역학적 에너지와 (   )에너지로 전환된다.

(2) 헤어드라이어를 1초 동안 사용할 때 소비하는 전기 에너지와 30분 동안 사용할 때의 전력량을 계산 과정과 함께 구하시오.

_____

_____

이 단원에서 배운 핵심 단어를 빈칸에 채워 넣어 생각 그물을 완성해 보자.

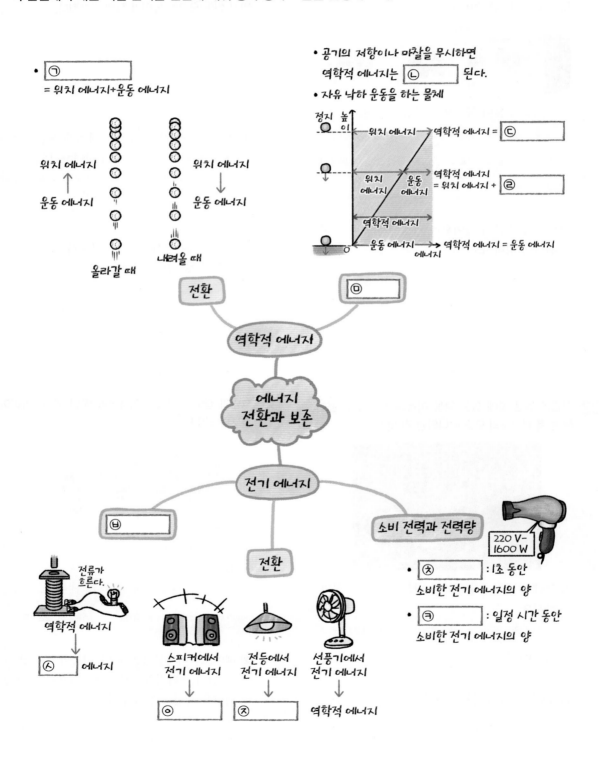

• ⑦ 　　　　
= 위치 에너지+운동 에너지

위치 에너지 ↑ 운동 에너지

올라갈 때

위치 에너지 ↓ 운동 에너지

내려올 때

• 공기의 저항이나 마찰을 무시하면 역학적 에너지는 ⑥ 　　　　 된다.

• 자유 낙하 운동을 하는 물체

정지 높이

위치 에너지 → 역학적 에너지 = ⑤ 　　　　

위치 에너지　운동 에너지 → 역학적 에너지 = 위치 에너지 + ② 　　　　

역학적 에너지

운동 에너지 → 역학적 에너지 = 운동 에너지
에너지

전환

⑪ 　　　　

역학적 에너지

에너지 전환과 보존

전기 에너지

ⓗ 　　　　

전류가 흐른다.

역학적 에너지 ↓ ⓐ 　　　　 에너지

전환

스피커에서 전기 에너지 ↓ ⊙ 　　　　

전등에서 전기 에너지 ↓ ⓩ 　　　　

선풍기에서 전기 에너지 ↓ 역학적 에너지

소비 전력과 전력량

220 V- 1600 W

• ⓧ 　　　　 : 1초 동안 소비한 전기 에너지의 양

• ③ 　　　　 : 일정 시간 동안 소비한 전기 에너지의 양

◆) 정답과 해설 51쪽

01 역학적 에너지에 대한 설명으로 옳은 것은?

① 위치 에너지와 운동 에너지의 합이다.

② 운동하는 물체의 운동 에너지는 항상 보존된다.

③ 공이 수평면을 굴러가는 동안 위치 에너지가 운동 에너지로 전환된다.

④ 물체가 위로 올라가는 동안 운동 에너지는 증가하고 위치 에너지는 감소한다.

⑤ 물체가 자유 낙하 운동을 하는 동안 운동 에너지가 위치 에너지로 전환된다.

04 오른쪽 그림은 낙하 운동을 하는 질량 2 kg인 공이 지면에서 2.5 m 높이를 지날 때 속력이 10 m/s인 것을 나타낸 것이다. 이때 공의 역학적 에너지는 몇 J인가? (단, 공기의 저항이나 마찰은 무시하며 기준면은 지면이다.)

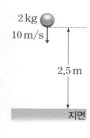

① 49 J   ② 98 J   ③ 100 J

④ 149 J   ⑤ 198 J

02 오른쪽 그림은 질량 m인 사과가 높이 h에서 떨어지는 모습을 나타낸 것이다. 사과의 높이가 h_1일 때 사과의 속력은 v_1이고 기준면에 닿는 순간 사과의 속력은 v이다. 이때 에너지의 크기가 같은 것을 보기에서 옳게 짝 지은 것은? (단, 공기의 저항이나 마찰은 무시한다.)

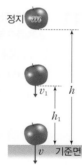

┌─┨ 보기 ┠─────────────────────┐

ㄱ. $9.8mh$ ㄴ. $\frac{1}{2}mv^2$

ㄷ. $9.8mh+\frac{1}{2}mv^2$ ㄹ. $9.8mh_1+\frac{1}{2}mv_1^2$

└──────────────────────────┘

① ㄱ, ㄴ   ② ㄱ, ㄷ   ③ ㄷ, ㄹ

④ ㄱ, ㄴ, ㄹ   ⑤ ㄴ, ㄷ, ㄹ

[05~06] 오른쪽 그림은 높이가 20 m인 A 지점에서 질량이 0.1 kg인 물체를 가만히 놓았더니 물체가 자유 낙하를 하여 D 지점에서 지면에 닿는 순간의 모습을 나타낸 것이다. (단, 기준면은 지면이고, 공기의 저항이나 마찰은 무시한다.)

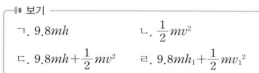

중요해!

05 이에 대한 설명으로 옳은 것은?

① A 지점에서 역학적 에너지는 물체의 운동 에너지와 같다.

② A→B 구간에서 물체의 역학적 에너지는 증가한다.

③ A보다 C 지점에서 물체의 속력이 빠르다.

④ B보다 D 지점에서 물체의 운동 에너지가 작다.

⑤ C보다 D 지점에서 물체의 위치 에너지가 크다.

서답형

03 오른쪽 그림과 같이 나뭇잎에서 물방울이 A에서 B 위치로 떨어졌다. 이때 A와 B 중에서 물방울의 위치 에너지가 더 큰 위치를 고르고 그 까닭을 설명하시오.

서답형

06 D 지점에서 물체가 가지는 운동 에너지의 크기는 몇 J인지 그 과정과 함께 구하시오.

07 그림은 연직 위로 던져 올린 물체의 운동을 0.2초 간격으로 나타낸 것이다. (이때 0.2초와 0.6초일 때 물체의 높이는 같다.)

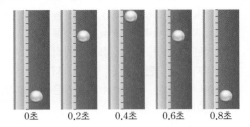

0초 0.2초 0.4초 0.6초 0.8초

이에 대한 설명으로 옳은 것을 보기에서 모두 고른 것은? (단, 공기의 저항이나 마찰은 무시한다.)

┌─ 보기 ─────────────────────────┐
ㄱ. 0~0.4초 동안 운동 에너지가 위치 에너지로 전환된다.
ㄴ. 0.4~0.6초 동안 위치 에너지가 운동 에너지로 전환된다.
ㄷ. 0.6초일 때의 속력이 0.2초일 때의 속력보다 빠르다.
└────────────────────────────┘

① ㄱ　　　　　② ㄴ　　　　　③ ㄷ
④ ㄱ, ㄴ　　　⑤ ㄱ, ㄴ, ㄷ

[08~09] 그림과 같이 레일을 따라 롤러코스터가 운동하고 있다. (단, 공기의 저항이나 마찰은 무시한다.)

08 A~D 지점 중에서 운동 에너지가 가장 큰 지점(가)와 위치 에너지가 가장 큰 지점(나)를 옳게 짝 지은 것은?

	(가)	(나)		(가)	(나)
①	A	C	②	A	D
③	B	D	④	C	A
⑤	D	A			

09 롤러코스터가 운동하는 동안 역학적 에너지가 가장 큰 지점으로 옳은 것은?

① A 지점　　② B 지점　　③ C 지점
④ D 지점　　⑤ 모든 지점에서 같다.

[10~11] 오른쪽 그림과 같이 코일에 검류계를 연결한 다음 자석의 N극을 코일에 가까이 하거나 멀리 할 때 검류계 바늘의 움직임을 관찰하였다.

검류계　코일

10 코일에 자석을 가까이 할 때, 이에 대한 설명으로 옳지 않은 것은?

① 역학적 에너지가 전기 에너지로 전환된다.
② 전자기 유도에 의해 코일에 전류가 흐른다.
③ 코일에 흐르는 전류를 유도 전류라고 한다.
④ 코일에 전류가 흐르면 검류계의 바늘이 움직인다.
⑤ 코일 속에 자석을 오래 넣어 두면 코일에 전류가 흐른다.

11 코일에 자석의 N극을 가까이 하였더니 검류계 바늘이 오른쪽으로 움직였다. 검류계 바늘이 왼쪽으로 움직이는 경우를 보기에서 모두 고른 것은?

┌─ 보기 ─────────────────────────┐
ㄱ. 자석의 N극을 코일에서 멀리 한다.
ㄴ. 자석의 S극을 코일에 가까이 한다.
ㄷ. 더 약한 자석의 N극을 코일에 가까이 한다.
└────────────────────────────┘

① ㄱ　　　　　② ㄷ　　　　　③ ㄱ, ㄴ
④ ㄱ, ㄷ　　　⑤ ㄴ, ㄷ

12 오른쪽 그림은 바람을 이용하여 전기 에너지를 생산하는 풍력 발전소를 나타낸 것이다. 이에 대한 설명으로 옳은 것을 보기에서 모두 고른 것은?

┌─ 보기 ─────────────────────────┐
ㄱ. 정전기 유도 현상을 이용한다.
ㄴ. 바람의 역학적 에너지가 전기 에너지로 전환된다.
ㄷ. 터빈이 돌아가면 터빈과 연결된 발전기에서 전기를 생산한다.
└────────────────────────────┘

① ㄱ　　　　　② ㄷ　　　　　③ ㄱ, ㄴ
④ ㄴ, ㄷ　　　⑤ ㄱ, ㄴ, ㄷ

13 에너지 보존 법칙에 대한 설명으로 옳은 것은?

① 에너지는 다른 형태로 전환되면서 항상 총량이 감소한다.

② 역학적 에너지는 다른 형태로 전환되지 않아 총량이 감소한다.

③ 에너지는 다른 형태로 전환되지 않고 새로 생기거나 소멸된다.

④ 에너지는 다른 형태로 전환되지만 그 총량은 항상 일정하게 보존된다.

⑤ 공기의 저항이나 마찰이 있는 경우 역학적 에너지는 운동 에너지로만 전환된다.

중요해!

14 여러 가지 가전제품은 전기 에너지를 다른 에너지로 전환하여 이용한다. 이때 가전제품과 각 가전제품에서 주로 일어나는 에너지 전환으로 옳지 <u>않은</u> 것은?

① 전기 스탠드: 전기 에너지 → 빛에너지

② 전기밥솥: 전기 에너지 → 열에너지

③ 라디오: 전기 에너지 → 소리 에너지

④ 세탁기: 전기 에너지 → 운동 에너지

⑤ 배터리 충전: 전기 에너지 → 운동 에너지

15 그림은 헤어드라이어를 사용할 때 에너지가 전환되는 과정을 나타낸 것이다.

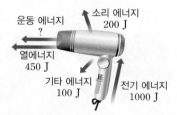

소리 에너지 200 J
운동 에너지 ?
열에너지 450 J
기타 에너지 100 J
전기 에너지 1000 J

이에 대한 설명으로 옳은 것을 보기에서 모두 고른 것은?

┌─ 보기 ─────────────
ㄱ. 전환된 운동 에너지는 450 J이다.

ㄴ. 헤어드라이어의 전기 에너지는 주로 소리 에너지로 전환된다.

ㄷ. 전기 에너지는 운동 에너지, 열에너지, 소리 에너지, 기타 에너지로 전환된다.
─────────────────────

① ㄱ   ② ㄷ   ③ ㄱ, ㄴ

④ ㄱ, ㄷ   ⑤ ㄴ, ㄷ

중요해!

16 소비 전력과 전력량에 대한 설명으로 옳은 것을 보기에서 모두 고른 것은?

┌─ 보기 ─────────────
ㄱ. 소비 전력의 단위는 W(와트)를 사용한다.

ㄴ. 전력량은 소비 전력과 시간의 곱으로 나타낸다.

ㄷ. 1초 동안 전기 기구가 소비하는 전기 에너지의 양을 전력량이라고 한다.
─────────────────────

① ㄱ   ② ㄷ   ③ ㄱ, ㄴ

④ ㄴ, ㄷ   ⑤ ㄱ, ㄴ, ㄷ

[17~18] 표는 여러 가지 가전제품 A~E의 소비 전력과 사용 시간을 나타낸 것이다.

가전제품	소비 전력(W)	사용 시간
A	40	2시간
B	6	3시간
C	900	1시간
D	250	1시간
E	1000	30분

서답형

17 E의 전력량을 계산 과정과 함께 구하시오.

_____

_____

18 A~E 중 사용한 전력량이 가장 많은 것으로 옳은 것은?

① A   ② B   ③ C

④ D   ⑤ E

VII

별과 우주

밤하늘에 보이는 별은 얼마나 멀리 있을까? 태양계 너머 우주에는 또 무엇이 있을까? 이 단원에서는 별까지의 거리를 구하는 방법, 별의 등급, 별의 표면 온도를 비교하는 방법을 알아보고, 태양이 속한 우리은하의 모양과 구성 천체, 우주 팽창, 우주 탐사의 성과와 의의를 알아보자.

01 별

ⓐ 연주 시차와 별까지의 거리

1. **시차** 관측하는 위치에 따라 물체의 위치가 배경에 대해 달라져 보이는 각(두 관측 지점과 물체가 이루는 각) ➡ 관측 지점과 물체 사이의 거리가 가까울수록 커지고, 멀수록 작아진다. ◀탐구 204쪽

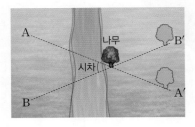

2. **연주 시차** 지구에서 6개월 간격으로 관측한 별의 시차의 $\frac{1}{2}$

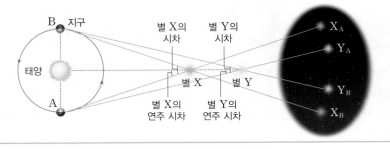

> • A(처음 위치)에서 관측한 별 X는 X_A에 있는 것처럼 보인다.
> • B(6개월 후)에서 관측한 별 X는 X_B에 있는 것처럼 보인다.
> • 별 X의 시차는 별 Y의 시차보다 크다. ➡ 연주 시차는 거리가 먼 별일수록 작다.

① 연주 시차의 단위: ″(초) ❶
② 별까지의 거리는 연주 시차에 반비례한다.
③ 연주 시차가 1″인 별까지의 거리를 1 pc(파섹) ❷이라고 한다.

$$별까지의 \ 거리(pc) = \frac{1}{연주 \ 시차(″)} \ ❸$$

❶ **도(°), 분(′), 초(″)의 관계**
1°(도)=60′(분)=3600″(초)

❷ **거리 단위**
• 1 pc(파섹): 연주 시차가 1″(초)인 별까지의 거리
• 1광년(LY): 빛이 1년 동안 이동한 거리, 1 pc≒3.26광년
• 1 AU(천문단위): 태양과 지구 사이 평균 거리(약 1.5×10^8 km)

❸ **연주 시차로 구할 수 있는 별까지의 거리**
연주 시차로는 대체로 100 pc 이내의 비교적 가까운 별까지의 거리를 측정할 수 있다.

ⓑ 별의 밝기와 거리 ◀집중 공략 205쪽

1. **별의 밝기에 영향을 주는 요인** 방출하는 빛의 양, 거리
① 별까지의 거리가 같을 때 ➡ 빛을 많이 방출하는 별이 밝게 보인다.
② 별이 방출하는 빛의 양이 같을 때 ➡ 거리가 가까운 별이 밝게 보인다.

2. **별의 밝기와 거리 관계**
① 별에서 나온 빛은 우주 공간의 모든 방향으로 퍼진다. 별에서 멀어질수록 더 넓은 공간으로 빛이 퍼지므로 일정 넓이에 도달하는 빛의 양은 줄어든다.
② 별의 밝기는 별까지의 거리의 제곱에 반비례한다. 별의 거리가 2배, 3배가 되면 별빛이 퍼지는 넓이는 2^2배, 3^2배가 되어 밝기는 $\frac{1}{2^2}$배, $\frac{1}{3^2}$배가 된다.

■ **용어 이해하기**
• **시차**(볼 視, 다를 差) 서로 다른 두 곳에서 같은 물체를 보았을 때 방향의 차

개념 다지기

+ 정답과 해설 **52쪽**

1 시차와 연주 시차에 대한 설명으로 옳은 것은 ○표, 옳지 않은 것은 ×표를 하시오.

(1) 시차는 관측 지점과 물체 사이의 거리가 멀수록 크다. ·············· ( )

(2) 별의 연주 시차는 6개월 간격으로 관측한 시차의 $\frac{1}{2}$이다. ···· ( )

(3) 연주 시차는 별까지의 거리에 반비례한다. ···························· ( )

(4) 연주 시차를 이용하여 별까지의 거리를 구할 수 있다. ·············· ( )

(5) 연주 시차가 1″인 별까지의 거리는 100 pc이다. ···················· ( )

2 그림은 6개월 간격으로 지구 공전 궤도의 양 끝에서 별 S를 관측하는 모습을 나타낸 것이다.

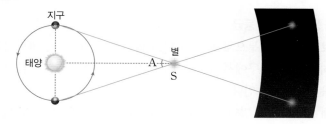

(1) A의 크기가 1″일 때 별 S의 연주 시차는 몇 ″(초)인가?

(2) 만일 별 S까지의 거리가 멀어진다면 A의 크기는 어떻게 달라지겠는가?

3 표는 지구에서 측정한 여러 별의 연주 시차를 나타낸 것이다.

별	알타이르	베가	프록시마 센타우리	시리우스
연주 시차	0.19″	0.13″	0.77″	0.38″

다음 빈칸에 알맞은 말을 쓰시오.

> 지구에서 가장 가까운 별은 (㉠   )이고, 지구에서 가장 먼 별은 (㉡   )이다.

4 다음은 별의 밝기와 거리에 대한 설명이다. 빈칸에 알맞은 말을 쓰시오.

> 별의 밝기는 별까지의 거리의 제곱에 반비례한다. 별까지의 거리가 2배, 3배가 되면 별빛이 퍼지는 넓이는 (㉠   )배, (㉡   )배가 되어 밝기는 (㉢   )배, (㉣   )배가 된다.

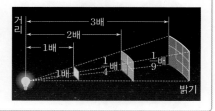

01 별

c 별의 등급 집중 공략 205쪽

1. 별의 등급

① 등급의 숫자가 작을수록 밝은 별이다. ➡ 1등급보다 밝은 별은 0등급, −1등급, −2등급, …으로, 6등급보다 어두운 별은 7등급, 8등급, …으로 나타낸다.

② 별의 등급이 1등급 차일 때는 약 2.5배의 밝기 차가 있으며, 1등급인 별은 6등급인 별보다 약 100배 밝다. ④

| 6등급 | → 2.5배 | 5등급 | → 2.5배 | 4등급 | → 2.5배 | 3등급 | → 2.5배 | 2등급 | → 2.5배 | 1등급 |

◀── 어둡다   100배   밝다 ──▶

2. 겉보기 등급과 절대 등급

① 겉보기 등급: 맨눈으로 보이는 별의 밝기로 정한 등급, 별까지의 거리를 고려하지 않고 지구에서 보이는 대로 정한 등급이다. ➡ 등급이 작을수록 우리 눈에 밝게 보인다.

② 절대 등급: 모든 별이 지구로부터 10 pc 거리에 있다고 가정할 때의 등급, 별의 실제 밝기를 비교할 수 있다. ➡ 등급이 작을수록 실제로 밝은 별이다.

③ (겉보기 등급−절대 등급)의 값이 작을수록 가까운 별이고 값이 클수록 먼 별이다.

10 pc보다 가까운 별	겉보기 등급 < 절대 등급
10 pc 거리에 있는 별	겉보기 등급 = 절대 등급
10 pc보다 먼 별	겉보기 등급 > 절대 등급

10 pc
겉보기 등급 −26.7   절대 등급 4.8
태양
지구
절대 등급 −3.7   겉보기 등급 2.1
북극성

d 별의 색과 표면 온도

1. 별의 색

① 별의 색이 서로 다른 까닭: 별의 표면 온도가 다르기 때문 ⑤

② 표면 온도가 낮은 별일수록 적색을 띠고, 표면 온도가 높은 별일수록 청색을 띤다. ⑥

2. 별의 색과 표면 온도

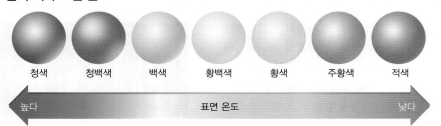

청색 청백색 백색 황백색 황색 주황색 적색

높다 ◀──────── 표면 온도 ────────▶ 낮다

---

④ 별의 등급 차이에 따른 밝기 차이

등급 차	밝기 차
1	$2.5^1(=2.5)$배
2	$2.5^2(≒6.3)$배
3	$2.5^3(≒16)$배
4	$2.5^4(≒40)$배
5	$2.5^5(≒100)$배

⑤ 전열기의 니크롬선
니크롬선은 온도가 낮을 때는 적색을 띠고, 온도가 높아지면 점차 백색을 띤다.

⑥ 별의 표면 온도 비교

베텔게우스
리겔

오리온자리의 별 중 베텔게우스는 적색을 띠고, 리겔은 청백색을 띤다. ➡ 베텔게우스는 리겔보다 표면 온도가 낮다.

■ **용어 이해하기**
• **등급**(무리 等, 등급 級) 높고 낮음이나 좋고 나쁨 등의 차이를 여러 층으로 구분한 단계

 **개념** 다지기

ⓒ **별의 등급**

- 별의 등급이 ㅈ 을수록 밝은 별 이다.
- 맨눈으로 보이는 별의 밝기로 정한 등급을 ㄱㅂㄱㄷ ㄱ 이라고 한다.
- 별이 10 pc에 있다고 가정할 때 의 등급을 ㅈㄷ ㄷㄱ 이 라고 한다.

ⓓ **별의 색과 표면 온도**

- 별의 색이 다른 까닭은 별의 ㅍㅁ ㅇㄷ 가 다르기 때 문이다.
- 표면 온도가 ㄴ 은 별일수록 적 색을 띤다.

5 별의 등급에 대한 설명으로 옳은 것은 ○표, 옳지 않은 것은 ×표를 하시오.

(1) 1등급인 별보다 6등급인 별이 더 밝다. ────────── ( )
(2) 1등급보다 더 밝은 별은 없다. ──────────────── ( )
(3) 1등급 차이는 약 2.5배의 밝기 차이가 난다. ────── ( )
(4) 1등급인 별은 6등급인 별과 약 100배 밝기 차이가 난다. ── ( )
(5) 절대 등급은 별을 32.6광년의 거리에 두었을 때의 밝기 등급이다. ( )

6 표는 별의 겉보기 등급과 절대 등급을 나타낸 것이다.

별	겉보기 등급	절대 등급
시리우스	−1.5	1.4
베텔게우스	0.4	−5.6
데네브	1.3	−8.7

(1) 세 별 중 우리 눈에 가장 밝게 보이는 별은?
(2) 세 별 중 실제로 가장 밝은 별은?

7 다음 빈칸에 알맞은 부등호를 쓰시오.

10 pc보다 가까운 별	겉보기 등급 (㉠　) 절대 등급
10 pc 거리의 별	겉보기 등급 (㉡　) 절대 등급
10 pc보다 먼 별	겉보기 등급 (㉢　) 절대 등급

8 그림은 오리온자리의 두 별을 나타낸 것이다. 표면 온도가 더 높은 별을 쓰시오.

베텔게우스

리겔

9 그림은 네 개 별의 색을 나타낸 것이다. 표면 온도가 높은 별부터 순서대로 배열하 시오.

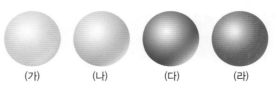

(가)　(나)　(다)　(라)

시차 측정하기

목표 시차를 측정하여 물체의 거리와 시차의 관계를 설명할 수 있다.

과정

❶ 색종이로 동그라미 7개를 만든 후, 칠판에 일정한 간격으로 붙이고 번호를 적는다.

❷ 연필을 손에 쥐고 칠판을 향해 팔을 편다.

❸ 오른쪽 눈과 왼쪽 눈을 번갈아 감고 보았을 때 연필 끝이 가리키는 색종이 위의 번호를 읽는다.

❹ 팔을 굽히고 과정 ❸을 반복한다.

유의점!
• 오른쪽 눈과 왼쪽 눈을 번갈아 감고 보는 동안 연필의 위치가 달라지지 않도록 한다.
• 팔을 굽히고 관측할 때, 연필을 눈에 너무 가까이 대면 눈이 다칠 수 있으므로 주의하도록 한다.

결과

연필과 눈 사이의 거리	거리가 멀 때	거리가 가까울 때
연필 끝이 가리키는 위치	색종이 3번, 5번이 보인다.	색종이 2번, 6번이 보인다.

정리

1 한쪽 눈을 번갈아 감으면서 연필을 바라볼 때 두 눈과 연필 사이의 각도가 (㉠　　　　)이다.

2 **시차와 물체 사이의 거리** 팔을 쭉 뻗어 연필과의 거리가 멀어질 때 시차가 (㉡ 커 , 작아)지고, 팔을 굽혀 연필과의 거리가 가까울 때 시차는 (㉢ 커 , 작아)진다. ➡ 시차는 물체까지의 거리에 반비례한다.

3 **연주 시차와 별까지의 거리** 거리가 먼 별일수록 연주 시차가 (㉣ 크게 , 작게) 측정되고, 거리가 가까운 별일수록 연주 시차가 (㉤ 크게 , 작게) 측정된다. ➡ 연주 시차는 별까지의 거리에 반비례한다.

✚ 정답과 해설 52쪽

1 이 탐구에 대한 설명으로 옳은 것은?

① 별의 등급을 알아보기 위한 실험이다.
② 시차와 물체까지의 거리는 비례한다.
③ 두 눈과 연필 끝이 이루는 각은 시차이다.
④ 연필이 아닌 다른 물체로는 시차를 측정하기 어렵다.
⑤ 이와 같은 원리로 별까지의 거리를 측정하려고 할 때, 연필은 지구에 비유할 수 있다.

서답형✐

2 그림은 별 S의 관측 결과를 나타낸 것이다.

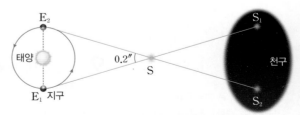

지구로부터의 거리가 별 S보다 2배 먼 별의 시차는 몇 ″(초)인지 쓰시오.

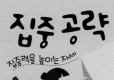

자료 분석하기

별의 밝기, 거리, 등급 관계 알기

정답과 해설 53쪽

별의 밝기, 거리, 등급의 관계는 수식으로 계산하는 문제들이 포함되어 어렵게 느껴질 수 있다. 유형별로 집중 공략하여 별의 밝기, 거리, 등급의 관계를 익히도록 하자.

1 밝기 차이로 등급 차이를 구하기

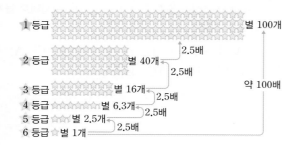

1등급 — 별 100개
2등급 — 별 40개 (2.5배)
3등급 — 별 16개 (2.5배)
4등급 — 별 6.3개 (2.5배)
5등급 — 별 2.5개 (2.5배)
6등급 — 별 1개 (2.5배)
약 100배

이것이 Point!

- 밝기 차(배)$=2.5^{(등급 차)}$
- 밝으면 해당 등급만큼 빼고, 어두우면 해당 등급만큼 더한다.
- 100배 밝은 별은 5등급만큼 작고, 밝기가 $\frac{1}{100}$로 어두운 별은 5등급만큼 크다.

유제 1 밝기가 3등급인 별보다 약 100배 밝은 별의 등급은 몇 등급인가?

유제 2 2등급인 별의 밝기가 원래의 $\frac{1}{40}$로 줄어들었다면, 이 별의 등급은 몇 등급이 되는가?

2 별까지의 거리와 밝기 관계

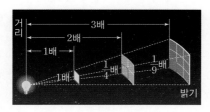

거리 / 밝기
1배, 2배, 3배
1배, $\frac{1}{4}$배, $\frac{1}{9}$배

이것이 Point!

- 별의 밝기 $\propto \frac{1}{거리^2}$
- 별까지의 거리가 가까워지면 눈에 보이는 밝기는 밝아지고 등급은 작아진다.

유제 3 −1등급인 별까지의 거리가 원래의 10배로 멀어지면 이 별의 등급은 몇 등급으로 보이겠는가?

3 별까지의 거리를 바탕으로 절대 등급, 겉보기 등급을 구하는 문제

절대 등급의 기준 거리
10 pc＝연주 시차 0.1″인 별까지의 거리＝약 32.6광년

이것이 Point!

- 별까지의 거리와 절대 등급으로 겉보기 등급 구하기: 별까지의 거리가 10 pc보다 먼지 가까운지 판단한다. ➡ 거리에 따른 밝기 차이를 계산한다. ➡ 밝기에 따른 등급 차이를 계산한다.
- 별까지의 거리와 겉보기 등급으로 절대 등급 구하기: 별까지의 거리가 10 pc보다 먼지 가까운지 판단한다. ➡ 별을 10 pc으로 옮긴다고 가정했을 때 거리에 따른 밝기 차이를 계산한다. ➡ 밝기 차이에 따른 등급 차이를 계산한다.

유제 4 절대 등급이 1등급이고 100 pc 거리에 있는 별의 겉보기 등급은 몇 등급인가?

유제 5 절대 등급이 3등급인 별 S까지의 거리가 2.5 pc일 때, 별 S의 겉보기 등급은 몇 등급인가? (단, 3등급 차는 16배의 밝기 차이다.)

유제 6 연주 시차가 0.01″인 별의 겉보기 등급이 6등급이라면, 이 별의 절대 등급은 몇 등급인가?

유제 7 겉보기 등급이 −2등급인 별 S까지의 거리가 3.26광년일 때, 별 S의 절대 등급은 몇 등급인가?

a 연주 시차와 별까지의 거리

01 별의 연주 시차에 대한 설명으로 옳은 것은?

① 가까운 별일수록 연주 시차가 작다.

② 연주 시차의 단위는 pc(파섹)을 사용한다.

③ 연주 시차가 1″인 별까지의 거리는 10 pc이다.

④ 연주 시차를 이용하면 별까지의 거리를 구할 수 있다.

⑤ 매우 먼 별까지의 거리도 연주 시차로 쉽게 측정할 수 있다.

02 그림은 서로 다른 두 별 (가)와 (나)를 6개월 간격으로 촬영한 것이다.

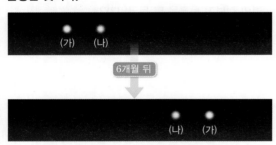

이에 대한 설명으로 옳은 것을 보기에서 모두 고른 것은?

┤ 보기 ├

ㄱ. 별 (가)의 연주 시차는 별 (나)보다 크다.

ㄴ. 별 (가)는 별 (나)보다 지구에서 더 먼 별이다.

ㄷ. 별 (가)와 별 (나)의 위치가 변한 까닭은 지구가 자전하기 때문이다.

① ㄱ   ② ㄴ   ③ ㄱ, ㄴ

④ ㄱ, ㄷ   ⑤ ㄴ, ㄷ

03 어느 별의 연주 시차를 측정하였더니 0.2″였다. 이 별까지의 거리는 몇 pc인가?

① 2 pc   ② 5 pc   ③ 10 pc

④ 20 pc   ⑤ 50 pc

04 표는 지구로부터 별 A∼C까지의 거리를 나타낸 것이다.

별	A	B	C
거리(pc)	50	25	5

지구에서 측정한 연주 시차가 큰 별부터 순서대로 옳게 나열한 것은?

① A−B−C   ② B−A−C   ③ B−C−A

④ C−A−B   ⑤ C−B−A

[05∼06] 그림은 지구에서 6개월 간격으로 별 X, Y를 관측한 것을 나타낸 것이다.

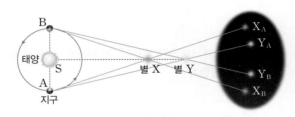

05 이에 대한 설명으로 옳은 것을 보기에서 모두 고른 것은?

┤ 보기 ├

ㄱ. 별 X의 연주 시차는 ∠AXB이다.

ㄴ. 별 Y의 연주 시차는 ∠AYS이다.

ㄷ. 연주 시차를 구하기 위해서는 최소 6개월의 시간이 필요하다.

① ㄱ   ② ㄴ   ③ ㄱ, ㄴ

④ ㄱ, ㄷ   ⑤ ㄴ, ㄷ

서답형

06 별까지의 거리와 연주 시차의 관계를 설명하시오.

_____

_____

b 별의 밝기와 거리

07 밤하늘에는 매우 밝은 별도 있고, 희미해서 겨우 보이는 별도 있다. 이처럼 별의 밝기가 다르게 보이는 까닭으로 옳은 것을 보기에서 모두 고른 것은?

┌─┨ 보기 ┠─
│ ㄱ. 별까지의 거리가 다르기 때문
│ ㄴ. 별이 떠 있는 방향이 다르기 때문
│ ㄷ. 별이 실제로 방출하는 에너지양이 다르기 때문

① ㄱ 　　② ㄴ 　　③ ㄱ, ㄴ
④ ㄱ, ㄷ 　　⑤ ㄴ, ㄷ

08 그림은 별의 밝기와 거리의 관계를 나타낸 것이다.

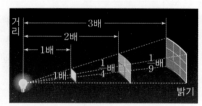

어떤 별까지의 거리가 원래보다 4배 멀어진다면 이 별의 밝기는 원래 밝기의 몇 배가 될까?

① 2배 　　② 4배 　　③ 16배
④ $\frac{1}{4}$배 　　⑤ $\frac{1}{16}$배

서답형
09 그림 (가)는 같은 거리에서 크기가 다른 두 종류의 손전등을 비춘 경우, (나)는 같은 손전등을 다른 거리에서 비춘 경우이다.

(가)　　　　　　(나)

이를 바탕으로 별의 밝기에 영향을 주는 요소를 설명하시오.

_____

_____

c 별의 등급

10 그림은 별의 등급과 밝기 차이를 나타낸 것이다.

3등급인 별은 −3등급인 별과 비교했을 때 밝기가 어떻게 보일까?

① 약 $\frac{1}{100}$로 어둡다. 　　② 약 100배 밝다.
③ 약 $\frac{1}{250}$로 어둡다. 　　④ 약 250배 밝다.
⑤ 약 500배 밝다.

중요해!
11 별의 등급에 대한 설명으로 옳은 것은?

① 겉보기 등급이 큰 별은 절대 등급도 크다.
② 거리가 멀어지면 별의 절대 등급은 작아진다.
③ 겉보기 등급은 별이 10 pc에 있다고 가정한다.
④ 절대 등급으로 별의 실제 밝기를 비교할 수 있다.
⑤ 눈에 보이는 별의 밝기로 나타낸 것은 절대 등급이다.

중요해!
12 표는 별의 겉보기 등급과 절대 등급을 나타낸 것이다.

별	겉보기 등급	절대 등급
시리우스	−1.5	1.4
베가	0.0	0.5
리겔	0.1	−6.8
베텔게우스	0.4	−5.6

우리 눈에 가장 밝게 보이는 별(가)과 실제로 가장 밝은 별(나)은?

　　(가)　　　　　(나)
① 시리우스　　　리겔
② 베텔게우스　　시리우스
③ 베가　　　　　베텔게우스
④ 리겔　　　　　베가
⑤ 리겔　　　　　시리우스

중요해!

13 그림은 지구에서 6개월 간격으로 별 S를 관측한 것을 나타낸 것이다.

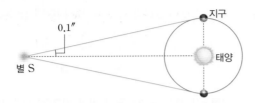

이 별의 겉보기 등급이 3등급일 때 이 별의 절대 등급은 몇 등급인가?

① 1등급   ② 2등급   ③ 3등급
④ 4등급   ⑤ 5등급

서답형

14 표는 여러 별의 겉보기 등급과 절대 등급을 나타낸 것이다.

별	겉보기 등급	절대 등급
(가)	−1.5	1.4
(나)	0.0	0.0
(다)	1.3	−8.7

이 별들을 지구에서 가까운 별부터 순서대로 나열하고 그 까닭을 쓰시오.

_____

_____

_____

새로워!

집중 공략 205쪽

15 그림은 지구에서 본 태양의 겉보기 등급과 지구, 토성의 위치를 나타낸 것이다.

만약 태양과 토성 사이의 거리가 태양과 지구 사이의 거리의 10배라면, 토성에서 본 태양의 겉보기 등급은 몇 등급인가?

① −26.7등급   ② −21.7등급
③ −15.7등급   ④ 0등급
⑤ 26.7등급

d 별의 색과 표면 온도

16 그림은 여러 가지 별의 색을 나타낸 것이다.

민타카   베가   북극성   폴룩스   베텔게우스

표면 온도가 가장 높은 별은?

① 민타카   ② 베가   ③ 북극성
④ 폴룩스   ⑤ 베텔게우스

17 별의 표면 온도에 대한 설명으로 옳은 것을 보기에서 모두 고른 것은?

보기

ㄱ. 표면 온도가 낮을수록 적색을 띤다.
ㄴ. 밝게 보이는 별일수록 표면 온도가 높다.
ㄷ. 백색인 별은 청색인 별보다 표면 온도가 낮다.

① ㄱ   ② ㄴ   ③ ㄱ, ㄴ
④ ㄱ, ㄷ   ⑤ ㄴ, ㄷ

중요해!

18 그림은 오리온자리를 이루는 별인 베텔게우스와 리겔의 색을 나타낸 것이다.

이로부터 알 수 있는 것으로 옳은 것은?

① 리겔의 크기가 더 크다.
② 리겔이 지구로부터 더 멀다.
③ 리겔의 표면 온도가 더 높다.
④ 리겔의 절대 등급이 더 크다.
⑤ 리겔의 겉보기 등급이 더 크다.

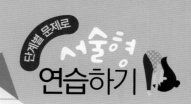

단계별 문제로 **서술형** **연습하기**

01 그림은 지구에서 6개월 간격으로 별 A와 B를 관측한 것을 나타낸 것이다.

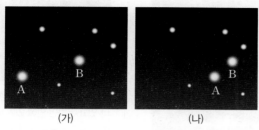

(가) (나)

(1) A와 B 중 지구로부터 더 멀리 있는 별은 무엇인지 쓰시오.

↳ 지구로부터의 거리는 별 (   )가 더 멀다.

(2) (1)과 같이 생각한 까닭을 별의 연주 시차와 관련지어 설명하시오.

_____

_____

02 그림과 같이 지구로부터 4 pc 거리에 있고, 겉보기 등급이 1등급인 별 S가 있다.

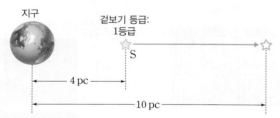

지구
겉보기 등급: 1등급
S
4 pc
10 pc

(1) 별 S가 지구로부터 10 pc 거리까지 멀어진다면, 지구로부터의 거리가 몇 배 멀어지며, 이 별의 밝기는 어떻게 변하는지 쓰시오.

↳ 지구로부터의 거리는 (   )배 멀어지고 밝기는 $\dfrac{1}{(\quad)^2}$ 로 어두워진다.

(2) 이 별의 절대 등급을 구하고 그 과정을 설명하시오.

_____

_____

03 표는 별 (가)와 (나)의 연주 시차와 겉보기 등급을 나타낸 것이다.

구분	(가)	(나)
연주 시차	0.1″	0.01″
겉보기 등급	3등급	3등급

(1) 두 별 중 지구로부터 더 멀리 있는 별은 무엇인지 쓰시오.

↳ 지구로부터 더 멀리 있는 별은 연주 시차가 더 (   ) 별
(   )이다.

(2) 두 별 중 실제 밝기가 더 밝은 별은 무엇인지 쓰고, 이와 같이 생각한 까닭은 무엇인지 설명하시오.

_____

_____

04 그림은 여러 별들을 색깔과 절대 등급에 따라 A~E 집단으로 분류한 것이다.

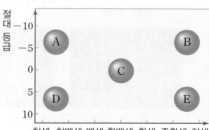

절대 등급
-10
-5
A
B
0
C
5
D
E
10
청색 청백색 백색 황백색 황색 주황색 적색

(1) A~E 중 표면 온도가 가장 높으며, 실제 밝기가 가장 밝은 별의 집단을 고르시오.

↳ 표면 온도가 가장 높고, 실제 밝기가 가장 밝은 별의 집단
은 (   )이다.

(2) (1)과 같이 생각한 까닭은 무엇인지 설명하시오.

_____

_____

02 우주

ⓐ 우리은하

1. **은하** 별, 성운, 성단, 성간 물질로 이루어진 거대한 천체
2. **우리은하** 태양계가 포함된 은하
   ① 모양: 막대 나선 모양

   > • 위에서 보면: 중심부에 막대 구조가 있고 막대 끝에 나선팔이 휘감겨 있는 모양
   > • 옆에서 보면: 중심부가 볼록한 원반 모양

   ② 크기: 지름 약 30000 pc(약 10만 광년)
   ③ 태양계 위치: 중심부에서 약 8500 pc(약 3만 광년) 떨어진 나선팔에 위치
3. **은하수** 지구에서 우리은하의 일부를 본 모습으로, 희뿌연 띠 모양으로 보인다.❶
   • 우리나라(북반구)에서는 겨울철보다 여름철에 더 넓고 밝게 보인다. ➡ 여름철에 관측 방향이 우리은하의 중심부를 향하기 때문❷

위에서 본 모양 / 태양계 / 은하 중심 / 옆에서 본 모양 / 약 8500 pc / 약 30000 pc

ⓑ 우리은하를 이루는 천체들

1. **성간 물질** 별과 별 사이의 공간에 분포하는 가스와 티끌
2. **성운** 성간 물질이 모여 구름처럼 보이는 천체❸

종류	밝은 성운		어두운 성운
	방출 성운	반사 성운	암흑 성운
모습			
특징	주변 별빛을 흡수하여 가열되면서 스스로 빛을 낸다.	성간 물질이 주위 별빛을 반사하여 밝게 보인다.	뒤쪽에서 오는 별빛을 가로막아 어둡게 보인다.

3. **성단** 많은 별들이 모여 무리를 이루는 것

종류	산개 성단	구상 성단
모습		
별의 분포	수십~수만 개의 별들이 엉성하게 흩어져 있다.	수만~수십만 개의 별들이 빽빽하게 공 모양으로 모여 있다.
별의 색	파란색을 띠는 고온의 별	붉은색을 띠는 저온의 별
위치	주로 우리은하의 나선팔	주로 우리은하 중심부, 원반을 둘러싼 구형 공간

❶ 은하수

태양계가 우리은하의 중심부에서 벗어나 있고 은하면 안에 있기 때문에 은하수가 띠 모양으로 보인다.

❷ 은하수의 관측 방향

지구에서 바라본 은하수의 모습 / 궁수자리 방향 / 우리은하

은하의 중심 방향인 궁수자리 부근의 은하수는 다른 방향보다 폭이 넓고 뚜렷하게 보인다. 우리나라(북반구)에서는 여름철에 밤하늘이 은하 중심 방향인 궁수자리 방향을 향한다.

❸ 성운의 형성 원리

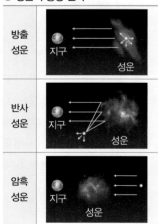

방출 성운	지구	성운
반사 성운	지구	성운
암흑 성운	지구	성운

■ 용어 이해하기
• **산개**(흩어지다 散, 늘어놓다 開) 여럿으로 흩어져 벌림
• **구상**(공 球, 모양 狀) 공처럼 둥근 모양

개념 다지기

정답과 해설 55쪽

1 오른쪽 그림은 우리은하를 위에서 본 모양을 나타낸 것이다. 태양계는 a~c 중 어디에 위치하는지 쓰시오.

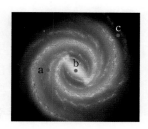

2 은하수에 대한 설명으로 옳은 것은 ○표, 옳지 않은 것은 ×표를 하시오.

(1) 하늘을 가로지르는 띠 모양이다. ( )

(2) 우리나라에서 겨울철에 더 잘 보인다. ( )

(3) 우리은하의 중심부를 볼 때 잘 보인다. ( )

(4) 황소자리 방향이 가장 폭이 넓고 밝게 보인다. ( )

3 다음 빈칸에 공통으로 들어갈 알맞은 말을 쓰시오.

• ( )은 별과 별 사이의 공간에 분포하는 가스와 티끌이다.

• ( )은 은하에 골고루 퍼져 있지 않고 군데군데 밀집되어 성운이 된다.

4 그림은 성운을 나타낸 것이다. 보기에서 각 성운의 종류를 골라 쓰시오.

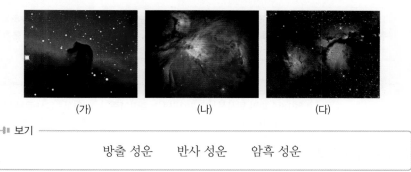

(가)   (나)   (다)

⊣ 보기 ├

방출 성운   반사 성운   암흑 성운

5 그림은 성단을 나타낸 것이다. 각 성단의 특징을 옳게 연결하시오.

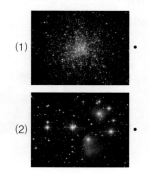

(1) •

(2) •

• ㉠ 파란색을 띠는 고온의 별이 많다. 주로 우리은하의 나선 팔에 분포한다.

• ㉡ 주로 우리은하의 중심부와 원반을 둘러싼 구형 공간에 분포한다.

02 우주

기본이 되는 중요한 자세

C 우주 팽창 ‹탐구 214쪽›

1. **외부 은하** 우리은하 밖에 있는 은하
2. **우주 팽창** 외부 은하를 관측한 결과, 대부분의 외부 은하들이 서로 멀어지고 있음을 알아내었다. ➡ 은하들이 서로 멀어지는 것은 우주가 팽창하기 때문이다.
3. **대폭발 우주론(빅뱅 우주론)** 우주는 과거 모든 물질과 에너지가 모인 고온의 한 점에서 대폭발로 시작하였으며, 점점 팽창하여 현재의 우주가 되었다는 이론

- 우주 팽창으로 추정한 우주의 나이는 약 138억 년이다.
- 과거 우주는 현재보다 크기가 작고 온도가 높았다.
- 모든 은하는 서로가 서로에게 멀어진다. ➡ 팽창하는 우주에서 특별한 중심은 없다.

d 우주 탐사

1. **우주 탐사** 우주를 이해하고자 우주를 탐색하고 조사하는 활동
2. **우주 탐사의 방법** 인공위성, 우주 탐사선, 우주 망원경 등을 이용한다. ④
3. **우주 탐사의 성과**

1957년 최초의 인공위성 발사 성공⑤	1969년 아폴로 11호 최초의 달 착륙	1989년 보이저 2호 해왕성 통과	1990년 허블 우주 망원경을 통한 관측

2018년 파커 탐사선 태양 대기권 진입	2015년 뉴호라이즌스호 명왕성 근접 통과	2012년 탐사 로봇 큐리오시티 화성 착륙

4. **우주 탐사의 의의**

- 우주에 대한 이해와 호기심 충족
- 우주 탐사를 통해 습득된 지식과 정보로 지구 환경과 생명을 이해
- 우주 탐사로 발달한 과학기술이 산업 및 경제 발전에 기여
- 우주 기술로 만들어진 제품이 일상생활에 적용되어 삶의 질 향상 ⑥

5. **우주 과학기술이 일상생활에 적용된 예** ⑦

| 에어쿠션 운동화 | 진공청소기 | 위성 위치 확인 시스템(GPS) | 치아교정기 | 안경테 | 정수기 |

---

④ **우주 탐사 방법**
- 인공위성: 지구 주위를 일정한 궤도를 따라 도는 장치이다.
- 우주 탐사선: 지구 외 다른 천체의 주위를 돌거나 착륙하여 탐사한다.
- 우주 망원경: 지구 대기 밖에 망원경을 띄워 다른 천체를 관측한다.

⑤ **최초의 인공위성**
인류 최초의 인공위성은 구소련이 발사한 스푸트니크 1호이다.

⑥ **인공위성이 우리 생활에 이용되는 예**
- 기상 관측을 통해 일기 예보에 도움을 준다.
- 통신을 중계하거나 방송국의 전파를 송수신한다.
- 자동차, 비행기, 배 등의 위치를 추적한다.
- 지구 표면, 대기, 해양을 관측한다.

⑦ **우주 과학기술이 일상생활에 적용된 다른 예**
화재경보기, 태양 전지, 골프채, 자기 공명 영상(MRI), 컴퓨터 단층 촬영(CT), 기능성 옷감, 전자레인지 등

■ 용어 이해하기
- **대폭발 우주론**(Big Bang theory) 우주가 한 점에서 폭발로 시작하여 모든 것이 만들어졌으며 지금도 팽창하고 있다는 우주론
- **인공위성**(사람 人, 장인 工, 지키다 衛, 별 星) 지구 등의 행성 둘레를 돌도록 로켓을 이용하여 쏘아 올린 인공의 장치

기본을 다지는 자세!
개념 다지기

✦ 정답과 해설 55쪽

6 우주 팽창에 대한 설명으로 옳은 것은 ○표, 옳지 <u>않은</u> 것은 ×표를 하시오.

(1) 외부 은하들은 서로 멀어지고 있다. ⋯⋯⋯⋯⋯⋯⋯⋯⋯⋯⋯⋯⋯⋯⋯ ( )

(2) 우주의 크기는 항상 일정하다. ⋯⋯⋯⋯⋯⋯⋯⋯⋯⋯⋯⋯⋯⋯⋯⋯⋯ ( )

(3) 현재 우주는 수축하고 있다. ⋯⋯⋯⋯⋯⋯⋯⋯⋯⋯⋯⋯⋯⋯⋯⋯⋯⋯ ( )

(4) 팽창하는 우주에서는 특별한 중심이 없다. ⋯⋯⋯⋯⋯⋯⋯⋯⋯⋯⋯⋯ ( )

(5) 우주의 나이는 약 138억 년이다. ⋯⋯⋯⋯⋯⋯⋯⋯⋯⋯⋯⋯⋯⋯⋯⋯ ( )

7 다음 빈칸에 알맞은 말을 쓰시오.

> 우주는 모든 물질과 에너지가 모인 한 점에서 대폭발로 시작하였으며 지금도 계속 팽창하고 있다는 이론을 ( )이라고 한다.

시간의 흐름
은하
대폭발

8 우주 탐사에 대한 설명으로 옳은 것은 ○표, 옳지 <u>않은</u> 것은 ×표를 하시오.

(1) 우주 과학기술은 일상생활에 적용하기 어렵다. ⋯⋯⋯⋯⋯⋯⋯⋯⋯ ( )

(2) 우주 탐사로 발달한 과학기술은 경제 발전을 지연시킨다. ⋯⋯⋯⋯ ( )

(3) 인공위성, 우주 탐사선, 우주 망원경 등으로 우주 탐사를 진행하고 있다.

( )

(4) 인류는 우주 탐사 과정에서 얻은 우주와 천체에 대한 지식으로 지구를 더 잘 이해할 수 있게 되었다. ⋯⋯⋯⋯⋯⋯⋯⋯⋯⋯⋯⋯⋯⋯⋯⋯ ( )

9 다음은 우주 탐사의 성과를 나타낸 것이다. 먼저 일어난 사건부터 순서대로 나열하시오.

> (가) 허블 우주 망원경으로 우주를 관측하였다.
> (나) 인류 최초의 인공위성이 발사되었다.
> (다) 인류가 최초로 달에 착륙하였다.
> (라) 화성에 탐사 로봇 큐리오시티가 착륙하였다.

10 우주 기술이 일상생활에 적용된 사례로 옳은 것을 보기에서 모두 고르시오.

> ┌─ 보기 ─
> ㄱ. 에어쿠션 운동화   ㄴ. 진공청소기   ㄷ. 금속 활자
> ㄹ. 도자기   ㅁ. 나침반

초성 퀴즈

c 우주 팽창

• 우리은하 바깥에 있는 은하를 □ㅂ □ㅎ 라고 한다.

• 우주는 모든 물질과 에너지가 모인 한 점에서 대폭발로 시작하였으며 지금도 팽창하고 있다는 이론을 □ㅍㅂ 우주론이라고 한다.

d 우주 탐사

• 우주를 이해하고자 우주를 탐색하고 조사하는 활동을 ㅇㅈ ㅌㅅ 라고 한다.

• 우주 탐사로 발달한 ㄱㅎ ㄱㅅ은 산업 및 경제 발전에 기여하고 있다.

정답 c 외부 은하, 대폭발
d 우주 탐사, 과학 기술

우주 팽창 실험하기

목표 우주가 팽창하고 있음을 이해한다.

과정

유의점! • 이 실험은 3차원인 우주 공간을 2차원인 풍선 표면에 비유한 모형실험이다.
• 붙임딱지 사이의 거리 변화를 정확하게 측정하도록 한다.

❶ 고무풍선을 작게 분 후, 붙임딱지를 붙이고 번호를 표시한다.
❷ 줄자로 붙임딱지 사이의 거리를 각각 잰다.
❸ 고무풍선을 더 크게 불고 붙임딱지 사이의 거리를 잰다.

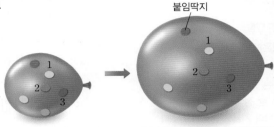

붙임딱지

결과

구분	붙임딱지 1과 2 사이의 거리(cm)	붙임딱지 1과 3 사이의 거리(cm)	붙임딱지 2와 3 사이의 거리(cm)
고무풍선을 작게 불었을 때	2	4	3
고무풍선을 크게 불었을 때	5	10	7.5

→ 풍선을 크게 불면 붙임딱지 사이의 거리는 멀어진다. 모든 붙임딱지는 서로 멀어진다.
→ 붙임딱지 사이의 거리가 멀수록 거리 변화 값이 크다.

정리

1 고무풍선이 커질수록 붙임딱지 사이의 간격은 (㉠ 가까워 , 멀어)진다. 이때 붙임딱지 사이의 거리가 (㉡ 멀 , 가까울)수록 더 많이 멀어진다.
2 고무풍선의 표면을 우주, 붙임딱지를 은하라고 한다면, 고무풍선이 팽창할수록 붙임딱지 사이의 간격이 멀어지듯이, 우주가 팽창할수록 은하 사이의 거리는 (㉢ 가까워 , 멀어)진다.
3 풍선을 불었을 때, 어느 방향을 보더라도 동일한 모습의 팽창이 나타나듯이 팽창하는 우주에는 특별한 중심이 (㉣ 있다 , 없다).

➕ 정답과 해설 56쪽

서답형
1 이 탐구에서 풍선 표면과 붙임딱지는 각각 무엇에 비유할 수 있는지 쓰시오.

2 이 탐구로 알 수 있는 것으로 옳은 것을 보기에서 모두 고른 것은?

┤ 보기 ├
ㄱ. 모든 은하는 한 점으로 모인다.
ㄴ. 우주는 우리은하를 중심으로 팽창함을 알 수 있다.
ㄷ. 우주의 팽창으로 은하 사이의 거리가 점점 멀어진다.

① ㄱ   ② ㄷ   ③ ㄱ, ㄴ
④ ㄴ, ㄷ   ⑤ ㄱ, ㄴ, ㄷ

3 그림은 식빵을 부풀린 모습을 나타낸 것이다.

• 건포도

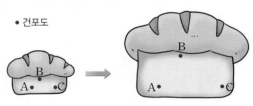

이에 대한 설명으로 옳은 것을 보기에서 모두 고르시오.

┤ 보기 ├
ㄱ. A~C는 서로 멀어진다.
ㄴ. A를 기준으로 했을 때 멀어지는 속도는 B보다 C가 빠르다.
ㄷ. 식빵을 우주에 비유한다면 건포도는 은하에 해당한다.

a 우리은하

01 우리은하에 대한 설명으로 옳지 <u>않은</u> 것은?

① 지름은 약 30000 pc이다.
② 중심부에는 막대 구조가 있다.
③ 우리은하는 막대 나선 모양이다.
④ 태양계는 우리은하의 중심에 위치한다.
⑤ 성단, 성운, 성간 물질 등으로 구성되어 있다.

02 중요해!

그림은 우리은하의 단면을 나타낸 것이다.

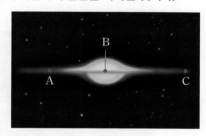

이에 대한 설명으로 옳은 것을 보기에서 모두 고른 것은?

┌─┤ 보기 ├─
ㄱ. 위에서 본 우리은하의 모습이다.
ㄴ. B와 C 사이의 거리는 약 30000 pc이다.
ㄷ. 태양계는 B로부터 약 8500 pc 떨어진 A에
　 위치한다.
└─

① ㄱ　　　　② ㄷ　　　　③ ㄱ, ㄴ
④ ㄱ, ㄷ　　⑤ ㄱ, ㄴ, ㄷ

03 은하수에 대한 설명으로 옳은 것을 보기에서 모두 고른
것은?

┌─┤ 보기 ├─
ㄱ. 띠 모양으로 보인다.
ㄴ. 북반구에서만 보인다.
ㄷ. 지구에서 본 우리은하 전체의 모습이다.
ㄹ. 우리나라에서 여름철에 폭이 넓고 밝게 관측
　 된다.
└─

① ㄱ, ㄷ　　② ㄱ, ㄹ　　③ ㄴ, ㄷ
④ ㄷ, ㄹ　　⑤ ㄱ, ㄷ, ㄹ

b 우리은하를 이루는 천체들

04 중요해!

그림은 어떤 성운을 나타낸 것이다.

이 성운의 종류와 생성 원인을 옳게 짝 지은 것은?

	종류	생성 원인
①	방출 성운	주위 별빛을 흡수한다.
②	방출 성운	주위 별빛을 반사한다.
③	반사 성운	주위 별빛을 흡수한다.
④	암흑 성운	주위 별빛을 반사한다.
⑤	암흑 성운	뒤에서 오는 별빛을 가린다.

05 서답형 ✎

그림은 어떤 성운을 나타낸 것이다.

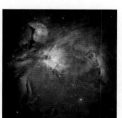

이 성운의 종류와 성운이 밝게 보이는 까닭을 쓰시오.

_____

_____

06 오른쪽 그림은 망원경으로 관
측한 황소자리의 플레이아데
스 성단을 나타낸 것이다. 이
에 대한 설명으로 옳은 것을
보기에서 모두 고른 것은?

┌─┤ 보기 ├─
ㄱ. 산개 성단이다.
ㄴ. 주로 파란색을 띠는 별들의 집단이다.
ㄷ. 우리은하의 중심부에 주로 분포한다.
└─

① ㄱ　　　　② ㄷ　　　　③ ㄱ, ㄴ
④ ㄴ, ㄷ　　⑤ ㄱ, ㄴ, ㄷ

c 우주 팽창

07 그림은 대폭발 우주론을 나타낸 것이다.

이에 대한 설명으로 옳은 것은?

① 우주는 지구를 중심으로 팽창한다.
② 우주는 태양을 중심으로 팽창한다.
③ 우주의 크기는 항상 일정하다.
④ 은하 사이의 거리는 항상 일정하다.
⑤ 우주의 물질과 에너지는 한 점에서 시작하였다.

08 그림은 우주를 구성하고 있는 은하들의 모습을 나타낸 것이다.

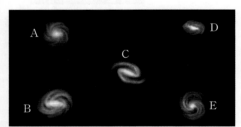

이에 대한 설명으로 옳은 것을 보기에서 모두 고른 것은?

┤ 보기 ├

ㄱ. 우주는 은하 C를 중심으로 팽창한다.
ㄴ. 과거에는 은하들 사이의 거리가 현재보다 가까웠다.
ㄷ. 은하 A에서 보면 은하 B의 멀어지는 속도가 은하 E의 멀어지는 속도보다 빠르다.

① ㄱ   ② ㄴ   ③ ㄱ, ㄷ
④ ㄴ, ㄷ   ⑤ ㄱ, ㄴ, ㄷ

d 우주 탐사

09 현재 우주 탐사의 의의와 가장 거리가 먼 것은?

① 호기심 충족과 사고 확장
② 행성으로서의 지구 환경 이해
③ 적은 비용으로 식량 자원 확보
④ 우주 기술로 만들어진 제품을 일상생활에 사용
⑤ 첨단 기술의 발전으로 다양한 산업 발전에 기여

서답형
10 그림은 스푸트니크 1호를 나타낸 것이다.

이 우주 탐사의 의의를 설명하시오.

_____

_____

11 다음은 우주 탐사의 성과를 순서 없이 나열한 것이다.

(가) 인류가 최초로 달에 착륙하였다.
(나) 뉴호라이즌스호가 명왕성을 근접 통과하였다.
(다) 허블 우주 망원경을 이용하여 우주를 관측하였다.

(가)~(다)를 시간 순서대로 나열한 것은?

① (가)-(나)-(다)
② (가)-(다)-(나)
③ (나)-(가)-(다)
④ (나)-(다)-(가)
⑤ (다)-(가)-(나)

+) 정답과 해설 57쪽

01 그림 (가)는 우리은하를 위에서 본 모양, 그림 (나)는 우리은하를 옆에서 본 모양을 나타낸 것이다.

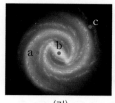 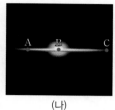

(가)   (나)

(1) (가)와 (나)에서 태양계의 위치를 각각 기호로 쓰시오.

↳ (가)에서 태양계의 위치는 (　　　), (나)에서 태양계의 위치는 (　　　)이다.

(2) 위 그림을 참고로 하여 우리은하의 모양을 설명하시오.

02 그림은 은하수를 나타낸 것이다.

(1) 우리나라에서 은하수는 언제 넓고 밝게 보이는지 설명하시오.

↳ 우리나라에서 은하수는 (　　　)에 넓고 밝게 보인다.

(2) (1)과 같이 특정 계절에 은하수가 더 넓고 밝게 보이는 까닭을 설명해 보자.

03 그림 (가)와 (나)는 성단의 모습을 나타낸 것이다.

(가)   (나)

(1) (가)와 (나) 성단의 종류를 쓰시오.

↳ (가)는 (　　　) 성단, (나)는 (　　　) 성단이다.

(2) (가)와 (나) 성단을 주로 이루는 별의 색을 통해 알 수 있는 두 성단의 차이점을 설명하시오.

04 그림은 우주 망원경으로 관측한 외부 은하를 나타낸 것이다.

(1) 외부 은하들 사이의 거리는 어떻게 달라지고 있는지 설명하시오.

↳ 외부 은하들 사이의 거리는 서로 (　　　)지고 있다.

(2) (1)과 같은 결과가 나타나는 까닭을 설명하시오.

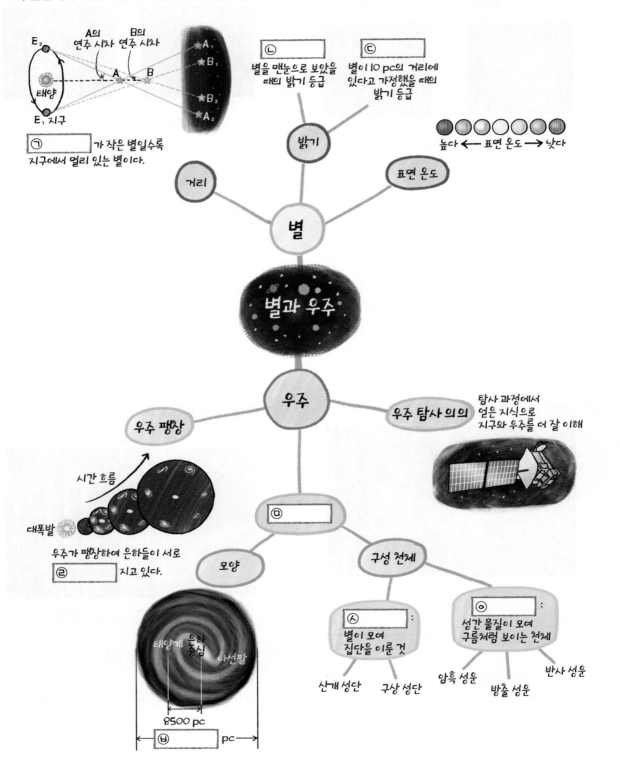

이 단원에서 배운 핵심 단어를 빈칸에 채워 넣어 생각 그물을 완성해 보자.

E₂

A의 연주 시차   B의 연주 시차

태양

E₁ 지구

A   B

★A₁
★B₁

★B₂
★A₂

ⓛ
별을 맨눈으로 보았을 때의 밝기 등급

ⓒ
별이 10 pc의 거리에 있다고 가정했을 때의 밝기 등급

ⓖ 가 작은 별일수록 지구에서 멀리 있는 별이다.

밝기

높다 ← 표면 온도 → 낮다

거리

표면 온도

별

별과 우주

우주

우주 탐사 의의

탐사 과정에서 얻은 지식으로 지구와 우주를 더 잘 이해

우주 팽창

시간 흐름

대폭발

우주가 팽창하여 은하들이 서로 ② 지고 있다.

ⓓ

모양

구성 천체

태양계   은하 중심   나선팔

8500 pc

ⓗ   pc

ⓚ :
별이 모여 집단을 이룬 것

산개 성단   구상 성단

ⓞ :
성간 물질이 모여 구름처럼 보이는 천체

암흑 성운   방출 성운   반사 성운

과학
3학년

우리 학교 시험 문제 | 대단원 평가
Ⅶ. 별과 우주

년 월 일
이름:

→ 정답과 해설 **58**쪽

01 그림은 연주 시차의 원리를 알아보기 위해 관측자가 팔을 구부린 채로 연필을 들고 양쪽 눈을 번갈아 감으면서 연필 끝의 위치를 관찰하는 실험을 나타낸 것이다.

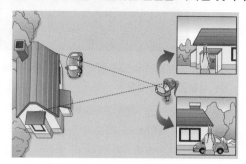

이에 대한 설명으로 옳은 것을 보기에서 모두 고른 것은?

┌─ 보기 ────────────────────┐
ㄱ. 시차를 측정하기 위한 실험이다.
ㄴ. 관측자의 양쪽 눈은 서로 다른 위치의 지구를 나타낸다.
ㄷ. 팔을 쭉 펴고 같은 실험을 하면 양쪽 눈과 연필이 이루는 각이 커진다.
└──────────────────────────┘

① ㄱ   ② ㄴ   ③ ㄱ, ㄴ
④ ㄱ, ㄷ   ⑤ ㄴ, ㄷ

중요해!
02 다음은 별 A~C에 대한 관측 자료이다.

┌──────────────────────────┐
A: 5 pc 거리에 있는 별
B: 연주 시차가 1″인 별
C: 32.6광년 거리에 있는 별
└──────────────────────────┘

지구로부터 가까운 별부터 순서대로 나열한 것은?

① A-B-C ② A-C-B ③ B-A-C
④ B-C-A ⑤ C-A-B

03 별의 등급에 대한 설명으로 옳지 <u>않은</u> 것은?

① 1등급보다 밝은 별은 없다.
② 1등급 별보다 -1등급 별이 더 밝다.
③ 1등급 차일 때는 약 2.5배의 밝기 차가 난다.
④ 1등급인 별은 6등급인 별보다 약 100배 밝다.
⑤ 6등급인 별이 100개가 모여 있으면 1등급의 별 1개의 밝기와 같다.

중요해!
04 표는 별 A~C의 겉보기 등급과 절대 등급을 나타낸 것이다.

별	A	B	C
겉보기 등급	1	2	3
절대 등급	3	2	1

별 A~C 중 가장 밝게 보이는 별과 실제로 가장 밝은 별은?

	가장 밝게 보이는 별	실제로 가장 밝은 별
①	A	B
②	A	C
③	B	C
④	B	A
⑤	C	A

서답형
05 그림은 태양계 행성을 나타낸 것이다.

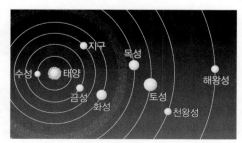

화성에서 태양을 보면 지구에서 볼 때에 비해 겉보기 등급과 절대 등급이 어떤 차이가 있는지 설명하시오.

_____
_____

06 표는 여러 별의 겉보기 등급과 절대 등급을 나타낸 것이다.

별	겉보기 등급	절대 등급
시리우스	−1.5	1.4
베가	0	0.5
베텔게우스	0.4	−5.6
리겔	0.1	−6.8
데네브	1.3	−8.7

지구와 가장 가까운 별은?

① 시리우스 ② 베가 ③ 베텔게우스
④ 리겔 ⑤ 데네브

07 100 pc 거리에 있는 별의 겉보기 등급이 1등급일 때, 이 별의 절대 등급은?

① −5등급 ② −4등급 ③ −3등급
④ 3등급 ⑤ 4등급

08 그림은 별을 겉보기 등급과 색으로 분류한 것이다.

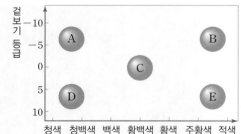

표면 온도가 가장 높고 눈으로 볼 때 가장 밝게 보이는 별은 무엇인지 그 까닭과 함께 설명하시오.

_____

09 그림은 오리온자리를 나타낸 것이다.

붉은색의 베텔게우스와 청백색의 리겔을 통해 알 수 있는 사실로 옳은 것은?

① 실제 밝기는 베텔게우스가 더 밝다.
② 리겔은 태양보다 겉보기 등급이 작다.
③ 리겔보다 베텔게우스가 더 밝게 보인다.
④ 리겔이 베텔게우스보다 표면 온도가 높다.
⑤ 베텔게우스는 태양보다 겉보기 등급이 작다.

10 우리은하를 옆에서 보았을 때의 모양과 태양계의 위치를 옳게 나타낸 것은?

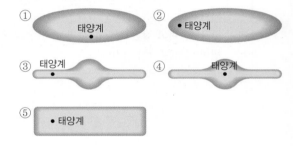

11 그림은 우리은하의 모습을 나타낸 것이다.

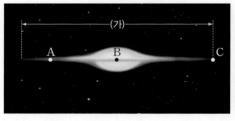

이에 대한 설명으로 옳은 것을 보기에서 모두 고른 것은?

┤ 보기 ├
ㄱ. 우리은하를 위에서 본 모습이다.
ㄴ. A~C 중 태양계의 위치는 A이다.
ㄷ. 우리은하의 지름 (가)는 약 30000 pc이다.
ㄹ. B에는 산개 성단이 주로 분포한다.

① ㄱ, ㄴ ② ㄱ, ㄷ ③ ㄴ, ㄷ
④ ㄴ, ㄹ ⑤ ㄷ, ㄹ

12 그림은 은하수를 나타낸 것이다.

은하수가 띠 모양으로 보이는 까닭을 태양계의 위치와 관련지어 설명하시오.

_____

_____

13 그림 (가)와 (나)는 두 종류의 성단을 나타낸 것이다.

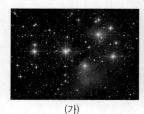 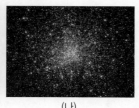

(가)   (나)

(가)와 (나) 성단을 비교한 것으로 옳지 <u>않은</u> 것은?

구분	(가)	(나)
① 이름	산개 성단	구상 성단
② 별의 수	수십~수만 개	수만~수십만 개
③ 별의 온도	낮다	높다
④ 별의 분포	허술함	빽빽함
⑤ 위치	주로 나선팔	주로 은하 중심부, 원반을 둘러싼 영역

14 성운에 대한 설명으로 옳은 것을 보기에서 모두 고른 것은?

┌─ 보기 ─────────────────────────
ㄱ. 가스나 티끌 등이 밀집되어 구름처럼 보인다.
ㄴ. 주변의 별빛을 반사하여 밝게 보이는 것은 방출 성운이다.
ㄷ. 뒤쪽에서 오는 별빛을 차단하여 어둡게 보이는 것은 암흑 성운이다.
└──────────────────────────────

① ㄱ   ② ㄴ   ③ ㄱ, ㄴ
④ ㄱ, ㄷ   ⑤ ㄴ, ㄷ

15 그림과 같이 고무풍선의 표면에 단추를 붙이고, 풍선을 크게 불면서 단추 사이의 거리 변화를 관찰하는 실험을 하였다.

이에 대한 설명으로 옳지 <u>않은</u> 것은?

① 단추는 은하에 비유할 수 있다.
② 풍선 표면은 우주에 비유할 수 있다.
③ 팽창하는 우주에 특별한 중심이 없음을 알 수 있다.
④ 각 은하 사이의 거리가 멀어지고 있음을 알 수 있다.
⑤ 지구에서 관측한 외부 은하의 이동 속도가 모두 같음을 알 수 있다.

16 우주 탐사의 역사에 대한 설명으로 옳지 <u>않은</u> 것은?

① 1957년 최초로 인공위성이 발사되었다.
② 1969년 사람이 달에 착륙하였다.
③ 1990년 허블 우주 망원경을 띄웠다.
④ 2012년 탐사 로봇이 화성에 착륙하였다.
⑤ 2016년 사람이 금성에 착륙하였다.

17 다음 우주 탐사 장비와 그 의의를 옳게 짝 지은 것은?

	스푸트니크 1호	아폴로 11호
①	최초의 우주 망원경	최초의 인공위성
②	최초의 인공위성	최초의 달 착륙
③	최초의 인공위성	최초의 우주 망원경
④	최초의 행성 탐사선	최초의 달 착륙
⑤	최초의 행성 탐사선	최초의 인공위성

VIII 과학기술과 인류 문명

인류의 문명은 과학기술의 발전과 함께 발달해 왔다. 이 단원에서는 인류 문명의 발달 과정에서 과학기술이 미친 영향을 이해하고, 앞으로의 과학기술 발전이 인류 문명에 어떠한 영향을 미칠지 알아보자.

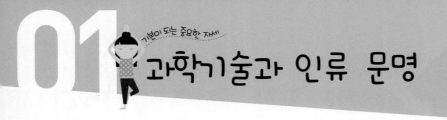

01 과학기술과 인류 문명

기본이 되는 중요한 자세

핵심 키워드

과학기술, 인류 문명, 공학적 설계

ⓐ 과학기술과 인류 문명의 발달

1. 불의 발견 나무와 나무를 마찰시키거나 돌과 돌을 부딪치는 등 인류가 불을 피울 수 있게 되면서 점점 다양한 용도로 불을 이용하게 되었고, 이를 통해 인류 문명이 발달했다.

인류가 불을 피울 수 있게 됨	➡	조명, 난방, 음식의 조리 등에 불을 직접적으로 이용함	➡	불을 이용하여 토기를 제작하고 토기에 음식을 저장함	➡	불을 이용하여 청동이나 철과 같은 금속을 제련함

2. 인류 문명 발달에 영향을 준 과학

① 태양 중심설
- 지구와 다른 행성들이 태양을 중심으로 돌고 있다는 우주관으로 인류의 가치관을 변화시켰다.
- 망원경으로 천체를 관측한 결과를 토대로 태양 중심설을 증명하였다.

② 만유인력의 법칙: 인류가 자연현상이 어떻게 변할지 예측할 수 있게 되었다.

③ 세포의 발견: 현미경으로 세포를 발견함으로써 인류는 생물체를 작은 세포들이 모여서 이루어진 존재로 인식하게 되었다.

3. 과학기술과 인류 문명의 발달 과학기술이 발달함에 따라 인류 문명은 크게 발전하였다.

교통 수단의 발달 ❶	• 증기 기관: 물을 끓여 수증기를 만들고, 이때 부피가 증가한 수증기가 피스톤을 움직이게 하는 장치 ❷ ➡ 증기 기관의 발명은 사회 전반에 영향을 줌 • 증기 기관을 설치한 증기 기관차의 발명으로 먼 거리까지 더 많은 물건을 운반할 수 있게 됨 증기 기관차
식량의 대량 생산	• 암모니아의 합성: 암모니아를 합성하는 기술이 개발되면서 합성한 암모니아로부터 질소 비료를 만들 수 있게 됨 • 농산물의 생산력이 높아지면서 식량 생산이 증가함
의료 분야의 발달	• 페니실린의 발견: 푸른곰팡이로부터 최초로 '페니실린'이라는 항생제를 발견하여 결핵과 같은 질병을 치료할 수 있게 됨 • 종두법의 시작: 전염병인 천연두를 예방하기 위하여 백신을 인체의 피부에 접종하면서 천연두를 예방할 수 있게 됨 • 여러 종류의 백신과 항생제는 인류의 평균 수명을 늘리는 데 큰 역할을 함 푸른 곰팡이
전기의 사용	• 전자기 유도 법칙 ❸의 발견: 초기의 발전기를 만들 수 있게 됨으로써 전기를 생산하고 활용할 수 있게 됨 • 조명을 비롯한 다양한 전자 제품을 사용할 수 있게 됨
정보 통신의 발달	• 전화기의 발명: 전자기 유도 법칙이라는 과학적 원리와 음성을 전기 신호로 바꾸는 기술의 발달을 이용하여 전화기를 발명함 ➡ 멀리 떨어져 있는 사람과 음성으로 소식을 주고받을 수 있게 됨 • 음성과 영상 신호를 동시에 전달하는 텔레비전과 컴퓨터를 발명함
인쇄 출판의 발달	• 구텐베르크의 활판 인쇄술로 책을 대량으로 만들 수 있게 됨 • 인쇄술의 발달로 대량의 지식과 정보를 쉽게 접할 수 있게 됨 ➡ 근대 과학 발전의 토대가 됨

❶ 내연 기관
증기 기관 이후 개발된 기관으로, 연료의 연소가 기관의 내부에서 이루어지는 기관이다. 내연 기관의 등장으로 자동차가 발달하는 등 산업이 한 단계 더 발전하게 되었다.

❷ 증기 기관과 산업 혁명
증기 기관은 기계의 동력원으로도 사용되어 기계가 물건을 생산하는 산업 사회로의 변화를 가져왔다. 이처럼 과학기술 중 영향력이 큰 것은 사회 전반에 큰 변화를 일으키는데, 이를 산업 혁명이라고 한다.

❸ 전자기 유도 법칙
코일 주위에서 자석을 움직이면 코일 내부의 자기장이 변하며, 이에 따라 코일에 전류가 흐르는 현상이다.

■ 용어 이해하기
- **기관(틀 機, 관계할 關)** 화력·수력·전력 등의 에너지를 기계적 에너지로 바꾸는 기계 장치
- **항생제(겨룰 抗, 날 生, 약제 劑)** 미생물이 만들어내는 항생 물질로 된 약제로, 다른 미생물이나 생물 세포를 선택적으로 억제하거나 죽인다.
- **백신** 전염병에 대하여 인공적으로 면역을 주기 위해 생체에 투여하는 항원의 하나

개념 다지기

초성 퀴즈 Q

ⓐ 과학기술과 인류 문명의 발달

• 인류가 직접 ⬚ㅂ⬚을 피울 수 있
게 되면서 인류 문명도 발달했다.

• ⬚ㅈ⬚ㄱ⬚ㄱ⬚ㄱ⬚은 물을 끓
여 수증기를 만들고, 이때 부피
가 증가한 수증기가 피스톤을
움직이게 하는 장치로, 산업 혁
명의 원동력이 되었다.

• ⬚ㅇ⬚ㅁ⬚ㄴ⬚ㅇ⬚를 합성하는
기술이 개발되면서 질소 비료를
만들 수 있게 되었고, 식량 생산
이 증가하였다.

• ⬚ㅈ⬚ㅎ⬚ㄱ⬚의 발명으로 멀리
떨어져 있는 사람과 음성으로 소
식을 주고받을 수 있게 되었다.

1 과학기술과 인류 문명 발달에 대한 설명으로 옳은 것은 ○표, 옳지 않은 것은 ×표
를 하시오.

(1) 불을 이용하게 되면서 인류는 청동이나 철을 제련할 수 있게 되었다. (   )

(2) 현미경의 발명으로 천체를 관측할 수 있게 되었고, 이를 통해 태양 중심
설이 옳음을 밝혔다. ……………………………………………………… (   )

(3) 종두법을 시작하면서 천연두를 예방할 수 있게 되었다. ……………… (   )

(4) 텔레비전과 컴퓨터의 발명 이후, 멀리 떨어져 있는 사람과 음성으로 소식
을 주고받기 위해 전화기를 발명하였다. ……………………………… (   )

2 다음 빈칸에 각각 알맞을 말을 쓰시오.

> 18세기 유럽에서는 증기의 압력을 이용하여 기계를 움직이는 (㉠   )이
> 발명되었다. 이 기관의 발명으로 먼 거리까지 많은 물건을 이동시킬 수 있는
> 기관차가 발명되었고, 기계가 물건을 생산할 수 있게 되었다. 이를 통해 기존
> 의 수공업 중심에서 산업 사회로 변화되기 시작하였고, 이는 (㉡   )이
> 일어나는 원동력이 되었다.

3 식량의 대량 생산을 위한 과학기술의 발전으로 옳은 것을 보기에서 모두 고르시오.

> ┤ 보기
> ㄱ. 백신의 발명   ㄴ. 암모니아의 합성
> ㄷ. 내연 기관의 발명   ㄹ. 증기 기관의 발명

4 과학적인 발견 및 발달과 이를 통해 발달한 과학기술 분야를 옳게 연결하시오.

(1) 활판 인쇄술의 발달 •   • ㉠ 의료 분야의 발달

(2) 전자기 유도 법칙 발견 •   • ㉡ 인쇄 출판 발달

(3) 페니실린의 발견 •   • ㉢ 전기의 사용

정답 키
ⓐ 불, 증기 기관, 암모니아,
전화기

01 과학기술과 인류 문명

b 우리를 편리하게 해 주는 과학기술

1. 오늘날 과학기술과 인류 문명의 발달 ④

교통 수단	고속 열차나 비행기를 이용하여 더 빠르게 이동하거나 물건을 운반함
식량 생산	• 생명 공학 기술을 이용하여 특정한 목적에 맞게 품종을 개량함 • 지능형 농장: 농산물이 성장하기에 좋은 환경을 자동으로 유지하여 농산물의 생산량을 늘리고 품질도 높임
의료 분야	• 다양한 의약품을 개발하고, 자기 공명 영상 장치와 같은 첨단 의료 기기를 발명함 • 원격 의료 기술 발달로 장소에 관계없이 의료 지원을 받을 수 있음
정보 통신	• 인터넷을 통해 세계 각국에서 정보를 동시에 주고받을 수 있음 • 스마트 기기를 이용하여 어디서든 정보를 검색하거나 영상을 보는 것이 가능해짐 • 인공 지능 스피커 등을 사용할 수 있게 됨 • 군사, 기상, 과학, 통신 등에 인공위성을 이용함
인쇄 출판	종이가 아닌 전자 기기에서 볼 수 있는 콘텐츠의 형태로 책을 만듦

2. 공학적 설계

① 과학 원리나 기술을 적용하여 기존의 제품을 개선하거나 새로운 제품이나 시스템을 개발하는 창의적인 과정 📌 전기 자동차를 개발할 때는 안전성, 외형적 요인, 환경적 요인, 경제성, 편리성 등을 고려해야 한다.

② 공학적 설계 과정

문제점 인식 및 목표 설정하기 ➡ 정보 수집하기 ➡ 다양한 해결책 탐색하기 ➡ 해결책 분석 및 결정하기

➡ 설계도 작성하기 ➡ 제품 제작하기 ➡ 평가 및 개선하기

c 과학기술이 만들어갈 미래

1. 지식 정보 기술

① 4차 산업 혁명 ⑤의 핵심적인 기술로, 인공 지능 기술, 데이터 활용 기술을 바탕으로 한 기술이다.

② 사람과 사물, 정보를 상호 연결하여 기술과 사회의 융합을 가속화하고, 과학기술의 영향력이 더 커지는 사회로 이끌 것이라 예상된다.

2. 과학기술이 가까운 미래 생활에 미치는 영향 ⑥

나노 기술	• 물질이 나노미터 크기로 작아지면 물질 고유의 성질이 바뀌어 새로운 특성을 갖는데, 이를 이용하여 다양한 소재나 제품을 만듦 ➡ 제품의 소형화, 경량화가 가능해짐 • 활용: 나노 반도체, 나노 로봇, 나노 표면 소재, 휘어지는 디스플레이 등
생명 공학 기술	• 생물의 특성과 생명 현상을 이해하고, 이를 인간에게 유용하게 이용하거나 인위적으로 조작하는 기술 • 활용: 유전자 재조합 기술 ⑦, 세포 융합, 바이오 의약품, 바이오칩, 유전자 치료 등
정보 통신 기술	• 사물 인터넷(IoT): 모든 사물을 인터넷으로 연결하는 기술 • 빅데이터: 방대한 정보를 분석하여 활용하는 기술 • 실감형 가상·증강 현실: 인간의 3차원 시각 인지 신호를 자극하는 실감 영상을 기반으로 하여 실제와 유사한 경험, 감성을 제공하는 기술

---

④ 생산 공정의 자동화

사람이 수행하던 작업을 기계가 수행하며, 컴퓨터와 각종 계측 장비를 이용하여 공장의 생산 공정이 자동화되었다.

⑤ 4차 산업 혁명

물리적 공간, 디지털적 공간, 생물학적 공간의 경계가 희석되는 기술 융합의 시대를 말한다.

⑥ 첨단 과학 기술 사례

• 유기 발광 다이오드(OLED): 형광성 물질에 전류를 흘려 주면 스스로 빛을 내는 현상을 이용하여 매우 얇은 모니터나 구부러지는 스마트폰 화면 등에 사용
• 인공 지능(AI): 기계가 인간과 같은 지능을 가지는 기술
• 멀티 콥터 드론: 정밀한 자세 제어와 민첩한 기동이 가능한 무인 항공기 기술
• 자율 주행 자동차: 운전자가 차량을 조작하기 않아도 스스로 주행하는 자동차

⑦ 유전자 변형 생물(LMO)

생명 공학 기술을 활용하여 새롭게 조합된 유전 물질을 포함하는 생물 📌 제초제에 내성을 가진 콩, 바이타민 A를 강화한 쌀, 잘 무르지 않는 토마토 등

■ **용어 이해하기**

• **나노미터** 1 nm(나노미터)는 10억분의 1 m의 길이이다.
• **증강 현실(더할 增, 강할 強, 나타날 現, 열매 實)** 현재 실제로 존재하는 사물이나 환경에 가상의 사물이나 환경을 덧입혀서, 마치 실제로 존재하는 것처럼 보여 주는 컴퓨터 그래픽 기술, 또는 그러한 기술로 조성된 현실

개념 다지기

초성 퀴즈 🔍

ⓑ 우리를 편리하게 해 주는 과학 기술

• 정보 통신 분야에서는 [ㅇ][ㅌ][ㄴ]을 통해 세계 각국의 정보를 동시에 주고받을 수 있게 되었다.

• [ㄱ][ㅎ][ㅈ] 설계는 과학 원리나 기술을 적용하여 기존의 제품을 개선하고 새로운 제품이나 시스템을 개발하는 창의적인 과정이다.

ⓓ 과학기술이 만들어갈 미래

• [ㅈ][ㅅ][ㅈ][ㅂ] 기술은 4차 산업 혁명의 핵심적인 기술이다.

• [ㄴ][ㄴ][ㄱ][ㅅ]은 물질을 나노미터 크기로 작게 하여 다양한 소재나 제품을 만드는 기술이다.

• 모든 사물을 인터넷으로 연결하는 기술을 [ㅅ][ㅁ][ㅇ][ㅌ][ㄴ] 기술이라고 한다.

5 오늘날 과학기술과 우리 생활의 변화를 옳게 연결하시오.

(1) 지능형 농장 •

(2) 인터넷 •

(3) 원격 의료 기술 •

• ㉠ 농산물의 생산량을 늘리고 품질도 높임

• ㉡ 장소에 관계없이 의료 지원을 받을 수 있음

• ㉢ 세계 각국의 정보를 동시에 주고받을 수 있음

6 공학적 설계의 과정을 순서대로 나열하시오.

(가) 제품 제작하기
(나) 정보 수집하기
(다) 설계도 작성하기
(라) 평가 및 개선하기
(마) 다양한 해결책 탐색하기
(바) 해결책 분석 및 결정하기
(사) 문제점 인식 및 목표 설정하기

7 다음 빈칸에 공통으로 들어갈 알맞은 말을 쓰시오.

오늘날 물리적 공간, 디지털적 공간, 생물학적 공간의 경계가 희석되는 기술 융합의 시대를 (   )이라고 한다. (   )의 핵심적인 기술은 지식 정보 기술로, 인공 지능 기술, 데이터 활용 기술을 바탕으로 한다.

8 과학기술이 가까운 미래 생활에 미치는 영향에 대한 설명으로 옳은 것은 ○표, 옳지 <u>않은</u> 것은 ×표를 하시오.

(1) 나노 기술의 발달로 제품의 소형화, 경량화가 가능해졌다. .... (   )

(2) 정보 통신 기술을 이용하여 휘어지는 디스플레이를 만들 수 있다. ( )

(3) 생명 공학 기술은 생물의 특성과 생명 현상을 이해하고, 이를 이용하거나 인위적으로 조작하는 기술이다. .... (   )

a 과학기술과 인류 문명의 발달

서답형

01 인류가 불을 사용하면서 문명이 발달한 과정을 순서대로 나열하시오.

> (가) 불을 스스로 피우기 시작하였다.
> (나) 청동이나 철과 같은 금속을 제련하였다.
> (다) 토기를 제작하고 토기에 음식을 저장하기 시작하였다.
> (라) 조명, 난방, 음식의 조리와 같이 불을 직접적으로 이용하였다.

02 인류 문명 발달에 영향을 준 과학기술에 대한 설명으로 옳은 것을 보기에서 모두 고른 것은?

> ┤ 보기 ├
> ㄱ. 태양 중심설은 기존의 우주관을 바꾼 이론으로 인류의 가치관 변화를 가지고 왔다.
> ㄴ. 만유인력의 법칙으로 인류는 자연현상이 어떻게 변할지 예측할 수 있게 되었다.
> ㄷ. 망원경의 발명으로 세포를 관찰할 수 있게 되었다.

① ㄱ   ② ㄴ   ③ ㄱ, ㄴ
④ ㄱ, ㄷ   ⑤ ㄴ, ㄷ

중요해!

03 오른쪽 그림과 같은 증기 기관차의 발명과 관련된 설명으로 옳지 않은 것은?

① 증기의 압력을 이용하는 증기 기관을 설치했다.
② 사회 조직이 변하는 원인이 되었다.
③ 산업 혁명이 일어나는 원동력이 되었다.
④ 많은 양의 물건을 이동할 수 있게 되었다.
⑤ 내연 기관이 개발되기 전까지는 증기 기관차로 먼 거리까지의 이동은 불가능했다.

04 다음은 페니실린에 대한 설명이다.

> 푸른곰팡이에서 '페니실린'이 발견되면서 항생제가 개발되었고, 이는 세균으로 인한 질병을 치료할 수 있는 계기가 되었다.

페니실린의 발견이 인류 문명에 미친 영향으로 옳은 것은?

① 교통 수단이 발달하였다.
② 식량의 대량 생산이 가능해졌다.
③ 항해술의 발전에 영향을 미쳤다.
④ 여러 질병을 예방할 수 있게 되었다.
⑤ 대량의 지식과 정보를 쉽게 접할 수 있게 되었다.

05 다음은 인류 문명 발달에 영향을 미친 어떤 발명품의 과학적 원리와 기술에 대한 설명이다.

> • 코일 근처에서 자석을 움직이면 코일에 전류가 흐른다는 과학적 원리를 이용하였다.
> • 음성을 전기 신호로 바꾸는 기술을 이용하였다.

이 발명품으로 옳은 것은?

① 백신   ② 전화기   ③ 항생제
④ 질소 비료   ⑤ 증기 기관

b 우리를 편리하게 해 주는 과학기술

중요해!

06 오늘날 정보 통신 분야의 발달로 옳지 않은 것은?

① 인공 지능 스피커나 사물 인터넷 등을 활용한다.
② 생명 공학 기술을 이용하여 농산물의 품종을 개량한다.
③ 인공위성을 군사, 기상, 과학, 통신 등의 분야에서 이용한다.
④ 인터넷을 통해 세계 각국의 정보를 동시에 주고받을 수 있다.
⑤ 스마트 기기를 이용하여 어디서든 영상을 보는 것이 가능해졌다.

07 원격 의료 기술의 발달이 우리 생활에 미치는 영향으로 옳은 것은?

① 제품의 소형화, 경량화가 가능해졌다.
② 많은 자원을 더 빠르게 이동시킬 수 있다.
③ 어디서든 편리하게 정보를 확인할 수 있다.
④ 장소에 관계없이 의료 지원을 받을 수 있다.
⑤ 농산물의 품종을 개량하고 생산성을 높일 수 있다.

서답형

08 다음에 알맞은 말을 쓰시오.

> 과학 원리나 기술을 적용하여 기존의 제품을 개선하거나 새로운 제품이나 시스템을 개발하는 창의적인 과정을 (   )라고 한다.

새로워!

09 공학적 설계를 고려하여 전기 자동차를 개발할 때 고려해야 하는 것으로 옳지 않은 것은?

① 자동차의 접근을 보행자가 알 수 있도 경보음 장치를 개발한다.
② 배기가스를 배출하지 않도록 전기 에너지를 이용하는 전동기를 사용한다.
③ 한 번 충전하면 먼 거리를 주행할 수 있도록 용량이 큰 축전지를 사용한다.
④ 자동차 외향적인 취향은 개발자의 취향을 고려하여 만든다.
⑤ 경제적 이익을 고려하기 위해 수명이 긴 배터리를 사용한다.

10 다음 설명에 해당하는 것으로 옳은 것은?

> 예전에는 사람이 수행하던 작업을 기계가 수행하고 있으며, 컴퓨터와 각종 계측 장비를 이용하여 공장의 생산 공정 속도를 높일 수 있다.

① 나노 반도체   ② 스마트 농장
③ 빅데이터 기술   ④ 원격 의료 기술
⑤ 생산 공정의 자동화

C 과학기술이 만들어갈 미래

11 과학기술과 미래에 대한 설명으로 옳지 않은 것은?

① 증기 기관을 바탕으로 한 1차 산업 혁명 이후 현재에는 4차 산업 혁명의 시대이다.
② 4차 산업 혁명이란 물리적 공간, 디지털적 공간, 생물학적 공간이 융합되는 기술 융합의 시대이다.
③ 4차 산업 혁명으로 과학기술의 영향력이 더욱 커지는 사회가 될 것이다.
④ 4차 산업 혁명을 이끄는 바탕에는 지식 정보 기술이 있다.
⑤ 4차 산업 혁명 이후 과학기술의 발전은 한계에 다다를 것이다.

중요해!

12 다음 기술들이 우리 생활에 미칠 영향으로 가장 적절한 것은?

> • 인공 지능
> • 빅데이터 기술

① 제품의 소형화가 가능해진다.
② 농산물의 생산성을 높일 수 있다.
③ 더 빠르고 편리하게 이동할 수 있다.
④ 원하는 정보를 빠르고 편리하게 찾을 수 있다.
⑤ 질병을 치료하기 위한 의약품 개발이 가속화된다.

13 오른쪽 그림은 우리 생활에 큰 영향을 미칠 것으로 예측되는 멀티 콥터 드론이다. 이에 대한 설명으로 옳은 것을 보기에서 모두 고른 것은?

멀티 콥터 드론

┤ 보기 ├
ㄱ. 전파로 원격 조정하는 무인 항공기이다.
ㄴ. 사용자가 조작하지 않아도 스스로 움직인다.
ㄷ. 항공 촬영, 택배, 농업, 재난 구조 등 다양한 분야에 이용할 수 있다.

① ㄱ   ② ㄴ   ③ ㄱ, ㄷ
④ ㄴ, ㄷ   ⑤ ㄱ, ㄴ, ㄷ

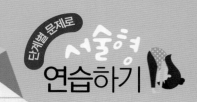

01 그림은 어떤 기관의 작동 원리를 나타낸 것이다.

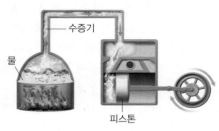

(1) 빈칸에 공통으로 들어갈 알맞은 말을 쓰시오.

↘ 물을 끓여 (　　　)를 만들고, 이때 부피가 증가한 (　　) 가 피스톤을 움직이게 한다.

(2) 이 기관의 발명이 인류 문명에 어떤 영향을 미쳤는지 산업 변화의 관점에서 설명하시오.

02 다음은 과학기술이 인류 문명 발달에 영향을 미친 사례이다.

> 20세기 초 독일의 과학자 하버는 공기 중의 질소 기체를 이용하여 '이것'을 합성하는 데 성공하였고, '이것'을 이용하여 질소 비료를 생산할 수 있게 되었다.

(1) 하버가 합성한 '이것'은 무엇인지 쓰시오.

↘ 하버는 공기 중의 질소 기체를 이용하여 (　　　) 기체를 합성하는 데 성공하였다.

(2) 하버의 연구가 인류 문명 발달에 어떤 영향을 미쳤는지 설명하시오.

03 서윤이는 인터넷으로 친구의 생일 선물로 가방을 검색했다. 친구의 생일 선물을 고르고 몇 시간 후, 인터넷으로 기사를 검색하는데 기사 옆 광고에 서윤이가 보던 가방이 나타났다.

(1) 이러한 현상은 어떤 과학기술을 적용한 것인지 쓰시오.

↘ (　　　　) 기술을 이용하여 우리 생활을 편리하게 한 예이다.

(2) 이 과학기술에 대해 설명하시오.

04 오른쪽 그림과 같이 연못에 떠 있는 연잎의 표면은 매우 작은 돌기 구조로 이루어져 있기 때문에 물이 스며들지 않는다. 과학자들은 이 현상에 착안하여 물에 젖지 않는 소재를 개발하였다.

(1) 이러한 소재를 만드는 기술을 무엇이라고 하는지 설명하시오.

↘ (　　　　) 크기에서 물질을 가공하여 다양한 소재나 제품을 만드는 것을 (　　　　)이라고 한다.

(2) 이 기술의 발달이 우리 생활에 미치는 영향을 설명하시오.

과학
3학년
우리 학교 시험 문제 | 대단원 평가
Ⅷ. 과학기술과 인류 문명

년 월 일
이름:

+) 정답과 해설 60쪽

01 인류가 불을 이용하면서 문명이 발달한 과정에 대한 설명으로 옳지 <u>않은</u> 것은?

① 불을 이용하게 되면서 음식의 조리가 가능해졌다.
② 인류는 자연 발생적인 불만 이용하면서 문명을 발달시켜 왔다.
③ 흙을 반죽하여 원하는 모양을 만든 후, 불로 가열하여 토기를 만들었다.
④ 나무를 서로 마찰시키거나 돌을 서로 부딪치면 불꽃이 생긴다는 과학 원리를 이용하여 불을 피우기 시작했다.
⑤ 불을 이용하여 청동, 철 등의 금속을 제련하게 되면서 인류 문명에 큰 변화를 가져오게 되었다.

02 다음의 과학기술 발전이 인류 문명에 미친 영향으로 옳은 것은?

> • 코페르니쿠스는 지구가 태양을 중심으로 돈다는 태양 중심설을 주장하였다.
> • 갈릴레이는 망원경으로 천체를 직접 관측하여 태양 중심설의 증거를 제시하였다.

① 철을 제련하여 농기구를 만들었다.
② 우주에 대한 생각이 달라지면서 인류의 가치관을 변화시켰다.
③ 질병을 예방하기 위한 백신이 개발되었다.
④ 발전기를 발명하여 전기 에너지를 이용하게 되었다.
⑤ 인쇄술의 발전으로 대량의 지식과 정보를 쉽게 접할 수 있게 되었다.

03 중요해!
과학기술이 발달로 의료 분야가 발달한 예를 모두 고르면? (정답 2개)

① 종두법을 실시하였다.
② 증기 기관을 발명하였다.
③ 전자기 유도 법칙이 발견되었다.
④ 암모니아를 합성하는 기술이 개발되었다.
⑤ 푸른곰팡이로부터 페니실린을 발견하였다.

04 과학 원리나 기술을 활용하여 기존의 제품을 개선하거나 새로운 제품이나 시스템을 개발할 때 고려해야 하는 사항을 옳게 짝 지은 것은?

① 경제성 – 외형이 아름다운가?
② 안전성 – 안전에 대비하였는가?
③ 외형적 요인 – 사용이 편리한가?
④ 환경적 요인 – 경제적으로 이득이 있는가?
⑤ 편리성 – 환경 오염을 유발하지 않는가?

05 중요해!
오늘날 정보 통신 기술의 발달이 우리 생활에 미치는 영향으로 옳지 <u>않은</u> 것은?

① 스마트폰으로 물건을 결제할 수 있다.
② 많은 양의 정보를 분석하여 활용할 수 있다.
③ 밖에서도 집 안의 가전제품을 작동시킬 수 있다.
④ 언제 어디서든 원하는 영상을 보는 것이 가능하다.
⑤ 다양한 항생제나 백신을 개발하는 것이 가능하다.

06 다음은 생명 공학 기술을 이용하여 만든 생명체에 대한 설명이다.

> • 제초제에 내성을 가진 콩
> • 바이타민 A를 강화한 쌀

이에 대한 설명으로 옳은 것을 보기에서 모두 고른 것은?

┌ 보기 ─────────────────
ㄱ. 유전자 변형 생물이라고 한다.
ㄴ. 생명체의 특징을 모방하는 기술을 이용하였다.
ㄷ. 특정 생물의 유용한 유전자를 다른 생물의 DNA에 끼워 넣어 재조합 DNA를 만드는 기술을 이용하였다.
└──────────────────────

① ㄱ   ② ㄴ   ③ ㄱ, ㄷ
④ ㄴ, ㄷ   ⑤ ㄱ, ㄴ, ㄷ

memo

과학, 개념에
응용을 더하다

싹플
Science +

중 학 교
과학 3

빠른 정리
미니북

동아출판

싸플 Science +
빠른 정리

미니북

중학교 **과학** 3

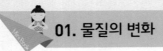

01. 물질의 변화

I. 화학 반응의 규칙과
에너지 변화

핵심 기출 ① 물리 변화와 화학 변화

구분	물리 변화	화학 변화
정의	물질 고유의 성질은 변하지 않으면서 상태나 모양 등이 변하는 현상	어떤 물질이 성질이 다른 새로운 물질로 변하는 현상
입자 배열의 변화	물 → (가열) → 수증기	물 → (전류) → 수소＋산소
변하는 것	분자의 배열	원자의 배열, 분자의 종류와 개수, 물질의 성질
변하지 않는 것	원자의 종류와 개수, 분자의 종류와 개수, 물질의 성질, 물질의 전체 질량	원자의 종류와 개수, 물질의 전체 질량

핵심 기출 ② 화학 반응식

1. **화학 반응식:** 화학 반응을 화학식과 기호를 이용하여 나타낸 것

2. **화학 반응식을 나타내는 방법**

	방법	예 물의 생성 반응
1단계	반응물질(반응물)과 생성물질(생성물)의 이름과 기호(——, ＋)로 화학 반응을 표현한다. ➡ 반응물질은 화살표의 왼쪽에, 생성물질은 화살표의 오른쪽에 쓰고 반응물질이나 생성물질이 여러 가지인 경우에는 '＋'로 연결한다.	수소 ＋ 산소 —— 물
2단계	반응물질과 생성물질을 화학식으로 나타낸다.	$H_2 + O_2 \longrightarrow H_2O$
3단계	화살표 양쪽에 있는 원자의 종류와 개수가 같아지도록 화학식 앞의 계수를 맞춘다. ➡ 계수는 가장 간단한 정수비로 나타내며, 1은 생략한다.	$2H_2 + O_2 \longrightarrow 2H_2O$

3. **화학 반응식으로 알 수 있는 것**

   ① 반응물질과 생성물질의 분자의 종류와 개수, 원자의 종류와 개수를 알 수 있다.

   ② 화학 반응식의 계수비로 반응물질과 생성물질의 분자(입자) 수의 비를 알 수 있다.

핵심 기출 **①** **질량 보존 법칙**

1. **질량 보존 법칙:** 화학 반응이 일어날 때 반응물질의 전체 질량과 생성물질의 전체 질량은 변하지 않는다.
2. **질량 보존 법칙이 성립하는 까닭:** 화학 반응이 일어날 때 물질을 이루는 원자의 종류와 개수는 변하지 않기 때문이다.

기출 탐구 **화학 반응에서의 질량 변화 확인하기**

① 묽은 염산을 넣은 시험관과 분필 조각을 플라스틱병에 넣고 뚜껑을 닫은 후, 전체 질량을 측정한다.

분필
조각

묽은
염산

② 플라스틱병을 기울여 묽은 염산과 분필 조각을 반응시킨 후, 전체 질량을 측정한다.

➡ 묽은 염산과 분필 조각의 주성분인 탄산 칼슘이 반응하면 이산화 탄소, 염화 칼슘, 물이 생성된다. 이때 ①과 ②에서 플라스틱병의 질량은 모두 75.9 g으로, 화학 반응 전후 물질의 전체 질량은 같다.

핵심 기출 **②** **일정 성분비 법칙**

1. **일정 성분비 법칙:** 화합물을 구성하는 성분 원소 사이에는 일정한 질량비가 성립한다.
2. **일정 성분비 법칙이 성립하는 까닭:** 화합물이 생성될 때 원자는 일정한 개수비로 결합하기 때문이다.

기출 탐구 **화합물을 구성하는 성분 원소 사이의 질량 관계**

① 구리의 질량을 다르게 하여 가열할 때 생성되는 산화 구리(Ⅱ)의 질량을 각각 측정한다. ➡ 실험 결과, 산화 구리(Ⅱ)와 구리의 질량비는 5 : 4이다.

② 산화 구리(Ⅱ)를 이루는 구리와 산소의 질량을 구하여 질량비를 그래프로 나타낸다. ➡ 산화 구리(Ⅱ)를 이루는 구리와 산소의 질량비는 4 : 1이다.

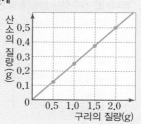

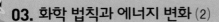
핵심 기출 ❶ 기체 반응 법칙

1. **기체 반응 법칙:** 일정한 온도와 압력에서 기체가 반응하여 새로운 기체를 생성할 때 각 기체의 부피 사이에는 간단한 정수비가 성립한다.

2. **기체 반응 법칙과 화학 반응식:** 기체 반응 법칙에서 각 기체의 부피비는 반응물질과 생성물질의 분자 수의 비와 같으며, 화학 반응식의 계수비와 같다.

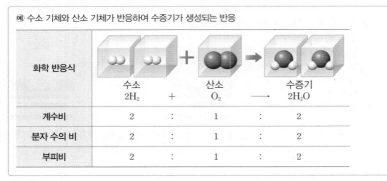

	수소 기체와 산소 기체가 반응하여 수증기가 생성되는 반응				
화학 반응식	수소 $2H_2$	$+$	산소 O_2	$\longrightarrow$	수증기 $2H_2O$
계수비	2	:	1	:	2
분자 수의 비	2	:	1	:	2
부피비	2	:	1	:	2

핵심 기출 ❷ 화학 반응에서의 에너지 출입

1. **에너지를 방출하는 반응(발열 반응):** 화학 반응이 일어날 때 주변으로 에너지를 방출하는 반응 ➡ 주변의 온도가 높아진다.
   예 물질의 연소, 금속과 산의 반응, 금속이 녹스는 반응, 산화 칼슘 또는 황화 칼슘과 물의 반응, 산과 염기의 반응 등

2. **에너지를 흡수하는 반응(흡열 반응):** 화학 반응이 일어날 때 주변으로부터 에너지를 흡수하는 반응 ➡ 주변의 온도가 낮아진다.
   예 식물의 광합성, 질산 암모늄과 물의 반응, 수산화 바륨과 염화 암모늄의 반응, 탄산수소 나트륨의 열분해, 물의 전기 분해 등

에너지 방출

에너지

에너지 흡수

1 물질의 고유한 성질을 변하지 않으면서 상태나 모양 등이 변하는 현상을 (　　　) 변화라고 한다.

2 물을 전기 분해하여 산소 기체와 수소 기체가 생성되는 변화는 (물리 변화 , 화학 변화)이다.

3 물리 변화가 일어날 때 물질의 전체 질량은 (변한다 , 변하지 않는다).

4 화학 변화가 일어날 때 물질의 고유한 성질은 (변한다 , 변하지 않는다).

5 화학 반응을 (　　　)과 기호를 이용하여 나타낸 것을 화학 반응식이라고 한다.

6 화학 반응식을 나타낼 때 반응물질은 화살표의 (왼쪽 , 오른쪽)에, 생성물질은 화살표의 (왼쪽 , 오른쪽)에 나타낸다.

7 수소 기체와 산소 기체가 반응하여 물이 생성되는 반응을 화학 반응식으로 나타낼 때 다음 빈칸에 알맞은 숫자를 쓰시오.

$$(\quad)H_2 + O_2 \longrightarrow (\quad)H_2O$$

8 질소와 수소가 반응하여 암모니아가 생성되는 반응을 화학 반응식으로 나타내면 $N_2 + 3H_2 \longrightarrow (\quad)$이다.

1 화학 반응이 일어날 때 반응물질의 전체 질량과 생성물질의 전체 질량은 변하지 않는데, 이를 ( ) 법칙이라고 한다.

2 밀폐된 용기에 분필 조각과 묽은 염산을 서로 섞이지 않게 넣었을 때의 질량이 80 g이었다. 두 물질을 섞어 기체가 발생하는 반응이 일어날 때 반응 후, 용기의 전체 질량은 몇 g인지 구하시오.

3 염화 나트륨 수용액 10 g과 질산 은 수용액 20 g을 섞으면 흰색 앙금인 ( )이 생성되며, 이때 혼합 용액의 전체 질량은 ( ) g이다.

4 화학 반응이 일어나 원자의 배열이 달라지더라도 반응물질과 생성물질을 이루는 원자의 종류와 ( )는 같기 때문에 질량이 보존된다.

5 화합물을 구성하는 성분 원소 사이에는 일정한 ( )가 성립하는데, 이를 일정 성분비 법칙이라고 한다.

6 일정 성분비 법칙은 (혼합물 , 화합물)에서 성립된다.

7 구리 2.0 g을 모두 연소하여 산화 구리(Ⅱ) 2.5 g이 생성되었다. 이때 반응한 산소 기체의 질량은 ( ) g이고, 구리와 산소의 질량비는 구리 : 산소=( ) : ( )이다.

8 수소와 산소가 반응하여 물을 생성할 때 수소 : 산소의 질량비는 1 : 8로 항상 일정하다. 따라서 수소 3 g이 산소와 완전히 반응하면 물 ( ) g이 생성된다.

정답 **1** 질량 보존 **2** 80 g **3** 염화 은, 30 **4** 개수 **5** 질량비 **6** 화합물 **7** 0.5, 4, 1 **8** 27

1 일정한 온도와 압력에서 기체가 반응하여 새로운 기체를 생성할 때 각 기체의 부피 사이에는 간단한 (   )가 성립하는데, 이를 기체 반응 법칙이라고 한다.

2 기체 반응 법칙에서 각 기체의 부피비는 반응물질과 생성물질의 분자 수의 비와 같고, 화학 반응식의 (   )와 같다.

3 일정한 온도와 압력에서 산소 기체와 수소 기체가 반응하여 수증기가 생성될 때 산소 : 수소 : 수증기의 부피비는 2 : 1 : 2이다. 이때 기체 분자 수의 비를 쓰시오.

> 산소 : 수소 : 수증기 = (   ) : (   ) : (   )

4 일정한 온도와 압력에서 수소 기체와 염소 기체가 반응하여 염화 수소 기체가 생성되는 반응을 화학 반응식으로 나타내면 $H_2 + Cl_2 \longrightarrow 2HCl$이다. 이때 기체의 부피비를 쓰시오.

> 수소 : 염소 : 염화 수소 = (   ) : (   ) : (   )

5 질소 기체와 수소 기체가 반응하여 암모니아 기체가 생성되는 반응을 화학 반응식으로 나타내면 $N_2 + 3H_2 \longrightarrow 2NH_3$이다. 이때 암모니아 기체 20 mL를 만들기 위해 필요한 수소 기체는 몇 mL인지 구하시오.

6 화학 반응이 일어날 때는 (   ) 출입이 일어난다.

7 화학 반응이 일어날 때 에너지를 흡수하면 주변의 온도는 (낮아진다 , 높아진다).

답 1 정수비   2 계수비   3 2, 1, 2   4 1, 1, 2   5 30 mL   6 에너지   7 낮아진다

핵심 기출 ① 기권의 구조

구분	특징
열권	• 공기가 희박하고, 밤낮의 기온 차가 크다. • 오로라가 나타난다.
중간권	• 대류가 일어나지만, 수증기가 거의 없어 기상 현상은 일어나지 않는다. • 유성이 관측된다.
성층권	• 오존층이 있어 태양의 자외선을 흡수한다. • 대류가 일어나지 않아 기층이 안정하다.
대류권	• 공기의 대부분이 분포한다. • 대류가 일어나고, 수증기가 있어 기상 현상이 나타난다.

핵심 기출 ② 복사 평형과 지구 온난화

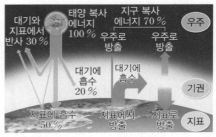

1. **복사 평형:** 물체가 흡수하는 복사 에너지양과 방출하는 복사 에너지양이 같은 상태

2. **지구의 복사 평형:** 지구가 흡수하는 태양 복사 에너지양 = 지구가 방출하는 지구 복사 에너지양

3. **온실 효과:** 대기의 영향으로 대기가 없을 때보다 평균 기온이 높게 유지되는 현상

4. **지구 온난화:** 대기 중의 온실 기체가 증가하여 온실 효과가 강화됨에 따라 지구의 평균 기온이 높아지는 현상

02. 대기 중의 물

핵심 기출 ① 대기 중의 수증기

1. **포화 수증기량:** 포화 상태의 공기 $1\,kg$에 들어 있는 수증기량(g/kg) ➡ 기온이 높아지면 증가한다.

2. **이슬점:** 공기 중의 수증기가 응결하기 시작할 때의 온도 ➡ 현재 수증기량이 많을수록 이슬점이 높다.

핵심 기출 ② 상대 습도

1. **상대 습도(%)** = $\dfrac{현재\ 공기의\ 실제\ 수증기량(g/kg)}{현재\ 기온의\ 포화\ 수증기량(g/kg)} \times 100$

2. **상대 습도의 변화:** 기온이 일정할 때는 수증기량이 많을수록 상대 습도가 높고, 수증기량이 일정할 때는 기온이 높을수록 상대 습도가 낮다. ➡ 맑은 날 기온과 상대 습도는 반대로 나타난다.

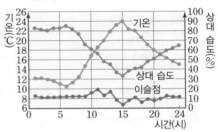

핵심 기출 ③ 구름과 강수

1. **단열 팽창:** 공기가 주변과 열을 주고받지 않고 부피가 팽창하는 것

2. **구름의 생성 과정:** 공기 상승 ➡ 단열 팽창 ➡ 온도 하강 ➡ 이슬점 도달 ➡ 수증기 응결 ➡ 구름 생성

3. **강수 과정:** 구름 속의 물방울이 커져 비가 되거나, 구름 속의 수증기가 얼음 알갱이에 달라붙어 얼음 알갱이가 커져 눈이나 비로 내린다.

중위도나 고위도 지역	저위도 지역
물방울에서 증발한 수증기가 얼음 알갱이에 달라붙어 점점 무거워져 지표면으로 떨어진다.	구름 속 물방울들끼리 서로 충돌하여 만들어진 큰 물방울이 비로 내린다.

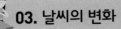

1. **기압**: 공기가 단위 넓이에 작용하는 힘 ➡ 모든 방향으로 작용한다.

> 1기압＝수은 기둥 76 cm의 압력≒1013 hPa

2. **바람**: 기압이 높은 곳에서 낮은 곳으로 공기가 이동하는 현상

1. **우리나라에 영향을 주는 기단**

계절	봄·가을	초여름	여름	겨울
기단	양쯔강 기단	오호츠크해 기단	북태평양 기단	시베리아 기단

2. **한랭 전선과 온난 전선**

구분	한랭 전선	온난 전선
전선면의 기울기	급하다	완만하다
구름의 모양	적운형	층운형
강수 형태	좁은 지역에 소나기성 비	넓은 지역에 지속적인 비

> **기출 탐구** 전선의 형성 원리 알아보기
>
> ① 칸막이가 있는 수조에 따뜻한 물과 찬물을 넣는다. ➡ 따뜻한 물은 따뜻한 공기, 찬물은 찬 공기를 나타낸다.
> ② 수조의 칸막이를 들어 올린다. ➡ 찬물이 따뜻한 물 아래쪽으로 파고들면서 경계면을 만든다.
>
> 따뜻한 물　찬물
>
>

1. **고기압과 저기압의 날씨**: 고기압에서는 하강 기류에 의해 날씨가 맑고, 저기압에서는 상승 기류에 의해 구름이 생겨 날씨가 흐리거나 비가 온다.

2. **온대 저기압**: 중위도 지역에서 한랭 전선과 온난 전선이 함께 나타나는 온대 저기압이 자주 발생한다. 온대 저기압은 서쪽에서 동쪽으로 이동하면서 날씨를 변하게 한다.

3. **계절별 날씨**: 우리나라 여름철에는 남동 계절풍이 불고, 겨울철에는 북서 계절풍이 분다.

01. 기권과 복사 평형

1 오른쪽 그림에서 눈이나 비 등의 기상 현상이 나타나는 층의 기호와 이름을 쓰시오.

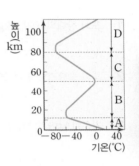

2 성층권에서 (　　　)은 태양의 자외선을 흡수하여 지구의 생명체를 보호한다.

3 공기가 가장 희박하고, 밤낮의 기온 차가 크며 오로라가 나타나는 층은 (중간권 , 열권)이다.

4 어떤 물체가 흡수하는 복사 에너지양과 방출하는 복사 에너지양이 같은 상태를 (　　　)이라고 한다.

5 지구의 대기에 의해 지구의 평균 온도가 높게 유지되는 현상을 (　　　)라고 한다.

6 온실 효과를 일으키는 수증기, 이산화 탄소, 메테인 등의 기체를 (　　　)라고 한다.

7 지구는 온실 효과가 있어 대기가 없을 때보다 (높은 , 낮은) 온도에서 복사 평형을 이룬다.

8 대기 중 온실 기체가 (증가 , 감소)하면 지구 온난화가 일어난다.

정답 1 A, 대류권　2 오존층　3 열권　4 복사 평형　5 온실 효과　6 온실 기체　7 높은　8 증가

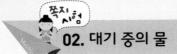
1 포화 상태의 공기 1 kg에 들어 있는 수증기량(g/kg)을 (　　　)이라고 한다.

2 포화 수증기량은 기온이 (높 , 낮)을수록 많아진다.

3 기온이 낮아지다가 응결이 일어나기 시작하는 온도를 (　　　)이라고 한다.

4 현재 기온의 포화 수증기량에 대한 현재 공기 중의 실제 수증기량의 비율(%)을
(　　　)라고 한다.

5 오른쪽 그림은 하루 동안 기온과 상대 습도의 변
화를 나타낸 것이다. ㉠과 ㉡은 각각 무엇을 나타
내는지 쓰시오.

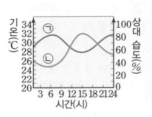

6 공기가 단열 팽창하면 기온은 (낮 , 높)아진다.

7 구름이 만들어지려면 공기가 (상승 , 하강)해야 한다.

8 중위도에서 내리는 비나 눈은 구름 속의 (　　　)가 얼음 알갱이에 달라붙어 얼음
알갱이가 성장하여 만들어진다.

1 기압은 (아래 , 모든) 방향으로 작용한다.

2 수은 기둥의 높이 76 cm에 해당하는 대기의 압력은 (1 , 10)기압이다.

3 바람은 (기온 , 기압)이 높은 곳에서 낮은 곳으로 공기가 이동하는 것이다.

4 (   ) 기단이 우리나라에 영향을 줄 때는 춥고 건조한 날씨가 나타난다.

5 표는 한랭 전선과 온난 전선의 특징을 나타낸 것이다. ㉠~㉢에 알맞은 말을 쓰시오.

구분	한랭 전선	온난 전선
전선면의 기울기	(㉠)	완만하다
구름의 모양	(㉡)	(㉢)
강수 형태	좁은 지역에 소나기성 비	넓은 지역에 지속적인 비

6 표는 기압과 날씨를 나타낸 것이다. 빈칸에 알맞은 말을 쓰시오.

기압	고기압	저기압
정의	주위보다 기압이 높은 곳	주위보다 기압이 낮은 곳
기류	(㉠) 기류	(㉡) 기류
날씨	맑음	흐리거나 비가 옴

7 우리나라의 (여름, 겨울)철에는 북태평양 고기압이 확장되며 남동 계절풍이 분다.

---

01. 운동

핵심 기출 ① **속력**

1. **운동의 표현:** 물체의 위치를 일정한 시간 간격으로 나타내어 운동을 표현한다.
   ⓔ 다중 섬광 사진

2. **속력**
   ① 물체의 빠르기로 일정한 시간 동안 물체가 이동한 거리
   ② 속력(m/s)$=\dfrac{\text{이동 거리(m)}}{\text{걸린 시간(s)}}$, 평균 속력(m/s)$=\dfrac{\text{전체 이동 거리(m)}}{\text{걸린 시간(s)}}$

핵심 기출 ② **등속 운동**

1. **등속 운동:** 속력이 변하지 않고 일정한 운동

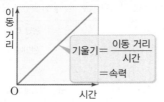 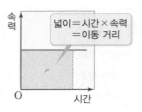

2. **등속 운동의 예:** 수하물 컨베이어, 무빙워크, 에스컬레이터, 케이블카 등

핵심 기출 ③ **자유 낙하 운동**

1. **자유 낙하 운동:** 높은 곳에서 정지해 있던 물체가 중력만을 받아 떨어지는 운동

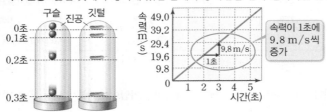

2. **질량이 다른 물체의 자유 낙하:** 같은 높이에서 동시에 자유 낙하 운동을 하는 물체는 공기의 저항을 무시하면 질량에 관계없이 지면에 동시에 도달한다.

02. 일과 에너지

핵심 기출 ① 일

1. **과학에서의 일:** 물체에 힘이 작용하여 물체가 힘의 방향으로 이동할 때 힘이 물체에 일을 한다고 한다. 단위로 J(줄)을 사용한다.

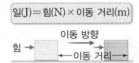

2. **물체에 한 일이 0인 경우**
   ① 물체가 이동하였으나 물체에 작용한 힘이 0인 경우
   ② 물체에 힘이 작용하였으나 물체의 이동 거리가 0인 경우
   ③ 물체에 힘이 작용하였으나 물체의 이동 방향과 힘의 방향이 수직인 경우

3. **일과 에너지**
   ① 에너지: 일을 할 수 있는 능력으로 단위로 J(줄)을 사용한다.
   ② 일과 에너지는 서로 전환될 수 있다.
   ③ 물체가 다른 물체에 일을 하면 일을 한 물체의 에너지는 감소하고, 일을 받은 물체의 에너지는 증가한다.

핵심 기출 ② 중력이 한 일

1. **위치 에너지**
   ① 높은 곳에 있는 물체가 중력을 받아 일을 할 수 있는 능력을 중력에 의한 위치 에너지라고 한다.
   ② 위치 에너지＝9.8×질량×높이,
   $E_{위치}=9.8mh$

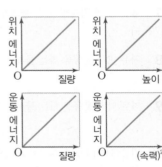

2. **운동 에너지**
   ① 운동하는 물체가 가지는 에너지를 운동 에너지라고 한다.
   ② 운동 에너지＝$\frac{1}{2}$×질량×속력^2, $E_{운동}=\frac{1}{2}mv^2$

3. **자유 낙하 운동에서 중력이 한 일:** 자유 낙하 운동은 중력이 일을 하는 과정으로, 중력이 한 일은 물체의 운동 에너지로 전환된다.

1 물체가 일정한 시간 동안 이동한 거리를 (   )이라고 하며, 물체의 빠르기를 나타낸다.

2 다중 섬광 사진에서 물체 사이 거리를 분석하면 물체의 (   ) 변화를 알 수 있다.

3 자동차가 5초 동안 200 m를 움직였다면 자동차의 속력은 (   ) m/s이다.

4 속력이 변하지 않고 일정한 운동을 (   )이라고 한다.

5 등속 운동하는 물체의 시간에 따른 속력 그래프에서 그래프 아랫부분의 넓이는 시간과 속력의 곱이므로 (   )를 나타낸다.

6 무빙워크는 속력이 일정하므로 (   ) 운동을 한다.

7 높은 곳에 정지해 있던 물체가 중력만을 받아 떨어지는 운동을 (   )이라고 한다.

8 자유 낙하 운동을 하는 물체는 속력이 1초마다 (   ) m/s씩 증가한다.

9 자유 낙하 운동을 하는 물체는 1초마다 이동하는 거리가 점점 (증가 , 감소)한다.

10 진공에서 10 m 높이에서 1 kg의 공을 떨어뜨리면 2초 후 공의 속력은 (   ) m/s가 된다.

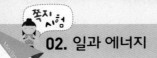

1 물체에 힘이 작용하여 물체가 힘의 방향으로 이동할 때 힘이 물체에 ( )을 한 다고 한다.

2 일의 단위로 ( )을 사용한다.

3 상자를 수평 방향으로 3 N의 힘으로 밀어 상자가 힘의 방향으로 2 m 이동하였다면 상자에 한 일의 양은 ( ) J이다.

4 일을 할 수 있는 능력을 ( )라고 한다.

5 ( )는 높은 곳에 있는 물체가 중력을 받아 일을 할 수 있는 능력으로 물체의 질량과 높이에 비례한다.

6 질량이 0.5 kg인 물체가 10 m 높이에 매달려 있다면 물체가 가진 위치 에너지는 ( ) J이다.

7 운동하는 물체가 가진 에너지를 ( )라고 한다.

8 질량이 1 kg인 수레가 2 m/s의 속력으로 움직이고 있을 때 수레가 가진 운동 에너 지는 ( ) J이다.

9 자유 낙하 운동은 중력이 일을 하는 과정으로, 중력이 한 일은 물체의 ( )로 전환된다.

답 **1** 일 **2** J(줄) **3** 6 **4** 에너지 **5** 위치 에너지 **6** 49 **7** 운동 에너지 **8** 2 **9** 운동 에너지

01. 감각 기관

핵심 기출 ❶ 눈과 귀의 구조와 기능

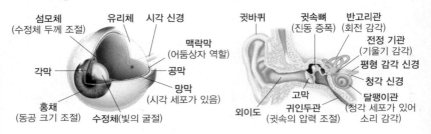

섬모체 (수정체 두께 조절)
유리체
시각 신경
맥락막 (어둠상자 역할)
각막
공막
망막 (시각 세포가 있음)
홍채 (동공 크기 조절)
수정체(빛의 굴절)

귓바퀴
귓속뼈 (진동 증폭)
반고리관 (회전 감각)
전정 기관 (기울기 감각)
평형 감각 신경
청각 신경
고막
달팽이관 (청각 세포가 있어 소리 감각)
외이도
귀인두관 (귓속의 압력 조절)

핵심 기출 ❷ 눈의 조절 작용

밝기에 따른 조절 작용		거리에 따른 조절 작용	
밝을 때	홍채 확장 → 동공 축소 → 눈으로 들어오는 빛의 양 감소	가까운 곳을 볼 때	섬모체 수축 → 수정체 두꺼워짐
어두울 때	홍채 축소 → 동공 확대 → 눈으로 들어오는 빛의 양 증가	먼 곳을 볼 때	수정체 얇아짐 → 섬모체 이완

핵심 기출 ❸ 후각, 미각, 피부 감각

후각(코)	미각(혀)	피부 감각
• 콧속 후각 상피의 후각 세포에서 기체 상태의 물질 수용 • 매우 예민한 감각이다. • 쉽게 피로해진다.	• 맛봉오리의 맛세포에서 액체 상태의 물질 수용 • 기본 맛: 단맛, 짠맛, 신맛, 쓴맛, 감칠맛	• 피부 감각점에서 자극 수용: 통점(통증), 압점(압박), 촉점(접촉), 냉점(낮아지는 온도 변화), 온점(높아지는 온도 변화) • 감각점은 종류와 몸의 부위에 따라 분포 밀도가 다르다.

02. 신경계

핵심 기출 ① 뉴런의 구조와 종류

1. **뉴런:** 신경계를 구성하는 단위 세포로 가지 돌기에서 자극을 받아들이고 축삭 돌기를 통해 다른 뉴런이나 반응기로 자극을 전달한다.

2. **뉴런의 종류:** 감각기에서 자극을 받아들이는 감각 뉴런, 자극을 판단하고 반응 명령을 내리는 연합 뉴런, 반응기에 명령을 전달하는 운동 뉴런이 있다.

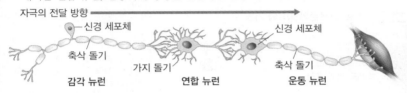

자극의 전달 방향

감각 뉴런 / 연합 뉴런 / 운동 뉴런

핵심 기출 ② 중추 신경계

대뇌	자극을 수용하고 명령을 내리며 복잡한 정신 활동 수행
소뇌	근육 운동 조절, 몸의 균형 유지
간뇌	체온과 체액의 농도를 일정하게 유지
중간뇌	안구 운동 조절, 동공 반사 중추
연수	호흡, 심장 박동, 소화액 분비 조절, 기침, 재채기, 하품, 눈물 분비 등의 반사 중추
척수	뇌와 몸의 말단부를 연결하는 신호 전달 통로

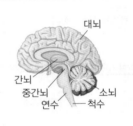

대뇌 / 간뇌 / 중간뇌 / 연수 / 소뇌 / 척수

핵심 기출 ③ 자극 전달 경로

의식적인 반응	무조건 반사
자극 → 감각기 → 감각 신경(→ 척수) → 대뇌 → 척수 → 운동 신경 → 반응기 → 반응	자극 → 감각기 → 감각 신경 → 척수 → 운동 신경 → 반응기 → 반응

대뇌 / 감각 신경 / 운동 신경 / 척수 / 운동 신경 / 감각 신경

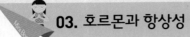

03. 호르몬과 항상성

IV. 자극과 반응

핵심 기출 1 신경계의 작용과 호르몬의 작용 비교

구분	전달 매체	전달 속도	효과의 지속성	작용 범위
신경계	뉴런	빠름	일시적	좁음
호르몬	혈액	느림	오래 지속	넓음

핵심 기출 2 호르몬의 종류와 기능

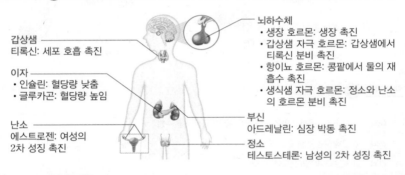

갑상샘
티록신: 세포 호흡 촉진

이자
• 인슐린: 혈당량 낮춤
• 글루카곤: 혈당량 높임

난소
에스트로젠: 여성의
2차 성징 촉진

뇌하수체
• 생장 호르몬: 생장 촉진
• 갑상샘 자극 호르몬: 갑상샘에서
  티록신 분비 촉진
• 항이뇨 호르몬: 콩팥에서 물의 재
  흡수 촉진
• 생식샘 자극 호르몬: 정소와 난소
  의 호르몬 분비 촉진

부신
아드레날린: 심장 박동 촉진

정소
테스토스테론: 남성의 2차 성징 촉진

핵심 기출 3 혈당량과 체온 조절

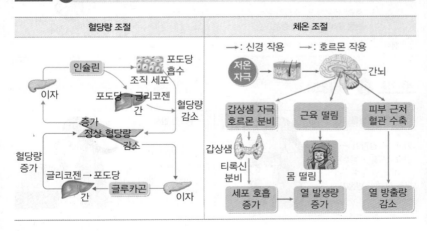

IV. 자극과 반응

1 그림은 눈의 구조를 나타낸 것이다. 빈칸에 알맞은 말을 쓰시오.

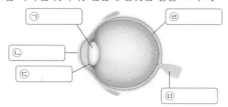

2 망막의 (㉠　　　　)에는 시각 세포가 밀집되어 있어 상이 맺히면 선명하게 보이며, (㉡　　　　)에는 시각 세포가 없어 상이 맺혀도 보이지 않는다.

3 귀의 구조와 해당하는 설명을 옳게 연결하시오.

(1) 귓속뼈　　　•　　　　　　　　• ㉠ 몸의 회전을 감각

(2) 귀인두관　　•　　　　　　　　• ㉡ 고막의 진동을 증폭

(3) 반고리관　　•　　　　　　　　• ㉢ 몸의 기울어짐을 감각

(4) 전정 기관　•　　　　　　　　• ㉣ 고막 안쪽과 바깥쪽의 압력을 같게 조절

4 그림은 후각 기관과 미각 기관을 나타낸 것이다. 빈칸에 알맞은 말을 쓰시오.

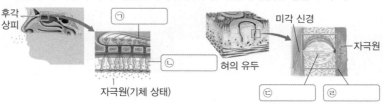

후각 상피

㉠

㉡

자극원(기체 상태)

미각 신경

자극원

혀의 유두

㉢　　㉣

5 피부 감각점 중 (㉠　　　　)은 통증을, 압점은 압박을, 촉점은 접촉을, 온점과 냉점은 상대적인 (㉡　　　　)를 감각한다.

02. 신경계

1 그림은 뉴런의 구조를 나타낸 것이다. 빈칸에 알맞은 말을 쓰시오.

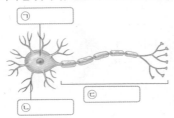

2 (㉠   ) 뉴런은 감각기에서 받아들인 자극을 중추 신경계로 전달하고, 중추 신경계의 명령은 (㉡   ) 뉴런이 반응기로 전달한다. (㉢   ) 뉴런은 중추 신경계를 구성한다.

3 그림은 뇌의 구조를 나타낸 것이다. 빈칸에 알맞은 말을 쓰시오.

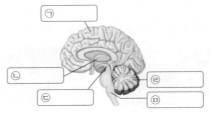

4 무릎 반사는 (㉠   )를 거치지 않고 (㉡   )가 중추가 되어 일어나는 (㉢   )이다.

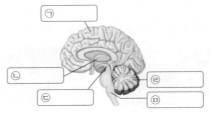

정답 1 ㉠ 신경 세포체 ㉡ 가지 돌기 ㉢ 축삭 돌기 2 ㉠ 감각 ㉡ 운동 ㉢ 연합 3 ㉠ 대뇌 ㉡ 간뇌 ㉢ 중간뇌 ㉣ 소뇌 ㉤ 연수 4 ㉠ 대뇌 ㉡ 척수 ㉢ 무조건 반사

1 호르몬은 (㉠   )을 통해 운반되어 (㉡   ) 세포나 기관에서 작용한다.

2 신경계에 의한 조절 작용은 빠르게 일어나며 효과가 일시적인 데 비해 호르몬에 의한 조절 작용은 (㉠   ) 일어나며 효과가 비교적 (㉡   ) 지속된다.

3 호르몬과 각 호르몬을 분비하는 내분비샘을 옳게 연결하시오.
(1) 에스트로젠 •　　　　　　　　　• ㉠ 부신
(2) 아드레날린 •　　　　　　　　　• ㉡ 난소
(3) 생장 호르몬 •　　　　　　　　　• ㉢ 정소
(4) 테스토스테론 •　　　　　　　　• ㉣ 뇌하수체

4 뇌하수체에서 분비되는 (   )은 콩팥에서 수분의 재흡수를 촉진한다.

5 체온, 혈당량, 체액의 농도 등 우리 몸의 상태를 외부 환경과 관계없이 일정하게 유지하는 성질을 (   )이라고 한다.

6 혈당량이 높아지면 이자에서 (㉠   )이 분비되어 간에서 포도당이 글리코젠으로 합성되는 반응을 촉진하고, 혈당량이 낮아지면 (㉡   )이 분비되어 글리코젠이 포도당으로 분해되는 반응을 촉진한다.

7 추울 때는 갑상샘에서 (㉠   ) 분비가 증가하여 세포 호흡이 촉진되고 피부 근처의 혈관이 (㉡   )하여 열 방출이 감소한다.

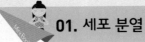

핵심 기출 ① 체세포 분열

간기	핵분열				세포질 분열
	전기	중기	후기	말기	
핵막 뚜렷, 염색체 풀어져 있음	핵막 사라지고, 염색체 나타남	염색체가 세포 중앙에 배열	염색 분체 분리, 양 끝으로 이동	염색체가 풀어지고 핵막 생김	세포질 분열, 2개의 딸세포 생성

핵심 기출 ② 생식세포 형성 과정

간기	감수 1분열			
	전기	중기	후기	말기
핵막이 뚜렷하고, 염색체가 풀어져 있음	핵막이 사라지고, 상동 염색체가 접합	2가 염색체가 세포 중앙에 나란히 배열	상동 염색체가 나뉘어 양 끝으로 이동	핵막이 생기고 세포질 분열
	┌ 2가 염색체			

감수 2분열				세포질 분열
전기	중기	후기	말기	
간기 없이 핵막이 사라지고 2분열 시작	염색체가 세포 중앙에 나란히 배열	염색 분체가 나뉘어 양 끝으로 이동	염색체가 풀어지고 핵막 생김	세포질이 분열되어 4개의 딸세포 생성

핵심 기출 ③ 체세포 분열과 감수 분열 비교

구분	분열 횟수	딸세포 수	염색체 수	분열 결과
체세포 분열	1회	2개	변화 없음	생장
감수 분열	2회	4개	반으로 감소	생식세포 형성

02. 수정과 발생

핵심 기출 **1** 사람의 생식세포

핵
23개의 염색체가 있다.
꼬리
정자가 움직일 수 있도록 한다.

핵
23개의 염색체가 있다.
세포질
많은 양분이 저장되어 있다.

핵심 기출 **2** 수정과 발생

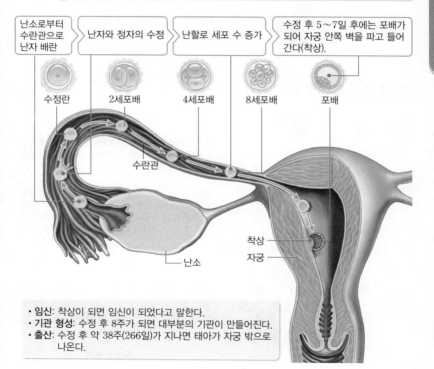

난소로부터 수란관으로 난자 배란

난자와 정자의 수정

난할로 세포 수 증가

수정 후 5~7일 후에는 포배가 되어 자궁 안쪽 벽을 파고 들어간다(착상).

수정란

2세포배

4세포배

8세포배

포배

수란관

난소

착상

자궁

• **임신**: 착상이 되면 임신이 되었다고 말한다.
• **기관 형성**: 수정 후 8주가 되면 대부분의 기관이 만들어진다.
• **출산**: 수정 후 약 38주(266일)가 지나면 태아가 자궁 밖으로 나온다.

핵심 기출 ① 우열의 원리와 분리의 법칙

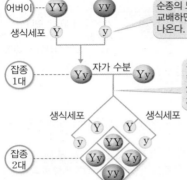

순종의 노란색 완두(YY)와 초록색 완두(yy)를 교배하면 잡종 1대에서는 노란색 완두(Yy)만 나온다. → **우열의 원리**

잡종 1대를 자가 수분하면 생식세포 형성 시 대립유전자가 분리되어 잡종 2대에서 노란색 완두와 초록색 완두가 3:1의 비로 나온다. → **분리의 법칙**

· 순종: 대립유전자가 동일한 개체
· 잡종: 대립유전자가 다른 개체
· 우성: 순종의 대립 형질을 교배했을 때 자손에서 나타나는 형질

핵심 기출 ② 독립의 법칙

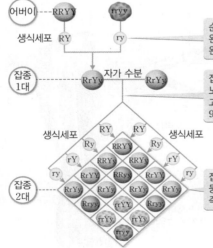

순종의 둥글고 노란색인 완두와 주름지고 초록색인 완두를 교배하면 잡종 1대에서는 둥글고 노란색인 완두만 나온다.

잡종 1대를 자가 수분하면 잡종 2대에서 둥글고 노란색인 완두 : 주름지고 노란색인 완두 : 둥글고 초록색인 완두 : 주름지고 초록색인 완두 = 9 : 3 : 3 : 1의 비로 나온다.

잡종 2대에서 노란색 완두 : 초록색 완두 = 3 : 1, 둥근 완두 : 주름진 완두 = 3 : 1의 비로 나온다. 즉, 완두의 모양과 색깔은 독립적으로 유전된다.

↓

독립의 법칙

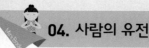

04. 사람의 유전

핵심 기출 **1** 사람의 유전 연구 방법

1. **가계도 조사:** 한 집안에서 여러 세대에 걸쳐 특정 형질이 어떻게 나타나는지 조사

2. **쌍둥이 연구:** 1란성 쌍둥이를 대상으로 유전과 환경이 특정 형질에 미치는 영향 분석

3. **통계 조사:** 어떤 형질의 유전에 관해 많은 수의 사람들을 조사하여 얻은 자료를 분석

4. **염색체와 유전자 연구:** 염색체 이상으로 발생할 수 있는 유전병을 진단하거나 부모와 자손의 DNA를 분석하여 특정 형질의 유전을 확인

핵심 기출 **2** 혀 말기 유전과 가계도 분석

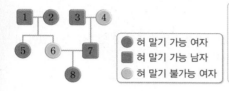

● 혀 말기 가능 여자
■ 혀 말기 가능 남자
● 혀 말기 불가능 여자

• 혀 말기 유전은 멘델의 유전 원리를 따른다.
• 혀 말기 가능한 1과 2 사이에서 혀 말기 불가능한 6이 태어났으므로 혀 말기 가능한 형질이 우성이다. ➡ 1, 2, 7, 8은 우성 유전자와 열성 유전자를 모두 가진 잡종이고, 4, 6은 열성 순종이다.

핵심 기출 **3** ABO식 혈액형 유전과 적록 색맹 유전

1. **ABO식 혈액형:** A, B, O의 3가지 대립유전자가 있고, A와 B는 O에 대해 우성이다.

유전자형	AA, AO	BB, BO	AB	OO
표현형	A형	B형	AB형	O형

2. **적록 색맹:** 대립유전자가 X 염색체에 있어 성별에 따라 형질 발현 빈도가 다르다.

• 남자는 X 염색체가 하나이므로 적록 색맹 대립유전자가 하나만 있어도 적록 색맹이 된다.
• 여자는 적록 색맹 대립유전자가 2개일 때 적록 색맹이 된다. 표현형은 정상이나 적록 색맹 대립유전자 1개를 가진 여자를 보인자라고 한다.

XY X'X' XX' XY
X'Y XX' X'Y
X'Y XX' XY

● 정상 여자
■ 정상 남자
● 적록 색맹 여자
■ 적록 색맹 남자

• 아들의 X 염색체는 어머니에게 받은 것이므로 어머니가 적록 색맹이면 아들도 적록 색맹이 된다.

1 체세포에 있는 크기와 모양이 같은 한 쌍의 염색체를 (　　　)라고 한다.

2 그림은 체세포 분열의 각 시기를 관찰한 결과이다. (가)~(마)와 해당 시기를 옳게 연결하시오.

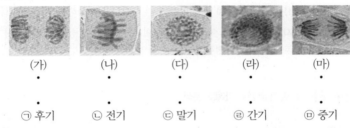

(가)　　　(나)　　　(다)　　　(라)　　　(마)
　·　　　　·　　　　·　　　　·　　　　·

　·　　　　·　　　　·　　　　·　　　　·
㉠ 후기　　㉡ 전기　　㉢ 말기　　㉣ 간기　　㉤ 중기

3 보기는 양파의 뿌리 끝 체세포 분열을 관찰하기 위한 과정 중 일부를 순서 없이 나타낸 것이다. 순서대로 기호를 나열하시오.

┌─ 보기 ──────────────────────────────────┐
│ ㄱ. 염색　　　ㄴ. 고정　　　ㄷ. 해리　　　ㄹ. 관찰 │
└──────────────────────────────────────┘

4 생식세포 형성 과정의 감수 1분열 전기에 2개의 상동 염색체가 접합하여 (　　　)를 형성한다.

5 표는 체세포 분열과 감수 분열을 비교한 것이다. 빈칸에 알맞은 말을 쓰시오.

구분	체세포 분열	감수 분열
분열 횟수	1회	연속 (㉠　　)회
딸세포의 수	2개	(㉡　　)개
염색체 수의 변화	(㉢　　　)	반으로 줄어든다.

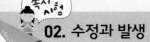
1 표는 사람의 생식세포인 정자와 난자를 비교한 것이다. 빈칸에 알맞은 말을 쓰시오.

구분	정자	난자
염색체 수	(㉠)개	(㉡)개
생성 장소	정소	(㉢)
운동성	(㉣)	없다.
저장 양분	거의 없다.	많다.

2 수정란은 빠른 체세포 분열로 세포의 생장 없이 세포 수를 늘리는데, 이와 같은 수정란의 초기 세포 분열을 (   )이라고 한다.

3 그림은 난자의 배란부터 수정란의 착상까지의 과정을 나타낸 것이다. 빈칸에 알맞은 과정을 쓰시오.

4 수정란이 자궁에 착상하면 (㉠   )이 되었다고 하며, 수정란이 일정한 형태와 기능을 갖춘 개체로 성장하는 과정을 (㉡   )이라고 한다.

1 표는 유전과 관련 있는 용어를 정리한 것이다. 빈칸에 알맞은 말을 쓰시오.

순종	(㉠) 구성이 같은 개체
(㉡)	대립 형질을 가진 순종 개체를 교배했을 때 잡종 1대에서 나타나는 형질
(㉢)	겉으로 드러나는 형질
(㉣)	RR, rr와 같이 대립유전자 구성을 기호로 나타낸 것

2 멘델은 순종의 노란색 완두와 초록색 완두를 교배하면 노란색 완두만 나오는 것을 발견하였는데, 이와 같은 현상을 (   )라고 한다.

3 그림은 완두 씨의 모양에 대한 교배 실험을 나타낸 것이다. 빈칸에 알맞은 말을 쓰시오.

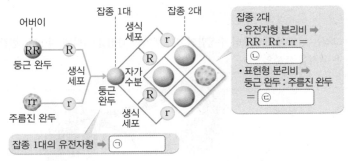

4 순종의 둥글고 노란색인 완두와 주름지고 초록색인 완두를 교배하면 잡종 1대에서는 유전자형이 (㉠   )인 둥글고 노란색인 완두만 나온다. 이 완두를 자가 수분하면 잡종 2대에서는 둥글고 노란색인 완두 : 주름지고 노란색인 완두 : 둥글고 초록색인 완두 : 주름지고 초록색인 완두가 (㉡   )의 비율로 나온다.

04. 사람의 유전

1 다음 설명에 해당하는 사람의 유전 연구 방법을 보기에서 찾아 기호로 쓰시오.

(1) 어떤 형질의 유전에 관해 많은 수의 사람을 조사하여 얻은 자료를 분석하는 방법
( )

(2) 특정 유전 형질에 대해 한 집안의 여러 세대에 걸쳐 형질이 어떻게 나타나는지 조사하는 방법
( )

(3) 1란성 쌍둥이를 대상으로 어떤 형질이 유전에 의한 것인지, 환경에 의한 것인지 를 확인하는 방법
( )

┌─ 보기 ─────────────────────────────
ㄱ. 통계 조사   ㄴ. 쌍둥이 연구   ㄷ. 가계도 조사
└────────────────────────────────

2 그림은 어느 집안의 혀 말기 가계도를 나타낸 것이다. (가)와 (나)의 유전자형을 각 각 쓰시오. (단, 혀 말기 대립유전자는 A와 a라고 가정한다.)

3 그림은 어느 집안의 ABO식 혈액형과 적록 색맹 가계도를 나타낸 것이다. (가), (나), (다)의 ABO식 혈액형과 적록 색맹의 유전자형을 각각 쓰시오.

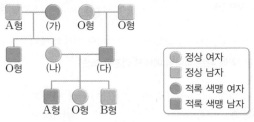

핵심 기출 **1** **역학적 에너지 전환**

1. **역학적 에너지:** 위치 에너지와 운동 에너지의 합

2. **역학적 에너지 전환:** 중력을 받아 운동하는 물체에서 위치 에너지와 운동 에너지는 서로 전환된다.

3. **위로 던져 올린 물체의 역학적 에너지 전환**
   ① 물체가 위로 올라갈 때: 운동 에너지가 감소하고 위치 에너지가 증가한다.
   ② 물체가 아래로 내려올 때: 운동 에너지가 증가하고 위치 에너지가 감소한다.

핵심 기출 **2** **역학적 에너지 보존**

1. **역학적 에너지 보존 법칙:** 공기의 저항이나 마찰이 없을 때 운동하는 물체의 역학적 에너지는 항상 일정하게 보존된다.

2. **연직 위로 던져 올린 물체의 역학적 에너지 전환과 보존**

물체가 위로 올라갈 때
- 속력 감소
  → 운동 에너지 감소
- 높이 증가
  → 위치 에너지 증가
- 운동 에너지가
  위치 에너지로 전환

운동 방향 ↑ | 운동 방향 ↓

물체가 아래로 내려올 때
- 속력 증가
  → 운동 에너지 증가
- 높이 감소
  → 위치 에너지 감소
- 위치 에너지가
  운동 에너지로 전환

➡ 역학적 에너지는 보존되므로, 모든 지점에서 역학적 에너지는 같다.

3. **물체의 높이 변화에 따른 역학적 에너지 전환과 보존**

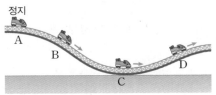

위치	A	B	C	D
운동 에너지	0	증가	최대	감소
위치 에너지	최대	감소	최소	증가
역학적 에너지	모든 지점에서 같다.			

핵심 기출 ① 전자기 유도

1. **전자기 유도:** 코일 근처에서 자석을 움직이거나, 자석 근처에서 코일을 움직일 때 코일에 전류가 흐르는 현상

2. **발전기**
   ① 전자기 유도를 이용하여 전기를 만드는 장치
   ② 발전기에서 에너지 전환: 역학적 에너지 → 전기 에너지

핵심 기출 ② 에너지 전환과 보존

1. **에너지 전환:** 에너지는 한 형태에서 다른 형태로 전환된다.

2. **에너지 보존 법칙:** 에너지가 전환되는 과정에서 에너지는 새로 만들어지거나 사라지지 않고 그 총합은 항상 일정하게 보존된다.

핵심 기출 ③ 전기 에너지의 이용

1. **전기 에너지**
   ① 전기 에너지의 생산: 화력 발전소, 수력 발전소, 풍력 발전소 등으로부터 얻는다.
   ② 전기 기구에서 전기 에너지의 전환
   • 선풍기: 전기 에너지 → 운동 에너지　　　• 스피커: 전기 에너지 → 소리 에너지
   • 배터리 충전: 전기 에너지 → 화학 에너지　• 전기밥솥: 전기 에너지 → 열에너지

2. **소비 전력과 전력량**
   ① 소비 전력: 전기 기구가 1초 동안 소비한 전기 에너지 [단위: W(와트)]

   $$소비\ 전력 = \frac{전기\ 에너지(J)}{시간(s)}$$

   ② 전력량: 일정 시간 동안 사용한 전기 에너지의 양 [단위: Wh(와트시)]

   $$전력량(Wh) = 소비\ 전력(W) \times 사용한\ 시간(h)$$

3. **소비 전력과 에너지:** 사용 과정에서 불필요하게 낭비되는 에너지가 많은 전기 기구일수록 소비 전력이 크다.

1 위치 에너지와 운동 에너지의 합을 (   ) 에너지라고 한다.

2 중력을 받아 운동하는 물체에서 위치 에너지와 운동 에너지가 서로 전환되는데 이를 역학적 에너지 (   )이라고 한다.

3 물체를 위로 던져 올릴 때 물체가 위로 올라가는 동안에는 물체의 운동 에너지가 (증가 , 감소)한다.

4 물체를 연직 위로 던져 올릴 때 물체가 아래로 내려오는 동안에는 물체의 위치 에너지가 (증가 , 감소)한다.

5 공기의 저항이나 마찰이 없을 때 운동하는 물체의 역학적 에너지는 항상 (   )하다.

6 던져 올린 물체가 위로 올라갈 때 물체의 (   ) 에너지가 (   ) 에너지로 전환된다.

7 던져 올린 물체가 가장 높은 지점에 이른 순간 물체의 속력은 (   )이다.

8 진공에서 처음 운동 에너지가 10 J인 물체를 연직 위로 던져 올릴 때 물체가 가장 높은 지점에 위치할 때까지 증가한 물체의 위치 에너지는 (   ) J이다.

9 롤러코스터가 내려갈 때는 높이가 낮아지면서 속력이 (빨라진다 , 느려진다).

10 롤러코스터가 올라갈 때는 (   ) 에너지가 (   ) 에너지로 전환된다.

답 1 역학적 2 전환 3 증가 4 감소 5 일정 6 운동, 위치 7 0 8 10 9 빨라진다
10 운동, 위치

1 코일 근처에서 자석을 움직이면 코일에 ( )가 흐른다.

2 자석의 N극을 코일에 가까이 할 때와 멀리 할 때 코일에 (같은 , 반대) 방향의 전류가 흐른다.

3 발전기는 ( ) 현상을 이용하여 전기를 만드는 장치이다.

4 수력 발전소에서는 ( ) 에너지가 ( ) 에너지로 전환된다.

5 전등에서는 ( ) 에너지가 ( )에너지로 전환된다.

6 에너지가 한 형태에서 다른 형태로 전환될 때, 에너지의 총합은 항상 ( )하다.

7 ( ) 에너지는 전선을 이용하여 비교적 먼 곳까지 전달할 수 있다.

8 전기 기구가 1초 동안 사용한 전기 에너지를 ( )이라고 한다.

9 소비 전력의 단위는 ( )를 사용한다.

10 소비 전력이 10 W인 전구를 3시간 사용할 때 소비한 전력량은 ( ) Wh이다.

---

9 W(와트)   10 30

答 1 (유도) 전류   2 반대   3 전자기 유도   4 위치에너지, 전기   5 전기, 빛   6 일정   7 전기   8 소비 전력

핵심 기출 **1** 연주 시차

1. **연주 시차:** 6개월 간격으로 별을 관측하여 측정한 시차의 $\frac{1}{2}$ ➡ 별까지의 거리가 멀수록 연주 시차가 작다.
2. 연주 시차가 1″인 별까지의 거리를 1 pc(파섹)이라고 한다.

핵심 기출 **2** 별의 등급과 거리

1. **겉보기 등급:** 우리 눈에 보이는 별의 밝기를 등급으로 나타낸 것
2. **절대 등급:** 모든 별이 10 pc의 거리에 있다고 가정했을 때의 별의 밝기를 등급으로 나타낸 것 ➡ 별의 실제 밝기

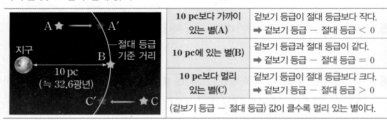

10 pc보다 가까이 있는 별(A)	겉보기 등급이 절대 등급보다 작다. ➡ 겉보기 등급 − 절대 등급 < 0
10 pc에 있는 별(B)	겉보기 등급과 절대 등급이 같다. ➡ 겉보기 등급 − 절대 등급 = 0
10 pc보다 멀리 있는 별(C)	겉보기 등급이 절대 등급보다 크다. ➡ 겉보기 등급 − 절대 등급 > 0

(겉보기 등급 − 절대 등급) 값이 클수록 멀리 있는 별이다.

핵심 기출 **3** 별의 색과 표면 온도

1. **별의 색:** 별의 표면 온도가 다르기 때문에 별의 색이 다르게 나타난다.
2. **별의 색과 표면 온도:** 표면 온도가 높은 별일수록 청색을 띠고, 표면 온도가 낮은 별일수록 적색을 띤다.

청색　　청백색　　백색　　황백색　　황색　　주황색　　적색

높다　　　　　　　　　　표면 온도　　　　　　　　　　낮다

1. **우리은하:** 태양계가 속한 은하
   ① **모양:** 위에서 보면 막대 나선 모양이
      고, 옆에서 보면 원반 모양이다.
   ② **태양계의 위치:** 우리은하의 중심에서
      약 8500 pc 떨어진 나선팔에 있다.
   ③ **은하수:** 우리은하의 일부 모습으로, 띠 모양으로 보인다.

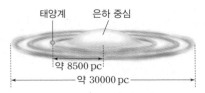

태양계   은하 중심

약 8500 pc
약 30000 pc

2. **성단:** 많은 별이 모여 집단을 이루고 있는 것

산개 성단	구상 성단
• 수십~수만 개의 별이 비교적 엉성하게 모여 있는 성단 • 주로 파란색을 띠는 고온의 별이 많다.	• 수만~수십만 개의 별이 빽빽하게 공 모양으로 모여 있는 성단 • 주로 붉은색을 띠는 저온의 별이 많다.

3. **성운:** 성간 물질이 모여 구름처럼 보이는 것

방출 성운	반사 성운	암흑 성운
성간 물질이 주변의 별빛을 흡수하여 가열되면서 스스로 빛을 내는 성운	성간 물질이 주변의 별빛을 반사하여 밝게 보이는 성운	성간 물질이 뒤쪽에서 오는 별빛을 차단하여 어둡게 보이는 성운

1. 우주는 계속 팽창하고 있으며 은하들은 서로 멀어지고 있다.
2. 우주는 특별한 중심 없이 모든 방향으로 팽창한다.

시간의 흐름
은하
대폭발

1. **우주 탐사:** 우주를 이해하고자 우주를 탐색하고 조사하는 활동
2. 우주 탐사를 위한 노력은 학문, 직업, 산업 활동 등에 영향을 준다.

Ⅶ
별과
우주

1 지구에서 6개월 간격으로 관측한 별의 시차의 $\frac{1}{2}$ 을 (   )라고 한다.

2 연주 시차는 관측 지점과 물체 사이의 거리가 가까울수록 (커 , 작아)진다.

3 절대 등급은 모든 별이 (   ) pc에 있다고 가정했을 때의 별의 밝기를 등급으로 나타낸 것이다.

4 표는 별 A~D의 겉보기 등급과 절대 등급을 나타낸 것이다. 빈칸에 알맞은 별의 기호를 쓰시오.

별	A	B	C	D
겉보기 등급	3.0	1.0	2.0	−0.5
절대 등급	−3.0	1.0	−1.0	1.0

(1) 실제로 가장 밝은 별은 (   )이다.
(2) 맨눈으로 볼 때 가장 밝은 별은 (   )이다.
(3) 지구로부터 가장 먼 별은 (   )이다.

5 그림은 별의 색과 표면 온도를 나타낸 것이다. ㉠과 ㉡에 알맞은 말을 쓰시오.

청색　　청백색　　백색　　황백색　　황색　　주황색　　적색

㉠　　　　표면 온도　　　　㉡

6 표면 온도가 낮은 별일수록 (적색 , 청색)을 띤다.

7 태양은 황색을 띠는데, 이를 바탕으로 태양의 (   )를 알 수 있다.

02. 우주

1 별, 성운, 성단 등이 모인 집단을 은하라고 하고, 태양계가 포함된 은하를 (   )라고 한다.

2 우리은하는 위에서 보았을 때 (타원 , 막대 나선) 모양이다.

3 그림은 우리은하를 나타낸 것이다. ㉠과 ㉡에 알맞은 숫자를 쓰시오.

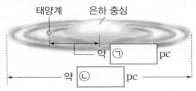

4 지구에서 우리은하를 보면 희뿌연 띠 모양으로 보이는데, 이를 (   )라고 한다.

5 수많은 별이 모여 집단을 이룬 것을 (성단 , 성운)이라고 한다.

6 별들이 비교적 엉성하게 흩어져 있는 것은 (구상 , 산개) 성단이다.

7 주변 별빛을 흡수하여 스스로 빛을 내는 것은 (방출 , 반사) 성운이다.

8 우주의 팽창으로 외부 은하들은 서로 (가까워 , 멀어)지고 있다.

9 팽창하는 우주에는 특별한 중심이 (있다 , 없다).

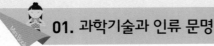

01. 과학기술과 인류 문명

핵심 기출 **1** 과학기술과 인류 문명의 발달

1. **과학기술의 발달:** 과학기술은 인류 문명의 발달에 많은 영향을 주었으며, 그 결과 편리하고 풍요로운 생활을 누릴 수 있게 되었다.

교통 수단의 발달	증기 기관이 발명됨 ➡ 증기 기관차의 발명으로 먼 거리까지 많은 물건을 이동할 수 있게 됨 ➡ 오늘날에는 고속 열차나 비행기를 이용하여 더 빠르게 이동함
식량의 대량 생산	암모니아를 합성하는 기술이 개발되면서 질소 비료를 만들 수 있게 됨 ➡ 식량 생산이 증가함 ➡ 오늘날에는 유전 공학 기술을 이용하여 농산물의 품종을 개량하고, 지능형 농장에서 최적의 환경을 유지하여 농산물의 생산량을 늘리고 품질도 높임
의료 분야의 발달	푸른곰팡이로부터 최초로 '페니실린'이라는 항생제를 발견하고, 전염병인 천연두를 예방하기 위해 종두법을 시작함 ➡ 오늘날에는 다양한 의약품 및 자기 공명 영상 장치와 같은 첨단 의료 기기를 개발하여 이용하고 있으며, 원격 의료 기술 발달로 장소에 관계없이 의료 지원을 받을 수 있음
정보 통신의 발달	전화기의 발명으로 먼 곳의 사람과 음성으로 소식을 주고받음 ➡ 음성과 영상 신호를 동시에 전달하는 텔레비전과 컴퓨터를 발명함 ➡ 인터넷을 통해 세계 각국에서 정보를 동시에 주고 받을 수 있게 됨 ➡ 오늘날에는 각종 스마트 기기, 인공 지능, 인공위성 등을 이용함
인쇄 출판의 발달	구텐베르크의 활판 인쇄술로 책을 대량으로 만들 수 있게 됨 ➡ 오늘날에는 종이가 아닌 전자 기기에서 볼 수 있는 콘텐츠의 형태로 책을 만듦

2. **공학적 설계:** 과학 원리나 기술을 활용하여 기존의 제품을 개선하거나 새로운 제품이나 시스템을 개발하는 창의적인 과정이다.

핵심 기출 **2** 과학기술이 만들어갈 미래

1. **지식 정보 기술:** 4차 산업 혁명을 이끄는 핵심적인 기술로, 사람과 사물, 정보를 상호 연결하여 기술과 사회의 융합을 가속화하고, 과학기술의 영향력이 더 커지는 사회로 이끌 것이라 예상된다.

2. **과학기술이 가까운 미래 생활에 미치는 영향:** 멀티 콥터 드론, 착용 가능한 보조 로봇, 실감형 가상·증강 현실, 유전자 치료 등 다양한 분야에서 과학기술이 영향을 미칠 것이다.

멀티 콥터 드론 ▶

과학, 개념에
응용을 더하다

싹플
Science+

2015 개정 교육과정

중학 과학 기본서

중 학 교
과학 **3**

시험 대비서

☐ 시험 대비 정리 노트

☐ 기출 문제로 실력 확인하기

☐ 1% 도전 문제로 실력 올리기

☐ 서술형 문제로 실력 완성하기

동아출판

시험 대비서 사용법

☐ **시험 대비 정리 노트**
  시험 직전에 빈칸을 채워 보면서 단원의 핵심 개념을
  다시 한번 정리할 때 유용합니다.

☐ **기출 문제로 실력 확인하기**
  학교 시험에 자주 나오는 문제들입니다. 실제 시험 문제
  를 푸는 속도와 집중력으로 최종 연습합니다.

☐ **1% 도전 문제로 실력 올리기**
  어려워서 꼭 한두 개씩은 틀리는 문제들입니다. 시험 범위
  를 일차로 공부한 후 한번씩 풀어 보고, 자신의 수준을
  점검합니다.

☐ **서술형 문제로 실력 완성하기**
  다양한 유형의 서술형 문제를 접하는 것이 성적 향상의
  비법입니다. 꼭 들어가야 하는 핵심 키워드를 먼저 생각
  해 보고 문제를 풀어 봅니다.

싸플 Science +

시험 대비서

시험 대비
정리노트 마음의 정리를 닦는 자세

01 · 물질의 변화

Ⅰ. 화학 반응의 규칙과
에너지 변화

+) 정답과 해설 61쪽

1 물리 변화와 화학 변화

구분	⊙	ⓛ
정의	물질 고유의 성질은 변하지 않으면서 상태나 모양 등이 변하는 현상	어떤 물질이 성질이 다른 새로운 물질로 변하는 현상
입자 배열의 변화	물 → (가열) → 수증기 • 변하는 것: [ⓒ]의 배열 • 변하지 않는 것: 원자의 종류와 개수, 분자의 종류와 개수, 물질의 성질, 물질의 전체 질량	물 → (전류) → 수소＋산소 • 변하는 것: 원자의 배열, 분자의 종류와 개수, 물질의 [ⓔ] • 변하지 않는 것: 원자의 종류와 개수, 물질의 전체 질량
예	• 유리 그릇이 깨진다. • 철사가 휘어진다. • 종이를 자른다. • 향기가 퍼진다. • 물에 잉크가 퍼진다. • 물이 끓는다. • 설탕을 물에 녹인다.	• 철이 녹슨다. • 양초나 종이가 탄다. • 과일이 익는다. • 불판 위의 고기가 익는다. • 깎아 놓은 사과의 색이 변한다. • 달걀 껍데기와 식초가 반응하면 이산화 탄소가 발생한다. • 발포정을 물에 넣으면 기포가 발생한다.

➡ 화학 변화가 일어날 때 원자의 배열이 달라져 새로운 분자가 생성되므로 물질의 성질이 변한다.

2 화학 반응식

1 화학 반응 화학 변화가 일어나 어떤 물질이 다른 물질로 변하는 과정 ➡ 원자의 종류와 개수는 변하지 않고, 원자의 배열은 변한다.

2 [ⓞ] 화학 반응을 화학식과 기호를 이용하여 나타낸 것

	방법	예) 물의 생성 반응
1단계	• 반응물질(반응물)과 생성물질(생성물)의 이름과 기호(——, ＋)로 화학 반응을 표현한다. • 반응물질은 화살표의 왼쪽에, 생성물질은 화살표의 오른쪽에 쓴다. • 반응물질이나 생성물질이 여러 가지인 경우에는 '＋'로 연결한다.	• 반응물질: 수소, 산소 • 생성물질: 물 수소 ＋ 산소 —— 물
2단계	반응물질과 생성물질을 [ⓗ]으로 나타낸다.	• 수소: H_2, 산소: O_2 • 물: H_2O $H_2 + O_2 \longrightarrow H_2O$
3단계	• 화살표 양쪽에 있는 원자의 종류와 개수가 같아지도록 화학식 앞의 계수를 맞춘다. • 계수는 가장 간단한 [ⓢ]로 나타내며, 1은 생략한다.	• 반응 전후 산소 원자의 개수를 맞춘다. $H_2 + \underline{O_2} \longrightarrow 2H_2\underline{O}$ • 반응 전후 수소 원자의 개수를 맞춘다. $2H_2 + O_2 \longrightarrow 2H_2O$

3 화학 반응식에서 [ⓞ]는 반응물질과 생성물질의 분자 수의 비와 같다.

01 물질의 변화에 대한 설명으로 옳은 것은?

① 물리 변화가 일어날 때 물질의 고유한 성질이 변한다.

② 화학 변화가 일어날 때 물질의 상태나 모양만 변한다.

③ 물리 변화가 일어날 때 물질이 반응하여 새로운 물질이 생성된다.

④ 물리 변화가 일어날 때 기체가 발생하거나 앙금이 생성되기도 한다.

⑤ 물질의 성질이 변하는가의 여부를 통해 물질의 변화를 물리 변화와 화학 변화로 구분할 수 있다.

02 그림과 같이 페트리 접시에 길게 자른 마그네슘 리본(A), 구부린 마그네슘 리본(B), 마그네슘 리본을 태운 재(C)를 놓은 다음, A~C에 각각 묽은 염산 2~3방울을 떨어뜨렸다.

이에 대한 설명으로 옳은 것은?

① A~C에서 모두 기체가 발생한다.

② B는 마그네슘의 고유한 성질을 갖는다.

③ C는 마그네슘의 색과 광택을 그대로 갖는다.

④ 마그네슘의 모양 변화는 화학 변화이다.

⑤ 마그네슘을 태우는 것은 물리 변화이다.

03 화학 변화가 일어날 때의 특징으로 옳지 <u>않은</u> 것은?

① 물질의 성질이 변한다.

② 원자의 배열이 변한다.

③ 상태 변화가 일어난다.

④ 분자의 종류나 개수가 변한다.

⑤ 원자의 종류는 변하지 않는다.

보기 더 보기

04 우리 주변에서 일어나는 물질 변화 중 물질의 성질이 변하는 현상을 보기에서 모두 고르시오.

┤ 보기 ├

ㄱ. 철이 녹슨다.

ㄴ. 양초가 탄다.

ㄷ. 종이를 접는다.

ㄹ. 아이스크림이 녹는다.

ㅁ. 향수 냄새가 퍼져 나간다.

ㅂ. 불판 위에 올려놓은 고기가 익는다.

ㅅ. 발포정을 물에 넣으면 기포가 발생한다.

05 그림은 설탕이 물에 녹는 현상을 모형으로 나타낸 것이다.

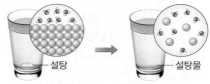

이러한 변화가 일어날 때 변하는 것은?

① 분자의 배열   ② 분자의 개수

③ 원자의 종류   ④ 물질의 성질

⑤ 물질의 전체 질량

06 그림은 물에 전극을 연결하여 전류를 흘려주었을 때의 반응을 나타낸 것이다.

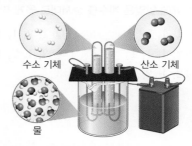

이에 대한 설명으로 옳지 <u>않은</u> 것은?

① 수소 기체와 산소 기체가 발생한다.

② 화학 변화가 일어난다.

③ 수소 원자의 배열이 변한다.

④ 전체 질량은 변하지 않는다.

⑤ 물의 성질은 변하지 않는다.

07 화학 반응을 화학 반응식으로 나타내는 방법에 대한 설명으로 옳지 <u>않은</u> 것은?

① 반응물질은 화살표의 왼쪽에 쓴다.
② 생성물질은 화살표의 오른쪽에 쓴다.
③ 반응 과정을 화학식과 기호로 나타낸다.
④ 반응물질과 생성물질을 화학식으로 나타낸다.
⑤ 반응 전후 분자의 종류와 개수가 같은지 확인한다.

08 다음은 구리 가루를 연소시킬 때 일어나는 반응을 나타낸 것이다.

구리 + 산소 ⟶ 산화 구리(Ⅱ)

이 반응의 화학 반응식을 옳게 나타낸 것은?

① $Cu + O \longrightarrow CuO$
② $Cu + O_2 \longrightarrow CuO$
③ $Cu_2 + O \longrightarrow Cu_2O$
④ $2Cu + O_2 \longrightarrow 2CuO$
⑤ $2Cu + 2O \longrightarrow 2CuO$

09 다음은 탄산수소 나트륨($NaHCO_3$)의 분해 반응을 화학 반응식으로 나타낸 것이다.

$a NaHCO_3 \longrightarrow b Na_2CO_3 + c H_2O + d CO_2$

$a{\sim}d$에 알맞은 계수를 순서대로 옳게 짝 지은 것은?

① 1, 1, 1, 1
② 1, 2, 1, 1
③ 2, 1, 1, 1
④ 2, 1, 2, 1
⑤ 2, 1, 2, 2

10 화학 반응식을 옳게 나타낸 것은?

① $H_2O \longrightarrow H_2 + O_2$
② $H_2 + Cl_2 \longrightarrow 2HCl$
③ $4Fe + 2O_2 \longrightarrow 2Fe_2O_3$
④ $CH_4 + O_2 \longrightarrow CO_2 + 2H_2O$
⑤ $Mg + HCl \longrightarrow MgCl_2 + H_2$

11 그림은 수소와 산소로 이루어진 과산화 수소의 분해 반응을 모형으로 나타낸 것이다.

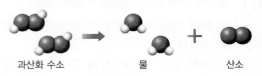
과산화 수소　　　　물　　　　　산소

이 반응의 화학 반응식을 옳게 나타낸 것은?

① $H_2O_2 \longrightarrow H_2O + O_2$
② $H_2O_2 \longrightarrow H_2O + 2O$
③ $2H_2O_2 \longrightarrow 2H_2O + O_2$
④ $2H_2O_2 \longrightarrow 2H_2O + 2O$
⑤ $HO \longrightarrow HO_2 + O_2$

12 그림은 메테인의 연소 반응을 모형으로 나타낸 것이다.

(가)에 들어갈 분자 모형으로 옳은 것은?

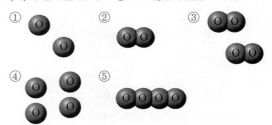

13 다음은 암모니아의 생성 반응을 화학 반응식으로 나타낸 것이다.

$N_2 + 3H_2 \longrightarrow 2NH_3$

이에 대한 설명으로 옳지 <u>않은</u> 것은?

① 반응 후 물질의 성질이 변한다.
② 반응 후 원자의 종류는 변한다.
③ 반응 후 분자의 종류는 변한다.
④ 반응하는 질소와 수소의 분자 수의 비는 1 : 3이다.
⑤ 반응 전후 원자의 개수는 변하지 않는다.

1% 도전 문제로 올리기

+ 정답과 해설 **61**쪽

01 철 가루 7 g과 황 가루 4 g을 섞은 후, 그림과 같이 실험을 하여 실험 결과를 얻었다.

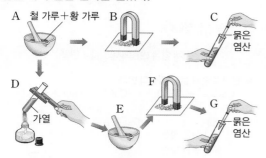

[실험 결과]
· B에서 철 가루가 자석에 끌려온다.
· C에서 수소 기체가 발생한다.
· F에서 자석에 끌려오는 물질이 없다.
· G에서 황화 수소 기체가 발생한다.

A~G 중 화학 변화가 일어나는 것을 옳게 짝 지은 것은?

① A, D, G   ② B, E, F   ③ C, D, G
④ C, F, G   ⑤ D, F, G

02 다음은 에어백이 부풀 때의 반응을 설명한 것이다.

자동차 사고가 발생하여 큰 충격을 받으면 자동차의 충돌 감지 시스템이 작동하여 에어백을 부풀린다. 에어백 안의 아자이드화 나트륨(NaN_3)이라는 고체가 분해되어 나트륨(Na)과 질소 기체(N_2)가 생성되는데, 이때 생성된 질소 기체가 에어백을 부풀리면서 충격을 감소시킨다.

이때 밑줄 친 부분에 대한 설명으로 옳지 않은 것은?

① 새로운 성질을 갖는 물질이 생성된다.
② 물질을 이루는 원자의 배열이 변한다.
③ $NaN_3 \longrightarrow Na + N_2$로 나타낼 수 있다.
④ 반응 전후 분자의 개수가 변한다.
⑤ 반응 전후 물질의 전체 질량은 변하지 않는다.

서술형 문제로 완성하기

+ 정답과 해설 **61**쪽

01 화학 변화가 일어날 때 물질의 성질이 변하는 까닭을 다음 단어를 모두 포함하여 설명하시오.

원자의 배열   분자   성질

02 그림은 수소와 염소가 반응하여 염화 수소가 생성되는 변화를 모형으로 나타낸 것이다.

(1) 이 변화가 물리 변화인지 화학 변화인지 쓰고, 그 까닭을 설명하시오.

(2) 이 변화를 화학 반응식으로 나타내시오.

03 도시가스의 주성분은 메테인(CH_4)이다. 오른쪽 그림과 같이 도시가스가 연소할 때 생성되는 물질을 모두 화학식으로 쓰고, 이 반응을 화학 반응식으로 나타내시오.

1 화학 반응에서의 질량 관계

1 앙금 생성 반응과 기체 발생 반응에서의 질량 변화　반응 전후 물질의 전체 질량은 일정하다.

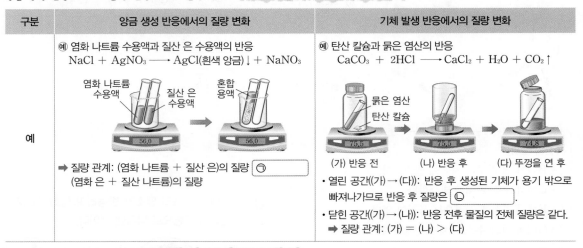

구분	앙금 생성 반응에서의 질량 변화	기체 발생 반응에서의 질량 변화
예	예 염화 나트륨 수용액과 질산 은 수용액의 반응 $NaCl + AgNO_3 \longrightarrow AgCl$(흰색 앙금)↓$+ NaNO_3$ 염화 나트륨 수용액 · 질산 은 수용액 · 혼합 용액 ➡ 질량 관계: (염화 나트륨 + 질산 은)의 질량 〔 ㉠ 〕 (염화 은 + 질산 나트륨)의 질량	예 탄산 칼슘과 묽은 염산의 반응 $CaCO_3 + 2HCl \longrightarrow CaCl_2 + H_2O + CO_2$↑ 묽은 염산 · 탄산 칼슘 (가) 반응 전　(나) 반응 후　(다) 뚜껑을 연 후 • 열린 공간((가)→(다)): 반응 후 생성된 기체가 용기 밖으로 빠져나가므로 반응 후 질량이 〔 ㉡ 〕 • 닫힌 공간((가)→(나)): 반응 전후 물질의 전체 질량은 같다. ➡ 질량 관계: (가) = (나) > (다)

2 연소 반응에서의 질량 변화　반응 전후 물질의 전체 질량은 일정하다.

구분	나무의 연소	강철 솜의 연소
반응	나무 + 산소 ⟶ 재 + 이산화 탄소 + 수증기	철 + 산소 ⟶ 산화 철
열린 공간	(나무 + 산소)의 질량 〔 ㉢ 〕 재의 질량 ➡ 발생한 이산화 탄소와 수증기가 공기 중으로 빠져나가므로 질량이 감소한다.	철의 질량 < 산화 철의 질량 ➡ 반응 후 철에 결합된 산소의 양만큼 질량이 증가한다.
닫힌 공간	(나무 + 산소)의 질량 = (재 + 이산화 탄소 + 수증기)의 질량 ➡ 반응 전후 물질의 질량은 일정하다.	(철 + 산소)의 질량 〔 ㉣ 〕 산화 철의 질량 ➡ 반응 전후 물질의 질량은 일정하다.

3 〔 ㉤ 〕 화학 반응이 일어날 때 반응물질의 전체 질량과 생성물질의 전체 질량은 변하지 않는다. ➡ 화학 반응이 일어날 때 물질을 이루는 〔 ㉥ 〕 의 종류와 개수가 변하지 않기 때문이다.

2 화합물을 이루는 성분 원소의 질량비

1 구리의 연소 반응　구리를 가열하면 구리와 산소가 일정한 질량비 (4 : 1)로 반응하여 산화 구리(Ⅱ)가 생성된다.

구리 + 산소 ⟶ 산화 구리(Ⅱ)
질량비 ➡ 4 : 1 : 5

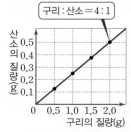
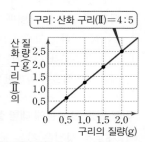

구리 : 산소 = 4 : 1

구리 : 산화 구리(Ⅱ) = 4 : 5

2 〔 ㉦ 〕 화합물을 구성하는 성분 원소 사이에는 일정한 질량비가 성립한다.

① 화합물이 생성될 때 원자는 항상 일정한 개수비로 결합하기 때문에 화합물에서는 구성 원소 사이의 〔 ㉧ 〕 가 항상 일정하다.

② 성분 원소의 종류는 같지만 성분 원소의 질량비가 다르면 서로 다른 물질이다.

③ 화합물은 일정 성분비 법칙이 성립하지만, 혼합물은 성분 물질의 양에 따라 혼합 비율이 달라지므로 일정 성분비 법칙이 성립하지 않는다.

01 여러 가지 물질의 변화 중 질량 보존 법칙이 성립하는 것을 보기에서 모두 고른 것은?

┌──◀| 보기 ──────────────────────
ㄱ. 종이를 태운다.
ㄴ. 철에 녹이 슨다.
ㄷ. 설탕을 물에 녹인다.
└─────────────────────────

① ㄱ   ② ㄷ   ③ ㄱ, ㄴ
④ ㄴ, ㄷ   ⑤ ㄱ, ㄴ, ㄷ

보기더 보기

02 공기 중에서 화학 반응이 일어날 때 반응 전후 질량이 일정한 것은?

① 나무를 연소시킨다.
② 구리를 연소시킨다.
③ 알코올을 연소시킨다.
④ 탄산수소 나트륨을 가열한다.
⑤ 마그네슘 조각과 묽은 염산을 반응시킨다.
⑥ 염화 나트륨 수용액과 질산 은 수용액을 섞는다.

03 그림은 탄산 칼슘과 묽은 염산의 반응을 모형으로 나타낸 것이다.

이에 대한 설명으로 옳지 <u>않은</u> 것은? (단, 염산은 염화 수소 기체를 물에 녹인 수용액이다.)

① 반응물질과 생성물질의 전체 질량은 일정하다.
② 반응 전후 원자의 종류와 개수는 변하지 않는다.
③ 반응 전후 물질을 이루는 원자의 배열은 변한다.
④ 반응 후 성질이 전혀 다른 새로운 물질이 생성된다.
⑤ 기체가 생성되므로 반응물질의 전체 질량보다 생성물질의 전체 질량은 감소한다.

04 그림과 같이 5 % 염산 10 mL가 들어 있는 플라스틱 병에 분필 조각을 넣었을 때의 질량 변화를 측정하였다.

이에 대한 설명으로 옳은 것은? (단, 분필 조각의 주성분은 탄산 칼슘이다.)

① (가)~(다)의 질량은 모두 같다.
② (나)에서 발생한 기체만큼 질량이 증가한다.
③ (다)에서 생성된 기체가 공기 중으로 빠져나간다.
④ (다)의 질량은 73.93 g이다.
⑤ 염산과 분필 조각이 반응하면 흰색 앙금이 생성된다.

05 그림과 같이 염화 나트륨 수용액과 질산 은 수용액을 각각 담은 시험관을 비커에 넣어 전체 질량을 측정한 다음, 두 수용액을 섞어 반응시킨 후 다시 전체 질량을 측정하였다.

이에 대한 설명으로 옳은 것을 보기에서 모두 고른 것은?

┌──◀| 보기 ──────────────────────
ㄱ. 흰색의 염화 은 앙금이 생성된다.
ㄴ. 반응 후 전체 질량은 증가한다.
ㄷ. 반응 전후 물질의 성질은 변하지 않는다.
ㄹ. 반응 전후 원자의 종류와 개수는 변하지 않는다.
└─────────────────────────

① ㄱ, ㄴ   ② ㄱ, ㄹ   ③ ㄴ, ㄷ
④ ㄴ, ㄹ   ⑤ ㄷ, ㄹ

06 오른쪽 그림과 같이 강철 솜을 공기 중에서 모두 연소하였다. 이에 대한 설명으로 옳지 <u>않은</u> 것은?

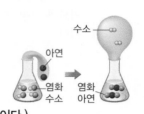

강철 솜

① 연소 후 산화 철이 생성된다.
② 연소 후 새로 생성된 물질은 자석에 붙는다.
③ 강철 솜이 공기 중의 산소와 결합하는 반응이 일어난다.
④ 강철 솜이 공기 중에서 모두 연소하면 물질의 질량이 증가한다.
⑤ 밀폐된 용기에서 실험하면 반응 전후 물질의 전체 질량이 일정할 것이다.

07 오른쪽 그림은 묽은 염산에 아연을 넣었을 때의 반응을 모형으로 나타낸 것이다. 이에 대한 설명으로 옳은 것은? (단, 염산은 염화 수소를 물에 녹인 수용액이다.)

아연
수소
염화 수소
염화 아연

① 물질의 성질은 변하지 않는다.
② 반응 후 원자의 종류는 변한다.
③ 반응 후 원자의 개수는 변하지 않는다.
④ 기체가 발생하지만 반응 전후 전체 부피는 변하지 않는다.
⑤ 기체가 발생하므로 반응 전후 물질의 전체 질량은 감소한다.

08 다음은 탄산수소 나트륨을 가열할 때 일어나는 반응을 나타낸 것이다.

> 탄산수소 나트륨 ⟶
> 　　　　탄산 나트륨 + 이산화 탄소 + 물

이때 탄산수소 나트륨의 질량과 같은 것은?

① 탄산 나트륨의 질량
② (탄산 나트륨 + 물)의 질량
③ (이산화 탄소 + 물)의 질량
④ (탄산 나트륨 + 이산화 탄소)의 질량
⑤ (탄산 나트륨 + 이산화 탄소 + 물)의 질량

09 표는 마그네슘을 연소시킬 때 생성된 물질의 질량을 나타낸 것이다.

마그네슘의 질량(g)	0.9	1.2	㉠	2.4
생성된 물질의 질량(g)	1.5	2.0	3.0	㉡

이에 대한 설명으로 옳지 <u>않은</u> 것은?

① ㉠은 1.8 g이다.
② ㉡은 4.0 g이다.
③ 생성된 물질은 산화 마그네슘이다.
④ 반응한 마그네슘과 산소의 질량비는 3 : 5이다.
⑤ 3 g의 마그네슘을 모두 연소시키면 5 g의 생성물을 얻을 수 있다.

10 오른쪽 그림은 구리를 연소시킬 때 반응한 구리와 생성된 산화 구리(Ⅱ)의 질량 관계를 나타낸 것이다. 이에 대한 설명으로 옳은 것을 보기에서 모두 고른 것은?

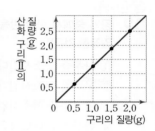

보기

ㄱ. 반응한 구리와 산소의 질량비는 4 : 5이다.
ㄴ. 반응한 구리와 생성된 산화 구리(Ⅱ) 사이에는 일정한 질량비가 성립한다.
ㄷ. 반응하는 구리의 질량이 증가해도 생성되는 산화 구리(Ⅱ)의 질량은 변하지 않는다.

① ㄱ　　　② ㄴ　　　③ ㄷ
④ ㄱ, ㄴ　　⑤ ㄴ, ㄷ

11 오른쪽 그림은 산화 구리(Ⅱ)가 생성될 때 반응한 구리와 산소의 질량 관계를 나타낸 것이다. 산화 구리(Ⅱ)가 가장 많이 생성되는 경우는?

구리 1.6 g
산소 0.4 g

	구리(g)	산소(g)		구리(g)	산소(g)
①	8	1	②	8	5
③	10	2	④	12	4
⑤	14	2			

12 표는 수소와 산소가 반응하여 물이 생성될 때 반응 전후 질량을 측정한 결과이다.

실험	반응 전 기체의 질량(g)		반응 후 남은 기체의 질량(g)
	수소	산소	
1	0.2	2.0	㉠
2	0.4	2.4	수소, 0.1
3	0.3	㉡	산소, 0.2

이에 대한 설명으로 옳은 것은?

① ㉠은 산소 0.2 g이다.
② ㉡은 2.6 g이다.
③ 실험 2에서 생성된 물은 2.8 g이다.
④ 물을 이루는 수소와 산소의 질량비는 2 : 1이다.
⑤ 물을 이루는 수소와 산소의 부피비는 1 : 8이다.

13 6개의 시험관 A~F에 10 % 아이오딘화 칼륨 수용액을 6.0 mL씩 넣은 후, 10 % 질산 납 수용액을 각각 0, 2.0, 4.0, 6.0, 8.0, 10.0 mL씩 넣어 그림과 같은 결과를 얻었다.

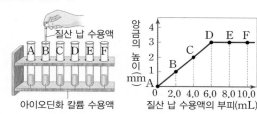

이에 대한 설명으로 옳지 않은 것은?

① 노란색의 아이오딘화 납 앙금이 생성된다.
② 일정 성분비 법칙이 성립함을 알 수 있다.
③ B에 질산 납 수용액을 몇 방울 떨어뜨리면 앙금이 더 생성된다.
④ E에 아이오딘화 칼륨 수용액을 몇 방울 떨어뜨리면 앙금이 더 생성된다.
⑤ 앙금의 높이는 F에서 가장 높다.

14 볼트(B) 10개와 너트(N) 25개를 이용하여 그림과 같은 화합물 모형 BN₂를 만들려고 한다.

이때 최대로 생성되는 화합물 모형의 개수와 화합물 모형을 이루는 볼트와 너트의 질량비를 쓰시오. (단, 볼트와 너트의 상대적 질량은 각각 8과 10이다.)

15 일정 성분비 법칙이 성립하지 않는 경우는?

① 철 + 황 ⟶ 황화 철
② 수소 + 산소 ⟶ 물
③ 질소 + 수소 ⟶ 암모니아
④ 물 + 암모니아 ⟶ 암모니아수
⑤ 마그네슘 + 산소 ⟶ 산화 마그네슘

16 마그네슘을 공기 중에서 가열하면 산화 마그네슘이 생성된다. 일정량의 마그네슘을 가열할 때 시간에 따라 생성된 산화 마그네슘의 질량 변화로 옳은 것은?

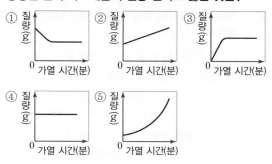

17 철 가루 7 g과 황 가루 4 g을 모두 반응시키면 황화 철이 생성된다. 이에 대한 설명으로 옳지 않은 것은?

① 황화 철이 생성될 때 물질의 성질이 변한다.
② 생성된 황화 철의 질량은 11 g이다.
③ 황화 철이 생성될 때 질량 보존 법칙이 성립한다.
④ 황화 철이 생성될 때 일정 성분비 법칙이 성립한다.
⑤ 황화 철을 이루는 철과 황의 질량비는 7 : 11이다.

1% 도전 문제로 올리기 **02 · 화학 법칙과 에너지 변화 (1)** I. 화학 반응의 규칙과 에너지 변화

+ 정답과 해설 63쪽

01 오른쪽 그림은 산소가 충분히 들어 있는 밀폐된 용기 안에서 일정량의 나무를 연소시킬 때 반응 전후 변화를 모형으로 나타낸 것이다. 이에 대한 설명으로 옳지 <u>않은</u> 것은?

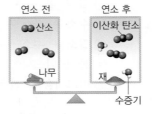

① 용기 안 산소 분자의 개수는 변하지 않는다.
② 반응 후 물질을 이루는 원자의 배열이 변한다.
③ 나무의 연소 반응 전후 물질의 전체 질량은 변하지 않는다.
④ 반응 후 물질을 이루는 원자의 종류와 개수는 변하지 않는다.
⑤ 열린 공간에서 나무를 연소하면 연소 후 저울이 나무 쪽으로 기울어진다.

02 화학 반응에서의 질량 변화에 대한 설명으로 옳지 <u>않은</u> 것은?

① 철 가루 14 g과 황 가루 8 g이 모두 반응하여 생성된 황화 철의 질량은 22 g이다.
② 구리를 공기 중에서 가열한 후 질량을 측정하면 가열 전 구리의 질량보다 증가한다.
③ 마그네슘 6 g을 태워서 생긴 산화 마그네슘이 10 g일 때 마그네슘과 반응한 산소는 4 g이다.
④ 과산화 수소 34 g에 이산화 망가니즈 5 g을 넣어 물 18 g이 생겼을 때 발생한 산소는 21 g이다.
⑤ 석회석이 들어 있는 비커에 묽은 염산을 넣은 후 질량을 측정하면 발생한 기체로 인해 반응 전보다 질량이 감소한다.

03 표는 화합물 (가)와 (나)를 이루는 임의의 원자 A와 원자 B의 상대적 질량을 나타낸 것이다.

화합물	A의 상대적 질량	B의 상대적 질량
(가)	3	2
(나)	6	6

화합물 (가)를 AB로 나타낸다면 화합물 (나)의 화학식은?

① AB ② AB_2 ③ AB_3
④ A_2B_2 ⑤ A_2B_3

04 그림은 마그네슘과 구리를 각각 연소시킬 때 반응하는 금속과 생성되는 금속 산화물의 질량 관계를 나타낸 것이다.

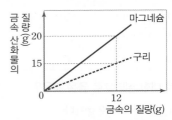

이에 대한 설명으로 옳은 것을 보기에서 모두 고른 것은?

┤ 보기 ├
ㄱ. 구리와 산소가 결합하는 질량비(구리 : 산소)는 4 : 5이다.
ㄴ. 마그네슘과 산소가 결합하는 질량비(마그네슘 : 산소)는 3 : 2이다.
ㄷ. 화합물의 종류에 따라 그래프의 기울기가 달라진다.

① ㄱ ② ㄴ ③ ㄱ, ㄴ
④ ㄴ, ㄷ ⑤ ㄱ, ㄴ, ㄷ

05 표는 10 % 아이오딘화 칼륨 수용액 6.0 mL와 10 % 질산 납 수용액의 양을 각각 다르게 하여 넣었을 때 생성되는 앙금의 높이를 나타낸 것이다.

시험관	A	B	C	D	E	F
아이오딘화 칼륨 수용액(mL)	6.0	6.0	6.0	6.0	6.0	6.0
질산 납 수용액(mL)	0	2.0	4.0	6.0	8.0	10.0
앙금의 높이(mm)	0	5.1	10.0	15.0	15.0	?

이에 대한 설명으로 옳은 것을 모두 고르면? (정답 2개)

① 반응하는 두 수용액의 부피비는 2 : 1이다.
② 이 실험 결과로 일정 성분비 법칙이 성립함을 알 수 있다.
③ A, B, C에는 납 이온이 남아 있다.
④ E에서 아이오딘화 칼륨 수용액 2 mL가 반응하지 않고 남아 있다.
⑤ F에서 앙금의 높이는 15.0 mm이다.

10 ▪▪▪ I. 화학 반응의 규칙과 에너지 변화

01 그림과 같이 나무토막과 강철 솜을 각각 막대저울에 매달아 수평이 되게 한 후, 오른쪽의 나무토막과 강철 솜을 각각 가열하였다.

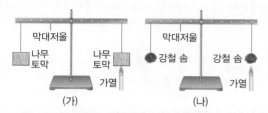

(1) (가)와 (나) 중에서 저울이 오른쪽으로 기우는 것을 고르고, 그 까닭을 설명하시오.

(2) (가)와 (나)의 왼쪽과 오른쪽 물질을 각각 밀폐된 용기에 넣고 실험하면 어떤 결과가 나올지 설명하시오.

창의 서술형

02 그림과 같이 비커에 담긴 묽은 염산에 탄산 칼슘을 넣어 반응시킬 때 질량 변화를 관찰하였다.

(1) 묽은 염산과 탄산 칼슘을 반응시킨 후 질량이 감소한 까닭을 설명하시오.

(2) 이 실험을 통해 질량 보존 법칙이 성립함을 확인하려고 할 때 실험 과정에서 수정되어야 할 부분을 설명하시오.

03 오른쪽 그림과 같이 도가니에 어떤 금속 가루 0.4 g을 넣고 가열한 후 도가니 안 물질의 질량을 측정하였더니 0.5 g이 되었다. 도가니 안의 금속이 모두 반응하였을 때 금속과 결합한 산소의 질량은 몇 g인지 구하고, 이때 결합한 금속과 산소의 질량비를 쓰시오.

04 그림은 물과 과산화 수소의 분자 모형을 나타낸 것이다.

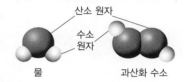

(1) 물과 과산화 수소를 이루는 수소와 산소의 질량비를 각각 쓰시오. (단, 원자의 상대적 질량은 수소 1, 산소 16이다.)

(2) 같은 종류의 원소로 이루어진 물과 과산화 수소가 다른 물질인 까닭을 다음 단어를 모두 포함하여 설명하시오.

> 성분 원소　　질량비

05 설탕물은 설탕과 물 사이에 일정 성분비 법칙이 성립하지 않는다. 그 까닭을 다음 단어를 모두 포함하여 설명하시오.

> 혼합물　　혼합 비율　　일정 성분비 법칙

1 기체 반응에서의 규칙성

1 수증기 생성 반응   일정한 온도와 압력에서 수소 기체와 산소 기체가 반응하여 수증기가 생성된다. ➡ 이때 반응한 수소 기체와 산소 기체, 생성된 수증기의 ⓐ [ ]는 2 : 1 : 2로 일정하다.

수소   산소   수증기

2 기체 반응 법칙   일정한 온도와 압력에서 기체가 반응하여 새로운 기체를 생성할 때 각 기체의 부피 사이에는 간단한 ⓑ [ ]가 성립한다. ➡ 반응물질과 생성물질이 모두 ⓒ [ ]인 경우에만 성립한다.

3 화학 반응식에서 계수비와 부피비의 관계   반응물질과 생성물질이 모두 기체인 경우, 화학 반응식의 ⓓ [ ]는 각 기체의 분자 수의 비와 부피비와 같다.

> 계수비 = 분자 수의 비 = 부피비(기체 반응)

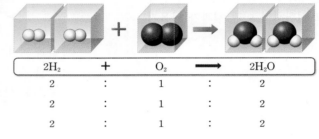

	2H₂	+	O₂	⟶	2H₂O
계수비	2	:	1	:	2
분자 수의 비	2	:	1	:	2
부피비	2	:	1	:	2

수증기 생성 반응의 화학 반응식과 기체 부피비의 관계

2 화학 반응에서의 에너지 출입

1 에너지를 방출하는 반응(발열 반응)

① 화학 반응이 일어날 때 주변으로 에너지를 ⓔ [ ]하는 반응이다.

② 반응이 일어날 때 주변의 온도가 높아진다.

③ 예: 연소, 산화 칼슘과 물의 반응, 황산 칼슘과 물의 반응, 금속이 녹스는 반응, 금속과 산의 반응, 산과 염기의 반응, 호흡 등

④ 이용: 손난로, 발열 용기 등

에너지

에너지 방출

2 에너지를 흡수하는 반응(흡열 반응)

① 화학 반응이 일어날 때 주변으로부터 에너지를 흡수하는 반응이다.

② 반응이 일어날 때 주변의 온도가 ⓕ [ ].

③ 예: 질산 암모늄과 물의 반응, 수산화 바륨과 염화 암모늄의 반응, 식물의 광합성, 탄산수소 나트륨의 열분해, 물의 전기 분해 등

④ 이용: 손냉장고, 냉찜질 주머니 등

에너지

에너지 흡수

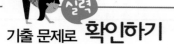
01 그림은 일정한 온도와 압력에서 수소 기체와 산소 기체가 반응하여 수증기가 생성될 때 각 기체의 부피 관계를 모형으로 나타낸 것이다.

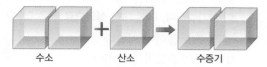

수소　　　산소　　　수증기

이에 대한 설명으로 옳지 않은 것은?

① 기체 반응 법칙을 설명할 수 있다.

② 수소 기체와 산소 기체는 2 : 1의 부피비로 반응한다.

③ 수소 기체 4 L와 산소 기체 2 L가 반응하여 수증기 4 L가 생성된다.

④ 생성되는 수증기의 부피는 수소 기체와 산소 기체의 부피의 합과 같다.

⑤ 수증기 300 mL를 만들기 위해 최소한 수소 기체 300 mL와 산소 기체 150 mL가 필요하다.

02 표는 일정한 온도와 압력에서 일산화 탄소 기체와 산소 기체가 반응하여 이산화 탄소 기체를 생성할 때의 부피 관계를 나타낸 것이다.

실험	반응 전 기체의 부피(L)		생성된 이산화 탄소의 부피(L)	반응 후 남은 기체의 부피(L)
	일산화 탄소	산소		
1	20	30	20	산소, 20
2	30	30	30	㉠
3	40	40	㉡	산소, 20

이에 대한 설명으로 옳은 것을 보기에서 모두 고른 것은?

┌─ 보기 ───────────────────

ㄱ. ㉠은 산소, 15이다.

ㄴ. ㉡은 60이다.

ㄷ. 일산화 탄소 기체와 산소 기체는 2 : 1의 부피비로 반응한다.

ㄹ. 반응물질의 전체 부피는 생성물질의 전체 부피와 같다.

└────────────────────────

① ㄱ, ㄴ　　② ㄱ, ㄷ　　③ ㄴ, ㄷ

④ ㄴ, ㄹ　　⑤ ㄷ, ㄹ

03 그림은 일정한 온도와 압력에서 수소 기체와 염소 기체가 반응하여 염화 수소 기체가 생성되는 반응을 모형으로 나타낸 것이다.

수소　　　염소　　　염화 수소

이 반응을 화학 반응식으로 나타내고자 할 때 $a+b+c$의 값은? (단, 계수가 1인 경우에는 1이라고 나타낸다.)

$$aH_2 + bCl_2 \longrightarrow cHCl$$

① 4　　　　② 5　　　　③ 6

④ 7　　　　⑤ 8

[보기 더보기]

04 그림은 일정한 온도와 압력에서 질소 기체와 수소 기체가 반응하여 암모니아 기체가 생성될 때 각 기체의 부피 관계를 모형으로 나타낸 것이다.

질소　　　수소　　　암모니아

이에 대한 설명으로 옳은 것을 모두 고르면? (정답 3개)

① 반응 전후 분자의 종류와 개수는 같다.

② 질소와 수소의 부피비는 1 : 3이다.

③ 화학 반응식은 $N_2 + 3H_2 \longrightarrow 2NH_3$이다.

④ 질소 분자 1개가 반응하면 암모니아 분자 3개가 생성된다.

⑤ 질소 1 L와 수소 4 L가 반응하면 수소 1 L가 남는다.

⑥ 일정 성분비 법칙은 성립하지 않는 반응이다.

05 일정한 온도와 압력에서 기체 반응 법칙이 성립하는 화학 반응으로 옳은 것은?

① 탄소 + 산소 ⟶ 이산화 탄소

② 구리 + 산소 ⟶ 산화 구리(Ⅱ)

③ 일산화 탄소 + 산소 ⟶ 이산화 탄소

④ 탄산수소 나트륨 ⟶

　　　　탄산 나트륨 + 물 + 이산화 탄소

⑤ 아이오딘화 칼륨 수용액 + 질산 납 수용액

　　⟶ 아이오딘화 납 + 질산 칼륨 수용액

06 다음은 일정한 온도와 압력에서 수소 기체와 산소 기체가 반응하여 수증기가 생성될 때의 반응을 화학 반응식으로 나타낸 것이다.

$$2H_2 + O_2 \longrightarrow 2H_2O$$

수소 기체 20 mL와 산소 기체 20 mL가 반응할 때 생성되는 수증기의 부피와 반응 후 남은 기체의 종류와 부피를 옳게 짝 지은 것은?

	수증기의 부피(mL)	남은 기체의 종류와 부피(mL)
①	10	수소, 5
②	10	수소, 10
③	20	산소, 5
④	20	산소, 10
⑤	20	산소, 15

07 발열 반응에 대한 설명으로 옳은 것을 보기에서 모두 고른 것은?

┤ 보기 ├
ㄱ. 반응이 일어날 때 주변의 온도는 높아진다.
ㄴ. 반응이 일어날 때 주변으로 에너지를 방출한다.
ㄷ. 반응이 일어날 때 주변으로부터 에너지를 흡수한다.

① ㄱ   ② ㄴ   ③ ㄱ, ㄴ
④ ㄱ, ㄷ   ⑤ ㄱ, ㄴ, ㄷ

08 철 가루, 소금, 활성탄 등을 부직포 안에 넣은 손난로는 화학 반응이 일어날 때 출입하는 열에너지를 이용한다. 이에 대한 설명으로 옳지 않은 것은?

① 철 가루가 공기 중의 산소와 반응한다.
② 발열 반응을 이용한 예이다.
③ 반응이 일어날 때 주변의 온도가 높아진다.
④ 반응이 일어날 때 주변으로 에너지를 방출한다.
⑤ 탄산수소 나트륨을 열에 의해 분해할 때 에너지가 출입하는 것과 같은 현상이다.

09 오른쪽 그림과 같이 장치한 후, 물이 들어 있는 비닐봉지를 터뜨리면 비닐 팩의 염화 암모늄이 물에 녹으면서 비닐 팩이 차가워진다. 이에 대한 설명으로 옳은 것은?

비닐 팩
비닐봉지
물
염화 암모늄

① 발열 반응이 일어난다.
② 주변의 온도가 높아진다.
③ 에너지를 방출하는 반응이 일어난다.
④ 반응이 일어날 때 에너지의 출입은 일어나지 않는다.
⑤ 수산화 바륨과 염화 암모늄이 반응할 때 에너지가 출입하는 것과 같은 현상이 나타난다.

10 화학 반응이 일어날 때 오른쪽 그림과 같이 에너지가 출입하는 예로 옳은 것을 보기에서 모두 고른 것은?

에너지

┤ 보기 ├
ㄱ. 연료가 연소한다.
ㄴ. 식물이 광합성을 한다.
ㄷ. 산화 칼슘과 물이 반응한다.
ㄹ. 묽은 염산과 수산화 나트륨 수용액이 반응한다.

① ㄱ, ㄷ   ② ㄱ, ㄹ   ③ ㄴ, ㄷ
④ ㄱ, ㄷ, ㄹ   ⑤ ㄴ, ㄷ, ㄹ

11 발열 도시락은 물질이 변할 때의 에너지 출입을 이용하여 만든 가열 장치이다. 이때 이용할 수 있는 물질의 변화로 옳은 것은?

① 물을 전기 분해할 때
② 탄산수소 나트륨을 열분해할 때
③ 산화 칼슘과 물이 반응할 때
④ 질산 암모늄과 물이 반응할 때
⑤ 수산화 바륨과 염화 암모늄이 반응할 때

1% 도전 문제로 **올리기**

+) 정답과 해설 64쪽

01 다음은 일정한 온도와 압력에서 여러 가지 반응을 화학 반응식으로 나타낸 것이다.

> (가) $C + O_2 \longrightarrow CO_2$
> (나) $H_2 + Cl_2 \longrightarrow 2HCl$
> (다) $N_2 + 3H_2 \longrightarrow 2NH_3$

이에 대한 설명으로 옳지 <u>않은</u> 것은?

① (가)~(다) 모두 일정 성분비 법칙이 성립한다.
② (가)~(다) 모두 기체 반응 법칙이 성립한다.
③ (가)에서 탄소 12 g과 산소 32 g이 모두 반응할 때 이산화 탄소 44 g이 생성된다.
④ (나)에서 수소 기체 1부피와 염소 기체 1부피가 반응하면 염화 수소 기체 2부피가 생성된다.
⑤ (다)에서 암모니아 기체 20 L를 생성하려면 최소한 질소 기체 10 L와 수소 기체 30 L가 필요하다.

02 오른쪽 그림과 같이 장치하고 탄산수소 나트륨($NaHCO_3$)을 가열하면 탄산수소 나트륨이 분해되면서 석회수가 뿌옇게 흐려진다. 다음은 탄산수소 나트륨이 분해되는 반응을 화학 반응식으로 나타낸 것이다.

탄산수소 나트륨
석회수

> $2NaHCO_3 \longrightarrow Na_2CO_3 + H_2O + (\ \bigcirc\ )$

이에 대한 설명으로 옳은 것을 보기에서 모두 고른 것은?

┤ 보기 ├
ㄱ. 흡열 반응이 일어난다.
ㄴ. 반응이 일어날 때 주변의 온도는 높아진다.
ㄷ. 석회수가 뿌옇게 흐려지므로 $\bigcirc$은 CO_2이다.

① ㄱ   ② ㄷ   ③ ㄱ, ㄷ
④ ㄴ, ㄷ   ⑤ ㄱ, ㄴ, ㄷ

서술형 문제로 **완성하기**

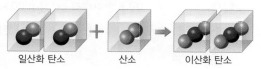

+) 정답과 해설 64쪽

01 그림은 일정한 온도와 압력에서 일산화 탄소 기체와 산소 기체가 반응하여 이산화 탄소 기체가 생성되는 반응을 모형으로 나타낸 것이다.

일산화 탄소   산소   이산화 탄소

이 반응에서 (가) 이산화 탄소 기체 10 L를 만들기 위해 필요한 일산화 탄소 기체와 산소 기체의 부피를 각각 구하고, (나) 이 모형을 화학 반응식으로 나타내시오.

02 표는 일정한 온도와 압력에서 수소 기체와 산소 기체가 반응하여 수증기를 생성할 때의 부피 관계를 나타낸 것이다.

실험	반응 전 기체의 부피(L)		생성된 수증기의 부피(L)	반응 후 남은 기체의 부피(L)
	수소	산소		
1	10	5	10	없음
2	25	10	20	$\bigcirc$

(1) $\bigcirc$에 알맞은 기체의 종류와 부피를 구하시오.

(2) 이 반응을 화학 반응식으로 나타낼 때 계수비(수소 : 산소 : 수증기)를 쓰고, 그 까닭을 설명하시오.

03 오른쪽 그림과 같이 물을 적신 나무판 위에 수산화 바륨과 염화 암모늄을 넣은 삼각 플라스크를 올려놓으면 잠시 후 나무판이 삼각 플라스크에 달라붙는다. 그 까닭을 에너지 출입과 관련지어 설명하시오.

수산화 바륨 + 염화 암모늄
물

① 기권

1 [⑦]   지구 표면에서부터 높이 약 1000 km까지 대기가 분포하는 영역

2 기권의 구조   기권은 높이에 따른 [ⓒ] 변화를 기준으로 4개의 층으로 구분한다.

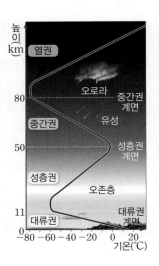

구분	기온 분포	특징
열권	위로 올라갈수록 기온이 높아진다.	• 공기가 희박하다. • 낮과 밤의 기온 차가 [ⓒ]. • 오로라가 관측되기도 한다.
[②]	위로 올라갈수록 기온이 낮아진다.	• 대류가 일어나지만, 수증기가 거의 없어 기상 현상은 나타나지 않는다. • 유성이 관측된다.
[⑩]	위로 올라갈수록 기온이 높아진다.	• 대류가 일어나지 않아 공기가 안정하다. • 오존층이 있다.
대류권	위로 올라갈수록 기온이 낮아진다.	• 대류가 일어난다. • 구름, 눈, 비 등 [⑪]이 나타난다. • 공기의 대부분이 모여 있다.

② 복사 평형

1 복사 에너지   물체가 온도에 따라 복사 형태로 내보내는 에너지 **예** 태양 복사 에너지, 지구 복사 에너지

2 [④]   흡수하는 복사 에너지양과 방출하는 복사 에너지양이 같은 상태

3 지구의 복사 평형

① 지구로 들어오는 태양 복사 에너지를 100 %라고 할 때 30 %는 대기와 지표에서 반사되고 70 %는 대기와 지표에 흡수된다.

② 대기와 지표에서 우주로 방출하는 복사 에너지는 70 %이다.

③ 지구가 흡수하는 태양 복사 에너지양(70 %) = 지구가 방출하는 지구 복사 에너지양([◎] %)

③ 온실 효과

1 [⊗]   지구 대기에 의해 지구의 평균 기온이 높게 유지되는 현상

① 온실 기체: 온실 효과를 일으키는 기체로 수증기, 이산화 탄소, 메테인 등이 있다.

② 지구는 대기가 있어 지구 표면에서 내보내는 지구 복사 에너지 중 일부를 대기가 흡수하였다가 다시 우주와 지표로 방출한다. ➡ 지구의 평균 기온이 대기가 없을 때보다 높게 나타난다.

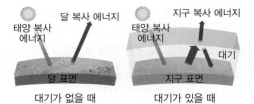

대기가 없을 때   대기가 있을 때

2 [⊕]   온실 효과가 강화되어 지구의 평균 기온이 높아지는 현상

대기 중 온실 기체의 증가 ➡ 온실 효과 강화 ➡ 지구의 평균 기온 상승(지구 온난화)

[01~03] 그림은 기권의 구조를 나타낸 것이다.

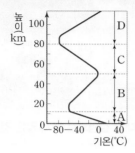

01 이에 대한 설명으로 옳은 것을 보기에서 모두 고른 것은?

┤ 보기 ├
- ㄱ. A와 B 사이의 경계면을 대류권 계면이라고 한다.
- ㄴ. B층은 대류가 일어나지 않는다.
- ㄷ. C층에서는 유성이 관측되기도 한다.
- ㄹ. D층에는 전체 대기의 약 80 %가 존재한다.

① ㄱ, ㄴ   ② ㄱ, ㄹ   ③ ㄷ, ㄹ
④ ㄱ, ㄴ, ㄷ   ⑤ ㄴ, ㄷ, ㄹ

02 A~D층 중 그림과 같은 현상들이 나타나는 층은?

① A   ② B   ③ C
④ D   ⑤ A, C

03 다음은 어떤 대기 현상에 대한 설명이다.

- 태양으로부터 오는 전기를 띤 입자들이 대기와 충돌하여 빛을 내는 것이다.
- 북반구와 남반구의 고위도 지방에 가까울수록 관측이 쉽다.
- 극광이라고도 불린다.

A~D층 중 위 현상이 나타나는 층은?

① A   ② B   ③ C
④ D   ⑤ A, C

04 기권에 대한 설명으로 옳지 <u>않은</u> 것은?

① 지구를 둘러싼 대기 영역을 뜻한다.
② 높이 올라갈수록 공기가 희박해진다.
③ 대기는 질소와 산소 등으로 이루어져 있다.
④ 지표로부터 높이 약 10 km까지의 영역이다.
⑤ 높이에 따른 기온 변화를 기준으로 4개 층으로 구분할 수 있다.

05 다음은 기권 각 층의 특징을 설명한 것이다.

(가) 공기가 가장 희박하다.
(나) 기상 현상이 나타난다.
(다) 오존층이 있다.
(라) 대류는 일어나지만 기상 현상은 나타나지 않는다.

각 층을 지표면에 가까운 것부터 순서대로 나열한 것은?

① (가)-(나)-(다)-(라)
② (가)-(나)-(라)-(다)
③ (나)-(다)-(라)-(가)
④ (다)-(나)-(가)-(라)
⑤ (라)-(다)-(나)-(가)

06 (가)와 (나) 현상의 공통적인 원인으로 옳은 것은?

(가) 창가에서 햇빛을 받으면 따뜻하지만 계속 뜨거워지지는 않는다.
(나) 지구가 끊임없이 태양 에너지를 받고 있지만 온도가 계속 높아지지는 않는다.

① 햇빛의 양이 줄어들기 때문
② 복사 평형에 도달하기 때문
③ 다른 물체로 열이 전도되기 때문
④ 지구 복사 에너지를 흡수하기 때문
⑤ 일정 양 이상의 햇빛을 반사하기 때문

[07~08] 그림과 같이 장치하고 적외선등을 켠 다음 2분마다 알루미늄 컵 속의 온도를 측정하였다.

07 이 실험의 결과로 옳은 것은?

① 온도 변화가 없다.
② 온도가 계속 높아진다.
③ 온도가 일정하다가 어느 순간부터 낮아진다.
④ 온도가 높아지다가 어느 순간부터 낮아진다.
⑤ 온도가 높아지다가 어느 순간부터 일정해진다.

08 이 실험에 대한 설명으로 옳은 것을 보기에서 모두 고른 것은?

┌─ 보기 ─────────────────────────┐
ㄱ. 복사 평형을 알아보기 위한 실험이다.
ㄴ. 지구 복사 평형에 비유하면 적외선등은 태양, 알루미늄 컵은 지구를 나타낸다.
ㄷ. 적외선등과 컵 사이의 거리를 가까이 하면 컵 속의 온도는 더 올라갈 것이다.
└──────────────────────────────┘

① ㄱ　　　　② ㄷ　　　　③ ㄱ, ㄴ
④ ㄴ, ㄷ　　⑤ ㄱ, ㄴ, ㄷ

보기 더 보기

09 복사 에너지에 대한 설명으로 옳은 것을 보기에서 모두 고르시오.

┌─ 보기 ─────────────────────────┐
ㄱ. 모든 물체는 복사 에너지를 방출한다.
ㄴ. 온도가 낮은 물체는 복사 에너지를 방출하지 않는다.
ㄷ. 복사는 에너지가 다른 물체를 거쳐 이동하는 방법이다.
ㄹ. 모든 물체는 자신의 온도에 해당하는 에너지를 복사로 방출한다.
ㅁ. 지구가 흡수하는 태양 복사 에너지양과 방출하는 지구 복사 에너지양은 같다.
ㅂ. 지구가 방출하는 복사 에너지양은 태양이 방출하는 복사 에너지양과 같다.
└──────────────────────────────┘

10 그림은 지구에서의 에너지 출입을 나타낸 것이다.

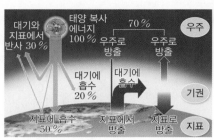

위 그림에 대한 설명으로 옳지 **않은** 것은?

┌────────────────────────────────┐
지구로 들어오는 태양 복사 에너지를 ① 100 %라고 할 때. ② 30 %는 반사되어 우주로 나가고, ③ 20 %는 대기에 흡수되며, ④ 50 %는 지표에 흡수된다. 그리고 지구는 흡수한 ⑤ 50 %의 태양 복사 에너지와 같은 양의 지구 복사 에너지를 우주로 방출하여 복사 평형 상태를 유지한다.
└────────────────────────────────┘

11 온실 효과에 대한 설명으로 옳은 것을 보기에서 모두 고르시오.

┌─ 보기 ─────────────────────────┐
ㄱ. 대기 중 온실 기체로 인해 나타나는 현상이다.
ㄴ. 온실 기체의 예에는 수증기, 이산화 탄소, 메테인 등이 있다.
ㄷ. 지구에 온실 효과가 나타나지 않는다면 지구의 평균 기온은 현재보다 높아질 것이다.
└──────────────────────────────┘

12 그림은 약 120년간 대기 중 이산화 탄소의 농도와 평균 기온 변화를 나타낸 것이다.

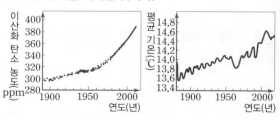

이에 대한 설명으로 옳지 **않은** 것은?

① 온실 효과는 꾸준히 약화되고 있다.
② 극지방 빙하의 양은 감소했을 것이다.
③ 지구의 평균 기온이 점점 상승하였다.
④ 평균 해수면의 높이는 높아졌을 것이다.
⑤ 온실 기체의 증가는 지구 온난화를 일으킨다.

1% 도전 문제로 올리기

✛ 정답과 해설 65쪽

01 그림은 자외선을 흡수하는 오존층의 역할을 나타낸 것이다.

오존층이 없을 때 지구의 높이에 따른 기온 분포로 가장 적절한 것은?

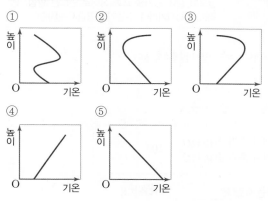

02 그림은 위도에 따라 지구가 흡수하는 태양 복사 에너지와 지구 복사 에너지를 나타낸 것이다.

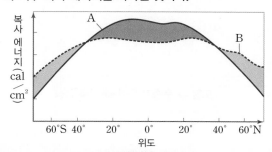

이에 대한 설명으로 옳은 것은?
① A는 지구 복사 에너지이다.
② B는 태양 복사 에너지이다.
③ 저위도는 에너지 과잉 상태이다.
④ 지구 전체적으로 A의 양>B의 양이다.
⑤ 지구 전체적으로 A의 양<B의 양이다.

서술형 문제로 완성하기

✛ 정답과 해설 66쪽

01 그림과 같이 컵에 온도계를 꽂고 (가)는 윗면을 열어두고 (나)는 유리판으로 윗면을 덮은 후 햇빛을 비추었다.

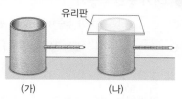

(가)에 비해 (나)의 온도는 어떻게 다를지 복사 평형의 관점에서 설명하시오.

_____

_____

창의 서술형

02 일부 과학자들은 지구와 태양 사이의 거리가 1년에 약 15 cm씩 멀어지고 있다고 주장한다. 지구가 태양으로부터 멀어지면 어떻게 될지 다음 단어를 모두 포함하여 설명하시오.

| 태양 복사 에너지　　지구 복사 에너지　　복사 평형 |

_____

_____

03 전 세계적으로 화석 연료의 사용이 증가하면 어떤 일이 일어나는지 다음 단어를 모두 포함하여 설명하시오.

| 이산화 탄소　　지구의 평균 기온　　해수면 |

_____

_____

1 대기 중의 수증기

1 [㉠] 공기가 수증기를 최대로 포함한 상태

2 [㉡] 포화 상태인 공기 1 kg에 들어 있는 수증기량을 g으로 나타낸 것(g/kg) ➡ 기온이 높아지면 증가한다.

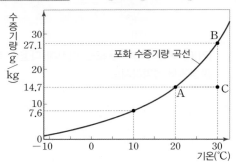

A(포화)	· 포화 수증기량 곡선상에 있다. · 포화 수증기량＝현재 수증기량＝14.7 g/kg
B(포화)	· 포화 수증기량 곡선상에 있다. · 포화 수증기량＝현재 수증기량＝27.1 g/kg
C(불포화)	· 포화 수증기량 곡선 아래에 있다. · 포화 수증기량＞현재 수증기량 · 불포화 상태 공기를 포화 상태로 만드는 방법: 냉각(C→A)시키거나, 수증기를 공급(C→B)한다.

3 이슬점 기온이 낮아져 공기 중의 수증기가 응결하기 시작할 때의 온도 ➡ 현재 수증기량이 많을수록 높다.

2 상대 습도

1 [㉢] 현재 기온에서 공기의 포화 수증기량에 대한 실제 포함된 수증기량의 비율(%)

$$상대 습도(\%) = \frac{현재 공기의 실제 수증기량(g/kg)}{현재 기온의 포화 수증기량(g/kg)} \times 100$$

2 맑은 날 하루 동안 상대 습도의 변화 맑은 날 기온과 상대 습도의 변화는 서로 [㉣] 나타난다.

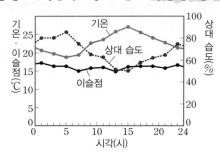

구분	가장 낮을 때	가장 높을 때
기온	새벽(해 뜨기 전)	오후 3시경
[㉤]	오후 3시경	새벽(해 뜨기 전)
이슬점	맑은 날 거의 일정	

3 구름과 강수

1 구름 공기 중의 수증기가 응결하여 생긴 물방울이 하늘에 떠 있는 것

공기 상승 ➡ 단열 [㉦] ➡ 온도 하강 ➡ [㉧] 도달 ➡ 수증기 응결 ➡ 구름 생성

2 강수 구름에서 비나 눈이 지표로 떨어지는 것

중위도나 고위도 지방(빙정설)	저위도 지방(병합설)
· 구름의 윗부분은 주로 [◎], 중간 부분은 얼음 알갱이와 물방울, 아랫부분은 주로 물방울로 이루어져 있다. · 물방울에서 증발한 수증기가 얼음 알갱이에 달라붙어 얼음 알갱이가 커진다. 얼음 알갱이가 그대로 떨어지면 눈, 내리다 녹으면 비로 내린다.	· 구름은 크고 작은 [⊗]로만 이루어져 있다. · 물방울들이 서로 충돌하여 비로 내린다.

01 다음 현상 중 나머지와 가장 다른 것은?

① 새벽에 안개가 낀다.
② 풀잎에 이슬이 맺힌다.
③ 공기가 상승하여 구름이 생성된다.
④ 열어 둔 향수병에서 향기가 퍼진다.
⑤ 음료수병의 표면에 물방울이 맺힌다.

02 그림과 같이 플라스크에 물을 끓인 후 뚜껑을 닫고 뒤집은 후 찬물을 부었다.

찬물을 부었을 때 플라스크 내부에서 나타나는 현상으로 옳은 것을 보기에서 모두 고른 것은?

┌─▪ 보기 ─────────────
│ ㄱ. 내부가 맑아진다.
│ ㄴ. 온도가 높아진다.
│ ㄷ. 물방울이 맺힌다.
│ ㄹ. 포화 수증기량이 감소한다.
└──────────────────

① ㄱ, ㄹ   ② ㄴ, ㄷ   ③ ㄷ, ㄹ
④ ㄱ, ㄴ, ㄷ   ⑤ ㄱ, ㄴ, ㄹ

03 현재 기온이 22 ℃인 실험실에서 오른쪽 그림과 같이 물이 담긴 알루미늄 컵에 얼음을 넣고 잘 저었더니, 물 온도 15 ℃에서 알루미늄 컵 표면에 물방울이 맺히기 시작하였다. 이 실험실의 이슬점은?

① 10 ℃   ② 15 ℃   ③ 20 ℃
④ 22 ℃   ⑤ 25 ℃

[04~07] 그림은 기온에 따른 포화 수증기량 곡선을 나타낸 것이다.

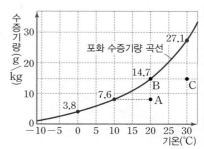

04 A~C 공기의 상태를 옳게 짝 지은 것은?

	A	B	C
①	포화 상태	불포화 상태	불포화 상태
②	포화 상태	포화 상태	불포화 상태
③	불포화 상태	포화 상태	불포화 상태
④	불포화 상태	불포화 상태	불포화 상태
⑤	불포화 상태	불포화 상태	포화 상태

05 A와 C 공기 1 kg이 각각 포함할 수 있는 최대 수증기량은?

	A	C		A	C
①	7.6 g	7.6 g	②	7.6 g	14.7 g
③	7.6 g	27.1 g	④	14.7 g	27.1 g
⑤	27.1 g	30 g			

06 A와 C 공기의 이슬점은?

	A	C		A	C
①	10 ℃	10 ℃	②	10 ℃	20 ℃
③	20 ℃	10 ℃	④	20 ℃	20 ℃
⑤	20 ℃	30 ℃			

07 C 공기의 상대 습도를 구하는 식으로 옳은 것은?

① $\dfrac{14.7\,g/kg}{27.1\,g/kg} \times 100$ ② $\dfrac{27.1\,g/kg}{14.7\,g/kg} \times 100$

③ $\dfrac{27.1\,g/kg}{30.0\,g/kg} \times 100$ ④ $\dfrac{30.0\,g/kg}{27.1\,g/kg} \times 100$

⑤ $\dfrac{14.7\,g/kg}{30.0\,g/kg} \times 100$

[08~09] 그림은 기온에 따른 포화 수증기량 곡선을 나타낸 것이다.

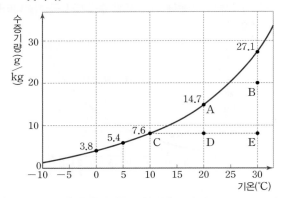

08 A~E 공기 중 상대 습도가 가장 낮은 것은?

① A   ② B   ③ C

④ D   ⑤ E

보기 더 보기

09 A~E 공기에 대한 설명으로 옳은 것을 모두 고르면? (정답 2개)

① A와 D는 현재 수증기량이 같다.

② B와 E는 이슬점이 같다.

③ C와 D는 상대 습도가 같다.

④ C 공기에서 E 공기가 될 때 상대 습도는 낮아진다.

⑤ A~E 공기 중 포화 수증기량이 가장 높은 공기는 A이다.

⑥ A 공기 1 kg의 온도가 5 ℃로 낮아질 때 응결량은 9.3 g이다.

10 기온, 포화 수증기량, 상대 습도, 이슬점 사이의 관계를 나타낸 것으로 옳지 않은 것은?

구분	기온	포화 수증기량	상대 습도	이슬점
(가)	상승	증가	①	일정
(나)	②	일정	③	상승
(다)	하강	④	⑤	일정

① 감소   ② 하강   ③ 상승

④ 감소   ⑤ 상승

11 그림은 현재 수증기량이 일정할 때 기온 변화에 따른 포화 수증기량을 비교하여 모식적으로 나타낸 것이다.

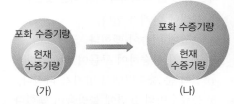

이에 대한 설명으로 옳은 것은?

① 기온은 (가) > (나)이다.

② 이슬점은 (가) < (나)이다.

③ 상대 습도는 (가) > (나)이다.

④ (나)에서는 안개나 구름이 잘 생긴다.

⑤ 최대로 포함 가능한 수증기량은 (가) > (나)이다.

12 그림은 맑은 날 하루 동안의 기온, 상대 습도를 나타낸 것이다.

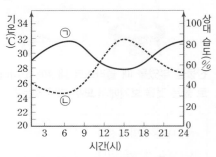

이에 대한 설명으로 옳은 것을 보기에서 모두 고르시오.

보기

ㄱ. ㉠은 상대 습도, ㉡은 기온에 해당한다.

ㄴ. 기온이 높아지면 상대 습도도 높아진다.

ㄷ. 상대 습도는 15시 무렵에 가장 높다.

13 구름이 만들어지는 경우로 옳지 않은 것은?

①

②

③

④

⑤

14 그림은 공기 덩어리의 단열 팽창 과정을 나타낸 것이다.

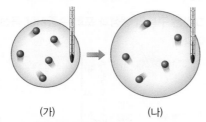

(가) → (나)

이에 대한 설명으로 옳은 것은?

① 부피는 (가) > (나)이다.
② 온도는 (가) > (나)이다.
③ 주위 기압은 (가) < (나)이다.
④ 공기가 하강할 때에 해당한다.
⑤ 공기가 외부와 열을 주고받는 과정이다.

[15~16] 그림과 같이 페트병에 약간의 물과 액정 온도계, 향 연기를 넣고 (가) 공기 펌프로 압축시킨 후 (나) 다시 뚜껑을 열어 페트병 안에서 일어나는 변화를 관찰하였다.

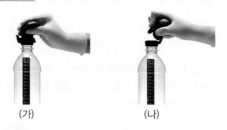

(가)　　　　(나)

15 위 실험의 (나) 과정에서의 변화로 옳지 <u>않은</u> 것은?

① 페트병 내부가 뿌옇게 흐려진다.
② 페트병 내부의 온도가 하강한다.
③ 페트병 내부의 수증기가 응결한다.
④ 페트병 내부 공기의 부피는 팽창한다.
⑤ 자연 현상에서 공기가 하강하는 경우에 해당한다.

16 위 실험에서 향 연기를 넣으면 병 내부에서 일어나는 변화를 더욱 뚜렷하게 볼 수 있다. 이때 향 연기의 역할로 옳은 것은?

① 페트병 내부의 습도를 높인다.
② 페트병 내부의 압력을 낮춘다.
③ 페트병 내부의 온도를 낮춘다.
④ 물의 증발이 잘 일어나도록 돕는다.
⑤ 수증기의 응결이 잘 일어나도록 돕는다.

17 구름이 주로 생성되는 곳은?

① 기압이 높은 곳
② 습도가 낮은 곳
③ 이슬점이 낮은 곳
④ 상승 기류가 있는 곳
⑤ 하강 기류가 있는 곳

18 그림은 구름의 생성 과정을 나타낸 것이다.

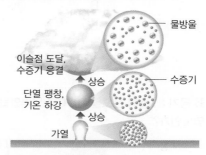

이슬점 도달, 수증기 응결 — 물방울
단열 팽창, 기온 하강 — 수증기
상승
상승
가열

이에 대한 설명으로 옳지 <u>않은</u> 것은?

① 공기가 상승하면 주변 기압이 낮아진다.
② 주변 기압이 낮아지면 공기가 팽창한다.
③ 단열 팽창하면 공기의 온도가 높아진다.
④ 이슬점에 도달하면 응결 현상이 일어난다.
⑤ 공기 덩어리가 상승할 때 포화 수증기량은 감소한다.

보기더보기
19 저위도 지방의 강수 현상에 대한 설명으로 옳은 것을 보기에서 모두 고르시오.

보기
ㄱ. 구름 속의 눈 결정이 커진다.
ㄴ. 구름은 물방울로만 이루어져 있다.
ㄷ. 눈이 떨어지다 녹으면 비가 된다.
ㄹ. 수증기가 얼음 알갱이에 달라붙는다.
ㅁ. 물방울들이 충돌해 커져서 비가 된다.
ㅂ. 구름의 온도가 0 ℃ 아래로 내려간다.

[01~02] 그림은 포화 수증기량 곡선을 나타낸 것이다.

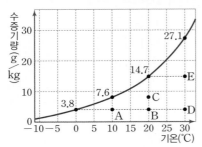

01 상대 습도가 50 %이고 이슬점이 0 ℃인 공기는?

① A   ② B   ③ C

④ D   ⑤ E

02 E 공기 3 kg의 온도를 10 ℃로 낮추었을 때 응결량은 몇 g인가?

① 3.7 g   ② 7.1 g   ③ 14.2 g

④ 15.3 g   ⑤ 21.3 g

03 그림 (가)와 같이 플라스크에 따뜻한 물을 조금 넣고 헤어드라이어로 가열한 후, (나)와 같이 찬물 속에 넣었더니 플라스크 내부가 뿌옇게 흐려졌다.

(나)에서 플라스크 내부가 뿌옇게 흐려진 까닭으로 옳은 것을 보기에서 모두 고른 것은?

┌── 보기 ─────────────────────
ㄱ. 단열 팽창으로 온도가 낮아졌기 때문
ㄴ. 포화 수증기량이 증가하여 응결이 일어났기 때문
ㄷ. 포화 수증기량이 감소하여 응결이 일어났기 때문
└─────────────────────────────

① ㄱ   ② ㄴ   ③ ㄷ

④ ㄱ, ㄷ   ⑤ ㄴ, ㄷ

04 그림은 구름의 생성과 포화 수증기량 곡선을 나타낸 것이다.

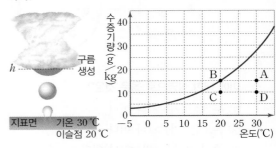

이에 대한 설명으로 옳은 것은?

① 지표면은 B 상태이다.

② 지표면은 C 상태이다

③ h 높이에서 공기는 C 상태이다.

④ h 높이에서 온도는 20 ℃이다.

⑤ h 높이에서 온도는 30 ℃이다.

05 그림 (가)는 페트병을 압축시킨 후(A) 다시 뚜껑을 여는(B) 실험이고, (나)는 우리나라 태백산맥을 넘는 바람을 나타낸 것이다.

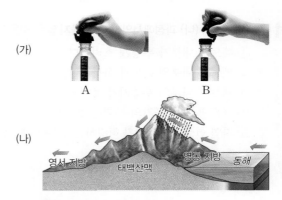

이에 대한 설명으로 옳은 것은?

① A에서 페트병 내부 공기가 팽창한다.

② B에서 페트병 내부 온도가 올라간다.

③ 영동 지방에서 공기가 상승하는 것은 (가)의 B에 해당한다.

④ 영서 지방에서 공기가 하강하는 것은 단열 팽창에 해당한다.

⑤ 영동 지방보다 영서 지방의 상대 습도가 더 높다.

01 기온이 25 °C인 교실에서 그림과 같이 물이 담긴 알루미늄 컵에 얼음이 담긴 시험관을 넣었더니 컵 표면이 뿌옇게 흐려지기 시작할 때의 온도가 15 °C였다.

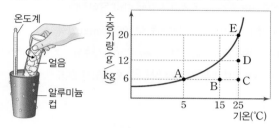

(1) 포화 수증기량 곡선의 A~E 중 교실 공기의 현재 상태를 고르시오.

_____

(2) 알루미늄 컵 표면이 뿌옇게 흐려지는 까닭을 포화와 관련지어 설명하시오.

_____

_____

02 그림은 산에서 구름이 만들어지는 모습을 나타낸 것이다.

산을 타고 올라가는 공기에서 구름이 만들어지는 까닭을 단열 변화와 관련지어 설명하시오.

_____

_____

03 창의 서술형

그림 (가)는 구름 발생 실험 중 향 연기를 넣는 과정을 나타낸 것이고, 그림 (나)는 구름에 요오드화 은을 뿌려 비를 내리게 하는 인공강우를 나타낸 것이다.(구름에 뿌리는 요오드화 은은 (가) 실험의 향 연기와 같은 역할을 한다.)

(가)   (나)

(1) (가) 실험에서 향 연기의 역할은 무엇인지 설명하시오.

_____

_____

(2) 인공강우의 원리를 (1)과 관련지어 설명하시오.

_____

_____

04 그림은 중위도나 고위도 지방에서 생기는 구름의 단면을 나타낸 것이다.

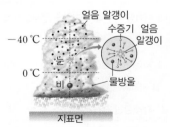

이 지역에서 비가 내리는 과정을 다음 단어를 모두 포함하여 설명하시오.

| 수증기 | 얼음 알갱이 | 눈 | 비 |

_____

_____

1 기압과 바람

1 ⓐ [⊙] 공기가 단위 넓이에 작용하는 힘 ➡ 모든 방향으로 작용하며 측정하는 장소와 시간에 따라 달라진다.

2 기압의 크기 [ⓒ] 기압 = 76 cmHg ≒ 1013 hPa = 물기둥 약 10 m의 압력 = 공기 기둥 약 1000 km의 압력

3 바람 생성의 원리 온도가 높은 지역의 공기는 상승하고, 온도가 낮은 지역의 공기는 하강한다. ➡ 공기가 상승하는 지역은 기압이 [ⓒ] 지고, 공기가 하강하는 지역은 기압이 [②] 진다. ➡ 기압이 높은 곳에서 낮은 곳으로 바람이 분다.

2 기단과 전선

1 우리나라 주변의 기단

시베리아 기단 / 오호츠크해 기단 / 동해 / 양쯔강 기단 / 북태평양 기단

기단	성질	영향을 주는 계절
[ⓜ] 기단	한랭 건조	겨울
오호츠크해 기단	저온 다습	초여름
양쯔강 기단	온난 건조	봄, 가을
북태평양 기단	고온 다습	여름

2 한랭 전선과 온난 전선

구분	한랭 전선	온난 전선
전선면의 기울기	[ⓗ]	완만하다
구름의 모양	적운형	층운형
강수 형태	좁은 지역에 소나기성 비	넓은 지역에 지속적인 비

3 기압과 날씨

1 고기압과 저기압

구분	바람의 방향(북반구)	중심 기류	날씨
[ⓐ] : 주위보다 기압이 높은 곳	시계 방향으로 불어 나간다.	하강	구름이 생기지 않음 ➡ 맑음
저기압: 주위보다 기압이 낮은 곳	시계 반대 방향으로 불어 들어온다.	[ⓞ]	구름 생성 ➡ 흐리거나 비

2 온대 저기압 온대 저기압은 편서풍의 영향으로 서쪽에서 동쪽으로 이동한다.

지역	날씨	기온
A 지역(한랭 전선 뒤쪽)	좁은 지역에 소나기성 비	낮음
B 지역(두 전선 사이)	[ⓧ]	높음
C 지역(온난 전선 앞쪽)	넓은 지역에 지속적인 비	낮음

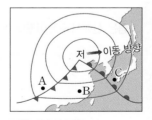

저 → 이동 방향 / A / B / C

3 계절별 날씨

봄	건조한 날씨, 이동성 고기압과 저기압이 지나가며 변덕스러운 날씨, 황사, 꽃샘추위
[ⓩ]	초여름 장마 전선으로 많은 비, 북태평양 기단의 영향으로 무더위, 열대야, 남고북저형의 기압 배치로 남동 계절풍
가을	이동성 고기압, 낮과 밤의 기온 차가 커지며 첫서리
겨울	시베리아 기단의 영향으로 차고 건조, 서고동저형의 기압 배치로 북서 계절풍, 한파와 폭설

✚ 정답과 해설 **68**쪽

01 기압에 대한 설명으로 옳은 것을 보기에서 모두 고른 것은?

┌── 보기 ───────────────────────
ㄱ. 지구 중심 방향으로만 작용한다.
ㄴ. 기압은 시간과 장소에 따라 달라진다.
ㄷ. 1기압은 수은 기둥 76 mm의 압력과 같다.
└──────────────────────────────

① ㄱ   ② ㄴ   ③ ㄷ
④ ㄱ, ㄴ   ⑤ ㄱ, ㄷ

[02~03] 그림은 토리첼리의 수은 기둥 실험을 나타낸 것이다.

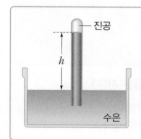

유리관에 수은을 가득 채운 후 수은이 든 수조에 거꾸로 세우면 수은 기둥의 높이는 일정하게 유지된다.

02 위 실험 장치를 가지고 높은 산을 오른 후 다시 내려갔다. 산을 오르내리는 동안 수은 기둥의 높이 변화로 옳은 것은?

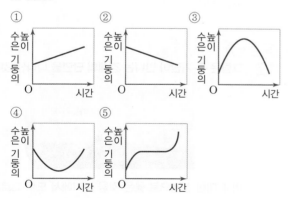

03 수은 기둥을 기울일 경우(가)와 더 굵은 유리관을 이용하여 실험할 때(나) 수은 기둥의 변화로 옳은 것은?

	(가)	(나)
①	높아진다	높아진다
②	높아진다	낮아진다
③	낮아진다	높아진다
④	낮아진다	일정하다
⑤	일정하다	일정하다

04 다음 중 우리가 기압을 느끼지 못하는 까닭으로 옳은 것은?

① 기압의 크기가 너무 작기 때문
② 기압이 항상 지구 중심 방향으로만 작용하기 때문
③ 기압보다 큰 압력이 몸속에서 외부로 작용하기 때문
④ 기압보다 작은 압력이 몸속에서 외부로 작용하기 때문
⑤ 기압과 같은 크기의 압력이 몸속에서 외부로 작용하기 때문

05 높이에 따른 기압 변화를 그래프로 옳게 나타낸 것은?

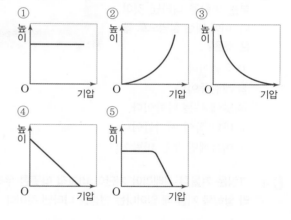

06 기압과 바람에 대한 설명으로 옳은 것을 보기에서 모두 고른 것은?

┌── 보기 ───────────────────────
ㄱ. 바람은 기압 차로 인해 발생한다.
ㄴ. 기압 차이가 클수록 약한 바람이 분다.
ㄷ. 주변보다 따뜻한 곳은 기압이 낮아진다.
ㄹ. 바람은 기압이 낮은 곳에서 높은 곳으로 분다.
└──────────────────────────────

① ㄱ, ㄴ   ② ㄱ, ㄷ   ③ ㄴ, ㄷ
④ ㄴ, ㄹ   ⑤ ㄷ, ㄹ

07 그림과 같이 물과 모래를 적외선등으로 가열하고 10분 후 물과 모래의 온도를 측정하여 아래 결과를 얻었다.

구분	물	모래
온도(℃)	32.5	34

이에 대한 설명으로 옳은 것은?

① 강수 원리에 대한 모형실험이다.
② 모래보다 물이 더 빨리 뜨거워진다.
③ 식을 때는 물이 더 빨리 식을 것이다.
④ 향 연기는 물에서 모래 쪽으로 이동한다.
⑤ 바람은 기압이 낮은 곳에서 높은 곳으로 분다.

08 오른쪽 그림은 해안가에서 하루 동안 풍향이 바뀌며 부는 바람을 나타낸 것이다. 이에 대한 설명으로 옳은 것은?

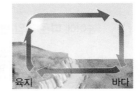

① 육풍이다.
② 계절풍이다.
③ 낮에 부는 바람이다.
④ 바다 쪽이 저기압이다.
⑤ 여름에만 부는 바람이다.

09 그림은 겨울철 시베리아 기단이 비교적 따뜻한 우리나라 황해를 지날 때 일어나는 현상을 나타낸 것이다.

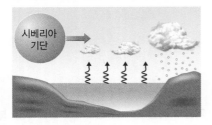

이에 대한 설명으로 옳은 것을 보기에서 모두 고른 것은?

┤ 보기 ├
ㄱ. 시베리아 기단이 더 건조해진다.
ㄴ. 시베리아 기단의 이슬점이 상승한다.
ㄷ. 겨울철 서해안에 폭설이 자주 내린다.

① ㄱ   ② ㄴ   ③ ㄷ
④ ㄱ, ㄴ   ⑤ ㄴ, ㄷ

10 기단에 대한 설명으로 옳지 않은 것은?

① 기단의 성질은 지표의 영향을 받는다.
② 북태평양 기단은 온난 건조하다.
③ 바다에서 만들어진 기단은 습하다.
④ 기온과 습도가 비슷한 공기 덩어리이다.
⑤ 사막 지역에서 만들어진 기단은 건조하다.

11 그림은 우리나라에 영향을 주는 기단을 나타낸 것이다.

이에 대한 설명으로 옳은 것은?

① A는 양쯔강 기단이다.
② B는 북태평양 기단이다.
③ C는 주로 겨울철에 영향을 준다.
④ D는 한랭 건조하다.
⑤ D는 장마에 영향을 준다.

보기 더 보기
12 그림은 두 기단이 만나는 경계의 단면을 나타낸 것이다.

이에 대한 설명으로 옳은 것을 보기에서 모두 고르시오.

┤ 보기 ├
ㄱ. 한랭 전선이다.
ㄴ. 온난 전선이다.
ㄷ. 적운형 구름이 만들어진다.
ㄹ. 층운형 구름이 만들어진다.
ㅁ. 좁은 지역에 소나기성 비가 내린다.
ㅂ. 전선이 통과한 후 기온이 상승한다.

13 다음 중 여러 가지 전선에 대한 설명으로 옳지 <u>않은</u> 것은?

① 전선을 경계로 기온, 습도, 바람 등 날씨가 달라진다.
② 찬 공기가 따뜻한 공기 아래로 파고들 때 한랭 전선이 생긴다.
③ 따뜻한 공기가 찬 공기를 타고 올라갈 때 온난 전선이 생긴다.
④ 한랭 전선보다 온난 전선의 이동 속도가 빨라서 폐색 전선이 만들어진다.
⑤ 세력이 비슷한 두 기단이 만나 오랫동안 한곳에 머무를 때 정체 전선이 생긴다.

14 북반구 저기압에서 지표면 부근의 바람과 기류의 방향을 옳게 나타낸 것은?

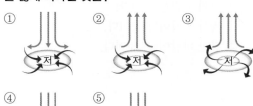

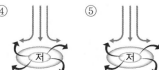

15 그림은 북반구 고기압과 저기압에서의 공기 흐름을 나타낸 것이다.

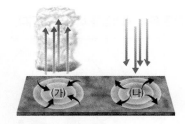

이에 대한 설명으로 옳은 것은?

① (가)는 고기압, (나)는 저기압을 나타낸다.
② (가)의 날씨는 하강 기류의 영향으로 맑다.
③ (가)에서는 바람이 시계 반대 방향으로 불어 들어온다.
④ (나)의 중심부에 상승 기류가 발달한다.
⑤ (나)에서는 구름이 생기거나 날씨가 흐린 때가 많다.

[16~17] 그림은 온대 저기압을 나타낸 것이다.

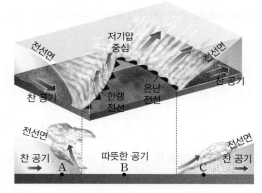

보기더보기
16 이에 대한 설명으로 옳은 것은? (정답 2개)

① A~C 지역 중 A 지역의 기온이 가장 높다.
② A~C 지역 중 B 지역의 날씨가 가장 맑다.
③ C 지역은 층운형 구름이 생긴다.
④ 온대 저기압은 동에서 서로 이동한다.
⑤ 온대 저기압은 고위도 지방에서 주로 발생한다.
⑥ C 지역에서는 좁은 지역에 소나기성 비가 내린다.

17 C 지역의 날씨로 옳은 것을 보기에서 모두 고른 것은?

보기
ㄱ. 따뜻하다.
ㄴ. 소나기가 내린다.
ㄷ. 지속적인 비가 내린다.

① ㄱ ② ㄴ ③ ㄷ
④ ㄱ, ㄴ ⑤ ㄴ, ㄷ

18 그림은 우리나라 어느 계절의 일기도를 나타낸 것이다.

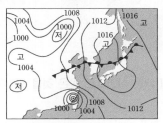

이 계절 우리나라의 날씨로 옳은 것은?

① 가뭄이 나타난다.
② 꽃샘추위가 나타난다.
③ 많은 양의 비가 내린다.
④ 매우 춥고 북서풍이 분다.
⑤ 서풍이 불고 황사가 심하다.

01 그림은 하루 동안 어느 지역의 기온을 나타낸 것이다.

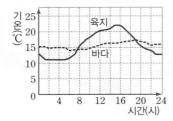

이에 대한 설명으로 옳은 것을 보기에서 모두 고른 것은?

┌╢ 보기
ㄱ. 오후 4시 무렵에는 육풍이 분다.
ㄴ. 열용량은 바다보다 육지가 더 크다.
ㄷ. 새벽 2시 무렵에는 육지에서 바다 쪽으로 바람이 분다.

① ㄱ   ② ㄴ   ③ ㄷ
④ ㄱ, ㄴ   ⑤ ㄴ, ㄷ

02 그림 (가)와 (나)는 각각 우리나라 여름철과 겨울철에 부는 바람을 순서 없이 나타낸 것이다.

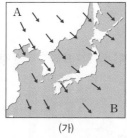 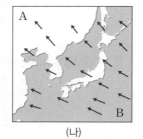

(가)   (나)

이에 대한 설명으로 옳은 것을 보기에서 모두 고른 것은?

┌╢ 보기
ㄱ. (가) 계절에는 A가 B보다 기온이 낮다.
ㄴ. (나) 계절에는 A가 B보다 기압이 낮다.
ㄷ. 해륙풍에 비해 넓은 범위에서 부는 바람이다.

① ㄱ   ② ㄴ   ③ ㄷ
④ ㄱ, ㄴ   ⑤ ㄱ, ㄴ, ㄷ

03 그림은 겨울철 우리나라 북서쪽의 차고 건조한 기단이 비교적 따뜻한 황해를 지나 우리나라에 도달하는 모습을 나타낸 것이다.

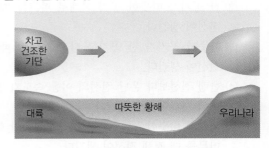

이때 우리나라 서해안의 날씨를 예상한 것으로 가장 적절한 것은?

① 눈이 내릴 것이다.
② 장마가 올 것이다.
③ 날씨가 맑을 것이다.
④ 황사가 나타날 것이다.
⑤ 강한 바람이 불 것이다.

04 그림은 온대 저기압을 나타낸 것이다.

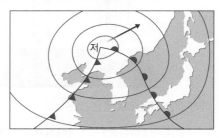

우리나라의 날씨에 대한 설명으로 옳은 것은?

① 적운형 구름이 많다.
② 기온이 높고 날씨가 맑다.
③ 많은 양의 폭우가 내리고 있다.
④ 넓은 지역에 이슬비가 내리고 있다.
⑤ 시간이 지나도 기압은 달라지지 않는다.

01 그림은 비행기 안에서의 과자 봉지 변화를 나타낸 것이다.

지상에 있을 때

높은 하늘에 있을 때

과자 봉지가 부푼 까닭을 다음 단어를 모두 포함하여 설명하시오.

고도	기압

02 그림은 모래와 물에 전등을 비추고 끄면서 시간에 따른 온도 변화를 측정한 것이다.

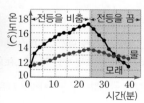

(1) 전등을 비춰 약 10분 동안 가열한 후 모래와 물 사이에 향을 피운다면 향 연기는 어느 방향으로 이동하는지 쓰시오.

(2) (1)의 까닭을 설명하시오.

03 그림 (가)는 우리나라 어느 계절의 일기도이고, 그림 (나)는 우리나라에 영향을 주는 기단의 위치를 나타낸 것이다.

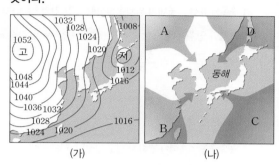
(가)   (나)

(1) (가) 일기도의 계절은 언제인지 쓰시오.

(2) 이 계절에 가장 큰 영향을 주는 기단을 그림 (나)에서 골라 기호와 이름을 쓰고, 이 기단의 특징을 설명하시오.

04 그림은 우리나라 주변의 온대 저기압을 나타낸 것이다.

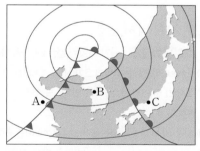

(1) A~C 중 현재 날씨가 맑고, 기온이 높은 지역의 기호를 쓰시오.

(2) A 지역의 현재 날씨를 다음 요소를 모두 포함하여 설명하시오.

기온	구름 형태	강수 여부

01 · 운동

① 운동

1 운동의 표현 물체의 위치를 일정한 시간 간격으로 나타내어 운동을 표현한다.

2 속력 단위 시간 동안 물체가 이동한 거리 ➡ 단위는 m/s(미터 매 초), km/h(킬로미터 매 시)를 사용한다.

3 ⑤ $\boxed{}$ $= \dfrac{\text{전체 이동 거리}}{\text{걸린 시간}}$

② 등속 운동

1 등속 운동 속력이 변하지 않고 일정한 운동

2 등속 운동의 그래프

시간에 따른 이동 거리 그래프	시간에 따른 속력 그래프
(이동 거리 vs 시간 그래프: 원점을 지나는 직선)	(속력 vs 시간 그래프: 수평선)
• 원점을 지나고 기울기가 일정한 직선 형태 • 그래프의 기울기는 ⓛ $\boxed{}$ 을 의미	• 시간축과 나란한 직선 형태 • 그래프 아랫부분과 시간축으로 둘러싸인 부분의 넓이는 ⓒ $\boxed{}$ 를 의미

③ 자유 낙하 운동

1 자유 낙하 운동 공기 저항이 없을 때, 물체가 ② $\boxed{}$ 만을 받아 아래로 떨어지는 운동

① 물체에 작용하는 중력의 크기(N)=물체의 ⑩ $\boxed{}$ $=\boxed{}$ ×질량(kg)

② 물체의 운동 방향: 중력의 방향, 즉 연직 ⊗ $\boxed{}$ 방향 ➡ 운동 방향과 ◎ $\boxed{}$ 방향으로 힘이 작용하여 속력이 증가한다.

③ 자유 낙하 운동을 하는 물체의 시간에 따른 속력 그래프: 기울기가 일정한 직선 모양 ➡ 매초 9.8 m/s씩 속력이 일정하게 증가

④ ⊗ $\boxed{}$: 중력만을 받아 자유 낙하 운동을 하는 물체의 시간에 따른 속력 변화 정도를 나타내는 값인 9.8을 말한다.

2 질량이 다른 물체의 자유 낙하 운동 공기 저항이 없을 때, 물체의 질량에 관계없이 같은 높이에서 자유 낙하를 하는 물체는 매초 속력이 9.8 m/s씩 증가하므로 ⊗ $\boxed{}$ 떨어진다.

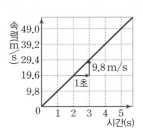

✛) 정답과 해설 **70쪽**

01 운동에 대한 설명으로 옳지 <u>않은</u> 것은?

① 운동은 시간에 따라 물체의 위치가 변하는 현상이다.

② 물체가 단위시간 동안 이동한 거리를 속력이라고 한다.

③ 같은 시간 동안 이동한 거리가 클수록 속력이 빠르다.

④ 같은 거리를 이동할 때 걸린 시간이 길수록 속력이 빠르다.

⑤ 다중 섬광 장치나 시간기록계를 이용하여 운동을 기록할 수 있다.

보기 더 보기

02 그림 (가)와 (나)는 움직이는 두 물체를 1초마다 찍은 연속 사진을 나타낸 것이다.

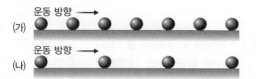

이에 대한 설명으로 옳은 것을 보기에서 모두 고르시오.

┌─ 보기 ─

ㄱ. (가) 물체는 등속 운동을 한다.

ㄴ. (가) 물체의 속력은 시간에 비례한다.

ㄷ. (나) 물체는 등속 운동을 한다.

ㄹ. (나) 물체의 속력은 점점 느려진다.

ㅁ. (나) 물체의 이동 거리는 시간에 비례한다.

ㅂ. (나) 물체는 (가) 물체보다 속력이 더 빠르다.

---

03 오른쪽 그림은 직선상에서 운동하는 어떤 물체 A와 B의 시간에 따른 이동 거리를 그래프로 나타낸 것이다. 물체 A와 B의 속력을 옳게 짝 지은 것은?

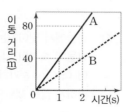

	A	B
①	20 m/s	20 m/s
②	40 m/s	20 m/s
③	40 m/s	40 m/s
④	80 m/s	20 m/s
⑤	80 m/s	40 m/s

---

04 그림은 어떤 물체의 시간에 따른 속력을 그래프로 나타낸 것이다.

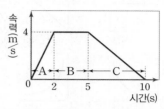

물체가 등속 운동을 한 구간과 등속 운동을 하는 동안 이동한 거리를 옳게 짝 지은 것은?

① A, 4 m   ② A, 8 m   ③ B, 6 m

④ B, 12 m   ⑤ C, 10 m

보기 더 보기

05 우리 주변에서 볼 수 있는 여러 가지 운동 중에서 등속 운동에 해당하는 것을 보기에서 모두 고르시오.

┌─ 보기 ─

ㄱ. 무빙워크   ㄴ. 번지점프

ㄷ. 컨베이어   ㄹ. 케이블카

ㅁ. 엘리베이터   ㅂ. 자이로드롭

ㅅ. 스카이다이빙   ㅇ. 에스컬레이터

보기 더 보기

06 중력만을 받아 자유 낙하 운동을 하는 물체에 대한 설명으로 옳지 <u>않은</u> 것은? (단, 공기의 저항은 무시한다.)

① 중력 가속도 상수는 9.8이다.

② 자유 낙하 하는 물체는 속력이 일정하게 증가한다.

③ 질량이 클수록 작용하는 중력이 크므로 빨리 떨어진다.

④ 물체의 무게는 물체의 질량과 중력 가속도 상수의 곱과 같다.

⑤ 자유 낙하 운동을 하는 물체는 연직 아래 방향으로 힘을 받는다.

⑥ 자유 낙하 운동을 하는 물체의 시간에 따른 속력 변화 정도는 일정하다.

⑦ 정지해 있던 물체가 중력만을 받아 떨어지는 운동을 자유 낙하 운동이라고 한다.

07 자유 낙하 하는 물체의 시간에 따른 속력 그래프로 옳은 것은? (단, 공기의 저항은 무시한다.)

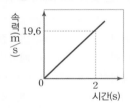

[08~09] 그림은 공중에서 가만히 놓은 질량 1 kg인 물체의 시간에 따른 속력을 그래프로 나타낸 것이다. (단, 공기의 저항은 무시한다.)

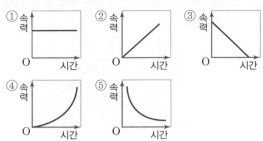

08 이에 대한 설명으로 옳은 것은?

① 물체의 무게는 19.6 N이다.
② 물체가 낙하 하는 동안 속력은 일정하다.
③ 물체의 속력은 1초에 19.6 m/s씩 증가한다.
④ 낙하 하는 동안 물체에는 중력이 계속 작용한다.
⑤ 물체가 이동한 거리는 시간에 관계없이 일정하다.

09 같은 높이에서 질량이 10 kg인 물체가 자유 낙하 한다면 물체가 받는 중력의 크기(A)와 1초마다 속력이 증가하는 정도(B)를 옳게 짝 지은 것은?

	A	B		A	B
①	9.8 N	9.8 m/s	②	9.8 N	98 m/s
③	98 N	9.8 m/s	④	98 N	19.6 m/s
⑤	98 N	98 m/s			

[10~11] 오른쪽 그림과 같이 진공 상태에서 깃털과 쇠구슬을 같은 높이에서 동시에 떨어뜨렸다. (단, 공기의 저항은 무시하며, 쇠구슬의 질량이 깃털보다 크다.)

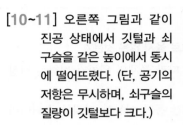

10 깃털과 쇠구슬 중 더 큰 힘을 받는 것(가)와 더 빨리 떨어지는 것(나)를 옳게 짝 지은 것은?

	(가)	(나)
①	깃털	쇠구슬
②	깃털	동시에 떨어진다.
③	쇠구슬	쇠구슬
④	쇠구슬	동시에 떨어진다.
⑤	같다.	동시에 떨어진다.

11 깃털이 자유 낙하 할 때 시간에 따른 속력 그래프가 오른쪽 그림과 같았다면 같은 높이에서 떨어진 쇠구슬의 시간에 따른 속력 그래프에 대한 설명으로 옳은 것은?

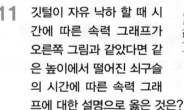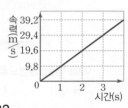

① 기울기가 같다.
② 기울기가 더 커진다.
③ 기울기가 더 작아진다.
④ 시간축에 나란한 직선이 된다.
⑤ 0~1초까지는 기울기가 같고 1초 이후에는 작아진다.

12 하늘에서 떨어지는 빗방울에 중력이 계속 작용하여 빗방울의 속력이 일정하게 증가하지만 일정 속력에 이르면 더 이상 증가하지 않는다. 빗방울의 속력이 계속 증가하지 않는 까닭으로 옳은 것은?

① 공기의 저항 때문에
② 빗방울의 질량이 달라지기 때문에
③ 빗방울의 무게가 달라지기 때문에
④ 떨어지는 도중에 중력이 점점 약해지므로
⑤ 어느 순간 중력이 반대 방향으로 작용하므로

1% 도전 문제로 올리기

정답과 해설 70쪽

01 그림과 같이 전체 길이가 **50 m**인 기차가 일정한 속력으로 **450 m** 다리를 완전히 건너는 데 **20초**가 걸렸다.

이때 기차의 속력은 몇 **m/s**인가?

① 10 m/s ② 15 m/s ③ 20 m/s
④ 25 m/s ⑤ 30 m/s

02 그림은 운동장에서 굴러가는 축구공의 운동을 0.1초 간격으로 나타낸 것이다.

이에 대한 설명으로 옳지 <u>않은</u> 것은?

① 축구공에는 힘이 작용하지 않는다.
② 축구공 사이의 간격이 점점 좁아진다.
③ 처음 구간에서 공의 속력은 25 m/s이다.
④ 축구공은 속력이 느려지는 운동을 한다.
⑤ 축구공과 축구공 사이의 간격으로 속력을 비교할 수 있다.

03 오른쪽 그림은 같은 위치에 놓인 질량이 같은 두 물체 A, B에 같은 방향으로 힘이 각각 작용할 때 두 물체의 속력 변화를 나타낸 것이다. 이에 대한 설명으로 옳은 것을 보기에서 모두 고른 것은?

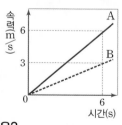

┤ 보기 ├
ㄱ. 6초 동안 물체 A가 이동한 거리는 18 m이다.
ㄴ. 시간이 지날수록 A와 B 사이의 거리는 가까워진다.
ㄷ. 속력 변화는 물체 A가 물체 B의 2배이다.

① ㄱ ② ㄴ ③ ㄱ, ㄷ
④ ㄴ, ㄷ ⑤ ㄱ, ㄴ, ㄷ

서술형 문제로 완성하기

정답과 해설 71쪽

01 그림은 물체의 운동을 0.2초 간격으로 찍은 다중 섬광 사진을 나타낸 것이다.

공의 속력은 몇 **m/s**인지 구하고 공이 **30초** 동안 이동한 거리를 그 까닭과 함께 설명하시오.

_____

_____

02 오른쪽 그림은 진공에서 구슬과 깃털을 같은 높이에서 동시에 떨어뜨릴 때 이를 일정한 시간 간격으로 촬영한 연속 사진이다. 이때 구슬과 깃털이 동시에 떨어지는 까닭을 다음 단어를 모두 포함하여 설명하시오.

| 진공 | 속력 | 9.8 m/s | 증가 |

_____

_____

03 창의 서술형

오른쪽 그림과 같이 중력이 작아 공기가 존재하지 않는 달의 표면으로부터 같은 높이에서 쇠공과 고무공을 동시에 떨어뜨렸다. (단, 쇠공의 질량이 고무공보다 크다.)

(1) 달에서 쇠공과 고무공의 무게를 비교하고 그 까닭을 설명하시오.

_____

_____

(2) 달에서 쇠공과 고무공이 어떻게 떨어지는지 그 까닭과 함께 설명하시오.

_____

_____

① 일

1 과학에서의 일 물체에 힘이 작용하여 물체가 힘의 방향으로 이동할 때, 과학에서는 〔 ⊙ 〕을 했다고 한다.

이동 방향 →

힘 →

← 이동 거리 →

① 일의 양: 물체에 작용한 힘의 크기 × 물체가 힘의 방향으로 〔 ⓛ 〕

② 물체에 한 일이 0인 경우

힘의 방향 ↑

이동 방향 ←

힘의 방향 ↑ 이동 방향 →

• 물체에 작용한 힘이 0일 때

• 물체에 힘을 작용하더라도 물체가 힘의 방향으로 〔 ⓒ 〕가 0일 때

• 물체에 작용한 힘의 방향과 물체의 이동 방향이 〔 ⓔ 〕일 때

2 〔 ⓜ 〕 일을 할 수 있는 능력

① 일과 에너지의 전환: 일과 에너지는 서로 〔 ⓗ 〕될 수 있다.

② 일과 에너지의 관계: 물체가 다른 물체에 일을 하면 일을 한 물체의 에너지는 감소하고, 일을 받은 물체의 에너지는 〔 ④ 〕한다.

에너지 →일을 함→ 에너지   에너지 →일을 받음→ 에너지

② 위치 에너지와 운동 에너지

1 중력에 의한 위치 에너지 높은 곳에 있는 물체가 가지는 에너지

① 물체에 중력에 대하여 일을 해 주면 물체가 가진 중력에 의한 〔 ◎ 〕가 증가

② 위치 에너지＝9.8 × 물체의 〔 ㉘ 〕 × 물체의 높이

2 중력이 한 일과 운동 에너지

① 운동 에너지: 운동하는 물체가 가지는 에너지

② 운동 에너지＝$\frac{1}{2}$ × 질량 × (〔 ㉾ 〕)^2

③ 자유 낙하 운동은 중력이 일을 하는 과정 ➡ 중력이 한 일은 물체의 〔 ㉿ 〕로 전환

중력이 한 일의 양＝9.8 × 질량 × 낙하 한 거리 ➡ 운동 에너지

낙하 한 거리

중력

01 그림과 같이 수연이가 바닥에 놓인 탁자에 수평 방향으로 **60 N**의 힘을 작용하여 **2 m** 이동시켰다.

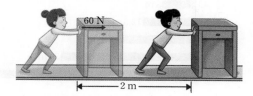

수연이가 탁자에 한 일의 양은 몇 **J**인가?

① 2 J   ② 30 J   ③ 60 J
④ 120 J   ⑤ 180 J

02 다음은 진호, 철호, 영희가 한 일을 나타낸 것이다.

> • 진호: 바닥에 놓인 무게가 100 N인 상자를 1 m 높이까지 천천히 들어 올렸다.
> • 철호: 무게가 100 N인 상자를 든 채로 수평 방향으로 1 m 이동하였다.
> • 영희: 바닥에 놓인 상자를 수평 방향으로 50 N의 힘을 주어 힘의 방향으로 1 m 밀었다.

세 사람이 한 일의 양을 등호나 부등호로 비교하시오.

────────────

보기 더 보기

03 과학에서의 일과 에너지에 대한 설명으로 옳은 것을 보기에서 모두 고르시오.

┤ 보기 ├
ㄱ. 일을 한 물체의 에너지는 증가한다.
ㄴ. 일을 받은 물체의 에너지는 감소한다.
ㄷ. 에너지는 일을 할 수 있는 능력을 뜻한다.
ㄹ. 에너지의 단위로 일의 단위와 같은 J(줄)을 사용한다.
ㅁ. 에너지를 가지고 있는 물체는 다른 물체에 일을 할 수 있다.
ㅂ. 에너지는 일로 전환될 수 있지만, 일은 에너지로 전환될 수 없다.

────────────

04 오른쪽 그림과 같이 역도 선수가 힘을 주어 바닥에 있던 역기를 천천히 위로 들어 올렸다. 이 과정에서 일과 에너지 전환을 옳게 설명한 것은?

① 일이 힘으로 전환되었다.
② 위치 에너지가 일로 전환되었다.
③ 일이 위치 에너지로 전환되었다.
④ 중력이 운동 에너지로 전환되었다.
⑤ 위치 에너지가 중력으로 전환되었다.

05 오른쪽 그림과 같이 추를 낙하시켜 원통형 나무와 충돌시켰더니 원통형 나무가 밀려났다. 이때 추의 질량과 높이를 각각 3배가 되도록 하여 추를 떨어뜨리면 원통형 나무의 이동 거리는 몇 배가 되는가?

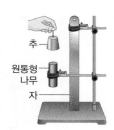

① 3배   ② 6배   ③ 9배
④ 12배   ⑤ 27배

06 그림과 같이 진수가 질량이 **10 kg**인 물체를 일정한 속력으로 들어 올리는 데 한 일의 양이 **196 J**이었다.

진수가 물체를 들어 올린 높이는 몇 **m**인가?

① 0.25 m   ② 0.5 m   ③ 1 m
④ 1.5 m   ⑤ 2 m

07 오른쪽 그림과 같이 지면에 놓인 질량이 4 kg인 물체를 지면으로부터 2.5 m 높이까지 서서히 들어 올렸다. 이에 대한 설명으로 옳지 <u>않은</u> 것은? (단, 공기의 저항은 무시하며, 기준면은 지면이다.)

① 물체에 한 일의 양은 98 J이다.
② 물체는 위치 에너지를 갖는다.
③ 물체에 작용하는 중력의 크기는 9.8 N이다.
④ 물체를 들어 올려 중력에 대하여 일을 하였다.
⑤ 물체를 5 m 높이까지 들어 올리면 물체는 196 J의 위치 에너지를 갖는다.

08 그림과 같이 지면과의 거리가 6 m인 옥상에 질량이 1 kg인 물체가 놓여 있다.

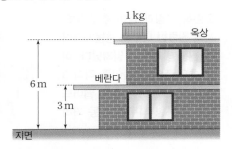

지면과 베란다를 기준면으로 할 때 물체가 가지는 위치 에너지를 각각 구하시오. (단, 베란다와 지면 사이의 거리는 3 m이다.)

09 그림과 같이 질량이 4 kg인 수레가 2 m/s의 속력으로 운동하다가 정지해 있는 나무 도막을 4 m 밀고 이동한 후 정지하였다.

수레의 질량이 2 kg이고 속력이 2 m/s라면 나무 도막을 밀고 이동한 거리는 몇 m인가? (단, 공기 저항이나 마찰은 무시한다.)

① 1 m   ② 2 m   ③ 4 m
④ 8 m   ⑤ 16 m

10 그림은 자동차의 속력과 자동차가 정지할 때까지 이동한 거리인 제동 거리의 관계를 나타낸 것이다.

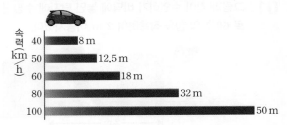

자동차가 120 km/h의 속력으로 달리다가 브레이크를 밟으면 자동차의 제동 거리는 몇 m가 되는가?

① 52 m   ② 60 m   ③ 72 m
④ 120 m   ⑤ 240 m

[11~13] 오른쪽 그림은 질량이 2 kg인 물체를 10 m 높이에서 가만히 놓아 자유 낙하 시킨 모습을 나타낸 것이다. (단, 공기의 저항은 무시한다.)

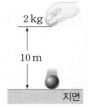

보기 더 보기

11 물체가 떨어질 때 일과 에너지의 관계에 대한 설명으로 옳지 <u>않은</u> 것은?
① 중력이 물체에 일을 한다.
② 중력이 한 일이 물체의 운동 에너지로 전환된다.
③ 떨어지는 동안 물체의 운동 에너지는 증가한다.
④ 떨어지는 동안 물체의 위치 에너지는 감소한다.
⑤ 중력이 물체에 한 일은 물체의 높이와 관계없이 같다.
⑥ 중력이 물체에 한 일은 물체의 질량이 클수록 커진다.
⑦ 중력이 물체에 한 일과 지면에 도달하는 순간 물체의 운동 에너지는 같다.

12 지면에 도달한 순간 물체의 운동 에너지는 몇 J인가?
① 24.5 J   ② 49 J   ③ 98 J
④ 147 J   ⑤ 196 J

13 지면에 도달한 순간 물체의 속력은 몇 m/s인가?
① 2 m/s   ② 3 m/s   ③ 7 m/s
④ 14 m/s   ⑤ 21 m/s

1% 도전 문제로 올리기

+ 정답과 해설 **72쪽**

01 그림은 물체의 운동을 0.2초 간격으로 나타낸 연속 사진이다.

물체의 질량이 4 kg이라면 물체의 운동 에너지는 몇 J인가?

① 1 J   ② 2 J   ③ 4 J
④ 8 J   ⑤ 12 J

02 그림과 같이 물체 A~D의 질량과 높이를 다르게 하여 떨어뜨렸다.

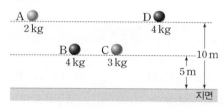

물체가 지면에 도달하는 순간 A~D의 속력의 크기를 옳게 비교한 것은? (단, 공기의 저항은 무시한다.)

① A=B=C=D   ② A=D>B=C
③ B=D>C>A   ④ C>A=B>D
⑤ D>A=B>C

03 그림과 같이 지구와 달에서 질량이 같은 공을 같은 높이에서 떨어뜨렸다. 지구에서의 중력은 달에서의 중력의 6배이다.

이때 지구와 달 중 처음 공의 위치 에너지가 큰 곳(가)와 지면에 도달하는 순간 공의 운동 에너지가 큰 곳(나)를 옳게 짝 지은 것은? (단, 공기의 저항은 무시한다.)

	(가)	(나)		(가)	(나)
①	지구	지구	②	지구	달
③	달	지구	④	달	달

⑤ 둘 다 같다.

서술형 문제로 완성하기

+ 정답과 해설 **72쪽**

01 오른쪽 그림과 같이 선수가 무거운 역기를 든 채로 서 있었다. 선수가 역기를 들고 있을 때 한 일의 양을 그 까닭과 함께 설명하시오.

_____

_____

02 진호는 질량이 2 kg인 상자를 1 m 높이까지 일정한 속력으로 연직 위로 들어 올렸다.

(1) 상자를 1 m 들어 올리는 데 한 일의 양을 계산 과정과 함께 구하시오.

_____

(2) 1 m 높이에 있는 상자의 위치 에너지를 일과 에너지의 관계를 이용하여 구하시오. (단, 바닥이 기준면이다.)

_____

_____

창의 서술형

03 고속도로에서는 자동차의 제한 속력에 따라 차간 거리를 다르게 권장하고 있다. 예를 들어 최고 속력이 100 km/h인 고속도로에서 차간 거리는 100 m로 권장하고 있으며, 화물차의 경우 승용차에 비해 차간 거리를 더 멀게 권장하고 있다. 자동차의 속력이나 질량에 따라 차간 거리를 다르게 권장하는 까닭을 다음 단어를 모두 포함하여 설명하시오.

운동 에너지	질량	속력	이동한 거리

_____

_____

시험 대비 정리 노트 마음인 정리를 닮은 자세

01 · 감각 기관

① 시각

1 눈의 구조와 기능

각막	동공 앞의 투명한 막
홍채	밝기에 따라 동공의 크기 조절
수정체	빛을 굴절시켜 망막에 상이 맺히게 한다.
섬모체	물체와의 거리에 따라 수정체의 두께 조절
⑤	시각 세포가 있어 상이 맺힘 • 황반: 시각 세포가 밀집하여 이곳에 상이 맺히면 뚜렷하게 보인다. • ⓒ : 시각 세포가 없어 상이 맺혀도 보이지 않는다.

섬모체 / 유리체 / 각막 / 시각 신경 / 공막 / 망막 / 맥락막 / 맹점 / 홍채 / 수정체

2 사물을 보는 과정   빛 ➡ 각막 ➡ ⓒ ➡ 유리체 ➡ 망막(시각 세포) ➡ 시각 신경 ➡ 뇌

3 눈의 조절 작용

밝기 조절		원근 조절	
㉣ 확장	㉣ 축소	㉤ 수축	㉥ 이완
➡ 동공 작아짐	➡ 동공 커짐	➡ 수정체 두꺼워짐	➡ 수정체 얇아짐
밝을 때	어두울 때	가까운 곳을 볼 때	먼 곳을 볼 때

② 청각과 평형 감각

1 귀의 구조와 기능

고막	소리(음파)에 최초로 진동
귓속뼈	고막의 진동을 증폭
㉦	청각 세포에서 소리 자극 수용, 청각 신경을 통해 뇌로 전달
귀인두관	고막 안쪽과 바깥쪽의 압력을 같게 조절
㉧	회전 자극을 받아들여 몸의 회전을 감지한다.
전정 기관	중력 자극을 받아들여 몸의 기울기를 감지한다.

귓바퀴 / 귓속뼈 / 반고리관 / 전정 기관 / 평형 감각 신경 / 청각 신경 / 고막 / 귀인두관 / 달팽이관 / 외이도

2 소리를 듣는 과정   소리 ➡ 귓바퀴 ➡ 외이도 ➡ ◎ ➡ 귓속뼈 ➡ 달팽이관(청각 세포) ➡ 청각 신경 ➡ 뇌

③ 후각과 미각

구분	후각	미각
특징	매우 예민한 감각이며 쉽게 피로해진다.	5가지 기본 맛(짠맛, 단맛, 신맛, 쓴맛, 감칠맛) 감각
자극 전달 경로	㉨ 상태의 물질 → 후각 상피(㉩) → 후각 신경 → 뇌	㉪ 상태의 물질 → 유두 → 맛봉오리(ⓔ) → 미각 신경 → 뇌

④ 피부 감각

1 피부 ⑪   통점(통증), 압점(압박), 촉점(접촉), 냉점(차가움), 온점(따뜻함)이 있다.

2 피부 감각점의 분포   신체 부위에 따라 감각점의 분포 수는 다르며, 감각점의 수가 많을수록 예민한 감각이다.

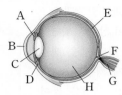
✦ 정답과 해설 **73**쪽

보기 더 보기

01 그림은 눈의 구조를 나타낸 것이다.

A~H의 이름으로 옳지 <u>않은</u> 것을 모두 고르면?

(정답 2개)

① A – 홍채   ② B – 공막
③ C – 수정체   ④ D – 섬모체
⑤ E – 망막   ⑥ F – 황반
⑦ G – 시각 신경   ⑧ H – 유리체

02 눈의 구조와 기능에 대한 설명으로 옳지 <u>않은</u> 것은?

① 홍채는 동공의 크기를 조절한다.
② 섬모체는 수정체의 두께를 조절한다.
③ 맥락막의 색소는 눈 안쪽을 어둡게 한다.
④ 망막에 있는 맹점에는 시각 세포가 없다.
⑤ 각막은 흰색의 막으로 눈의 형태를 유지한다.

03 그림은 눈의 조절 과정을 나타낸 것이다.

이에 대한 설명으로 옳은 것을 보기에서 모두 고른 것은?

┌─ 보기 ──────────
ㄱ. 동공의 크기가 커졌다.
ㄴ. 먼 풍경을 바라보았다.
ㄷ. 홍채의 면적이 넓어졌다.
ㄹ. 주변이 갑자기 어두워졌다.
└──────────────

① ㄱ, ㄴ   ② ㄱ, ㄹ   ③ ㄴ, ㄷ
④ ㄴ, ㄹ   ⑤ ㄷ, ㄹ

04 오른쪽 그림과 같이 창밖의 먼 곳을 바라볼 때의 눈의 조절 작용에 해당하는 것은?

① 섬모체가 수축한다.
② 수정체가 얇아진다.
③ 맹점에 상이 맺힌다.
④ 홍채의 면적이 줄어든다.
⑤ 눈으로 들어오는 빛의 양이 증가한다.

05 다음은 시각과 관련된 실험 중 하나를 나타낸 것이다. (가), (나)에 알맞은 말을 쓰시오.

왼쪽 눈을 감고 오른쪽 눈으로 그림의 고양이를 보면서 책을 앞뒤로 천천히 움직이면 (가)가 보이지 않을 때가 있다. 이는 (가)의 상이 눈의 구조 중 (나)에 맺혔기 때문이다.

06 오른쪽 그림과 같이 회전의자를 돌리면 의자에 앉은 사람은 눈을 가려도 의자가 돌아가는 방향을 느낄 수 있다. 이와 관련이 깊은 구조로 옳은 것은?

① 압점   ② 유리체
③ 반고리관   ④ 귀인두관
⑤ 전정 기관

07 그림은 귀의 구조를 나타낸 것이다.

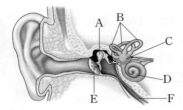

청각 세포가 분포하여 소리 자극을 받아들이는 부분의 기호와 이름을 쓰시오.

_____

08 귀의 구조 중 다음에서 설명하는 기관 (가)와 (나)를 옳게 짝 지은 것은?

> (가) 고막의 진동을 증폭하여 달팽이관으로 전달한다.
> (나) 고막 안쪽과 바깥쪽의 압력을 같게 조절한다.

	(가)	(나)
①	전정 기관	외이도
②	귓속뼈	귀인두관
③	귓바퀴	외이도
④	귓속뼈	달팽이관
⑤	반고리관	귀인두관

09 그림은 내이의 구조를 나타낸 것이다.

A의 기능과 관련이 깊은 것은?

① 귀가 먹먹할 때 침을 삼켰다.
② 평균대 위에서 균형을 잡았다.
③ 골전도 이어폰으로 음악을 들었다.
④ 피아노 소리를 듣고 음표로 기록했다.
⑤ 제자리에서 돌다가 멈췄더니 어지러웠다.

보기더보기

10 그림과 같은 장치를 만들어 귀의 기능을 알아보는 실험을 하였다.

> [실험 과정 및 결과]
> 1. 종이 상자의 윗면에는 비닐 랩을 팽팽하게 씌우고, 옆면에는 구멍을 뚫어 바닥을 잘라 낸 종이컵을 끼운다.
> 2. 종이컵에 대고 소리를 내었더니 비닐 랩이 진동하면서 비닐 랩 위의 스타이로폼 구가 위아래로 움직였다.

이 실험에서 비닐 랩이 진동하는 것과 관련이 깊은 구조는?

① 귓바퀴   ② 외이도   ③ 고막
④ 귓속뼈   ⑤ 달팽이관   ⑥ 귀인두관
⑦ 반고리관   ⑧ 전정 기관   ⑨ 청각 신경

11 그림은 우리 몸의 감각 기관 중 일부를 나타낸 것이다.

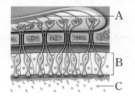

이에 대한 설명으로 옳은 것을 보기에서 모두 고른 것은?

> ┤ 보기 ├
> ㄱ. A는 자극을 뇌로 전달한다.
> ㄴ. B는 5가지 기본 맛을 감지한다.
> ㄷ. C는 액체 상태의 물질이다.

① ㄱ   ② ㄴ   ③ ㄷ
④ ㄱ, ㄴ   ⑤ ㄴ, ㄷ

12 사람의 후각에 대한 설명으로 옳지 <u>않은</u> 것은?

① 매우 예민한 감각이다.
② 기체 상태의 물질을 받아들인다.
③ 음식 맛을 구별하는 데 관여한다.
④ 후각 상피는 유두의 옆면에 분포한다.
⑤ 냄새 자극은 후각 신경을 거쳐 뇌로 전달된다.

13 다음은 미각에 대한 설명이다.

> 혀의 표면에는 (가)라고 부르는 작은 돌기가 있다. (가)의 옆면에 (나)가 분포한다. (나)에는 액체 물질을 자극으로 받아들이는 감각 세포인 (다)가 있다.

(가)~(다)에 알맞은 말을 옳게 짝 지은 것은?

	(가)	(나)	(다)
①	후각 상피	맛봉오리	후각 세포
②	유두	맛세포	맛봉오리
③	맛봉오리	유두	맛세포
④	유두	맛봉오리	맛세포
⑤	후각 상피	유두	후각 세포

14 미각에 대한 설명으로 옳은 것을 보기에서 모두 고른 것은?

> ━┨ 보기 ┠━
> ㄱ. 물이나 침에 녹은 물질이 자극원이 된다.
> ㄴ. 혀에 있는 감각점에서 대부분의 맛을 느낀다.
> ㄷ. 미각 자극은 미각 신경을 거쳐 뇌로 전달된다.
> ㄹ. 기본 맛에는 단맛, 짠맛, 쓴맛, 신맛, 매운맛이 있다.

① ㄱ, ㄴ   ② ㄱ, ㄷ   ③ ㄴ, ㄷ
④ ㄴ, ㄹ   ⑤ ㄷ, ㄹ

15 그림은 피부에 있는 감각점들을 나타낸 것이다.

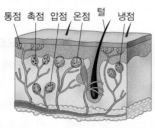

이에 대한 설명으로 옳지 않은 것은?

① 내장 기관에도 분포한다.
② 매운맛과 떫은맛을 느낀다.
③ 몸 전체에 고르게 분포한다.
④ 열, 압력, 온도, 접촉 등을 느낀다.
⑤ 받아들인 자극은 피부의 감각 신경을 통해 뇌로 전달된다.

16 오른쪽 그림은 주사 맞는 아기를 나타낸 것이다. 이 아기가 느끼는 아픔을 받아들이는 감각점은?

① 촉점   ② 통점
③ 온점   ④ 냉점
⑤ 압점

17 오른쪽 그림과 같이 내부가 보이지 않는 상자 속에 손을 넣어 만져서 손끝으로 다양한 물건을 구별할 수 있는 까닭으로 옳은 것은?

① 손가락 피부가 다른 곳보다 얇기 때문에
② 손에는 감각 신경이 많이 분포하기 때문에
③ 손가락 끝에는 감각점이 많이 분포하기 때문에
④ 손은 피부 표면에만 감각점이 분포하기 때문에
⑤ 손에서는 하나의 감각점이 여러 자극을 받아들이기 때문에

18 다음과 같이 맛을 감별하는 실험을 하였다.

> • 안대만 했을 때에는 오렌지주스와 포도주스를 구별할 수 있었다.
> • 안대를 하고 코를 막았을 때에는 오렌지주스와 포도주스를 구별하지 못했다.

 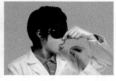

이에 대한 설명으로 옳은 것은?

① 후각보다 미각이 더 예민하다.
② 후각에 비해 미각은 피로해지기 쉽다.
③ 액체 상태의 물질은 맛을 구별하기가 어렵다.
④ 코를 막으면 맛세포가 자극을 받아들이지 못한다.
⑤ 맛을 구별하는 데에는 미각과 후각이 함께 작용한다.

01 그림은 눈의 구조를 나타낸 것이다.

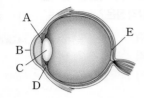

A~E의 기능에 대한 설명으로 옳지 않은 것은?

① A는 어두운 곳에서 면적이 줄어든다.
② B의 색깔에 따라 눈 색깔이 결정된다.
③ C가 두꺼워지지 않으면 돋보기를 사용한다.
④ D는 물체와의 거리에 따라 C에서 빛의 굴절률을 조절한다.
⑤ E에 상이 맺히면 물체를 선명하게 볼 수 있다.

02 다음은 개구리의 평형 감각을 알아보는 실험이다.

(가) 정상적인 개구리를 기울어진 판자 위에 올려놓으면 고개를 들어 균형을 잘 잡는다.
(나) ㉠ 내이의 특정 구조를 파괴한 개구리를 기울어진 판자 위에 올려놓으면 고개를 들지 못하고 균형을 잘 잡지 못한다.

기울어진 판자
(가)   (나)

㉠에 대한 설명으로 옳은 것은?

① 고막의 진동을 증폭시킨다.
② 고막 안팎의 압력을 같게 조절한다.
③ 소리의 높낮이, 소리의 크기를 감지한다.
④ 림프의 회전으로 감각 세포가 흥분한다.
⑤ 작은 돌의 움직임에 의해 감각 세포가 흥분한다.

03 다음은 촉점의 분포를 알아보기 위한 실험이다.

[과정]
자에 이쑤시개 2개를 간격을 넓혀 가면서 붙여 신체 여러 부위에 대어 보고 처음 두 점으로 느낀 거리를 측정하였다.
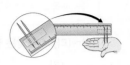

[결과]

구분	손바닥	손끝	이마	팔뚝
거리(mm)	4	2	8	10

이에 대한 설명으로 옳은 것은?

① 감각점은 온몸에 고르게 분포한다.
② 촉점은 팔뚝에 가장 많이 분포한다.
③ 처음 두 점으로 느낀 거리가 길수록 예민한 부위이다.
④ 처음 두 점으로 느낀 거리가 짧을수록 감각점의 수가 적은 것이다.
⑤ 이쑤시개 간격이 3 mm일 때 손끝에서는 두 점으로 느낀다.

04 우리 몸의 감각 기관에 대한 설명으로 옳지 않은 것은?

① 홍채는 동공의 크기를, 섬모체는 수정체의 두께를 조절한다.
② 후각 세포와 맛세포의 작용으로 기본 맛 외에도 매운맛과 떫은맛을 느낄 수 있다.
③ 온점과 냉점의 작용에 따라 같은 온도라도 따뜻하게 느끼기도 하고 차갑게 느끼기도 한다.
④ 피부 감각점 중 통점이 가장 많이 분포하기 때문에 우리는 통증에 예민하게 반응할 수 있다.
⑤ 비행기를 타고 이륙할 경우 귀가 먹먹해지는 것은 고막 안팎의 압력 차이가 발생하기 때문인데 이 증상은 귀인두관을 통해 회복된다.

01 그림은 눈의 구조를 나타낸 것이다.

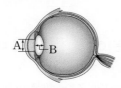

(1) 밝을 때와 어두울 때 홍채와 A의 변화를 설명
하시오.

_____

_____

(2) 휴대 전화를 볼 때와 먼 산의 경치를 볼 때 섬모
체와 B의 변화를 설명하시오.

_____

_____

02 그림은 귀의 구조를 나타낸 것이다.

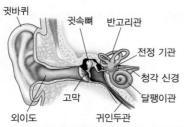

(1) 피아노 연주곡을 감상할 때 자극의 전달 경로를
설명하시오.

_____

_____

(2) 청각과 관련이 없는 기관의 기능을 설명하시오.

_____

창의 서술형

03 교실에서 귤을 나누어 먹은 후 깨끗이 치웠는데도 나중
에 교실에 들어온 친구가 귤을 먹은 것을 알아챘다.

(1) 나중에 들어온 친구가 교실에 있던 아이들이 귤
을 먹은 것을 알아챈 것은 어느 감각 기관이 작
용했기 때문인지 받아들이는 자극과 감각 세포
를 포함하여 한 문장으로 설명하시오.

_____

_____

(2) 나중에 들어온 친구가 알아챈 자극을 교실에 있
던 친구들은 깨닫지 못한 까닭을 설명하시오.

_____

_____

04 눈을 감아도 맛을 보면 오렌지주스와 포도주스를 구분
할 수 있지만 눈을 감고 코를 막으면 맛으로 오렌지주스
와 포도주스를 구분할 수 없다. 그 까닭을 설명하시오.

_____

_____

05 그림과 같이 온도가 15 ℃, 35 ℃인 물에 오른손과 왼
손을 각각 10초 동안 담근 후 동시에 두 손을 25 ℃의
물에 담갔더니 오른손에서는 따뜻함을 왼손에서는 차
가움을 느꼈다.

15 ℃   25 ℃   35 ℃   15 ℃   25 ℃   35 ℃

25 ℃의 동일한 온도에서 오른손과 왼손이 느낀 감각
이 다른 까닭을 설명하시오.

_____

_____

02 · 신경계

1 뉴런의 구조와 기능

1 뉴런 신경계를 구성하는 기본 단위로, 생명 활동의 중심인 신경 세포체, 자극을 받아들이는 [㉠], 자극을 다른 뉴런이나 반응기로 전달하는 [㉡]로 구성된다.

2 뉴런의 종류 감각기로부터 중추로 자극을 전달하는 감각 뉴런, 중추 신경계를 구성하는 연합 뉴런, 중추의 명령을 반응기에 전달하는 운동 뉴런이 있다.

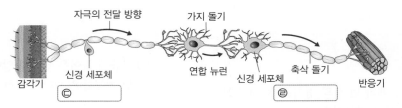

자극의 전달 방향
가지 돌기
신경 세포체
연합 뉴런
신경 세포체
축삭 돌기
반응기
감각기
[㉢]
[㉣]

2 신경계의 구조와 기능

1 중추 신경계 뇌와 척수로 구성

뇌	[㉤]	여러 자극을 해석하고 운동 기관에 명령을 내림. 기억, 추리, 판단, 학습 등의 정신 활동 담당	대뇌
	소뇌	근육 운동을 조절, 몸의 자세와 균형 유지	
	중간뇌	눈의 운동, 홍채의 확장과 축소 조절. 동공 반사의 중추	간뇌
	간뇌	체온, 혈당량, 체액의 농도 유지	중간뇌
	[㉥]	심장 박동, 소화 운동, 호흡 운동 등을 조절. 기침, 재채기, 눈물 분비 등의 반사 중추	연수 소뇌
척수		뇌와 말초 신경 사이에서 정보를 전달. 무릎 반사, 배변, 배뇨 등의 반사 중추	

2 말초 신경계 감각 신경과 운동 신경으로 구성되며, 뇌에서 나온 뇌신경과 척수에서 나온 척수 신경이 있다.

① 체성 신경: 운동 신경으로 구성되며, 대뇌의 운동 명령을 근육으로 전달한다.

② [㉦]: 운동 신경으로 구성되며, 대뇌와 관계없이 내장 기관의 작용을 조절한다. 우리 몸을 위기 상황에 대처하기 알맞게 만드는 교감 신경과 안정 상태로 회복시키는 부교감 신경이 있다.

3 자극에 따른 반응의 경로

반응 종류	의식적인 반응	[㉧]
의미	대뇌가 중추가 되어 일어나는 반응	대뇌가 관여하지 않아 자신의 의지와 관계없이 일어나는 반응
중추	대뇌	척수, 중간뇌, 연수
반응 경로	예 컵에 주전자의 물을 따르는 반응 자극 → 감각기 → 감각 신경(→척수) → [㉨] → 척수 → 운동 신경 → 반응기 → 반응	예 손이 뜨거운 것에 닿았을 때 움츠리는 반사 자극 → 감각기 → 감각 신경 → [㉩] → 운동 신경 → 반응기 → 반응

01 그림은 뉴런의 구조를 나타낸 것이다.

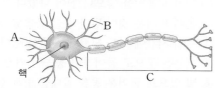

이에 대한 설명으로 옳은 것을 보기에서 모두 고른 것은?

┌─╢ 보기 ╟─
ㄱ. 뉴런은 신경계를 구성하는 신경 조직이다.
ㄴ. A에서 다양한 생명 활동이 일어난다.
ㄷ. B는 다른 뉴런으로 자극을 보낸다.
ㄹ. C는 신경 세포체에서 뻗어 나온 하나의 긴 돌기이다.

① ㄱ, ㄴ　　　② ㄱ, ㄹ　　　③ ㄴ, ㄷ
④ ㄴ, ㄹ　　　⑤ ㄷ, ㄹ

[02~03] 그림은 기능이 다른 세 가지 뉴런의 연결을 나타낸 것이다.

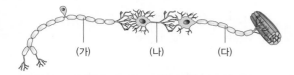

02 이에 대한 설명으로 옳지 <u>않은</u> 것은?

① (가)는 감각 뉴런이다.
② (나)는 가지 돌기가 발달되어 있다.
③ (나)는 자극을 종합하여 판단하고 적절한 명령을 내린다.
④ (다)는 중추 신경계에 분포한다.
⑤ 자극의 전달 경로는 (가)→(나)→(다)이다.

03 (가)~(다) 중 다음 설명에 해당하는 것의 기호와 이름을 쓰시오.

┌─────────────────────
• 뇌와 척수를 구성한다.
• 감각 뉴런과 운동 뉴런을 연결한다.
└─────────────────────

04 오른쪽 그림은 사람의 신경계를 나타낸 것이다. A, B에 속하는 것을 옳게 짝 지은 것은?

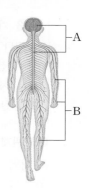

	A	B
①	뇌	척수
②	감각 신경	운동 신경
③	연합 신경	자율 신경
④	뇌신경	운동 신경
⑤	척수	연합 신경

〔보기더보기〕
05 사람의 신경계에 대한 설명으로 옳지 <u>않은</u> 것은?

① 기본 단위는 뉴런이다.
② 뇌와 척수는 중추 신경계를 구성한다.
③ 자율 신경은 중추 신경계에 포함된다.
④ 중추 신경계는 단단한 뼈로 둘러싸여 있다.
⑤ 뇌와 척수는 연합 뉴런으로 이루어져 있다.
⑥ 말초 신경계는 온몸에 그물 모양으로 분포한다.
⑦ 감각 뉴런과 운동 뉴런은 말초 신경계에 속한다.

06 그림은 사람의 뇌 구조를 나타낸 것이다.

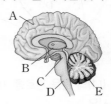

A~E의 기능을 설명한 것으로 옳지 <u>않은</u> 것은?

① A − 고등 정신 활동을 담당한다.
② B − 체온을 조절한다.
③ C − 무릎 반사, 회피 반사의 중추이다.
④ D − 심장 박동, 호흡 운동을 조절한다.
⑤ E − 몸의 균형을 조절한다.

07 다음은 시각과 관련된 실험이다.

> 눈을 가리고 1분 정도 기다리다가 감은 눈을 떴을 때 손전등으로 눈을 비추고 홍채와 동공의 움직임을 관찰하였다.

이와 관계가 깊은 중추는?

① 대뇌   ② 간뇌   ③ 중간뇌
④ 소뇌   ⑤ 연수

08 간뇌의 기능과 관련이 깊은 것은?

① 운동할 때 심장이 빨리 뛴다.
② 어두운 곳에서 동공이 커진다.
③ 더울 때 땀을 흘려 체온을 낮춘다.
④ 한 발로 서서 몸의 균형을 유지한다.
⑤ 수학 공식을 이용하여 수학 문제를 푼다.

09 그림은 자극이 전달되어 반응으로 나타나는 경로를 나타낸 것이다.

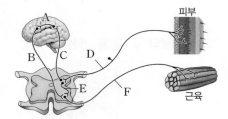

다음 (가), (나)의 반응 경로를 기호로 나타내고, 각각의 중추를 쓰시오.

> (가) 어두운 방에서 벽을 더듬어 스위치를 켰다.
> (나) 장미 가시에 찔리자 자기도 모르게 손을 재빨리 움츠렸다.

10 반응의 중추가 대뇌인 행동으로 옳은 것은?

① 코에 먼지가 들어가 재채기를 했다.
② 입안에 음식을 넣으니 침이 나왔다.
③ 손에 뜨거운 것이 닿아 손을 움츠렸다.
④ 수업 시간에 나도 모르게 하품을 했다.
⑤ 어두운 곳으로 들어가니 동공이 커졌다.
⑥ 발 앞으로 굴러온 공을 골대를 향해 힘껏 찼다.
⑦ 무릎뼈 아래를 고무망치로 살짝 치니 다리가 올라갔다.

11 오른쪽 그림은 의자에 앉아 다리에 힘을 뺀 다음, 무릎뼈 아래를 고무망치로 살짝 쳤을 때 나타나는 반응을 나타낸 것이다. 이에 대한 설명으로 옳은 것을 보기에서 모두 고른 것은?

> ┤┃ 보기 ├
> ㄱ. 의식적인 반응이다.
> ㄴ. 회피 반사와 중추가 같다.
> ㄷ. 대뇌의 판단을 거치지 않는다.
> ㄹ. 고무망치의 자극은 대뇌로 전달되지 않는다.

① ㄱ, ㄴ   ② ㄱ, ㄹ   ③ ㄴ, ㄷ
④ ㄴ, ㄹ   ⑤ ㄷ, ㄹ

12 다음은 자극에 대한 반응 경로를 알아보는 실험이다.

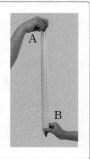

> • A는 자의 윗부분을 잡고 B는 엄지에 자의 눈금 0이 오도록 하고 자를 잡을 준비를 한다.
> • A는 아무 예고 없이 자를 놓고 B는 떨어지는 자를 최대한 빨리 잡은 후 잡은 곳의 눈금을 읽어 표에 기록한다.

이에 대한 설명으로 옳지 <u>않은</u> 것은?

① 무조건 반사이다.
② 대뇌가 관여하는 반응이다.
③ 사람에 따라 결과가 다르게 나타난다.
④ 실험 횟수가 반복될수록 반응 속도는 빨라진다.
⑤ 자가 떨어진 거리가 길수록 반응 속도가 느린 것이다.

1% 도전 문제로 올리기

➕ 정답과 해설 75쪽

01 그림은 공포관 안에 있을 때와 공포관 밖으로 나왔을 때의 상황을 나타낸 것이다.

(가)　　　　　　　　　　　(나)

이에 대한 설명으로 옳은 것을 보기에서 모두 고른 것은?

　보기
ㄱ. (가)에서 심장 박동이 빨라진다.
ㄴ. (나)에서 소화 운동이 촉진된다.
ㄷ. (가), (나)의 반응은 대뇌에 의해 조절된다.
ㄹ. (가)에서는 부교감 신경이, (나)에서는 교감 신경이 작용한다.

① ㄱ, ㄴ　　② ㄱ, ㄹ　　③ ㄴ, ㄷ
④ ㄴ, ㄹ　　⑤ ㄷ, ㄹ

02 그림 (가)는 모기를 쫓는 반응이고, (나)는 피자를 집으려다가 너무 뜨거워서 재빨리 손을 떼는 반응이다.

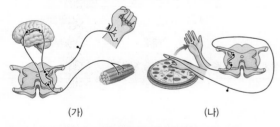

(가)　　　　　　　　　　　(나)

이에 대한 설명으로 옳은 것을 보기에서 모두 고른 것은?

　보기
ㄱ. (가)는 의식적인 반응이고, (나)는 무조건 반사이다.
ㄴ. (가)는 선천적인 반응이고, (나)는 후천적인 반응이다.
ㄷ. (가)는 대뇌가 관여하는 반응이고, (나)는 척수가 관여하는 반응이다.
ㄹ. (가)는 체성 신경에 의한 반응이고, (나)는 자율 신경에 의한 반응이다.

① ㄱ, ㄴ　　② ㄱ, ㄷ　　③ ㄴ, ㄷ
④ ㄴ, ㄹ　　⑤ ㄷ, ㄹ

서술형 문제로 완성하기

➕ 정답과 해설 75쪽

01 그림은 컴퓨터의 입력 장치인 키보드로 쓴 글자가 출력 장치인 모니터에 표시되는 과정을 나타낸 것이다.

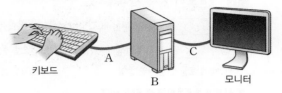

키보드　　A　　B　　C　　모니터

(1) 연결선 A, C와 본체 B는 우리 몸의 어떤 뉴런의 기능과 연관이 있는지 각각 쓰시오.

_____

_____

(2) A~C는 각각 우리 몸의 신경계 구성 중 어디에 해당하는지 다음 단어를 모두 포함하여 설명하시오.

　　　중추 신경계　　　말초 신경계

_____

_____

02 다음은 식물인간과 뇌사의 차이를 설명한 것이다.

식물인간은 생각할 수 있는 능력과 외부 자극에 대한 의식적인 반응 능력을 잃은 상태이지만 체온 조절, 호흡, 순환, 대사 기능 등의 생명 유지 기능을 스스로 수행할 수 있으므로 스스로 생존이 가능하고 회복될 여지도 있다. 그러나 뇌사는 모든 뇌의 기능이 정지되어 회복이 불가능한 상태로, 의식이 없고 무조건 반사가 일어나지 않으며 스스로 호흡을 할 수 없어 인공 호흡기 등의 의료 기구를 이용해 심장과 폐의 기능을 유지시키지 않으면 곧 사망하게 된다.

식물인간과 뇌사는 뇌의 구조 중 어느 부분의 손상에 의해 나타나는지 증상의 차이점을 들어 설명하시오.

_____

_____

1 호르몬의 조절 작용

1 [㉠]　　　환경 변화에 적절히 반응하여 몸의 상태를 일정하게 유지하려는 성질

2 [㉡]　　　내분비샘에서 만들어져 혈관으로 분비되어 온몸을 순환하다가 표적 세포(표적 기관)에 신호를 전달하는 물질

3 신경과 호르몬의 조절 작용 비교

① 신경: 뉴런이 닿아 있는 기관에만 작용하여 빠르고 일시적인 반응을 일으킨다.

② 호르몬: 신경보다 느리지만 작용 범위가 넓고 효과가 오래 지속된다.

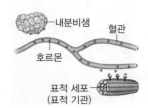
내분비샘
혈관
호르몬
표적 세포
(표적 기관)

2 사람의 내분비계

1 내분비샘과 호르몬

[㉢]
티록신: 세포 호흡 촉진

[㉣]
• 인슐린: 혈당량 낮춤
• 글루카곤: 혈당량 높임

난소
에스트로젠: 여성의 2차 성징 촉진

[㉤]
• 생장 호르몬: 생장 촉진
• 갑상샘 자극 호르몬: 갑상샘에서 티록신 분비 촉진
• 항이뇨 호르몬: 콩팥에서 물의 재흡수 촉진
• 생식샘 자극 호르몬: 정소와 난소의 호르몬 분비 촉진

부신
아드레날린: 심장 박동 촉진

정소
테스토스테론: 남성의 2차 성징 촉진

2 호르몬 분비 이상

호르몬	㉥		티록신		인슐린
분비 이상	과다	부족	과다	부족	부족
질병	거인증, 말단 비대증	소인증	갑상샘 기능 항진증	갑상샘 기능 저하증	㉦

3 항상성 유지

혈당량 조절	체온 조절
• 혈당량이 높을 때: [◎] 분비 증가 → 혈당량 낮춤 • 혈당량이 낮을 때: [㉧] 분비 증가 → 혈당량 높임	• 추울 때: 열 발생량 [㉨], 열 방출량 [㉩] • 더울 때: 열 방출량 [㉫]

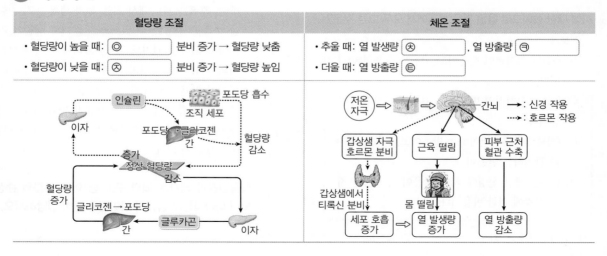

혈당량 조절:
인슐린 → 포도당 흡수 / 조직 세포
이자
포도당 → 글리코젠 / 간
혈당량 감소
증가
정상 혈당량
감소
혈당량 증가
글리코젠 → 포도당 / 간
글루카곤
이자

체온 조절:
저온 자극 → 간뇌
→ : 신경 작용
---▶ : 호르몬 작용
갑상샘 자극 호르몬 분비 / 근육 떨림 / 피부 근처 혈관 수축
갑상샘에서 티록신 분비 / 몸 떨림
세포 호흡 증가 → 열 발생량 증가 / 열 방출량 감소

보기더보기

01 호르몬에 대한 설명으로 옳지 <u>않은</u> 것을 모두 고르면?

(정답 2개)

① 분비관으로 분비된다.
② 표적 기관에서 작용한다.
③ 내분비샘에서 만들어진다.
④ 효과는 빠르고 일시적이다.
⑤ 혈액을 타고 온몸을 순환한다.
⑥ 몸 안의 신호를 전달하는 화학 물질이다.
⑦ 분비량이 적절하지 않으면 몸에 이상 증상이 나타난다.

02 호르몬에 의해 일어나는 반응으로 보기 <u>어려운</u> 것은?

① 성장기에 키가 자란다.
② 더울 때 겉옷을 벗는다.
③ 식사 후 혈당량이 조절된다.
④ 사춘기에 2차 성징이 나타난다.
⑤ 땀을 많이 흘리면 오줌의 양이 줄어든다.

03 그림은 우리 몸의 신호를 전달하는 체계 (가), (나)를 나타낸 것이다.

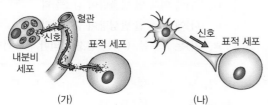

이에 대한 설명으로 옳은 것을 보기에서 모두 고른 것은?

┤ 보기 ├

ㄱ. 작용 범위는 (가)보다 (나)가 넓다.
ㄴ. 전달 속도는 (가)보다 (나)가 빠르다.
ㄷ. (가)보다 (나)의 효과가 더 지속적이다.
ㄹ. (가)에는 혈당량 조절이, (나)에는 무릎 반사가 해당된다.

① ㄱ, ㄴ   ② ㄱ, ㄹ   ③ ㄴ, ㄷ
④ ㄴ, ㄹ   ⑤ ㄷ, ㄹ

[04~05] 그림은 사람의 주요 내분비샘을 나타낸 것이다.

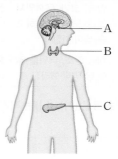

04 A~C 내분비샘에 대한 설명으로 옳은 것은?

① A에서는 B와 C의 호르몬 분비를 조절하는 호르몬이 분비된다.
② A~C 내분비샘은 간뇌의 조절을 받는다.
③ B의 호르몬 분비가 증가하면 A의 호르몬 분비도 증가한다.
④ C에는 분비관이 연결되어 있지 않다.
⑤ 당뇨병 환자는 모두 C에 이상이 있다.

05 다음은 어떤 호르몬의 기능을 설명한 것이다.

• 표적 기관으로는 간, 근육이 있다.
• 조직 세포의 포도당 흡수를 촉진한다.
• 간에서 포도당이 글리코젠으로 전환되는 반응을 촉진한다.

이 호르몬의 이름과 A~C 중 이 호르몬이 분비되는 기관의 기호를 옳게 짝 지은 것은?

	호르몬	분비 기관
①	티록신	A
②	생장 호르몬	A
③	갑상샘 자극 호르몬	B
④	인슐린	C
⑤	글루카곤	C

06 표는 호르몬 관련 질병을 조사하여 작성한 것이다.

질병	증상	관련 호르몬
말단 비대증	입술, 코가 두꺼워져 얼굴 모습이 변하고 손, 발이 커진다.	성장기 이후에 호르몬 (가)가 너무 많이 분비되어 나타난다.
갑상샘 기능 항진증	체중 감소, 더위를 많이 탐, 맥박 빨라짐	호르몬 (나)가 너무 많이 분비되어 나타난다.

표에 제시된 호르몬 (가), (나)는 각각 무엇인지 쓰시오.

_____

07 그림은 티록신 분비 조절 과정을 나타낸 것이다.

뇌하수체 → 갑상샘 자극 호르몬 → A → 티록신 → 표적 세포

이에 대한 설명으로 옳은 것을 보기에서 모두 고른 것은?

┤ 보기 ├
ㄱ. A는 갑상샘이다.
ㄴ. 티록신 농도가 높으면 표적 세포의 세포 호흡이 억제된다.
ㄷ. 티록신 농도가 낮으면 갑상샘 자극 호르몬 분비가 촉진된다.

① ㄱ   ② ㄱ, ㄴ   ③ ㄱ, ㄷ
④ ㄴ, ㄷ   ⑤ ㄱ, ㄴ, ㄷ

보기 더 보기
08 그림은 이자에서 분비되는 호르몬 A, B의 작용을 나타낸 것이다.

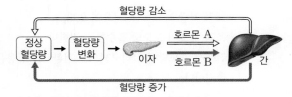

호르몬 A, B에 대한 설명으로 옳지 <u>않은</u> 것은?
① 식사 후에는 A의 분비량이 증가한다.
② 운동을 하면 B의 분비량이 증가한다.
③ 간은 호르몬 A, B의 표적 기관이다.
④ 호르몬 A, B는 서로 반대되는 작용을 한다.
⑤ 호르몬 A가 부족하면 당뇨병에 걸릴 수 있다.
⑥ 호르몬 B의 농도가 높으면 간에서 글리코젠 합성량이 증가한다.

09 우리 몸의 체온이 떨어질 때 체온을 높이는 작용과 관련이 깊은 현상을 보기에서 모두 고른 것은?

┤ 보기 ├
ㄱ. 땀이 많이 난다.
ㄴ. 얼굴이 벌겋게 달아오른다.
ㄷ. 근육 떨림 현상이 나타난다.
ㄹ. 피부 근처의 혈관이 수축한다.

① ㄱ, ㄴ   ② ㄱ, ㄹ   ③ ㄴ, ㄷ
④ ㄴ, ㄹ   ⑤ ㄷ, ㄹ

10 다음은 우리 몸에서 체온이 조절되는 과정을 나타낸 것이다.

이에 대한 설명으로 옳은 것을 보기에서 모두 고른 것은?

┤ 보기 ├
ㄱ. 체온 조절 중추 A는 연수이다.
ㄴ. (가)에 의해 열 방출량이 감소한다.
ㄷ. (나)에 의해 열 발생량이 증가한다.
ㄹ. (가)는 호르몬, (나)는 신경에 의한 반응이다.

① ㄱ, ㄴ   ② ㄱ, ㄹ   ③ ㄴ, ㄷ
④ ㄴ, ㄹ   ⑤ ㄷ, ㄹ

11 다음 현상과 관련이 깊은 호르몬과 이 호르몬의 표적 기관을 쓰시오.

여름에 땀을 많이 흘리면 오줌의 양이 줄어들고, 물을 많이 마시면 오줌의 양이 증가한다. 우리 몸에서는 이와 같은 방법으로 체내 수분의 양을 조절하여 체액의 농도를 유지한다.

_____

1% 도전 문제로 올리기

+ 정답과 해설 76쪽

01 사람의 주요 내분비샘에 대한 설명으로 옳은 것을 보기에서 모두 고른 것은?

┌── 보기 ───────────────────────────
ㄱ. 부신에서 분비되는 호르몬은 심장 박동을 빠르게 한다.
ㄴ. 이자에서 분비되는 두 가지 호르몬은 서로 반대되는 작용을 한다.
ㄷ. 갑상샘은 다른 내분비샘의 호르몬 분비를 조절하는 호르몬을 분비한다.
ㄹ. 뇌하수체에서는 사춘기 청소년의 2차 성징을 촉진하는 호르몬이 분비된다.
────────────────────────────────

① ㄱ, ㄴ   ② ㄱ, ㄷ   ③ ㄴ, ㄷ
④ ㄴ, ㄹ   ⑤ ㄷ, ㄹ

02 그림은 식사 후 정상인과 당뇨병 환자의 혈당량과 인슐린 농도를 조사하여 나타낸 것이다.

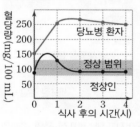 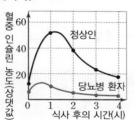

이에 대한 설명으로 옳지 <u>않은</u> 것은?
① 인슐린은 글리코젠 합성을 촉진한다.
② 인슐린이 부족하면 당뇨병이 나타날 수 있다.
③ 식사를 하면 인슐린이 분비되어 혈당량이 증가한다.
④ 건강한 사람은 혈당량이 증가하면 인슐린 분비가 증가한다.
⑤ 위의 당뇨병 환자는 인슐린 주사로 증상을 완화시킬 수 있다.

03 항상성 유지와 관련이 <u>적은</u> 것은?
① 더우면 땀이 난다.
② 공포를 느끼면 동공이 확장된다.
③ 추우면 몸이 떨리고 소름이 돋는다.
④ 땀을 많이 흘리면 오줌의 양이 줄어든다.
⑤ 밥을 먹고 나면 글리코젠 저장량이 늘어난다.

서술형 문제로 완성하기

+ 정답과 해설 76쪽

01 그림은 이자에서 분비되는 호르몬 A, B에 의해 혈당량이 조절되는 과정을 나타낸 것이다.

(1) 간에서 작용하는 호르몬 A, B의 기능을 설명하시오.

(2) 점심을 먹고 난 직후 호르몬 A, B의 분비량 변화를 근거를 들어 설명하시오.

(3) 축구를 할 때 호르몬 A, B의 분비량 변화를 근거를 들어 설명하시오.

[창의 서술형]
02 그림은 운동을 한 후 시간의 경과에 따른 체온 변화를 나타낸 것이다.

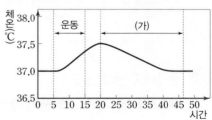

(가) 과정에서 일어나는 주요 신체 반응을 다음 단어를 모두 포함하여 설명하시오.

┌────────────────────────────────┐
│ 피부 근처 혈관   땀   기화열   열 방출량 │
└────────────────────────────────┘

1 세포의 분열과 생장

1 세포의 크기와 물질 교환 세포가 커질수록 부피 대비 [⊙]의 비율이 줄어들어 물질 교환 효율이 떨어지므로 세포는 어느 정도 크기가 커지면 둘로 나누어진다.

2 [ⓛ] 하나의 세포가 둘로 나누어지는 과정. 생물의 몸이 자라는 [ⓒ]은 세포의 수가 늘어나는 것이다.

2 cm
부피: 8 cm³
표면적: 24 cm²

1 cm
부피: 8 cm³
표면적: 48 cm²

2 염색체와 유전 물질

1 염색체 DNA와 [ⓔ]로 구성된다. 세포 핵 속에 실처럼 풀어져 있다가 세포가 분열할 때 뭉쳐져 막대 모양이 되는데, 간기에 유전 물질이 복제되므로 2개의 염색 분체로 구성된다.

2 사람의 염색체 사람의 체세포에는 44개의 [ⓜ]와 2개의 성염색체가 들어 있다. 즉, 23쌍의 상동 염색체로 구성된다.

상동 염색체
염색 분체
염색체

3 체세포 분열

1 간기 DNA가 복제되어 분열을 준비하는 시기로, 세포 주기 중 가장 길다.

2 분열기 핵분열 후에 세포질 분열이 일어나며, 분열 결과 모세포와 딸세포의 염색체 수는 동일하다.
① 핵분열: [ⓗ]의 행동에 따라 전기, 중기, 후기, 말기로 구분한다.
② 세포질 분열: 동물은 바깥쪽에서 안쪽으로 세포막이 함입되며, 식물은 세포 중앙에서 바깥쪽으로 세포판이 만들어진다.

동물 세포
세포질 분열

세포판
식물 세포

| 간기 | 핵분열 | | | | 세포질 분열 |
	전기	ⓢ	후기	말기	
핵막 뚜렷, 염색체 풀어져 있음	핵막 사라지고, 염색체 나타남	염색체가 세포 중앙에 배열	염색 분체 분리, 양극으로 이동	염색체가 풀어지고 핵막 생김	세포질 분열, 2개의 딸세포 생성

4 생식세포 형성 과정

1 생식세포 형성 과정의 특징 생식세포의 염색체 수는 체세포의 절반이 되므로 생식세포 형성 과정을 [ⓞ]이라고 한다.

2 감수 분열 연속 [㉑]회 일어나며 [㉒]개의 딸세포를 형성하는 과정으로, 감수 1분열과 감수 2분열로 구분한다.

감수 1분열	감수 2분열
• 전기에 [㉠] 형성 • 염색체 수 반감	• 유전 물질 복제 없이 시작 • 염색체 수 변화 없음

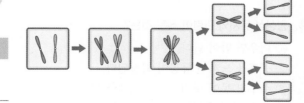

◆ 정답과 해설 **77**쪽

01 그림은 강아지가 자라면서 몸이 점점 커지는 모습을 나타낸 것이다.

강아지의 몸이 커지는 까닭으로 옳은 것은?

① 세포 분열 속도가 빨라지기 때문에

② 세포 안의 염색체 수가 많아지기 때문에

③ 몸을 구성하는 세포의 수가 많아지기 때문에

④ 몸을 구성하는 세포의 크기가 커지기 때문에

⑤ 몸을 구성하는 세포의 종류가 많아지기 때문에

02 그림은 크기가 다른 2개의 정육면체를 나타낸 것이다.

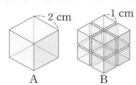

A와 **B**를 세포라고 가정했을 때 물질 교환 효율이 더 높은 것의 기호와 그 까닭을 옳게 짝 지은 것은?

① A – 부피가 더 크기 때문에

② A – 표면적이 더 작기 때문에

③ B – 부피의 합이 더 크기 때문에

④ B – 부피 대비 표면적의 비가 작기 때문에

⑤ B – 표면에서 중심까지의 거리가 짧기 때문에

03 그림은 염색체를 구성하는 물질을 나타낸 것이다.

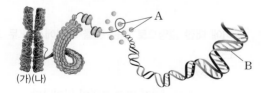

이에 대한 설명으로 옳지 **않은** 것은?

① A는 단백질이다.

② B는 DNA이다.

③ A와 B를 묶어서 유전자라고 한다.

④ (가)와 (나)는 분열하기 전에 복제되어 형성된다.

⑤ (가)와 (나)에는 동일한 유전 정보가 들어 있다.

[04~06] 그림 (가)와 (나)는 두 사람의 염색체 구성을 나타낸 것이다.

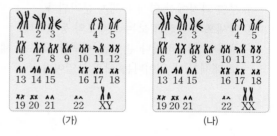

04 (가), (나)의 성별을 쓰시오.

_____

05 모양과 크기가 같은 염색체 쌍을 무엇이라고 하는지 쓰시오.

_____

06 사람의 상염색체는 몇 쌍인지 쓰시오.

_____

보기 더 보기

07 그림은 어떤 생물의 체세포 분열 과정을 순서 없이 나타낸 것이다.

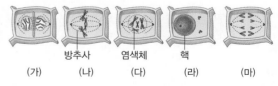

이에 대한 설명으로 옳지 **않은** 것은?

① (가)를 통해 이 세포는 식물 세포임을 알 수 있다.

② (나)에서 염색체가 세포 중앙에 배열된다.

③ (다) 시기에 유전 물질이 복제된다.

④ (라)는 분열하기 전으로 핵막이 뚜렷하게 보인다.

⑤ (마) 시기에 염색 분체가 분리된다.

⑥ 분열 순서는 (라)→(다)→(나)→(마)→(가)이다.

⑦ 이 세포 분열은 생장점, 형성층에서 관찰된다.

08 체세포 분열에 대한 설명으로 옳지 <u>않은</u> 것은?

① 2회 연속 분열한다.

② 분열 결과 염색체 수가 변하지 않는다.

③ 분열 과정에서 염색 분체가 분리된다.

④ 딸세포의 유전 정보는 모세포와 동일하다.

⑤ 생물이 생장하거나 손상된 세포를 새로운 세포로 대체할 때 일어나는 세포 분열이다.

09 그림은 양파의 뿌리 끝에서 일어나는 체세포 분열을 관찰하기 위해 재료를 준비하는 과정 일부를 나타낸 것이다.

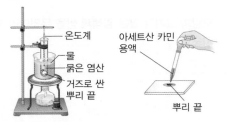

이에 대한 설명으로 옳은 것을 보기에서 모두 고른 것은?

┤▪ 보기 ├
ㄱ. 전기에 2가 염색체가 관찰된다.

ㄴ. 간기의 세포가 가장 많이 관찰된다.

ㄷ. 묽은 염산은 세포 분열을 촉진한다.

ㄹ. 아세트산 카민 용액을 이용하여 염색체를 뚜렷하게 관찰할 수 있다.

① ㄱ, ㄴ   ② ㄱ, ㄹ   ③ ㄴ, ㄷ

④ ㄴ, ㄹ   ⑤ ㄷ, ㄹ

10 오른쪽 그림은 어떤 동물의 체세포 염색체 구성을 나타낸 것이다. 생식세포의 염색체는 몇 개인지 쓰시오.

11 그림은 생식세포 형성 과정을 순서 없이 나타낸 것이다.

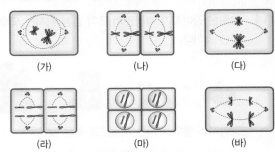

(가)   (나)   (다)

(라)   (마)   (바)

이에 대한 설명으로 옳지 <u>않은</u> 것은?

① (가)에서 상동 염색체가 접합한다.

② (나)는 감수 2분열 중기이다.

③ (다)는 감수 1분열 중기이다.

④ (라) 이후 염색체 수는 절반으로 줄어든다.

⑤ (마)에서 각 세포의 염색체 수는 체세포의 절반이다.

⑥ (바)에서 상동 염색체가 분리된다.

⑦ 분열 순서는 (가)→(다)→(바)→(나)→(라)→(마)이다.

12 그림은 생물체에서 일어나는 두 가지 세포 분열 (가)와 (나)를 나타낸 것이다.

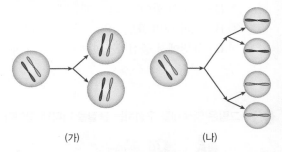

(가)   (나)

이에 대한 설명으로 옳은 것을 보기에서 모두 고른 것은?

┤▪ 보기 ├
ㄱ. (가)에서 2회 연속 분열이 일어난다.

ㄴ. (가)에서 2가 염색체를 관찰할 수 있다.

ㄷ. (나)에서 생식세포가 형성된다.

ㄹ. (나)에서 유전 물질은 1회 복제된다.

① ㄱ, ㄴ   ② ㄱ, ㄷ   ③ ㄴ, ㄷ

④ ㄴ, ㄹ   ⑤ ㄷ, ㄹ

1% 도전 문제로 올리기

✛ 정답과 해설 77쪽

01 다음은 페놀프탈레인이 들어 있는 우무 덩어리로 실험한 과정을 나타낸 것이다.

(가) 우무 덩어리를 한 변의 길이가 1 cm, 2 cm 인 정육면체로 잘라 염기성 용액에 5분간 담가 둔다.

(나) 2개의 우무 조각을 꺼내어 단면을 관찰한다.

우무 조각을 하나의 세포라고 가정할 때 이 실험에 대한 설명으로 옳은 것을 보기에서 모두 고른 것은?

─┃ 보기 ┃─

ㄱ. 물질의 이동 속도는 세포의 크기와 무관하다.

ㄴ. 세포의 크기에 따라 물질 교환 원리가 다르다.

ㄷ. 실험 결과 세포가 분열하는 까닭을 알 수 있다.

ㄹ. 세포의 크기가 커질수록 표면적이 증가하는 비율이 커진다.

① ㄱ, ㄴ   ② ㄱ, ㄷ   ③ ㄴ, ㄷ

④ ㄱ, ㄷ, ㄹ   ⑤ ㄴ, ㄷ, ㄹ

02 그림은 어느 생물의 세포 분열 과정 중 일부이다.

(가)   (나)

이에 대한 설명으로 옳은 것을 보기에서 모두 고른 것은?

─┃ 보기 ┃─

ㄱ. (가)는 체세포 분열 중기이다.

ㄴ. (나)는 감수 1분열 중기이다.

ㄷ. 이 생물의 염색체 수는 2개이다.

ㄹ. (가)의 각 세포에 들어 있는 유전 물질의 양은 체세포와 같다.

① ㄱ, ㄴ   ② ㄱ, ㄹ   ③ ㄴ, ㄷ

④ ㄴ, ㄹ   ⑤ ㄷ, ㄹ

서술형 문제로 완성하기

✛ 정답과 해설 77쪽

01 그림은 세포 주기를 나타낸 것이다.

A~C 중 염색체를 관찰할 수 있는 세포의 기호를 쓰고, 그 까닭을 설명하시오.

─────────────────────

─────────────────────

〈창의 서술형〉

02 생식세포를 형성할 때 감수 분열이 일어나는 까닭을 종족 보존과 관련지어 설명하시오.

─────────────────────

─────────────────────

03 그림은 어떤 생물의 체내에서 일어나는 세포 분열 과정을 나타낸 것이다.

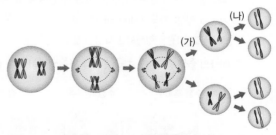

(가), (나)에서 일어나는 변화를 염색체의 행동과 수의 변화를 비교하여 설명하시오.

─────────────────────

─────────────────────

1 생식세포와 수정

1 사람의 생식세포 생식세포 형성 과정을 통해 정소에서는 ⑦ [　　　　]가, 난소에서는 ⑥ [　　　　]가 만들어진다.

정자
- **핵** 23개의 염색체가 있다.
- **꼬리** 정자가 움직일 수 있도록 한다.

난자
- **핵** 23개의 염색체가 있다.
- **세포질** 많은 양분이 저장되어 있다.

① 정자: 운동성이 있어 난자에 접근한다.
② 난자: 발생에 필요한 양분을 저장하고 있어 크기가 크다.

2 ⓒ [　　　　] 정자와 난자가 만나 정자의 핵과 난자의 핵이 결합하는 과정. 수정란의 염색체 수는 체세포와 같아진다.

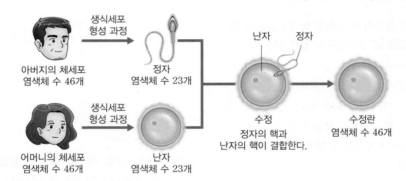

아버지의 체세포 염색체 수 46개 → **생식세포 형성 과정** → 정자 염색체 수 23개

어머니의 체세포 염색체 수 46개 → **생식세포 형성 과정** → 난자 염색체 수 23개

난자 / 정자

수정 정자의 핵과 난자의 핵이 결합한다.

수정란 염색체 수 46개

2 사람의 발생

1 ② [　　　　] 수정란이 일정한 형태와 기능을 갖춘 어린 개체가 되는 과정

① ⑩ [　　　　]: 수정란의 초기 세포 분열. 세포의 크기는 커지지 않고 분열만 계속하므로 난할을 거듭할수록 세포 하나의 크기는 점점 작아진다. ➡ 난할이 계속되어도 배아 전체의 크기는 수정란과 비슷하다.

② ⑭ [　　　　]: 수정 후 약 일주일 경에 배아가 자궁 안쪽 벽에 파고 들어가는 현상 ➡ 임신한 것으로 판단할 수 있다.

③ 기관의 형성: 자궁 속에서 배아는 ⊗ [　　　　] 분열을 계속하여 조직과 기관을 형성하고 사람의 모습을 갖춘 ◎ [　　　　]가 된다.

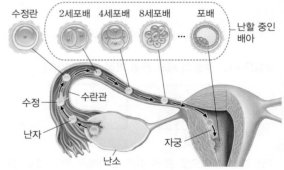

수정란 / 2세포배 / 4세포배 / 8세포배 / 포배 — 난할 중인 배아

수정 / 수란관 / 난자 / 난소 / 자궁

2 태아의 출산 태아는 자궁 속에서 계속 생장하다가 수정된 지 약 266일이 지나면 ⊗ [　　　　] 과정을 거쳐 모체 밖으로 나온다.

수정 후 6주	수정 후 8주	수정 후 16주	수정 후 24주	수정 후 36주	수정 후 38주
뇌가 발달하며, 심장이 박동한다.	대부분의 기관이 만들어지고 사람의 모습을 갖춘다.	근육이 발달하여 움직임이 활발해지고 성별을 구분할 수 있다.	뼈대가 갖추어지고 몸의 방향을 자주 바꾸기 시작한다.	외부 자극에 반응하나 움직임은 매우 둔하고, 다양한 표정을 짓기 시작한다.	**출산** 태아가 모체 밖으로 나온다.

✦ 정답과 해설 78쪽

보기 더 보기

01 그림은 사람의 생식세포를 나타낸 것이다.

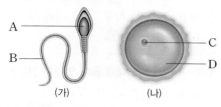

(가)   (나)

이에 대한 설명으로 옳지 <u>않은</u> 것은?

① (가)는 정소에서 생성된다.
② (나)는 난소에서 생성된다.
③ A에 유전 물질이 있다.
④ B는 운동 기능을 담당한다.
⑤ C에는 46개의 염색체가 있다.
⑥ D에 많은 양분이 저장되어 있다.

02 그림은 사람의 생식 기관을 나타낸 것이다. (가), (나)에서 생식세포가 형성되는 곳의 기호를 각각 쓰시오.

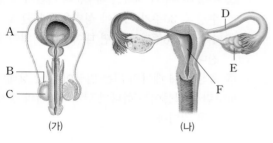

(가)   (나)

03 그림은 사람의 수정 과정을 순서 없이 나타낸 것이다.

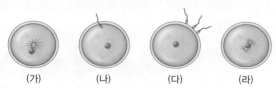

(가)   (나)   (다)   (라)

이에 대한 설명으로 옳지 <u>않은</u> 것은?

① 정자는 운동성이 있다.
② 난자는 정자에 비해 크기가 크다.
③ (다)에서 2개의 정자가 들어가면 발생이 진행되지 않는다.
④ (다)→(나)→(가)→(라)의 순서로 진행된다.
⑤ 수정 직후 임신한 것으로 판정할 수 있다.

04 사람의 수정에 대한 설명으로 옳지 <u>않은</u> 것은?

① 수란관에서 일어난다.
② 정자와 난자가 결합한다.
③ 수정란은 다른 체세포보다 크다.
④ 수정한 이후 감수 분열이 진행된다.
⑤ 수정란의 염색체 수는 체세포와 같다.

[05~06] 그림은 수정란의 초기 세포 분열 과정을 나타낸 것이다.

05 이 과정을 무엇이라고 하는지 쓰시오.

_____

06 위 과정에 대한 설명으로 옳은 것을 보기에서 모두 고른 것은?

╶┨ 보기 ┠
ㄱ. 체세포 분열 과정이다.
ㄴ. 세포의 생장기 없이 분열이 반복된다.
ㄷ. 분열이 진행될수록 각 세포의 염색체 수는 줄어든다.
ㄹ. 분열이 진행될수록 전체 배아의 크기는 점점 커진다.

① ㄱ, ㄴ   ② ㄴ, ㄷ   ③ ㄷ, ㄹ
④ ㄱ, ㄴ, ㄷ   ⑤ ㄱ, ㄷ, ㄹ

07 그림은 수정란의 난할을 모형으로 제작하는 과정을 나타낸 것이다.

이 과정에서 가장 주의해야 할 점으로 옳은 것은?

① 세포의 크기를 같게 한다.
② 세포의 수를 동일하게 유지한다.
③ 전체 배아의 크기를 일정하게 한다.
④ 염색체 수의 변화를 표현할 수 있도록 한다.
⑤ 세포의 생장 과정이 나타날 수 있도록 한다.

08 그림은 여자의 생식 기관에서 수정 이후 일어나는 과정을 나타낸 것이다.

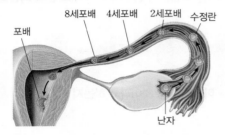

이에 대한 설명으로 옳은 것을 보기에서 모두 고른 것은?

─■ 보기
ㄱ. 정자와 난자는 수란관에서 만난다.
ㄴ. 2세포배가 8세포배가 되는 동안 염색체 수가 절반으로 줄어든다.
ㄷ. 자궁 안쪽에 착상한 이후에도 배아의 크기는 일정하게 유지된다.

① ㄱ   ② ㄱ, ㄴ   ③ ㄱ, ㄷ
④ ㄴ, ㄷ   ⑤ ㄱ, ㄴ, ㄷ

09 착상할 때 배아의 상태를 나타낸 것으로 옳은 것은?

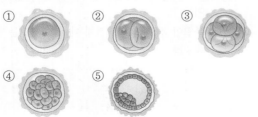

10 다음은 사람의 난자가 배란된 이후 출산까지의 과정을 나타낸 것이다.

배란 → [(가) 착상 (나) 기관 형성 (다) 난할 (라) 수정] → 출산

(가)~(라)를 순서대로 옳게 연결한 것은?

① (가) → (나) → (다) → (라)
② (가) → (라) → (다) → (나)
③ (나) → (가) → (다) → (라)
④ (다) → (나) → (가) → (라)
⑤ (라) → (다) → (가) → (나)

보기 더 보기

11 태아에 관한 설명으로 옳은 것은?

① 심장은 가장 나중에 만들어지는 기관이다.
② 수정 후 8주가 지나면 대부분의 기관이 형성된다.
③ 수정 후 30주가 지나야 성별을 구분할 수 있다.
④ 수정 후 36주가 지나면 태아의 움직임이 활발해진다.
⑤ 출산할 때 태아의 뇌는 발달이 끝난 상태이다.
⑥ 1란성 쌍둥이는 하나의 난자에 2개의 정자가 수정한 것이다.

12 그림은 수정란이 개체가 되기까지의 과정을 나타낸 것이다.

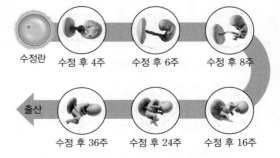

이 과정을 무엇이라고 하는지 한 단어로 쓰시오.

1% 도전 문제로 **올리기**

➕ 정답과 해설 **78**쪽

[01~02] 그림은 여자의 생식 기관에서 일어나는 일을 나타낸 것이다.

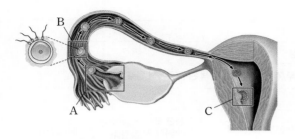

01 이에 대한 설명으로 옳지 <u>않은</u> 것은?

① 난자는 난소에서 생성되어 배출된다.
② A에서 B까지 걸리는 시간은 약 일주일이다.
③ B에 참여했다가 실패하는 생식세포의 수는 수억 개에 달한다.
④ B 이후 C까지 체세포 분열이 계속된다.
⑤ B 이후 C까지 배아는 난자의 양분으로 살아간다.

02 A, B, C에 알맞은 단어를 각각 두 글자로 쓰시오.

_____

03 사람의 발생 과정에 대한 설명으로 옳지 <u>않은</u> 것은?

① 정자는 꼬리로 헤엄쳐 난자에게로 이동한 다음, 난자와 결합한다.
② 수정 이후 난할 과정을 통해 세포 수가 빠르게 늘어난다.
③ 포배 단계에 이른 배아는 자궁 안쪽 벽에 파묻히는데 이후 태반이 형성되어 모체로부터 영양을 공급받는다.
④ 착상한 이후 출산할 때까지 모든 기관이 일정한 속도로 고르게 발달한다.
⑤ 임신 전 마지막 월경 시작 후 약 280일이 지나면 출산 과정을 거쳐 태아가 모체 밖으로 나온다.

서술형 문제로 **완성하기**

➕ 정답과 해설 **79**쪽

01 그림은 수정란이 분열하여 16세포배가 될 때까지를 나타낸 것이다.

(1) 수정란의 상대적 크기가 10이라고 할 때 2세포배에서 16세포배까지 배아의 전체 크기는 어떻게 되는지 쓰고, 그 까닭을 난할의 특징을 들어 설명하시오.

_____

_____

(2) 수정란의 유전 물질의 양을 1이라고 할 때 2세포배에서 16세포배까지 세포 하나에 포함된 유전 물질의 양을 쓰고, 그렇게 판단한 까닭을 세포 분열의 특징을 들어 설명하시오.

_____

_____

[창의 서술형]

02 그림은 사람의 임신 기간 중 배아의 기관 형성 과정을 시기별로 나타낸 것이다.

											■특히 발달	□발달
(주)1	2	3	4	5	6	7	8	9	16	20~36	38	
난할, 착상										중추 신경계		
수정란 ◎				심장								
↓				팔								
⑭						눈						
↓			다리									
⑧							이					
↓				입천장								
자궁 내벽							외부 생식기					
								귀				

착상 이후 임신 초기 흡연, 음주, 약물 복용이 태아에게 나쁜 영향을 주는 까닭을 위 표를 근거로 설명하시오.

_____

_____

1 유전 용어

유전	부모의 형질을 자손에게 물려주는 현상
형질	씨의 모양, 꽃잎 색깔 등 생물이 가지고 있는 고유한 특성
㉠	하나의 형질에 대해 뚜렷하게 대비되는 특징 ⑩ 둥근 완두/주름진 완두, 노란색 완두/초록색 완두
표현형	둥근 것, 주름진 것처럼 겉으로 드러나는 형질
유전자형	표현형을 결정하는 유전자 구성을 RR, rr처럼 알파벳 기호로 나타낸 것
㉡	대립 형질을 결정하는 유전자로 상동 염색체의 같은 위치에 있다.
㉢	몇 세대를 자가 수분해도 계속 같은 형질의 자손이 나오는 개체 → 대립유전자 구성이 같다.
잡종	대립 형질이 다른 순종끼리 교배하여 얻은 자손 → 대립유전자 구성이 서로 다르다.
자가 수분	수술의 생식세포(꽃가루)가 같은 그루의 꽃에 있는 암술머리에 붙는 현상
㉣	수술의 생식세포(꽃가루)가 다른 그루의 꽃에 있는 암술머리에 붙는 현상

둥근 모양 대립유전자 / 노란색 대립유전자
R R r r Y Y y y
주름진 모양 대립유전자 / 초록색 대립유전자

2 멘델의 유전 실험

1 멘델의 실험 멘델은 여러 해 동안 완두를 재배하고 통계 자료를 수집하여 유전 원리를 밝혔다.

2 완두의 장점 완두는 세대가 짧고 한 번에 얻을 수 있는 자손이 많다. 또, 대립 형질이 뚜렷하고 자유로운 교배가 가능하여 유전 실험 재료로 적합했다.

3 멘델의 유전 원리

1 ㉤[   ]의 원리 순종의 둥근 완두와 순종의 주름진 완두를 교배하면 잡종 1대에서 모두 둥근 완두만 나온다. ➡ 이때 잡종 1대에서 표현된 형질을 ㉥[   ], 잡종 1대에서 표현되지 않은 형질을 ㉦[   ]이라고 한다.

2 ㉧[   ]의 법칙 잡종 1대를 자가 수분하여 얻은 잡종 2대에서 둥근 완두 : 주름진 완두가 3 : 1의 비율로 나타난다. ➡ 이것은 잡종 1대가 생식세포를 형성하는 과정에서 우성 대립유전자와 열성 대립유전자가 분리되어 서로 다른 생식세포로 나뉘어 들어가고, 각각의 생식세포가 수정되어 잡종 2대가 만들어졌기 때문이다.

3 ㉨[   ]의 법칙 2가지 대립 형질이 동시에 유전될 때 두 가지 형질은 서로 간섭하지 않고 독립적으로 우열의 원리와 분리의 법칙을 따라 유전된다. ➡ 순종의 둥글고 노란색인 완두와 주름지고 초록색인 완두를 교배하면 잡종 1대에서 둥글고 노란색인 완두만 나온다. 이 잡종 1대를 자가 수분하면 잡종 2대에서는 둥글고 노란색인 완두 : 둥글고 초록색인 완두 : 주름지고 노란색인 완두 : 주름지고 초록색인 완두가 ㉪[   ]로 나온다.

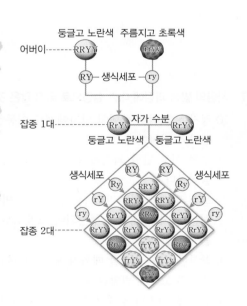

+) 정답과 해설 **79쪽**

보기 더 보기

01 유전 용어에 대한 설명으로 옳은 것은?

① 우수하고 강한 형질을 우성이라고 한다.
② 잡종 2대에서 열성 형질은 표현되지 않는다.
③ 완두의 둥근 모양과 노란색은 대립 형질이다.
④ 겉으로 드러나는 형질을 유전자형이라고 한다.
⑤ 대립유전자는 상동 염색체의 같은 위치에 있다.
⑥ 하나의 형질을 나타내는 대립유전자 구성이 다른 개체를 순종이라고 한다.
⑦ 대립 형질이 다른 순종의 개체를 교배하면 어버이와 다른 형질을 나타내는 잡종이 나온다.

02 완두의 모양에 대한 대립유전자는 R, r로, 완두의 색깔에 대한 대립유전자는 Y, y로 나타낼 때 순종이 아닌 유전자형은?

① RR ② Rr ③ yy
④ RRYY ⑤ rrYY

03 완두가 실험 재료로 좋은 조건에 해당하지 않는 것은?

① 한 세대가 길다.
② 자손의 수가 많다.
③ 대립 형질이 뚜렷하다.
④ 자유로운 교배가 가능하다.
⑤ 자가 수분을 하여 순종의 개체를 얻기 쉽다.

04 멘델이 자신의 실험 결과를 설명하기 위해 세운 가설로 옳지 않은 것은?

① 특정 형질은 한 쌍의 유전 인자에 의해 결정된다.
② 한 쌍의 유전 인자는 부모로부터 하나씩 물려받은 것이다.
③ 한 쌍의 유전 인자는 생식세포를 형성할 때 각각 서로 다른 생식세포로 들어간다.
④ 생식세포의 수정으로 자손의 유전 인자는 다시 쌍을 이룬다.
⑤ 특정 형질에 대한 한 쌍의 유전 인자가 서로 다를 때 두 가지 형질이 모두 표현된다.

05 오른쪽 그림은 순종의 둥근 완두와 주름진 완두를 교배하여 잡종 1대를 얻는 과정을 나타낸 것이다. 잡종 1대의 표현형과 유전자형을 옳게 짝 지은 것은?

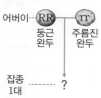

	표현형	유전자형		표현형	유전자형
①	Rr	둥글다	②	둥글다	RR
③	둥글다	Rr	④	주름지다	Rr
⑤	주름지다	rr			

[06~07] 그림은 순종의 노란색 완두와 초록색 완두를 교배하여 얻은 잡종 1대를 자가 수분하여 잡종 2대를 얻는 과정을 나타낸 것이다.

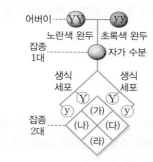

06 이에 대한 설명으로 옳은 것을 보기에서 모두 고른 것은?

—‖ 보기 ——

ㄱ. (가), (라)는 유전자형이 순종이다.
ㄴ. (나), (다)는 표현형이 초록색이다.
ㄷ. 잡종 1대는 한 종류의 생식세포를 형성한다.
ㄹ. 노란색은 초록색에 대해 우성으로 유전된다.

① ㄱ, ㄴ ② ㄱ, ㄹ ③ ㄴ, ㄷ
④ ㄴ, ㄹ ⑤ ㄷ, ㄹ

07 잡종 2대에서 초록색 완두를 200개 얻었다면, 이론상 노란색 완두는 몇 개를 얻었을지 쓰시오.

[08~09] 그림은 순종의 둥근 완두와 주름진 완두를 교배하여 얻은 잡종 1대를 다시 자가 수분하는 과정을 나타낸 것이다.

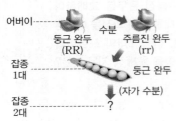

08 생식세포를 형성하는 과정에서 한 쌍의 대립유전자가 서로 다른 생식세포로 분리되어 들어가는 유전 원리를 무엇이라고 하는지 쓰시오.

_____

09 잡종 2대에서 주름진 완두를 얻을 확률을 구하시오.

_____

10 그림은 순종의 둥근 완두와 주름진 완두를 교배하여 얻은 잡종 1대를 주름진 완두와 교배하여 잡종 2대를 얻는 과정을 나타낸 것이다.

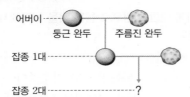

이에 대한 설명으로 옳은 것을 보기에서 모두 고른 것은?

┤ 보기 ├

ㄱ. 잡종 1대는 어버이의 둥근 완두와 유전자 구성이 같다.
ㄴ. 잡종 1대와 교배시킨 주름진 완두는 한 종류의 생식세포를 만든다.
ㄷ. 잡종 2대는 모두 둥근 완두이다.
ㄹ. 잡종 2대에서 우성 : 열성의 분리비는 1 : 1이다.

① ㄱ, ㄴ   ② ㄱ, ㄷ   ③ ㄴ, ㄷ
④ ㄴ, ㄹ   ⑤ ㄷ, ㄹ

[11~12] 그림은 순종의 둥글고 노란색인 완두와 주름지고 초록색인 완두를 교배하여 얻은 잡종 1대를 자가 수분하여 잡종 2대를 얻는 과정을 나타낸 것이다.

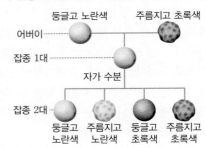

11 잡종 2대에서 완두의 모양과 색깔의 분리비를 옳게 짝지은 것은?

	둥근 모양 : 주름진 모양	노란색 : 초록색
①	1 : 1	1 : 1
②	1 : 3	1 : 3
③	1 : 3	3 : 1
④	3 : 1	1 : 3
⑤	3 : 1	3 : 1

12 위의 교배 실험 결과에 대한 설명으로 옳은 것을 보기에서 모두 고른 것은?

┤ 보기 ├

ㄱ. 잡종 1대에서 우열의 원리가 적용된다.
ㄴ. 잡종 1대에서 생식세포를 형성할 때는 분리의 법칙이 적용되지 않는다.
ㄷ. 완두의 모양과 색깔을 표현하는 대립유전자는 서로 다른 염색체에 있다.

① ㄱ   ② ㄱ, ㄴ   ③ ㄱ, ㄷ
④ ㄴ, ㄷ   ⑤ ㄱ, ㄴ, ㄷ

13 순종의 붉은색 분꽃과 순종의 흰색 분꽃을 교배하였더니 그림과 같이 잡종 1대에서 분홍색 분꽃만 나왔다.

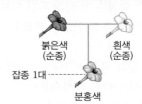

분꽃의 유전은 멘델의 유전 원리 중 무엇에 위배되는지 쓰시오.

_____

1% 도전 문제로 올리기

+ 정답과 해설 80쪽

01 다음은 바둑알을 이용한 모의실험을 나타낸 것이다.

암술, 수술 주머니에 흰색 바둑알 R와 검은색 바둑알 r를 각각 하나씩 넣고, 바둑알을 하나씩 꺼내어 짝 짓기를 20회 반복한 결과 가 표와 같았다.

자손의 유전자형	RR	Rr	Rr	rr
나온 횟수(회)	5	6	4	5

이에 대한 설명으로 옳지 <u>않은</u> 것은?

① 부모의 유전자형은 각각 RR, rr이다.
② 주머니에 바둑알을 하나씩 넣는 것은 생식세포 두 종류가 같은 비율로 생성됨을 의미한다.
③ 주머니에서 바둑알을 꺼내는 것은 생식세포가 무작위로 수정에 참여함을 의미한다.
④ 바둑알 짝짓기는 생식세포의 수정을 의미한다.
⑤ 분리의 법칙을 확인할 수 있다.

02 그림은 순종의 둥글고 노란색인 완두와 주름지고 초록 색인 완두를 교배하여 얻은 잡종 1대를 자가 수분하여 잡종 2대를 얻는 과정을 나타낸 것이다.

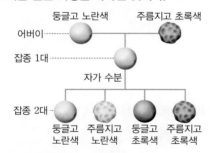

이에 대한 설명으로 옳지 <u>않은</u> 것은?

① 잡종 1대의 유전자형은 RrYy이다.
② 잡종 1대는 4종류의 생식세포를 만든다.
③ 잡종 1대에서 만들어지는 각 생식세포의 비율은 모두 같다.
④ 잡종 2대에서 주름지고 초록색인 완두의 유전자 형은 모두 같다.
⑤ 잡종 2대에서 모양과 색깔이 모두 우성인 완두 의 비율은 $\frac{1}{16}$이다.

서술형 문제로 완성하기

+ 정답과 해설 80쪽

01 그림은 모양이 둥근 완두의 자가 수분 결과를 나타낸 것이다.

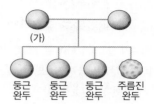

(가)의 유전자형을 예상해 보고, 그렇게 판단한 까닭을 교배 실험 결과를 근거로 설명하시오. (단, 둥근 모양 대립유전자는 R, 주름진 모양 대립유전자는 r로 표시 한다.)

_____

_____

창의 서술형

02 어떤 식물의 키, 꽃잎 색깔 유전에 관한 자료이다.

• 이 식물의 키는 유전자 A(큰 키)와 a(작은 키), 꽃잎 색깔은 유전자 B(붉은색)와 b(흰색)에 의해 결정된다.
• 식물의 키 유전자와 꽃잎 색깔 유전자는 서로 다른 염색체에 있다.
• 유전자 A, B는 각각 a, b에 대해 우성이다

(1) 유전자형이 AaBb인 두 개체를 교배하여 얻은 자손의 표현형의 비를 멘델의 유전 원리를 근거 로 들어 설명하시오.

_____

_____

(2) 유전자형이 AaBb인 개체를 유전자형을 모르 는 (가)와 교배하였더니 자손에서 큰 키, 붉은색 꽃 : 작은 키, 붉은색 꽃이 3 : 1의 비율로 나타 났다. (가)의 표현형과 유전자형을 예상하는 과 정을 설명하시오.

_____

04 · 사람의 유전

+) 정답과 해설 80쪽

1 사람의 유전 연구

1 사람의 유전 연구가 어려운 까닭

① 형질의 수가 많고 복잡하며 환경의 영향을 많이 받는다.

② 자녀의 수가 적어서 통계 자료로 활용할 충분한 사례를 얻기 어렵다.

③ 자유로운 교배 실험이 불가능하다.

④ 한 세대가 길어서 연구자가 결과를 확인하기가 어렵다.

2 사람의 유전 연구 방법

	특정 형질이 한 집안에서 여러 세대에 걸쳐 어떻게 나타나는지를 분석하여 그 형질의 유전 원리와 자손에게 나타날 가능성을 예측할 수 있다.
㉠ 조사	
㉡ 연구	특정 형질의 발현에 영향을 미치는 유전자와 환경의 관계를 파악할 수 있다.
통계 조사	특정 형질이 나타난 사례를 수집하여 자료를 통계적으로 분석함으로써 유전자의 분포 등을 추측할 수 있다.
염색체와 유전자 연구	염색체의 수와 모양을 분석하거나 사람의 유전자 정보를 비교하여 유전병의 원인과 유전 방식을 밝힐 수 있다.

2 상염색체 유전

1 특징 대립유전자가 [㉢]에 있어 성별에 따라 형질이 나타나는 빈도에 차이가 없다.

2 한 쌍의 대립유전자에 의한 유전 멘델의 유전 원리에 따라 유전된다. 예 혀 말기 유전: 혀 말기 가능 – [㉣] 형질, 혀 말기 불가능 – [㉤] 형질

아버지 어머니

● 혀 말기 가능 여자
■ 혀 말기 가능 남자
■ 혀 말기 불가능 남자

3 [㉥] **유전** ABO식 혈액형은 대립유전자가 A, B, O 3가지이고, A와 B는 O에 대해 공동 [Ⓐ]이며 A와 B 사이에는 우열 관계가 없다.

유전자형	AA, AO	BB, BO	AB	[ⓧ]
표현형	[◎]	B형	AB형	O형

3 성염색체 유전

1 특징 형질을 결정하는 유전자가 [Ⓐ]에 있어 성별에 따라 형질이 나타나는 빈도에 차이가 있다.

2 반성유전 적록 색맹은 대립유전자가 [㉠] 염색체에 있고 정상 유전자에 대해 [㉢]으로 유전하므로 여자보다 남자에게 적록 색맹이 나타날 확률이 높다. 남자는 적록 색맹 대립유전자가 1개만 있어도 적록 색맹이 되고, 여자는 2개의 X 염색체에 적록 색맹 대립유전자가 모두 있어야 적록 색맹이 되며, 적록 색맹 대립유전자가 하나인 여자를 [⑪]라고 한다.

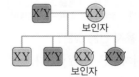

X'Y XX 보인자

XY X'Y XX X'X'
        보인자

● 정상 여자
■ 정상 남자
● 적록 색맹 여자
■ 적록 색맹 남자

구분	남자		여자		
유전자형	XY	X'Y	XX	XX'	X'X'
표현형	정상	적록 색맹	정상	정상(보인자)	적록 색맹

✚ 정답과 해설 **80**쪽

보기 더 보기

01 사람의 유전 연구가 어려운 까닭으로 옳지 <u>않은</u> 것은?

① 한 세대가 길다.
② 자손의 수가 적다.
③ 형질의 수가 많고 복잡하다.
④ 자유로운 교배 실험이 불가능하다.
⑤ 형질이 환경의 영향을 받지 않는다.
⑥ 대립 형질이 뚜렷하지 않은 경우가 많다.

02 (가)~(다)에 해당하는 사람의 유전 연구 방법을 옳게 짝 지은 것은?

(가) 유전과 환경이 특정 형질에 끼치는 영향을 알 아볼 수 있다.
(나) 특정한 유전 형질을 가진 집안을 연구하여 그 형질의 유전 원리를 확인한다.
(다) 어떤 집단에 속한 사람들이 특정 유전자를 가 지거나 특정 형질을 나타낸 확률을 계산할 수 있다.

	(가)	(나)	(다)
①	쌍둥이 연구	통계 조사	가계도 조사
②	쌍둥이 연구	가계도 조사	통계 조사
③	가계도 조사	통계 조사	쌍둥이 연구
④	통계 조사	쌍둥이 연구	가계도 조사
⑤	통계 조사	가계도 조사	쌍둥이 연구

03 오랜 시간 동안 떨어져 자란 1란성 쌍둥이의 형질이 다 르게 나타나는 까닭을 설명한 것으로 옳은 것을 보기에 서 모두 고른 것은?

┤ 보기 ├

ㄱ. 성별이 다르기 때문에
ㄴ. 유전자가 다르기 때문에
ㄷ. 환경의 영향이 다르기 때문에
ㄹ. 서로 다른 정자와 난자로부터 발생했기 때문에

① ㄷ   ② ㄱ, ㄴ   ③ ㄱ, ㄴ, ㄹ
④ ㄴ, ㄷ, ㄹ   ⑤ ㄱ, ㄴ, ㄷ, ㄹ

04 그림은 사람의 여러 가지 유전 형질을 나타낸 것이다.

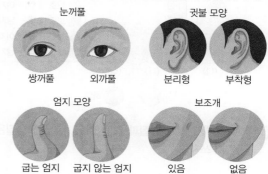

눈꺼풀 / 쌍꺼풀 / 외까풀
귓불 모양 / 분리형 / 부착형
엄지 모양 / 굽는 엄지 / 굽지 않는 엄지
보조개 / 있음 / 없음

이 형질들의 유전에서 나타나는 공통점으로 옳지 <u>않은</u> 것은?

① 대립유전자가 상염색체에 있다.
② 멘델의 유전 원리에 따라 유전된다.
③ 대립 형질이 비교적 뚜렷하게 구분된다.
④ 여자보다 남자에게서 더 많이 나타난다.
⑤ 한 쌍의 대립유전자에 의해 형질이 결정된다.

05 그림은 준혁이 가족의 귓불 유전에 대한 가계도를 나타 낸 것이다. (단, 귓불 형질 유전자는 상염색체에 있으며 대립유전자 A, a에 의해 결정된다.)

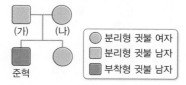

(가)   (나)

준혁

○ 분리형 귓불 여자
□ 분리형 귓불 남자
■ 부착형 귓불 남자

이에 대한 설명으로 옳은 것을 보기에서 모두 고른 것은?

┤ 보기 ├

ㄱ. 준혁이의 유전자형은 aa이다.
ㄴ. 부착형 귓불은 우성으로 유전된다.
ㄷ. 준혁이 여동생의 귓불 유전자형은 AA이다.
ㄹ. (가)와 (나)는 부착형 귓불 유전자를 하나씩 가 지고 있다.

① ㄱ, ㄴ   ② ㄱ, ㄹ   ③ ㄴ, ㄷ
④ ㄴ, ㄹ   ⑤ ㄷ, ㄹ

[06~08] 그림은 하영이네 집안의 보조개 형질을 조사한 가계도이다.

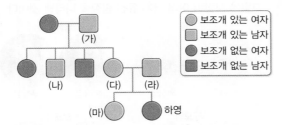

- 보조개 있는 여자
- 보조개 있는 남자
- 보조개 없는 여자
- 보조개 없는 남자

06 보조개가 있는 형질과 없는 형질 중 우성 형질은 무엇인지 쓰시오.

07 (가)~(마) 중 보조개가 없는 유전자를 가지고 있을 것으로 단정할 수 <u>없는</u> 사람은?

① (가) ② (나) ③ (다)
④ (라) ⑤ (마)

08 하영이가 (라)와 보조개 유전자형이 동일한 사람과 결혼한다고 할 때, 하영이의 첫아이가 보조개가 있는 딸일 확률은 몇 %인지 구하시오.

보기더보기
09 그림은 어느 집안의 ABO식 혈액형 가계도이다.

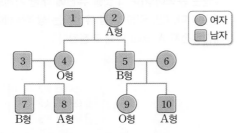

- 여자
- 남자

이에 대한 설명으로 옳지 <u>않은</u> 것은?

① 1과 2에게는 대립유전자 O가 있다.
② 3의 혈액형은 AB형이다.
③ 3과 4 사이에서 O형이 태어날 수 있다.
④ 5와 6 사이에서는 4가지 혈액형이 모두 나올 수 있다.
⑤ 이 집안에서 A형인 사람의 유전자형은 모두 AO이다.
⑥ 이 집안에서 B형인 사람의 유전자형은 모두 BO이다.

10 적록 색맹과 혈우병의 유전 원리로 옳지 <u>않은</u> 것은?

① 유전자는 X 염색체에 있다.
② 정상에 대해 열성으로 유전된다.
③ 여자보다 남자에게 더 많이 나타난다.
④ 아버지의 열성 유전자는 아들에게 유전된다.
⑤ 남자는 열성 유전자 1개만으로 형질이 나타난다.

11 그림은 어느 집안의 적록 색맹 가계도를 나타낸 것이다.

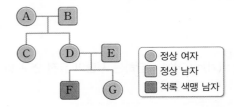

- 정상 여자
- 정상 남자
- 적록 색맹 남자

이에 대한 설명으로 옳은 것을 보기에서 모두 고른 것은?

─┤ 보기 ├─
ㄱ. A, D는 보인자이다.
ㄴ. B, E는 적록 색맹 대립유전자가 없다.
ㄷ. C, G는 적록 색맹 대립유전자를 하나 가지고 있다.
ㄹ. F에게 적록 색맹 대립유전자를 물려준 사람은 B, E이다.

① ㄱ, ㄴ ② ㄱ, ㄷ ③ ㄴ, ㄷ
④ ㄴ, ㄹ ⑤ ㄷ, ㄹ

[12~13] 그림은 어느 집안의 적록 색맹 가계도이다.

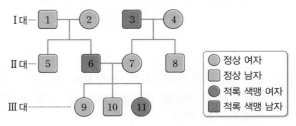

- 정상 여자
- 정상 남자
- 적록 색맹 여자
- 적록 색맹 남자

12 보인자인 사람의 번호를 모두 쓰시오.

13 11이 정상인 남자와 결혼한다고 할 때 적록 색맹인 자녀가 태어날 확률은 몇 %인지 구하시오.

1% 도전 문제로 올리기

➕ 정답과 해설 81쪽

01 그림은 어느 집안의 PTC 미맹에 대한 가계도이다.

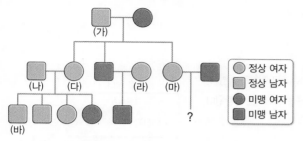

정상 여자
정상 남자
미맹 여자
미맹 남자

이에 대한 설명으로 옳은 것을 보기에서 모두 고른 것은?

▸ 보기
ㄱ. PTC 미맹은 정상에 대해 열성으로 유전된다.
ㄴ. (가), (다), (라), (마)의 미맹에 대한 유전자형은 같다.
ㄷ. (마)의 자녀 중 미맹이 태어날 확률은 $\frac{1}{4}$이다.
ㄹ. (바)는 미맹 대립유전자를 가지고 있다.

① ㄱ, ㄴ   ② ㄱ, ㄷ   ③ ㄴ, ㄷ
④ ㄴ, ㄹ   ⑤ ㄷ, ㄹ

02 그림은 어느 집안의 유전병 가계도를 나타낸 것이다.

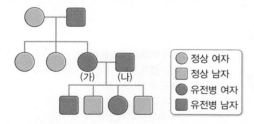

정상 여자
정상 남자
유전병 여자
유전병 남자

이에 대한 설명으로 옳은 것을 보기에서 모두 고른 것은?

▸ 보기
ㄱ. 유전병은 정상에 대해 열성이다.
ㄴ. 유전병 유전자는 상염색체에 있다.
ㄷ. 이 유전병이 나타나는 빈도는 성별에 따라 다르다.
ㄹ. (가)와 (나)는 정상 유전자와 유전병 유전자를 하나씩 가지고 있다.

① ㄱ, ㄴ   ② ㄱ, ㄷ   ③ ㄴ, ㄷ
④ ㄴ, ㄹ   ⑤ ㄷ, ㄹ

서술형 문제로 완성하기

➕ 정답과 해설 81쪽

창의 서술형

01 그림은 어느 집안의 유전병 가계도를 나타낸 것이다.

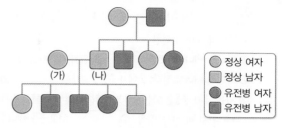

정상 여자
정상 남자
유전병 여자
유전병 남자

(1) 이 유전병 유전자는 정상에 대해 우성인지 열성인지 쓰고 그 까닭을 설명하시오.

_____

_____

(2) 이 유전병 유전자는 상염색체에 있는지 성염색체에 있는지 쓰고 그 까닭을 설명하시오.

_____

_____

(3) (가)와 (나)에게 자녀가 하나 더 태어난다면 그 자녀에게 유전병이 나타날 확률은 얼마나 될지 근거를 들어 설명하시오.

_____

_____

02 그림은 어느 집안의 적록 색맹 가계도를 나타낸 것이다.

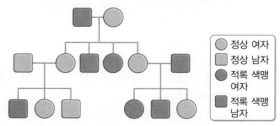

정상 여자
정상 남자
적록 색맹 여자
적록 색맹 남자

적록 색맹은 여자보다 남자에게 더 많이 나타난다. 그 까닭을 적록 색맹 유전의 특징을 들어 설명하시오.

_____

_____

1 자유 낙하 하는 물체의 역학적 에너지 전환과 보존

1 역학적 에너지 전환

① 역학적 에너지: [⊙]와 위치 에너지의 합

② 역학적 에너지 전환: 물체가 운동할 때 [ⓒ]와 운동 에너지는 서로 전환될 수 있다.

③ 자유 낙하 운동을 하는 물체의 역학적 에너지 전환: 위치 에너지가 운동 에너지로 전환된다.

➡ 위치 에너지는 점점 [ⓒ]하고 운동 에너지는 점점 [ⓔ]한다.

2 역학적 에너지 보존

① 역학적 에너지 보존 법칙: 공기의 저항이나 마찰이 없을 때 운동하는 물체의 역학적 에너지는 높이에 관계없이 항상 일정하게 [ⓜ]된다.

② 공기의 저항이나 마찰이 없을 때 자유 낙하 운동을 하는 물체의 역학적 에너지 보존

• 처음 역학적 에너지 = 임의의 높이에서의 역학적 에너지 = 기준면에서의 역학적 에너지

$$9.8mh = \frac{1}{2}mv_1^2 + 9.8mh_1 = \frac{1}{2}mv^2$$

• 감소한 위치 에너지 = 증가한 운동 에너지

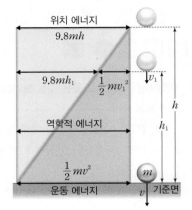

2 연직 위로 던져 올린 물체의 운동에서 역학적 에너지 전환과 보존

1 연직 위로 던져 올린 물체

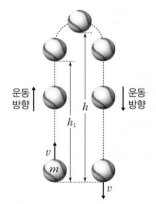

물체가 위로 올라갈 때
• 속력 감소
  ➡ 운동 에너지 감소
• 높이 증가
  ➡ 위치 에너지 증가
• 운동 에너지가 위치 에너지로 전환

물체가 아래로 내려올 때
• 속력 증가
  ➡ 운동 에너지 증가
• 높이 감소
  ➡ 위치 에너지 감소
• 위치 에너지가 운동 에너지로 전환

① 던져 올린 물체가 위로 올라가는 동안 역학적 에너지 전환과 보존: [ⓥ]가 [ⓐ]로 전환되며, 이때 역학적 에너지는 일정하게 보존된다.

② 던져 올린 물체가 아래로 내려오는 동안 역학적 에너지 전환과 보존: 위치 에너지가 운동 에너지로 전환되며, 이때 역학적 에너지는 일정하게 [ⓞ]된다.

2 역학적 에너지 전환과 보존의 예 롤러코스터나 반원형 그릇 속 물체의 운동 등 중력이 작용하여 운동하는 물체에서 물체의 역학적 에너지는 [ⓧ]된다.

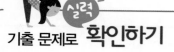

➕ 정답과 해설 **82**쪽

[01~02] 그림은 사람이 제자리높이뛰기를 할 때의 과정 A~E를 나타낸 것이다. (단, 공기의 저항이나 마찰은 무시한다.)

01 사람이 운동하는 동안 위치 에너지가 운동 에너지로 전환되는 구간을 보기에서 모두 고른 것은?

┤ 보기 ├
ㄱ. A→B 구간 ㄴ. B→C 구간
ㄷ. C→D 구간 ㄹ. D→E 구간

① ㄱ, ㄴ ② ㄱ, ㄷ ③ ㄴ, ㄷ
④ ㄴ, ㄹ ⑤ ㄷ, ㄹ

02 A~E에 대한 설명으로 옳지 <u>않은</u> 것은?
① C에서 속력이 0이다.
② C에서의 속력이 D보다 빠르다.
③ B보다 C에서 운동 에너지가 작다.
④ E보다 D에서 위치 에너지가 크다.
⑤ A에서 위치 에너지가 최소이다.

03 오른쪽 그림과 같이 질량이 2 kg인 공이 낙하 하여 A 지점을 지날 때의 속력이 2 m/s, B 지점을 지날 때의 속력이 3 m/s이었다. 이때 A와 B 두 지점 사이에서 이 공의 위치 에너지의 감소량은 몇 J인가? (단, 공기의 저항이나 마찰은 무시한다.)

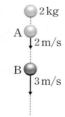

① 0 J ② 4 J ③ 5 J
④ 9 J ⑤ 13 J

[04~05] 오른쪽 그림은 기준면으로부터 10 m 높이에서 2 m/s의 속력으로 떨어뜨린 질량이 4 kg인 공이 기준면에 닿는 순간의 모습을 나타낸 것이다. (단, 공기의 저항이나 마찰은 무시한다.)

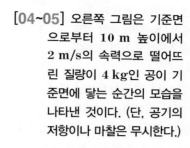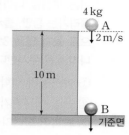

04 이에 대한 설명으로 옳은 것을 보기에서 모두 고른 것은?

┤ 보기 ├
ㄱ. 낙하 하는 동안 물체의 역학적 에너지는 보존된다.
ㄴ. A 지점에서 공의 위치 에너지와 역학적 에너지의 값은 같다.
ㄷ. 낙하 하는 동안 감소한 위치 에너지는 운동 에너지로 전환된다.

① ㄱ ② ㄷ ③ ㄱ, ㄴ
④ ㄱ, ㄷ ⑤ ㄴ, ㄷ

05 B 지점에서 공의 운동 에너지(가)와 역학적 에너지(나)를 옳게 짝 지은 것은?

	(가)	(나)		(가)	(나)
①	8 J	392 J	②	8 J	400 J
③	392 J	392 J	④	392 J	400 J
⑤	400 J	400 J			

06 높은 곳에서 물체를 가만히 놓았을 때 낙하 높이 h에 따른 역학적 에너지 E의 변화를 옳게 나타낸 것은? (단, 공기의 저항이나 마찰은 무시한다.)

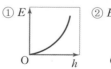

보기 더 보기

07 오른쪽 그림은 야구공을 연직 위로 던져 올리는 모습을 나타낸 것이다. 물체가 위로 올라가는 동안, 물체의 에너지에 대한 설명으로 옳지 <u>않은</u> 것은? (단, 공기의 저항이나 마찰은 무시한다.)

① 야구공의 역학적 에너지는 점점 감소한다.
② 운동 에너지가 위치 에너지로 전환된다.
③ 속력이 느려지면서 운동 에너지는 점점 감소한다.
④ 위로 올라가는 동안 위치 에너지는 점점 증가한다.
⑤ 가장 높은 곳에 도달하는 순간 물체의 속력은 0이 된다.
⑥ 가장 높은 지점에 도달한 순간 물체의 운동 에너지는 0이 된다.
⑦ 가장 높은 곳에 도달하는 순간 위치 에너지는 최대이다.

[08~09] 그림은 연직 위로 던져 올린 질량이 1 kg인 공이 위로 올라가는 동안 공의 역학적 에너지의 전환을 나타낸 것이다. (단, 공기의 저항이나 마찰은 무시한다.)

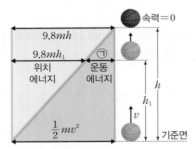

08 ㉠의 값으로 옳은 것은?

① $9.8mh$
② $9.8mh_1 - 9.8mh$
③ $\dfrac{1}{2}mv$
④ $\dfrac{1}{2}mv^2 - 9.8mh$
⑤ $\dfrac{1}{2}mv^2 - 9.8mh_1$

09 공이 h만큼 위로 이동했을 때 감소한 공의 운동 에너지가 19.6 J이라면 h는 몇 m인가?

① 1 m
② 2 m
③ 9.8 m
④ 19.6 m
⑤ 29.4 m

10 오른쪽 그림과 같이 절벽에서 동일한 공을 같은 높이에서 공 A는 가만히 떨어뜨리고, 공 B는 연직 위로 던져 올렸다. 두 공 A, B가 지면에 닿는 순간의 속력의 크기와 역학적 에너지의 크기를 옳게 비교한 것은? (단, 공기의 저항이나 마찰은 무시한다.)

	속력	역학적 에너지
①	A=B	A=B
②	A=B	A>B
③	A=B	A<B
④	A<B	A=B
⑤	A<B	A<B

보기 더 보기

11 그림은 반원형 그릇에서 위치 A에 있던 쇠구슬이 왕복 운동을 하는 모습을 나타낸 것이다.

이에 대한 설명으로 옳은 것을 보기에서 모두 고르시오. (단, A와 C의 높이는 같으며 공기의 저항이나 마찰은 무시한다.)

> **보기**
> ㄱ. 운동 에너지는 B 지점에서 최대이다.
> ㄴ. 쇠구슬의 속력은 A 지점에서 최대이다.
> ㄷ. 쇠구슬의 높이는 C 지점에서 최소이다.
> ㄹ. 쇠구슬의 역학적 에너지는 점점 감소한다.
> ㅁ. 쇠구슬은 계속해서 왕복 운동을 할 것이다.
> ㅂ. A 지점에서의 운동 에너지가 C 지점보다 크다.
> ㅅ. A 지점에서의 역학적 에너지는 B 지점보다 크다.
> ㅇ. A 지점에서 B 지점으로 이동할 때 위치 에너지가 운동 에너지로 전환된다.
> ㅈ. B 지점에서 C 지점으로 이동할 때 위치 에너지가 운동 에너지로 전환된다.

1% 도전 문제로 올리기

➕ 정답과 해설 82쪽

01 오른쪽 그림과 같이 질량 2 kg인 물체를 20 m 높이에서 떨어뜨렸다. A 지점에서 물체의 위치 에너지와 운동 에너지의 비가 3 : 1이라면 A 지점은 기준면으로부터 몇 m 높이인가? (단, 공기의 저항이나 마찰은 무시한다.)

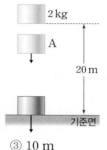

① 4 m　　② 5 m　　③ 10 m
④ 15 m　　⑤ 16 m

02 오른쪽 그림과 같이 10 m 높이에서 질량 2 kg인 공을 가만히 놓았을 때 지면에 닿는 순간의 속력이 14 m/s였다. 이때 낙하하는 도중 공의 속력이 7 m/s가 되는 높이는 지면으로부터 몇 m인가? (단, 공기의 저항이나 마찰은 무시한다.)

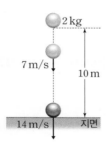

① 2.5 m　　② 4 m　　③ 5 m
④ 7.5 m　　⑤ 8 m

03 그림은 기준면으로부터 같은 높이에 있는 A, B 지점에서 정지해 있던 동일한 구슬이 서로 다른 경로를 따라 기준면에 도달하기 직전의 모습을 나타낸 것이다.

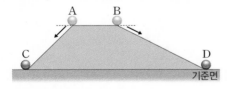

이에 대한 설명으로 옳은 것을 보기에서 모두 고른 것은? (단, 공기의 저항이나 마찰은 무시한다.)

┤ 보기 ├
ㄱ. C와 D 지점에서 공의 운동 에너지는 같다.
ㄴ. A와 C 지점에서 공의 역학적 에너지는 같다.
ㄷ. B 지점에서 공의 위치 에너지는 D 지점에서 공의 운동 에너지와 같다.

① ㄱ　　　② ㄷ　　　③ ㄱ, ㄴ
④ ㄴ, ㄷ　　⑤ ㄱ, ㄴ, ㄷ

서술형 문제로 완성하기

➕ 정답과 해설 83쪽

01 질량 2 kg의 공을 연직 위로 던졌을 때 높이에 따른 공의 위치 에너지와 운동 에너지를 측정한 값이 다음과 같다. (단, 공기의 저항이나 마찰은 무시한다.)

높이(m)	위치 에너지(J)	운동 에너지(J)
5	98	(가)
7.5	147	147
15	294	0

(1) (가)에 들어갈 값을 구하시오.

(2) 5 m에서 공의 속력을 그 과정과 함께 구하시오.

02 그림과 같이 롤러코스터가 A에서 B로 움직이고 있다.

이때 역학적 에너지의 변화를 다음 단어를 모두 포함하여 설명하시오. (단, 공기의 저항이나 마찰은 무시한다.)

전환　　감소　　증가　　보존

창의 서술형

03 오른쪽 그림과 같이 높이가 20 m인 지점에서 질량이 1 kg인 물체를 가만히 놓았다. (단, 공기의 저항이나 마찰은 무시한다.)

(1) 기준면으로부터 5 m 높이에서 물체의 운동 에너지는 몇 J인지 구하시오.

(2) 5 m 높이에서 운동 에너지는 위치 에너지의 몇 배인지 그 과정과 함께 설명하시오.

02 • 에너지 전환과 이용

정답과 해설 83쪽

① 전자기 유도와 발전기

1 ㉠ ___

① 코일 근처에서 자석을 움직이거나 자석 근처에서 코일을 움직이면 코일에 전류가 흐르는 현상

② 전자기 유도 현상이 일어날 때 코일에 흐르는 전류를 ㉡ ___ 라고 한다.

2 발전기

① ㉢ ___ 현상을 이용하여 전기를 만드는 장치

② 발전기에서 에너지 전환: 역학적 에너지 ➡ ㉣ ___

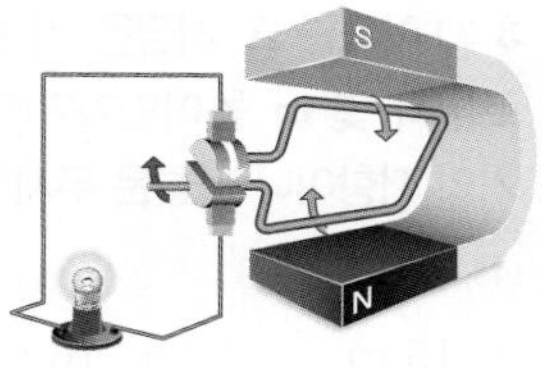

▲ 발전기의 구조

② 에너지 전환과 전기 에너지

1 에너지 전환과 보존

① 에너지 전환: 에너지는 한 형태에서 다른 형태로 ㉤ ___ 된다.

② ㉥ ___ 법칙: 에너지가 전환되는 과정에서 에너지는 새로 만들어지거나 사라지지 않고, 그 총합은 항상 일정하게 보존된다.

2 전기 에너지

① 전기 에너지는 수력 발전소, 풍력 발전소, 화력 발전소 등으로부터 얻는다.

② 전기 에너지의 장점

- 전선을 이용하여 비교적 쉽게 먼 곳까지 전달할 수 있다.
- 전지에 저장하여 휴대하고 다니며 필요할 때 사용할 수 있다.
- 각종 전기 기구를 통해 다른 에너지로 쉽게 전환하여 이용할 수 있다.

③ 전기 에너지가 전환된 예

- 선풍기: 전기 에너지 ➡ ㉦ ___ 에너지
- 전기밥솥: 전기 에너지 ➡ 열에너지
- 전등: 전기 에너지 ➡ 빛에너지
- 스피커: 전기 에너지 ➡ 소리 에너지

③ 소비 전력과 전력량

1 소비 전력

① 일정 시간 동안 전기 기구가 1초 동안 소비하는 ㉧ ___ 의 양

② 단위: W(와트), kW(킬로와트) 등을 사용

③ $\text{소비 전력(W)} = \dfrac{\text{전기 에너지(J)}}{\text{사용 시간(s)}}$

2 전력량

① 일정 시간 동안 사용한 전기 에너지의 양

② 단위: Wh(와트시), kWh(킬로와트시) 등을 사용

③ 전력량(Wh) = 소비 전력(W) × ㉨ ___

3 전기 기구에서 소비하는 에너지의 효율적 이용

① 같은 목적으로 사용하더라도 사용 과정에서 불필요하게 낭비되는 열에너지가 많을수록 소비 전력이 크다.

② 에너지를 효율적으로 이용할 수 있도록 가전제품에 에너지 소비 효율 등급 표시제나 에너지 절약 표시 등을 적용한다.

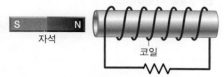
➜ 정답과 해설 83쪽

01 그림은 코일 옆에 자석이 놓인 것을 나타낸 것이다.

코일에 전류가 흐르는 경우를 보기에서 모두 고른 것은?

┤ 보기 ├

ㄱ. 자석을 코일에서 멀리 할 때
ㄴ. 자석을 코일에 가까이 할 때
ㄷ. 자석을 코일 속에 넣고 가만히 있을 때

① ㄱ   ② ㄷ   ③ ㄱ, ㄴ
④ ㄴ, ㄷ   ⑤ ㄱ, ㄴ, ㄷ

보기더보기

02 오른쪽 그림은 검류계와 연결된 코일 속에 자석을 넣을 때 검류계의 바늘이 움직이는 모습을 나타낸 것이다. 검류계의 바늘이 반대 방향으로 움직이는 경우를 보기에서 모두 고르시오.

┤ 보기 ├

ㄱ. 자석을 코일 속에 오래 넣어 둔다.
ㄴ. 자석의 극을 바꾸어 코일 속에 넣는다.
ㄷ. 감은 수가 더 적은 코일을 사용한다.
ㄹ. 자석을 코일 속에 더 빠르게 넣는다.
ㅁ. 자석을 코일 속에 더 느리게 넣는다.
ㅂ. 자석을 같은 속력으로 코일에서 멀리 한다.

03 발전기 구조와 원리에 대한 설명의 빈칸 ㉠과 ㉡에 들어갈 알맞은 말을 쓰시오.

발전기는 영구 자석과 그 속에서 회전할 수 있는 (㉠)로 이루어져 있으며, 코일이 회전하면서 (㉡)에 의해 코일에 전류가 흐르게 된다.

04 오른쪽 그림과 같이 간이 발전기에 발광 다이오드를 연결한 후 흔들었더니 발광 다이오드에 불이 켜졌다. 이에 대한 설명으로 옳은 것을 보기에서 모두 고른 것은?

┤ 보기 ├

ㄱ. 전기 에너지가 역학적 에너지로 전환된다.
ㄴ. 자석이 코일 근처에서 움직이면 코일에 전류가 흐른다.
ㄷ. 전자기 유도 현상에 의해 발광 다이오드에 불이 켜진다.

① ㄱ   ② ㄷ   ③ ㄱ, ㄴ
④ ㄴ, ㄷ   ⑤ ㄱ, ㄴ, ㄷ

05 수력 발전소에서 일어나는 에너지 전환 과정으로 옳은 것은?

① 전기 에너지 → 열에너지
② 빛에너지 → 전기 에너지
③ 화학 에너지 → 전기 에너지
④ 역학적 에너지 → 전기 에너지
⑤ 화학 에너지 → 역학적 에너지

06 그림은 자동차 연료의 화학 에너지가 자동차가 주행할 때 여러 에너지로 전환되는 모습을 나타낸 것이다.

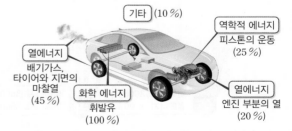

이때 화학 에너지가 3000 J이라면 자동차가 주행할 때 역학적 에너지로 전환된 에너지는 몇 J인가?

① 250 J   ② 300 J   ③ 600 J
④ 750 J   ⑤ 1350 J

07 그림은 우리가 전기 에너지를 전기 기구를 통하여 다양한 형태의 에너지로 전환하는 것을 나타낸 것이다.

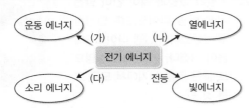

(가), (나), (다)에 알맞은 전기 기구를 옳게 짝 지은 것은?

	(가)	(나)	(다)
①	라디오	전기믹서	스피커
②	선풍기	전기밥솥	스피커
③	전기난로	선풍기	라디오
④	전기포트	전기장판	라디오
⑤	진공청소기	선풍기	전기믹서

08 오른쪽 그림은 전기를 이용하여 물을 끓이는 전기포트를 나타낸 것이다. 이 전기포트의 소비 전력이 1800 W일 때, 이에 대한 설명으로 옳은 것을 보기에서 모두 고른 것은?

┌── 보기 ──────────────────
ㄱ. 전기 에너지를 주로 열에너지로 전환한다.
ㄴ. 1초 동안 1800 J의 전기 에너지를 소비한다.
ㄷ. 10분 동안 사용했을 때 소비한 전력량은 30 Wh 이다.
└──────────────────────

① ㄱ　　　　② ㄷ　　　　③ ㄱ, ㄴ
④ ㄴ, ㄷ　　　⑤ ㄱ, ㄴ, ㄷ

09 그림은 두 전구 (가), (나)를 1초 동안 사용하였을 때 각 전구에서 발생한 빛에너지와 열에너지를 나타낸 것이다.

(가) 빛에너지: 3600 J 열에너지: 1200 J
(나) 빛에너지: 3600 J 열에너지: 3600 J

(가)와 (나) 중 소비 전력이 더 작은 전구를 그 까닭과 함께 쓰시오.

_____

_____

10 여러 전기 기구의 소비 전력이 다음과 같을 때 단위 시간 동안 소비하는 전기 에너지가 많은 전기 기구부터 순서대로 나열하시오.

전기 기구	소비 전력(W)
백열등	60
헤어드라이어	1100
전기다리미	600
냉장고	1000
전자레인지	1300

┌─ 보기 더 보기 ─┐
└───────────┘

11 전력량에 대한 설명으로 옳지 않은 것은?

① 전력량은 일정 시간 동안 소비한 전기 에너지의 양이다.
② 전력량의 단위로 kWh(킬로와트시)를 사용한다.
③ 가정에서는 전력량에 따라 전기 요금을 납부한다.
④ 전력량은 소비 전력을 사용한 시간과 곱하여 구한다.
⑤ 1 kWh는 1 W의 전력을 하루 동안 사용하였을 때의 전력량이다.
⑥ 가정에서 사용한 전력량은 전기 요금 청구서를 통해 확인할 수 있다.
⑦ 소비 전력이 20 W인 전기 기구를 1시간 동안 사용했을 때의 전력량은 20 Wh이다.

12 오른쪽 그림은 가전제품에 표시된 별도의 인증 표시 중 하나인 에너지 절약 마크를 나타낸 것이다. 이에 대한 설명으로 옳은 것은?

① 소비 전력이 큰 제품에 표시한다.
② 대기전력이 작은 가전제품에 표시한다.
③ 에너지 소비 효율이 4등급인 제품에 표시한다.
④ 전기 에너지를 많이 소비하는 제품에 사용한다.
⑤ 에너지를 효율적으로 이용하는 정도를 5등급으로 구분하여 표시한다.

1% 도전 문제로 올리기

+ 정답과 해설 84쪽

01 오른쪽 그림과 같이 뛰어내린 스카이다이버는 속력이 점점 빨라지다가 나중에는 일정한 속력으로 떨어진다. 스카이다이버의 운동에서 에너지 전환과 보존에 대한 설명으로 옳은 것을 보기에서 모두 고른 것은?

> **보기**
> ㄱ. 위치 에너지는 점점 감소한다.
> ㄴ. 역학적 에너지는 점점 증가한다.
> ㄷ. 운동 에너지는 처음에 증가하다가 나중에는 일정해진다.
> ㄹ. 역학적 에너지의 일부가 열, 소리 등의 에너지로 전환된다.

① ㄱ   ② ㄴ, ㄹ   ③ ㄷ, ㄹ
④ ㄱ, ㄴ, ㄷ   ⑤ ㄱ, ㄷ, ㄹ

02 오른쪽 그림과 같이 질량 5 kg인 공을 2 m 높이에서 떨어뜨렸더니 기준면에 충돌한 후 튀어 오른 최대 높이가 1.2 m였다. 공이 기준면에 충돌하여 1.2 m 높이로 튀어오를 때까지 발생한 열에너지는 몇 J인가? (단, 운동 에너지는 위치 에너지와 열에너지로만 전환된다.)

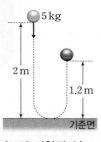

① 19.6 J   ② 39.2 J   ③ 49 J
④ 58.8 J   ⑤ 98 J

03 소비 전력이 60 W인 선풍기와 600 W인 청소기에 대한 설명으로 옳은 것을 보기에서 모두 고른 것은?

> **보기**
> ㄱ. 선풍기는 1초 동안 60 J의 전기 에너지를 소비한다.
> ㄴ. 청소기를 10시간 동안 사용한다면 청소기의 전력량은 6000 kWh이다.
> ㄷ. 같은 시간 동안 사용했을 때 전력량은 청소기가 선풍기의 10배이다.

① ㄱ   ② ㄴ   ③ ㄱ, ㄴ
④ ㄱ, ㄷ   ⑤ ㄴ, ㄷ

서술형 문제로 완성하기

+ 정답과 해설 84쪽

01 그림은 발전기의 손잡이를 돌려 전구에 불이 들어온 모습을 나타낸 것이다.

이때 에너지 전환 과정을 설명하시오.

02 그림은 에어컨과 선풍기의 소비 전력을 나타낸 것이다.

에어컨 1600 W
선풍기 80 W

일정한 시간 동안 에어컨 1대가 소비하는 전기 에너지는 같은 시간 동안 선풍기 몇 대를 동시에 켰을 때 소비한 전기 에너지와 같은지 그 까닭과 함께 설명하시오.

> 창의 서술형

03 오른쪽 그림은 교통 카드의 내부 구조를 나타낸 것이다. 반도체 칩과 코일이 들어 있는 교통 카드를 버스에 설치된 단말기에 가까이 하면 코일에 전류가 흘러 반도체 칩이 작동한다. 교통 카드에 전지가 없는데도 코일에 전류가 흐르는 까닭을 설명하시오.

반도체 칩 코일

1 별까지의 거리

1 [㉠] 관측하는 위치에 따라 물체의 위치가 배경에 대해 달라져 보이는 각

2 [㉡] 6개월 간격으로 관측한 별의 시차의 $\frac{1}{2}$이고, 단위는 ″(초)를 사용한다.

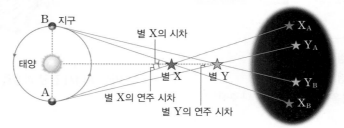

① 가까이 있는 별 X의 연주 시차가 별 Y의 연주 시차보다 크다. ➡ 연주 시차는 거리가 먼 별일수록 [㉢] .

② 별까지의 거리(pc) = $\dfrac{1}{\text{연주 시차}(″)}$

2 별의 밝기와 거리

1 별의 밝기에 영향을 주는 요인 별이 방출하는 빛의 양, 별까지의 [㉣]

2 별의 밝기와 거리 관계

별의 밝기는 별까지의 거리의 제곱에 반비례한다. ➡ 별까지의 거리가 2배, 3배가

되면 밝기는 $\dfrac{1}{2^2}$배, $\dfrac{1}{3^2}$배가 된다.

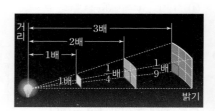

3 별의 등급

1 별의 등급과 밝기 한 등급 차이는 약 2.5배의 밝기 차이가 있다. ➡ 1등급인 별은 6등급인 별보다 약 [㉤] ($≒2.5^5$)배 밝다.

2 겉보기 등급과 절대 등급

구분	[㉥]	[㉦]
정의	맨눈으로 보이는 별의 밝기로 정한 등급	별이 10 pc(≒32.6광년)에 있다고 가정할 때의 등급
특징	• 별까지의 거리를 고려하지 않고 지구에서 보이는 대로 정한 등급이다. • 등급이 작을수록 우리 눈에 밝게 보이는 별이다.	• 별의 실제 밝기를 비교할 수 있다. • 등급이 작을수록 실제로 밝은 별이다.

4 별의 색과 표면 온도

1 별의 색이 다른 까닭 별의 [㉧]가 다르기 때문

2 별의 색과 표면 온도 별은 표면 온도가 높을수록 청색을 띠고, 표면 온도가 낮을수록 적색을 띤다.

별의 색	청색	청백색	백색	황백색	황색	주황색	적색
표면 온도	높다 ◄──────────────────────────────────────► 낮다						

01 그림은 관측자가 팔을 편 상태로 양쪽 눈을 번갈아 감으면서 연필 끝의 위치 변화를 관찰하는 모습을 나타낸 것이다.

이에 대한 설명으로 옳은 것을 보기에서 모두 고른 것은?

┌──── 보기 ────
ㄱ. 시차를 알아보는 실험이다.
ㄴ. 두 눈과 연필 끝이 이루는 각은 시차이다.
ㄷ. 팔을 구부리면 두 눈에 보이는 연필 끝의 위치는 간격이 더 작아질 것이다.
└─────────────

① ㄱ   ② ㄷ   ③ ㄱ, ㄴ
④ ㄴ, ㄷ   ⑤ ㄱ, ㄴ, ㄷ

02 별까지의 거리와 연주 시차의 관계를 나타낸 것으로 옳은 것은?

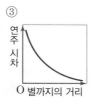

보기더보기

03 별의 연주 시차에 대한 설명으로 옳은 것은?

① 지구에서 가까운 별일수록 연주 시차가 작다.
② 연주 시차를 이용하여 별의 밝기를 구할 수 있다.
③ 연주 시차를 구하기 위한 최소한의 기간은 1년이다.
④ 연주 시차가 1″인 별까지의 거리를 1광년이라고 한다.
⑤ 연주 시차는 별이 실제로 움직인 위치를 나타낸 것이다.
⑥ 대체로 100 pc보다 가까이 있는 별까지의 거리를 측정할 수 있다.

[04~06] 그림은 별 X와 Y의 연주 시차를 나타낸 것이다.

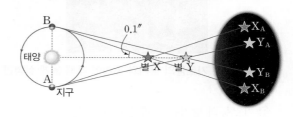

04 이에 대한 설명으로 옳은 것을 보기에서 모두 고른 것은?

┌──── 보기 ────
ㄱ. 별 X의 시차는 0.1″이다.
ㄴ. 별 X는 별 Y보다 연주 시차가 크다.
ㄷ. A에서 B까지 지구가 이동하는 데 1년이 걸린다.
└─────────────

① ㄱ   ② ㄴ   ③ ㄱ, ㄴ
④ ㄴ, ㄷ   ⑤ ㄱ, ㄷ

05 지구에서 별 X까지의 거리는?

① 1 pc   ② 2 pc   ③ 5 pc
④ 10 pc   ⑤ 20 pc

06 연주 시차가 나타나는 까닭은?

① 별의 자전   ② 별의 공전
③ 지구의 자전   ④ 지구의 공전
⑤ 태양의 자전

07 별까지의 거리를 나타내는 단위에 대한 설명으로 옳은 것을 보기에서 모두 고른 것은?

┌─ 보기 ─────────────────────────
ㄱ. 1광년은 빛이 1년 동안 이동한 거리이다.
ㄴ. 1 pc은 약 3.26광년에 해당한다.
ㄷ. 1 pc은 연주 시차가 1″인 별까지의 거리이다.
└──────────────────────────────

① ㄱ   ② ㄴ   ③ ㄷ
④ ㄱ, ㄴ   ⑤ ㄱ, ㄴ, ㄷ

08 그림은 거리의 가로등을 나타낸 것이다.

눈에 보이는 가로등의 밝기와 거리에 대해 옳게 설명한 것은?

① 가로등의 밝기는 거리에 비례한다.
② 가로등의 밝기는 거리에 반비례한다.
③ 가로등의 밝기와 거리는 관계가 없다.
④ 가로등의 밝기는 거리의 제곱에 비례한다.
⑤ 가로등의 밝기는 거리의 제곱에 반비례한다.

09 그림과 같이 종이컵 바닥에 사각형 구멍을 뚫고, 모눈종이로부터의 거리를 각각 10 cm, 20 cm로 달리하며 휴대전화 플래시램프의 빛을 모눈종이에 비추었다.

(가) 10 cm   (나) 20 cm

휴대전화와 모눈종이 사이의 거리를 30 cm로 할 때 램프의 빛은 모눈종이 몇 칸을 비추게 될까?

① 1칸   ② 3칸   ③ 6칸
④ 9칸   ⑤ 12칸

10 그림은 별의 등급에 따른 밝기 차를 전구와 비교한 것이다.

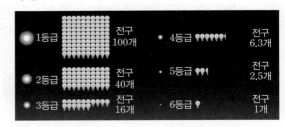

6등급 별은 9등급 별에 비해 몇 배 밝은가?

① 2.5배   ② 6.3배   ③ 16배
④ 40배   ⑤ 100배

〔보기 더 보기〕
11 별의 등급에 대한 설명으로 옳은 것을 보기에서 모두 고르시오.

┌─ 보기 ─────────────────────────
ㄱ. 등급의 숫자가 작을수록 밝은 별이다.
ㄴ. 1등급보다 밝은 별은 2등급, 3등급, …으로 표시한다.
ㄷ. 6등급보다 어두운 별은 7등급, 8등급, …으로 표시한다.
ㄹ. 겉보기 등급이 작을수록 실제로 밝은 별이다.
ㅁ. 절대 등급이 작을수록 우리 눈에 밝게 보인다.
ㅂ. 1등급인 별은 6등급인 별보다 약 100배 밝다.
└──────────────────────────────

12 별까지의 거리를 판단하는 방법에 대한 설명으로 옳은 것을 보기에서 모두 고른 것은?

┌─ 보기 ─────────────────────────
ㄱ. (겉보기 등급−절대 등급)=0이면 10 pc에 있는 별이다.
ㄴ. (겉보기 등급−절대 등급) 값이 클수록 지구와 가까운 별이다.
ㄷ. 태양은 겉보기 등급이 −26.7등급, 절대 등급이 4.8등급이므로 10 pc보다 가까이 있다.
└──────────────────────────────

① ㄱ   ② ㄴ   ③ ㄷ
④ ㄱ, ㄷ   ⑤ ㄴ, ㄷ

13 그림은 별 A~C의 거리와 겉보기 등급을 나타낸 것이다.

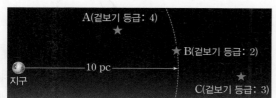

이에 대한 설명으로 옳은 것을 보기에서 모두 고른 것은?

┌─ 보기 ─────────────────────────────┐
ㄱ. A의 겉보기 등급은 절대 등급보다 작다.
ㄴ. 절대 등급은 A가 B보다 크다.
ㄷ. 가장 밝게 보이는 별은 C이다.
└─────────────────────────────────┘

① ㄱ   ② ㄴ   ③ ㄱ, ㄴ
④ ㄴ, ㄷ   ⑤ ㄱ, ㄴ, ㄷ

[14~15] 표는 몇 가지 별의 겉보기 등급과 절대 등급을 나타낸 것이다.

별	겉보기 등급	절대 등급
A	0	0
B	2	−4
C	−1	1

14 위의 별 중에서 우리 눈에 가장 밝게 보이는 별과 실제로 가장 밝은 별을 순서대로 옳게 짝 지은 것은?

① A−B   ② A−C   ③ B−A
④ C−A   ⑤ C−B

15 위 표에 대한 설명으로 옳은 것을 보기에서 모두 고른 것은?

┌─ 보기 ─────────────────────────────┐
ㄱ. 별 A는 10 pc 거리에 있다.
ㄴ. 지구로부터 가장 가까운 별은 B이다.
ㄷ. 연주 시차가 가장 작은 별은 C이다.
└─────────────────────────────────┘

① ㄱ   ② ㄴ   ③ ㄱ, ㄴ
④ ㄴ, ㄷ   ⑤ ㄱ, ㄷ

16 별의 표면 온도에 대한 설명으로 옳은 것을 보기에서 모두 고른 것은?

┌─ 보기 ─────────────────────────────┐
ㄱ. 별은 표면 온도가 높을수록 청색을 띤다.
ㄴ. 백색의 별은 청색 별보다 표면 온도가 높다.
ㄷ. 태양은 황색을 띠며 표면 온도가 가장 높은 별이다.
└─────────────────────────────────┘

① ㄱ   ② ㄴ   ③ ㄷ
④ ㄱ, ㄴ   ⑤ ㄱ, ㄷ

17 표는 두 별 (가)와 (나)의 특징을 나타낸 것이다.

구분	(가)	(나)
연주 시차	0.1″	1″
색	적색	백색

이에 대한 설명으로 옳은 것을 보기에서 모두 고른 것은?

┌─ 보기 ─────────────────────────────┐
ㄱ. (가)가 (나)보다 표면 온도가 더 높다.
ㄴ. (가)가 (나)보다 더 멀리 떨어진 별이다.
ㄷ. (나)의 겉보기 등급과 절대 등급은 같다.
└─────────────────────────────────┘

① ㄱ   ② ㄴ   ③ ㄱ, ㄴ
④ ㄴ, ㄷ   ⑤ ㄱ, ㄷ

18 표는 여러 별의 색을 나타낸 것이다.

베가	카펠라	알데바란	안타레스
백색	황색	주황색	적색

표면 온도가 가장 높은 별과 낮은 별을 순서대로 옳게 짝 지은 것은?

① 베가−카펠라   ② 카펠라−알데바란
③ 카펠라−안타레스   ④ 안타레스−베가
⑤ 베가−안타레스

01 그림 (가)와 (나)는 별 S를 각각 1월, 7월에 촬영한 것이고, 그림 (다)는 (가)와 (나)를 겹친 모습을 나타낸 것이다.

(가) 1월 15일 　(나) 7월 15일

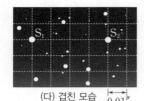

(다) 겹친 모습 $\overset{\longleftrightarrow}{0.01''}$

(다)의 눈금 한 칸이 0.01″일 때 지구에서 별 S까지의 거리는? (단, 1 pc은 약 3.26광년이다.)

① 5 pc 　② 약 25광년 　③ 10 pc
④ 약 163광년 　⑤ 약 815광년

02 그림은 별 S의 연주 시차를 나타낸 것이고, 표는 별 S의 특징을 나타낸 것이다.

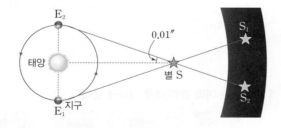

색	백색
겉보기 등급	3등급
별 S가 속한 별자리	사자자리

별 S의 절대 등급은?

① −2등급 　② 0등급 　③ 2등급
④ 4등급 　⑤ 5등급

[03~04] 표는 여러 별의 특징을 나타낸 것이다.

별	겉보기 등급	절대 등급	색
시리우스	−1.5	1.4	백색
베가	0	0.5	백색
카펠라	0.08	−0.5	황색
리겔	0.1	−6.8	청백색
프로키온	0.40	2.7	황백색
베텔게우스	0.8	−5.5	적색

03 이에 대한 설명으로 옳은 것을 보기에서 모두 고른 것은?

⊣ 보기

ㄱ. 가장 먼 별은 리겔이다.
ㄴ. 가장 가까운 별은 시리우스이다.
ㄷ. 프로키온은 베텔게우스보다 더 멀리 있는 별이다.

① ㄱ 　② ㄷ 　③ ㄱ, ㄴ
④ ㄴ, ㄷ 　⑤ ㄱ, ㄴ, ㄷ

04 실제로 가장 어두운 별(가)과 표면 온도가 가장 낮은 별(나)을 옳게 짝 지은 것은?

	(가)	(나)
①	프로키온	베텔게우스
②	베가	시리우스
③	카펠라	리겔
④	시리우스	카펠라
⑤	베텔게우스	리겔

05 어떤 별 S의 겉보기 등급이 1등급, 절대 등급이 6등급이라면, 지구에서 이 별까지의 거리는?

① 0.5 pc 　② 1 pc 　③ 2 pc
④ 4 pc 　⑤ 5 pc

01 그림은 6개월 동안 별 S를 관찰한 모습을 나타낸 것이다.

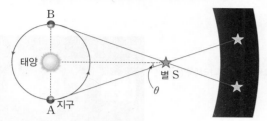

(1) θ를 무엇이라고 하는지 쓰시오.

_____

(2) θ와 별 S까지의 거리의 관계를 설명하시오.

_____

_____

02 그림은 여러 별의 등급을 나타낸 것이다.

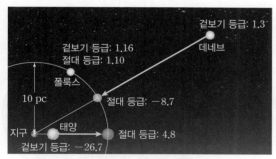

(1) 태양의 겉보기 등급보다 절대 등급이 큰 까닭을 설명하시오.

_____

_____

(2) 데네브와 폴룩스의 실제 밝기를 비교하여 설명하시오.

_____

_____

03 표는 별의 특징을 나타낸 것이다.

별	겉보기 등급	절대 등급
시리우스	−1.5	1.4
베가	0	0.5

(1) 연주 시차가 더 큰 별의 이름을 쓰시오.

_____

(2) (1)의 까닭을 설명하시오.

_____

_____

창의 서술형

04 그림 (가)는 용암이 식는 모습, (나)는 오리온자리의 별을 나타낸 것이다.

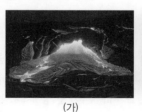 

      (가)   (나)

(1) 용암은 식으면서 점차 다른 색을 나타낸다. (나)에서 별의 색이 다른 까닭을 (가)와 관련지어 설명하시오.

_____

_____

(2) (나)에서 표면 온도가 더 높은 별을 고르고, 그렇게 생각한 까닭을 설명하시오.

_____

_____

1 우리은하

1 은하 별, 성운, 성단, 성간 물질로 이루어진 거대한 천체

2 [㉠] 우리은하의 일부를 본 모습. 많은 별들이 띠를 이루고 있다. ➡ 우리나라(북반구)
에서는 겨울철보다 여름철에 더 넓고 밝게 보인다.

위에서 본 모습 / 태양계 / 은하 중심 / 옆에서 본 모습 / 8500 pc / 30000 pc

3 [㉡] 태양계가 속한 은하로, 막대 나선 모양이다.
① 위에서 본 모양: 중심부에 막대 구조가 있고 막대 끝에 나선팔이 휘감겨 있는 모양
② 옆에서 본 모양: 중심부가 볼록한 원반 모양
③ 태양계의 위치: 은하 중심부에서 약 8500 pc 떨어진 나선팔에 위치

4 성운과 성단

종류	방출 성운	반사 성운	[㉢]	구상 성단	산개 성단
모습					
특징	성간 물질이 주변의 별빛을 흡수하여 가열되면서 스스로 빛을 낸다.	성간 물질이 주위의 별빛을 반사하여 밝게 보인다.	성간 물질이 뒤쪽에서 오는 별빛을 가로막아 어둡게 보인다.	수만~수십만 개의 별들이 공 모양으로 빽빽하게 모여 있다.	수십~수만 개의 별들이 엉성하게 흩어져 있다.

① 구상 성단은 붉은색을 띠는 저온의 별이 많다. 주로 은하의 중심부와 은하 원반을 둥글게 둘러싼 부분에 분포한다.
② 산개 성단은 파란색을 띠는 고온의 별이 많다. 주로 은하의 나선팔에 분포한다.

2 우주 팽창

1 우주 팽창 대부분의 외부 은하들이 서로 멀어지고 있음을 알아내었다. ➡ 은
하들 사이가 멀어지는 것은 우주가 [㉣] 하기 때문이다. ➡ 현재에도
우주는 계속 팽창하며, 과거에는 우주가 한 점에서 시작했을 것이다.

시간의 흐름 / 은하 / 대폭발

2 [㉤] 우주는 과거 모든 물질과 에너지가 모인 고온의 한 점에서
대폭발로 시작하였으며 점점 팽창하여 현재의 우주가 되었다는 이론

3 우주는 특별한 중심 없이 팽창하며, 우리은하에서 거리가 먼 은하일수록 더 빨리 멀어진다.

3 우주 탐사

1 [㉥] 우주를 이해하고자 우주를 탐색하고 조사하는 활동

2 우주 탐사의 방법 인공위성, 우주 탐사선, 우주 망원경 등

3 우주 탐사의 의의 우주에 대한 이해, 인간의 호기심 충족, 지구와 생명에 대한 이해, 우주 기술을 다양한 산업과 일상생활에 적용

4 우주 과학기술이 일상생활에 적용된 예 에어쿠션 운동화, 진공청소기, 위성 위치 확인 시스템(GPS), 치아 교정기, 안경테, 정수기 등

01 그림은 밤하늘을 가로지르는 은하수를 나타낸 것이다.

이에 대한 설명으로 옳은 것은?

① 우주가 팽창하고 있다는 증거이다.

② 방향과 관계없이 일정하게 보인다.

③ 우리나라에서 겨울보다 여름에 더 밝다.

④ 검은 부분은 별이 존재하지 않는 부분이다.

⑤ 태양계가 우리은하의 중심에 있다는 증거이다.

보기 더 보기

02 우리은하에 대한 설명으로 옳은 것을 보기에서 모두 고르시오.

┤ 보기 ├

ㄱ. 막대 나선 모양이다.

ㄴ. 우리은하의 중심은 궁수자리 방향에 있다.

ㄷ. 위에서 보면 중심부가 볼록한 원반 모양이다.

ㄹ. 은하 전체의 두께는 거의 균일하다.

ㅁ. 지름은 약 30000 pc이다.

ㅂ. 태양계는 우리은하의 중심부에 위치한다.

03 그림 (가)는 우리은하를 위에서 본 모습, (나)는 우리은하를 옆에서 본 모습을 나타낸 것이다.

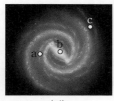 

(가)   (나)

(가), (나)에서 태양계의 위치를 골라 옳게 짝 지은 것은?

	(가)	(나)		(가)	(나)
①	a	A	②	a	B
③	b	A	④	b	C
⑤	c	B			

04 별과 별 사이의 공간에 분포하는 가스와 먼지를 무엇이라고 하는가?

① 성간 물질   ② 암흑 성운

③ 방출 성운   ④ 반사 성운

⑤ 구상 성단

05 그림은 성운의 생성 원리를 모식적으로 나타낸 것이다.

 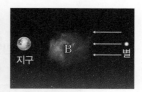

A와 B에 해당하는 것을 각각 옳게 짝 지은 것은?

	A	B
①	방출 성운	암흑 성운
②	반사 성운	방출 성운
③	반사 성운	암흑 성운
④	방출 성운	반사 성운
⑤	암흑 성운	반사 성운

보기 더 보기

06 구상 성단에 대한 설명으로 옳은 것을 보기에서 모두 고르시오.

┤ 보기 ├

ㄱ. 수십~수만 개의 별들이 모여 있다.

ㄴ. 별들이 공 모양으로 빽빽하게 모여 있다.

ㄷ. 별들이 엉성하게 흩어져 있다.

ㄹ. 파란색을 띠는 고온의 별이 많다.

ㅁ. 붉은색을 띠는 저온의 별이 많다.

ㅂ. 주로 우리은하의 나선팔에 분포한다.

ㅅ. 우리은하의 중심부와 은하 원반을 둥글게 둘러싼 부분에 주로 분포한다.

07 그림과 같이 성간 물질이 별빛을 가로막아 검은 구름처럼 보이는 천체를 무엇이라고 하는가?

① 반사 성운　　　② 방출 성운
③ 암흑 성운　　　④ 행성상 성운
⑤ 플레이아데스 성운

08 그림은 허블 우주 망원경으로 촬영한 외부 은하를 나타낸 것이다.

외부 은하에 대한 설명으로 옳은 것은?

① 서로 멀어지고 있다.
② 서로 가까워지고 있다.
③ 지구와 가까워지고 있다.
④ 제자리에서 움직이지 않는다.
⑤ 지구를 중심으로 멀어지고 있다.

09 은하와 우주에 대한 설명으로 옳은 것을 보기에서 모두 고른 것은?

┌─ 보기 ─
ㄱ. 우주의 중심에 우리은하가 있다.
ㄴ. 우주에는 수많은 은하가 존재한다.
ㄷ. 우리은하에서 멀리 있는 은하일수록 더 빨리 멀어진다.
└─

①ㄱ　　　②ㄴ　　　③ㄷ
④ㄱ, ㄴ　　　⑤ㄴ, ㄷ

10 그림의 우주론에 대한 설명으로 옳은 것은?

① 외부 은하가 수축함을 설명한다.
② 외부 은하가 서로 멀어짐을 설명한다.
③ 우주가 점점 수축하고 있음을 설명한다.
④ 우주에 특별한 중심이 있음을 설명한다.
⑤ 우주의 물질은 끊임없이 생성됨을 설명한다.

보기 더 보기

11 우주 탐사의 의의에 대한 설명으로 옳은 것을 보기에서 모두 고르시오.

┌─ 보기 ─
ㄱ. 우주에 대한 이해를 돕는다.
ㄴ. 부족한 식량을 얻을 수 있다.
ㄷ. 우주에 대한 호기심을 충족한다.
ㄹ. 첨단 기술의 발전으로 다양한 직업이 생성된다.
ㅁ. 우주 기술로 만들어진 제품이 일상생활에 적용된다.
ㅂ. 행성 탐사는 대부분 유인 탐사선으로 진행되고 있다.
└─

12 오른쪽 그림은 2011년 발사된 큐리오시티 탐사선을 나타낸 것이다. 이에 대한 설명으로 옳은 것은?

① 달 탐사선이다.
② 화성 탐사선이다.
③ 최초의 인공위성이다.
④ 아폴로 11호에 실어 보냈다.
⑤ 주로 태양을 관측하는 역할을 한다.

1% 도전 문제로 올리기

＋ 정답과 해설 87쪽

01 그림 (가)는 우리은하의 모형을 나타낸 것이고, (나)는 여름철 은하수의 모습이다.

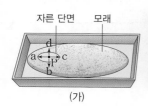
자른 단면   모래

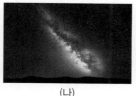

(가)　　　　　　(나)

이에 대한 설명으로 옳은 것을 보기에서 모두 고른 것은?

▪┃ 보기

ㄱ. 점 P는 태양계의 위치를 나타낸다.
ㄴ. 쌓아 놓은 모래 알갱이들은 별을 의미한다.
ㄷ. (가)의 P에서 a 방향을 보았을 때 (나)와 같이 밝고 넓은 은하수를 관측할 수 있다.

① ㄱ　　　　② ㄷ　　　　③ ㄱ, ㄴ
④ ㄱ, ㄷ　　　⑤ ㄴ, ㄷ

02 그림은 은하 A에서 관측한 은하 B와 C의 멀어지는 속도를 나타낸 것이다.

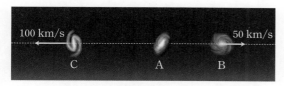
100 km/s　　　　　　　　　50 km/s
C　　　　　A　　　　　B

이에 대한 설명으로 옳은 것을 보기에서 모두 고른 것은?

▪┃ 보기

ㄱ. 은하 A는 정지해 있다.
ㄴ. 은하 A에서 B까지의 거리는 A에서 C까지 거리보다 멀다.
ㄷ. 은하 B에서 보면 은하 A는 50 km/s의 속도로 멀어지고 있다.

① ㄱ　　　　② ㄷ　　　　③ ㄱ, ㄴ
④ ㄱ, ㄷ　　　⑤ ㄴ, ㄷ

서술형 문제로 완성하기

＋ 정답과 해설 87쪽

01 그림 (가)와 같이 바람을 조금 불어넣은 풍선에 붙임딱지를 붙인 후 거리를 재고, 그림 (나)와 같이 바람을 더 크게 불어 넣은 후 다시 붙임딱지 사이의 거리를 측정하였다.

(가)　　　　　　(나)

구분	1과 2 사이의 거리(cm)	1과 3 사이의 거리(cm)	2와 3 사이의 거리(cm)
(가)	2	4	3
(나)	5	10	7.5
거리 변화	3	6	4.5

(1) 붙임딱지 사이의 거리와 팽창 전후 거리 변화의 관계를 설명하시오.

_____

_____

(2) 우리은하로부터 외부 은하까지의 거리와 멀어지는 속도의 관계를 설명하시오.

_____

_____

창의 서술형
02 그림은 우재의 물건들을 나타낸 것이다.

치아 교정기　　安경테
　　　　　　　GPS
에어쿠션 운동화

우재의 물건들과 우주 탐사는 어떤 관련성이 있을지 설명하시오.

_____

_____

memo

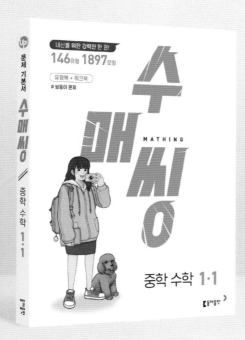
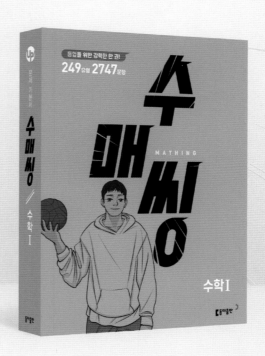

과학, 개념에
응용을 더하다

싸플
Science +

2015 개정 교육과정

중학 과학 기본서

중 학 교
과학 **3**

정답과 해설

동아출판

싸플 Science +

정답과 해설

정답과 해설

I. 화학 반응의 규칙과 에너지 변화

01 물질의 변화

개념 다지기
개념 학습서 11, 13쪽

1 (1) ○ (2) × (3) ○ (4) ○ (5) × (6) × **2** (1) 화 (2) 화 (3) 화 (4) 물 (5) 물 (6) 화 (7) 화 (8) 물 **3** (1) (가) 물리 변화 (나) 화학 변화 (2) (나) **4** ㄱ, ㅁ, ㅂ **5** 화학 반응 **6** (1) ○ (2) ○ (3) × (4) ○ **7** ㉠ 2 ㉡ 4 ㉢ 2 **8** (1) 질소 분자(N_2) 1개, 수소 분자(H_2) 3개 (2) 암모니아 분자(NH_3) 2개 (3) 1 : 3 : 2 (4) 1 : 3 : 2 **9** ㄱ, ㄷ, ㄹ

1 (2) 화학 변화가 일어날 때 물질의 고유한 성질은 변한다.
(5) 물리 변화가 일어날 때 분자의 배열만 변하고, 분자의 종류나 개수는 변하지 않는다.
(6) 화학 변화가 일어날 때 원자의 배열은 변하지만, 원자의 개수는 변하지 않는다.

2 (1), (2), (3), (6), (7)은 화학 변화, (4), (5), (8)은 물리 변화의 예이다.

3 화학 변화가 일어날 때는 원자의 배열이 변하여 새로운 분자가 생성되므로 물질의 성질이 변하고, 물리 변화가 일어날 때는 분자의 배열만 변하므로 물질의 성질은 변하지 않는다.

4 화학 변화가 일어날 때 원자의 종류, 개수, 크기 등은 변하지 않으며, 원자의 배열이 변하여 새로운 분자를 생성하므로 물질의 성질이 변한다.

6 (3) 화학 반응식을 나타낼 때 화살표의 왼쪽에는 반응물질을, 오른쪽에는 생성물질을 적는다.

8 화학 반응식에서 계수비는 분자 수의 비와 같다.

9 화학 반응식을 통해 반응물질과 생성물질의 종류, 반응물질과 생성물질을 이루는 분자와 원자의 종류, 반응물질과 생성물질의 계수비와 분자(입자) 수의 비 등을 알 수 있다.

집중 공략 · 화학 반응식으로 나타내기
개념 학습서 14쪽

유제 **1** (1) 과산화 수소 ⟶ 물 + 산소 (2) $H_2O_2 \longrightarrow H_2O + O_2$
(3) $2H_2O_2 \longrightarrow 2H_2O + O_2$ (4) ㉠ 4 ㉡ 4 ㉢ 4 ㉣ 4
유제 **2** (1) 1, 2, 2 (2) 2, 1, 2 (3) 2, 1, 2 (4) 1, 2, 1, 1 (5) 1, 1, 1, 2
유제 **3** $a=7$, $b=4$, $c=6$

유제 **1** (2) 과산화 수소의 화학식은 H_2O_2, 물의 화학식은 H_2O, 산소의 화학식은 O_2이다.

유제 **3** 반응 전후에 탄소 원자의 개수가 4개, 수소 원자의 개수가 12개이므로, $a=7$, $b=4$, $c=6$이다.

실력 키우기
개념 학습서 15~16쪽

01 ④ **02** ③ **03** ③ **04** ④ **05** ④ **06** ③ **07** ②
08 (다) – (가) – (나) **09** ① **10** ④ **11** ⑤ **12** ⑤
13 ②, ⑤ **14** 100개

01 화학 변화가 일어날 때 물질의 성질이 변한다.

02 마그네슘을 구부리는 것은 물리 변화로 마그네슘의 성질은 변하지 않는다. 반면에 마그네슘을 태우는 것은 화학 변화로 마그네슘은 산화 마그네슘이라는 다른 물질로 변하며, 이때 물질의 성질이 변한다.

03 물질의 성질이 변하지 않는 변화는 물리 변화이고, 물질의 성질이 변하는 변화는 화학 변화이다. (가), (라), (마)는 화학 변화, (나), (다)는 물리 변화이다.

04 화학 변화가 일어날 때 원자의 종류와 개수가 변하지 않으므로 물질의 전체 질량은 변하지 않는다.

> **한 번 더 확인하기 · 화학 변화가 일어날 때의 질량 변화**
> 열린 공간에서 기체가 발생하는 화학 변화가 일어나면 반응 후 기체가 공기 중으로 빠져나가므로 질량이 변하는 것처럼 보인다. 그러나 닫힌 공간에서 반응이 일어나면 반응 전후 질량은 변하지 않는다. 따라서 화학 변화가 일어날 때 전체 질량은 변하지 않는다.

05 (가)는 물리 변화로 물질의 성질은 변하지 않고, 분자의 배열만 변한다. (나)는 화학 변화로 물이 수소와 산소로 분해되며, 이때 분자의 종류가 변한다.

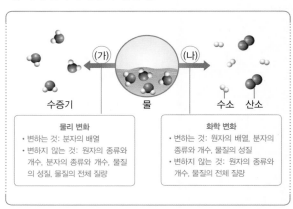

06 (가)는 물리 변화, (나)는 화학 변화이다.
[바로 알기] ① (가)에서 분자의 배열이 변한다.
② (가)에서 물질의 성질은 변하지 않는다.
④ (나)에서 분자의 종류는 변한다.
⑤ (가)는 고체에서 기체로의 승화로 물리 변화이고, (나)는 화학 변화이다.

07 화학 변화가 일어날 때 원자의 배열이 달라져 새로운 분자가 생성되므로 물질의 성질이 달라진다. 이때 반응 전후 원자의 종류와 개수는 변하지 않는다.

09 반응 전후 원자의 종류와 개수는 변하지 않으므로, 화학 반응식에서 화살표 양쪽의 원자의 종류와 개수가 같아야 한다. 이때 계수비는 가장 간단한 정수비가 되어야 한다.

10 [바로 알기] ① $2NO \longrightarrow N_2 + O_2$

② $C + O_2 \longrightarrow CO_2$

③ $2H_2 + O_2 \longrightarrow 2H_2O$

⑤ $Mg + 2HCl \longrightarrow MgCl_2 + H_2$

11 각 물질을 화학식으로 나타내면 질소 N_2, 수소 H_2, 암모니아 NH_3이며, 분자 수의 비는 화학 반응식의 계수비와 같다.

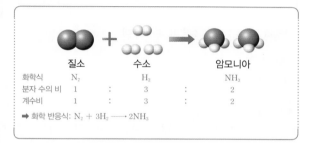

	질소	수소	암모니아
화학식	N_2	H_2	NH_3
분자 수의 비	1 :	3 :	2
계수비	1 :	3 :	2

➡ 화학 반응식: $N_2 + 3H_2 \longrightarrow 2NH_3$

12 화학 반응식을 통해 반응물질과 생성물질의 종류, 분자의 개수, 반응물질과 생성물질을 이루는 원자의 종류와 개수 등을 알 수 있다.

13 [바로 알기] ①, ③ 화학 반응이 일어날 때 분자의 종류와 개수는 변하지만, 원자의 종류와 개수, 물질의 전체 질량은 변하지 않는다.

④ 수소 분자 2개와 반응하는 산소 분자는 1개이다.

14 화학 반응식에서 반응물질과 생성물질의 계수비는 반응물질과 생성물질의 분자 수의 비와 같다. 따라서 반응하는 수소와 생성되는 물의 분자 수의 비는 2 : 2＝1 : 1이므로 수소 분자 100개가 반응하여 생성되는 물 분자는 100개이다.

단계별 문제로 서술형 연습하기

개념 학습서 17쪽

01 마그네슘을 태우면 산화 마그네슘이라는 새로운 물질이 생성된다.

모범 답안 (1) A와 B

(2) B에서는 전류가 흐르는 것으로 보아 물질의 성질이 변하지 않았기 때문에 A에서 B로의 변화는 물리 변화이고, C에서는 전류가 흐르지 않는 것으로 보아 물질의 성질이 변했기 때문에 A에서 C로의 변화는 화학 변화이다.

	채점 기준	배점(%)
(1)	전류가 흐르는 것을 모두 옳게 쓴 경우	30
	전류가 흐르는 것을 한 가지만 옳게 쓴 경우	10
(2)	물질의 변화를 구분하고, 그 까닭을 옳게 설명한 경우	70
	물질의 변화만 옳게 구분한 경우	40

02 물이 기화하면 분자 사이의 거리가 멀어지지만 분자의 종류는 달라지지 않는다. 반면에 물을 전기 분해하면 물을 이루는 원자의 배열이 변하면서 수소와 산소가 생성된다.

모범 답안 (1) 물리, 화학

(2) (가)는 분자의 배열만 변하고 분자 자체는 변하지 않았으므로 물리 변화이고, (나)는 원자의 배열이 변하여 새로운 분자가 생성되었으므로 화학 변화이다.

	채점 기준	배점(%)
(1)	물질의 변화를 모두 옳게 쓴 경우	20
(2)	세 단어를 모두 포함하여 옳게 설명한 경우	80
	세 단어 중 두 가지만 포함하여 옳게 설명한 경우	50

03 산화 철이 주성분인 철광석에서 순수한 철을 얻는 것은 화학 변화의 예이다.

모범 답안 (1) 화학

(2) 원자의 종류와 개수는 변하지 않는다, 물질의 전체 질량은 변하지 않는다. 등

	채점 기준	배점(%)
(1)	화학이라고 옳게 쓴 경우	20
(2)	화학 변화가 일어날 때 변하지 않는 것을 옳게 설명한 경우	80

04 (2) 반응물질은 화살표 왼쪽에, 생성물질은 화살표 오른쪽에 나타내고, 반응 전후 원자의 종류와 개수가 같도록 계수를 맞춘다.

모범 답안 (1) 수소(질소), 질소(수소)

(2) N_2, 3, NH_3

(3) 화학 반응식에서 계수비는 반응물질과 생성물질의 분자 수의 비와 같기 때문에 분자 수의 비(질소 : 수소 : 암모니아)는 1 : 3 : 2이다. 따라서 암모니아 분자 100개를 생성하려면 질소 분자 50개가 필요하다.

	채점 기준	배점(%)
(1)	반응물질을 모두 옳게 쓴 경우	20
(2)	화학 반응식을 옳게 쓴 경우	30
(3)	질소 분자의 개수와 그 까닭을 옳게 설명한 경우	50
	질소 분자의 개수만 옳게 쓴 경우	20

02 화학 법칙과 에너지 변화 (1)

개념 다지기

개념 학습서 19, 21쪽

1 (1) ㉠ (2) ㉢ (3) ㉠ **2** (가)+(나)=(다)+(라) **3** (가)=(나)>(다) **4** 8 g **5** (1) × (2) × (3) ○ (4) ○ (5) × **6** (1) 4 : 1 (2) 4 g **7** 산소, 0.8 (g) **8** 10개, 90 g **9** (1) ○ (2) × (3) × (4) ○ **10** ㄱ, ㅁ, ㅂ

2 화학 반응이 일어날 때 반응물질의 전체 질량과 생성물질의 전체 질량은 변하지 않는다.

3 묽은 염산과 탄산 칼슘이 반응하면 이산화 탄소 기체가 발생한다. 기체가 발생하는 반응은 닫힌 공간 (나)에서는 질량 변화가 없지만, 열린 공간 (다)에서는 생성된 기체가 공기 중으로 날아가기 때문에 질량이 감소한다.

4 화학 변화가 일어날 때 반응물질의 전체 질량과 생성물질의 전체 질량은 같다. 따라서 산소의 질량은 $20-12=8$ (g)이다.

5 (1) 앙금 생성 반응에서 반응 전후 물질의 전체 질량은 일정하다.

(2) 기체가 발생하는 반응에서는 기체가 공기 중으로 빠져나가기 때문에 열린 공간에서는 질량이 감소하지만, 기체의 질량까지 고려하면 반응 전후 전체 질량이 일정하다.

(5) 질량 보존 법칙은 물리 변화에서도 성립한다.

6 (1) 구리 2.0 g과 반응하는 산소의 질량은 0.5 g이므로 구리와 산소의 질량비는 2 g : 0.5 g=4 : 1이다.

(2) 구리와 산소의 질량비는 4 : 1이므로 구리 16 g을 완전 연소시킬 때 필요한 산소의 질량은 4 g이다.

7 실험 1에서 반응하는 수소와 산소의 질량비는 0.2 g : 1.6 g=1 : 8이므로, 실험 2에서 수소 0.3 g과 산소 2.4 g이 반응하고 수소 0.1 g이 남는다. 실험 3에서 수소와 산소의 질량비는 1 : 8이므로 수소 0.4 g과 산소 3.2 g이 반응한다. 따라서 반응 후 산소 4.0 g-3.2 g=0.8 g이 남는다.

8 볼트와 너트는 1 : 2의 개수비로 결합하므로 볼트 10개와 너트 20개가 결합하여 화합물 BN_2 10개를 만들고, 너트 10개는 남는다. 이때 만들어진 화합물 BN_2의 전체 질량은 $(10 \times 5\,g) + (20 \times 2\,g) = 90\,g$이다.

9 (2) 화합물을 구성하는 성분 원소 사이에는 항상 일정한 질량비가 성립한다.

(3) 일정 성분비 법칙은 화합물에서 성립하지만, 혼합물에서는 성립하지 않는다.

10 일정 성분비 법칙은 화합물에서 성립하지만, 혼합물에서는 성립하지 않는다. 물, 이산화 탄소, 산화 구리(Ⅱ)는 화합물, 공기, 소금물, 흙탕물은 혼합물이다.

탐구·화학 반응에서의 질량 변화 확인하기
개념 학습서 22쪽

정리 ⊙ 일정 ⓒ 일정 ⓒ 개수

확인 문제

1 ③ **2** 해설 참조

---

2 모범 답안 플라스틱병의 뚜껑을 열면 생성된 이산화 탄소가 공기 중으로 빠져나가기 때문에 질량은 감소한다.

채점 기준	배점(%)
플라스틱병의 뚜껑을 열었을 때의 질량 변화를 옳게 설명한 경우	100

탐구·산화 구리(Ⅱ)를 이루는 원소의 질량비 구하기
개념 학습서 23쪽

정리 ⊙ 4 : 1 ⓒ 질량비 ⓒ 개수비

확인 문제

1 ㄱ, ㄷ **2** ⑤

---

1 ㄴ. 구리와 결합하는 산소의 질량은 구리의 질량에 따라 다르다.

2 반응하는 마그네슘과 산소의 질량비는 1.2 g : 0.8 g =3 : 2로 항상 일정하다.

실력 키우기
개념 학습서 24~26쪽

01 질량 보존	**02** ⑤	**03** ⑤	**04** ②, ④	**05** ④	**06** ④
07 B 쪽	**08** ③	**09** 16 g	**10** ①	**11** ③	**12** ①	**13** ④
14 ③	**15** ③	**16** ④, ⑤	**17** ④	**18** ④	

02 물리 변화와 화학 변화에서 모두 질량 보존 법칙이 성립한다. ㄱ은 물리 변화(응고), ㄴ, ㄷ, ㄹ은 화학 변화이다.

한 번 더 확인하기 • 질량 보존 법칙은 화학 변화뿐만 아니라 물리 변화에서도 성립한다.

03 ⑤ 앙금 생성 반응이 일어나므로 열린 공간에서도 반응 전후 질량이 변하지 않는다.

[바로 알기] ① 생성된 이산화 탄소와 수증기가 공기 중으로 빠져나가므로 질량이 감소한다.

② 철이 공기 중의 산소와 결합하므로 질량이 증가한다.

③ 생성된 이산화 탄소가 공기 중으로 빠져나가므로 질량이 감소한다.

④ 생성된 산소가 공기 중으로 빠져나가므로 질량이 감소한다.

04 염화 나트륨 수용액과 질산 은 수용액을 섞으면 흰색 앙금인 염화 은이 생성된다. 앙금 생성 반응이 일어날 때는 공기 중으로 빠져나가는 기체가 없으므로 열린 공간에서도 반응 전후 물질의 전체 질량은 변하지 않으며, 질량 보존 법칙이 성립한다.

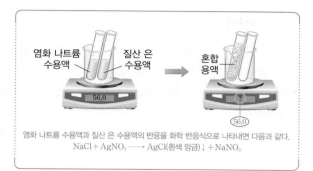

염화 나트륨 수용액 / 질산 은 수용액 → 혼합 용액

염화 나트륨 수용액과 질산 은 수용액의 반응을 화학 반응식으로 나타내면 다음과 같다.
$$NaCl + AgNO_3 \longrightarrow AgCl(흰색 앙금)\downarrow + NaNO_3$$

05 분필 조각(탄산 칼슘)과 묽은 염산을 반응시키면 이산화 탄소 기체가 생성된다. 이때 반응 전후 물질의 전체 질량은 변하지 않지만, 뚜껑을 열면 생성된 이산화 탄소 기체가 공기 중으로 빠져나가기 때문에 질량이 감소한다. 따라서 질량은 (가)=(나)>(다)이다.

06 화학 반응이 일어날 때 물질을 구성하는 원자는 없어지거나 새로 생기지 않아 원자의 종류와 개수가 변하지 않고, 원자의 배열만 변하기 때문에 질량 보존 법칙이 성립한다.

08 강철 솜 B를 가열하면 공기 중의 산소와 결합하여 산화 철이 생성되면서 반응한 산소의 질량만큼 질량이 증가한다.

09 과산화 수소가 분해하면 물과 산소가 발생한다. 반응 전후 질량은 변하지 않으므로 과산화 수소의 질량=(물의 질량 + 산소의 질량)이다. 따라서 $34 \, g = 18 \, g + x \, g$이므로 산소의 질량은 16 g이다. 촉매인 이산화 망가니즈는 생성물질의 질량에 영향을 주지 않는다.

> **한 번 더 확인하기** • 이산화 망가니즈는 촉매로 작용하기 때문에 반응에 참여하지 않지만, 다른 물질의 반응을 돕는 역할을 한다. 따라서 반응 후 생성되는 물질의 질량에는 영향을 주지 않는다.

10 산화 구리(Ⅱ)를 구성하는 구리의 질량이 2.0 g일 때 산소의 질량은 0.5 g이므로 질량비(구리 : 산소)는 4 : 1이다.

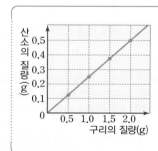

• 산화 구리(Ⅱ)를 이루는 구리와 산소의 질량비는 구리 : 산소=2.0 g : 0.5 g = 4 : 1이다.
• 구리 2.0 g과 산소 0.5 g가 반응하면 산화 구리(Ⅱ) 2.5 g이 생성된다. 따라서 각 물질의 질량비(구리 : 산소 : 산화 구리(Ⅱ))는 4 : 1 : 5이다.

11 구리의 질량이 증가하면 반응하는 산소의 질량, 생성되는 산화 구리(Ⅱ)의 질량, 완전히 반응하는 데 걸리는 시간 등이 증가하지만 반응하는 구리와 산소의 질량비는 변하지 않는다.

12 마그네슘을 가열하면 공기 중의 산소와 결합하여 산화 마그네슘이 생성된다. 마그네슘과 산화 마그네슘의 질량비가 3 : 5이므로, 반응한 마그네슘과 산소의 질량비는 3 : 2이다.

13 반응하는 질소와 수소, 생성되는 암모니아의 질량비(질소 : 수소 : 암모니아)는 14 : 3 : 17이다. 따라서 암모니아 3.4 g을 만들기 위해 필요한 질소의 질량(x)은 $14 : 17 = x \, g : 3.4 \, g$이므로 2.8 g이다.

14 실험 1에서 반응하는 수소와 산소의 질량비(수소 : 산소)가 $0.2 \, g : 1.6 \, g = 1 : 8$임을 알 수 있다.
[바로 알기] ㄱ, ㄴ. 실험 2에서 물이 생성될 때 수소와 산소의 질량비(수소 : 산소)는 1 : 8이므로, 수소 0.4 g과 산소 2.4 g이 반응하면 물 2.7 g이 생성되고, 수소 0.1 g이 남는다.

15 혼합물은 일정 성분비 법칙이 성립하지 않는다. ③의 암모니아수는 혼합물이다.

16 질산 납 수용액을 더 넣어도 앙금의 높이가 일정한 것으로 보아, 같은 농도의 아이오딘화 칼륨 수용액과 질산 납 수용액은 1 : 1의 부피비로 반응함을 알 수 있다. 이를 통해 일정량의 아이오딘화 칼륨 수용액과 반응하는 질산 납 수용액의 양은 일정함을 알 수 있다.
[바로 알기] ① A~C의 납 이온은 모두 반응했다.
② D의 아이오딘화 이온이 모두 반응했기 때문에 앙금이 더 생기지 않는다.
③ E에 아이오딘화 칼륨 수용액을 더 넣으면 남아 있던 납 이온과 반응하여 앙금이 더 생긴다.

17 화합물을 구성하는 볼트(B)와 너트(N)의 개수비는 1 : 2이고, 질량비는 (1개×5 g) : (2개×1 g)=5 : 2이다.

18 탄소와 산소의 상대적 질량이 각각 12와 16이므로, 이산화 탄소를 이루는 탄소와 산소의 질량비는 12 : (2×16)=3 : 8이다.

단계별 문제로 **서술형 연습하기** 개념 학습서 27쪽

01 **모범 답안** (1) 이산화 탄소
(2) 화학 반응이 일어날 때 반응 전후 질량은 변하지 않는다. 따라서 반응 후 질량은 103.5 g이다.

채점 기준	배점(%)
(1) 생성물질을 모두 옳게 쓴 경우	20
(2) 반응이 일어날 때 질량 변화를 옳게 설명한 경우	80

02 **모범 답안** (1) 앙금, 일정하다(변하지 않는다)
(2) 반응 전후 물질을 이루는 원자의 종류와 개수가 같기 때문에 반응 전후 질량은 변하지 않는다.

	채점 기준	배점(%)
(1)	화학 반응 결과와 질량 변화를 모두 옳게 쓴 경우	30
	화학 반응 결과와 질량 변화 중 한 가지만 옳게 쓴 경우	10
(2)	질량 보존 법칙이 성립하는 까닭을 원자와 관련지어 옳게 설명한 경우	70
	질량 보존 법칙의 정의만 설명한 경우	20

03 **모범 답안** (1) 0.8, 3, 2

(2) 마그네슘 6 g, 산소 4 g, 마그네슘과 산소가 반응하여 산화 마그네슘이 생성될 때 질량비는 마그네슘 : 산소 : 산화 마그네슘 =3 : 2 : 5이다. 따라서 산화 마그네슘 10 g이 생성될 때 필요한 마그네슘은 6 g, 산소는 4 g이다.

	채점 기준	배점(%)
(1)	산소의 질량과 질량비(마그네슘 : 산소)를 모두 옳게 쓴 경우	30
	산소의 질량과 질량비(마그네슘 : 산소) 중 한 가지만 옳게 쓴 경우	10
(2)	마그네슘과 산소의 질량과 그 까닭을 옳게 설명한 경우	70
	마그네슘과 산소의 질량만 옳게 구한 경우	30

04 **모범 답안** (1) 1, 2

(2) 일정 성분비 법칙에 따라 화합물(물)을 이루는 성분 원소(수소와 산소) 사이의 질량비가 항상 일정하기 때문이다.

	채점 기준	배점(%)
(1)	산소 원자와 수소 원자의 개수비를 옳게 쓴 경우	20
(2)	일정 성분비 법칙에 따라 성분 원소 사이의 질량비가 일정하다고 옳게 설명한 경우	80
	일정 성분비 법칙의 정의만 설명한 경우	20

03 화학 법칙과 에너지 변화 (2)

개념 다지기
개념 학습서 29쪽

1 ㉠ 정수비 ㉡ 기체 반응 ㉢ 부피비 **2** (1) 2 : 1 : 2 (2) 2 : 1 : 2 (3) 100 mL (4) 수증기의 부피: 140 mL, 남은 기체: 수소 기체, 10 mL **3** (1) ○ (2) ○ (3) ○ (4) × (5) × **4** ㄴ, ㄷ

3 (4) 수산화 바륨과 염화 암모늄이 반응할 때 주변으로부터 에너지를 흡수한다.
(5) 철이 산소와 반응하여 산화 철이 생성될 때 주변으로 에너지를 방출한다.

4 발열 반응이 일어날 때 주변으로 에너지를 방출한다.
ㄴ, ㄷ. 연소 반응, 산과 염기의 반응은 발열 반응이다.
[바로 알기] ㄱ, ㄹ. 광합성, 탄산수소 나트륨의 열분해 반응은 주변으로부터 에너지를 흡수하는 흡열 반응이다.

탐구 · 수증기 생성 반응에서 규칙성 찾기
개념 학습서 30쪽

정리 ㉠ 2 : 1 ㉡ 정수비 ㉢ 기체

확인 문제

1 10 **2** ③

확인 문제

1 수증기 생성 반응에서 반응하는 수소 기체와 산소 기체의 부피비는 2 : 1이다. 따라서 수소 기체 20 mL가 모두 반응하기 위해 필요한 산소 기체는 10 mL이다.

2 수소 기체와 산소 기체의 부피비는 2 : 1이므로 수소 기체 8 mL와 산소 기체 4 mL가 반응하고, 산소 기체 4 mL가 남는다. 남은 산소 기체 4 mL가 모두 반응하려면 수소 기체 8 mL가 더 필요하다.

실력 키우기
개념 학습서 31~32쪽

01 ④ **02** 2 : 1 : 2 **03** ④ **04** ④ **05** ②, ⑤
06 ④ **07** ① **08** ③ **09** ③ **10** ③ **11** ④

01 수소 기체와 염소 기체가 반응하여 염화 수소 기체가 생성될 때 부피비는 1 : 1 : 2이다. 따라서 염화 수소 기체 30 L가 생성되려면 수소 기체와 염소 기체가 각각 15 L 필요하다.

02 실험 1에서 기체 A 30 mL, 기체 B 10 mL가 반응하여 기체 C 20 mL가 생성되고, 기체 A 10 mL가 남았으므로 각 기체의 부피비(A : B : C)는 20 mL : 10 mL : 20 mL=2 : 1 : 2이다.

03 일정한 온도와 압력에서 기체가 반응하여 새로운 기체를 생성할 때 각 기체의 부피 사이에는 간단한 정수비가 성립하는데, 이를 기체 반응 법칙이라고 한다.
[바로 알기] ㄱ. 기체 A, B, C의 부피비가 2 : 1 : 2이므로 (가)에서 기체 C 20 mL가 생성된다.

04 기체 반응 법칙은 반응물질과 생성물질이 모두 기체인 경우에만 성립한다.
[바로 알기] ④ 탄소는 고체이므로 기체 반응 법칙이 성립하지 않는다.

> **한 번 더 확인하기** • 기체 반응 법칙은 반응물질과 생성물질이 모두 기체인 경우에만 성립한다. 따라서 기체 반응 법칙이 성립하는 반응인지를 확인하기 위해서는 반응물질과 생성물질의 상태를 모두 확인해야 한다.

05 일정한 온도와 압력에서 수소 기체와 산소 기체가 반응하여 수증기가 생성될 때 각 기체의 부피비는 화학 반응식의 계수비, 반응물질과 생성물질의 분자 수의 비와 같다.
[바로 알기] ① 반응 전후 원자의 종류와 개수는 같다.
③ 반응에서 각 기체의 부피비(수소 : 산소 : 수증기)는 2 : 1 : 2이다.
④ 수소 기체 3 L와 산소 기체 2 L가 반응하면 수증기 3 L가 생성되고, 산소 기체 0.5 L가 남는다.

일정한 온도와 압력에서 수소 기체와 산소 기체가 반응하여 수증기가 생성될 때는 기체 반응 법칙이 성립한다.

화학 반응식	$2H_2 + O_2 \longrightarrow 2H_2O$
계수비	2 : 1 : 2
분자 수의 비	2 : 1 : 2
부피비	2 : 1 : 2

06 기체 반응 법칙에 따라 메테인과 수증기의 부피비(메테인 : 수증기)는 1 : 2이다. 따라서 메테인 10 mL가 모두 연소할 때 생성되는 수증기는 20 mL이다.

07 기체 반응 법칙에 따라 기체의 부피비는 화학 반응식의 계수비와 같다. 실험 1, 2에서 각 기체의 부피비(A : B : C)는 10 mL : 30 mL : 20 mL = 20 mL : 60 mL : 40 mL = 1 : 3 : 2이다.

08 에너지를 흡수하는 반응이 일어나면 주변의 온도는 낮아지고, 에너지를 방출하는 반응이 일어나면 주변의 온도는 높아진다.

09 주변으로부터 에너지를 흡수하는 흡열 반응을 나타낸 것이다. ③은 흡열 반응, ①, ②, ④, ⑤는 발열 반응이다.

• 화학 반응이 일어날 때 주변으로부터 에너지를 흡수하는 반응은 흡열 반응이다.
• 흡열 반응의 예: 질산 암모늄과 물의 반응, 수산화 바륨과 염화 암모늄의 반응, 식물의 광합성, 탄산수소 나트륨의 열분해, 물의 전기 분해 등

10 철 가루가 들어 있는 손난로를 흔들면 철 가루가 공기 중의 산소와 반응하여 산화 철이 생성된다. 이 반응은 발열 반응으로, 주변의 온도가 높아진다.

11 수산화 바륨과 염화 암모늄이 반응할 때 주변으로부터 에너지를 흡수하는 흡열 반응이 일어난다. 따라서 주변의 온도가 낮아지므로 나무판 위의 물이 얼어서 삼각 플라스크를 들어 올릴 때 나무판이 같이 들린다.

단계별 문제로 **서술형** 연습하기

개념 학습서 33쪽

01 **모범 답안** (1) 1, 3, 2

(2) 질소 기체 5 mL, 반응하는 기체의 부피비는 질소 : 수소＝1 : 3 이므로 질소 기체 10 mL와 수소 기체 30 mL가 반응하고, 질소 기체 5 mL가 남는다.

	채점 기준	배점(%)
(1)	반응물질과 생성물질의 부피비를 옳게 쓴 경우	20
(2)	남는 기체의 종류와 부피를 옳게 구하고, 그 까닭을 옳게 설명한 경우	80
	남는 기체의 종류와 부피만 옳게 구한 경우	50

02 **모범 답안** (1) 2, 1, 2

(2) 2, 1, 2

(3) 기체 반응 법칙이 성립할 때 화학 반응식의 계수비는 분자 수의 비와 기체의 부피비와 같기 때문이다.

	채점 기준	배점(%)
(1)	반응물질과 생성물질의 부피비를 옳게 쓴 경우	20
(2)	반응물질과 생성물질의 분자 수의 비를 옳게 쓴 경우	20
(3)	부피비와 분자 수의 비를 (1), (2)와 같이 쓴 까닭을 옳게 설명한 경우	60

03 발열 반응을 나타낸 것이다.

모범 답안 (1) 발열 반응

(2) 반응이 일어날 때 주변으로 에너지를 방출하므로 주변의 온도는 높아진다.

	채점 기준	배점(%)
(1)	반응의 종류를 옳게 쓴 경우	20
(2)	두 단어를 모두 포함하여 옳게 설명한 경우	80
	두 단어 중 한 가지만 포함하여 옳게 설명한 경우	30

04 **모범 답안** (1) 이산화 탄소

(2) 반응이 일어날 때 주변으로부터 에너지를 흡수한다.

	채점 기준	배점(%)
(1)	생성되는 기체의 종류를 옳게 쓴 경우	30
(2)	반응이 일어날 때 에너지의 출입을 옳게 설명한 경우	70

그림으로 **단원** 정리하기

개념 학습서 34쪽

㉠ 화학 변화	㉡ 화학 반응식	㉢ 분자
㉣ 질량 보존 법칙	㉤ 일정 성분비 법칙	㉥ 방출

우리 학교 시험 문제

개념 학습서 35~37쪽

01 ⑤	02 ④	03 ③	04 ③	05 ④	06 ④	07 ③
08 ⑤	09 ②	10 ①	11 ④	12 3 : 2	13 ④	14 ⑤
15 ①	16 ②	17 ②	18 ②	19 ④		

01 화학 변화가 일어나면 어떤 물질이 다른 물질로 변한다.
[바로 알기] ①, ③, ④ 물리 변화에 대한 설명이다.
② 화학 변화가 일어날 때 원자의 배열은 변하지만 원자의 종류는 변하지 않는다.

02 (가)는 얼음이 물로 융해하여 분자의 배열이 변하는 물리 변화이고, (나)는 산소와 수소가 반응하여 물이 생성되는 화학 변화이다. 화학 변화가 일어날 때 처음 물질과 다른 새로운 물질이 생성된다. 또한, 물리 변화와 화학 변화가 일어날 때 반응 전후 물질의 전체 질량은 변하지 않는다.

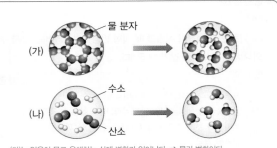

- (가)는 얼음이 물로 융해하는 상태 변화가 일어난다. ➡ 물리 변화이다.
- (나)는 수소와 산소가 반응하여 물이 생성되는 변화이다. ➡ 화학 변화이다.

03 (나)는 화학 변화이다.

[바로 알기] ㄱ. 아이스크림이 녹는 변화는 물질의 상태 변화 중 융해로, 물리 변화이다.

ㄹ. 추운 겨울에 서리가 내리는 변화는 물질의 상태 변화 중 기체에서 고체로의 승화로, 물리 변화이다.

04 ①, ②, ④, ⑤는 화학 변화, ③은 물리 변화(용해)이다.

05 화학 반응식을 통해 반응물질과 생성물질의 종류, 반응물질과 생성물질을 구성하는 원자의 종류를 알 수 있고, 화학 반응식의 계수를 통해 물질의 분자 수의 비를 알 수 있다.

06 [바로 알기] ① $C + O_2 \longrightarrow CO_2$

② $2H_2 + O_2 \longrightarrow 2H_2O$

③ $2Cu + O_2 \longrightarrow 2CuO$

⑤ $2H_2O_2 \longrightarrow 2H_2O + O_2$

07 반응물질은 A_2 분자 1개와 B_2 분자 2개, 생성물질은 AB_2 분자 2개이다.

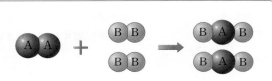

화학 반응에서 화학 반응식의 계수비는 반응물질과 생성물질의 분자 수의 비와 같다.
분자 수의 비 ➡ $A_2 : B_2 : AB_2 = 1 : 2 : 2$
계수비 ➡ $A_2 : B_2 : AB_2 = 1 : 2 : 2$
따라서 이 반응의 화학 반응식은 $A_2 + 2B_2 \longrightarrow 2AB_2$이다.

08 질량 보존 법칙에 따라 화학 반응이 일어날 때 반응물질과 생성물질의 전체 질량은 일정하다.

09 분필 조각의 주성분인 탄산 칼슘과 묽은 염산이 반응하면 이산화 탄소 기체가 발생한다. 닫힌 공간에서 반응 전후 물질의 질량은 일정하므로 반응 후 전체 질량은 205.5 g이다.

10 숯이 연소될 때는 생성된 이산화 탄소 기체와 수증기가 공기 중으로 빠져나가므로 질량이 감소하고, 강철 솜이 연소될 때는 강철 솜이 공기 중의 산소와 결합하므로 질량이 증가한다.

11 ㄷ. 열린 용기에서 실험하면 산소 분자는 공기 중으로 빠져나가고 산화 철은 철과 결합한 산소의 양만큼 질량이 증가하므로 저울은 산화 철 쪽으로 기울어진다.

[바로 알기] ㄱ. 용기 안 산소는 철과 결합하기 때문에 산소 분자의 개수는 줄어든다.

12 마그네슘 1.2 g이 모두 연소하면 산화 마그네슘 2.0 g이 생성된다. 이때 반응한 산소의 질량은 2.0 g − 1.2 g = 0.8 g이다. 따라서 마그네슘과 산소의 질량비는 마그네슘의 질량 : 산소의 질량 = 1.2 g : 0.8 g = 3 : 2이다.

13 산화 마그네슘이 생성될 때 마그네슘과 산소의 질량비(마그네슘 : 산소)는 3 : 2이므로, 3 : 2 = 1.5 g : 1.0 g이다. 따라서 마그네슘은 1.5 g이 반응하고 0.3 g이 남는다.

14 E에는 아이오딘화 이온이 모두 반응했기 때문에 질산 납 수용액을 더 넣어도 앙금의 높이는 변하지 않는다.

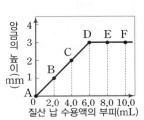

10 % 아이오딘화 칼륨 수용액과 10 % 질산 납 수용액을 반응시키면 노란색의 아이오딘화 납이 생성된다.

- A~C: 반응이 일어난 후에도 아이오딘화 칼륨 수용액이 남아 있다.
- D: 아이오딘화 칼륨 수용액과 질산 납 수용액이 모두 반응하였다. 이때 부피비는 1 : 1임을 알 수 있다. ➡ 일정량의 아이오딘화 칼륨 수용액과 반응하는 질산 납 수용액의 양은 일정하므로, 아이오딘화 납이 생성될 때는 일정한 질량비가 성립한다.
- E~F: 아이오딘화 칼륨 수용액은 질산 납 수용액과 모두 반응하였으나, 질산 납 수용액은 남아 있다.

15 실험 1에서 기체 A 10 mL와 기체 B 10(=30−20) mL가 반응해서 기체 C 20 mL가 생성되었다. 따라서 기체의 부피비(A : B : C)는 1 : 1 : 2이다.

16 [바로 알기] ㄴ. 수소 분자 3개는 질소 분자 1개와 반응한다.

ㄷ. 반응하는 질소 기체와 수소 기체의 부피비는 1 : 3이다. 암모니아를 이루는 질소와 수소의 질량비(질소 : 수소)는 14 : (3×1) = 14 : 3이다.

17 반응하는 수소 기체와 산소 기체의 부피비(수소 : 산소)는 2 : 1이다.

18 [바로 알기] ① 식물의 광합성은 흡열 반응이다.

③ 금속이 녹슬 때는 주변으로 에너지를 방출한다.

④ 발열 반응이 일어날 때 주변의 온도는 높아진다.

⑤ 흡열 반응이 일어날 때 주변으로부터 에너지를 흡수한다.

19 손난로 속의 철 가루가 산소와 반응하면 산화 철이 생성되면서 주변으로 에너지를 방출하므로 손난로가 따뜻해진다.

Ⅱ. 기권과 날씨

01 기권과 복사 평형

개념 다지기
개념 학습서 41쪽

1 (1) ○ (2) ○ (3) × (4) × (5) × **2** (1) ㉢ (2) ㉠ (3) ㉣ (4) ㉤
3 A=30, B=70 **4** 온실 기체 **5** ㉠ 강화 ㉡ 높아짐 ㉢ 높아짐

1 (3) 성층권은 기온이 높은 공기가 위쪽에 있으므로 대류가 일어나지 않아 안정하다.
(4) 중간권은 위로 올라갈수록 기온이 낮아진다.
(5) 태양의 자외선을 흡수하여 지상의 생명체를 보호하는 오존층은 성층권에 있다.

3 지구로 들어오는 태양 복사 에너지양을 100이라고 할 때, 30은 대기와 지표에서 반사되어 우주 공간으로 되돌아가고, 나머지 70이 지구에 흡수된다. 지구로 들어온 70은 다시 지구 복사 에너지로 방출되고, 복사 평형이 이루어진다.

5 지구 온난화는 온실 효과가 강화되어 지구의 평균 기온이 상승하는 현상이다. 지구의 평균 기온이 높아지면 빙하가 녹고 해수가 열팽창해서 해수면의 높이가 높아진다.

탐구 · 복사 평형 실험하기
개념 학습서 42쪽

정리 ㉠ 많기 ㉡ 일정 ㉢ 같아 ㉣ 복사 평형

확인 문제
1 ⑤ **2** 해설 참조 **3** ④

정리

3 지구는 태양 복사 에너지를 계속 받지만 평균 기온이 계속 올라가지는 않고 거의 일정하게 유지된다. 이는 지구가 흡수하는 태양 복사 에너지양과 방출하는 지구 복사 에너지양이 같아 복사 평형을 이루기 때문이다.

확인 문제

1 복사 평형 이후의 컵 속 기온은 그 온도를 계속 유지한다.

2 **모범 답안** 알루미늄 컵이 흡수하는 복사 에너지양과 방출하는 복사 에너지양이 같아 복사 평형을 이루기 때문이다.

채점 기준	배점(%)
복사 평형 상태이기 때문이라고 옳게 설명한 경우	100
에너지양이 같기 때문이라고만 설명한 경우	50

3 알루미늄 컵과 적외선 가열 장치의 거리를 더 멀리한다면 컵에 도달하는 복사 에너지의 양이 줄어들어 더 낮은 온도에서 복사 평형을 이루게 된다.

실력 키우기
개념 학습서 43~44쪽

| 01 ⑤ | 02 ② | 03 ② | 04 ④ | 05 해설 참조 | 06 ② |
| 07 ⑤ | 08 ③ | 09 ④ | 10 이산화 탄소 | 11 ② | 12 ③ |

01 지구 표면에서부터 높이 약 1000 km까지 대기가 분포하는 영역을 기권이라고 한다.
[바로 알기] ⑤ 대류권에 공기의 대부분이 모여 있으며, 높이 올라갈수록 대기의 양은 급격하게 감소한다.

02 기권은 높이에 따른 기온 변화를 기준으로 지표면에서부터 대류권(A), 성층권(B), 중간권(C), 열권(D)으로 구분한다.

03 액체나 기체에서 아래쪽의 온도가 높고 위쪽의 온도가 낮으면 아래쪽 액체나 기체가 상승하고 위쪽 액체나 기체가 하강하는 대류 현상이 일어난다. 기권에서 대류가 일어나는 층은 높이 올라갈수록 온도가 낮아지는 대류권(A)과 중간권(C)이다.

04 성층권에는 오존층이 있으며, 오존은 태양에서 오는 자외선을 흡수하여 성층권의 기온을 높인다. 성층권은 기온이 높은 공기가 위쪽에 있으므로 대류가 일어나지 않아 매우 안정하다.
[바로 알기] ㄴ. 오로라가 나타나는 구간은 열권이다.

05 **모범 답안** 지구가 흡수하는 태양 복사 에너지양과 지구가 방출하는 지구 복사 에너지양이 같아 복사 평형을 이루기 때문이다.

채점 기준	배점(%)
세 단어를 모두 포함하여 옳게 설명한 경우	100
세 단어 중 두 가지만 포함하여 옳게 설명한 경우	60
세 단어 중 한 가지만 포함하여 옳게 설명한 경우	30

06 0~15분 구간에서는 컵이 방출하는 복사 에너지양보다 흡수하는 복사 에너지양이 더 많기 때문에 온도가 상승한다. 15분 이후에 온도가 더 이상 높아지지 않는 까닭은 컵이 흡수하는 복사 에너지양과 컵이 방출하는 복사 에너지의 양이 같기 때문이다.

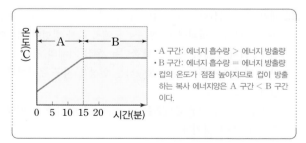

· A 구간: 에너지 흡수량 > 에너지 방출량
· B 구간: 에너지 흡수량 = 에너지 방출량
· 컵의 온도가 점점 높아지므로 컵이 방출하는 복사 에너지양은 A 구간 < B 구간이다.

한 번 더 확인하기 · 복사 평형 실험
적외선 가열 장치가 방출하는 에너지양은 A 구간과 B 구간에서 같기 때문에 알루미늄 컵이 흡수하는 에너지양도 A 구간과 B 구간에서 같다. 처음에는 컵의 온도가 낮으므로 A 구간에서 컵이 흡수하는 에너지양이 방출하는 에너지양보다 많고, 온도가 점점 상승하게 된다. 컵의 온도가 상승하면 방출하는 에너지양이 많아지는데, 방출하는 에너지양이 많아지다가 흡수하는 에너지양과 같아지면 복사 평형에 도달하고 일정 온도를 유지하게 된다.

07 지구로 들어오는 태양 복사 에너지양 A를 100이라고 한다면, 지구에 흡수되는 태양 복사 에너지양 B는 70, 대기와 지표에서 반사되는 태양 복사 에너지양 C는 30, 지구에서 방출되는 지구 복사 에너지양 D는 70이다. 지구에서는 B와 D의 양이 같아 복사 평형을 이룬다.

08 모든 물체는 그 물체의 온도에 해당하는 에너지를 복사의 형태로 방출하는데, 이 에너지를 복사 에너지라고 한다.
[바로 알기] ③ 복사는 에너지가 다른 물질을 거치지 않고 직접 이동하는 방법이다.

09 [바로 알기] ㄴ. 지구에서 우주로 방출되는 지구 복사 에너지양 B는 70 %이다.

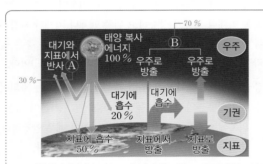

- 태양 복사 에너지(100 %) = 대기에 흡수(20 %) + 지표에 흡수(50 %) + 대기와 지표에서 반사(30 %)
- 지구 복사 에너지 = 지표와 대기에서 우주로 방출(70 %)

10 온실 기체에는 수증기, 이산화 탄소, 메테인 등이 있다. 대기 중의 이산화 탄소와 같은 온실 기체의 농도가 증가하면 온실 효과가 강화되어 더 높은 온도에서 복사 평형이 이루어지므로, 지구의 평균 기온이 상승한다.

11 대기 중의 온실 기체가 증가하면 온실 효과가 더욱 강화된다. 따라서 입사하는 태양 복사 에너지양(A)은 일정하지만, 온실 기체에 의해 흡수되어 지표로 되돌아오는 에너지양(B)이 증가하므로 지구의 평균 기온이 상승하게 된다.

12 대기 중에 이산화 탄소와 같은 온실 기체의 농도가 증가하면 온실 효과가 강화되어 더 높은 온도에서 복사 평형이 이루어진다. 이처럼 대기 중으로 배출되는 온실 기체의 양이 증가하여 지구의 평균 기온이 상승하는 현상을 지구 온난화라고 한다.
[바로 알기] ㄴ. 지구 온난화는 더 높은 온도에서 복사 평형이 이루어지는 현상이다.

단계별 문제로 서술형 연습하기　　개념 학습서 45쪽

01 대류권에서는 지표면에서 높아질수록 기온이 낮아진다. 이는 지표면에서 방출되는 에너지가 위로 갈수록 적게 도달하기 때문이다. 따라서 높은 산으로 올라갈수록 기온이 낮아진다.

모범 답안 (1) 낮기
(2) 지표 부근과 비교할 때 높은 산 위는 기온이 낮다. 이처럼 대류권에서는 높이 올라갈수록 기온이 낮아진다.

채점 기준	배점(%)
(1) 낮기 때문이라고 옳게 쓴 경우	40
(2) (1)과 관련지어 대류권의 온도 분포를 옳게 설명한 경우	60
높이 올라갈수록 기온이 낮아진다고만 설명한 경우	40

02 대류 현상은 아래쪽의 온도가 높고 위쪽의 온도가 낮을 때 일어난다. 중간권은 대류 현상은 일어나지만 수증기가 거의 없어 눈, 비와 같은 기상 현상은 나타나지 않는다.

모범 답안 (1) 낮아
(2) 대류권과 중간권 모두 대류가 일어나지만, 대류권은 수증기가 있어 기상 현상이 나타나고 중간권은 수증기가 거의 없어 기상 현상이 나타나지 않는다.

채점 기준	배점(%)
(1) 낮아진다고 옳게 쓴 경우	20
(2) 두 권역의 대류와 기상 현상을 모두 옳게 설명한 경우	80
대류권과 중간권 중 한 가지만 옳게 설명한 경우	40

03 A 구간에서는 컵이 방출하는 복사 에너지양보다 흡수하는 복사 에너지양이 더 많기 때문에 온도가 상승한다. B 구간에서는 컵이 흡수하는 복사 에너지양과 컵이 방출하는 복사 에너지의 양이 같아 온도가 더 이상 높아지지 않는다.

모범 답안 (1) >, =
(2) 컵이 흡수하는 복사 에너지양과 방출하는 복사 에너지양이 같아서 복사 평형을 이루기 때문이다.

채점 기준	배점(%)
(1) 부등호를 모두 옳게 쓴 경우	40
부등호를 둘 중 하나만 옳게 쓴 경우	20
(2) 컵이 흡수하는 복사 에너지양과 방출하는 복사 에너지양이 같아 복사 평형을 이루었기 때문이라고 설명한 경우	60
복사 평형이라고만 쓴 경우	40

04 지구 온난화가 계속된다면 기온 상승으로 인해 해수면 상승을 포함하여 다양한 이상 기상 현상을 겪게 될 것이다. 지구 온난화로 인해 전 세계적으로 폭염, 홍수 등의 기상 이변이 나타날 수 있으며, 최근에는 해수면이 상승하여 육지가 줄어들고, 기상 이변이 일어나 생태계가 변하는 등 지구 환경에 큰 변화가 생기고 있다.

모범 답안 (1) 높아
(2) 기온이 계속 상승한다면, 극지방의 빙하가 녹고 해수면의 높이는 상승할 것이다.

채점 기준	배점(%)
(1) 높아진다고 옳게 쓴 경우	40
(2) 세 단어를 모두 포함하여 옳게 설명한 경우	60
세 단어 중 두 가지만 포함하여 옳게 설명한 경우	40
세 단어 중 한 가지만 포함하여 옳게 설명한 경우	20

02 대기 중의 물

개념 다지기
개념 학습서 47, 49쪽

1 (1) × (2) ○ (3) ○ (4) ○ (5) × **2** (1) B (2) A, C (3) 20 ℃
3 (1) ○ (2) ○ (3) × (4) × **4** (1) ㉢ (2) ㉡ (3) ㉠ **5** (1) ○ (2) ×
(3) ○ **6** ㉠ 하강 ㉡ 팽창 ㉢ 하강 **7** (1) ○ (2) × (3) ○ (4) ○
8 ㉠ 적운형 ㉡ 층운형 **9** ㉠ 수증기 ㉡ 얼음 알갱이

1 (1) 포화 상태는 공기가 수증기를 최대로 포함한 상태이다.
(5) 이슬점에서는 포화 수증기량과 현재 수증기량이 같다.

2 (3) C 공기가 냉각되다가 포화 상태에 도달할 때의 온도는
20 ℃이다.

3 (3) 기온이 일정할 때 수증기량이 많을수록 상대 습도는 높아
진다.
(4) 수증기량이 일정할 때 기온이 높아질수록 상대 습도는 낮
아진다.

4 기온은 낮에는 태양 복사 에너지에 의해 높아지고, 밤에는
낮아진다. 기온이 높은 낮에는 포화 수증기량이 증가하여 상
대 습도는 낮아진다. 맑은 날은 대기 중의 수증기량이 거의
일정하므로 이슬점에는 큰 변화가 없다.

5 공기가 상승하면 단열 팽창하여 기온이 하강한다. A는 기온
이 이슬점에 도달하여 응결이 시작되는 지점이다.

6 공기가 상승하면 주위 기압이 하강해 단열 팽창하고, 온도가
낮아져 이슬점에 도달하면 구름이 만들어진다.

7 구름은 공기 덩어리가 상승할 때 만들어진다.
(2) 공기는 지표면 중 일부분이 강하게 가열될 때 상승한다.

9 중위도나 고위도 지방에서는 온도가 0 ℃ 이하인 구름이 만
들어진다. 따라서 구름 내부에는 수증기와 물방울뿐만 아니
라 얼음 알갱이가 함께 있다. 이러한 얼음 알갱이가 커져서
떨어지면 눈, 떨어지다 녹으면 비가 된다.

탐구·구름 발생 실험하기
개념 학습서 50쪽

정리 ㉠ 증가 ㉡ 감소 ㉢ 응결

확인 문제

1 ⑤ **2** 해설 참조

정리

2 페트병의 뚜껑을 열면 페트병 내부의 온도가 낮아지고 응결
이 일어나 페트병 내부가 흐려진다.

확인 문제

1 뚜껑을 열면 페트병 내부의 압력이 감소하고 단열 팽창하여
온도가 낮아진다.

---

2 향 연기를 넣었을 때 더 뿌옇게 흐려지는 것은 향 연기가 수
증기의 응결을 도와 주는 응결핵 역할을 하기 때문이다.

모범 답안 향 연기는 수증기가 더 쉽게 물방울로 응결될 수 있도록
도와 주는 역할을 한다.

채점 기준	배점(%)
응결을 도와 주는 역할을 한다고 설명한 경우	100
실험 결과가 잘 나오도록 하기 위함이라고만 설명한 경우	50

집중 공략·포화 수증기량 곡선 분석하기
개념 학습서 51쪽

유제 **1** 7.6 g/kg, 14.7 g/kg   유제 **2** D<C<B<A
유제 **3** ⑤   유제 **4** 14.2 g

유제 **1** B의 현재 수증기량은 세로축 값(7.6 g/kg)이고, 포화
수증기량은 포화 수증기량 곡선과 만나는 곳에서의 세
로축 값(14.7 g/kg)이다.

유제 **2** 이슬점은 현재 수증기량이 많을수록 높다.

유제 **3** D의 상대 습도(%)=$\dfrac{7.6 \text{ g/kg}}{14.7 \text{ g/kg}} \times 100 ≒ 51.7$ %이다.

유제 **4** (14.7 g/kg−7.6 g/kg)×2 kg=14.2 g

실력 키우기
개념 학습서 52~54쪽

01 ②	02 ③	03 ④	04 ③	05 ①	06 7.1 g
07 ①	08 ④	09 ③	10 ①	11 ⑤	12 ①	13 ②
14 ②	15 ⑤	16 ⑤	17 ④	18 해설 참조	19 ③

01 안경에 김이 서리는 까닭은 따뜻한 방 안의 공기가 차가운
안경알 주위에서 냉각되어 응결이 일어나기 때문이다.

02 이슬점은 포화 수증기량의 증가(기온 상승)와 관계없고, 현
재 수증기량이 많을수록 높다.

한 번 더 확인하기·이슬점의 의미
- 불포화 상태의 공기가 냉각되어 응결이 시작되는 온도
- 포화 상태에 도달할 때의 온도
- 현재 수증기량과 포화 수증기량이 같아질 때의 온도
- 상대 습도가 100 %일 때의 온도

03 따뜻한 물을 담아 흐려진 플라스크를 헤어드라이어로 가열
하면 내부가 맑아진다. 이는 기온이 높아짐에 따라 포화 수
증기량이 많아져 플라스크 내부에서 증발이 일어났기 때문
이다. 이후 이 플라스크를 찬물에 담그면 내부가 다시 흐려
진다. 이는 기온이 낮아짐에 따라 포화 수증기량이 적어져
플라스크 내부에서 응결이 일어났기 때문이다.

04 포화 수증기량 곡선상에 있는 A 공기는 포화 상태, 포화 수
증기량 곡선 아래에 있는 B, C 공기는 불포화 상태이다. B
와 C의 포화 수증기량은 27.1 g/kg으로 같다.
[바로 알기] ③ 현재 수증기량은 A=C<B이다.

05 현재 수증기량은 B 공기의 세로축 값을 읽고, 포화 수증기량은 포화 수증기량 곡선과 만나는 점의 세로축 값을 읽는다.

06 응결량은 B 공기 1 kg의 현재 수증기량(14.7 g)에서 10 ℃에서의 포화 수증기량(7.6 g)을 뺀 7.1 g이다.

07 이슬점은 응결이 일어날 때의 온도이므로, 그래프에서 온도가 낮아지다가 포화 수증기량 곡선과 만날 때의 온도이다.

08 20 ℃의 공기 1 kg이 최대로 포함할 수 있는 수증기의 양이 14.7 g이므로, 20 ℃의 공기 10 kg이 최대로 포함할 수 있는 수증기의 양은 14.7 g×10＝147 g이다.

09 히터를 틀어 김을 없애는 것은 기온을 높여 포화 수증기량을 증가시키고, 포화 상태의 공기를 불포화 상태로 바꾸는 것이다.

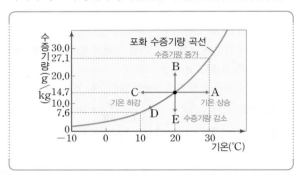

10 상대 습도(%)＝$\dfrac{\text{현재 공기의 실제 수증기량(g/kg)}}{\text{현재 기온의 포화 수증기량(g/kg)}}$×100이므로 현재 공기 중의 수증기량이 많을수록, 현재 기온의 포화 수증기량이 적을수록 높게 나타난다.

[바로 알기] ① 맑은 날 낮에는 기온이 높아져 포화 수증기량이 증가하므로 상대 습도가 낮아지고, 밤에는 기온이 낮아져 포화 수증기량이 감소하므로 상대 습도가 높아진다.

11 상대 습도는 포화 수증기량 곡선에 가까울수록 높으므로, 상대 습도를 비교하면 A＞B＞C＞D＞E이다.

12 현재 공기의 실제 수증기량은 이슬점에서의 포화 수증기량이다. 따라서

상대 습도(%)＝$\dfrac{\text{현재 공기의 실제 수증기량(g/kg)}}{\text{현재 기온의 포화 수증기량(g/kg)}}$×100

＝$\dfrac{\text{10 ℃에서의 포화 수증기량}}{\text{30 ℃에서의 포화 수증기량}}$×100

＝$\dfrac{7.6\,\text{g/kg}}{27.1\,\text{g/kg}}$×100이다.

13 비가 내리면 대기 중의 수증기량이 증가하여 상대 습도가 높아지고, 밤이 되어 기온이 낮아지면 포화 수증기량이 감소하여 상대 습도가 높아진다. 젖은 빨래를 널어 두면 수증기가 공급되어 상대 습도가 높아지고, 보일러를 틀면 온도가 높아져 포화 수증기량이 증가하고 상대 습도는 낮아진다.

14 공기가 상승할 때(가)는 주위 기압이 낮아져 공기가 단열 팽창하고 기온이 낮아진다. 공기가 하강할 때(나)는 주위 기압이 높아져 공기가 단열 압축하고 기온이 높아진다. 구름은

단열 팽창하는 (가)의 경우일 때 만들어질 수 있다.

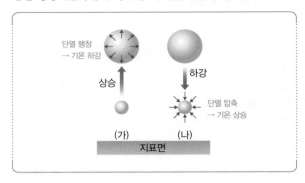

15 펌프를 열면 공기가 단열 팽창하므로 기압이 낮아지고 기온이 내려간다. 그 결과 수증기의 응결이 일어나 물방울이 생기므로 페트병 안이 흐려진다.

16 페트병 내부에 향 연기를 넣으면 응결이 잘 일어나게 도와주는 역할을 하므로 내부가 더욱 뿌옇게 흐려진다.

17 구름은 공기가 상승할 때 만들어진다.

[바로 알기] ④ 공기가 위에서 아래로 내려오면 공기가 단열 압축하여 온도가 상승하고 포화 수증기량이 증가하여 맑아진다.

18 공기 덩어리가 상승하여 기온이 이슬점 이하로 낮아지면 수증기가 응결하여 물방울이 되는데, 이러한 물방울이 모여 하늘에 떠 있는 것이 구름이다.

모범 답안 공기 덩어리가 상승하면 주위 기압이 하강하여 단열 팽창하므로 기온이 낮아진다. 기온이 이슬점보다 낮아지면 수증기가 응결하여 구름이 생성된다.

채점 기준	배점(%)
세 단어를 모두 포함하여 옳게 설명한 경우	100
세 단어 중 두 가지만 포함하여 옳게 설명한 경우	60
세 단어 중 한 가지만 포함하여 옳게 설명한 경우	30

19 그림은 우리나라와 같은 중위도나 고위도 지방에서 눈이나 비가 내리는 과정을 나타낸 것이다. 얼음 알갱이에 수증기가 달라붙어 점점 무거워지면 눈이나 비로 내린다.

01 (1) 응결량은 현재 수증기량 − 냉각된 온도에서의 포화 수증기량으로 구할 수 있다.

(2) 상대 습도(%) = $\dfrac{\text{현재 공기의 실제 수증기량(g/kg)}}{\text{현재 기온의 포화 수증기량(g/kg)}} \times 100$

모범 답안 (1) 현재, 포화, 10, 7.6, 2.4

(2) 상대 습도(%) = $\dfrac{10\,\text{g/kg}}{27.1\,\text{g/kg}} \times 100$

채점 기준	배점(%)
(1) 현재, 포화, 10, 7.6, 2.4를 모두 옳게 쓴 경우	40
(2) 계산식을 옳게 쓴 경우	60

02 맑은 날에는 대기 중에 포함된 수증기량이 거의 변하지 않으므로 이슬점 또한 거의 일정하다. 이런 날에는 상대 습도와 기온의 변화 경향이 대체로 반대로 나타난다. 상대 습도는 포화 수증기량에 대한 실제 수증기량의 비율이므로 기온이 상승하면 포화 수증기량이 증가하고, 상대 습도는 낮아진다.

모범 답안 (1) 기온, 상대 습도, 이슬점

(2) 기온이 낮아지면 포화 수증기량이 감소하여 상대 습도가 높아지고, 기온이 높아지면 포화 수증기량이 증가하여 상대 습도가 낮아진다.

	채점 기준	배점(%)
(1)	기온, 상대 습도, 이슬점을 모두 옳게 쓴 경우	30
	세 단어를 모두 포함하여 옳게 설명한 경우	70
(2)	세 단어 중 두 가지만 포함하여 옳게 설명한 경우	50
	세 단어 중 한 가지만 포함하여 옳게 설명한 경우	30

03 그림은 공기가 산을 타고 오르는 모습을 나타낸 것이다. 구름의 생성 과정은 공기 상승 → 주변 기압 하강 → 단열 팽창 → 온도 하강 → 이슬점 도달 → 구름 생성의 단계를 거친다.

모범 답안 (1) 낮아, 높아

(2) 지표면 중 일부분이 강하게 가열될 때, 기압이 낮은 곳으로 공기가 모여들 때, 따뜻한 공기와 찬 공기가 만날 때 등

	채점 기준	배점(%)
(1)	낮아, 높아를 모두 옳게 쓴 경우	20
(2)	다른 예를 두 가지 이상 설명한 경우	80
	다른 예를 한 가지만 설명한 경우	40

04 그림은 저위도 지방에서의 강수 과정을 나타낸 것이다. 저위도 지방에서는 구름의 기온이 0 ℃ 아래로 내려가지 않아 구름 전체가 물방울로 이루어져 있다. 구름 속 물방울들이 합쳐져 큰 물방울이 되어 충분히 커지면 무거워져 떨어지며 비가 된다.

모범 답안 (1) 저

(2) 물방울들이 서로 충돌하여 만들어진 큰 물방울이 떨어져 비가 된다.

	채점 기준	배점(%)
(1)	저위도라고 옳게 쓴 경우	30
(2)	물방울끼리 충돌하여 비로 내린다고 옳게 설명한 경우	70
	물방울이 비로 내린다고만 설명한 경우	35

03 날씨의 변화

개념 다지기   개념 학습서 57, 59, 61쪽

1 (1) ○ (2) × (3) × (4) ○   **2** ⊙ 같다 ⓒ 높아 ⓒ 같다   **3** ⊙ 1 ⓒ 1013 ⓒ 10   **4** ⊙ 상승 ⓒ 하강 ⓒ 하강 ⓔ 상승   **5** (1) 육풍 (2) 바다 (3) 바다   **6** (1) ○ (2) ○ (3) ○ (4) × (5) ×   **7** A: 시베리아 기단, B: 오호츠크해 기단, C: 양쯔강 기단, D: 북태평양 기단 **8** (1) 전선면 (2) 전선   **9** ⊙ 아래쪽 ⓒ 폐색 전선   **10** (1) − ⓒ − ⓐ, (2) − ⊙ − ⓑ   **11** (1) ○ (2) × (3) × (4) ○ (5) ○   **12** (1) ⓒ (2) ⊙   **13** (1) ⓒ (2) ⊙ (3) ⓒ   **14** (가) 여름 (나) 겨울

1 (2) 높은 산에 올라가면 기압이 낮아진다.

(3) 공기가 끊임없이 움직이기 때문에 기압은 측정하는 장소와 시간에 따라 달라진다.

2 토리첼리의 수은 기둥 실험에서 수은 면에 작용하는 기압과 수은 기둥의 압력이 같아지면 수은 기둥이 더 이상 내려오지 않고 일정한 높이를 유지한다. 기압이 높아지면 수조의 수은 면을 누르는 기압이 높아져 수은 기둥이 올라간다. 기압이 같을 때 수은 기둥의 높이는 유리관의 두께, 기울기 등과 상관없이 일정하다.

3 1기압은 수은 기둥 약 76 cm의 압력, 물기둥 약 10 m의 압력과 같다.

4 온도가 높은 지역의 공기는 밀도가 작아져 상승하면서 기압이 낮아지고, 온도가 낮은 지역의 공기는 밀도가 커져 하강하면서 기압이 높아진다. 이처럼 지표면에 기온 차이가 생기면 기압 차이가 생기고, 공기는 기압이 높은 곳에서 낮은 곳으로 이동하여 바람이 분다.

5 밤에는 육지가 바다보다 빨리 냉각되어 육지의 기압이 상대적으로 높아지며, 육지에서 바다로 바람이 분다.

6 (4) 고위도 지방에서 만들어진 기단은 온도가 낮은 성질을 띤다.

(5) 기단이 다른 곳으로 이동하다가 온도나 습도 등의 성질이 다른 지표면을 만나면 그 지표면의 영향을 받아 기단의 성질이 변하기도 한다.

9 찬 공기는 무거워서 아래쪽으로 이동하고 따뜻한 공기는 가벼워서 위로 이동한다. 한랭 전선과 온난 전선이 만나 겹쳐지면 폐색 전선이 만들어진다.

11 (2) 고기압에서는 구름이 생기지 않으며 맑은 날씨가 나타난다.

(3) 저기압에서는 구름이 생성되며 흐리거나 비가 온다.

12 북반구 고기압에서 바람은 시계 방향으로 불어 나가고, 저기압에서는 바람이 시계 반대 방향으로 불어 들어온다.

14 (가)는 남고북저형 기압 배치가 나타나는 여름철의 일기도이고, (나)는 서고동저형 기압 배치가 나타나는 겨울철의 일기도이다.

탐구 · 바람의 발생 원인 알아보기
개념 학습서 62쪽

정리 ㉠ 빨리 ㉡ 낮아 ㉢ 높은 ㉣ 기압

확인 문제

1 ②, ⑤ **2** 해설 참조

정리

2 온도가 높은 쪽의 공기는 상승하고 온도가 낮은 쪽의 공기는 하강하므로, 공기가 상승하는 지역은 기압이 낮아지고 공기가 하강하는 지역은 기압이 높아진다. 따라서 공기는 온도가 낮은 쪽에서 온도가 높은 쪽으로 이동한다.

확인 문제

1 적외선등으로 가열하므로 낮에 부는 해풍의 원리를 설명하기 위한 실험이다. 낮에는 바람이 바다에서 육지 쪽으로 분다.

2 기온이 높은 쪽은 공기가 가벼워져 상승하면서 기압이 낮아지고, 기온이 낮은 쪽은 공기가 무거워져 하강하면서 기압이 높아진다. 공기는 기압이 높은 쪽에서 낮은 쪽으로 이동한다.

모범 답안 향 연기는 얼음물 쪽에서 따뜻한 물 쪽으로 이동한다.

채점 기준	배점(%)
얼음물 쪽에서 따뜻한 물 쪽으로 이동한다고 설명한 경우	100
기압이 높은 쪽에서 낮은 쪽으로 움직인다고만 설명한 경우	50

탐구 · 전선이 형성되는 원리 알아보기
개념 학습서 63쪽

정리 ㉠ 아래 ㉡ 위 ㉢ 전선면 ㉣ 전선

확인 문제

1 ④ **2** ㉠ 찬물 ㉡ 따뜻한 물 **3** ⑤

확인 문제

1 칸막이를 들어 올리면 찬물과 따뜻한 물이 경계면을 만든다. 이를 통해 전선면과 전선의 생성 원리를 알 수 있다.

3 찬물과 따뜻한 물이 만나면 찬물은 밀도가 크므로 아래쪽으로 이동하고, 따뜻한 물은 밀도가 작으므로 위쪽으로 이동한다.

실력 키우기
개념 학습서 64~66쪽

01 ④	**02** A=B	**03** ①	**04** ①	**05** ②	**06** ⑤
07 해설 참조	**08** ③	**09** ④	**10** ②	**11** ⑤	**12** ②
13 해설 참조	**14** ③	**15** ㉠ 한랭 전선 ㉡ 온난 전선			
16 ①	**17** ④	**18** ⑤	**19** ⑤		

01 공기의 압력은 모든 방향에서 작용한다. 따라서 컵 속의 물이 쏟아지려고 하는 힘과 공기의 압력이 균형을 이루어 물이 쏟아지지 않는다.

02 유리관의 수은 기둥은 수은 면을 누르는 기압과 유리관 속 수은 기둥이 누르는 압력이 같을 때 멈춘다.

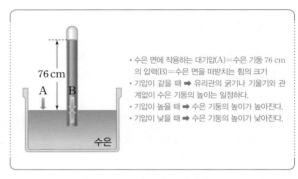

- 수은 면에 작용하는 대기압(A)=수은 기둥 76 cm의 압력(B)=수은 면을 떠받치는 힘의 크기
- 기압이 같을 때 ➡ 유리관의 굵기나 기울기와 관계없이 수은 기둥의 높이는 일정하다.
- 기압이 높을 때 ➡ 수은 기둥의 높이가 높아진다.
- 기압이 낮을 때 ➡ 수은 기둥의 높이가 낮아진다.

03 기압이 같으면 유리관의 굵기나 기울기와 관계없이 수은 기둥의 높이는 일정하다.

04 1기압=76 cmHg≒1013 hPa=물기둥 약 10 m의 압력=공기 기둥 약 1000 km의 압력

05 지표에 기온 차이가 생기면 기압 차이가 생기고, 이에 따라 공기는 기압이 높은 곳에서 낮은 곳으로 이동하여 바람이 분다.

[바로 알기] ① 바람은 대체로 기온이 낮은 쪽에서 기온이 높은 쪽으로 분다.
③ 기압 차가 클수록 바람이 세다.
④ 바람은 기압 차이로 인해 공기가 이동하는 현상이다.
⑤ 공기가 수평 방향으로 이동하는 흐름을 바람이라고 한다.

06 밤에는 육지가 바다보다 빨리 냉각되어 육지 쪽 기압이 높고, 바다 쪽 기압이 낮아 육지에서 바다로 바람이 분다.

- 이름: 육풍
- 부는 때: 밤
- 기온: 육지 < 바다
- 기압: 육지 > 바다
- 바람 방향: 육지 → 바다

07 지표면이 불균등하게 가열되면 지표면의 온도 차이가 생긴다. 이때 온도가 높은 쪽의 공기는 상승, 온도가 낮은 쪽의 공기는 하강한다. 공기가 상승하는 쪽은 기압이 낮아지고, 공기가 하강하는 쪽은 기압이 높아진다.

모범 답안 지표의 불균등 가열로 기온 차이가 생기고, 기온 차이가 생기면 기압 차이가 생긴다. 이에 따라 공기는 기압이 높은 곳에서 낮은 곳으로 이동하여 바람이 분다.

채점 기준	배점(%)
세 단어를 모두 포함하여 옳게 설명한 경우	100
세 단어 중 두 가지만 포함하여 옳게 설명한 경우	60
세 단어 중 한 가지만 포함하여 옳게 설명한 경우	30

08 대륙에서 만들어진 기단은 습도가 낮고, 해양에서 만들어진 기단은 습도가 높다. 위도는 기단의 온도와 관계 있다.

[바로 알기] ㄷ. 기단이 생성된 곳에서 다른 지역으로 이동하면 지표의 영향으로 성질이 변하기도 한다.

09 여름에는 북태평양 기단(D)이 세력을 확장하면서 북쪽의 찬 기단과 만나 오랫동안 머물면서 장마 전선이 형성된다.

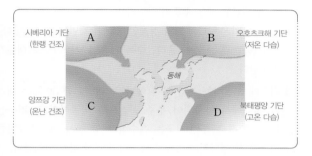

10 [바로 알기] ① 이동 속도가 다른 두 전선이 겹쳐지면 폐색 전선이 된다.
③ 성질이 다른 두 기단이 만나서 이루는 경계면은 전선면이고, 전선은 전선면과 지표면이 만나는 경계선이다.
④ 세력이 비슷한 두 기단이 만나면 정체 전선이 된다.
⑤ 서로 성질이 다른 두 기단이 만나면 섞이지 않고 전선면을 형성한다.

11 한랭 전선은 찬 기단이 따뜻한 기단 쪽으로 이동하여 따뜻한 기단 아래로 파고들며 만들어지는 전선이고, 온난 전선은 따뜻한 기단이 찬 기단 쪽으로 이동하여 찬 기단 위로 올라가며 만들어지는 전선이다.

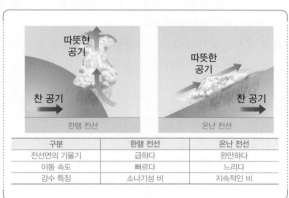

구분	한랭 전선	온난 전선
전선면의 기울기	급하다	완만하다
이동 속도	빠르다	느리다
강수 특징	소나기성 비	지속적인 비

12 한랭 전선은 전선면의 기울기가 급하며 적운형 구름이 생기고, 온난 전선은 전선면의 기울기가 완만하며 층운형 구름이 생긴다.

13 온난 전선에서 따뜻한 공기는 차가운 공기 위를 타고 오른다. 따뜻한 공기보다 찬 공기의 밀도가 크기 때문에 따뜻한 공기가 완만하게 찬 공기를 타고 오르게 된다.

모범 답안 온난 전선은 전선면의 기울기가 비교적 완만하고, 구름의 모양은 층운형으로 만들어진다.

채점 기준	배점(%)
두 단어를 모두 포함하여 옳게 설명한 경우	100
한 단어만 포함하여 옳게 설명한 경우	50

14 (가)는 고기압, (나)는 저기압이다. 고기압은 시계 방향으로 바람이 불어 나가며, 구름이 없고 날씨가 맑다. 저기압은 시계 반대 방향으로 바람이 불어 들어오며, 중심 기류가 상승하고 구름이 생성되어 흐리거나 비가 온다.

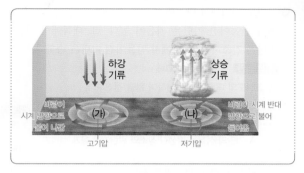

15 온대 저기압 중심의 남서쪽에는 한랭 전선, 남동쪽에는 온난 전선이 나타난다.

16 온난 전선이 지나간 후 온난 전선과 한랭 전선 사이에서는 맑은 날씨가 나타나고 따뜻한 공기의 영향으로 기온이 높다.

17 북반구 고기압 지역에서는 바람이 시계 방향으로 불어 나가고, 저기압 지역에서는 바람이 시계 반대 방향으로 불어 들어온다.

18 북태평양 고기압이 확장하여 우리나라가 그 영향권에 놓이게 되면 덥고 습한 기단의 영향을 받아 무더위와 열대야 현상이 나타나게 된다.

19 서고동저형 기압 배치는 겨울철의 전형적인 기압 배치이다.

단계별 문제로 **서술형** 연습하기   개념 학습서 67쪽

01 기권에서 공기는 대부분 대류권에 있기 때문에 지표에서 높이 올라갈수록 그 양이 줄어들어 기압은 급격히 낮아진다.
모범 답안 (1) 감소
(2) 고도가 높아질수록 공기의 양이 줄어들기 때문에 기압이 낮아진다.

	채점 기준	배점(%)
(1)	감소한다고 옳게 쓴 경우	30
(2)	고도와 기압의 관계를 공기의 양과 관련지어 옳게 설명한 경우	70
	고도가 높아질수록 기압이 감소한다고만 설명한 경우	40

02 지표면이 불균등하게 가열되면 지표면의 온도 차이가 발생한다. 온도가 높은 공기는 상승, 온도가 낮은 공기는 하강하여 공기가 상승하는 지역은 기압이 낮아지고, 공기가 하강하는 지역은 기압이 높아진다.
모범 답안 (1) 낮, 해풍
(2) 낮에는 육지가 바다보다 온도가 높아 육지에서는 공기가 상승하고, 바다에서는 공기가 하강한다. 따라서 바다의 기압이 육지보다 높아져 바다에서 육지로 바람이 분다.

	채점 기준	배점(%)
(1)	낮, 해풍을 모두 옳게 쓴 경우	40
(2)	온도, 기압과 관련지어 옳게 설명한 경우	60
	온도, 기압 중 하나만 관련지어 설명한 경우	30

03 고위도 지역에서 만들어진 기단은 기온이 낮고, 저위도 지역에서 만들어진 기단은 기온이 높다. 또 대륙에서 만들어진 기단은 건조하고, 해양에서 만들어진 기단은 습하다.

모범 답안 (1) B, 오호츠크해

(2) 고위도의 대륙에서 발생하여 한랭 건조하다.

	채점 기준	배점(%)
(1)	기호와 이름을 모두 옳게 쓴 경우	40
(2)	A 기단의 성질을 발생한 장소와 관련지어 옳게 설명한 경우	60
	한랭 건조하다고만 설명한 경우	30

04 C 지역은 온난 전선이 통과하기 전으로, 기온이 낮고 층운형 구름이 만들어지며 넓은 지역에 지속적인 비가 내린다.

모범 답안 (1) B

(2) 기온이 낮고 층운형 구름이 만들어지며, 지속적인 비가 내린다.

	채점 기준	배점(%)
(1)	B라고 옳게 쓴 경우	40
(2)	기온과 구름의 모양, 강수 여부를 모두 포함하여 옳게 설명한 경우	60
	기온과 구름의 모양, 강수 여부 중 두 가지만 포함하여 옳게 설명한 경우	40
	기온과 구름의 모양, 강수 여부 중 한 가지만 포함하여 옳게 설명한 경우	20

그림으로 **단원** 정리하기

개념 학습서 68쪽

⊙ 대류권 ⓒ 기온 ⓒ 상대 습도
ⓔ 수증기 응결 ⓜ 지구 온난화 ⓗ 한랭 전선
ⓐ 온난 전선 ⓞ 맑음 ⓩ 상승 기류
ⓧ 76

우리 학교 시험 문제

개념 학습서 69~71쪽

01 ② **02** ⑤ **03** ⊙ 70 ⓒ 30 ⓒ 70 **04** ④ **05** ①
06 ④ **07** ③ **08** ④ **09** ④ **10** 해설 참조 **11** ㄷ
12 ② **13** 해설 참조 **14** ④ **15** ② **16** ⑤
17 ①, ③

01 대부분의 공기는 대류권에 모여 있으며, 지표에서 높이 올라갈수록 공기의 양이 줄어든다.

[바로 알기] ① 기권은 높이 약 1000 km까지의 영역이다.
③ 수증기는 대류권에 가장 많이 분포한다.
④ 기권은 높이에 따른 기온 변화를 기준으로 4개 층으로 구분한다.

⑤ 지구에 대기가 없다면 온실 효과가 나타나지 않아 더 낮은 온도에서 복사 평형을 이루게 된다.

02 A는 대류권, B는 성층권, C는 중간권, D는 열권이다.
[바로 알기] ① 오로라는 D(열권)에서 나타난다.
② A(대류권)에는 수증기가 있다.
③ 최저 기온은 C와 D의 경계인 중간권 계면에서 나타난다.
④ C(중간권)는 높이 올라갈수록 기온이 낮아지므로 대류가 일어난다.

03 지구에 도달하는 태양 복사 에너지 100 % 중 30 %는 대기와 지표에서 반사되어 우주 공간으로 되돌아가고, 지구는 70 %를 흡수한다. 지구는 흡수한 태양 복사 에너지양만큼 지구 복사 에너지의 형태로 방출하여 복사 평형을 이룬다.

04 처음에는 컵이 흡수하는 복사 에너지양이 컵이 방출하는 복사 에너지양보다 많아 온도가 올라가다가 복사 평형에 도달하면 흡수하는 복사 에너지양과 방출하는 복사 에너지양이 같아져 온도가 일정하게 유지된다.

05 대기 중 이산화 탄소 농도가 증가하면 온실 효과가 강화되어 지구의 평균 기온이 높아진다. 지구의 평균 기온이 높아지면 극지방의 빙하가 녹고, 해수면이 높아져 해발 고도가 낮은 육지는 바닷물에 잠기기도 한다.
[바로 알기] ㄴ. 대기 중 이산화 탄소 농도가 증가하면 지구의 평균 기온이 높아져 빙하의 양은 줄어들 것이다.
ㄷ. 대기 중 이산화 탄소 농도가 증가하면 온실 효과가 강화되어 지구 온난화가 나타난다.

06 A 공기는 포화 수증기량 곡선상에 위치하므로 포화 수증기량과 현재 수증기량이 같은 포화 상태이고, B와 C 공기는 불포화 상태이다.
[바로 알기] ④ B 공기는 C 공기보다 상대 습도가 높으므로 증발은 C 공기가 더 잘 일어난다.

07 이슬점은 응결이 일어나는 온도로, B 공기를 냉각시켜 포화 수증기량 곡선과 만나는 지점의 온도이다.

$$상대 습도(\%) = \frac{현재 공기 중의 실제 수증기량(g/kg)}{현재 기온의 포화 수증기량(g/kg)} \times 100$$
$$= \frac{14.7 \text{ g/kg}}{27.1 \text{ g/kg}} \times 100 = 약 54 \%이다.$$

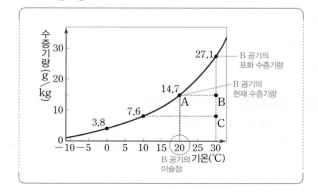

08 A는 기온, B는 상대 습도, C는 이슬점이다. 기온과 상대 습도는 반대로 나타난다. 기온이 증가하면 포화 수증기량이 증가해 상대 습도가 낮아진다.

09 (가)에서는 단열 압축이 일어나 압력이 높아지고 온도도 높아진다. 온도가 높아지면 포화 수증기량이 증가하므로 건조해진다. (나)에서 뚜껑을 열면 단열 팽창으로 온도가 낮아지고 응결이 일어난다.

10 모범답안 (1) 공기가 상승한다.

(2) 공기가 상승하면 단열 팽창으로 기온이 낮아지고, 기온이 이슬점에 도달하여 수증기가 응결하면 구름이 만들어진다.

	채점 기준	배점(%)
(1)	공기가 상승한다고 옳게 쓴 경우	30
(2)	구름의 생성 과정을 공기의 상승과 관련지어 옳게 설명한 경우	70
	공기가 단열 팽창하여 구름이 생성된다고만 설명한 경우	40

11 중위도나 고위도 지방의 구름에서 얼음 알갱이는 물방울에서 증발한 수증기가 달라붙어 점점 무거워져 지표면으로 떨어진다. 이때 기온이 낮으면 그대로 떨어져 눈으로 내리고, 기온이 높으면 녹아서 비로 내린다.
[바로 알기] ㄱ. 그림은 중위도나 고위도 지방의 구름이다.
ㄴ. A 구간에는 물방울과 얼음 알갱이가 함께 있다.

12 주어진 예시를 통해 기압은 모든 방향으로 작용한다는 것을 알 수 있다.

13 지표에서 높이 올라갈수록 공기의 양이 희박해지므로 높은 산에 올라가면 기압이 낮아진다. 기압이 낮을 때 수은 기둥의 높이는 낮아진다.

모범답안 높이 올라갈수록 기압이 낮아지기 때문에 수은 기둥의 높이가 낮아진다.

채점 기준	배점(%)
수은 기둥의 높이 변화와 그 까닭을 옳게 설명한 경우	100
수은 기둥의 높이 변화와 그 까닭 중 한 가지만 옳게 설명한 경우	50

14 그림은 전선의 형성 과정을 알아보는 실험이다. 수조의 칸막이를 들어 올리면 따뜻한 물과 찬물은 바로 섞이지 않고 찬물이 따뜻한 물 아래로 파고들면서 경계면을 만든다.

15 겨울철에 영향을 주는 기단은 시베리아 기단(A)이며, 기온이 낮고 수증기를 적게 포함한다.

16 (가)는 고기압, (나)는 저기압이다. 고기압은 날씨가 맑고, 저기압은 흐리거나 비가 내린다. 바람은 고기압(가)에서 저기압(나)으로 분다.

17 ㉠은 한랭 전선, ㉡은 온난 전선이다. A 지역은 적운형 구름이 발달하여 좁은 지역에 소나기가 내린다. B 지역은 기온이 가장 높은 곳으로 맑은 날씨를 보인다. C 지역은 층운형 구름이 발달하여 넓은 지역에 지속적인 비가 내린다.

01 운동

개념 다지기
개념 학습서 75, 77쪽

1 (1) ○ (2) ○ (3) × (4) × (5) ○   **2** (1) 10 (2) 600 (3) 50
3 ㉠ 이동한 거리 ㉡ 빨라 ㉢ 느려   **4** (1) ㉡ (2) ㉠ (3) ㉢ (4) ㉡
5 ㄱ, ㄷ, ㄹ, ㅂ   **6** (1) ○ (2) × (3) ○ (4) ×   **7** (1) ㉡ (2) ㉠
(3) ㉠ (4) ㉡   **8** 9.8   **9** (1) 9.8 (2) 39.2 (3) 비례   **10** ㉠ 9.8
㉡ 진공 ㉢ 9.8

1 (3) 속력은 $\dfrac{1\,\text{m}}{10\,\text{s}}=0.1\,\text{m/s}$이다.
(4) 평균 속력은 전체 이동 거리를 걸린 시간으로 나눈 값이다.

2 (1) 속력=$\dfrac{\text{이동 거리}}{\text{걸린 시간}}$이므로 $\dfrac{100\,\text{m}}{10\,\text{s}}=10\,\text{m/s}$이다.
(2) 이동 거리=속력×걸린 시간이므로 $30\,\text{m/s}\times20\,\text{s}=600\,\text{m}$이다.
(3) 걸린 시간=$\dfrac{\text{이동 거리}}{\text{속력}}$이므로 $\dfrac{1000\,\text{m}}{20\,\text{m/s}}=50$초이다.

5 ㄴ. 자이로드롭은 떨어질 때 속력이 증가하는 운동을 한다.
ㅁ. 엘리베이터는 속력이 빨라지는 운동, 속력이 일정한 운동, 속력이 느려지는 운동 등 다양한 운동을 한다.

6 (2) 운동 방향과 같은 방향으로 힘이 작용하여 속력이 증가한다.
(4) 물체에 작용하는 힘의 크기는 물체의 무게와 같다.

9 (2) 물체의 속력은 매초 $9.8\,\text{m/s}$ 증가하므로 4초일 때 물체의 속력은 $4\times9.8\,\text{m/s}=39.2\,\text{m/s}$이다.

탐구·등속 운동 표현하고 분석하기
개념 학습서 78쪽

정리 ㉠ 속력 ㉡ 크다

확인 문제

1 ①   **2** ②   **3** ④   **4** 해설 참조

확인 문제

1 [바로 알기] ① 물체가 등속 운동을 할 때 물체의 이동 거리는 시간에 비례한다.

2 시간에 따른 속력 그래프에서 그래프 아랫부분의 넓이는 속력과 시간의 곱이므로 물체가 그 시간 동안 이동한 거리를 의미한다.

3 자이로드롭은 높은 곳에서 떨어지는 동안 속력이 빨라지는 운동을 한다. 컨베이어, 무빙워크, 케이블카, 에스컬레이터의 운동은 모두 등속 운동이다.

4 장난감 자동차 사이의 거리가 더 길어진다면 1초 동안 이동한 거리가 더 길어지는 것이므로 속력이 더 커진다. 따라서 시간에 따른 이동 거리 그래프에서 기울기가 지금보다 더 커진다.

모범 답안 장난감 자동차의 속력이 빨라지므로 직선의 기울기가 더 커진다.

채점 기준	배점(%)
장난감 자동차의 속력이 빨라져 직선의 기울기가 커진다고 설명한 경우	100
직선의 기울기가 커진다고만 설명한 경우	50

탐구 · 질량이 다른 두 물체의 자유 낙하 운동 비교하기
개념 학습서 79쪽

정리 ㉠ 빨라 ㉡ 빨라 ㉢ 9.8

확인 문제

1 ③ **2** ③ **3** ⑤ **4** 해설 참조

확인 문제

1 자유 낙하를 하는 물체는 운동 방향으로 중력이 계속 작용하므로 속력이 일정하게 증가하는 운동을 한다.

2 물체의 질량이나 모양에 관계없이 자유 낙하 운동을 하는 물체는 속력이 1초마다 9.8 m/s씩 증가한다.

3 진공에서 모든 물체는 질량이나 모양에 관계없이 동시에 떨어진다.

4 진공에서는 중력만 작용하므로 물체의 질량과 모양에 관계없이 동시에 떨어지지만 공기 중에서는 공기의 저항이 작용하기 때문에 구슬이 먼저 떨어진다.

모범 답안 중력 외에 공기의 저항이 작용하기 때문이다.

채점 기준	배점(%)
중력 외에 공기의 저항이 작용하기 때문이라고 설명한 경우	100
공기 때문이라고만 설명한 경우	50

실력 키우기
개념 학습서 80~82쪽

01 ③ **02** ② **03** B **04** ⑤ **05** 등속 운동, 0.1 m/s
06 ④ **07** ② **08** ③ **09** ④ **10** ④ **11** ②
12 해설 참조 **13** ③ **14** ④ **15** ② **16** 해설 참조
17 ⑤ **18** ⑤

01 물체의 속력은 $\dfrac{10\ \text{km}}{2\ \text{h}}=5\ \text{km/h}$이므로 15 km를 가는 데 걸리는 시간은 $\dfrac{15\ \text{km}}{5\ \text{km/h}}=3$시간이다.

---

02 A 지점에서 C 지점까지 전체 이동 거리는 20 m＋10 m＝30 m이고, 이때 걸린 시간은 2초＋4초＝6초이다. 따라서 평균 속력은 $\dfrac{30\ \text{m}}{6\ \text{s}}=5\ \text{m/s}$이다.

03 이동 거리와 걸린 시간의 단위를 통일하여 속력을 비교한다. A의 속력은 $\dfrac{100\ \text{m}}{10\ \text{s}}=10\ \text{m/s}$, B의 속력＝$\dfrac{1800\ \text{m}}{90\ \text{s}}=20\ \text{m/s}$, C의 속력＝$\dfrac{108\ \text{km}}{2\ \text{h}}=\dfrac{108000\ \text{m}}{7200\ \text{s}}=15\ \text{m/s}$이므로 B의 속력이 가장 빠르다.

04 [바로 알기] ⑤ 등속 운동하는 물체의 시간에 따른 이동 거리 그래프는 원점을 지나는 직선 모양이다.

05 이동 거리가 1초마다 10 cm씩 일정하게 늘어나므로 속력이 0.1 m/s인 등속 운동을 한다.

06 그래프에서 고속 열차의 속력은 300 km/h, 버스의 속력은 100 km/h이다. 따라서 300 km를 가는 데 걸리는 시간은 고속 열차는 1시간, 버스는 3시간이므로 고속 열차가 도착하고 2시간 후에 버스가 도착한다.

> **한 번 더 확인하기 · 등속 운동과 그래프의 해석**
> 시간에 따른 이동 거리 그래프에서 그래프의 기울기는 $\dfrac{\text{이동 거리}}{\text{시간}}$이므로 물체의 속력을 나타낸다. 시간에 따른 속력 그래프에서 그래프 아랫부분과 시간축으로 둘러싸인 부분의 넓이는 이동 거리를 나타낸다.

07 A와 B의 이동 거리는 시간에 따라 일정하게 증가하므로 A와 B는 속력이 일정한 운동을 한다. B의 속력은 4 m/s, A의 속력은 2 m/s이므로 B의 속력은 A의 2배이며 이동한 거리는 B가 A의 2배이다.

[바로 알기] ② A의 속력은 $\dfrac{10\ \text{m}}{5\ \text{s}}=2\ \text{m/s}$이다.

> **한 번 더 확인하기 · 등속 운동과 그래프의 모양**
> 속력이 변하지 않고 일정한 운동인 등속 운동에서 시간에 따른 이동 거리 그래프는 원점을 지나면서 기울기가 일정한 형태로, 시간에 따른 이동 거리가 일정하게 증가하는 직선 그래프이다. 시간에 따른 속력 그래프는 시간축에 나란한 직선 형태이다.

08 보이저 1호는 발사된 이후 태양으로부터 멀리 떨어진 곳에서 아무런 힘을 받지 않아 일정한 속력으로 운동하고 있으므로 보이저 1호는 등속 운동을 하고 있다.

09 리프트와 컨베이어는 속력이 일정한 운동을 하므로 이동 거리가 시간에 비례하여 증가한다.
[바로 알기] ㄷ. 시간에 따른 속력 그래프는 시간축에 나란한 직선 모양이다.

10 자유 낙하 운동을 하는 동안 일정한 크기의 중력이 공의 운동 방향과 같은 방향으로 공에 작용하므로 공의 속력이 일정하게 빨라진다.
[바로 알기] ㄴ. 공에는 운동 방향과 같은 방향으로 힘이 작용한다.

11 자유 낙하 운동을 하는 물체에는 운동 방향으로 계속 중력이 작용하므로 물체는 시간에 비례하여 속력이 일정하게 증가하는 운동을 한다. 따라서 시간에 따른 속력 그래프는 기울기가 일정한 직선 형태이다.

> **한 번 더 확인하기 · 자유 낙하 운동을 하는 물체의 속력**
> 자유 낙하 운동은 중력을 받아 연직 아래로 떨어지는 운동이다. 자유 낙하를 하는 물체에는 운동 방향으로 중력이 작용하므로 속력이 일정하게 증가하는데, 1초에 9.8 m/s씩 일정하게 증가한다.

12 속력이 빠를수록 같은 거리를 이동하는 데 걸리는 시간이 짧다.

모범 답안 물체가 자유 낙하를 할 때에는 속력이 빨라지므로 가림막 사이로 물체가 보이는 시간 간격이 짧아져 손뼉을 치는 소리가 점점 빠르게 들린다.

채점 기준	배점(%)
물체의 속력이 빨라져 가림막 사이로 보이는 시간 간격이 짧아진다는 것을 모두 설명한 경우	100
물체의 속력이 빨라진다는 것만 설명한 경우	50

13 자유 낙하를 하는 물체는 낙하 하는 동안 중력을 받으며, 1초마다 속력이 9.8 m/s씩 빨라진다.
[바로 알기] ㄴ. 자유 낙하 운동을 하는 물체는 1초마다 이동하는 거리가 증가한다.

14 물체에 작용하는 중력의 크기인 무게는 질량에 9.8을 곱하여 구할 수 있다. 이때 9.8을 중력 가속도 상수라고 하며, 이는 자유 낙하 운동을 하는 물체의 속력이 1초마다 9.8 m/s씩 증가하는 것을 뜻한다.

15 구슬과 깃털에 중력이 작용하여 두 물체가 아래로 떨어지면서 일정한 시간 동안 이동한 거리가 점점 늘어나고 있으므로 구슬과 깃털의 속력이 빨라진다는 것을 알 수 있다. 또한 구슬과 깃털의 질량에 관계없이 일정한 시간 동안 이동한 거리가 같으므로 두 물체는 바닥에 동시에 도달한다.
[바로 알기] ㄱ. 두 물체에는 모두 중력이 작용한다.
ㄴ. 구슬이 낙하 하는 속력은 1초에 9.8 m/s씩 일정하게 빨라진다.

16 **모범 답안** 자유 낙하를 하는 모든 물체는 질량과 관계없이 모두 속력이 1초에 9.8 m/s씩 일정하게 빨라지므로 기울기는 (나)와 같다.

채점 기준	배점(%)
질량과 관계없음을 언급하여 기울기가 같다고 설명한 경우	100
기울기가 같다고만 설명한 경우	50

17 자유 낙하를 하는 물체는 질량이 클수록 작용하는 중력의 크기가 크다. 하지만 물체의 질량이나 종류에 관계없이 속력은 1초에 9.8 m/s씩 일정하게 증가한다.

18 자유 낙하를 하는 물체에는 운동 방향으로 중력만 작용한다. 이때 속력은 낙하 시간에 비례하여 증가하는데 질량에 관계없이 속력은 일정하게 증가한다.

---

01 불빛이 그린 선의 길이는 사진기의 셔터가 '찰칵'하고 열리고 닫히는 시간 동안 자동차가 이동한 거리와 같다. 즉 같은 시간 동안 이동한 거리를 의미하므로 불빛이 그린 선의 길이가 길수록 자동차의 속력이 빠른 것이다.

모범 답안 (1) 길게
(2) 불빛이 그린 선의 길이는 같은 시간 동안 자동차가 이동한 거리인 속력을 나타내기 때문이다.

	채점 기준	배점(%)
(1)	단어를 옳게 쓴 경우	30
(2)	같은 시간 동안 이동한 거리가 속력임을 언급하여 설명한 경우	70
	선의 길이가 길수록 자동차의 속력이 빠르다고만 설명한 경우	30

02 속력 = $\dfrac{\text{이동 거리}}{\text{걸린 시간}}$ 이다. 그래프에서 물체 A의 속력 = $\dfrac{16\ \text{m}}{4\ \text{s}}$ = 4 m/s이고, 물체 B의 속력 = $\dfrac{8\ \text{m}}{4\ \text{s}}$ = 2 m/s이다.

모범 답안 (1) 4, 2
(2) 시간에 따른 이동 거리 그래프에서 물체 A, B 모두 이동 거리가 시간에 비례하므로 등속 운동을 한다.

	채점 기준	배점(%)
(1)	숫자를 모두 옳게 쓴 경우	40
(2)	시간과 이동 거리의 관계를 이용하여 등속 운동임을 옳게 설명한 경우	60
	등속 운동만 쓴 경우	30

03 (가)의 경우 물체와 물체 사이의 간격이 일정하므로 속력이 일정한 운동을 하며, (나)의 경우 물체와 물체 사이의 간격이 넓어지므로 속력이 빨라지는 운동을 한다. 등속 운동과 달리 자유 낙하 운동은 운동 방향으로 중력이 계속 작용한다.

모범 답안 (1) 일정한, 빨라지는
(2) (가)의 경우 물체에 힘이 작용하지 않아 속력이 일정하며, (나)의 경우 운동 방향과 같은 방향으로 물체에 중력이 계속 작용하여 속력이 빨라진다.

	채점 기준	배점(%)
(1)	단어를 모두 옳게 쓴 경우	30
(2)	(가)와 (나) 운동의 차이점을 물체에 작용하는 힘과 관련하여 옳게 설명한 경우	70
	(가)와 (나) 중 한 가지만 물체에 작용하는 힘과 관련하여 설명한 경우	35

04 공기 저항이 없으므로 두 공은 연직 아래 방향의 중력만을 받아 연직 아래 방향으로 자유 낙하 운동을 한다. 또한 자유 낙하 운동을 하는 물체는 질량에 관계없이 속력이 1초마다 9.8 m/s씩 일정하게 증가하므로 두 물체의 속력 변화의 비는 1 : 1이다.

모범 답안 (1) 중력, (연직) 아래

(2) 1 : 1, 자유 낙하 운동을 하는 물체는 질량에 관계없이 속력이 1초마다 9.8 m/s씩 일정하게 증가하기 때문이다.

채점 기준	배점(%)
(1) 단어를 모두 옳게 쓴 경우	30
1 : 1을 쓰고, 물체의 질량에 관계없이 속력이 1초에 9.8 m/s씩 일정하게 증가한다고 설명한 경우	70
(2) 1 : 1을 쓰고, 물체의 질량에 관계없이 속력이 증가한다고 설명한 경우	50
1 : 1만 쓴 경우	30

02 일과 에너지

1 힘의 방향   **2** (1) 10 J (2) 0 (3) 0   **3** (1) A (2) A (3) B (4) B (5) A   **4** (1) × (2) ○ (3) × (4) ○   **5** (1) ㉢ (2) ㉠   **6** (1) × (2) ○ (3) × (4) ×   **7** (1) 39.2 J (2) 39.2 J   **8** ㉠ 힘(중력) ㉡ 들어 올린 높이 ㉢ 힘(중력) ㉣ 낙하 한 거리   **9** 4 J   **10** (1) × (2) ○ (3) ○ (4) ×

1 과학에서는 물체에 힘이 작용하여 물체가 힘의 방향으로 이동할 때 힘이 물체에 일을 한다고 한다. 예를 들어 상자를 당겨 힘의 방향으로 이동시키면 힘이 상자에 일을 한 것이다.

2 (1) 일=힘×이동 거리이므로 2 N×5 m=10 J이다.
(2) 상자를 들어 수평 방향으로 이동하면 힘의 방향과 상자의 이동 방향이 수직이므로 한 일의 양은 0이다.
(3) 상자가 이동한 거리가 0이므로 한 일의 양은 0이다.

3 (2), (4) 물체에 힘이 작용하여 물체가 힘의 방향으로 이동할 때, 과학에서는 힘이 물체에 일을 한다고 한다. 따라서 가방을 들고 복도를 따라 걸어갈 때는 힘의 방향으로 이동한 거리가 0이므로 한 일이 0이지만 가방을 들고 계단을 따라 올라갈 때는 힘의 방향으로 이동한 거리가 있으므로 일을 하였다.

4 (1) 물체가 가진 에너지는 일로 전환될 수 있다.
(3) 에너지의 단위로 일의 단위와 같은 J(줄)을 사용한다.

5 물체가 다른 물체에 일을 하면 일을 한 물체의 에너지는 감소하고, 일을 받은 물체의 에너지는 증가한다.

6 (1) 위치 에너지는 기준면에 따라 그 크기가 달라진다.
(3) 높은 곳에 있는 물체가 중력을 받아 일을 할 수 있는 능력을 위치 에너지라고 한다.
(4) 위치 에너지는 9.8×질량×높이이므로, 높이와 질량에 각각 비례한다.

7 (1) 상자를 들어 올릴 때 중력에 대하여 한 일의 양은 상자의

무게(N)와 들어 올린 높이(m)의 곱이다. 따라서 한 일의 양은 9.8×2×2=39.2로 39.2 J의 일을 하였다.
(2) 상자의 위치 에너지는 9.8×질량×높이이므로 위치 에너지=9.8×2×2=39.2에서 상자의 위치 에너지는 39.2 J이다. 또는 위치 에너지는 상자를 2 m 높이까지 들어 올리는 동안 중력에 대하여 한 일의 양과 같으므로 39.2 J이다.

9 물체의 운동 에너지는 물체의 질량에 비례하고, 물체의 속력의 제곱에 비례하므로 수레의 속력이 2배가 되면 수레의 운동 에너지는 4배가 되므로 4 J이 된다.

10 (1) 물체의 질량이 일정할 때 물체의 운동 에너지는 속력의 제곱에 비례한다.
(4) 물체가 자유 낙하를 한 거리가 같다면 물체의 운동 에너지는 물체의 질량에 비례한다.

정리 ㉠ 일 ㉡ 크 ㉢ 질량 ㉣ 속력 ㉤ 질량 ㉥ 속력

확인 문제
1 ①   **2** ⑤   **3** ④   **4** 해설 참조

확인 문제

1 탐구 A에서 세 수레를 긴 막대로 동시에 밀면 수레가 나무 도막에 충돌할 때 수레의 속력이 모두 같다.

2 탐구 A와 B에서 사람이 수레에 한 일은 수레의 운동 에너지로 전환된다. 그리고 수레가 나무 도막을 밀어 나무 도막이 이동하면 수레의 운동 에너지는 수레가 나무 도막에 한 일로 전환된다.

3 운동 에너지는 물체의 질량과 물체의 속력의 제곱에 각각 비례한다. 따라서 질량이 0.5배이고 속력이 2배이면 운동 에너지는 0.5×2²=2배가 된다.

4 수레에 한 일은 수레의 운동 에너지로 전환되고, 수레의 운동 에너지는 수레가 나무 도막에 한 일로 전환된다. 따라서 수레의 운동 에너지가 클수록 수레가 나무 도막을 밀고 이동한 거리가 크다.

모범 답안 나무 도막의 이동 거리가 수레의 운동 에너지에 비례하므로 수레의 운동 에너지를 비교하기 위해서이다.

채점 기준	배점(%)
나무 도막의 이동 거리가 수레의 운동 에너지에 비례함을 언급하여 설명한 경우	100
수레의 운동 에너지를 비교하기 위해서라고만 쓴 경우	50

탐구 · 중력이 한 일과 운동 에너지의 관계 알아보기

개념 학습서 89쪽

정리 ㉠ 일 ㉡ 운동 에너지 ㉢ 전환

확인 문제

1 ④ **2** 해설 참조 **3** ③ **4** ③

확인 문제

2 **모범 답안** 중력이 추에 한 일은 추의 운동 에너지로 전환된다.

채점 기준	배점(%)
중력이 한 일이 운동 에너지로 전환된다고 설명한 경우	100
중력이 한 일과 운동 에너지가 같다고만 설명한 경우	50

3 추가 떨어지면 추가 낙하 한 높이와 추의 속력이 증가한다. 이때 중력이 추에 한 일은 추의 낙하 높이에 비례하고 추의 운동 에너지는 추의 속력의 제곱에 비례하므로 추가 떨어지면 중력이 추에 한 일과 추의 운동 에너지가 증가한다.

[바로 알기] ㄱ. 추가 떨어지는 동안 추의 질량은 변하지 않는다.

ㄴ. 추가 떨어지는 동안 추의 위치 에너지는 감소한다.

4 중력이 추에 한 일은 질량과 높이에 각각 비례한다. 또한, 중력이 한 일은 추의 운동 에너지로 전환된다. 따라서 질량이 4배, 높이가 0.5배가 되면 중력이 추에 한 일은 2배가 되고, 추의 운동 에너지도 2배가 된다.

실력 키우기

개념 학습서 90~92쪽

01 ① **02** ④ **03** 해설 참조 **04** ③ **05** ③ **06** ②

07 ② **08** ③ **09** ④ **10** ④ **11** ① **12** ④ **13** ③

14 해설 참조 **15** ① **16** ⑤ **17** ④ **18** ③

01 일의 양을 나타내는 단위로 J(줄)을 사용하며, 크기는 힘과 힘의 방향으로 이동한 거리의 곱과 같다. 따라서 물체에 힘이 작용하더라도 물체가 힘의 방향으로 이동한 거리가 0이거나 힘의 방향과 이동 방향이 수직이면 힘이 물체에 한 일은 0이다.

[바로 알기] ① 일의 양은 힘과 물체가 힘의 방향으로 이동한 거리의 곱과 같다.

02 나무 도막에 한 일=나무 도막에 작용한 힘×이동 거리이다. 따라서 나무 도막에 한 일은 10 N×2 m=20 J이다.

03 **모범 답안** 가방을 들고 수평 방향으로 이동하는 동안에는 힘의 방향으로 이동한 거리가 0이므로 한 일이 0이다. 따라서 가방의 무게와 가방을 들고 올라간 높이를 측정한 후 무게와 높이를 곱하여 일의 양을 구한다.

채점 기준	배점(%)
힘의 방향과 수직으로 이동하였을 때 한 일의 양이 0임을 언급하여 가방의 무게와 올라간 높이를 곱한다고 설명한 경우	100
힘의 방향과 수직으로 이동하였을 때 한 일의 양이 0임을 언급하지 않고 가방의 무게와 올라간 높이를 곱한다고 설명한 경우	50

04 일을 할 수 있는 능력을 에너지라고 하며, 일과 에너지는 서로 전환될 수 있다. 물체가 가진 에너지는 그 물체가 다른 물체에 할 수 있는 일의 양을 측정하여 구할 수 있다.

[바로 알기] ① 일과 에너지는 서로 전환될 수 있다.

② 에너지의 단위와 일의 단위는 J(줄)로 같다.

④ 사람이 물체에 일을 해 주면 물체의 에너지가 증가한다.

⑤ 사람이 물체를 천천히 들어 올리면 중력이 물체에 한 일의 양만큼 위치 에너지가 증가한다.

05 추를 들어 올리면 중력이 추에 한 일이 추의 위치 에너지로 전환되고 추가 떨어지면 추의 위치 에너지가 감소하면서 추의 운동 에너지가 증가한다. 추가 말뚝을 박는 일을 하면 추의 운동 에너지는 감소한다.

06 컬링 선수가 힘을 주어 스톤을 미는 일을 하면 스톤의 운동 에너지가 증가한다. 즉 컬링 선수가 스톤에 한 일이 스톤의 운동 에너지로 전환된다.

07 물체가 일을 하면 물체의 에너지가 감소한다. 따라서 150 J의 에너지를 가진 물체가 외부에 50 J의 일을 하고 난 후 물체가 가지는 에너지는 150 J−50 J=100 J이다.

> **한 번 더 확인하기 · 일과 에너지의 전환**
> 일과 에너지는 서로 전환될 수 있으며 일을 받은 물체의 에너지는 증가하고 일을 한 물체의 에너지는 감소한다.

08 위치 에너지는 물체의 높이와 질량에 각각 비례한다.

[바로 알기] ③ 높이가 같을 때 물체의 질량이 작을수록 물체의 위치 에너지가 작다.

09 물체를 들어 올리면서 한 일은 물체의 위치 에너지로 전환된다. 물체에 한 일이 100 J이므로 물체가 가지는 위치 에너지는 100 J이다.

10 중력에 대해 한 일=중력의 크기×들어 올린 높이이다. 30 J=중력의 크기×1.5 m에서 중력의 크기는 20 N이다.

11 높이가 일정할 때 위치 에너지는 질량에 비례한다. 따라서 높이가 일정할 때 위치 에너지와 질량과의 관계 그래프는 원점을 지나는 직선 모양이다.

12 위치 에너지는 물체의 질량과 높이에 각각 비례한다. 추를 떨어뜨릴 때 높이가 높을수록 위치 에너지가 크고, 추의 위치 에너지가 클수록 추가 원통형 나무에 한 일이 크므로 원통형 나무가 많이 밀려난다.

[바로 알기] ④ 추의 높이가 일정할 때 질량이 2배가 되면 위치 에너지도 2배가 되어 추가 원통형 나무에 한 일도 2배가 되므로 원통형 나무가 밀려난 거리도 2배가 된다.

한 번 더 확인하기 · 일과 에너지

물체가 힘의 방향으로 이동했을 때 힘이 물체에 일을 한다고 하며 일을 할 수 있는 능력을 에너지라고 한다.

---

13 물체의 위치 에너지=9.8×질량×높이이다. 따라서 지면을 기준면으로 할 때 위치 에너지는 A=49 J, B=58.8 J, C=29.4 J이므로 위치 에너지를 비교하면 B>A>C이다.

14 수레가 나무 도막과 충돌하여 나무 도막을 밀고 가면 수레의 운동 에너지가 나무 도막을 밀고 가는 일로 전환된다.

모범 답안 수레의 운동 에너지가 클수록 수레가 나무 도막을 밀고 이동한 거리가 크기 때문에 질량이 클수록 운동 에너지가 크다는 것을 알 수 있다.

채점 기준	배점(%)
나무 도막의 이동 거리가 수레의 운동 에너지에 비례함과 운동 에너지가 질량에 비례함을 설명한 경우	100
나무 도막의 이동 거리가 수레의 운동 에너지에 비례함과 운동 에너지가 질량에 비례함 중 한 가지만 설명한 경우	50

15 수레의 질량은 $500\,g=0.5\,kg$이고, 수레의 속력은 $20\,cm/s=0.2\,m/s$이다. 운동 에너지는 $\frac{1}{2}\times$질량$(kg)\times\{$속력$(m/s)^2\}$이므로 수레의 운동 에너지$=\frac{1}{2}\times0.5\times(0.2)^2=0.01(J)$이다.

16 질량이 같을 때 운동 에너지는 속력의 제곱에 비례하므로 수레의 속력이 2배가 되면 운동 에너지는 4배가 되어 나무 도막은 $2\,m\times4=8\,m$를 이동한다.

17 A에서 B로 가는 동안에는 중력에 대하여 일을 하므로 물체의 위치 에너지가 증가하고 B에서 C로 가는 동안에는 중력이 일을 하므로 물체의 운동 에너지가 증가한다.

[바로 알기] ㄴ. B→C 구간에서 공의 운동 에너지는 증가하고 위치 에너지가 감소한다.

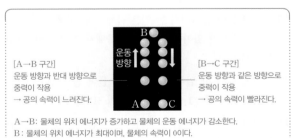

[A→B 구간]
운동 방향과 반대 방향으로 중력이 작용
→ 공의 속력이 느려진다.

[B→C 구간]
운동 방향과 같은 방향으로 중력이 작용
→ 공의 속력이 빨라진다.

A→B: 물체의 위치 에너지가 증가하고 물체의 운동 에너지가 감소한다.
B: 물체의 위치 에너지가 최대이며, 물체의 속력이 0이다.
B→C: 물체의 위치 에너지가 감소하고 물체의 운동 에너지가 증가한다.

18 중력이 한 일은 물체의 낙하 높이에 비례하고 운동 에너지는 물체의 속력의 제곱에 비례한다. 낙하 하는 추의 낙하 전 높이와 낙하 후 속력을 측정하면 중력이 물체에 한 일이 물체의 운동 에너지로 전환됨을 알 수 있다.

한 번 더 확인하기 · 자유 낙하를 하는 물체

물체가 자유 낙하를 하여 중력이 물체에 일을 하면 물체의 높이가 낮아지면서 물체의 위치 에너지가 감소한다. 이때 물체의 속력이 증가하고 물체의 운동 에너지도 증가한다.

단계별 문제로 **서술형 연습하기**

개념 학습서 93쪽

01 물체에 한 일의 양은 (물체에 작용한 힘의 크기×물체가 힘의 방향으로 이동한 거리)이다. 이때 물체에 작용한 힘의 방향과 물체의 이동 방향이 수직이면 물체에 한 일의 양은 0이다.

모범 답안 (1) (가), (나)

(2) (가)에서 상자를 들고 수평 방향으로 이동하는 경우 힘의 방향으로 이동한 거리가 0이기 때문에 한 일도 0이고, (나)의 경우 힘의 방향으로 수레가 이동하였으므로 일을 하였다.

채점 기준		배점(%)
(1)	단어를 모두 옳게 쓴 경우	20
(2)	(가)와 (나)의 경우를 모두 옳게 설명한 경우	80
	(가)와 (나) 중 한 가지만 옳게 설명한 경우	40

02 물체를 들어 올릴 때 중력에 대하여 일을 하면, 그 일의 양만큼 물체의 위치 에너지가 증가한다. 따라서 질량이 $2\,kg$인 물체에 중력에 대하여 한 일의 양은 위치 에너지 증가량과 같은 $39.2\,J$이다. 물체의 위치 에너지는 9.8×질량×높이이므로 $39.2=9.8\times2\times h$에서 들어 올린 높이 $h=2\,m$이다.

모범 답안 (1) $39.2\,J$, 위치 에너지

(2) $2\,m$, 위치 에너지$=9.8\times$질량$\times$높이이므로 $39.2=9.8\times2\times h$에서 들어 올린 높이 $h=2\,m$이다.

채점 기준		배점(%)
(1)	단어를 모두 옳게 쓴 경우	30
(2)	$2\,m$를 계산식과 함께 옳게 구한 경우	70
	$2\,m$만 옳게 구한 경우	30

03 중력이 물체에 한 일은 물체의 운동 에너지로 전환된다. 이때 중력이 물체에 한 일=중력의 크기×이동 거리이고 운동 에너지$=\frac{1}{2}\times$질량$\times($속력$)^2$이다.

모범 답안 (1) $49\,J$, $49\,J$, 운동 에너지

(2) $7\,m/s$, 운동 에너지$=\frac{1}{2}\times$질량$\times($속력$)^2$이므로 $49\,J=\frac{1}{2}\times2\,kg\times v^2$에서 지면에 도달한 순간의 속력 $v=7\,m/s$이다.

채점 기준		배점(%)
(1)	단어를 모두 옳게 쓴 경우	30
(2)	$7\,m/s$를 계산식과 함께 옳게 구한 경우	70
	$7\,m/s$만 옳게 구한 경우	30

04 빗면을 굴러내려 온 쇠구슬이 나무 도막과 충돌하면 쇠구슬의 운동 에너지가 나무 도막을 밀고 가는 일로 전환된다. 즉, 쇠구슬의 운동 에너지가 클수록 나무 도막이 많이 밀려난다. 따라서 쇠구슬의 질량이 커질수록 나무 도막이 많이 밀려나는 것을 통해 물체의 질량이 클수록 물체의 운동 에너지가 크다는 것을 알 수 있다.

모범 답안 (1) 운동, 일, 질량, 운동

(2) 쇠구슬의 질량을 동일하게 하고, 쇠구슬의 높이를 변화시키면서 쇠구슬이 나무 도막에 충돌할 때 나무 도막이 밀려난 거리를 측정한다.

	채점 기준	배점(%)
(1)	단어를 모두 옳게 쓴 경우	40
(2)	쇠구슬의 질량을 동일하게 하고, 쇠구슬의 높이를 변화시킨다는 것을 모두 설명한 경우	60
	쇠구슬의 질량을 동일하게 하는 것과 쇠구슬의 높이를 변화시킨다는 것 중 한 가지만 설명한 경우	30

그림으로 단원 정리하기
개념 학습서 94쪽

㉠ 속력	㉡ 일정	㉢ 중력
㉣ 질량	㉤ 힘의 크기	㉥ 이동한 거리
㉦ 감소	㉧ 증가	㉨ 9.8
㉩ 중력		

우리 학교 시험 문제
개념 학습서 95~97쪽

01 ③	**02** ③	**03** 해설 참조	**04** ④	**05** ③	**06** ①
07 ④	**08** ③	**09** 해설 참조	**10** ④	**11** ②	**12** ②
13 ③	**14** ⑤	**15** ④	**16** ④	**17** ①	**18** 해설 참조
19 ⑤	**20** ⑤				

01 216 km의 거리를 3시간 동안 이동하였으므로 평균 속력은 $\dfrac{216\ km}{3\ h}=72\ km/h$이다.

02 연속 사진의 경우 사진과 사진 사이의 시간 간격은 같다. 또한 같은 시간 동안 이동한 거리가 길수록 속력이 빠르다.

[바로 알기] ㄷ. 자전거가 ㉡ 구간을 이동하는 데 걸리는 시간과 ㉠ 구간을 이동하는 데 걸리는 시간은 1초로 같다.

03 다중 섬광 장치는 물체의 움직임을 일정한 시간 간격으로 한 장의 사진에 담아낸 것으로, 물체 사이의 거리를 분석하여 속력 변화를 알 수 있다.

모범 답안 (가)는 자동차와 자동차 사이의 거리가 일정하므로 속력이 일정한 운동이고, (나)는 자동차와 자동차 사이의 거리가 점점 멀어지므로 속력이 점점 빨라지는 운동이다.

채점 기준	배점(%)
(가)와 (나)의 운동을 다중 섬광 사진에서 거리를 이용하여 옳게 설명한 경우	100
(가)와 (나) 중 한 가지의 운동만 다중 섬광 사진에서 거리를 이용하여 옳게 설명한 경우	50

04 시간에 따른 이동 거리 그래프에서 a~d 모두 직선의 기울기가 일정하므로 속력이 일정한 등속 운동을 한다. 그래프에서 직선의 기울기는 속력이므로 기울기가 가장 큰 a의 속력이 가장 빠르다. 또 기울기가 가장 작은 d가 같은 시간 동안 이동한 거리가 가장 짧다.

[바로 알기] ④ b의 속력이 c보다 빠르므로 같은 거리를 이동할 때 걸린 시간은 b가 c보다 짧다.

05 시간에 따른 속력 그래프에서 그래프 아랫부분의 넓이는 이동 거리를 의미한다. 따라서 A의 이동 거리는 100 m이고 B의 이동 거리는 50 m이다.

06 공항의 수하물 컨베이어는 등속 운동을 한다. 등속 운동은 속력이 일정한 운동으로 이동 거리는 시간에 비례하여 증가한다. 또한, 중력의 방향은 물체의 이동 방향과 수직이며, 시간에 따른 이동 거리 그래프는 기울기가 일정한 직선 모양이다.

07 자유 낙하 하는 물체에는 운동 방향으로 중력이 계속 작용하므로 속력이 일정하게 증가하는 운동을 한다. 이때 속력의 변화는 질량에 관계없이 1초에 9.8 m/s씩 일정하게 증가한다.

[바로 알기] ㄴ. 자유 낙하 운동을 하는 물체의 속력은 질량에 관계없이 1초에 9.8 m/s씩 증가한다.

08 등속 운동은 속력이 일정한 운동이므로 1초 동안 움직인 거리가 일정하며 시간에 따른 속력 그래프는 시간축에 나란한 직선 모양이다. 자유 낙하 운동은 물체에 중력이 작용하여 연직 아래 방향으로 운동하며 1초에 9.8 m/s씩 속력이 증가한다.

09 공기의 저항이 없는 진공에서 자유 낙하 운동을 하는 물체는 질량에 관계없이 1초에 속력이 9.8 m/s씩 증가하여 같은 높이에서 떨어진다면 물체는 동시에 떨어진다. 그러나 공기의 저항을 받는 물체는 같은 높이에서 떨어져도 동시에 떨어지지 않는다.

모범 답안 (가)는 진공에서 중력만 받아 낙하 하기 때문에 동시에 떨어지고, (나)는 중력뿐만 아니라 공기 저항을 받기 때문에 동시에 떨어지지 않는다.

채점 기준	배점(%)
(가)는 중력만을 받아 동시에 떨어지고 (나)는 공기의 저항 때문에 동시에 떨어지지 않음을 모두 설명한 경우	100
(가)는 중력만을 받고 (나)는 공기의 저항을 받는다고만 설명한 경우	50
(가)는 중력만을 받아 동시에 떨어진다는 것이나 (나)는 공기의 저항 때문에 동시에 떨어지지 않는다는 것 중 한 가지만 옳게 설명한 경우	30

10 [바로 알기] ㄹ. 물체가 외부에 일을 하면 한 일의 양만큼 에너지가 감소하며, 물체에 일을 해 주면 한 일의 양만큼 물체의 에너지가 증가한다.

11 (가) 벽이 움직이지 않으면 이동한 거리가 0이므로 한 일의 양이 0이다.

(나) 힘의 방향과 이동 방향이 수직이면 힘의 방향으로 이동한 거리가 0이므로 한 일이 0이다.

(다) 미끄러진 방향으로 작용한 힘이 0이므로 한 일의 양이 0이다.

12 물체가 가지는 위치 에너지는 물체가 지면까지 낙하 하면서 할 수 있는 일의 양을 나타낸다. 따라서 물체가 할 수 있는 일의 양은 9.8×질량×높이이다.

13 쇠구슬의 위치 에너지가 나무 도막을 미는 일로 전환된다. 따라서 위치 에너지가 클수록 나무 도막의 이동 거리는 길어진다. 따라서 질량과 높이의 곱의 값이 가장 큰 C에서 나무 도막의 이동 거리가 가장 크다.

14 위치 에너지는 기준면으로부터의 높이에 비례한다. 지면을 기준면으로 할 때 높이는 75 cm이고, 책상면을 기준면으로 할 때 높이는 25 cm이므로 위치 에너지의 비는 3 : 1이다.

15 물체의 운동 에너지는 $\frac{1}{2}×2×5^2=25$(J)이다.

16 일과 에너지는 서로 전환될 수 있으므로 물체가 가진 운동 에너지만큼 다른 물체에 일을 할 수 있다. 물체가 가진 운동 에너지는 25 J이므로 물체가 다른 물체에 할 수 있는 일의 양은 25 J이다.

17 물체의 운동 에너지는 물체의 속력의 제곱에 비례한다. 물체의 속력과 운동 에너지의 관계를 알기 위해서는 수레의 질량을 동일하게 하고 속력을 다르게 하여 나무 도막을 밀고 이동한 거리를 측정한다.

18 다이빙하는 사람은 자유 낙하 운동을 한다. 자유 낙하 운동에서 물체가 낙하 하는 동안 물체의 높이가 낮아지므로 물체의 위치 에너지는 감소한다.

[모범 답안] 다이빙을 할 때 사람의 위치가 낮아지므로 높이가 줄어들어 위치 에너지는 감소한다.

채점 기준	배점(%)
물체의 높이가 줄어들어 위치 에너지가 감소한다고 옳게 설명한 경우	100
물체의 위치 에너지가 감소한다고만 설명한 경우	50

19 물체가 2 m 높이까지 낙하 하는 동안 이동한 거리는 8 m이다. 따라서 중력이 한 일=9.8×1×8=78.4이다.

20 물체가 지면에서 2 m 높이까지 낙하 하는 동안 중력이 한 일이 운동 에너지로 전환된다. 따라서 지면에서 2 m 높이를 지날 때까지 중력이 한 일은 9.8×1×8=78.4(J)이므로 물체의 운동 에너지는 78.4 J이다.

---

01 감각 기관

개념 다지기
개념 학습서 101, 103쪽

1 (1) × (2) ○ (3) ○ (4) × (5) ×   **2** ㉠ 수정체 ㉡ 망막 ㉢ 뇌
3 (1) ㉡ (2) ㉠   **4** (1) ○ (2) ○ (3) × (4) ×   **5** ㉠ 고막 ㉡ 귓속뼈
㉢ 뇌   **6** (1) ㉡ (2) ㉠   **7** (1) ○ (2) ○ (3) × (4) × (5) ○
8 (1) ㉡ (2) ㉠   **9** ㉠ 후각 신경 ㉡ 미각 신경 ㉢ 감각 신경
10 (1) ○ (2) × (3) ○ (4) × (5) ×

1 (1) 홍채의 바깥을 둘러싸는 투명한 막은 각막이다.
(4) 검은 색소가 있어 눈 속을 어둡게 하는 것은 맥락막이다.
(5) 망막에서 상이 가장 뚜렷하게 맺히는 부분은 시각 세포가 밀집된 황반이다. 맹점에는 시각 세포가 없어 상이 맺혀도 보이지 않는다.

2 물체에서 반사된 빛은 수정체를 통과하면서 굴절되어 망막에 상을 맺는다. 망막에 분포하는 시각 세포에서 받아들인 빛 자극은 시각 신경을 통해 뇌(대뇌)로 전달된다.

3 홍채는 빛의 밝기에 따라 동공의 크기를 변화시켜 눈 속으로 들어오는 빛의 양을 조절하고, 섬모체는 물체와의 거리에 따라 수정체의 두께를 변화시켜 상이 망막에 정확하게 맺히도록 조절한다.

4 (3) 귀에서는 소리뿐 아니라 몸의 기울기와 회전 등을 자극으로 받아들인다.
(4) 고막 안쪽과 바깥쪽의 압력을 같게 조절하는 것은 귀인두관이다.

5 소리는 귓바퀴를 통해 모여 외이도를 지나 고막을 진동시키고, 이 진동은 귓속뼈에서 증폭되어 달팽이관으로 전달된다. 달팽이관의 청각 세포가 자극으로 받아들인 진동이 청각 신경을 통해 뇌(대뇌)로 전달되면 소리를 들을 수 있다.

6 전정 기관은 중력 자극을 받아들여 몸의 기울기를 감지하고, 반고리관은 몸의 회전을 감지한다.

7 (3) 맛봉오리를 구성하는 감각 세포가 맛세포이다.
(4) 매운맛과 떫은맛은 피부 감각이다.

8 (1)은 후각 세포가 분포하는 후각 상피이고, (2)는 유두의 옆면에 맛세포가 모여 있는 맛봉오리를 나타낸 것이다.

9 감각 기관에 분포하는 감각 세포에서 받아들인 자극은 감각 신경을 통해 뇌로 전달된다. 후각 신경과 미각 신경도 감각 신경에 속한다.

10 (2) 주사를 맞을 때 느끼는 따끔함은 통점에서 받아들인다.
(4) 피부 감각점은 몸의 부위에 따라 분포 수가 다르다.
(5) 감각점이 조밀하게 분포할수록 예민한 부위이다.

탐구 · 시각 관련 실험하기

개념 학습서 104쪽

정리 ㉠ 시각 신경 ㉡ 시각 세포 ㉢ 작아 ㉣ 커

확인 문제

1 ② **2** 맹점 **3** ① **4** 해설 참조

정리

1 맹점은 망막 중심에서 코 쪽 방향에 있다.

2 밝을 때 동공이 작아져 눈으로 들어오는 빛의 양을 줄인다.

확인 문제

1 시각 세포는 망막에 분포한다.

2 맹점은 망막에서 시각 신경이 모여 나가는 곳으로, 시각 세포가 분포하지 않아 상이 맺혀도 감지할 수 없다.

3 밝을 때는 홍채가 확장하여 동공이 작아지므로 눈으로 들어오는 빛의 양이 줄어들고, 어두울 때는 홍채가 축소되어 동공이 커지므로 눈으로 들어오는 빛의 양이 늘어난다.

4 눈으로 들어오는 빛의 양은 홍채가 동공의 크기를 변화시켜 조절한다.

모범 답안 홍채가 확장하여 동공의 크기가 줄어든다.

채점 기준	배점(%)
홍채와 동공의 변화를 모두 옳게 설명한 경우	100
홍채와 동공의 변화 중 한 가지만 옳게 설명한 경우	50

탐구 · 피부 감각 실험하기

개념 학습서 105쪽

정리 ㉠ 다르다 ㉡ 많이 ㉢ 온점 ㉣ 냉점 ㉤ 상대적인

확인 문제

1 ② **2** 해설 참조 **3** ③

확인 문제

1 이쑤시개가 접촉했을 때 느끼는 감각점의 분포를 조사하는 실험이므로 촉점에 해당한다.

2 2개로 느끼는 거리가 가까울수록 감각점이 많이 분포하여 예민하게 감지할 수 있음을 의미한다.

모범 답안 몸의 부위에 따라 분포하는 피부 감각점의 개수가 다르기 때문이다.

채점 기준	배점(%)
몸의 부위에 따라 피부 감각점의 개수나 밀도 또는 분포도가 다르기 때문이라고 설명한 경우	100
몸의 부위에 따라 피부 감각이 예민한 정도가 다르기 때문이라고 설명한 경우	40

3 냉점과 온점에서는 상대적인 온도 변화를 감각한다. 낮아지는 온도 변화는 냉점에서, 높아지는 온도 변화는 온점에서 감각한다.

실력 키우기

개념 학습서 106~108쪽

01 ⑤	02 ③	03 ⑤	04 ③	05 (가)	06 ⑤
07 (가) E (나) A		08 F, 귀인두관		09 ④	10 (가) 고막
(나) 달팽이관 (다) 청각 신경			11 ⑤	12 ②	13 ③	14 ⑤
15 (가) 유두 (나) 맛세포 (다) 미각 신경				16 ⑤	17 ⑤
18 손가락 끝		19 ③			

01 A는 홍채, B는 각막, C는 수정체, D는 섬모체, E는 망막이다. 시각 세포는 망막에 분포한다.

02 [바로 알기] ③ 각막은 흰색의 질긴 공막과 연결되어 있지만 홍채와 동공 앞부분에 위치하기 때문에 흰색을 띠지 않고 투명하다.

03 [바로 알기] ⑤ 왼쪽 눈을 감고 오른쪽 눈으로 고양이를 응시하며 실험하면 오른쪽 눈의 맹점을 확인할 수 있다.

04 가까운 곳을 보다가 먼 곳을 볼 때 섬모체가 이완하여 수정체가 얇아진다.

[바로 알기] ① 밝은 곳에 있다가 어두워지면 홍채가 축소되어 동공이 커진다.

②, ④ 어두운 곳에 있다가 밝아지면 홍채가 확장하여 동공이 작아진다.

⑤ 가까운 곳을 볼 때는 섬모체가 수축하여 수정체가 두꺼워진다.

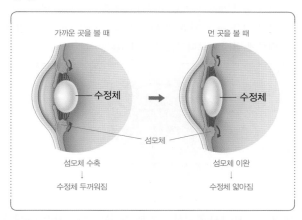

05 밝을 때 홍채의 면적이 넓어져 동공의 크기가 줄어든다.

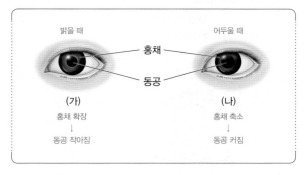

06 눈은 빛을 자극으로 받아들이며, 망막에서 받아들인 시각 자

극은 시각 신경을 통해 뇌로 전달된다.

07 A는 귓속뼈, B는 반고리관, C는 전정 기관, D는 달팽이관, E는 고막, F는 귀인두관이다. 고막은 소리에 의해 진동하는 얇은 막이고 귓속뼈는 고막의 진동을 증폭한다.

08 귀인두관은 귓속으로 공기가 드나드는 통로로, 고막 안팎의 압력을 같게 조절하는 역할을 한다.

> **한 번 더 확인하기·** 귀가 먹먹해지는 것은 고막 안팎의 압력 차이 때문이다. 비행기가 이륙하면 기압이 낮아지므로 고막이 바깥쪽으로 휘어지는데, 이때 귀인두관을 통해 귓속의 공기가 빠져나가면 고막 안팎의 압력이 같아지므로 귀가 먹먹한 현상이 사라진다. 착륙할 때는 반대로 외부 기압이 귓속의 압력보다 높아 고막이 안쪽으로 휘어진다. 이때에는 귀인두관을 통해 귓속으로 공기가 들어와 고막 안팎의 압력이 같게 조절된다.

09 [바로 알기] ④ 전정 기관은 몸이 기울어지는 자극을 받아들인다. 몸이 회전하는 자극을 받아들이는 곳은 반고리관이다.

10 소리의 진동은 고막, 귓속뼈를 거쳐 달팽이관의 청각 세포에서 받아들여진 후 청각 신경을 따라 뇌로 전달된다.

11 좁은 평균대 위를 걸을 때 몸이 기울어지는 느낌을 받아들이는 기관은 전정 기관이다.

12 A는 반고리관, B는 전정 기관, D는 달팽이관이다. B는 몸이 기울어지는 자극을 받아들이고, C는 반고리관과 전정 기관에 연결된 신경이므로 평형 감각 신경이다.

13 그림은 코의 후각 상피를 나타낸 것이다. 후각 상피에 분포하는 후각 세포는 기체 상태의 물질을 자극으로 받아들여 후각 신경을 통해 뇌로 보낸다. 후각은 매우 예민한 감각이기 때문에 쉽게 피로해지는 경향이 있다.

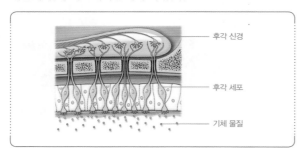

후각 신경
후각 세포
기체 물질

14 맛세포(B)에서 감각하는 기본 맛에는 단맛, 짠맛, 신맛, 쓴맛, 감칠맛이 있다.

[바로 알기] ⑤ D는 맛세포가 모인 맛봉오리이며, 매운맛과 떫은맛은 피부 감각이다.

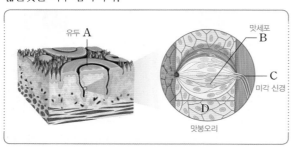

유두 A
맛세포 B
C
미각 신경
D
맛봉오리

15 혀 표면의 작은 돌기를 유두라 하며, 유두 옆면에 맛세포가 모여 맛봉오리를 이룬다. 맛세포에서 받아들인 자극은 미각 신경을 통해 뇌로 전달되어 맛을 느낄 수 있게 된다.

16 맛세포를 통해 느끼는 기본 맛과 후각 세포를 통해 느끼는 냄새가 함께 작용할 때 다양한 음식 맛을 느낄 수 있다.

17 감각점의 분포 밀도는 몸의 부위에 따라서도 다르고 감각점의 종류에 따라서도 다르다. 감각점 중 통점의 수는 온점의 수보다 훨씬 많다.

18 두 점으로 느끼는 최소 거리가 짧을수록 감각점의 밀도가 높은 것이다.

19 처음보다 온도가 높아지면 온점이 자극을 받아들이고, 처음보다 온도가 낮아지면 냉점이 자극을 받아들인다.

단계별 문제로 서술형 연습하기

개념 학습서 109쪽

1 우리 눈은 바라보는 물체와의 거리가 달라짐에 따라 수정체의 두께를 조절하여 빛이 굴절되는 정도를 변화시킴으로써 망막에 상이 뚜렷하게 맺히도록 한다.

모범 답안 (1) 섬모체, 수정체

(2) (가) 섬모체가 수축하여 수정체가 두꺼워진다.

(나) 섬모체가 이완하여 수정체가 얇아진다.

	채점 기준	배점(%)
(1)	섬모체, 수정체를 모두 옳게 쓴 경우	20
(2)	섬모체와 수정체의 변화를 모두 옳게 설명한 경우	80
	섬모체와 수정체의 변화 중 한 가지만 옳게 설명한 경우	40

2 소리의 진동이 가장 먼저 전달되는 곳은 고막이다.

모범 답안 (1) 공기, 진동, 공기

(2) 소리의 진동에 고막이 떨리면 이 떨림이 귓속뼈에서 증폭되어 달팽이관의 청각 세포에 전달된다. 청각 세포에서 받아들인 자극이 청각 신경을 통해 뇌로 전달되면 소리를 듣게 된다.

	채점 기준	배점(%)
(1)	공기, 진동, 공기를 모두 옳게 쓴 경우	30
(2)	제시된 단어를 모두 포함하여 옳게 설명한 경우	70
	제시된 단어 중 4가지 이상을 포함하여 옳게 설명한 경우	40

3 **모범 답안** (1) 맛세포, 단맛, 쓴맛, 감칠맛

(2) 맛세포(가)는 액체 상태의 물질을 받아들이기 때문에 아이스크림이 침이나 물에 녹아야 맛을 느낄 수 있다.

	채점 기준	배점(%)
(1)	맛세포, 단맛, 쓴맛, 감칠맛을 모두 옳게 쓴 경우	40
(2)	맛세포는 액체 상태의 물질을 받아들이므로 아이스크림이 녹아야 맛을 느낄 수 있다고 설명한 경우	60
	(가)는 액체의 맛만 느낄 수 있기 때문이라고 설명한 경우	30

4 몸의 부위에 따라 감각점의 수에 차이가 있으며, 같은 부위라도 감각점의 종류에 따라 분포하는 개수가 다르다. 일반적으로 피부에는 통점이 가장 많아서 통증에 가장 예민하게 반응한다.

모범 답안 (1) 통각, 온각

(2) 특정 감각점이 많을수록 그 감각점이 받아들이는 자극에 더 예민한데 통점의 수가 가장 많고 온점의 수가 가장 적다.

	채점 기준	배점(%)
(1)	통각, 온각을 모두 옳게 쓴 경우	20
(2)	특정 감각점이 많을수록 그 감각점이 받아들이는 감각에 예민하다고 설명한 경우	80
	통점이 가장 많고 온점이 가장 적어서라고만 설명한 경우	40

02 신경계

개념 다지기
개념 학습서 111, 113쪽

1 (1) × (2) ○ (3) × (4) ○ (5) × **2** (1) A: 감각 뉴런, B: 연합 뉴런, C: 운동 뉴런 (2) A → B → C **3** (가) 중추 신경계 (나) 말초 신경계 **4** (1) × (2) ○ (3) × **5** (1) ⓒ (2) ⓐ (3) ⓓ (4) ⓔ **6** (1) ㉠ (2) ㉢ (3) ㉡ **7** (1) ○ (2) × (3) × (4) ○ **8** (가) 대뇌 (나) 척수 **9** (1) 의 (2) 무 (3) 무 (4) 의 (5) 무 (6) 의

1 (1) 뉴런은 1개의 신경 세포이다.
(3) 뉴런 내부에서 자극은 가지 돌기에서 축삭 돌기 방향으로 이동한다.
(5) 중추 신경을 이루는 것은 연합 뉴런이고, 감각 뉴런과 운동 뉴런은 말초 신경을 이룬다.

2 감각 뉴런은 감각 기관(피부)에서 받아들인 자극을 중추 신경계로 전달하고, 연합 뉴런은 중추 신경을 이루며, 운동 뉴런은 중추 신경계의 명령을 반응기(근육)로 전달한다.

3 신경계는 중추 신경계와 말초 신경계로 구분되며, 중추 신경계는 뇌와 척수로 이루어져 있다.

4 (1) 중추 신경계는 뇌와 척수로 이루어져 있고 뇌는 대뇌, 소뇌, 간뇌, 중간뇌, 연수로 구분된다.
(3) 척수는 척추에 싸여 보호된다.

6 자율 신경계는 말초 신경계이며 운동 신경으로 구성된다.

7 (2) 자율 신경은 운동 신경으로만 구성된다.
(3) 내장 기관의 운동을 조절하는 것은 자율 신경이다.

8 대뇌의 명령으로 일어나는 반응은 의식적인 반응이고, 자극이 대뇌로 도달하기 전에 척수의 명령으로 일어나는 반응은 무조건 반사이다.

9 의식적인 반응은 대뇌의 판단을 거쳐서 일어나므로 무의식적으로 일어나는 무조건 반사에 비해 반응 속도가 느리다.

탐구 · 자극에 대한 반응 실험하기
개념 학습서 114쪽

정리 ㉠ 대뇌 ㉡ 다르다 ㉢ 무조건 반사 ㉣ 척수

확인 문제

1 ①   **2** ㄷ   **3** D → E → F   **4** ⑤

정리

1 의식적인 반응은 대뇌를 거쳐서 일어나므로 무조건 반사에 비해 시간이 오래 걸린다.

2 일반적으로 시각에 의한 반응이 청각에 의한 반응보다 빠르다.

3 고무망치의 자극은 대뇌에까지 전달되지만, 대뇌가 명령을 내리기 전에 척수의 명령으로 반응이 먼저 나타난다.

확인 문제

1 의식적인 반응은 대뇌의 명령으로 일어난다.

2 ㄱ, ㄴ은 대뇌가 중추인 의식적인 반응이고, ㄷ은 척수가 중추인 무조건 반사이다.

3 무릎 반사의 경로는 자극 → 감각기 → 감각 신경 → 척수 → 운동 신경 → 반응기 → 반응이다.

4 무릎 반사는 척수의 명령으로 일어나는 무조건 반사이다.

집중 공략 · 중추 신경계 정리하기
개념 학습서 115쪽

유제 **1** A: 대뇌, B: 간뇌, C: 중간뇌, D: 소뇌, E: 연수, F: 척수
유제 **2** ④   유제 **3** ①   유제 **4** ④

유제 **1** 뇌는 기능에 따라 대뇌, 간뇌, 중간뇌, 소뇌, 연수로 구분되며, 연수 아래쪽에 척수가 연결되어 있다.

유제 **2** 연수는 뇌와 척수를 연결하며, 생명 유지에 중요한 역할을 한다.

유제 **3** 대뇌는 기억, 언어, 추리, 감정 등 다양한 정신 활동을 담당한다.

유제 **4** 척수는 뇌와 말초 신경 사이에서 신호를 전달하는 역할을 한다.

실력 키우기
개념 학습서 116~118쪽

01 뉴런(신경 세포) **02** ②   **03** ⑤   **04** C → B → A   **05** ③ **06** ⑤   **07** ②, ③ **08** (가) A (나) C (다) E (라) B (마) D **09** 대뇌 **10** 척수 **11** ②   **12** ①   **13** ④   **14** ⑤   **15** ③ **16** ④   **17** (가) 감각기 → 감각 뉴런 → 대뇌 → 척수 → 운동 뉴런 → 반응기 (나) 감각기 → 감각 뉴런 → 척수 → 운동 뉴런 → 반응기 **18** ④

01 뉴런은 신경계를 구성하는 기본 단위이다.

02 A는 신경 세포체, B는 가지 돌기, C는 축삭 돌기이다.
[바로 알기] ㄴ. 가지 돌기는 다른 뉴런이나 감각 기관으로부터 자극을 받아들인다.
ㄷ. 축삭 돌기는 가지 돌기에서 받아들인 자극을 다른 뉴런이나 기관으로 전달한다.

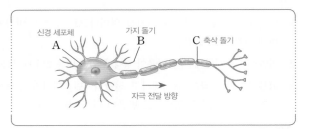

03 대부분의 뉴런은 신경 돌기가 하나의 축삭 돌기와 여러 개의 가지 돌기로 이루어져 있다.

04 A는 운동 뉴런, B는 연합 뉴런, C는 감각 뉴런이다. 감각기에서 받아들인 자극은 감각 뉴런에 의해 중추 신경계로 전달되고, 중추에 있는 연합 뉴런의 명령은 운동 뉴런에 의해 반응기로 전달된다.

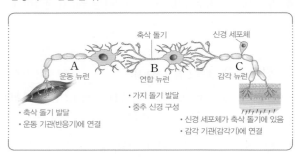

05 운동 뉴런(A)은 운동 기관에 연결되어 있고 감각 뉴런(C)은 감각 기관에 연결되어 있다. A, B, C 모두 축삭 돌기와 신경 세포체가 있다.

06 A(뇌)와 B(척수)는 중추 신경계를 구성하고, C는 말초 신경계를 구성한다.

07 A는 대뇌, B는 간뇌, C는 중간뇌, D는 연수, E는 소뇌이다.

08 대뇌는 자극을 해석하여 적절한 반응 명령을 내린다. 동공 반사는 중간뇌, 균형 유지는 소뇌, 체온 유지는 간뇌, 소화액 분비는 연수가 중추이다.

한 번 더 확인하기 · 뇌의 기능

대뇌	• 여러 자극을 해석하고 운동 기관에 명령을 내림 • 기억, 추리, 판단, 학습 등의 정신 활동 담당
소뇌	근육 운동 조절, 몸의 자세와 균형 유지
간뇌	체온, 혈당량, 체액의 농도 유지
중간뇌	눈의 운동, 홍채의 수축과 이완 조절
연수	심장 박동, 소화액 분비, 호흡 운동 등을 조절

09 대뇌는 뇌의 여러 부위 가운데 가장 부피가 크며, 대뇌 겉질은 부위에 따라 다른 기능을 담당한다.

10 척수는 척추 안쪽에 있는 신경이다.

11 척수는 뇌와 말초 신경을 연결하는 통로 역할을 하며, 무릎 반사, 회피 반사, 배변, 배뇨 등의 반사 중추이다.
[바로 알기] ㄱ. 척수는 뇌와 함께 중추 신경계에 속한다.
ㄷ. 소화, 순환, 호흡 운동을 조절하는 것은 연수이다.

12 말초 신경계는 감각 신경과 운동 신경으로 구성되며, 감각 신경은 감각기에서 받아들인 자극을 중추에 전달하고, 운동 신경은 중추의 명령을 반응기에 전달한다. 말초 신경계에 속하는 자율 신경은 내장 기관에 분포하여 대뇌와 상관없이 자율적으로 내장 기관의 운동을 조절하는데, 서로 반대 작용을 하는 교감 신경과 부교감 신경이 있다.
[바로 알기] ① 자율 신경은 운동 신경으로만 구성된다.

13 [바로 알기] ④ 소화 운동 촉진은 부교감 신경의 작용이다.

한 번 더 확인하기 · 교감 신경과 부교감 신경의 길항 작용

구분	호흡 운동	심장 박동	소화 운동	소화액 분비	동공 크기
교감 신경	촉진	촉진	억제	억제	확대
부교감 신경	억제	억제	촉진	촉진	축소

14 (가)와 (나) 모두 대뇌가 관여하지 않고 자율 신경이 관여하는 상황으로, (가)에서 교감 신경이, (나)에서 부교감 신경이 작용한다.

15 [바로 알기] ③ 따가움은 감각 신경을 통해 대뇌로 전달된다. 다만 대뇌에서 명령을 내리기 전에 척수에 의해 빠르게 무조건 반사가 진행된다.

16 하품, 호흡 운동, 침 분비, 심장 박동의 중추는 연수이고, 뜨거운 것에 손이 닿아 자기도 모르게 손을 떼는 반응의 중추는 척수이다.

17 (가) 굴러오는 공을 눈으로 본 시각 자극은 시각 신경을 통해 대뇌로 전달되고, 공을 차라는 대뇌의 명령은 척수를 거쳐 운동 뉴런을 통해 다리 근육에 전달된다.
(나) 뾰족한 것을 밟은 자극은 척수로 전달되어 대뇌에서 인식하기 전에 척수의 명령으로 재빨리 발을 들게 되는 반응으로 이어진다. 이와 같은 반응은 대뇌가 관여하지 않는 무조건 반사로 척수가 중추이다.

18 ①, ③, ⑤ (가)는 의식적인 반응으로 대뇌의 명령으로 일어난다. (나)는 척수가 중추인 무조건 반사이다.
② 실험을 반복하면 훈련 효과로 반응 속도가 빨라지므로 자의 낙하 거리가 짧아진다.
[바로 알기] ④ 무조건 반사는 대뇌를 거치지 않고 일어나므로 의식적인 반응보다 반응 경로가 짧아 반응에 걸리는 시간이 의식적인 반응보다 짧다.

단계별 문제로 서술형 연습하기

개념 학습서 119쪽

1 자극을 받아들이고 반응하기까지의 신호는 감각 뉴런 → 연합 뉴런 → 운동 뉴런의 순서로 전달된다.

모범 답안 (1) 운동, 감각, 연합

(2) 감각기에서 받아들인 자극은 (나) 감각 뉴런 → (다) 연합 뉴런 → (가) 운동 뉴런을 거쳐 반응기로 전달된다.

	채점 기준	배점(%)
(1)	운동, 감각, 연합을 모두 옳게 쓴 경우	30
(2)	(가)~(다)의 이름을 모두 포함하여 옳게 설명한 경우	70
	(가)~(다)의 이름 중 두 가지만 포함하여 옳게 설명한 경우	40

2 A는 간뇌, B는 중간뇌, C는 연수, D는 대뇌, E는 소뇌, F는 척수이다.

모범 답안 (1) B, C, 정신, 균형, F

(2) 연수(C)는 심장 박동, 호흡 운동, 소화 운동 등 생명 유지와 관련이 깊은 기능을 담당하기 때문에 자는 동안에도 활발하게 활동한다.

	채점 기준	배점(%)
(1)	B, C, 정신, 균형, F를 모두 옳게 쓴 경우	40
	B, C, 정신, 균형, F 중 3가지 이상을 옳게 쓴 경우	20
(2)	C라고 쓰고 까닭을 옳게 설명한 경우	60
	C의 이름만 옳게 쓴 경우	20

3 (1) 교감 신경은 긴장했을 때나 위기 상황에 처했을 때 우리 몸을 대처하기 알맞은 상태로 만들어 주고, 부교감 신경은 이를 원래의 안정된 상태로 되돌리는 작용을 한다.

(2) 교감 신경은 심장 박동과 호흡 운동을 촉진하고 동공을 확대시키며, 소화 작용을 억제한다. 부교감 신경은 심장 박동과 호흡 운동을 억제하고 동공을 축소시키며, 소화 작용을 촉진한다.

모범 답안 (1) 교감, 부교감

(2) (가)에서는 심장 박동과 호흡 운동이 빨라지고 동공이 확대된다. (나)에서는 심장 박동과 호흡 운동이 원래대로 돌아오고 동공이 작아진다.

	채점 기준	배점(%)
(1)	교감, 부교감을 모두 옳게 쓴 경우	20
(2)	심장 박동과 호흡 운동을 포함하여 (가)와 (나)에서의 변화를 모두 옳게 설명한 경우	80
	(가)와 (나)에서의 변화를 한 가지만 옳게 설명한 경우	40

4 대뇌에서의 판단 과정이 복잡할수록 반응이 나타나는 데 시간이 오래 걸린다.

모범 답안 (1) 대뇌, 척수, 무조건 반사

(2) 무조건 반사는 (가)와 같이 대뇌의 판단 과정을 거치지 않아 반응 경로가 짧으므로 위험 상황에 빠르게 대응할 수 있다.

	채점 기준	배점(%)
(1)	대뇌, 척수, 무조건 반사라고 옳게 쓴 경우	30
(2)	무조건 반사의 필요성을 (가)와 비교하여 옳게 설명한 경우	70
	무조건 반사의 필요성만 설명한 경우	40

03 호르몬과 항상성

개념 다지기

개념 학습서 121, 123쪽

1 (1) × (2) ○ (3) × (4) ○ (5) × **2** (1) 호르몬 (2) 표적 세포 (표적 기관) **3** (1) A: 뇌하수체, B: 갑상샘, C: 부신, D: 이자 (2) ① ② ㉣ ② ㉠ ③ ㉤ ④ ㉢ **4** (1) ○ (2) × (3) ○ (4) ○ (5) × **5** ㉠ 인슐린 ㉡ 글루카곤 **6** (1) ㉠ 추울 때 ㉡ 더울 때 (2) ㉠ 감소 ㉡ 증가 **7** (1) ○ (2) × (3) × (4) ○

1 (1) 내분비샘은 분비관이 따로 없으므로 호르몬은 내분비샘에서 혈관으로 분비되어 혈액을 통해 표적 세포나 표적 기관으로 운반된다.

(3) 호르몬은 척추동물 사이에서 대체로 동일한 효과를 나타내며, 돼지의 인슐린도 사람의 몸에서 동일하게 작용한다.

(5) 항상성은 호르몬과 신경계의 조절 작용으로 유지된다.

2 혈액을 따라 흐르며 신호를 전달하는 화학 물질을 호르몬이라고 하며, 호르몬의 작용을 받는 세포나 기관을 표적 세포 또는 표적 기관이라고 한다.

4 식사 직후에는 혈당량이 증가하므로 인슐린의 분비가 증가한다. 인슐린은 간에서 포도당이 글리코젠으로 합성되는 반응과 조직 세포의 포도당 흡수를 촉진한다.

5 식사 후 소장에서 포도당을 흡수하여 혈당량이 정상보다 증가하면 인슐린이 간과 세포에 작용하여 혈당량을 낮추고, 혈당량이 정상보다 감소하면 글루카곤이 간에 작용하여 혈당량을 높인다.

6 추울 때는 피부 근처 혈관이 수축하여 외부로 나가는 열의 양이 감소하고 근육 떨림으로 열 발생량이 증가한다. 더울 때는 땀이 분비되고 피부 근처 혈관이 확장하여 외부로 나가는 열의 양이 증가한다.

7 피부 근처의 혈관이 확장되면 얼굴이 붉어지고 외부로 나가는 열의 양이 증가한다. 혈관 확장과 수축, 근육 떨림, 땀 분비는 신경계의 조절 작용이다.

집중 공략 · 혈당량 조절에 관한 자료 해석하기

개념 학습서 124쪽

유제 **1** (가) 인슐린 (나) 글루카곤 유제 **2** 해설 참조
유제 **3** A: 글루카곤, B: 인슐린 유제 **4** 인슐린 분비 이상

유제 **1** 식사 후 혈당량이 높아지면 인슐린 분비량이 증가하고, 운동 후 혈당량이 낮아지면 글루카곤 분비량이 증가한다.

유제 **2** **모범 답안** (가) 인슐린은 간에서 포도당이 글리코젠으로 합성되는 반응과 세포에서 포도당의 흡수를 촉진한다.

(나) 글루카곤은 간에서 글리코젠이 포도당으로 분해되는 반응을 촉진한다.

채점 기준	배점(%)
(가), (나)에서 호르몬의 작용을 모두 옳게 설명한 경우	100
간에서 인슐린과 글루카곤의 작용을 옳게 설명하였으나 세포에서 인슐린의 작용을 설명하지 않은 경우	70
간에서 인슐린의 작용 또는 글루카곤의 작용 한 가지만 옳게 설명한 경우	30

유제 **3** 혈당량이 높아질 때 혈중 농도가 증가하는 호르몬은 인슐린이고, 혈중 농도가 감소하는 호르몬은 글루카곤이다.

유제 **4** 당뇨병 환자는 정상인에 비해 식사 후 어느 정도 시간이 흘러도 혈당량이 높게 유지되는데, 인슐린 농도 그래프를 보면 당뇨병 환자는 정상인에 비해 인슐린 농도가 현저히 낮은 것을 알 수 있다. 즉, 인슐린 분비량이 부족하여 혈당량이 높게 유지되는 것이라고 볼 수 있다.

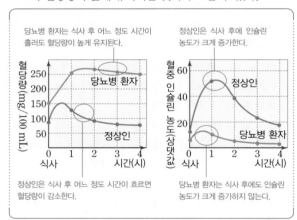

실력 키우기
개념 학습서 125~126쪽

01 ② **02** ② **03** ⑤ **04** ③ **05** ④ **06** 뇌하수체, 생장 호르몬 **07** ③ **08** ③ **09** ② **10** (나), (마), (라), (다), (가) **11** ③

01 항상성은 외부 환경 변화에 관계없이 몸 안의 상태를 일정하게 유지하는 성질로, 신경과 호르몬에 의해 조절된다.

02 호르몬은 혈관을 통해 온몸으로 이동하기 때문에 신경계에 비해 신호가 천천히 전달되지만 효과는 지속적으로 나타나며, 작용하는 범위가 넓다.

03 A는 내분비샘, B는 호르몬, C는 표적 세포 또는 표적 기관이다. 호르몬은 척추동물 사이에서 대체로 동일한 효과를 나타낸다.
[바로 알기] ㄱ. 내분비샘은 분비관이 따로 없어 혈관으로 호르몬을 분비한다.

04 A는 뇌하수체, B는 갑상샘, C는 이자이다. 뇌하수체에서는 생장 호르몬, 갑상샘 자극 호르몬, 항이뇨 호르몬이, 갑상샘에서는 티록신이, 이자에서는 인슐린과 글루카곤이 분비된다.

05 당뇨병은 C에서 분비되는 인슐린 분비 이상이 원인이 될 수 있다.

06 뇌하수체에서 생장 호르몬이 너무 많이 분비되면 거인증 혹은 말단 비대증이 나타나고, 너무 적게 분비되면 소인증이 나타난다.

07 식사 후에는 혈당량이 증가하고 이자에서 인슐린이 분비되어 혈당량을 낮춘다. 혈당량이 감소하면 이자에서 글루카곤이 분비되어 혈당량을 높인다.
[바로 알기] ㄱ. A는 인슐린, B는 글루카곤이다.
ㄴ. 글루카곤은 식사 후 혈당량이 높아지면 분비량이 감소한다.

08 A는 혈당량이 높을 때 분비되어 간에서 글리코젠 합성을 촉진하는 인슐린, B는 혈당량이 낮을 때 분비되어 글리코젠 분해를 촉진하는 글루카곤이다.
③ 인슐린이 부족하면 혈당량이 감소하지 않아서 오줌에 포도당이 섞여 나오는 당뇨병이 나타날 수 있다.
[바로 알기] ① A는 인슐린, B는 글루카곤이다.
② 인슐린은 간에서 글리코젠 합성을 촉진한다.
④ 글루카곤이 부족하면 저혈당 증세가 나타날 수 있다.
⑤ 혈액 속의 포도당을 조직 세포로 흡수시키는 것은 인슐린(A)이다.

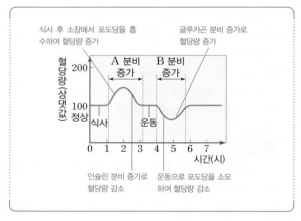

09 추울 때는 몸 밖으로 나가는 열의 양을 줄이고 몸 안에서 발생하는 열의 양을 늘리는 방향으로 조절 작용이 일어난다. 세포 호흡 촉진, 근육 떨림 현상 등은 열 발생량을 증가시키는 조절 작용이다.
[바로 알기] ② 추울 때는 피부 근처 혈관이 수축하여 피부를 통해 몸 밖으로 나가는 열의 양을 줄인다.

10 추울 때는 티록신 분비가 증가하여 세포 호흡이 촉진됨으로써 열 발생량이 증가한다.

11 (가) 구간에서는 운동으로 높아진 체온을 낮추기 위해 몸 안의 열 발생량은 줄이고 외부로의 열 방출량은 늘리는 작용이 일어난다.
③ 체외로의 열 방출량이 증가하면 체온이 낮아진다.

[바로 알기] ① 땀샘에서 땀이 분비되어 외부로 나가는 열의 양이 증가한다.

② 피부 근처 혈관이 확장하여 몸 밖으로 나가는 열의 양이 증가한다.

④ 추울 때는 세포 호흡이 촉진되어 세포에서 열 발생량이 증가한다.

⑤ 추울 때는 갑상샘 자극 호르몬 분비가 증가하여 티록신 분비를 촉진함으로써 세포 호흡을 촉진한다.

단계별 문제로 서술형 연습하기
개념 학습서 127쪽

1 **모범 답안** (1) 뉴런, 호르몬, 혈액, 표적, 표적

(2) (가)는 신호가 빠르게 전달되고 좁은 범위에서 즉시 반응이 나타나는 반면, 오래 지속되지는 않는다. (나)는 신호가 느리게 전달되지만 비교적 넓은 범위에서 지속적으로 효과가 나타난다.

	채점 기준	배점(%)
(1)	뉴런, 호르몬, 혈액, 표적, 표적을 모두 옳게 쓴 경우	50
(2)	(가), (나)의 신호 전달 속도와 범위, 효과의 지속성을 모두 포함하여 옳게 비교한 경우	50
	(가), (나)의 신호 전달 속도와 범위, 효과의 지속성 중 두 가지만 포함하여 옳게 설명한 경우	30

2 아이오딘 결핍으로 갑상샘에서 티록신이 정상적으로 만들어지지 않으면 갑상샘 자극 호르몬이 갑상샘을 지속적으로 자극하여 갑상샘 비대증이 나타나기도 한다.

모범 답안 (1) 세포 호흡, 증가, 추위

(2) 티록신(B)이 부족해지면 뇌하수체에서 갑상샘 자극 호르몬(A)의 분비가 증가하여 갑상샘에서 티록신 분비를 촉진하므로 티록신의 분비량이 증가한다.

	채점 기준	배점(%)
(1)	세포 호흡, 증가, 추위를 모두 옳게 쓴 경우	30
(2)	갑상샘 자극 호르몬(A)과 티록신(B)의 분비를 모두 옳게 설명한 경우	70
	갑상샘 자극 호르몬(A)과 티록신(B)의 분비 중 한 가지만 옳게 설명한 경우	30

3 간에서 포도당이 글리코젠으로 합성되거나 조직 세포가 포도당을 흡수하면 혈액 속 포도당량은 감소한다.

모범 답안 (1) 혈당량, 3

(2) 간에서 포도당을 글리코젠으로 합성하는 반응과 조직 세포가 포도당을 흡수하는 반응을 촉진한다.

	채점 기준	배점(%)
(1)	혈당량, 3을 모두 옳게 쓴 경우	20
(2)	인슐린이 촉진하는 반응 두 가지를 모두 옳게 설명한 경우	80
	인슐린이 촉진하는 반응 두 가지 중 한 가지만 옳게 설명한 경우	40

---

4 **모범 답안** (1) 수축, 감소, 열 발생량, 확장, 증가

(2) 피부의 냉점에서 추위를 감지하면 간뇌(가)에서 신경과 호르몬을 통해 체외로의 열 방출량을 줄이고 체내 열 발생량을 늘려서 체온이 낮아지지 않도록 조절한다.

	채점 기준	배점(%)
(1)	수축, 감소, 열 발생량, 확장, 증가를 모두 옳게 쓴 경우	50
(2)	간뇌(가)를 포함하여 옳게 설명한 경우	50
	간뇌(가)를 포함하여 설명하였으나 열 발생량과 열 방출량 중 한 가지만 옳게 설명한 경우 또는 간뇌(가)를 포함하지 않고 열 발생량과 열 방출량을 모두 옳게 설명한 경우	30

그림으로 단원 정리하기
개념 학습서 128쪽

㉠ 시각 ㉡ 액체 ㉢ 온점
㉣ 뉴런 ㉤ 중추 신경계 ㉥ 대뇌
㉦ 무조건 반사 ㉧ 글루카곤

우리 학교 시험 문제
개념 학습서 129~131쪽

01 ⑤   02 홍채   03 해설 참조   04 ②   05 E, 달팽이관
06 G → A → E → D   7 B, 전정 기관   8 ②   9 ②
10 해설 참조   11 ②   12 (나) 감각 뉴런   13 (가) 운동 뉴런
14 ①   15 ④   16 ②   17 ①, ③ 18 ⑤   19 티록신 갑상샘
20 ⑤

01 A는 섬모체, B는 각막, C는 홍채, D는 수정체, E는 망막이다.

[바로 알기] ⑤ 망막은 상이 맺히는 곳으로 시각 세포가 분포한다. 시각 신경이 모여 나가는 부분은 맹점이다. 맹점에는 시각 세포가 없어 상이 맺혀도 보이지 않는다.

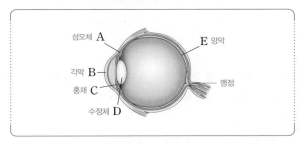

02 홍채가 확장하면 동공이 작아지고 홍채가 축소되면 동공이 커진다.

03 홍채가 확장하여 동공이 작아지면 눈으로 들어오는 빛의 양이 줄어든다.

모범 답안 주변의 밝기가 밝아지면 눈으로 들어오는 빛의 양을 줄이기 위해 동공의 크기가 작아진다.

채점 기준	배점(%)
주변의 밝기와 동공의 크기 변화, 눈으로 들어오는 빛의 양 변화를 모두 옳게 설명한 경우	100
주변의 밝기와 동공의 크기 변화는 옳게 설명하였으나 눈으로 들어오는 빛의 양을 언급하지 않은 경우	60

04 맹점은 망막에서 시각 신경이 모여 나가는 부분으로 시각 세포가 없어 상이 맺히더라도 인지할 수 없다. 왼쪽 눈을 가리고 오른쪽 눈으로 고양이를 응시하며 눈과 고양이 사이의 거리를 달리하면 어느 순간 쥐의 상이 오른쪽 눈의 맹점에 맺혀 쥐가 보이지 않게 된다.

05 A는 귓속뼈, B는 반고리관 C는 전정 기관, D는 청각 신경, E는 달팽이관, F는 귀인두관, G는 고막이다. 청각 세포는 달팽이관에 분포한다.

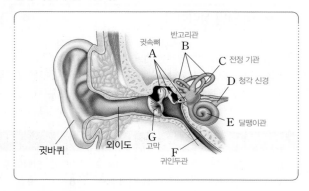

06 소리 전달 경로는 소리 → 귓바퀴 → 외이도 → 고막 → 귓속뼈 → 달팽이관(청각 세포) → 청각 신경 → 대뇌이다.

07 A는 반고리관, B는 전정 기관, C는 달팽이관이다. C는 청각 기관이고, A, B는 평형 감각 기관이다.

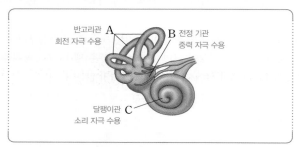

08 몸이 회전할 때 A(반고리관) 속의 림프가 움직이면서 회전하는 것을 느끼게 된다.

09 (가)의 A는 후각 상피에 있는 후각 세포이고, (나)의 B는 유두 옆면의 맛봉오리에 있는 맛세포이다.
ㄷ. 후각 세포에서 받아들인 자극은 후각 신경을 통해, 맛세포에서 받아들인 자극은 미각 신경을 통해 대뇌로 전달된다.
ㄹ. 미각과 후각의 조합으로 다양한 음식 맛을 느낄 수 있다.
[바로 알기] ㄱ. 후각 세포(A)는 기체 상태의 물질을 자극으로 받아들인다.
ㄴ. 맛세포(B)는 액체 상태의 물질을 자극으로 받아들인다.

한 번 더 확인하기 • 감각 뉴런은 감각기의 자극을 중추로 전달한다. 시각 신경, 청각 신경, 후각 신경, 미각 신경은 감각 뉴런으로 이루어지며, 이들은 시각 세포, 청각 세포, 후각 세포, 맛세포에서 받아들인 자극을 감각 중추인 대뇌로 전달한다.

10 피부에 감각점이 분포하는 정도는 몸의 부위에 따라 다르며, 감각점이 많이 분포할수록 그 자극에 대해 더 민감하다. 지나치게 높은 온도 자극은 통점에서 받아들인다.

모범 답안 입안에는 뜨거움을 느끼는 온점과 통점의 수가 손보다 적기 때문에 입안은 손보다 뜨거움에 덜 민감하다.

채점 기준	배점(%)
감각점의 수를 비교하여 입안이 손보다 덜 예민한 부위라는 점을 옳게 설명한 경우	100
감각점의 수만 옳게 비교하였거나 감각점을 언급하지 않고 입안이 덜 예민해서라고 설명한 경우	60

11 ① 그림은 신경계의 기본 단위인 뉴런을 나타낸 것이다.
③ A는 핵과 세포질이 들어 있는 신경 세포체로 뉴런의 생명 활동의 중심이 된다.
④ B는 감각기나 다른 뉴런으로부터 자극을 받아들이는 가지 돌기이다.
⑤ C는 다른 뉴런이나 반응기로 자극을 전달하는 축삭 돌기이다.
[바로 알기] ② 감각 뉴런은 신경 세포체가 축삭 돌기 옆에 있다. 그림은 운동 뉴런이다.

12 (가)는 운동 뉴런, (나)는 감각 뉴런, (다)는 연합 뉴런이다. 연합 뉴런은 중추 신경계를 구성하며, 운동 뉴런과 감각 뉴런은 말초 신경계를 구성한다. 감각기에서 받은 자극을 중추로 보내는 것은 감각 뉴런으로, 시각 신경, 청각 신경, 후각 신경, 미각 신경은 모두 감각 뉴런으로 이루어져 있다.

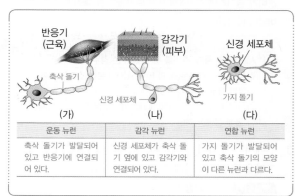

운동 뉴런	감각 뉴런	연합 뉴런
축삭 돌기가 발달되어 있고 반응기에 연결되어 있다.	신경 세포체가 축삭 돌기 옆에 있고 감각기와 연결되어 있다.	가지 돌기가 발달되어 있고 축삭 돌기의 모양이 다른 뉴런과 다르다.

13 척수와 근육을 연결하는 운동 신경은 운동 뉴런의 다발이다. 근위축성 축삭 경화증은 몸의 운동 기능이 말단부터 마비되어 가는 증상을 뜻한다.

14 A는 대뇌, B는 간뇌, C는 중간뇌, D는 연수, E는 소뇌이다.
① 대뇌는 감각과 의식적인 반응의 중추이며 고등 정신 활동을 담당한다.

[바로 알기] ② 동공의 크기를 조절하는 것은 중간뇌이다.

③ 추리, 판단, 기억 등의 정신 작용은 대뇌에서 담당한다.

④ 체온, 혈당량 등 항상성 조절의 중추는 간뇌이다.

⑤ 뇌와 척수로 구성된 중추 신경계에는 연합 뉴런이 밀집되어 있다.

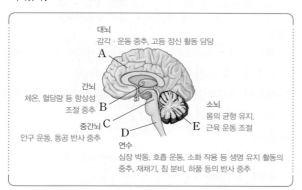

대뇌
감각 · 운동 중추, 고등 정신 활동 담당
A

간뇌
체온, 혈당량 등 항상성
조절 중추 B

소뇌
몸의 균형 유지,
근육 운동 조절

중간뇌 C
안구 운동, 동공 반사 중추 D E

연수
심장 박동, 호흡 운동, 소화 작용 등 생명 유지 활동의
중추, 재채기, 침 분비, 하품 등의 반사 중추

15 ㄴ. (가)는 대뇌의 명령으로 나타나는 의식적인 반응이고, (나)는 대뇌와 상관없이 자기도 모르게 일어나는 무의식적인 반응이다.

ㄹ. (나)와 같은 무조건 반사는 반응 속도가 빨라서 위험으로부터 우리 몸을 보호하는 기능을 한다.

[바로 알기] ㄱ. (가)는 후천적으로 학습된 반응이고 (나)는 선천적인 반응이다.

ㄷ. 눈 깜빡임과 무릎 반사는 둘 다 무조건 반사이지만 중추는 다르다.

16 무조건 반사는 대뇌를 거치지 않고 중간뇌, 연수, 척수 등이 중추가 되어 일어나는 반응이다.

①, ③ 재채기와 침 분비는 연수가 중추인 무조건 반사이다.

④, ⑤ 뾰족한 것이나 뜨거운 것에 피부가 닿았을 때 재빨리 떼는 반응은 척수가 중추인 무조건 반사이다.

[바로 알기] ② 등에 땀이 나서 겉옷을 벗는 것은 대뇌가 관여하는 의식적인 반응이다.

17 우리 몸은 외부 환경이 변하더라도 체온, 혈당량 등을 일정하게 유지하는 항상성이 있다. 항상성 유지 중추는 간뇌이다.

① 더우면 땀이 흐르는 것은 체온을 낮추기 위한 조절 작용이다. 땀이 증발할 때 기화열을 빼앗기기 때문에 체온이 낮아진다.

③ 식사 후에는 혈당량이 높아지므로 혈당량을 낮추기 위해 이자에서 인슐린이 분비된다. 인슐린은 간에서 포도당이 글리코젠으로 합성되는 반응을 촉진하여 혈액 속의 포도당량을 낮춘다.

[바로 알기] ② 평균대 위에서 균형을 잡는 것은 소뇌의 균형 유지 기능이다.

④ 미각과 후각의 조합으로 다양한 음식 맛을 느낄 수 있는 것은 감각과 관련된 것으로 대뇌가 중추이다.

⑤ 무릎 반사는 척수가 중추인 무조건 반사이다.

한 번 더 확인하기 · 혈당량 조절 작용

구분	혈당량이 높을 때	혈당량이 낮을 때
혈당량 변화 요인	식사 등 당분 섭취	운동 등 에너지 소모
분비되는 호르몬	인슐린	글루카곤
조절 작용	• 간에서 포도당을 글리코젠으로 합성 • 조직 세포에서 포도당 흡수	간에서 글리코젠을 포도당으로 분해
조절 결과	혈액의 포도당량 감소	혈액의 포도당량 증가

18 그림은 분비관이 따로 없어 분비물을 혈관으로 내보내는 내분비샘을 나타낸 것이고 분비물은 호르몬이다. 소화액, 눈물, 땀 등은 외분비샘에서 분비되는 물질이다.

한 번 더 확인하기 · 내분비샘과 외분비샘

• 내분비샘: 혈관으로 호르몬을 분비하는 조직이나 기관
• 외분비샘: 별도의 분비관으로 분비물(침, 소화액, 눈물 등)을 분비하는 조직이나 기관

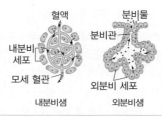

혈액
분비물
분비관
내분비 세포
모세 혈관
외분비 세포
내분비샘
외분비샘

19 세포 호흡을 촉진하는 티록신은 갑상샘에서 분비된다. 세포 호흡이 촉진되면 몸속 열 발생량이 늘어난다. 티록신이 부족하면 체중이 증가하고 추위를 타는 갑상샘 기능 저하증이 나타나고, 티록신이 과다 분비되면 체중이 감소하고 피로감을 많이 느끼는 갑상샘 기능 항진증이 나타날 수 있다.

20 집에 돌아온 후 체온이 상승하였으므로 체온을 높이는 조절 작용이 일어난 것이다.

⑤ 티록신은 세포 호흡을 촉진하므로 티록신 분비량이 증가하면 세포 호흡이 증가하여 몸속의 열 발생량이 늘어난다.

[바로 알기] ① 땀이 분비되면 땀이 증발할 때 기화열을 빼앗기므로 체온이 낮아진다.

② 오줌의 양은 체액의 농도와 관련이 있다.

③ 체온이 낮아지면 세포 호흡이 촉진되어 몸속의 열 발생량이 증가한다.

④ 피부 근처 혈관이 확장하면 체외로 나가는 열의 양이 증가하여 체온이 낮아진다.

한 번 더 확인하기 · 체온 조절 작용

더울 때	추울 때
• 땀 분비 증가 • 피부 근처 혈관 확장 ➡ 체외로의 열 방출량 증가	• 근육 떨림 증가 ➡ 체내 열 발생량 증가 • 피부 근처 혈관 수축 ➡ 체외로의 열 방출량 감소 • 티록신 분비 증가로 세포 호흡 증가 ➡ 체내 열 발생량 증가

V. 생식과 유전

01 세포 분열

개념 다지기

개념 학습서 135, 137쪽

1 (1) 세포 (2) 물질 교환 (3) 세포 **2** (1) ○ (2) × (3) ○ (4) ×
3 (1) A: DNA, B: 단백질 (2) 염색 분체 (3) 유전자 **4** (1) ㉤
(2) ㉡ (3) ㉣ (4) ㉠ (5) ㉢ **5** (1) ㉤ (2) ㉢ (3) ㉠ (4) ㉡ (5) ㉣
6 (1) ○ (2) × (3) ○ (4) × (5) × **7** ㉠ 2회 ㉡ 4개 ㉢ 형성되지
않음 ㉣ 절반으로 줄어듦

1 세포의 크기가 클수록 부피에 대한 표면적 비율이 감소하므로 물질 교환 효율이 떨어진다. 그래서 세포는 어느 정도 크기가 되면 분열하여 둘로 나누어진다. 따라서 몸집이 큰 생물은 작은 생물보다 세포의 수가 많다.

2 세포 주기는 분열을 마친 세포가 자라서 다시 분열을 마치기까지의 시간을 의미한다.
(2) 간기는 유전 물질이 복제되고 세포가 생장하는 등 분열을 준비하는 시기로 분열기에 비해 훨씬 길다.
(4) 세포가 분열하고 나면 분열 전과 같은 크기로 자란 후에 다시 분열하므로 세포 주기를 반복한다고 해서 세포의 크기가 계속 작아지는 것은 아니다.

3 세포가 분열을 시작할 때 염색체는 두 가닥의 염색 분체로 이루어져 있는데, 이는 분열하기 전에 DNA가 복제되었기 때문이다.

4 사람의 염색체는 22쌍의 상염색체와 1쌍의 성염색체로 구성된다. 남자의 성염색체는 XY이고, 여자의 성염색체는 XX이다.

5 체세포 분열은 간기 → 전기 → 중기 → 후기 → 말기 순으로 일어난다.

6 (2) 세포질 분열 시 동물 세포는 바깥쪽에서 안쪽으로 세포막이 함입되고, 식물 세포는 중앙에서 바깥쪽으로 세포판이 형성된다. 동물 세포는 세포벽이 없으므로 세포판이 만들어지지 않는다.
(4) 체세포 분열 시에는 2가 염색체가 나타나지 않는다.
(5) 감수 2분열에서는 염색체 수에 변화가 없다.

7 생식세포 형성 과정을 통해 염색체 수가 체세포의 절반인 생식세포가 형성된다. 생식세포 형성 과정의 감수 1분열 전기에 상동 염색체가 접합하여 2가 염색체를 형성했다가 후기에 분리되므로 말기에 염색체 수가 반감된 2개의 딸세포가 형성된다. 반면, 체세포 분열 과정에는 2가 염색체가 형성되지 않으며 염색 분체가 분리되어 딸세포를 형성하므로 염색체 수에 변화가 없다.

탐구 · 세포가 분열하는 까닭 알아보기

개념 학습서 138쪽

정리 ㉠ 작을수록 ㉡ 물질 교환 ㉢ 표면적 ㉣ 세포 분열

확인 문제

1 A: 48 cm², B: 24 cm² **2** 해설 참조 **3** ④

정리

1 세포의 크기가 작으면 표면에서 중심까지의 거리가 짧아서 물질이 세포 중심까지 빠르게 이동할 수 있다.

2 세포의 크기가 커지면 물질 교환 효율이 떨어지므로 세포는 어느 정도 커지면 분열한다.

확인 문제

1 A의 총 표면적은 $1 \times 6 \times 8 = 48$ cm²이고 B의 총 표면적은 $4 \times 6 = 24$ cm²이다.

2 A와 B의 부피는 8 cm³로 같고 표면적은 A는 48 cm², B는 24 cm²이다.

모범 답안 A는 $\dfrac{\text{표면적}}{\text{부피}}$이 6, B는 3이므로 부피에 대한 표면적 비가 더 큰 A가 B보다 물질 교환 효율이 높다.

채점 기준	배점(%)
부피에 대한 표면적의 비와 물질 교환 효율을 모두 옳게 비교한 경우	100
부피에 대한 표면적의 비와 물질 교환 효율 중 한 가지만 옳게 비교한 경우	50

3 세포가 작을수록 부피에 대한 표면적의 비가 커져서 물질 교환 효율이 높아지므로 생명 활동에 필요한 물질을 얻는 데 유리하다.

탐구 · 체세포 분열 관찰하기

개념 학습서 139쪽

정리 ㉠ 체세포 분열 ㉡ 염색체 ㉢ 간기 ㉣ 중기 ㉤ 말기

확인 문제

1 ③ **2** ③ **3** (다), (라), (나), (가)

정리

1 식물은 관다발에 있는 형성층과 줄기 끝, 뿌리 끝에 있는 생장점에서 세포 분열이 왕성하게 일어난다.

확인 문제

1 양파의 뿌리 끝에는 생장점이 있어서 체세포 분열이 활발하게 일어난다.
[바로 알기] 백합의 꽃밥에서는 감수 분열을 관찰할 수 있다. 식물의 잎이나 사람의 머리카락, 양파의 표피 세포에서는 세포 분열이 일어나지 않는다.

2 염색체가 세포 중앙에 배열하는 시기는 중기이다.

3 딸핵이 형성되기 시작하는 (가)는 말기, 염색 분체가 양극으로 끌려가는 (나)는 후기, 핵막이 사라지고 염색체가 나타나기 시작하는 (다)는 전기, 염색체가 세포 중앙에 배열하고 있는 (라)는 중기의 세포이다.

실력 키우기

개념 학습서 140~142쪽

01 ③　　02 ④　　03 ④　　04 ④　　05 ④　　06 ⑤
07 (나) → (다) → (마) → (라) → (가)　　08 ④　　09 ⑤
10 (마) → (나) → (다) → (가) → (라)　　11 ④　　12 ②
13 ③, ⑤　　14 ④　　15 ①　　16 ④　　17 ③　　18 ④

---

01 몸집의 크기와 상관없이 몸을 구성하는 세포의 크기는 거의 비슷하며, 몸집이 큰 생물은 작은 생물에 비해 세포의 수가 많다.

02 ㄱ. (나)에서 큰 조각은 부피에 비해 표면적이 작기 때문에 수산화 나트륨 수용액이 중심까지 스며들지 못하였다. 이를 통해 생물이 생장하기 위해서는 세포의 크기가 계속 커지는 것보다 분열하여 수를 늘리는 것이 물질 교환 효율을 높이는 방법이라는 것을 알 수 있다.
ㄷ. 페놀프탈레인 용액은 염기성 물질과 반응하면 붉은색으로 변하는 지시약이다. 수산화 나트륨은 염기성 물질이므로 페놀프탈레인 용액을 붉은색으로 변화시킨다.
[바로 알기] ㄴ. 수산화 나트륨 수용액이 스며드는 속도는 한천 조각의 크기와 상관이 없다.

03 세포의 크기가 크면 부피도 크고 표면적도 넓지만 단위 부피당 표면적은 작은 세포보다 작기 때문에 물질 교환 효율이 떨어진다.

04 A는 염색 분체, B는 DNA, C는 단백질, D는 유전자이다.
[바로 알기] ㄱ. 염색 분체는 세포가 분열하기 전에 복제되어 형성된 것으로 유전 정보가 동일하다.

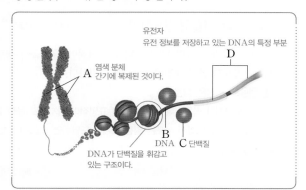

05 염색체라는 이름은 염색액에 염색이 잘되기 때문에 붙여진 것이다. 유전 물질인 DNA와 단백질로 구성되어 있으며, 세포가 분열하지 않을 때는 실 모양으로 풀어져 있다가 세포가

분열할 때 막대 모양으로 뭉쳐진다.
[바로 알기] ④ 같은 종의 체세포 염색체 수는 동일하다.

06 상동 염색체는 각각 부모로부터 하나씩 받은 것이며, 세포가 분열하기 전에 유전 물질이 복제되어 두 가닥의 염색 분체로 구성된다.

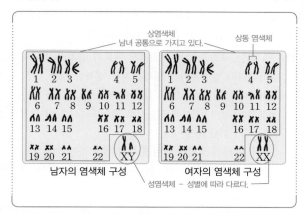

07 체세포 분열은 간기 → 전기 → 중기 → 후기 → 말기 순으로 일어난다. (가)는 말기, (나)는 세포 분열 전 간기, (다)는 전기, (라)는 후기, (마)는 중기이다.

> **한 번 더 확인하기** • 세포 분열 과정은 염색체의 행동을 기준으로 전기, 중기, 후기, 말기로 구분한다.

전기	두 개의 염색 분체로 이루어진 염색체가 관찰된다.
중기	염색체가 세포 중앙에 나란히 배열한다.
후기	염색 분체가 나뉘어 세포 양쪽 끝으로 끌려간다.
말기	염색체가 풀어지고 두 개의 딸핵이 형성된다.

08 ④ (라)는 후기로, 염색 분체가 나뉘어 방추사에 의해 세포의 양쪽 끝으로 끌려간다.
[바로 알기] ① (가)는 말기로, 세포질이 분열하는 시기이며, 체세포 분열에서는 염색체 수가 변하지 않는다.
② (나)는 간기로, 핵막과 인이 뚜렷하고 염색체가 풀어져 있어 관찰되지 않는다. 염색체가 가장 뚜렷하게 관찰되는 시기는 중기이다.
③ (다)는 전기로, 핵막과 인이 사라지고 막대 모양의 염색체가 나타나는 시기이다.
⑤ (마)는 중기로, 세포 주기 중 가장 짧은 시기이며, 가장 긴 시기는 간기이다.

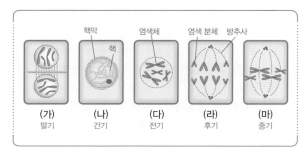

개념 학습서

09 세포 중앙에 세포판이 형성되는 것으로 보아 체세포 분열 말기이며, 이와 같이 세포질이 나누어지는 것은 세포벽이 있는 식물 세포의 세포질 분열에서 나타나는 특징이다. 동물 세포는 세포벽이 없으므로 세포판을 형성하지 않는다.

10 양파의 뿌리 끝에는 생장점이 있어 체세포 분열이 활발하게 일어난다. 현미경 표본은 고정(마) → 해리(나) → 염색(다) → 분리(가) → 압착(라) 과정을 거쳐 제작한다.

11 ④ (라)는 세포를 얇게 퍼뜨려서 세포가 겹치지 않도록 하고 덮개유리와 받침유리를 밀착시켜서 명확한 상을 얻기 위한 과정이다.
[바로 알기] ① (가)는 세포를 서로 떨어뜨려서 상이 겹치지 않도록 하기 위한 과정이다.
② (나)는 뿌리 조직을 연하게 하기 위한 과정이다.
③ (다)는 염색 과정으로, 염색체를 뚜렷하게 관찰하기 위한 과정이다.
⑤ (마)는 고정 과정으로, 세포 분열을 멈추고 그 상태를 보존하기 위한 과정이다.

12 2가 염색체가 세포 중앙에 배열하고 있으므로 감수 1분열 중기의 세포이다.
ㄴ. 상동 염색체가 2쌍이므로 체세포 염색체 수는 4개이다.
[바로 알기] ㄱ. 감수 1분열 결과 상동 염색체가 분리되므로 감수 2분열 과정의 세포에서는 상동 염색체가 관찰되지 않는다.
ㄷ. 2가 염색체는 감수 분열 과정에서만 관찰된다. 감수 분열 결과 염색체 수가 반으로 줄어들기 때문에 딸세포의 염색체 수는 체세포 염색체 수의 절반인 2개이다.

13 ③ (가) 과정에서 염색체가 두 가닥이 되는 것은 유전 물질이 복제되었기 때문이다.
⑤ (다)는 감수 1분열 과정으로, 감수 1분열 결과 상동 염색체가 분리되어 염색체 수가 반감된다.
[바로 알기] ① A, B는 부모로부터 각각 하나씩 물려받은 상동 염색체이므로 유전자 구성이 다르다.
② C, D는 세포가 분열하기 전에 복제되어 형성된 염색 분체이다. 감수 1분열 전기에는 상동 염색체가 접합하여 2가 염색체를 형성한다.
④ (나)에서 상동 염색체가 접합하여 2가 염색체를 형성하며, 이때 염색체 수에는 변화가 없다.

14 생식세포를 형성하는 감수 분열은 난소, 정소, 밑씨, 꽃밥 등 생식 기관에서 일어난다.
[바로 알기] ① 효모는 체세포 분열을 통해 번식한다.
② 양파의 뿌리 끝에서는 체세포 분열을 통한 길이 생장이 일어난다.
③ 양파의 표피 세포에서는 세포 분열이 일어나지 않는다.
⑤ 끊어진 도마뱀 꼬리가 재생되는 것은 체세포 분열의 결과이다.

15 감수 분열은 2회 연속 분열로 염색체 수가 체세포의 절반인 4개의 딸세포를 형성한다. 정자와 난자는 생식세포이므로 이와 같은 과정으로 만들어지며, 생식세포가 수정하면 체세포와 같은 수의 염색체를 갖게 되므로 세대를 거듭해도 염색체 수가 유지될 수 있다.
[바로 알기] ① 유전 정보는 감수 1분열 전 간기에 한 번만 복제된다.

16 감수 분열 시 상동 염색체는 서로 분리되어 다른 세포로 들어가므로 생식세포에는 상동 염색체가 없다.

17 ㄱ. (가)는 모세포의 염색체 수가 2개이고 상동 염색체가 분리되므로 감수 1분열을 나타낸 것이고, (나)는 모세포의 염색체 수가 1개이고 염색 분체가 분리되므로 감수 2분열을 나타낸 것이다.
ㄴ. (가)에서 염색체 수가 2개에서 1개로 줄어들었다.
[바로 알기] ㄷ. (나)에서 염색체 수는 변하지 않지만, 염색 분체가 나누어지므로 유전 물질의 양은 반감된다.

18 이 생물의 체세포 염색체 수는 4개이다. (가)는 염색체 수가 변하지 않으므로 체세포 분열, (나)는 염색체 수가 절반으로 감소하며 2가 염색체가 관찰되므로 감수 분열 과정이다.

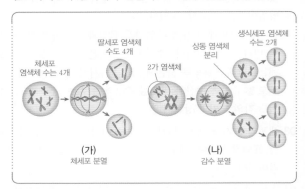

딸세포 염색체 수도 4개 / 생식세포 염색체 수는 2개 / 체세포 염색체 수는 4개 / 2가 염색체 / 상동 염색체 분리 / (가) 체세포 분열 / (나) 감수 분열

단계별 문제로 서술형 연습하기 개념 학습서 143쪽

1 세포의 크기가 커지면 단위 부피당 표면적이 줄어들어 생명 활동에 필요한 물질 교환을 하는 데 불리하다.
모범 답안 (1) 작은, 작을
(2) 세포의 크기가 작을수록 단위 부피당 표면적이 커지므로 물질 교환에 효율적이다. 따라서 세포는 일정 크기에 도달하면 2개로 나뉘는 세포 분열을 한다.

	채점 기준	배점(%)
(1)	작은, 작을을 모두 옳게 쓴 경우	20
(2)	네 가지 단어를 모두 사용하여 옳게 설명한 경우	80
	두 가지 이상의 단어를 사용하여 옳게 설명한 경우	40

2 **모범 답안** (1) 단백질, DNA, 유전 정보

(2) 세포가 분열하기 전에 유전 물질을 복제하기 때문이다.

	채점 기준	배점(%)
(1)	단백질, DNA, 유전 정보를 모두 옳게 쓴 경우	30
(2)	세포 분열 전에 DNA 또는 유전 물질을 복제하기 때문이라고 설명한 경우	70
	DNA 또는 유전 물질을 복제하기 때문이라고만 설명한 경우	50

3 **모범 답안** (1) 생장, 재생, 체세포 분열

(2) 체세포 분열 전에 유전 물질이 복제되며, 분열 과정에서 복제된 염색 분체가 분리되어 각각의 딸세포로 들어가기 때문이다.

	채점 기준	배점(%)
(1)	생장, 재생, 체세포 분열을 모두 옳게 쓴 경우	30
(2)	유전 물질 복제와 염색 분체의 분리를 근거로 들어 옳게 설명한 경우	70
	유전 물질 복제와 염색 분체의 분리 중 한 가지만 근거로 들어 옳게 설명한 경우	30

4 체세포 분열에서는 염색 분체가 분리되고, 감수 1분열에서는 상동 염색체가 분리된다.

모범 답안 (1) 체세포, 중기, 상동, 2가, 감수 1, 중기

(2) (가)의 세포는 분열 전후 염색체 수에 변화가 없다. (나)의 세포는 감수 1분열 후 염색체 수가 반으로 감소한다.

	채점 기준	배점(%)
(1)	체세포, 중기, 상동, 2가, 감수 1, 중기를 모두 옳게 쓴 경우	30
	체세포, 중기, 상동, 2가, 감수 1, 중기 중 네 가지 이상 옳게 쓴 경우	20
(2)	(가), (나)의 염색체 수 변화를 모두 옳게 설명한 경우	70
	(가), (나) 중 한 가지의 염색체 수 변화만 옳게 설명한 경우	30

02 수정과 발생

개념 다지기
개념 학습서 145쪽

1 (1) × (2) ○ (3) × (4) × (5) ○ **2** (1) ㉠ 46 ㉡ 23 ㉢ 46 ㉣ 23 ㉤ 46 ㉥ 46 (2) (가), (나) 생식세포 분열(감수 분열), (다) 체세포 분열 **3** (1) 변하지 않는다 (2) 착상 **4** ㉠ 수란관 ㉡ 난할 ㉢ 기관

1 (1) 정자와 난자는 생식세포 형성 과정을 통해 형성된다.

(3) 난할은 체세포 분열이므로 염색체 수에 변화가 없다.

(5) 착상 후에는 태반이 형성되어 모체로부터 영양분을 공급받게 된다.

2 어머니와 아버지의 체세포, 수정란, 태아의 체세포 염색체 수는 46개이고, 정자와 난자는 생식세포이므로 23개이다. (가)와 (나)에서는 생식세포인 정자와 난자를 형성하는 감수 분열이 일어나고, (다)는 수정란의 발생 과정으로 (다)에서는 체세포 분열이 일어난다.

3 난할은 체세포 분열 과정이므로 분열 결과 딸세포의 염색체 수는 모세포와 같다. 난할은 세포의 크기가 커지는 시기가 없이 빠르게 일어나므로 난할이 거듭될수록 세포 수는 많아지지만 세포 하나의 크기는 점점 작아진다.

4 수정란이 하나의 개체로 되기까지의 과정이 발생이다.

집중 공략·사람의 수정과 발생 정리하기
개념 학습서 146쪽

유제 **1** ④   유제 **2** (다)→(마)→(나)→(라)→(가)

유제 **1** 수정 후 8주가 지나면 대부분의 기관이 형성되어 사람의 모습을 갖추며, 각 기관은 계속 발달하여 완성되어 간다. [바로 알기] ④ 수정 후 8주가 지나면 대부분의 기관이 형성되는 것이지 완성되는 것은 아니다.

유제 **2** 정자와 난자가 수정할 때 정자의 핵과 난자의 핵이 융합하여 하나의 핵이 된다. 수정은 수란관에서 일어나며, 수정란은 난할을 하면서 자궁으로 이동하여 착상한다.

실력 키우기
개념 학습서 147~148쪽

01 (가) 정자 – ㉢ (나) 난자 – ㉤   **02** ① **03** ③ **04** ④ **05** ② **06** ⑤ **07** ③ **08** ③ **09** ⑤ **10** 점점 작아진다. **11** 변화 없이 일정하게 유지된다.   **12** ①

01 사람의 생식세포인 정자와 난자는 생식 기관인 정소(㉢)와 난소(㉤)에서 각각 생식세포 형성 과정을 거쳐 만들어진다.

02 생식세포의 핵 속에 유전 물질이 들어 있다. 정자의 핵은 머리 부분인 A에 있고, 난자의 핵은 D이다.

03 정자와 난자는 공통적으로 감수 분열을 통해 만들어지며, 핵 속에 들어 있는 염색체 수는 체세포의 절반인 23개이다. [바로 알기] ㄱ, ㄹ. 운동은 꼬리가 있는 정자만 할 수 있고, 발생에 필요한 양분을 많이 저장하고 있는 것은 난자이다.

04 (가)는 정자, (나)는 난자, (라)는 수정란이며, (다)는 수정 과정을 나타낸다.

ㄱ. 정자는 꼬리로 운동하여 난자가 있는 수란관까지 이동한다.

ㄴ. (가)와 (나)의 염색체 수는 각각 23개이고, (라)의 염색체 수는 46개이다.

ㄷ. 수정 과정에서 정자의 핵과 난자의 핵이 합쳐진다.

[바로 알기] ㄹ. 수정란은 체세포 분열을 거듭하여 발생한다.

05 수정란의 초기 세포 분열 과정을 난할이라고 한다.

06 ⑤ 난할 중에는 세포의 크기가 거의 자라지 않으므로 배아 전체의 크기는 수정란과 비슷하다.

[바로 알기] ① 기관 형성은 착상 후에 진행된다.

② 난할은 세포의 크기가 자라는 시기가 거의 없이 빠르게 진행되므로 세포 하나의 크기는 점점 작아진다.

③ 정자와 난자는 각각 정소와 난소에서 감수 분열을 통해 만들어진다.

④ 난할은 체세포 분열이므로 난할이 계속되어도 염색체 수는 변하지 않는다.

07 (가)는 수란관, (나)는 난소, (다)는 자궁이다. 수란관에서는 정자와 난자가 수정하고, 난소에서는 난자가 배란되며, 자궁에는 포배 상태의 배아가 착상한다.

08 A는 2세포배, B는 4세포배, C는 8세포배, D는 포배이다.
① 난할은 체세포 분열로 일어난다.
② 난할이 일어날 때마다 세포 수는 2배가 된다.
④ 난할 중에는 세포의 크기가 거의 커지지 않으므로 A~D의 크기는 모두 비슷하다.
⑤ D 이후에도 체세포 분열로 발생이 계속된다.
[바로 알기] ③ 세포 1개당 유전 물질의 양은 A~D 모두 같다.

09 ㄱ, ㄷ. 수정란은 2세포배, 4세포배, 8세포배 순으로 세포 수를 늘리며 자궁으로 이동하여 포배 단계에서 착상한다.
ㄴ. 정자와 난자는 수란관 입구에서 수정하므로 수정에 참여하는 정자는 자궁을 통과하여 수란관에 이른 것이다.
ㄹ. 수정란 이후 사람의 체세포 염색체 수는 46개로 동일하다.

10 난할은 세포가 커지는 시기가 거의 없이 빠르게 일어나므로 난할이 거듭될수록 세포 1개의 크기는 점점 작아진다.

11 난할은 체세포 분열이 반복되는 과정이므로 딸세포의 염색체 수는 체세포 염색체 수와 동일하게 유지된다.

12 (가)는 착상이 되기까지 난할이 일어나는 시기이고, (나)는 기관이 형성되기 전 배아 상태이며, (다)는 기관이 형성된 후 태아 상태를 나타낸다.
ㄱ. 발생은 체세포 분열로 일어난다.
ㄴ. 수정 후 8주까지 대부분의 기관이 형성되며, 이후 기관별로 발달하여 각각 다른 시기에 완성된다.
[바로 알기] ㄷ. 난할 이후에는 세포 분열 속도가 느려지면서 분열 후 세포가 자라는 시기가 있기 때문에 (나)와 (다) 시기에는 딸세포가 어느 정도 자란 후에 분열한다.
ㄹ. 수정 후 38주에 출산이 이루어진다. 난자는 난소에서 형성되며, 난자가 수란관으로 배란된 후에 정자와 만나면 수정이 이루어진다.

단계별 문제로 **서술형 연습하기**   개념 학습서 149쪽

1 [모범 답안] (1) 정자, 정소, 난자, 난소
(2) (가)와 (나)는 감수 분열로 형성되어 둘 다 염색체 수가 23개이다. (가)는 운동성이 있어 이동할 수 있고 저장 양분이 거의 없는 반면, (나)

는 운동성은 없고 발생 과정에 필요한 양분을 많이 저장하고 있다.

	채점 기준	배점(%)
(1)	정자, 정소, 난자, 난소를 모두 옳게 쓴 경우	40
(2)	(가)와 (나)의 염색체 수, 운동성, 저장 양분을 모두 포함하여 옳게 설명한 경우	60
	(가)와 (나)의 염색체 수는 옳게 설명하였으나 차이점은 운동성과 저장 양분 중 한 가지만 옳게 설명한 경우	40

2 [모범 답안] (1) 절반, 23, 수정, 46
(2) 수정은 정자의 핵과 난자의 핵이 융합하여 수정란을 형성하는 과정이다.

	채점 기준	배점(%)
(1)	절반, 23, 수정, 46을 모두 옳게 쓴 경우	40
(2)	네 가지 단어를 모두 포함하여 옳게 설명한 경우	60
	두 가지 이상의 단어를 포함하여 옳게 설명한 경우	30

3 (1) 수정란의 초기 세포 분열 과정을 난할이라고 한다.
(2) 난소에서 배란된 난자는 수란관을 따라 이동하다가 정자와 만나 수정한다.
[모범 답안] (1) 체세포, 분열, 증가, 작아
(2) 수정란은 난할을 거듭하며 수란관을 통해 자궁으로 이동하여 포배 상태로 자궁 안쪽 벽에 파묻히는 착상을 한다.

	채점 기준	배점(%)
(1)	체세포, 분열, 증가, 작아를 모두 옳게 쓴 경우	40
(2)	세 가지 단어를 모두 포함하여 옳게 설명한 경우	60
	세 가지 단어 중 두 가지만 포함하여 옳게 설명한 경우	40

4 [모범 답안] (1) 기관, 태아, 수정
(2) 수정란이 일정한 형태와 기능을 갖춘 어린 개체가 되는 과정을 발생이라고 한다.

	채점 기준	배점(%)
(1)	기관, 태아, 수정을 모두 옳게 쓴 경우	30
(2)	수정란과 개체를 언급하여 옳게 설명한 경우	70
	수정란과 개체 중 한 가지만 언급하여 옳게 설명한 경우	30

03 유전의 원리

개념 다지기   개념 학습서 151, 153쪽

1 (1) × (2) × (3) ○ (4) ○ (5) × **2** (1) ㄹ (2) ㄱ (3) ㄴ (4) ㄷ
3 ㄱ 순종 ㄴ 둥근 ㄷ 둥근 ㄹ 주름진 **4** (1) ㄱ R ㄴ r (2) 둥근 완두, Rr **5** (1) ○ (2) ○ (3) ○ (4) × (5) × **6** (1) ㄱ R ㄴ r ㄷ R ㄹ R ㅁ r ㅂ r (2) 둥근 완두 : 주름진 완두＝3 : 1
(3) RR : Rr ＝ 1 : 2 **7** (1) 둥글고 노란색 (2) RY : Ry : rY : ry＝1 : 1 : 1 : 1 (3) 3 : 1 (4) 3 : 1

1 (1) 완두 씨의 둥근 모양과 주름진 모양, 노란색과 초록색이 서로 대립 형질이다. 대립 형질은 한 가지 형질에 대해 서로 대비되는 특징을 의미한다.

(2) 순종은 여러 세대에 걸친 자가 수분을 통해 얻는다.

(5) 순종과 잡종은 하나의 형질에 대한 유전자 조합으로 판단한다. 즉, RR, rr는 순종, Rr는 잡종이다. RY는 서로 다른 형질의 유전자를 각각 하나씩 가지고 있는 생식세포의 유전자 구성이다.

3 멘델은 순종의 둥근 완두와 주름진 완두를 교배하여 얻은 잡종 1대에서 둥근 완두만 나오는 것을 보고 우열의 원리를 알아냈다.

4 하나의 형질을 나타내는 유전자 쌍은 생식세포 형성 시 분리되어 각각의 생식세포로 나뉘어 들어간다. 잡종 1대는 순종의 어버이로부터 생식세포를 통해 유전자를 하나씩 물려받으므로 유전자 구성은 Rr이나 표현형은 모두 둥근 모양이다. 따라서 둥근 모양이 우성 형질이고 주름진 모양이 열성 형질이다.

5 (4) 유전자형이 Rr인 완두에서 만들어지는 생식세포의 유전자형은 R, r의 두 종류이다. 체세포에는 하나의 형질을 나타내는 대립유전자가 쌍으로 있지만 생식세포 형성 시 상동 염색체가 분리되어 생식세포에는 대립유전자가 하나만 있다.

(5) 잡종의 둥근 완두(Rr)를 자가 수분하면 자손에서 우성 형질인 둥근 완두(RR, 2Rr)와 열성 형질인 주름진 완두(rr)가 3 : 1의 비율로 나온다.

6 순종의 둥근 완두(RR)와 주름진 완두(rr)를 교배하면 잡종 1대에서 둥근 완두(Rr)만 나온다. 잡종 1대를 자가 수분하면 잡종 2대에서 둥근 완두(RR, 2Rr)와 주름진 완두(rr)가 3 : 1의 비율로 나온다.

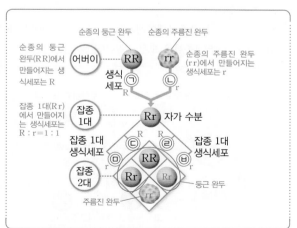

7 순종의 둥글고 노란색인 완두(RRYY)와 순종의 주름지고 초록색인 완두(rryy)를 교배하면 잡종 1대에서 둥글고 노란색인 완두(RrYy)만 나온다. 잡종 1대에서는 생식세포 RY, Ry, rY, ry가 1 : 1 : 1 : 1로 만들어지고, 잡종 1대

를 자가 수분하면 잡종 2대에서 둥글고 노란색 : 둥글고 초록색 : 주름지고 노란색 : 주름지고 초록색=9 : 3 : 3 : 1의 비율로 나온다. 완두의 모양과 색깔은 독립의 법칙에 따라 서로 독립적으로 유전되므로 색깔과 상관없이 둥근 모양(RRYY, 2RRYy, RRyy, 2RrYY, 4RrYy, 2Rryy) : 주름진 모양(rrYY, 2rrYy, rryy)이 3 : 1로 나오고, 모양과 상관없이 노란색(RRYY, 2RRYy, 2RrYY, 4RrYy, rrYY, 2rrYy) : 초록색(RRyy, 2Rryy, rryy)이 3 : 1의 비율로 나온다.

유제 **1** ③   유제 **2** ③   유제 **3** 100개

유제 **1** 잡종 1대(Ll)를 열성 개체와 교배하면 자손에서 우성 : 열성의 비율이 1 : 1이 되므로 흔적 날개(ll)인 초파리가 나올 확률은 $\frac{1}{2}$이다.

유제 **2** 유전자형이 Rr인 잡종 1대를 자가 수분하면 잡종 2대의 유전자형은 RR : Rr : rr=1 : 2 : 1이다. 따라서 Rr의 비율은 50 %가 된다.

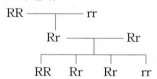

유제 **3** 어버이의 둥근 완두는 유전자형이 RR이고, 잡종 2대에서 RR는 $\frac{1}{4}$의 확률로 나오므로 400개 중 유전자형이 RR인 완두는 이론상 100개가 된다.

01 ②   **02** ④   **03** ③   **04** (가) YY (나) yy (다) Yy
05 ④   **06** ⑤   **07** (나), (다)   **08** ②   **09** ④   **10** ③
11 9 : 3 : 3 : 1   **12** ④   **13** ②

01 잡종의 개체에서 표현되는 형질을 우성이라고 한다.

02 형질이 유전자 외에 환경의 영향을 받으면 교배 실험을 통해 유전 원리를 확인하기가 어렵다.

03 ㄱ. (가)는 어버이 세대로, 순종의 둥근 완두와 주름진 완두를 사용한다.
ㄷ. (다)는 잡종 1대로, 우성 형질인 둥근 완두만 나온다.
[바로 알기] ㄴ. (나)는 타가 수분으로, 대립 형질이 서로 다른 완두의 꽃가루를 묻힌다.

04 순종의 대립 형질을 가진 개체를 교배했을 때 자손은 부모의 유전자를 각각 하나씩 받으므로 유전자 구성이 잡종으로 Yy가 된다.

$$YY \times yy \longrightarrow Yy$$

05 (다)는 모두 잡종으로, 자가 수분하면 노란색 완두와 초록색 완두가 3 : 1의 비율로 나온다.

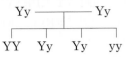

06 ㄱ. 자손의 키 큰 완두는 어버이로부터 키 큰 유전자와 키 작은 유전자를 각각 하나씩 물려받았다.

ㄴ. 자손에서 키 큰 완두만 나왔으므로 키 큰 형질이 우성이고 키 작은 형질이 열성이다.

ㄷ. 어버이의 키 큰 완두는 순종이므로 한 종류의 유전자만 가지고 있기 때문에 한 종류의 생식세포만 만든다.

07 (가)의 유전자형은 YY, (나), (다)는 Yy, (라)는 yy이다.

08 잡종 2대에서 열성 형질인 초록색을 나타내는 개체는 (라)이고, (가)~(다)는 모두 우성 형질인 노란색을 나타낸다.

생식세포	Y	y
Y	(가) YY	(다) Yy
y	(나) Yy	(라) yy

■ 노란색
■ 초록색

09 ① 어버이는 순종이므로 한 종류의 생식세포만 만든다.

② 잡종 1대의 둥근 완두는 어버이로부터 둥근 모양 대립유전자와 주름진 모양 대립유전자를 하나씩 받았다. 따라서 두 종류의 대립유전자를 가지고 있으므로 두 종류의 생식세포를 만든다.

③ 자손은 어버이로부터 대립유전자를 하나씩 받아 모든 유전자가 쌍을 이루게 된다.

⑤ 순종의 어버이 사이에서 나온 잡종 1대가 둥근 완두이므로 둥근 모양이 우성이다. 잡종 1대를 자가 수분하면 잡종 2대에서 우성 형질인 둥근 모양과 열성 형질인 주름진 모양이 3 : 1의 비율로 나온다.

[바로 알기] ④ 생식세포를 만들 때 한 쌍의 유전자는 서로 다른 생식세포로 들어간다.

> **한 번 더 확인하기 • 우성 형질과 열성 형질의 유전자형**
> 순종의 대립 형질을 가진 어버이를 교배했을 때 잡종 1대에서 표현되는 형질이 우성 형질이다. 즉, 유전자형이 우성 순종(예 RR, YY), 잡종(예 Rr, Yy)일 때는 우성 형질(예 둥근 완두, 노란색 완두)이 표현되고, 유전자형이 열성 순종(예 rr, yy)일 때만 열성 형질(예 주름진 완두, 초록색 완두)이 표현된다.

10 둥근 모양 대립유전자를 R, 주름진 모양 대립유전자를 r라고 하면 잡종 1대의 유전자형은 Rr이다. 잡종 1대를 자가 수분하면 Rr×Rr ⟶ RR, Rr, Rr, rr이므로 잡종 2대에서 잡종 1대와 유전자형이 같은 개체는 50 %이다.

11 잡종 1대(RrYy)에서 만들어진 생식세포의 유전자형은 RY, Ry, rY, ry의 4종류이다. 이들의 결합으로 형성된 잡종 2대의 유전자 조합과 표현형은 표와 같다.

생식세포	RY	Ry	rY	ry
RY	RRYY	RRYy	RrYY	RrYy
Ry	RRYy	RRyy	RrYy	Rryy
rY	RrYY	RrYy	rrYY	rrYy
ry	RrYy	Rryy	rrYy	rryy

A ■ 둥글고 노란색   B ■ 둥글고 초록색
C ■ 주름지고 노란색   D ■ 주름지고 초록색

12 주름진 모양과 초록색은 둘 다 열성 형질이므로 주름지고 초록색인 완두의 유전자형은 rryy 한 가지이다. 잡종 2대에서 표현형의 비는 둥글고 노란색 : 둥글고 초록색 : 주름지고 노란색 : 주름지고 초록색=9 : 3 : 3 : 1이므로 주름지고 초록색인 완두의 비율은 $\frac{1}{16}$이다.

13 ① 잡종 1대에서 표현되는 둥근 모양과 노란색이 우성 형질이다.

③ 잡종 2대에서 둥근 완두는 315+108=423개, 주름진 완두는 101+32=133개로, 우성인 둥근 완두와 열성인 주름진 완두의 비는 약 3 : 1이다.

④ 잡종 2대에서 노란색 완두는 315+101=416개, 초록색 완두는 108+32=140개로, 우성인 노란색 완두와 열성인 초록색 완두의 비는 약 3 : 1이다.

⑤ 잡종 1대의 완두는 모양과 색깔에서 모두 우성 형질을 나타냈고, 잡종 2대에서 완두의 모양과 색깔은 우성 : 열성이 각각 3 : 1의 비로 나타났으므로 두 가지 형질은 서로 영향을 주지 않고 각각 우열의 원리와 분리의 법칙에 따라 유전된다는 것을 알 수 있다.

[바로 알기] ② 잡종 1대에서 만들어지는 생식세포는 RY, Ry, rY, ry의 4종류로 모두 같은 비율로 만들어진다.

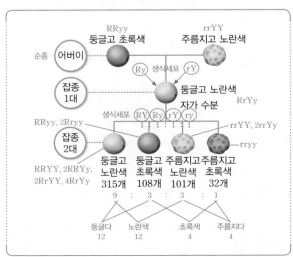

1 잡종 개체에서 표현되지 않는 형질이 열성 형질이다.

모범 답안 (1) 대립유전자, 대립유전자, 상동 염색체, 생식세포

(2) 우열의 원리를 설명한 것으로, 서로 다른 대립유전자를 가진 잡종 개체는 한 가지 대립 형질만 나타내며, 잡종 개체가 나타내는 대립 형질이 우성이다.

	채점 기준	배점(%)
(1)	대립유전자, 대립유전자, 상동 염색체, 생식세포를 모두 옳게 쓴 경우	40
(2)	우열의 원리, 대립유전자, 대립 형질, 우성을 언급하여 옳게 설명한 경우	60
	우열의 원리, 대립유전자, 대립 형질, 우성 가운데 일부만 언급하여 옳게 설명한 경우	30

2 잡종 1대의 표현형인 둥근 완두가 우성이다. 우성 형질의 유전자형은 대문자로, 열성 형질의 유전자형은 소문자로 쓰며, 순종의 유전자 쌍은 동일한 유전자로 구성된다.

모범 답안 (1) 대립, 순종, 우성, 열성

(2) 잡종 1대의 표현형인 둥근 형질이 우성, 나타나지 않은 주름진 형질이 열성이므로 어버이 중 둥근 완두의 유전자형은 RR, 주름진 완두의 유전자형은 rr이다.

	채점 기준	배점(%)
(1)	대립, 순종, 우성, 열성을 모두 옳게 쓴 경우	40
(2)	잡종 1대의 표현형과 우열의 원리를 근거로 들어 어버이의 유전자형을 옳게 설명한 경우	60
	어버이의 유전자형만 옳게 설명한 경우	30

3 2개의 주머니는 잡종인 개체의 생식 기관을 의미한다.

모범 답안 (1) 한 쌍, 생식세포, 분리의 법칙

(2) 주머니에서 바둑알을 하나씩 꺼내는 것은 생식세포가 형성되는 것을 의미하며, 2개의 유전자 구성을 기록하는 것은 생식세포의 수정으로 자손이 만들어지는 것을 의미한다.

	채점 기준	배점(%)
(1)	한 쌍, 생식세포, 분리의 법칙을 모두 옳게 쓴 경우	30
(2)	주머니에서 바둑알을 꺼내는 의미와 2개의 유전자를 구성하는 의미를 모두 옳게 설명한 경우	70
	주머니에서 바둑알을 꺼내는 의미와 2개의 유전자를 구성하는 의미 중 한 가지만 옳게 설명한 경우	30

4 **모범 답안** (1) 주름진, 초록색, 1 : 1, RrYy

(2) (가)는 생식세포 RY, Ry, rY, ry를 1 : 1 : 1 : 1의 비율로 만들기 때문에 (가)의 자가 수분으로 얻은 자손의 표현형의 비는 둥글고 노란색 : 둥글고 초록색 : 주름지고 노란색 : 주름지고 초록색=9 : 3 : 3 : 1이다.

	채점 기준	배점(%)
(1)	주름진, 초록색, 1 : 1, RrYy를 모두 옳게 쓴 경우	40
(2)	생식세포의 유전자형을 근거로 들어 옳게 설명한 경우	60
	자손의 표현형의 비만 옳게 설명한 경우	30

04 사람의 유전

개념 다지기   개념 학습서 159, 161쪽

1 (1) × (2) × (3) ○ (4) ○ (5) ×   **2** (1) 쌍둥이 연구 (2) ㉠ 같다 ㉡ 유전자 ㉢ 환경   **3** (1) 가계도 조사 (2) ㉠ 없다 ㉡ 우성 ㉢ Aa   **4** (1) × (2) ○ (3) ○ (4) ○ (5) ×   **5** (1) 3: AO, 4: BO (2) A형, O형 (3) $\frac{1}{2}$ (50 %)   **6** (1) 3, 6, 9 (2) 2 → 6 → 8 (3) $\frac{1}{4}$ (25 %)

1 사람은 자유로운 교배 실험이 불가능하며 한 세대가 길고 자손의 수가 적어서 사람의 유전은 직접적인 실험을 통해 연구하기가 어렵다. 대신 가계도 조사, 쌍둥이 연구, 통계 조사, 염색체와 유전자 연구 등을 통해 사람의 유전을 연구한다.

(5) 세계 여러 지역의 ABO식 혈액형 분포는 통계 조사(집단 조사)로 알아보는 것이 적절하다.

2 1란성 쌍둥이는 유전자 구성이 같고, 2란성 쌍둥이는 유전자 구성이 다르다. (가)~(다)의 키는 매우 비슷한 데 비해 다른 환경에서 자란 (다)의 몸무게와 (가), (나)의 몸무게가 크게 다른 것으로 보아 키는 유전자의 영향을 많이 받고 몸무게는 환경의 영향을 많이 받는다고 할 수 있다.

3 유전자가 상염색체에 있는 형질은 성별과 상관없이 동일한 확률로 유전된다. 혀 말기가 가능한 부모 1, 2로부터 혀 말기가 불가능한 6이 나왔으므로 혀 말기 가능이 우성, 혀 말기 불가능이 열성이다. 7은 우성 형질을 나타내지만 혀 말기가 불가능한 아버지로부터 열성 유전자를 하나 받았으므로 유전자형은 잡종이다.

4 (1) ABO식 혈액형의 대립유전자는 3가지이지만, 한 사람이 가지고 있는 대립유전자는 2개이다. 따라서 한 사람의 ABO식 혈액형은 2개의 대립유전자에 의해 결정된다.

(5) 아버지의 적록 색맹 대립유전자는 딸에게 전달되고 아들의 적록 색맹 대립유전자는 어머니로부터 받은 것이다.

5 (1) 3, 4의 딸인 6이 O형이므로 3, 4는 대립유전자 O를 가지고 있다.

(2) 5의 어머니인 2가 O형이므로 5의 유전자형은 AO이고, 6의 유전자형은 OO이다. AO×OO → AO, OO로 둘 사이에서 나올 수 있는 혈액형은 A형과 O형뿐이다.

(3) 5와 6 사이에서 나올 수 있는 혈액형은 A형과 O형뿐이고, 성별에 관계없이 각각의 확률은 $\frac{1}{2}$이므로 7의 동생이 A형일 확률은 $\frac{1}{2}$이다.

6 (1) 3, 6, 9는 모두 정상이지만, 3은 아들에게 적록 색맹 대립유전자를 주었고, 6은 어머니로부터 적록 색맹 대립유전자를 받았으며, 9는 아버지로부터 적록 색맹 대립유전자를 받았으므로 모두 보인자이다.

(2) 8은 어머니로부터 X 염색체를 받았으므로 적록 색맹 대립유전자도 어머니인 6으로부터 받았다. 6은 정상이지만 어머니인 2가 적록 색맹이므로 어머니로부터 적록 색맹 대립유전자를 받은 보인자이다.

(3) 9의 유전자형은 XX′, 정상 남자의 유전자형은 XY이므로 이들 사이에서 태어나는 자녀의 유전자형은 XX, XX′, XY, X′Y의 4가지가 가능하며 이 중 X′Y만 적록 색맹이 된다.

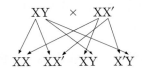

집중 공략 · 가계도 분석하기 개념 학습서 162쪽

| 유제 **1** 젖은 귀지 | 유제 **2** 상염색체 | 유제 **3** ①, ④ |
| 유제 **3** $\frac{1}{2}$(50 %) | | |

유제**1** 젖은 귀지인 3과 4로부터 마른 귀지인 7이 태어났고, 젖은 귀지인 5와 6으로부터 마른 귀지인 철수가 태어났다.

유제**2** 귀지 형질 유전자가 X 염색체에 있다면 열성 유전자가 2개인 2에게서 젖은 귀지인 5가 태어날 수 없다.

유제**3** 정상이면서 적록 색맹 대립유전자를 가진 사람을 보인자라고 한다. 문제의 가계도에서 1, 5, 8, 9는 보인자이나 3은 명확하지 않다. 남자는 보인자가 될 수 없다.

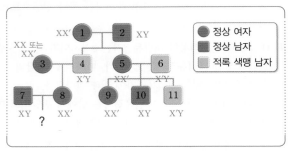

유제**4** 8이 보인자이므로 아들은 정상일 확률과 색맹일 확률이 각각 $\frac{1}{2}$이고, 7이 정상이므로 딸은 모두 정상이다.

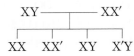

실력 키우기 개념 학습서 163~164쪽

| **01** ④ | **02** ④ | **03** ③ | **04** ② | **05** ④ | **06** ⑤ | **07** BO |
| **08** ③ | **09** ④ | **10** 50 % | **11** ③ | | | |

01 [바로 알기] ④ 사람은 자유로운 교배 실험이 불가능하다.

> **한 번 더 확인하기 · 사람의 유전 연구가 어려운 까닭**
> • 한 세대가 길다.
> • 자손의 수가 적다.
> • 대립 형질이 복잡하다.
> • 자유로운 교배가 불가능하다.
> • 형질이 환경의 영향을 받는다.

02 특정 형질이 나타나는 가계도를 조사하면 그 형질이 어떻게 유전되는지 알 수 있다.

03 1란성 쌍둥이는 유전자 구성이 동일하므로 1란성 쌍둥이의 일치율이 높을수록 환경보다는 유전의 영향이 큰 형질임을 뜻한다. 일치율이 1.0이면 유전자에 의해 결정되는 형질이고 1.0보다 작으면 환경의 영향도 받는 형질이다.

04 ① 혀 말기 유전자는 상염색체에 있다. 혀 말기 유전자가 X 염색체에 있다면 1의 딸은 혀 말기 불가능이 될 수 없다.

③ 1의 자녀 중 혀 말기가 불가능한 자녀는 1과 2로부터 혀 말기 불가능 유전자를 하나씩 받았다.

④ 영희는 혀 말기가 불가능하므로 아버지와 어머니로부터 혀 말기 불가능 유전자를 하나씩 받았고 아버지는 1과 2로부터 혀 말기 불가능 유전자를 하나씩 받았다. 어머니와 2는 혀 말기가 가능하므로 둘 다 혀 말기 가능 유전자와 불가능 유전자를 하나씩 가지고 있다.

[바로 알기] ② 혀 말기가 가능한 부모 사이에서 혀 말기가 불가능한 자녀가 태어났으므로 혀 말기 불가능 형질은 열성으로 유전된다는 것을 알 수 있다.

05 ㄱ. 정상인 부모 사이에서 미맹인 딸이 태어난 것으로 보아 미맹 유전자는 상염색체에 있으며 열성으로 유전된다는 것을 확인할 수 있다.

ㄷ. B는 미맹 유전자를 2개 가지고 있고, 부모로부터 각각 하나씩 받은 것이다.

ㄹ. B의 아버지는 유전자형이 Tt, 어머니는 tt이므로 이들 사이에서 미맹인 자녀가 태어날 확률은 50 %이다.

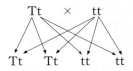

[바로 알기] ㄴ. A에게는 미맹인 딸이 있으므로 A는 미맹 유전자를 딸에게 준 것이다. 따라서 A의 유전자형은 Tt이다.

06 ABO식 혈액형 유전자는 상염색체에 있고 대립유전자는 A, B, O 3가지이며, 표현형은 A형, B형, AB형, O형의 4가지이다.

[바로 알기] ⑤ ABO식 혈액형 대립유전자는 상동 염색체의 같은 위치에 있으므로 한 사람의 혈액형은 2개의 대립유전자, 즉 한 쌍의 대립유전자로 결정된다.

한 번 더 확인하기 • ABO식 혈액형의 표현형과 유전자형				
표현형	A형	B형	AB형	O형
유전자형	AA, AO	BB, BO	AB	OO

07 딸이 B형, 막내아들이 O형인 것으로 보아 어머니는 딸에게 대립유전자 B를, 막내아들에게 대립유전자 O를 주었음을 알 수 있다. 따라서 어머니의 유전자형은 BO이다.

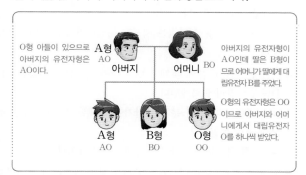

08 ㄷ. 6에게는 O형 딸이 있으므로 6의 유전자형은 BO이다. 7은 4로부터 대립유전자 O를 받았으므로 유전자형이 AO이다. 따라서 6과 7 사이에서 나올 수 있는 자녀의 유전자형은 AB, BO, AO, OO이다. 즉, 8의 동생은 AB형, B형, A형, O형일 확률이 각각 $\frac{1}{4}$이다.

[바로 알기] ㄱ. 5는 1로부터 대립유전자 A를, 2로부터 대립유전자 O를 받았고, 7은 3으로부터 대립유전자 A를, 4로부터 대립유전자 O를 받았다. 즉, 5와 7의 유전자형은 AO로 동일하다.

ㄴ. 1은 AB형이고 5는 A형이므로 2의 유전자형은 BO이다. 6의 유전자형은 BO이므로 6은 1로부터 대립유전자 B를, 2로부터 대립유전자 O를 받았다.

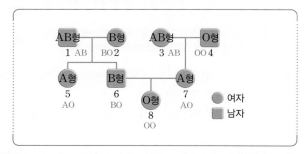

09 ④ 적록 색맹 유전자는 X 염색체에 있고 열성으로 유전되므로 여자보다 남자에게 더 높은 빈도로 나타난다.

[바로 알기] ① 적록 색맹 대립유전자는 성염색체인 X 염색체에 있다.

② 적록 색맹은 정상에 대해 열성이다.

③ 여자는 X 염색체가 2개이므로 적록 색맹 대립유전자가 2개 있어야 적록 색맹이 된다. 따라서 정상인 여자의 유전자형은 XX, XX′로 두 가지이다.

⑤ 남자는 X 염색체가 하나이므로 적록 색맹 대립유전자가 1개만 있어도 적록 색맹이 된다.

10 (가)는 적록 색맹이고, (나)는 정상이지만 아버지가 적록 색맹이므로 보인자이다. (가)의 유전자형을 X′Y, (나)의 유전자형을 XX′라고 하면 자녀의 유전자형은 XX′, X′X′, XY, X′Y의 4가지로 나타난다. 따라서 아들인 경우와 딸인 경우 둘 다 적록 색맹이 될 확률은 50 %이다.

11 9는 7로부터 X 염색체를 물려받았으므로 9의 적록 색맹 대립유전자는 7로부터 온 것이다. 7은 정상이므로 보인자이며, 1은 정상이므로 적록 색맹인 2로부터 적록 색맹 대립유전자를 물려받았다.

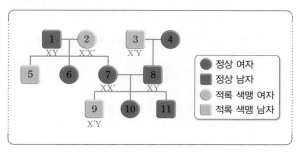

한 번 더 확인하기 • 적록 색맹 가계도 분석
• 아들의 적록 색맹 대립유전자는 어머니에게 받은 것이다.
• 어머니가 적록 색맹이면 아들은 모두 적록 색맹이 된다.
• 딸이 적록 색맹이면 아버지는 반드시 적록 색맹이다.

단계별 문제로 서술형 연습하기 개념 학습서 165쪽

01 사람의 형질 중에는 환경의 영향을 받는 것도 있어서 1란성 쌍둥이 연구를 통해 특정 형질의 차이가 유전에 의한 것인지, 환경에 의한 것인지를 확인할 수 있다.

[모범 답안] (1) 수정란, 발생, 발생, 같다
(2) 환경의 영향을 받기 때문이다.

	채점 기준	배점(%)
(1)	수정란, 발생, 발생, 같다를 모두 옳게 쓴 경우	40
(2)	환경의 영향을 받아서 또는 성장 환경이 달라서라고 설명한 경우	60

02 아버지와 어머니는 혀 말기가 가능하지만 혀 말기 불가능한 아들이 있으므로 유전자형은 둘 다 Rr이다.

[모범 답안] (1) 우성, 열성, Rr
(2) 아버지와 어머니의 유전자형이 Rr이므로 Rr×Rr → RR, Rr, Rr, rr에서 혀 말기 불가능한 rr가 태어날 확률은 $\frac{1}{4}$(25 %)이다.

정답과 해설 ▪▪ **43**

채점 기준	배점(%)
(1) 우성, 열성, Rr를 모두 옳게 쓴 경우	30
(2) 확률과 풀이 과정을 모두 옳게 설명한 경우	70
확률은 옳게 구하였으나 풀이 과정이 불충분한 경우	40

03 모범 답안 (1) OO, O, AO, BO

(2) 아버지의 유전자형이 AO, 어머니가 BO이므로 AO×BO → AB, AO, BO, OO에서 동생의 ABO식 혈액형은 A형, B형, AB형, O형이 모두 될 수 있다.

채점 기준	배점(%)
(1) OO, O, AO, BO를 모두 옳게 쓴 경우	40
(2) 아버지의 유전자형과 어머니의 유전자형을 근거로 들어 나타날 수 있는 혈액형을 모두 제시한 경우	60
나타날 수 있는 혈액형을 모두 제시하였으나 근거가 부족한 경우	40

04 모범 답안 (1) 7, 보인자, 3, 4, 4, 7

(2) 남자는 성염색체 구성이 XY이므로 적록 색맹 대립유전자가 1개만 있어도 적록 색맹이 되지만, 여자는 성염색체 구성이 XX이므로 적록 색맹 대립유전자가 2개 있어야 적록 색맹이 되기 때문이다.

채점 기준	배점(%)
(1) 7, 보인자, 3, 4, 4, 7을 모두 옳게 쓴 경우	30
(2) 성염색체 구성의 차이 때문에 유전자 조합에서 나타나는 차이를 근거로 들어 옳게 설명한 경우	70
성염색체 구성의 차이 또는 적록 색맹 대립유전자의 개수만을 근거로 들어 옳게 설명한 경우	40

그림으로 단원 정리하기
개념 학습서 166쪽

- ㉠ 체세포 분열
- ㉡ 2가 염색체
- ㉢ 우열의 원리
- ㉣ 분리의 법칙
- ㉤ 독립의 법칙
- ㉥ 가계도 조사
- ㉦ 반으로 감소
- ㉧ 착상
- ㉨ O형

우리 학교 시험 문제
개념 학습서 167~169쪽

01 ③ **02** ④ **03** ① **04** ② **05** ④ **06** 2가 염색체
07 감수 1분열: (가)→(다)→(바), 감수 2분열: (나)→(라)→(마)
08 해설 참조 **09** ⑤ **10** ③ **11** ④ **12** 둥근 완두 : 주름진 완두=1 : 1 **13** ① **14** ② **15** ④
16 (가) BO (나) AB (다) AO **17** 해설 참조 **18** ③, ④ **19** ③

---

01 [바로 알기] ㄱ. 세포는 어느 정도 자라면 분열하므로 큰 생물일수록 세포의 수가 많다.

ㄹ. 세포의 크기가 클수록 부피에 대한 표면적의 비가 작아서 물질 교환에 불리하다.

02 생장, 난할, 재생은 체세포 분열로 일어나며, 정자와 난자는 생식세포로 감수 분열 과정을 거쳐 만들어진다.

03 ② 체세포 분열 과정에서는 염색체 수가 변하지 않는다.

③ (가)는 말기, (나)는 중기, (다)는 전기, (라)는 후기로, 분열기에 해당한다. 염색체는 분열기에 관찰된다.

④ (가)에서 세포판이 형성되는 것으로 보아 이 세포는 식물세포임을 알 수 있다.

⑤ 체세포 분열은 전기(다) → 중기(나) → 후기(라) → 말기(가) 순으로 일어난다.

[바로 알기] ① 유전 물질은 세포가 분열하기 전, 간기에 복제된다.

04 (가)와 (나)는 염색 분체, A는 단백질, B는 DNA이다. DNA는 간기에 복제된다.

[바로 알기] ㄴ. 염색 분체는 간기에 복제된 것으로, 유전 정보가 서로 동일하다.

ㄷ. 유전 정보를 저장하고 있는 것은 DNA이다.

05 [바로 알기] ④ 상동 염색체는 체세포 분열 과정에서 분리되지 않는다.

06 A는 감수 1분열 전기에 상동 염색체끼리 접합하여 형성된 2가 염색체이다.

07 (가)는 감수 1분열 전기, (나)는 감수 2분열 중기, (다)는 감수 1분열 중기, (라)는 감수 2분열 후기, (마)는 감수 2분열 말기, (바)는 감수 1분열 후기이다.

08 모범 답안 • 감수 1분열: 상동 염색체가 분리되므로 분열 후 염색체 수가 절반으로 감소한다.

• 감수 2분열: 염색 분체가 분리되므로 분열 후 염색체 수가 변하지 않는다.

채점 기준	배점(%)
감수 1분열과 감수 2분열의 염색체 수의 변화를 염색체의 행동을 근거로 들어 옳게 설명한 경우	100
감수 1분열과 감수 2분열의 염색체 수의 변화는 옳게 설명하였으나 염색체 행동에 대한 설명이 다소 부정확한 경우	50

09 (가)는 체세포 분열, (나)는 감수 분열이다. (가)와 (나)에서 유전 정보는 1회 복제된다.

[바로 알기] ⑤ 수정란에서 일어나는 세포 분열은 체세포 분열이다.

10 (가) 과정을 난할이라고 한다. 난할은 세포의 크기가 커지는 시기 없이 빠르게 일어나므로 난할이 계속되어도 배아 전체의 크기는 수정란과 비슷하다.

11 [바로 알기] ㄱ. (가)는 다른 그루의 꽃에서 꽃가루를 받아 옮겨 주는 과정이므로 타가 수분이다.

ㄷ. 잡종 1대를 자가 수분하면 자손의 표현형은 둥근 완두와 주름진 완두가 3 : 1이 된다.

12 잡종 1대의 유전자형을 Rr, 주름진 완두의 유전자형을 rr라

하면, Rr×rr → Rr, rr이므로 자손에서 둥근 완두와 주름진 완두가 1 : 1로 나온다.

13 잡종 1대의 유전자형은 Yy이고, 잡종 1대를 자가 수분하면 Yy×Yy → YY, Yy, Yy, yy로 잡종 2대에서 노란색 완두(YY, Yy)와 초록색 완두(yy)가 3 : 1의 비로 나온다. 따라서 400개 완두 중 100개가 초록색이다.

14 ㄱ. 어버이의 유전자형을 각각 RRYY, rryy라 하면 잡종 1대의 유전자형은 RrYy이고, 잡종 1대가 형성하는 생식세포의 유전자형은 RY, Ry, rY, ry의 4종류이다.
ㄹ. 완두의 모양과 색깔은 서로 영향을 주지 않고 독립적으로 유전되므로 모양과 색깔 유전자는 서로 다른 염색체에 있는 것이다.
[바로 알기] ㄴ. 잡종 2대에서 표현형의 비는 둥글고 노란색 : 주름지고 노란색 : 둥글고 초록색 : 주름지고 초록색 = 9 : 3 : 3 : 1이다.
ㄷ. 주름지고 초록색인 완두의 유전자형은 rryy로 1가지이다.

15 [바로 알기] ④ 상염색체에 있는 유전자에 의해 나타나는 형질은 성별에 따라 형질이 나타나는 빈도가 다르지 않다.

16 (가)는 O형인 딸과 B형인 아들이 있으므로 (가)의 유전자형은 BO이다. (나)는 B형, A형인 아들이 있으므로 AB형이다. (다)는 O형, A형인 자녀가 있으므로 (다)의 유전자형은 AO이다.

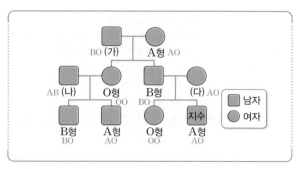

17 [모범 답안] 지수의 누나가 O형이고 지수는 A형이므로 B형인 지수 아버지의 유전자형은 BO이고 어머니의 유전자형은 AO이다. AO×BO → AB, AO, BO, OO이므로 4종류의 혈액형이 모두 $\frac{1}{4}$의 확률로 나올 수 있다. 따라서 지수의 동생이 AB형일 확률은 $\frac{1}{4}$이다.

채점 기준	배점(%)
확률과 풀이 과정 모두 옳게 설명한 경우	100
확률은 옳게 구하였으나 풀이 과정이 다소 부정확한 경우	50

18 [바로 알기] ③, ④ 정상 대립유전자와 적록 색맹 대립유전자, 2개의 대립유전자에 의해 형질이 결정되며, 아버지의 적록 색맹 대립유전자는 아들에게 전달되지 않는다.

19 (가)는 적록 색맹이고, (나)는 정상이지만 아버지가 적록 색맹이어서 보인자이므로 (가)와 (나) 사이에서 적록 색맹인 자녀가 태어날 확률은 아들, 딸 모두 50 %이다.

01 역학적 에너지 전환과 보존

개념 다지기
개념 학습서 173, 175쪽

1 ㉠ 위치 에너지 ㉡ 운동 에너지 **2** (1) ○ (2) × (3) × (4) ○
(5) ○ **3** (가)=(나)=(다) **4** 98 J **5** (가) 49 J (나) 49 J **6** (1) ×
(2) ○ (3) ○ (4) × **7** (1) ㉡ (2) ㉠ **8** (가)=(다)>(나) **9** (1) C
(2) A (3) D (4) B

2 (2) 자유 낙하 하는 물체의 운동 에너지는 증가한다.
(3) 자유 낙하 하는 물체의 위치 에너지는 감소한다.

3 역학적 에너지는 보존되므로 처음 높이의 역학적 에너지인 처음 높이에서의 위치 에너지 (가)와 어느 높이에서의 역학적 에너지 (나), 지면에서의 역학적 에너지인 지면에 도달하는 순간의 운동 에너지 (다)는 모두 같다.

4 자유 낙하 하는 동안 물체의 위치 에너지는 운동 에너지로 전환된다. 역학적 에너지는 보존되므로 자유 낙하 하는 동안 감소한 위치 에너지는 증가한 운동 에너지와 같다. 이때 위치 에너지는 9.8×질량×낙하 한 높이이므로 지면에 도달한 순간 물체의 운동 에너지는 처음 높이에서 물체의 위치 에너지인 9.8×2×5=98(J)이다.

5 (가) 기준면인 지면으로부터 5 m 높이에서 물체의 위치 에너지는 9.8×1×5=49(J)이다.
(나) 역학적 에너지는 보존되므로 감소한 위치 에너지와 증가한 운동 에너지가 같다. 처음 물체의 위치 에너지는 9.8×1×10=98(J)이고 5 m 높이에서 물체의 위치 에너지가 49 J이므로 물체의 운동 에너지는 98 J−49 J=49 J이다.

6 (1) 물체가 위로 올라갈 때 운동 에너지는 점점 감소한다.
(4) 물체의 속력은 물체가 위로 올라갈 때는 감소하고 아래로 내려올 때는 증가한다.

7 던져 올린 물체가 위로 올라가는 동안 물체의 운동 에너지가 위치 에너지로 전환되며, 물체가 아래로 내려오는 동안 물체의 위치 에너지는 운동 에너지로 전환된다.

8 역학적 에너지는 보존되므로 처음 던지는 순간의 운동 에너지 (가)는 어느 높이를 지날 때의 역학적 에너지와 같고, 최고 높이에서의 위치 에너지 (다)와 같다. 이때 역학적 에너지는 위치 에너지와 운동 에너지의 합이므로 어느 높이를 지날 때의 운동 에너지 (나)는 (가) 또는 (다)보다 작다.

9 롤러코스터가 최고 높이(A)에서 위치 에너지가 최대, 최저 지점(C)을 지날 때 운동 에너지가 최대이다. 위에서 아래로 내려올 때(B) 위치 에너지가 운동 에너지로 전환되며, 아래에서 위로 올라갈 때(D) 운동 에너지가 위치 에너지로 전환된다.

탐구 · 자유 낙하 운동을 하는 물체의 역학적 에너지 알아보기
개념 학습서 176쪽

정리 ㉠ 일정하다 ㉡ 감소 ㉢ 증가

확인 문제

1 ③   **2** A=B   **3** ③

확인 문제

1 위치 에너지와 운동 에너지의 합인 역학적 에너지가 0.16 J 이므로 위치 에너지는 0.16 J−0.06 J=0.10 J이다.

2 공기의 저항이나 마찰을 무시하면 역학적 에너지는 보존된다. 따라서 어느 높이에서나 쇠구슬의 역학적 에너지는 항상 같다.

3 위치 에너지와 운동 에너지의 합인 물체의 역학적 에너지는 보존된다. 2 m 높이에서 질량이 1 kg인 쇠구슬의 위치 에너지는 역학적 에너지와 같고 그 값은 $9.8 \times 1 \times 2 = 19.6$(J)로 높이가 달라져도 역학적 에너지의 값은 일정하다.
[바로 알기] ① 2 m 높이에서 운동 에너지는 0이다.
② 1 m 높이에서 쇠구슬의 운동 에너지=역학적 에너지−1 m 높이에서의 위치 에너지이다. 이때 1 m 높이에서 쇠구슬의 위치 에너지는 $9.8 \times 1 \times 1 = 9.8$(J)이므로 쇠구슬의 운동 에너지는 19.6 J−9.8 J=9.8 J이다.
④ 지면에 도달하는 순간의 위치 에너지는 0이다.
⑤ 1.5 m 높이에서 쇠구슬의 위치 에너지는 $9.8 \times 1 \times 1.5 = 14.7$(J)이다.

집중 공략 · 연직 위로 던져 올린 물체의 운동에서 역학적 에너지 전환과 보존 알아보기
개념 학습서 177쪽

유제 **1** ㉠ 감소 ㉡ 증가   유제 **2** ①

유제 **1** 물체를 연직 위로 던져 올려 물체가 위로 올라가면 물체의 운동 에너지가 위치 에너지로 전환되면서 물체의 운동 에너지는 감소하고 위치 에너지가 증가한다.

유제 **2** [바로 알기] ① 연직 위로 던져 올린 물체의 경우 최고 높이에서 속력이 0이 되므로 운동 에너지도 0이 된다.

실력 키우기
개념 학습서 178~180쪽

01 ⑤   **02** ④   **03** 해설 참조   **04** ㉠ 역학적 에너지 보존
㉡ 운동   **05** ④   **06** ④   **07** ③   **08** ④   **09** ③   **10** ②
11 ③   **12** ⑤   **13** 해설 참조   **14** ④   **15** ③   **16** ①
17 ④   **18** ③   **19** 해설 참조

01 [바로 알기] ⑤ 운동 에너지와 위치 에너지는 서로 전환된다.

02 [바로 알기] ④ 공이 떨어질 때 공의 속력이 빨라지므로 공의 운동 에너지는 증가한다.

03 **모범 답안** 진영이의 속력이 빨라지므로 운동 에너지는 증가하고, 높이는 낮아지므로 위치 에너지는 감소한다.

채점 기준	배점(%)
주어진 단어를 모두 사용하여 설명한 경우	100
주어진 단어 중 두 개만 사용하여 설명한 경우	50

04 공기의 저항이나 마찰이 없다면 물체가 자유 낙하 할 때 감소한 위치 에너지만큼 운동 에너지가 증가하여 물체의 역학적 에너지가 일정하게 보존된다.

05 물체의 역학적 에너지는 일정하게 보존되고, 또한 물체의 위치 에너지는 물체의 높이에 비례한다. 따라서 쇠구슬이 50 cm의 높이에 있을 때 위치 에너지가 0.25 J이었으므로 100 cm에 있을 때 쇠구슬의 위치 에너지 ㉠은 0.5 J이다.

> **한 번 더 확인하기 · 자유 낙하 하는 물체의 역학적 에너지 전환**
> 자유 낙하 하는 물체는 낙하 하는 동안 높이가 감소하며 위치 에너지가 감소하고 속력이 증가하며 운동 에너지가 증가한다. 이때 감소한 위치 에너지와 증가한 운동 에너지는 같다.

06 물체의 높이에 관계없이 역학적 에너지는 보존되므로 높이에 따른 역학적 에너지 그래프는 축에 나란한 모양이다.

> **한 번 더 확인하기 · 역학적 에너지 보존 법칙**
> 공기의 저항이나 마찰이 없을 때 운동하는 물체의 역학적 에너지는 높이에 관계없이 항상 일정하게 보존된다. 이를 역학적 에너지 보존 법칙이라고 한다.

07 위치 에너지는 물체의 높이에 비례하고 물체가 자유 낙하를 할 때 위치 에너지가 감소한 만큼 운동 에너지가 증가한다. 따라서 물체가 낙하 한 높이가 같다면 감소한 위치 에너지도 같고 증가한 운동 에너지도 같다.

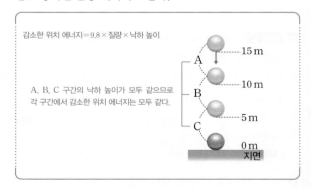

감소한 위치 에너지=9.8×질량×낙하 높이
A, B, C 구간의 낙하 높이가 모두 같으므로 각 구간에서 감소한 위치 에너지는 모두 같다.

A — 15 m
B — 10 m
C — 5 m
지면 — 0 m

08 물체가 자유 낙하를 할 때 감소한 위치 에너지만큼 운동 에너지가 증가한다. 따라서 공의 높이와 낙하 한 높이가 같은 지점인, 지면으로부터 6 m 높이를 지날 때 공의 위치 에너지와 운동 에너지가 같다.

09 증가한 운동 에너지는 감소한 위치 에너지와 같으므로 운동

에너지는 낙하 한 높이에 비례하고 위치 에너지는 지면으로부터의 높이에 비례한다. 따라서 공이 지면으로부터 4 m 높이에 있을 때 낙하 한 높이는 12 m-4 m=8 m이므로 운동 에너지는 위치 에너지의 2배이다.

10 물체가 자유 낙하 할 때 증가한 운동 에너지는 감소한 위치 에너지와 같고 운동 에너지는 속력의 제곱에 비례한다. 따라서 속력이 $\frac{1}{2}$배가 되려면 운동 에너지는 $\frac{1}{4}$배가 되어야 한다. 이때 감소한 위치 에너지는 낙하 한 높이에 비례하므로 10 m의 $\frac{1}{4}$배인 2.5 m 높이에서 떨어뜨려야 한다.

11 공기 저항이나 마찰을 무시할 때 역학적 에너지는 일정하게 보존된다. 이때 A 지점에서는 위치 에너지가 0이므로 역학적 에너지는 운동 에너지와 같으며, E 지점에서 공의 속력이 0이 되었으므로 운동 에너지가 0이 되어 역학적 에너지가 위치 에너지와 같다.

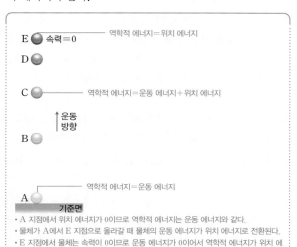

E ● 속력=0 ─── 역학적 에너지=위치 에너지
D ●
C ● ─── 역학적 에너지=운동 에너지+위치 에너지
↑ 운동 방향
B ●
A ● ─── 역학적 에너지=운동 에너지
　기준면
• A 지점에서 위치 에너지가 0이므로 역학적 에너지는 운동 에너지와 같다.
• 물체가 A에서 E 지점으로 올라갈 때 물체의 운동 에너지가 위치 에너지로 전환된다.
• E 지점에서 물체는 속력이 0이므로 운동 에너지가 0이어서 역학적 에너지가 위치 에너지와 같다.

12 B 지점과 D 지점의 높이가 같으므로 B→C 구간에서 증가한 위치 에너지와 C→D 구간에서 증가한 운동 에너지는 같다.
[바로 알기] ① 공이 C 지점에 있을 때 위치 에너지가 최대이다.
② 공이 움직이는 동안 공의 운동 에너지는 감소하다가 증가한다.
③ A→B 구간에서는 운동 에너지가 위치 에너지로 전환된다.
④ D→E 구간에서는 위치 에너지가 운동 에너지로 전환된다.

13 위로 던져 올린 공은 속력이 감소하면서 높이가 높아지다가 최고 높이에 이르면 속력이 0이 되고 이후에 자유 낙하 운동을 한다.
모범 답안 10 m. 최고점에서 공의 속력이 0이므로 운동 에너지도 0이고 위치 에너지가 역학적 에너지가 되므로 10 m가 최고 높이이다.

채점 기준	배점(%)
10 m를 쓰고 그 까닭을 옳게 설명한 경우	100
10 m만 쓴 경우	50

14 던져 올린 물체가 최고 높이일 때 위치 에너지는 처음 던져 올린 순간의 운동 에너지와 같다. 처음 던져 올린 순간의 물체의 운동 에너지는 $\frac{1}{2}×2×4^2=16(J)$이므로 물체가 최고 높이에 도달했을 때 물체의 위치 에너지는 16 J이다.

15 0.2초와 0.6초일 때 높이가 같으므로 운동 에너지는 같다. 따라서 물체의 속력도 같다.
[바로 알기] ③ 역학적 에너지는 항상 일정하게 보존되므로 어느 높이에서나 같다.

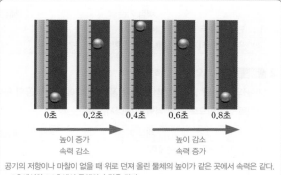

0초　0.2초　0.4초　0.6초　0.8초
→ 높이 증가 속력 감소　　→ 높이 감소 속력 증가
공기의 저항이나 마찰이 없을 때 위로 던져 올린 물체의 높이가 같은 곳에서 속력은 같다.
• 0초에서와 0.8초에서 물체의 속력은 같다.
• 0.2초에서와 0.6초에서 물체의 속력은 같다.

16 공기의 저항과 마찰을 무시하면 역학적 에너지는 보존되므로 A, O 지점에서의 역학적 에너지는 같다.
[바로 알기] ㄴ. 추가 A 지점에서 O 지점으로 내려오는 동안 위치 에너지는 감소하고 운동 에너지가 증가한다.
ㄷ. 추가 O 지점에서 B 지점으로 올라가는 동안 운동 에너지는 감소하고 위치 에너지가 증가한다.

17 [바로 알기] ㄱ. 운동 에너지가 0이기 위해서는 쇠구슬의 속력이 0이 되어야 한다. B 지점에서 쇠구슬은 정지하지 않으므로 운동 에너지는 0이 아니다.
ㄷ. 공기의 저항이나 마찰을 무시하면 역학적 에너지는 어느 지점에서나 같다.

18 왕복 운동을 하는 물체의 경우 왕복 운동을 하는 동안 높이와 속력이 변하면서 물체의 위치 에너지와 운동 에너지가 계속 변한다. 또한 물체의 높이가 높을수록 물체의 위치 에너지가 크고 속력이 빠를수록 물체의 운동 에너지가 크다. 따라서 구슬이 왕복 운동을 하는 동안 가장 낮은 지점을 지날 때의 속력이 가장 빠르므로 C 지점에서 운동 에너지가 가장 크다.

19 출발점에서 속력이 0이므로 롤러코스터는 출발점과 같은 높이까지만 올라갈 수 있다.
모범 답안 출발점의 위치가 도착점의 위치보다 낮기 때문에 롤러코스터는 도착점에 도착할 수 없다.

채점 기준	배점(%)
롤러코스터가 도착점에 도착할 수 없는 까닭을 설명한 경우	100
롤러코스터가 도착할 수 없다고만 쓴 경우	50

단계별 문제로 **서술형** 연습하기

개념 학습서 181쪽

01 중력을 받아 운동하는 물체는 위치 에너지와 운동 에너지가 서로 전환되어 그 크기가 달라지는데, 이를 역학적 에너지 전환이라고 한다. 야구공이 낙하 할 때 위치 에너지가 운동 에너지로 전환되므로 위치 에너지는 점점 감소하고, 운동 에너지는 점점 증가한다.

모범 답안 (1) 위치, 운동

(2) 야구공이 낙하 할 때 위치 에너지가 운동 에너지로 전환된다.

채점 기준	배점(%)
(1) 단어를 모두 옳게 쓴 경우	40
(2) 위치 에너지가 운동 에너지로 전환된다고 설명한 경우	60

02 **모범 답안** (1) 역학적, 역학적

(2) 공의 높이가 낮아지면서 감소한 공의 위치 에너지가 공의 운동 에너지로 전환되므로 공의 역학적 에너지는 보존된다.

채점 기준	배점(%)
(1) 단어를 모두 옳게 쓴 경우	20
(2) 공의 위치 에너지가 운동 에너지로 전환되어 역학적 에너지가 보존된다고 설명한 경우	80
	공의 역학적 에너지가 보존된다고만 설명한 경우	50

03 물체를 연직 위로 던져 올리면 운동 에너지가 위치 에너지로 전환된다. 공기 저항이나 마찰이 없다면 위치 에너지의 증가량만큼 운동 에너지가 감소하므로 역학적 에너지는 일정하게 보존된다.

모범 답안 (1) 전환, 98

(2) 질량이 2 kg인 공이 E 지점에서 위치 에너지가 98 J이었다면 98 $=9.8 \times 2 \times h$에서 높이 $h=5$ m이다.

채점 기준	배점(%)
(1) 단어를 모두 옳게 쓴 경우	20
(2) E에서의 높이를 계산 과정과 함께 옳게 설명한 경우	80
	E에서의 높이만 구한 경우	50

04 A→B→C 구간에서는 위치 에너지가 운동 에너지로 전환되며, C→D→E 구간에서는 운동 에너지가 위치 에너지로 전환된다. 공기 저항이나 마찰이 없으면 운동하는 물체의 역학적 에너지는 항상 일정하게 보존된다.

모범 답안 (1) 감소하고(낮아지고), 증가한다(빨라진다)

(2) C→D→E 구간에서 선수의 속력이 감소하고 높이가 증가하므로 선수의 운동 에너지가 위치 에너지로 전환되어 운동 에너지는 감소하고 위치 에너지는 증가한다.

채점 기준	배점(%)
(1) 단어를 모두 옳게 쓴 경우	20
(2) 에너지 전환을 언급하여 운동 에너지는 감소하고 위치 에너지가 증가한다고 설명한 경우	80
	에너지 전환을 언급하지 않고 운동 에너지는 감소하고 위치 에너지가 증가한다고만 설명한 경우	50

02 에너지 전환과 이용

개념 다지기

개념 학습서 183, 185, 187쪽

1 (1) × (2) ○ (3) ○ (4) ○ (5) × **2** B **3** ㄷ, ㄹ **4** ㉠ 자석 ㉡ 전자기 유도 ㉢ 전기 **5** (1) ㉡ (2) ㉠ **6** 역학적 에너지 → 전기 에너지 **7** 19 % **8** (1) × (2) ○ (3) ○ **9** (1) 운동 (2) 빛 (3) 소리 (4) 화학 **10** (1) ㉡ (2) ㉠ (3) ㉢ **11** (1) × (2) ○ (3) ○ (4) × **12** (1) (가) 12 J (나) 8 J (2) (가) **13** (1) 20 W (2) 200 Wh (3) 100 J **14** (1) 에어컨: 4000 Wh, 선풍기: 160 Wh (2) 115200 Wh **15** (1) × (2) × (3) ○

1 (1) 자석을 코일 속에 넣고 가만히 있으면 코일에는 전류가 흐르지 않는다.

(5) 자석을 코일에 가까이 할 때와 멀리 할 때 코일에 흐르는 전류의 방향은 서로 반대이다.

2 자석을 코일에 가까이 할 때와 멀리 할 때 코일에 흐르는 전류의 방향이 서로 반대 방향이다. 따라서 자석의 N극을 코일에 가까이 할 때 전구에 A 방향으로 전류가 흘렀다면 자석의 N극을 코일에서 멀리 하면 전구에는 B 방향으로 전류가 흐른다.

3 [바로 알기] ㄱ, ㄴ. 자석을 빠르게 움직이거나 코일의 감은 수를 많이 하는 것은 유도 전류의 방향과 관계가 없다.

4 발전기는 자석과 자석 속에 회전할 수 있는 코일로 이루어져 있다.

5 수력 발전에서는 높은 곳에 있는 물이 흐르면서 터빈을 돌려 터빈과 연결된 발전기에서 전기 에너지를 생산한다. 풍력 발전에서는 바람이 터빈을 돌려 터빈과 연결된 발전기에서 전기 에너지를 생산한다.

7 에너지가 전환되는 과정에서 에너지는 새로 만들어지거나 사라지지 않고, 그 총합이 일정하게 보존되므로 열에너지의 비율 ㉠은 100 % − 81 % = 19 %이다.

8 [바로 알기] (1) 전기 에너지는 전선을 이용하여 비교적 먼 곳까지 전달할 수 있다.

10 스마트폰에서는 전기 에너지가 다양한 형태의 에너지로 전환된다. 스마트폰으로 음악을 들으면 전기 에너지가 소리 에너지로 전환되며, 화면으로 사진을 볼 때는 빛에너지로 전환된다. 또 전화가 올 때 스마트폰이 진동하는 것은 전기 에너지가 운동 에너지로 전환된 것이다.

11 [바로 알기] (1) 가전 제품의 종류마다 소비 전력이 다르다.

(4) 소비 전력은 전기 기구가 1초 동안 소비하는 전기 에너지의 양이다.

12 (1) 에너지는 보존되므로 1초 동안 (가)는 12 J, (나)는 8 J의 전기 에너지를 소비한다.

(2) 소비 전력은 (가)는 12 W이고, (나)는 8 W이므로 (가)가 (나)보다 크다.

13 (1) 소비 전력$=\dfrac{\text{전기 에너지(J)}}{\text{사용 시간(s)}}=\dfrac{200\text{ J}}{10\text{ s}}=20\text{ W}$

(2) 전력량=소비 전력(W)×시간(h)=100 W×2 h=200 Wh

(3) 전기 에너지=소비 전력(W)×시간(s)=10 W×10 s=100 J

14 (1) 각 전기 기구를 2시간씩 사용했으므로 에어컨은 2000 W ×2 h=4000 Wh, 선풍기는 80 W×2 h=160 Wh이다.

(2) 에어컨은 2000 W×2 h×30=120000 Wh, 선풍기는 80 W×2 h×30=4800 Wh를 소비하므로 전력량 차이는 120000 Wh−4800 Wh=115200 Wh이다.

15 [바로 알기] (1) 에너지 절약 표시는 에너지 효율이 크거나, 대기전력이 작은 가전제품에 표시한다.

(2) 에너지 소비 효율 등급은 1등급으로 갈수록 전기 에너지를 효율적으로 이용하는 가전제품이다.

탐구 · 자석이나 코일을 움직여 전류 만들기
개념 학습서 188쪽

[정리] ㉠ (유도) 전류 ㉡ 다르다 ㉢ 역학적

[확인 문제]

1 ⑤　　**2** ④

[확인 문제]

1 전자기 유도는 코일 근처에서 자석이 움직이거나 자석 근처에서 코일이 움직일 때 자기장이 변하면 코일에 전류가 흐르는 현상이다. 따라서 자석을 코일 속에 넣고 가만히 있으면 전류가 흐르지 않는다.

집중 공략 · 전기 에너지의 장점과 전기 에너지의 전환 알아보기
개념 학습서 189쪽

유제 **1** 해설 참조　　유제 **2** ①
유제 **3** 전기 에너지 → 열에너지　　유제 **4** 운동

유제 **1** [모범 답안] 전선을 이용하여 비교적 쉽게 먼 곳까지 전달할 수 있다. 전지에 저장하여 휴대하고 다니며 필요할 때 사용할 수 있다. 각종 전기 기구를 통해 다른 에너지로 쉽게 전환하여 이용할 수 있다. 등

채점 기준	배점(%)
장점 한 가지를 옳게 쓴 경우	100

유제 **2** 세탁기는 전기 에너지를 이용하여 전동기를 돌려 빨래를 하므로 전기 에너지가 운동 에너지로 전환된다.

유제 **4** 냉장고에서는 전기 에너지가 전동기를 돌리는 운동 에너지로 전환된다.

실력 키우기
개념 학습서 190～192쪽

01 ⑤	**02** ③	**03** ④	**04** ③	**05** ④	**06** ③	**07** ①
08 ③	**09** 해설 참조	**10** ⑤	**11** ④	**12** ③	**13** ⑤	
14 ③	**15** 해설 참조	**16** ④	**17** ④	**18** ②		

01 코일에 자석을 넣을 때와 뺄 때 자기장의 변화가 일어나므로 코일에 유도 전류가 흐른다.

02 [바로 알기] ㄷ. 아무리 센 자석이라도 코일 속에 넣고 가만히 있으면 자기장 변화가 생기지 않으므로 전류가 흐르지 않는다.

03 발전기는 전기를 만드는 장치로 자석과 코일로 이루어져 있다. 여러 발전소에서는 발전기를 이용하여 전기를 만드는데 실제 발전소에서는 코일 대신 자석을 회전시키기도 한다.

[바로 알기] ㄴ. 발전기는 전자기 유도 현상을 이용한다.

04 풍력 발전은 바람의 역학적 에너지를 이용하여 전기를 생산한다. 즉, 풍력 발전에서는 역학적 에너지가 전기 에너지로 전환된다.

> **한 번 더 확인하기 · 여러 가지 발전소의 원리**
> • 수력 발전소: 물의 역학적 에너지를 이용하여 발전기에서 전기를 생산한다.
> • 화력 발전소: 석유나 석탄과 같은 화석연료를 태워 얻은 열로 물을 끓일 때 생긴 수증기를 이용하여 발전기에서 전기를 생산한다.

05 손발전기를 돌려 전류가 흐르면 역학적 에너지가 전기 에너지로 전환되고 전류가 흘러 전구에 불이 켜지면 전기 에너지가 빛에너지로 전환된다.

06 [바로 알기] ㄷ. 한 종류의 에너지에서 다른 종류의 에너지로 변하는 것을 에너지 전환이라고 한다. 에너지의 총합이 보존된다는 것을 에너지 보존 법칙이라고 한다.

07 [바로 알기] ㄴ. 화학 에너지에서 빛에너지로 전환된 비율은 15 %−5 %=10 %이다.

ㄷ. 화학 에너지는 열에너지, 전기 에너지, 역학적 에너지로 전환되며 이때 전기 에너지는 다시 빛에너지와 소리 에너지로 전환된다.

> **한 번 더 확인하기 · 에너지 보존 법칙**
> 에너지가 전환되는 과정에서 에너지는 새로 만들어지거나 사라지지 않고 그 총합은 항상 일정하게 보존된다. 이를 에너지 보존 법칙이라고 한다.

08 화학 에너지에서 역학적 에너지로 전환된 비율이 35 %이므로 $1000\text{ J}\times\dfrac{35}{100}=350\text{ J}$이다.

09 [모범 답안] 역학적 에너지는 운동 에너지와 위치 에너지의 합이므로 A에서 역학적 에너지는 20 J이고, B에서 역학적 에너지는 16 J이다. 이때 에너지의 총합은 보존되므로 감소한 역학적 에너지인 4 J이 전기 에너지로 전환된다.

채점 기준	배점(%)
전기 에너지로 전환된 에너지의 양을 그 과정과 함께 옳게 구한 경우	100
전기 에너지로 전환된 에너지의 양만 옳게 구한 경우	50

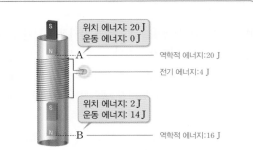

위치 에너지: 20 J
운동 에너지: 0 J
A
역학적 에너지: 20 J
전기 에너지: 4 J
위치 에너지: 2 J
운동 에너지: 14 J
B
역학적 에너지: 16 J

A에서 역학적 에너지가 20 J이고 B에서 역학적 에너지가 16 J이다. 이때 에너지 보존 법칙에 의해 자석이 A에서 B로 이동하는 동안 역학적 에너지가 전기 에너지로 전환된 양은 20 J−16 J=4 J이다.

10 손발전기는 사람의 움직임으로 전기를 생산한다. 즉 손발전기에서는 역학적 에너지가 전기 에너지로 전환된다.

11 진공청소기는 전기 에너지를 모터를 돌리는 데 사용하므로 전기 에너지가 운동 에너지로 전환된다.

[바로 알기] ① 전등은 전기 에너지를 불을 켜는 데 사용하므로 전기 에너지를 주로 빛에너지로 전환한다.
② 스피커는 전기 에너지를 소리가 나오는 데 사용하므로 전기 에너지를 주로 소리 에너지로 전환한다.
③ 토스터는 빵을 데울 때 사용하므로 전기 에너지를 주로 열에너지로 전환한다.
⑤ 전기난로는 전기 에너지로 따뜻한 열을 발생시키므로 전기 에너지를 주로 열에너지로 전환한다.

12 [바로 알기] ㄷ. 전기 에너지를 화학 에너지 형태로 저장하고 휴대하기 쉬워 필요할 때 바로 사용할 수 있다.

13 [바로 알기] ⑤ 1초 동안 5 J의 에너지를 사용하는 전기 기구의 소비 전력은 5 W이다. Wh는 전력량의 단위이다.

14 [바로 알기] ㄷ. 전구는 전기 에너지를 주로 빛에너지로 전환한다.

15 모범 답안 전력량은 소비 전력×사용한 시간이므로 선풍기를 10시간 사용했을 때의 전력량=45 W×10 h=450 Wh이다.

채점 기준	배점(%)
사용한 전력량을 계산 과정과 함께 옳게 구한 경우	100
사용한 전력량만 옳게 구한 경우	50

16 ⑤ 전기장판을 4시간 사용했을 때와 전기 난로를 1시간 사용했을 때 전력량은 1000 Wh로 같다.

[바로 알기] ④ 전기난로, 전기장판과 같이 전기 에너지를 열에너지로 전환하는 기구가 형광등, LED등과 같이 전기 에너지를 빛에너지로 전환하는 기구보다 소비 전력이 크므로 더 많은 전기 에너지를 사용한다.

17 형광등을 2시간 사용했을 때 전력량은 35 W×2 h=70 Wh, 전기난로를 1시간 사용했을 때 전력량은 1000 W×1 h=1000 Wh, 전기장판을 3시간 사용했을 때 전력량은 250 W×3 h=750 Wh이므로, 사용한 총 전력량은 70 Wh+1000 Wh+750 Wh=1820 Wh이다.

18 [바로 알기] ② 에너지 소비 효율 등급은 1등급에서 5등급으로 구분하는데, 1등급으로 갈수록 전기 에너지를 효율적으로 이용한다.

단계별 문제로 서술형 연습하기

개념 학습서 193쪽

01 자가 발전 손전등은 손전등을 흔들어서 자석을 코일 근처에서 움직이면 코일에 전류가 흐르는 전자기 유도 현상을 이용하여 불을 켠다.

모범 답안 (1) 자석, 전류
(2) 자석이 움직여 전류가 흐르면 역학적 에너지가 전기 에너지로, 전구에 불이 들어오면 전기 에너지가 빛에너지로 전환된다.

	채점 기준	배점(%)
(1)	단어를 모두 옳게 쓴 경우	30
(2)	자석의 운동에 의한 역학적 에너지가 전기 에너지, 빛에너지로 전환된다는 것을 옳게 설명한 경우	70
	역학적 에너지가 전기 에너지로 전환된다고만 설명한 경우	50

02 모범 답안 (1) 물, 발전기
(2) 높은 곳에 있는 물이 떨어지면서 터빈을 돌리면 터빈과 연결된 발전기에서 전자기 유도에 의해 전기가 생산되므로 물의 역학적 에너지가 전기 에너지로 전환된다.

	채점 기준	배점(%)
(1)	단어를 모두 옳게 쓴 경우	20
(2)	전자기 유도를 언급하여 에너지가 전환되는 과정을 옳게 설명한 경우	80
	역학적 에너지가 전기 에너지로 전환된다고만 설명한 경우	50

03 역학적 에너지가 보존된다면 공의 운동에서 공이 튀어오르면서 공의 처음 높이만큼 올라올 것이다. 그러나 공이 처음 높이만큼 올라오지 못하였으므로 역학적 에너지가 보존되지 않는다.

모범 답안 (1) 보존되지 않는다
(2) 에너지의 총합은 보존되는데 공의 운동에서 역학적 에너지의 일부가 열에너지, 소리 에너지 등의 형태로 전환되었기 때문이다.

	채점 기준	배점(%)
(1)	단어를 옳게 쓴 경우	20
(2)	에너지의 총합이 보존됨과 역학적 에너지의 일부가 다른 형태의 에너지로 전환됨을 모두 설명한 경우	80
	에너지의 총합이 보존됨이나 역학적 에너지의 일부가 다른 형태의 에너지로 전환됨 중 한 가지만 설명한 경우	40

04 모범 답안 (1) 열

(2) 헤어드라이어의 소비 전력이 1200 W이므로 1초 동안 소비하는 전기 에너지는 1200 J이다. 30분은 0.5시간이므로 30분 동안 사용한 전력량은 1200 W × 0.5 h = 600 Wh이다.

	채점 기준	배점(%)
(1)	단어를 옳게 쓴 경우	20
(2)	1초 동안 소비한 전기 에너지와 30분 동안 사용한 전력량을 모두 옳게 구한 경우	80
	1초 동안 소비한 전기 에너지나 30분 동안 사용한 전력량 중 한 가지만 옳게 구한 경우	40

그림으로 **단원** 정리하기
개념 학습서 194쪽

㉠ 역학적 에너지	㉡ 보존	㉢ 위치 에너지
㉣ 운동 에너지	㉤ 보존	㉥ 전자기 유도
㉦ 전기	㉧ 소리 에너지	㉨ 빛에너지
㉩ 소비 전력	㉪ 전력량	

우리 학교 시험 문제
개념 학습서 195~197쪽

01 ① **02** ④ **03** 해설 참조 **04** ④ **05** ③ **06** 해설 참조 **07** ④ **08** ④ **09** ⑤ **10** ⑤ **11** ③ **12** ④ **13** ④ **14** ⑤ **15** ② **16** ③ **17** 해설 참조 **18** ③

01 위치 에너지와 운동 에너지의 합을 역학적 에너지라고 한다. 또한 운동하는 물체의 역학적 에너지는 공기 저항이나 마찰을 무시할 때 일정하게 보존된다.

[바로 알기] ② 운동하는 물체의 운동 에너지는 물체의 운동에 따라 증가하기도 하고 감소하기도 하며 일정하게 유지되기도 한다.
③ 공이 수평면을 굴러가면 공의 높이가 변하지 않으므로 위치 에너지는 일정하다.
④ 물체가 위로 올라가는 동안 감소한 운동 에너지만큼 위치 에너지가 증가한다.
⑤ 물체가 자유 낙하 운동을 하는 동안 위치 에너지가 운동 에너지로 전환된다.

02 공기의 저항이나 마찰을 무시할 때 물체가 자유 낙하를 하면 물체의 위치 에너지가 운동 에너지로 전환된다. 이때 감소한 위치 에너지만큼 운동 에너지가 증가하므로 물체의 역학적 에너지는 보존된다. 따라서 물체의 처음 위치 에너지 $9.8mh$는 높이 h_1에서의 역학적 에너지 $9.8mh_1 + \frac{1}{2}mv_1^2$와 같고 기준면에 닿는 순간의 운동 에너지인 $\frac{1}{2}mv^2$와 같다.

03 모범 답안 A, 낙하 하는 동안 위치 에너지가 운동 에너지로 전환되어 위치 에너지는 감소하고, 운동 에너지는 증가하므로 위치 에너지가 더 큰 것은 A이다.

채점 기준	배점(%)
A를 고르고 그 까닭을 옳게 설명한 경우	100
A만 옳게 고른 경우	50

04 공의 역학적 에너지는 공의 운동 에너지와 위치 에너지의 합이다. 공의 운동 에너지는 $\frac{1}{2} × 2 kg × (10 m/s)^2 = 100 J$이고, 위치 에너지는 $9.8 × 2 × 2.5 = 49(J)$이므로 역학적 에너지는 $100 J + 49 J = 149 J$이다.

05 자유 낙하 운동을 하는 물체의 위치 에너지는 운동 에너지로 전환된다. 따라서 물체가 자유 낙하 운동을 하면 위치 에너지는 감소하고, 운동 에너지는 증가한다. 이때 공기의 저항이나 마찰이 없다면 두 에너지의 합인 역학적 에너지는 일정하게 보존된다.

[바로 알기] ① A 지점에서 역학적 에너지는 물체의 위치 에너지와 같다.
② 공기의 저항이나 마찰이 없으므로 A→B 구간에서 물체의 역학적 에너지는 보존된다.
④ B보다 D 지점에서 물체의 운동 에너지가 크다.
⑤ C보다 D 지점에서 물체의 위치 에너지가 작다.

06 모범 답안 공기의 저항이나 마찰을 무시하면 자유 낙하 운동에서 물체의 역학적 에너지가 보존되어 D 지점에서 물체가 가지는 운동 에너지는 물체의 처음 높이에서의 위치 에너지와 같으므로 $9.8 × 0.1 × 20 = 19.6(J)$이다.

채점 기준	배점(%)
D 지점에서의 운동 에너지를 그 과정과 함께 옳게 구한 경우	100
D 지점에서의 운동 에너지만 옳게 구한 경우	50

07 물체가 올라가는 동안에는 운동 에너지가 위치 에너지로 전환되고, 내려오는 동안에는 위치 에너지가 운동 에너지로 전환된다.

[바로 알기] ㄷ. 0.2초와 0.6초일 때의 높이가 같으므로 운동 에너지가 같다. 따라서 속력도 같다.

08 롤러코스터가 레일에서 운동할 때 물체의 높이가 낮아질 때 속력은 빨라지므로 운동 에너지는 증가하고, 높이는 낮아지므로 위치 에너지는 감소한다. 따라서 운동 에너지가 가장 큰 곳은 높이가 가장 낮은 곳인 C 지점을 지날 때이고, 위치 에너지가 가장 큰 곳은 높이가 가장 높은 지점인 A 지점에 있을 때이다.

09 공기의 저항이나 마찰을 무시하면 역학적 에너지는 항상 일정하게 보존되므로 롤러코스터가 운동하는 동안 어느 지점에서나 역학적 에너지는 같다.

10 코일을 자석 근처에서 움직이면 전자기 유도에 의해 코일에 전류가 흐른다.

[바로 알기] ⑤ 코일 근처에서 자석이 움직이지 않고 있으면 자기장의 변화가 없으므로 코일에는 전류가 흐르지 않는다.

11 ㄱ. 자석의 N극을 코일에서 멀리 하면 전류의 방향이 반대가 되므로 검류계 바늘이 움직이는 방향이 바뀐다.

ㄴ. 자석의 극을 바꾸면 전류의 방향이 반대가 되므로 검류계 바늘이 움직이는 방향이 바뀐다.

[바로 알기] ㄷ. 더 약한 자석의 N극을 코일에 가까이 하면 코일에 흐르는 전류의 세기가 약해져 검류계 바늘이 조금 움직이지만, 움직이는 방향은 같다.

12 풍력 발전기에서 바람이 날개를 돌리면 날개와 연결된 터빈이 돌아가고 터빈과 연결된 발전기에서 전자기 유도 현상을 이용하여 전기를 생산한다. 이때 역학적 에너지가 전기 에너지로 전환된다.

[바로 알기] ㄱ. 풍력 발전기에서는 전자기 유도 현상을 이용하여 전기를 생산한다.

13 [바로 알기] ①, ③ 에너지는 새로 생기거나 소멸되지 않고 다른 형태로 전환되지만 그 총량은 항상 일정하게 보존된다.

②, ⑤ 물체의 역학적 에너지는 다른 형태의 에너지로 전환되기도 한다.

14 배터리를 충전할 때는 전기 에너지가 화학 에너지로 전환되고 충전된 배터리를 사용할 때는 화학 에너지가 전기 에너지로 전환된다.

15 헤어드라이어에서는 전기를 이용하여 따뜻한 바람이 나오게 하므로 전기 에너지를 공기의 운동 에너지와 공기의 열에너지로 전환한다. 이때 소리 에너지, 기타 에너지로 전기 에너지의 일부가 전환된다.

[바로 알기] ㄱ. 에너지는 전환되고 보존되므로 전기 에너지가 운동 에너지, 열에너지, 소리 에너지, 기타 에너지로 전환될 때 전환된 에너지의 총합은 전기 에너지와 같다. 따라서 1000 J＝운동 에너지＋450 J＋200 J＋100 J이므로 운동 에너지는 250 J이다.

ㄴ. 헤어드라이어의 전기 에너지는 주로 공기의 열에너지와 운동 에너지로 전환된다.

16 [바로 알기] ㄷ. 1초 동안 전기 기구가 소비하는 전기 에너지의 양을 소비 전력이라고 하며, 전기 기구가 일정 시간 동안 소비하는 전기 에너지의 양을 전력량이라고 한다.

17 모범 답안 전력량은 소비 전력(W)×사용 시간(h)이므로 E의 전력량은 $1000 \, W \times \frac{30}{60} \, h = 500 \, Wh$이다.

채점 기준	배점(%)
E의 전력량을 계산 과정과 함께 옳게 구한 경우	100
E의 전력량만 옳게 구한 경우	50

18 전력량은 소비 전력(W)×사용 시간(h)이므로 A~E의 전력량을 구해 보면 A는 80 Wh, B는 18 Wh, C는 900 Wh, D는 250 Wh, E는 500 Wh이므로 전력량이 가장 많은 것은 C이다.

VII. 별과 우주

01 별

개념 다지기
개념 학습서 201, 203쪽

1 (1) × (2) ○ (3) ○ (4) ○ (5) × **2** (1) 0.5″ (2) 작아진다.
3 ㉠ 프록시마 센타우리 ㉡ 베가 **4** ㉠ 4 ㉡ 9 ㉢ $\frac{1}{4}$ ㉣ $\frac{1}{9}$
5 (1) × (2) ○ (3) ○ (4) ○ (5) ○ **6** (1) 시리우스 (2) 데네브
7 ㉠ ＜ ㉡ ＝ ㉢ ＞ **8** 리겔 **9** (다)－(나)－(가)－(라)

1 (1) 시차는 관측 지점과 물체까지의 거리가 가까울수록 크다.

(5) 연주 시차가 1″인 별까지의 거리는 1 pc이다.

2 A의 크기는 별 S의 시차에 해당하고, A의 절반의 크기가 별 S의 연주 시차에 해당한다. 별까지의 거리가 멀어지면 시차와 연주 시차의 크기는 작아진다.

3 별까지의 거리와 연주 시차는 반비례하므로 가까이 있는 별일수록 연주 시차가 크게 측정된다.

4 별의 밝기는 별까지의 거리의 제곱에 반비례한다.

5 (1) 등급이 작을수록 더 밝은 별이다.

(2) 1등급보다 밝은 별은 0등급, －1등급, －2등급, …으로 나타낸다.

6 (1) 세 별 중 우리 눈에 가장 밝게 보이는 별은 겉보기 등급이 가장 작은 시리우스이다.

(2) 세 별 중 실제로 가장 밝은 별은 절대 등급이 가장 작은 데네브이다.

7 별까지의 거리가 10 pc보다 가까운 경우에는 10 pc에 있을 때보다 밝게 보이므로 겉보기 등급이 절대 등급보다 작다. 반면, 10 pc보다 먼 경우에는 10 pc에 있을 때보다 우리 눈에 어둡게 보이므로 겉보기 등급이 절대 등급보다 크다.

8 오리온자리의 리겔은 청백색, 베텔게우스는 적색을 띤다. 따라서 리겔의 표면 온도가 더 높다.

9 별은 표면 온도가 높은 것부터 나열하면 청색－청백색－백색－황백색－황색－주황색－적색을 띤다.

탐구 · 시차 측정하기
개념 학습서 204쪽

정리 ㉠ 시차 ㉡ 작아 ㉢ 커 ㉣ 작게 ㉤ 크게

확인 문제

1 ③ **2** 0.1″

정리

3 시차 측정 활동에서 연필과 눈 사이의 거리가 멀어질 때 시차가 작아지듯이 지구에서 별까지의 거리가 멀수록 연주 시차는 작게 측정된다.

확인 문제

1 [바로 알기] ① 이 탐구는 시차를 알아보기 위한 실험이다.
② 시차와 물체까지의 거리는 반비례한다.
④ 연필이 아닌 다른 물체로도 시차를 측정할 수 있다.
⑤ 이와 같은 원리로 별까지의 거리를 측정하려고 한다면, 연필은 별에 해당한다.

2 별까지의 거리와 시차는 반비례 관계이므로 거리가 2배 멀어지면 시차는 $\frac{1}{2}$로 작아진다.

집중 공략 · 별의 밝기, 거리, 등급 관계 알기 개념 학습서 205쪽

유제 **1** −2등급   유제 **2** 6등급   유제 **3** 4등급   유제 **4** 6등급   유제 **5** 0등급   유제 **6** 1등급   유제 **7** 3등급

유제 **1** 밝기가 100배 차이 나면 등급은 5등급 차이가 난다. 100배 밝으므로 5등급을 빼야 한다. 따라서 3등급−5등급 =−2등급이다.

유제 **2** 밝기가 $\frac{1}{40}$로 줄어들면 등급은 4등급 커진다. 따라서 2등급+4등급=6등급이다.

유제 **3** 거리가 10배 멀어지면 밝기는 $\frac{1}{100}$로 어두워지고, 등급은 5등급이 커지므로, −1등급+5등급=4등급이다.

유제 **4** 이 별은 100 pc 거리에 있으므로 10 pc보다 10배 먼 거리이다. 10배 멀리 있다면 밝기는 $\frac{1}{100}$로 어두우므로, 겉보기 등급은 절대 등급보다 5등급 크다.

유제 **5** 별 S는 2.5 pc 거리에 있으므로 10 pc의 $\frac{1}{4}$로 가까운 거리이다. 거리가 $\frac{1}{4}$로 가까워지면 밝기는 16배 밝아지므로, 겉보기 등급은 절대 등급보다 3등급 작다.

유제 **6** 연주 시차가 0.01″인 별은 100 pc 거리에 있는 별이다. 따라서 절대 등급의 기준 거리인 10 pc으로 옮긴다면 거리는 원래의 $\frac{1}{10}$로 가까워지게 되고, 밝기는 100배 밝아진다. 따라서 절대 등급은 겉보기 등급보다 5등급이 작아지므로 6등급−5등급=1등급이다.

유제 **7** 거리가 3.26광년인 별은 1 pc에 있는 별이다. 따라서 절대 등급의 기준 거리인 10 pc으로 옮긴다면 거리는 10배 멀어지게 되고, 밝기는 $\frac{1}{100}$로 어두워진다. 따라서 절대 등급은 겉보기 등급보다 5등급이 커지므로 −2등급+5등급=3등급이다.

실력 키우기 개념 학습서 206~208쪽

01 ④	02 ①	03 ②	04 ⑤	05 ⑤	06 해설 참조
07 ④	08 ⑤	09 해설 참조	10 ③	11 ④	12 ①
13 ③	14 해설 참조	15 ②	16 ①	17 ④	18 ③

01 지구에서 멀리 있는 별일수록 연주 시차는 작게 측정된다. 따라서 별의 연주 시차를 측정하면 별까지의 거리를 알 수 있다.
[바로 알기] ① 가까운 별일수록 연주 시차가 크다.
② 연주 시차의 단위는 ″(초)를 사용한다.
③ 연주 시차가 1″인 별까지의 거리는 1 pc이다.
⑤ 연주 시차로는 대체로 100 pc보다 가까이 있는 별의 거리를 측정할 수 있다.

02 그림에서 별 (가)의 연주 시차가 별 (나)의 연주 시차보다 크다.
[바로 알기] ㄴ. 별까지의 거리가 가까울수록 연주 시차가 크게 나타나므로 별 (가)가 별 (나)보다 지구에 더 가까운 별이다.
ㄷ. 연주 시차는 지구가 공전하기 때문에 생긴다.

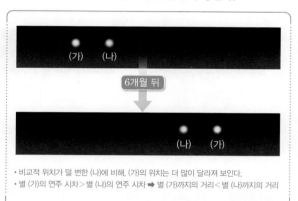

· 비교적 위치가 덜 변한 (나)에 비해, (가)의 위치는 더 많이 달라져 보인다.
· 별 (가)의 연주 시차＞ 별 (나)의 연주 시차 ➡ 별 (가)까지의 거리＜ 별 (나)까지의 거리

03 별까지의 거리(pc)＝$\frac{1}{연주\ 시차(″)}$이므로 이 별까지의 거리는 $\frac{1}{0.2(″)}$＝5 pc이다.

04 별까지의 거리가 가까울수록 연주 시차가 크게 나타나므로, 연주 시차가 큰 별부터 나열하면 C−B−A이다.

05 별 X의 연주 시차는 ∠AXS이고 별 Y의 연주 시차는 ∠AYS이다. 별의 연주 시차를 측정하기 위해서는 최소 6개월의 시간이 필요하다.
[바로 알기] ㄱ. 별 X의 연주 시차는 ∠AXS이다.

06 별까지의 거리는 연주 시차에 반비례한다.

모범 답안 별까지의 거리가 멀수록 연주 시차는 작게 측정된다.

채점 기준	배점(%)
별까지의 거리와 연주 시차의 관계를 옳게 설명한 경우	100

07 별의 밝기는 지구에서 별까지의 거리와 별이 실제로 방출하는 에너지양에 따라 달라진다.

> **한 번 더 확인하기 · 별의 밝기**
> • 별의 밝기는 실제로 별이 방출하는 빛의 양과 지구에서 별까지의 거리에 따라 달라진다.
> • 별까지의 거리가 같다면 방출하는 빛의 양이 많은 별이 밝게 보인다.
> • 방출하는 빛의 양이 같다면 지구로부터의 거리가 가까운 별이 밝게 보이고 먼 별이 어둡게 보인다.

08 별의 밝기는 별까지의 거리의 제곱에 반비례한다.

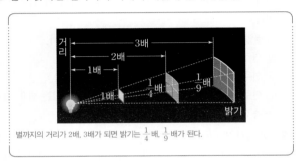

별까지의 거리가 2배, 3배가 되면 밝기는 $\frac{1}{4}$ 배, $\frac{1}{9}$ 배가 된다.

09 별의 밝기는 실제로 별이 방출하는 빛의 양과 지구에서 별까지의 거리에 따라 달라진다.

(가)　　　　　(나)

• (가)에서는 크기가 큰 손전등이 더 밝게 보이고, (나)에서는 가까이에서 비춘 손전등이 더 밝게 보인다.
• 손전등이 방출하는 빛의 양이 많을수록 밝고, 거리가 가까울수록 밝다.

모범 답안 거리가 같더라도 손전등의 크기가 다르면 밝기가 다르게 보이고, 같은 손전등도 거리에 따라 밝기가 다르게 보인다. 이처럼 별의 밝기는 별이 방출하는 빛의 양과 거리에 따라 달라진다.

채점 기준	배점(%)
그림 (가)와 (나)를 관련지어 별의 밝기에 영향을 주는 요소를 옳게 설명한 경우	100
별의 밝기에 영향을 주는 요소만 옳게 설명한 경우	50

10 등급의 숫자가 작을수록 밝은 별이다. 3등급과 −3등급은 6등급 차이다. 5등급 차이는 약 100배의 밝기 차가 나므로 6등급 차이는 100배×2.5=약 250배의 밝기 차이가 난다.

11 별의 실제 밝기는 별들이 모두 같은 거리인 10 pc에 놓여 있다고 가정하고 나타낸 절대 등급으로 비교한다.
[바로 알기] ① 겉보기 등급이 크다고 해서 절대 등급이 큰 것은 아니다.
② 별까지의 거리가 멀어진다고 가정해도 별의 절대 등급은 변하지 않는다.
③, ⑤ 겉보기 등급은 우리 눈에 보이는 밝기를 등급으로 나

타낸 것이고, 절대 등급은 별이 10 pc 거리에 있다고 가정할 때의 밝기를 등급으로 나타낸 것이다.

> **한 번 더 확인하기 · 겉보기 등급과 절대 등급**
> • 겉보기 등급: 우리 눈에 보이는 별의 밝기를 등급으로 나타낸 것 ➡ 눈에 보이는 밝기를 비교할 수 있다.
> • 절대 등급: 별들이 모두 10 pc에 놓여 있다고 가정하고 나타낸 것 ➡ 실제 밝기를 비교할 수 있다.

12 우리 눈에 보이는 밝기는 겉보기 등급으로 나타내고 실제 별의 밝기는 절대 등급으로 나타낸다. 등급의 숫자가 작을수록 밝은 별이다.

13 연주 시차가 0.1″인 별이므로 별까지의 거리 $=\frac{1}{0.1''}=10$ pc 이다. 따라서 겉보기 등급과 절대 등급이 같다.

> **한 번 더 확인하기 · 절대 등급의 기준 거리**
> 10 pc=연주 시차가 0.1″인 별까지의 거리≒32.6광년

14 **모범 답안** (가)−(나)−(다), 겉보기 등급이 절대 등급보다 큰 별(다)은 10 pc보다 멀리 있는 별이고, 겉보기 등급과 절대 등급이 같은 별(나)은 10 pc에 있는 별이며, 겉보기 등급이 절대 등급보다 작은 별(가)은 10 pc보다 가까이 있는 별이다.

채점 기준	배점(%)
지구에서 가까운 별부터 나열하고 그 까닭을 모두 옳게 설명한 경우	100
지구에서 가까운 별부터 옳게 나열만 한 경우	50

> **한 번 더 확인하기 · 별까지의 거리 판단**
> (겉보기 등급−절대 등급) 값이 클수록 먼 별이다.
>
> | 10 pc보다 가까운 별 | 겉보기 등급 − 절대 등급 < 0 |
> | --- | --- |
> | 10 pc 거리에 있는 별 | 겉보기 등급 − 절대 등급 = 0 |
> | 10 pc보다 먼 별 | 겉보기 등급 − 절대 등급 > 0 |

15 밝기는 거리의 제곱에 반비례하므로 태양과 토성 사이의 거리가 태양과 지구 사이의 거리보다 10배 멀다면, 토성에서 본 태양의 밝기는 지구보다 $\frac{1}{100}$로 어둡다. 밝기 100배 차이는 5등급 차이이므로, 토성에서 본 태양의 겉보기 등급은 지구에서 본 겉보기 등급보다 5등급 큰 −21.7등급이다.

16 별의 색은 표면 온도와 관련이 있다. 별의 표면 온도가 높은 것부터 색을 나열하면 청색−청백색−백색−황백색−황색−주황색−적색 순이다.

17 별의 표면 온도가 높을수록 청색, 낮을수록 적색을 띤다. 백색을 띠는 별은 청색을 띠는 별보다 표면 온도가 낮다.
[바로 알기] ㄴ. 표면 온도는 별의 색과 관련이 있다. 별의 색이 청색에 가깝게 보일수록 표면 온도가 높다.

18 별의 색은 표면 온도와 관련이 있다. 리겔은 청백색, 베텔게우스는 적색이다. 표면 온도는 청백색 별보다 적색 별이 더 낮다.

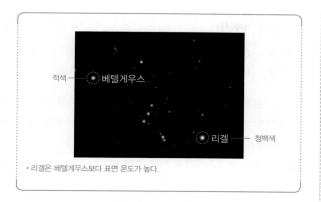

적색 — 베텔게우스

리겔 — 청백색

• 리겔은 베텔게우스보다 표면 온도가 높다.

단계별 문제로 **서술형 연습하기**

개념 학습서 209쪽

01 지구로부터 비교적 가까운 별까지의 거리는 연주 시차를 측정하여 알 수 있다. 연주 시차는 거리가 멀수록 작게 나타난다.

모범 답안 (1) B

(2) 별의 연주 시차는 B가 A보다 작다. 연주 시차는 거리가 멀수록 작게 나타나므로 별 B가 더 멀리 있는 별이다.

채점 기준	배점(%)
(1) B라고 옳게 쓴 경우	40
(2) (1)과 같이 생각한 까닭을 별의 연주 시차와 관련지어 옳게 설명한 경우	60
연주 시차와 관련 있다고만 설명한 경우	30

02 절대 등급은 별까지의 거리가 10 pc이라고 가정할 때의 밝기를 등급으로 나타낸 것이다. 실제로 별 S는 4 pc 위치에 있지만, 절대 등급은 별 S를 10 pc의 위치로 이동했다고 가정했을 때의 밝기를 등급으로 나타낸 것이다. 1등급 차는 약 2.5배의 밝기 차가 나므로 2.5^2배 차≒2등급 차이다.

모범 답안 (1) 2.5, 2.5

(2) 3등급. 별은 1등급 차이당 약 2.5배의 밝기 차가 나므로, 밝기가 원래의 $\frac{1}{2.5^2}$로 어두워진다면 2등급이 커진다. 따라서 별 S의 절대 등급은 겉보기 등급보다 2등급이 큰 3등급이다.

채점 기준	배점(%)
(1) 2.5, 2.5라고 옳게 쓴 경우	40
(2) 별의 절대 등급을 구하고 그 과정을 모두 옳게 설명한 경우	60
별의 절대 등급만 옳게 구한 경우	30

03 두 별의 연주 시차는 (가)>(나)이므로, 지구로부터 별까지의 거리는 (가)<(나)이다. 한편, 두 별의 겉보기 등급은 3등급으로 같기 때문에 지구에서 보았을 때 같은 밝기로 보인다는 것을 알 수 있다. 이는 지구로부터 더 멀리 떨어진 별 (나)의 실제 밝기가 더 밝다는 것을 뜻한다.

모범 답안 (1) 작은, (나)

(2) 별 (나). 지구로부터의 거리는 별 (가)보다 (나)가 더 멀지만, 두 별의 겉보기 등급은 3등급으로 같다. 이는 지구에서 보았을 때 같은 밝기로 보인다는 것을 뜻하므로 실제 밝기는 별 (나)가 더 밝다.

	채점 기준	배점(%)
(1)	작은, (나)를 모두 옳게 쓴 경우	40
(2)	실제 밝기가 더 밝은 별과 그 까닭을 모두 옳게 설명한 경우	60
	실제 밝기가 더 밝은 별만 옳게 쓴 경우	30

04 그래프의 가로축은 별의 색, 세로축은 절대 등급이다. 따라서 가로축에서 청색에 가까울수록 별의 표면 온도가 높고, 세로축에서는 숫자가 작아질수록 별의 실제 밝기가 밝다.

모범 답안 (1) A

(2) 별은 청색을 띨수록 표면 온도가 높고, 절대 등급이 작을수록 실제 밝기가 밝다. 따라서 표면 온도가 가장 높고 실제 밝기가 가장 밝은 별의 집단은 A이다.

	채점 기준	배점(%)
(1)	A라고 옳게 쓴 경우	40
(2)	(1)과 같이 생각한 까닭을 별의 색, 절대 등급과 관련지어 옳게 설명한 경우	60
	(1)과 같이 생각한 까닭을 별의 색, 절대 등급 중 한 가지만 관련지어 옳게 설명한 경우	30

02 우주

개념 다지기

개념 학습서 211, 213쪽

1 a **2** (1) ○ (2) × (3) ○ (4) × **3** 성간 물질 **4** (가) 암흑 성운 (나) 방출 성운 (다) 반사 성운 **5** (1) ㉡ (2) ㉠ **6** (1) ○ (2) × (3) × (4) ○ (5) ○ **7** 대폭발 우주론(빅뱅 우주론) **8** (1) × (2) × (3) ○ (4) ○ **9** (나) – (다) – (가) – (라) **10** ㄱ, ㄴ

1 우리은하는 위에서 보면 중심에 막대 구조가 있는 막대 나선 모양이다. 우리은하의 지름은 약 30000 pc(약 10만 광년)이고 태양계는 우리은하의 중심에서 약 8500 pc(약 3만 광년) 떨어진 나선팔에 위치하고 있다.

2 (2) 우리나라(북반구)에서는 은하수가 겨울철보다 여름철에 더 넓고 밝게 보인다.
(4) 은하의 중심 방향은 궁수자리 부근이므로, 궁수자리 방향이 가장 폭이 넓고 밝게 보인다.

3 성간 물질은 별과 별 사이의 공간에 분포하는 가스와 티끌이다. 성간 물질은 군데군데 밀집되어 있는데, 성간 물질이 모여 구름처럼 보이는 것을 성운이라고 한다.

정답과 해설 ■■ **55**

개념 학습서

4 (가)는 뒤에서 오는 별빛을 차단한 암흑 성운, (나)는 주위 별빛을 흡수한 후 다시 스스로 빛을 방출하는 방출 성운, (다)는 주변 별빛을 반사하는 반사 성운이다.

5 (1)은 구상 성단으로, 주로 붉은색을 띠는 저온의 별로 구성되어 있으며 주로 은하의 중심부와 원반을 둘러싼 구형 공간에 분포한다.
(2)는 산개 성단으로, 파란색을 띠는 고온의 별로 구성되어 있으며 주로 은하의 나선팔에 분포한다.

6 (2) 우주는 계속 팽창하고 있으므로, 우주의 크기는 점점 커지고 있다.
(3) 우주는 계속 팽창하고 있다.

7 과거 모든 물질과 에너지가 모인 고온의 한 점에서 점점 팽창하여 현재의 우주가 되었다는 이론을 대폭발 우주론(빅뱅 우주론)이라고 한다.

8 (1), (2) 우주 탐사로 발달한 과학기술은 산업 및 경제 발전에 기여하였으며, 일상생활에도 적용되어 삶의 질을 높이고 있다.

10 우주 과학기술이 일상생활에 적용된 예는 에어쿠션 운동화, 진공청소기, 위성 위치 확인 시스템(GPS), 치아교정기, 안경테, 정수기, 화재 경보기, 자기 공명 영상(MRI) 등이다.

탐구 · 우주 팽창 실험하기
개념 학습서 214쪽

정리 ㉠ 멀어 ㉡ 멀 ㉢ 멀어 ㉣ 없다

확인 문제
1 풍선 표면: 우주, 붙임딱지: 은하   **2** ②   **3** ㄱ, ㄴ, ㄷ

정리

2 고무풍선 표면의 붙임딱지 사이의 거리가 멀수록 거리 변화 값이 크다. 이와 마찬가지로 은하도 우주의 팽창으로 서로 멀어지고 있으며, 우리은하에서 거리가 먼 은하일수록 더 빨리 멀어진다.

확인 문제

2 풍선이 부풀어 오르면서 붙임딱지 사이의 거리가 멀어지듯이, 팽창하는 우주에서는 은하들끼리 서로 멀어진다.
[바로 알기] ㄱ. 모든 은하는 서로 멀어지고 있다.
ㄴ. 팽창하는 우주에는 특별한 중심이 없다.

3 그림에서 식빵은 우주, 건포도는 은하에 비유할 수 있다. A를 기준으로 했을 때 멀어지는 속도는 A로부터 거리가 더 먼 C가 B보다 더 빠르다.

실력 키우기
개념 학습서 215~216쪽

01 ④   **02** ②   **03** ②   **04** ⑤   **05** 해설 참조   **06** ③
07 ⑤   **08** ②   **09** ③   **10** 해설 참조   **11** ②

01 우리은하는 막대 나선 모양이다. 우리은하의 지름은 약 30000 pc이고, 태양계는 우리은하의 중심으로부터 약 8500 pc(약 3만 광년) 떨어진 나선팔에 위치한다.

02 태양계는 우리은하의 중심에서 약 8500 pc(약 3만 광년) 떨어진 나선팔(A)에 위치한다.
[바로 알기] ㄱ. 옆에서 본 우리은하의 모습이다.
ㄴ. 우리은하의 지름이 약 30000 pc이므로, B와 C 사이의 거리는 약 15000 pc이다.

03 태양계는 우리은하의 중심부에서 벗어나 있고 은하면 안에 있기 때문에 지구에서 우리은하를 보면 희뿌연 띠 모양으로 보인다. 즉, 은하수는 지구에서 본 우리은하의 일부이다. 우리나라에서는 밤하늘이 우리은하의 중심부를 향하는 여름철에 은하수가 넓고 밝게 보인다.
[바로 알기] ㄴ. 은하수는 북반구와 남반구에서 모두 관측된다.
ㄷ. 지구에서 본 우리은하 일부의 모습이다.

04 그림은 암흑 성운 중 하나인 말머리 성운이다. 암흑 성운은 뒤쪽에서 오는 별빛을 차단하여 어둡게 보인다.

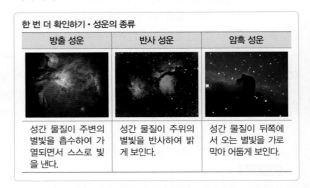

한 번 더 확인하기 · 성운의 종류

방출 성운	반사 성운	암흑 성운
성간 물질이 주변의 별빛을 흡수하여 가열되면서 스스로 빛을 낸다.	성간 물질이 주위의 별빛을 반사하여 밝게 보인다.	성간 물질이 뒤에서 오는 별빛을 가로막아 어둡게 보인다.

05 그림은 방출 성운의 종류 중 하나인 오리온 대성운이다. 방출 성운은 근처에 있는 별로부터 에너지를 받아 온도가 높아져서 붉은색의 빛을 낸다.

모범 답안 방출 성운, 주변의 별빛을 흡수하여 가열되면서 스스로 빛을 낸다.

채점 기준	배점(%)
성운의 종류와 밝게 보이는 까닭을 모두 옳게 설명한 경우	100
성운의 종류와 밝게 보이는 까닭 중 한 가지만 옳게 설명한 경우	50

06 그림은 산개 성단으로 수십~수만 개의 별들이 비교적 엉성하게 흩어져 있다. 산개 성단은 주로 우리은하의 나선팔에 분포한다.

한 번 더 확인하기 • 성단의 종류

산개 성단	구분	구상 성단
수십~수만 개의 별들이 엉성하게 흩어져 있다.	별의 분포	수만~수십만 개의 별들이 빽빽하게 모여 있다.
주로 파란색 (고온의 별)	별의 색	주로 붉은색 (저온의 별)
주로 우리은하 나선팔	위치	주로 우리은하 중심부와 원반을 둘러싼 구형 공간

07 대폭발 우주론은 우주는 모든 물질과 에너지가 모인 한 점에서 대폭발로 시작하였으며 지금도 계속 팽창하고 있다는 이론이다.

[바로 알기] ①, ② 팽창하는 우주에는 특별한 중심이 없다.

③ 우주는 점점 팽창하고 있다.

④ 은하 사이의 거리는 점점 멀어지고 있다.

- 우주 팽창으로 추정한 우주의 나이는 약 138억 년이다.
- 과거 우주는 현재보다 크기가 작고 온도가 높았다.
- 모든 은하는 서로가 서로에게 멀어지며, 팽창하는 우주에서 특별한 중심은 없다.

08 우주가 팽창하여 은하들 사이의 거리는 점점 멀어지고 있다.

[바로 알기] ㄱ. 우주는 특별한 중심 없이 팽창하며, 은하는 우주 팽창으로 서로 멀어진다.

ㄷ. 은하 A에서 보면 거리가 B보다 먼 은하인 E가 멀어지는 속도가 더 빠르다.

09 우주 탐사는 우주에 대한 호기심을 해결해 주며 다양한 분야에 그 영향을 미치고 있다. 다른 행성에서의 식량 자원 수급은 현재 우주 탐사의 의의와는 거리가 멀다.

한 번 더 확인하기 • 우주 탐사의 의의

- 우주에 대한 이해와 호기심 충족
- 우주 탐사를 통해 습득된 지식과 정보로 지구 환경과 생명에 대해 이해
- 우주 탐사로 발달한 과학기술은 산업 및 경제 발전에 기여
- 우주 기술로 만들어진 제품이 일상생활에 적용되어 삶의 질 향상

10 스푸트니크 1호는 1957년에 구소련에서 발사한 인류 최초의 인공위성이다.

[모범 답안] 인류 최초로 발사한 인공위성이다.

채점 기준	배점(%)
인류 최초의 인공위성이라고 옳게 설명한 경우	100

11 인류가 최초로 달에 착륙한 것은 1969년, 허블 우주 망원경을 이용한 우주의 관측은 1990년, 뉴호라이즌스호가 명왕성을 근접 통과한 것은 2015년이다.

단계별 문제로 서술형 연습하기 개념 학습서 217쪽

01 우리은하는 막대 나선 모양이다.

[모범 답안] (1) a, A

(2) 우리은하는 위에서 보면 중심부에 막대 구조가 있고 막대 끝에 나선팔이 휘감겨 있는 막대 나선 모양이고, 옆에서 보면 중심부가 볼록한 원반 모양이다.

	채점 기준	배점(%)
(1)	a, A를 모두 옳게 쓴 경우	20
(2)	우리은하를 위에서 본 모양과 옆에서 본 모양을 모두 옳게 설명한 경우	80
	우리은하를 위에서 본 모양과 옆에서 본 모양 중 한 가지만 옳게 설명한 경우	40

02 은하의 중심 방향인 궁수자리 부근의 은하수는 다른 방향보다 폭이 넓고 뚜렷하게 보인다.

[모범 답안] (1) 여름철

(2) 우리나라에서는 여름철에 관측 방향이 우리은하의 중심부를 향하기 때문에 겨울철보다 여름철에 더 넓고 밝게 보인다.

	채점 기준	배점(%)
(1)	여름철이라고 옳게 쓴 경우	30
(2)	여름철에 우리은하의 중심부를 향하기 때문이라고 옳게 설명한 경우	70
	궁수자리 부근이기 때문이라고만 설명한 경우	30

03 산개 성단은 주로 파란색을 띠는 고온의 별들로, 구상 성단은 주로 붉은색을 띠는 저온의 별들로 이루어져 있다.

[모범 답안] (1) 산개, 구상

(2) (가) 성단을 이루는 별들의 표면 온도가 (나) 성단을 이루는 별들의 표면 온도보다 높다.

	채점 기준	배점(%)
(1)	산개, 구상을 모두 옳게 쓴 경우	20
(2)	성단의 차이점을 표면 온도와 관련지어 옳게 설명한 경우	80
	(가)와 (나) 성단의 별의 색만 옳게 비교한 경우	40

04 현재 우주가 팽창한다는 사실을 바탕으로 시간을 거꾸로 돌린다고 가정하면, 과거로 갈수록 우주는 점점 작아지다가 결국 한 점에 모일 것이다. 이처럼 우주는 모든 물질과 에너지가 모인 한 점에서 대폭발로 시작하였으며 지금도 계속 팽창하고 있다는 이론을 대폭발 우주론이라고 한다. 우주가 계속 팽창하여 오늘날과 같은 우주가 되었으며, 현재까지 이루어진 관측 결과로 우주는 약 138억 년 전에 탄생한 것으로 추정된다.

[모범 답안] (1) 멀어

(2) 은하들 사이의 거리가 멀어지는 것은 우주가 팽창하기 때문이다.

	채점 기준	배점(%)
(1)	멀어지고 있다고 옳게 쓴 경우	30
(2)	우주가 팽창하기 때문이라고 설명한 경우	70

그림으로 **단원** 정리하기

개념 학습서 218쪽

- ㉠ 연주 시차
- ㉡ 겉보기 등급
- ㉢ 절대 등급
- ㉣ 멀어
- ㉤ 우리은하
- ㉥ 30000
- ㉦ 성단
- ㉧ 성운

우리 학교 시험 문제

개념 학습서 219~221쪽

01 ③	02 ③	03 ①	04 ②	05 해설 참조	06 ①
07 ②	08 해설 참조	09 ④	10 ③	11 ③	
12 해설 참조	13 ③	14 ④	15 ⑤	16 ⑤	17 ②

01 관측자의 양쪽 눈은 서로 다른 지구의 위치, 연필은 별에 비유할 수 있다. 지구에서 별까지의 거리는 시차의 크기에 반비례한다.

[바로 알기] ㄷ. 관측자에서 연필까지의 거리가 멀어지면 양쪽 눈과 연필이 이루는 각이 작아진다.

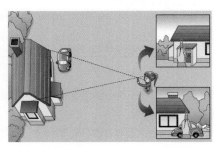

- 실험에서 양쪽 눈은 서로 다른 지구의 위치를 나타내고, 연필은 별에 비유할 수 있다.
- 팔을 구부리고 관측할 때는 시차가 크고, 팔을 쭉 펴고 관측할 때는 시차가 작다. ➡ 시차는 연필까지의 거리가 가까울수록 크게 나타나고, 연필까지의 거리가 멀수록 작게 나타난다.

02 B는 연주 시차가 $1''$이므로 1 pc, C는 1 pc=약 3.26광년이므로 약 10 pc의 거리에 있다.

한 번 더 확인하기 • 별의 거리
- 1 pc(파섹): 연주 시차가 $1''$(초)인 별까지의 거리
- 1광년(LY): 빛이 1년간 이동한 거리, 1 pc≒3.26광년

03 1등급보다 밝은 별은 0등급, −1등급, …으로, 6등급보다 어두운 별은 7등급, 8등급, …으로 표시한다.

[바로 알기] ① 1등급보다 밝은 별은 0등급, −1등급, …으로 나타낸다.

04 겉보기 등급은 우리 눈에 보이는 밝기, 절대 등급은 별의 실제 밝기이다. 등급의 숫자가 작을수록 밝은 별이다.

05 화성에서 태양을 보면 지구에서 볼 때보다 거리가 멀어져서 겉보기 밝기가 어두워지므로 겉보기 등급은 커진다. 반면에 절대 등급은 태양의 실제 밝기이므로 변함없다.

모범 답안 지구에서 볼 때에 비해 겉보기 등급은 커지고, 절대 등급은 변함없다.

채점 기준	배점(%)
겉보기 등급과 절대 등급의 변화를 모두 옳게 설명한 경우	100
겉보기 등급과 절대 등급의 변화 중 한 가지만 옳게 설명한 경우	50

06 (겉보기 등급−절대 등급)의 값이 작을수록 지구와 가까이 있는 별이다.

별	겉보기 등급	절대 등급	겉보기 등급 − 절대 등급
시리우스	−1.5	1.4	−2.9
베가	0	0.5	−0.5
베텔게우스	0.4	−5.6	6.0
리겔	0.1	−6.8	6.9
데네브	1.3	−8.7	10

- (겉보기 등급−절대 등급) 값이 작을수록 가까운 별이고 (겉보기 등급−절대 등급) 값이 클수록 먼 별이다.
- 별까지의 거리는 시리우스<베가<베텔게우스<리겔<데네브이다.

07 절대 등급은 별이 10 pc에 있다고 가정할 때의 밝기이다. 100 pc 위치에 있는 별이 10 pc이 되면 거리가 $\frac{1}{10}$로 가까워지는 것이다. 밝기는 거리의 제곱에 반비례하므로 거리가 $\frac{1}{10}$로 가까워지면 밝기는 100배 밝아진다. 100배 밝아지면 등급은 5등급이 작아지므로 절대 등급은 −4등급이 된다.

한 번 더 확인하기 • 별의 밝기와 거리

$$\text{별의 밝기} \propto \frac{1}{(\text{별까지의 거리})^2}$$

거리가 원래의 $\frac{1}{10}$로 가까워지면 밝기는 100배로 밝아진다.

한 번 더 확인하기 • 별의 밝기와 등급

등급 차	1	2	3	4	5
밝기 차(배)	2.5	6.3 (≒2.5^2)	16 (≒2.5^3)	40 (≒2.5^4)	100 (≒2.5^5)

1등급 간의 밝기 차는 약 2.5배이고, 5등급 차이는 약 100배의 밝기 차이다.

08 그래프에서 청색에 가까울수록 별의 표면 온도가 높고, 겉보기 등급이 작을수록 눈에 밝게 보인다.

모범 답안 A, 청색에 가까울수록 표면 온도가 높고 겉보기 등급이 작을수록 밝게 보이기 때문이다.

채점 기준	배점(%)
A를 고르고 그 까닭을 옳게 설명한 경우	100
A만 옳게 고른 경우	50

09 표면 온도가 다르면 주로 방출하는 빛의 색이 달라진다. 오리온자리에서 청백색을 띠는 리겔이 붉은색을 띠는 베텔게

우스보다 표면 온도가 더 높다.

10 우리은하를 옆에서 보면 중심부가 볼록한 원반 모양이고, 태양계는 우리은하의 중심으로부터 약 8500 pc 떨어진 나선팔에 위치한다.

11 우리은하의 지름은 약 30000 pc이고, 태양계는 우리은하의 중심으로부터 약 8500 pc 떨어진 곳에 위치한다.

[바로 알기] ㄱ. 우리은하를 옆에서 본 모양이다.

ㄹ. B(은하 중심부)에는 주로 구상 성단이 분포한다.

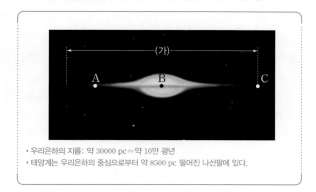

- 우리은하의 지름: 약 30000 pc＝약 10만 광년
- 태양계는 우리은하의 중심으로부터 약 8500 pc 떨어진 나선팔에 있다.

12 은하수는 지구에서 바라보는 우리은하의 일부이며, 우리은하의 중심부에는 많은 별이 모여 있다. 만약 태양계가 우리은하의 중심부에 위치한다면 밤하늘에서 별은 고르게 분포할 것이고, 띠 모양의 은하수는 관측되지 않을 것이다.

[모범 답안] 태양계가 우리은하의 중심에서 벗어나 있고 은하면 안에 있기 때문에 은하수가 띠 모양으로 보인다.

채점 기준	배점(%)
태양계가 우리은하의 중심에서 벗어나 있고 은하면 안에 있기 때문에 은하수가 띠 모양으로 보임을 옳게 설명한 경우	100
우리은하에서 태양계의 위치상 은하의 일부만 보이기 때문이라고만 설명한 경우	50

13 (가)는 수십~수만 개의 별들이 듬성듬성 모여 있는 산개 성단, (나)는 수만~수십만 개의 별들이 공 모양으로 빽빽하게 모여 있는 구상 성단이다. 산개 성단은 주로 파란색을 띠는 고온의 별로, 구상 성단은 주로 붉은색을 띠는 저온의 별로 이루어져 있다.

14 [바로 알기] ㄴ. 주변 별빛을 반사하여 밝게 보이는 성운은 반사 성운이다.

15 실험에서 단추 사이의 거리가 멀수록 거리 변화 값이 크며, 우리은하에서 거리가 먼 은하일수록 더 빨리 멀어진다.

[바로 알기] ⑤ 멀리 있는 은하일수록 빠른 속도로 멀어진다.

16 [바로 알기] ⑤ 아직까지 사람이 착륙한 천체는 달뿐이다. 행성 탐사는 주로 인공위성이나 로봇을 이용한다.

17 스푸트니크 1호는 1957년 최초로 발사한 인공위성이고, 1969년 아폴로 11호를 쏘아 올려 최초로 달 착륙에 성공하였다.

01 과학기술과 인류 문명

개념 다지기

개념 학습서 225, 227쪽

1 (1) ○ (2) × (3) ○ (4) × **2** ㉠ 증기 기관 ㉡ 산업 혁명 **3** ㄴ
4 (1) ㉡ (2) ㉢ (3) ㉠ **5** (1) ㉠ (2) ㉢ (3) ㉡ **6** (사)-(나)-(마)-(바)-(다)-(가)-(라) **7** 4차 산업 혁명 **8** (1) ○ (2) × (3) ○

1 (2) 망원경의 발명으로 천체를 관측할 수 있게 되었고, 이를 통해 태양 중심설이 옳음을 밝혔다.
(4) 전화기 발명 이후 과학기술의 발전으로 텔레비전과 컴퓨터가 발명되었다.

3 암모니아의 합성으로 질소 비료를 만들 수 있게 되면서 식량 생산이 증가하였다.

6 공학적 설계는 과학 원리나 기술을 적용하여 기존의 제품을 개선하거나 새로운 제품이나 시스템을 개발하는 창의적인 과정이다.

8 (2) 나노 기술을 이용하여 휘어지는 디스플레이를 만들 수 있다.

실력 키우기

개념 학습서 228~229쪽

01 (가) – (라) – (다) – (나) **02** ③ **03** ⑤ **04** ④ **05** ②
06 ② **07** ④ **08** 공학적 설계 **09** ④ **10** ⑤ **11** ⑤
12 ④ **13** ③

02 [바로 알기] ㄷ. 현미경의 발명으로 세포를 관찰하면서 인간을 보는 관점의 변화가 생겼다. 망원경의 발명과 발달로 천체를 관측할 수 있게 되었고, 이 관측 결과는 태양 중심설이 옳음을 증명하는 증거가 되었다.

03 증기 기관차의 발명으로 먼 거리까지 많은 물건을 이동할 수 있게 되었다.

04 페니실린의 발견으로 항생제를 개발함으로써 의료 분야가 발달하였고, 여러 질병을 예방할 수 있게 되었다.

06 생명 공학 기술의 이용은 오늘날 식량 생산 증가를 가져왔다.

07 원격 의료 기술의 발달로 장소에 관계없이 의료 지원을 받을 수 있게 되었다.

09 자동차 외향적인 취향은 주요 소비자층의 자동차 외형 취향을 분석하여 디자인한다.

10 생산 공정이 자동화되면서 사람이 수행하던 작업을 기계가 수행하고 있으며, 컴퓨터와 각종 계측 장비를 이용하기도 한다.

11 4차 산업 혁명 이후에도 과학기술은 계속 발전할 것으로 예

상된다.

12 인공 지능은 기계가 인간과 같은 지능을 가지는 기술이고, 빅데이터 기술은 방대한 정보를 분석하여 활용하는 기술이다. 인공 지능과 빅데이터 기술 모두 원하는 정보를 빠르고 편리하게 찾는 데 도움을 줄 것으로 예상된다.

13 멀티 콥터 드론은 조종사가 탑승하지 않고 전파를 통해 원격으로 조정하는 항공기이다.

단계별 문제로 서술형 연습하기
개념 학습서 230쪽

01 **모범 답안** (1) 증기(수증기)

(2) 먼 거리까지 많은 물건을 이동시킬 수 있는 증기 기관차가 발명되었고, 증기 기관을 이용하여 기계가 물건을 생산하게 되었다. 이는 산업 혁명이 일어나는 원동력이 되었다.

채점 기준		배점(%)
(1)	증기(수증기)라고 옳게 쓴 경우	20
(2)	증기 기관의 발명이 산업 혁명이 일어나는 원동력이 되었다고 옳게 설명한 경우	80
	산업 혁명이 일어났다고만 설명한 경우	50

02 산업 혁명 이후 세계 인구는 빠르게 증가하였고, 인구가 증가하는 만큼 인류는 식량 생산량을 늘려야 했다. 이를 위해 기존보다 더 많은 양의 질소 비료가 필요했고, 하버의 암모니아 합성으로 질소 비료의 대량 생산이 가능해지면서 식량 생산량이 크게 증가할 수 있었다.

모범 답안 (1) 암모니아

(2) 암모니아를 이용하여 질소 비료를 대량 생산할 수 있게 되면서 식량을 대량으로 생산할 수 있게 되었다.

채점 기준		배점(%)
(1)	암모니아라고 옳게 쓴 경우	30
(2)	암모니아의 합성으로 식량을 대량 생산할 수 있게 되었다고 옳게 설명한 경우	70
	식량의 대량 생산이라고만 설명한 경우	50

03 **모범 답안** (1) 빅데이터

(2) 빅데이터 기술은 방대한 정보를 분석하여 활용하는 기술이다.

채점 기준		배점(%)
(1)	빅데이터라고 옳게 쓴 경우	20
(2)	빅데이터에 대해 옳게 설명한 경우	80

04 **모범 답안** (1) 나노미터(nm), 나노 기술

(2) 제품의 소형화, 경량화가 가능해진다.

채점 기준		배점(%)
(1)	나노미터(nm)와 나노 기술을 모두 옳게 쓴 경우	40
	나노미터(nm)와 나노 기술 중 한 가지만 옳게 쓴 경우	20
(2)	나노 기술이 우리 생활에 미치는 영향에 대해 옳게 설명한 경우	60

우리 학교 시험 문제
개념 학습서 231쪽

01 ② **02** ② **03** ①, ⑤ **04** ② **05** ⑤ **06** ③

01 인류는 처음에는 화산 폭발이나 번개 등으로 인해 자연적으로 발생하는 불에서 불씨를 얻었으나, 나무나 돌을 이용하여 불꽃이 생기는 과학적 원리를 알게 되면서 필요할 때 불을 피울 수 있게 되었다.

02 태양 중심설이 등장하면서 과학에서는 경험적, 실험적 방법이 강조되었으며, 이는 사람들의 사고 방식과 사회 변화에 큰 영향을 미쳤다.

03 [바로 알기] ② 교통 수단의 발달과 산업 사회로의 변화를 가져 왔다.

③ 전자기 유도 법칙으로 전기를 생산할 수 있게 되었으며, 전화기를 발명하는 원동력이 되었다.

④ 질소 비료를 만들 수 있게 되어 농산물 생산량이 증가했다.

04 기존의 제품을 개선하거나 새로운 제품이나 시스템을 개발할 때는 사용하기에 안전한지를 고려해야 한다.

[바로 알기] ① 외형적 요인에 대한 설명이다.

③ 편리성에 대한 설명이다.

④ 경제성에 대한 설명이다.

⑤ 환경적 요인에 대한 설명이다.

05 [바로 알기] ⑤ 오늘날 의료 분야의 발달이 우리 생활에 미치는 영향이다.

06 [바로 알기] ㄴ. 생체 모방 기술이다.

Ⅰ. 화학 반응의 규칙과 에너지 변화

01 물질의 변화

시험 대비 정리 노트
시험 대비서 2쪽

| ㉠ 물리 변화 | ㉡ 화학 변화 | ㉢ 분자 | ㉣ 성질 |
| ㉤ 화학 반응식 | ㉥ 화학식 | ㉦ 정수비 | ㉧ 계수비 |

기출 문제로 실력 확인하기
시험 대비서 3~4쪽

01 ⑤　02 ②　03 ③　04 ㄱ, ㄴ, ㅂ, ㅅ　05 ①　06 ⑤
07 ⑤　08 ④　09 ③　10 ②　11 ③　12 ③　13 ②

01 물리 변화가 일어날 때는 물질의 성질이 변하지 않지만, 화학 변화가 일어날 때는 물질의 성질이 변한다.
[바로 알기] ①, ③, ④ 화학 변화가 일어날 때는 새로운 물질이 생성되고, 물질의 고유한 성질이 변한다. 또한, 화학 변화가 일어날 때는 빛이나 열이 나기도 하고, 기체가 발생하거나 앙금이 생성되기도 한다.
② 물리 변화가 일어날 때는 물질의 상태나 모양 등이 변하지만 물질의 고유한 성질은 변하지 않는다.

02 B는 모양만 달라지는 변화로 물리 변화, C는 새로운 물질이 생기는 변화로 화학 변화이다. 따라서 A, B에서는 마그네슘과 묽은 염산이 반응하여 수소 기체가 발생하지만, C에서는 수소 기체가 발생하지 않는다.

03 화학 변화가 일어날 때 원자의 배열이 달라져 새로운 분자가 생성되므로 물질의 성질이 변한다.
[바로 알기] ③ 상태 변화는 물리 변화로 분자의 배열만 변하고, 물질의 성질은 변하지 않는다.

04 화학 변화가 일어나면 물질의 성질이 변한다. 모양 변화, 상태 변화와 확산 현상은 물리 변화이다.

05 설탕이 물에 녹아 설탕물이 되는 변화는 물리 변화이다. 물리 변화가 일어날 때는 분자의 배열이 변한다.

06 물이 수소 기체와 산소 기체로 분해되는 화학 변화가 일어나므로 물질(물)의 성질이 변한다.

07 반응 전후 원자의 종류와 개수가 같도록 화학식 앞의 계수를 맞춘다.

08 이 반응에서 구리의 화학식은 Cu, 산소 분자의 화학식은 O_2, 산화 구리(Ⅱ)의 화학식은 CuO이다.

10 [바로 알기] ① $2H_2O \longrightarrow 2H_2 + O_2$
③ $4Fe + 3O_2 \longrightarrow 2Fe_2O_3$
④ $CH_4 + 2O_2 \longrightarrow CO_2 + 2H_2O$
⑤ $Mg + 2HCl \longrightarrow MgCl_2 + H_2$

11 화학 반응식에서 계수비는 분자 수의 비와 같다.

12 반응 전후에 원자의 종류와 개수가 같아야 하므로, 반응 전 산소 원자는 4개이다. 이때 산소 분자 1개는 산소 원자 2개로 이루어져 있으므로, 산소 분자 2개로 나타낸다.

13 화학 반응이 일어날 때 원자의 배열이 변하면서 새로운 분자가 생성되지만, 원자의 종류와 개수는 변하지 않는다.

1% 도전 문제로 실력 올리기
시험 대비서 5쪽

01 ③　02 ③

01 A는 철과 황의 혼합물이 만들어지는 물리 변화가 일어나고, D는 황화 철이 만들어지는 화학 변화가 일어난다. C에서 철과 묽은 염산이 반응하여 수소 기체가 발생하고, G에서 황화 철과 묽은 염산이 반응하여 황화 수소 기체가 발생하므로 화학 변화가 일어난다.

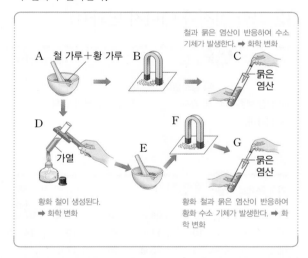

02 아자이드화 나트륨이 분해되어 나트륨과 질소 기체가 생성되는 변화는 화학 변화이다. 이때 원자의 배열이 변하며, 반응 전후 물질의 전체 질량은 변하지 않는다.
[바로 알기] ③ $2NaN_3 \longrightarrow 2Na + 3N_2$로 나타낼 수 있다.

서술형 문제로 실력 완성하기
시험 대비서 5쪽

01 화학 변화는 어떤 물질이 본래의 성질과는 전혀 다른 새로운 물질로 변하는 현상으로 물질의 성질이 변한다.
[모범 답안] 화학 변화가 일어날 때 원자의 배열이 달라져 다른 분자가 생성되므로 물질의 성질이 달라진다.

채점 기준	배점(%)
세 단어를 모두 사용하여 옳게 설명한 경우	100
세 단어 중 두 단어만 사용하여 옳게 설명한 경우	50
세 단어 중 한 단어만 사용하여 옳게 설명한 경우	20

02 모범 답안 (1) 화학 변화. 원자의 배열이 변하여 성질이 다른 분자가 생성되기 때문이다.

(2) $H_2 + Cl_2 \longrightarrow 2HCl$

	채점 기준	배점(%)
(1)	화학 변화라고 옳게 쓰고, 그 까닭을 옳게 설명한 경우	60
	화학 변화만 옳게 쓴 경우	20
(2)	화학 반응식으로 옳게 나타낸 경우	40

03 모범 답안 메테인이 연소할 때 생성물질은 H_2O, CO_2이고, 이 반응의 화학 반응식은 $CH_4 + 2O_2 \longrightarrow CO_2 + 2H_2O$이다.

채점 기준	배점(%)
생성물질을 옳게 쓰고, 화학 반응식을 옳게 나타낸 경우	100
생성물질만 옳게 쓴 경우	30

02 화학 법칙과 에너지 변화 (1)

시험 대비 정리 노트
시험 대비서 6쪽

㉠ =   ㉡ 감소한다   ㉢ >   ㉣ =
㉤ 질량 보존 법칙   ㉥ 원자   ㉦ 일정 성분비 법칙
㉧ 질량비

기출 문제로 실력 확인하기
시험 대비서 7~9쪽

01 ⑤   02 ⑥   03 ⑤   04 ③   05 ②   06 ②   07 ③
08 ⑤   09 ④   10 ②   11 ④   12 ②   13 ⑤   14 10
개, 볼트 : 너트=4 : 1   15 ④   16 ③   17 ⑤

01 ㄱ, ㄴ은 화학 변화, ㄷ은 물리 변화이다. 질량 보존 법칙은 물리 변화와 화학 변화에서 모두 성립한다.

02 앙금 생성 반응은 공기 중에서 반응을 시켜도 질량이 일정하다.
[바로 알기] ①, ③, ④, ⑤ 반응 후 생성된 기체가 공기 중으로 빠져나가기 때문에 질량이 감소한다.
② 구리와 결합한 산소의 질량만큼 질량이 증가한다.

03 화학 반응이 일어날 때 물질을 이루는 원자의 종류와 개수가 변하지 않으므로 반응물질과 생성물질의 전체 질량은 변하지 않는다.

04 묽은 염산과 탄산 칼슘이 반응하면 염화 칼슘, 물, 이산화 탄소가 생성된다. 이때 플라스틱병 뚜껑을 열면 이산화 탄소 기체가 공기 중으로 빠져나가므로 (다)에서는 질량이 감소한다.

05 염화 나트륨 수용액과 질산 은 수용액을 섞으면 흰색의 염화 은 앙금이 생긴다. 이때 반응 전후 원자의 종류와 개수는 변하지 않기 때문에 물질의 전체 질량은 변하지 않는다.

06 강철 솜이 공기 중의 산소와 결합하면 산화 철이 생성된다. 열린 공간에서는 반응 후 질량이 증가한 것으로 보이지만, 밀폐된 용기에서 가열하면 반응 전후 물질의 전체 질량이 일정함을 알 수 있다.
[바로 알기] ② 생성된 산화 철은 자석에 붙지 않는다.

07 묽은 염산과 아연이 반응하면 수소 기체가 발생한다. 이때 물질을 이루는 원자의 종류와 개수는 변하지 않는다. 또한, 반응이 일어날 때 풍선이 부풀어 오르므로 전체 부피는 증가하지만, 밀폐된 공간에서 반응 전후 물질의 전체 질량은 변하지 않는다.

08 질량 보존 법칙에 따라 반응 전 물질의 전체 질량과 반응 후 물질의 전체 질량은 일정하다.

09 마그네슘 0.9 g이 반응하여 산화 마그네슘 1.5 g이 생성되므로, 반응한 산소의 질량은 0.6 g이다. 따라서 마그네슘과 산소, 산화 마그네슘의 질량비는 3 : 2 : 5이다.

10 [바로 알기] ㄱ. 구리 2.0 g이 연소하여 산화 구리(Ⅱ) 2.5 g이 생성될 때 반응한 산소의 질량은 2.5 g−2.0 g=0.5 g이다. 따라서 구리와 산소의 질량비는 2.0 g : 0.5 g=4 : 1이다.
ㄷ. 반응하는 구리의 질량이 증가할수록 반응하는 산소의 질량도 증가하므로 생성되는 산화 구리(Ⅱ)의 질량도 증가한다.

11 산화 구리(Ⅱ)를 이루는 구리와 산소의 질량비는 4 : 1이므로, 반응물질 중 이 비율보다 많은 양이 존재하는 것은 반응하지 않고 그대로 남는다.

구분	구리(g)	산소(g)	산화 구리(Ⅱ)(g)	남는 물질(g)
①	8	1	5	구리, 4
②	8	5	10	산소, 3
③	10	2	10	구리, 2
④	12	4	15	산소, 1
⑤	14	2	10	구리, 6

12 실험 2에서 수소 0.3 g과 산소 2.4 g이 반응하여 물 2.7 g이 생성될 때 반응하는 수소와 산소의 질량비는 1 : 8이다. ㉠은 산소 2.0 g−1.6 g=0.4 g이다.

13 같은 농도의 아이오딘화 칼륨 수용액과 질산 납 수용액은 1 : 1의 부피비로 반응하므로 앙금의 높이는 D~F가 모두 같다.

14 볼트와 너트는 1 : 2의 개수비로 결합하므로 볼트 10개와 너트 20개가 결합하여 화합물 10개를 만들고, 너트 5개가 남는다. 또한, 화합물을 이루는 볼트와 너트의 질량비는 (1개×8) : (2개×1)=4 : 1이다.

15 일정 성분비 법칙은 화합물이 만들어질 때 성립하지만, 혼합물이 만들어질 때는 성립하지 않는다.
[바로 알기] ④ 물에 암모니아가 녹은 암모니아수는 혼합물이

므로 일정 성분비 법칙이 성립하지 않는다.

16 마그네슘을 공기 중에서 가열하면 충분한 양의 산소가 공급된다. 마그네슘과 반응하는 산소의 질량비는 일정하므로 생성되는 산화 마그네슘의 질량은 증가하다가 더 이상 반응할 마그네슘이 없어지면 일정해진다.

17 철과 황이 반응하면 황화 철이 생성된다. 철 가루 7 g과 황 가루 4 g이 모두 반응하므로 황화 철을 이루는 철과 황의 질량비는 7 : 4이다.

1% 도전 문제로 실력 올리기 시험 대비서 10쪽

01 ①   **02** ④   **03** ⑤   **04** ④   **05** ②, ⑤

01 나무를 연소시키면 용기 안 산소 분자와 반응하여 재, 이산화 탄소, 수증기가 생성되므로 용기 안 산소 분자의 개수는 감소한다.

02 [바로 알기] ④ 이산화 망가니즈는 촉매이므로 반응에 직접 참여하지 않는다. 따라서 생성된 산소의 질량은 34 g−18 g =16 g이다.

03 화합물 (가)에서 A와 B의 원자 수의 비는 1 : 1이고 이때 질량비는 3 : 2이다. 따라서 화합물 (나)에서 A와 B의 질량비가 6 : 6이므로 원자 수의 비는 2 : 3이다.

04 구리 12 g이 연소되어 산화 구리(Ⅱ) 15 g이 생성될 때 반응한 산소의 질량은 3 g이므로 반응하는 구리와 산소의 질량비는 4 : 1이고, 마그네슘 12 g이 연소되어 산화 마그네슘 20 g이 생성될 때 반응한 산소의 질량은 8 g이므로 반응하는 마그네슘과 산소의 질량비는 3 : 2이다.

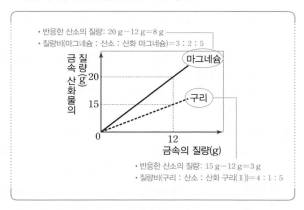

- 반응한 산소의 질량: 20 g−12 g=8 g
- 질량비(마그네슘 : 산소 : 산화 마그네슘)=3 : 2 : 5
- 반응한 산소의 질량: 15 g−12 g=3 g
- 질량비(구리 : 산소 : 산화 구리(Ⅱ))=4 : 1 : 5

05 [바로 알기] ① 두 수용액의 부피비는 1 : 1이다.
③ A~C에는 아이오딘화 이온이 남아 있다.
④ E에서 질산 납 수용액 2 mL가 반응하지 않고 남아 있다.

서술형 문제로 실력 완성하기 시험 대비서 11쪽

01 모범 답안 (1) (나), 열린 공간에서 강철 솜을 연소시키면 공기 중의 산소와 결합하기 때문에 생성물질은 반응물질보다 질량이 증가하므로 저울은 오른쪽으로 기운다.
(2) (가)와 (나) 모두 질량 보존 법칙에 의해 저울이 수평을 유지한다.

	채점 기준	배점(%)
(1)	저울이 오른쪽으로 기우는 것을 옳게 고르고, 그 까닭을 옳게 설명한 경우	50
	저울이 오른쪽으로 기우는 것만 옳게 고른 경우	20
(2)	(가)와 (나) 모두 질량 보존 법칙에 따라 저울이 수평이 된다고 옳게 설명한 경우	50
	(가)와 (나) 모두 저울이 수평이 된다고만 설명한 경우	30

02 모범 답안 (1) 묽은 염산과 탄산 칼슘이 반응할 때 생성되는 이산화 탄소(기체)가 공기 중으로 빠져나가기 때문이다.
(2) 생성된 이산화 탄소(기체)가 공기 중으로 빠져나가지 않도록 밀폐된 용기에서 탄산 칼슘과 묽은 염산을 반응시킨다.

	채점 기준	배점(%)
(1)	생성된 이산화 탄소가 공기 중으로 빠져나가기 때문이라고 옳게 설명한 경우	60
	기체가 생성되어서라고만 설명한 경우	20
(2)	닫힌 공간 또는 밀폐된 용기에서 실험을 한다고 옳게 설명한 경우	40

03 모범 답안 반응한 산소의 질량은 0.1 g이고, 이때 결합한 금속과 산소의 질량비는 0.4 g : 0.1 g = 4 : 1이다.

채점 기준	배점(%)
금속과 결합한 산소의 질량을 옳게 쓰고, 금속과 산소의 질량비를 옳게 구한 경우	100
금속과 결합한 산소의 질량만 옳게 쓴 경우	40

04 모범 답안 (1) 물을 구성하는 수소와 산소의 질량비는 1 : 8이고, 과산화 수소를 구성하는 수소와 산소의 질량비는 1 : 16이다.
(2) 화합물을 이루는 성분 원소의 종류는 같지만, 성분 원소의 질량비가 다르면 서로 다른 물질이다. 따라서 물과 과산화 수소는 서로 다른 물질이다.

	채점 기준	배점(%)
(1)	물과 과산화 수소를 이루는 수소 원자와 산소 원자의 질량비를 모두 옳게 구한 경우	50
	물과 과산화 수소를 이루는 수소 원자와 산소 원자의 질량비 중 한 가지만 옳게 구한 경우	20
(2)	두 단어를 모두 포함하여 옳게 설명한 경우	50
	두 단어 중 한 가지만 포함하여 옳게 설명한 경우	30

05 설탕물은 설탕이 물에 녹은 혼합물이다.
모범 답안 혼합물은 성분 물질의 양에 따라 혼합 비율이 달라지기 때문에 일정 성분비 법칙이 성립하지 않는다.

채점 기준	배점(%)
세 단어를 모두 사용하여 옳게 설명한 경우	100
세 단어 중 두 단어만 사용하여 옳게 설명한 경우	50

03 화학 법칙과 에너지 변화 (2)

시험 대비 정리 노트

시험 대비서 12쪽

㉠ 부피비   ㉡ 정수비   ㉢ 기체   ㉣ 계수비
㉤ 방출   ㉥ 낮아진다

기출 문제로 실력 확인하기

시험 대비서 13~14쪽

01 ④   **02** ②   **03** ①   **04** ②, ③, ⑤   **05** ③   **06** ④
07 ③   **08** ⑤   **09** ⑤   **10** ④   **11** ③

01 일정한 온도와 압력에서 기체들이 반응하여 새로운 기체가 생성될 때 각 기체의 부피 사이에는 간단한 정수비가 성립하며, 이를 기체 반응 법칙이라고 한다.

02 반응하는 일산화 탄소 기체와 산소 기체, 생성된 이산화 탄소 기체의 부피비는 2 : 1 : 2이므로 ㉡은 40이다.

> **한 번 더 확인하기** • 화학 반응이 일어날 때 반응물질의 전체 질량과 생성물질의 전체 질량은 같지만, 부피는 그렇지 않다. ➡ 기체가 반응하여 새로운 기체가 생성될 때 이들 사이에 성립하는 부피비는 실험 결과로 알 수 있다.

03 반응하는 수소 기체, 염소 기체, 생성되는 염화 수소 기체의 부피비가 1 : 1 : 2이다. 기체 반응 법칙에서 기체의 부피비는 화학 반응식의 계수비와 같으므로 $a=1$, $b=1$, $c=2$이다. 따라서 $a+b+c=4$이다.

04 일정한 온도와 압력에서 기체가 반응하여 새로운 기체를 생성할 때 기체의 부피비는 화학 반응식의 계수비와 분자 수의 비와 같다.
[바로 알기] ① 반응 전후 원자의 종류와 개수는 같다.
④ 질소 분자 1개가 모두 반응하면 암모니아 분자 2개가 생성된다.
⑥ 일정 성분비 법칙이 성립한다.

05 기체 반응 법칙은 반응물질과 생성물질이 모두 기체인 경우에만 성립한다.

06 기체 사이의 반응에서 화학 반응식의 계수비는 각 기체의 부피비와 같다. 수소 기체, 산소 기체, 수증기의 계수비가 2 : 1 : 2이므로, 부피비(수소 : 산소 : 수증기)도 2 : 1 : 2이다. 따라서 수소 기체 20 mL와 산소 기체 10 mL가 반응하여 수증기 20 mL가 생성되고, 산소 기체 10 mL가 남는다.

07 [바로 알기] ㄷ. 반응이 일어날 때 주변으로부터 에너지를 흡수하는 반응은 흡열 반응이다.

08 철 가루와 산소가 반응할 때 에너지를 방출하므로 주변의 온도가 높아져 손난로가 따뜻해진다.
[바로 알기] ⑤ 탄산수소 나트륨을 열분해할 때는 흡열 반응이 일어난다.

09 염화 암모늄이 물에 녹을 때는 흡열 반응이 일어난다. 따라서 반응이 일어날 때 주변으로부터 에너지를 흡수하기 때문에 주변의 온도는 낮아진다. 수산화 바륨과 염화 암모늄의 반응도 흡열 반응이다. ②, ③은 발열 반응에 대한 설명이다.

10 식물이 광합성을 할 때는 빛에너지를 흡수한다. 연료의 연소 반응, 산화 칼슘과 물의 반응, 산과 염기의 반응이 일어날 때는 주변으로 에너지를 방출한다.

11 산화 칼슘과 물이 반응할 때 에너지를 방출하므로 가열 장치로 이용할 수 있다.

1% 도전 문제로 실력 올리기

시험 대비서 15쪽

01 ②   **02** ③

01 기체 반응 법칙은 반응물질과 생성물질이 모두 기체일 때만 성립한다. (가)에서 탄소는 고체이므로 기체 반응 법칙이 성립하지 않는다.

02 탄산수소 나트륨이 분해되는 반응은 흡열 반응이므로, 주변의 온도는 낮아진다. 이때 생성되는 물질은 탄산 나트륨, 물, 이산화 탄소이다.

서술형 문제로 실력 완성하기

시험 대비서 15쪽

01 **모범 답안** (가) 일산화 탄소 기체는 10 L, 산소 기체는 5 L가 필요하다. (나) $2CO+O_2 \longrightarrow 2CO_2$

채점 기준	배점(%)
(가)와 (나)를 모두 옳게 쓴 경우	100
(가)와 (나) 중 한 가지만 옳게 쓴 경우	50

02 **모범 답안** (1) 수소, 5
(2) 계수비는 수소 : 산소 : 수증기＝2 : 1 : 2이다. 기체 사이의 반응에서 각 기체의 부피비는 화학 반응식의 계수비와 같으며, 수증기 생성 반응에서 각 기체의 부피비는 수소 : 산소 : 수증기＝2 : 1 : 2이기 때문이다.

	채점 기준	배점(%)
(1)	남은 기체의 종류와 부피비를 옳게 쓴 경우	30
(2)	계수비를 옳게 쓰고, 그 까닭을 옳게 설명한 경우	70
	계수비만 옳게 쓴 경우	20

03 수산화 바륨과 염화 암모늄의 반응은 흡열 반응이다.
모범 답안 수산화 바륨과 염화 암모늄이 반응할 때 주변으로부터 에너지를 흡수하므로 주변의 온도가 낮아져 나무판의 물이 얼기 때문이다.

채점 기준	배점(%)
실험 결과가 일어난 까닭을 화학 반응이 일어날 때의 에너지 출입과 온도 변화와 관련지어 옳게 설명한 경우	100
실험 결과가 일어난 까닭을 화학 반응이 일어날 때의 에너지 출입과만 관련지어 옳게 설명한 경우	70

01 기권과 복사 평형

시험 대비 정리 노트

시험 대비서 16쪽

㉠ 기권 ㉡ 기온 ㉢ 크다 ㉣ 중간권
㉤ 성층권 ㉥ 기상 현상 ㉦ 복사 평형 ㉧ 70
㉨ 온실 효과 ㉩ 지구 온난화

기출 문제로 실력 확인하기

시험 대비서 17~18쪽

01 ④ 02 ① 03 ④ 04 ④ 05 ③ 06 ② 07 ⑤
08 ⑤ 09 ㄱ, ㄹ, ㅁ 10 ⑤ 11 ㄱ, ㄴ 12 ①

01 A는 대류권, B는 성층권, C는 중간권, D는 열권이다. 공기의 대부분이 모여 있는 층은 대류권(A)이다.
[바로 알기] ㄹ. A층에 전체 대기의 대부분이 모여 있다.

02 그림은 구름, 비, 눈이다. 이러한 기상 현상은 대류권(A)에서 나타난다.

03 오로라에 대한 설명이다. 오로라는 태양으로부터 오는 전기를 띤 입자들이 지구 대기의 상층부에서 대기와 충돌하여 나타난다. 오로라는 열권(D)에서 나타난다.

04 기권은 지구를 둘러싸고 있는 대기가 존재하는 영역으로, 지표로부터 높이 약 1000 km까지이다.
[바로 알기] ④ 지표로부터 높이 약 1000 km까지의 영역이다.

05 지표로부터 높이 올라갈수록 대기의 양이 급격히 줄어들기 때문에 공기가 가장 희박한 층은 열권이다. 기상 현상은 대류권의 특징이고, 오존층은 성층권의 특징이다. 대류는 일어나지만 수증기가 거의 없어 기상 현상이 나타나지 않는 층은 중간권이다.

06 물체가 흡수하는 복사 에너지양과 방출하는 복사 에너지양이 같아지면 온도가 일정하게 유지되는 복사 평형 상태에 도달하게 된다.

07 처음에는 온도가 올라가다가 컵이 흡수하는 복사 에너지양과 컵이 방출하는 복사 에너지양이 같은 복사 평형에 도달하면 온도가 일정하게 유지된다.

08 그림은 복사 평형을 알아보기 위한 실험이다. 만약 적외선등과 컵 사이의 거리를 가까이 하면 더 높은 온도에서 복사 평형을 이룰 것이다.

09 모든 물체는 복사의 형태로 에너지를 방출하고 흡수한다.
[바로 알기] ㄴ. 온도가 낮은 물체도 복사 에너지를 방출한다.
ㄷ. 복사 에너지는 열이 물질의 도움 없이 직접 전달되는 방법이다.
ㅂ. 지구 자체가 방출하는 복사 에너지양은 태양 자체가 방출하는 에너지양에 비하면 매우 적다.

10 지구가 흡수하는 태양 복사 에너지는 70 %이므로, 지구 역시 70 %의 지구 복사 에너지를 방출하여 복사 평형을 이룬다.

지구가 흡수하는 태양 복사 에너지 ➡ 70 %

11 지구는 대기가 있어 지구 표면에서 내보내는 지구 복사 에너지 중 일부를 대기가 흡수하였다가 다시 우주와 지표로 방출하는데, 이 때문에 지구의 평균 기온이 높게 나타나는 현상을 온실 효과라고 한다. 지구 대기 중에서 지구 복사 에너지를 흡수하여 온실 효과를 일으키는 기체를 온실 기체라고 한다.
[바로 알기] ㄷ. 지구에 온실 효과가 나타나지 않는다면 지구의 평균 기온은 현재보다 낮아질 것이다.

12 대기 중 이산화 탄소 농도가 증가하면 온실 효과가 강화되고 지구의 평균 기온이 상승한다. 평균 기온이 상승하면 극지방의 빙하가 줄고 평균 해수면이 상승한다.

1% 도전 문제로 실력 올리기

시험 대비서 19쪽

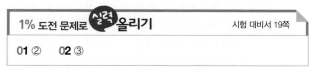

01 ② 02 ③

01 열권에서는 태양 에너지에 의해 직접 가열되어 높이 올라갈수록 기온이 상승하고, 성층권에서는 오존층이 자외선을 흡수하여 높이 올라갈수록 기온이 상승한다. 한편, 대류권에서는 높이 올라갈수록 지표에서 방출되는 에너지가 적게 도달하기 때문에 기온이 하강한다. 자외선을 흡수하여 성층권의 기온을 높이는 오존층이 사라진다면, 기권의 층상 구조는 크게 2개의 층으로 구분될 것이다.

02 A는 태양 복사 에너지, B는 지구 복사 에너지이다. 저위도에서는 흡수하는 태양 복사 에너지의 양이 방출하는 지구 복사 에너지의 양보다 많아 에너지 과잉 상태이고, 고위도에서는 흡수하는 태양 복사 에너지의 양이 방출하는 지구 복사 에너지의 양보다 적어 에너지 부족 상태이다. 지구 전체적으로는 태양 복사 에너지양과 지구 복사 에너지양이 같은 복사 평형 상태를 이룬다.

[바로 알기] ① A는 태양 복사 에너지이다.

② B는 지구 복사 에너지이다.

④, ⑤ 지구 전체적으로 A의 양과 B의 양이 같은 복사 평형을 이룬다.

서술형 문제로 실력 완성하기

시험 대비서 19쪽

01 (가)는 윗면이 열려 있어서 방출하는 복사 에너지가 쉽게 나가고, (나)는 유리판에 막혀 상자 내부로 복사 에너지가 반사되어 온실 효과가 일어난다.

모범 답안 유리판으로 상자를 덮은 (나)에서는 온실 효과가 일어나 복사 평형에 도달하는 온도가 높다.

채점 기준	배점(%)
(나)의 온도가 더 높다는 것을 복사 평형의 관점에서 옳게 설명한 경우	100
(나)의 온도가 더 높다고만 설명한 경우	50

02 지구가 흡수하는 태양 복사 에너지의 양이 줄어들면 지구가 방출하는 복사 에너지의 양도 줄어든다. 따라서 지금보다 낮은 온도에서 복사 평형을 이루게 된다.

모범 답안 지구에 도달하는 태양 복사 에너지의 양이 줄어들고 방출하는 지구 복사 에너지의 양도 줄어든 상태에서 복사 평형을 이루게 되므로, 더 낮은 온도에서 복사 평형을 이룰 것이다.

채점 기준	배점(%)
세 단어를 모두 포함하여 옳게 설명한 경우	100
세 단어 중 두 가지만 포함하여 옳게 설명한 경우	60
세 단어 중 한 가지만 포함하여 옳게 설명한 경우	30

03 화석 연료의 사용이 증가하면 대기 중 이산화 탄소의 양이 증가하는데, 이산화 탄소는 온실 기체이다. 대기 중 온실 기체의 증가는 온실 효과를 강화시켜 지구 온난화를 일으킨다.

모범 답안 화석 연료의 사용이 증가하면 대기 중 이산화 탄소 농도가 증가하여 온실 효과가 강화된다. 이에 따라 지구의 평균 기온이 상승하고 해수면이 상승하게 된다.

채점 기준	배점(%)
세 단어를 모두 포함하여 옳게 설명한 경우	100
세 단어 중 두 가지만 포함하여 옳게 설명한 경우	60
세 단어 중 한 가지만 포함하여 옳게 설명한 경우	30

02 대기 중의 물

시험 대비 정리 노트

시험 대비서 20쪽

㉠ 포화 ㉡ 포화 수증기량 ㉢ 상대 습도 ㉣ 반대로

㉤ 상대 습도 ㉥ 팽창 ㉦ 이슬점 ㉧ 얼음 알갱이

㉨ 물방울

기출 문제로 실력 확인하기

시험 대비서 21~23쪽

01 ④	02 ③	03 ②	04 ③	05 ④	06 ②	07 ①
08 ⑤	09 ④, ⑥	10 ⑤	11 ③	12 ㄱ	13 ⑤	14 ②
15 ⑤	16 ⑤	17 ④	18 ③	19 ㄴ, ㅁ		

01 안개, 이슬, 구름, 음료수 병에 맺힌 물방울은 모두 수증기가 응결한 것이다. 액체 향수가 기체가 되어 퍼지는 것은 액체가 증발한 후 기체 입자가 확산에 의해 퍼져나가는 것이다.

02 플라스크 내부에 수증기가 많은 상태에서 찬물을 부으면 기온이 낮아지며, 수증기가 응결하여 물방울이 맺힌다. 이때 기온이 낮아지므로 포화 수증기량이 감소한다.

03 이슬점은 기온이 낮아져 수증기가 응결하기 시작할 때의 온도이다.

04 포화 수증기량 곡선 아래쪽에 있으면(A, C) 불포화, 포화 수증기량 곡선상에 있으면(B) 포화 상태이다.

> **한 번 더 확인하기 · 포화 수증기량 곡선**
> • 포화 수증기량 곡선 아래에 있는 공기 ➡ 불포화 상태(현재 수증기량<포화 수증기량)
> • 포화 수증기량 곡선상에 있는 공기 ➡ 포화 상태(현재 수증기량=포화 수증기량)

05 A와 C에서 수직으로 위로 올라가 포화 수증기량 곡선과 만날 때의 수증기량을 읽는다.

06 이슬점은 기온이 낮아지다가 포화 상태가 될 때의 온도이다.

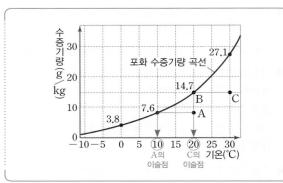

07 상대 습도(%)=$\dfrac{\text{현재 공기의 실제 수증기량(g/kg)}}{\text{현재 기온의 포화 수증기량(g/kg)}}\times100$이므로 상대 습도(%)=$\dfrac{14.7\,\text{g/kg}}{27.1\,\text{g/kg}}\times100$이다.

08 각각의 공기에서 현재 수증기량이 포화 수증기량 곡선으로부터 가장 멀리 떨어져 있을수록 상대 습도가 낮으므로 공기 E의 상대 습도가 가장 낮다.

09 ④ C 공기에서 E 공기가 될 때 포화 수증기량 곡선에서 더 멀어지므로 상대 습도는 낮아진다.

⑥ 응결량=현재 수증기량−냉각된 온도에서의 포화 수증기량이므로 14.7 g/kg−5.4 g/kg=9.3 g/kg이다.

[바로 알기] ① A와 D는 포화 수증기량이 같다. 현재 수증기량은 A는 14.7 g/kg, D는 7.6 g/kg으로 다르다.

② B와 E는 포화 수증기량이 같다. 이슬점이 같으려면 현재 수증기량이 같아야 한다.

③ C 공기는 포화 상태, D 공기는 불포화 상태이므로 C와 D 공기의 상대 습도는 다르다.

⑤ 포화 수증기량이 가장 높은 공기는 기온이 가장 높은 B와 E이다.

10 ① (가) 이슬점이 일정할 때는 기온이 상승하면 포화 수증기량이 증가하여 상대 습도는 감소한다.

③ (나) 포화 수증기량이 일정하므로 기온이 일정하고, 이슬점이 상승한다는 것은 현재 수증기량이 증가한다는 것이다. 따라서 상대 습도는 높아진다.

④, ⑤ (다) 이슬점이 일정하면 현재 수증기량의 변화가 없다는 것이고, 기온이 하강한다는 것은 포화 수증기량이 감소한다는 것이므로, 상대 습도는 높아진다.

[바로 알기] ② 포화 수증기량이 일정하므로 기온은 일정하다.

11 (가)와 (나)의 현재 수증기량은 같지만 포화 수증기량은 (가)<(나)이므로 상대 습도는 (가)>(나)이다.

[바로 알기] ① 포화 수증기량이 (가)<(나)이므로, 기온은 (가)<(나)이다.

② 현재 수증기량이 (가)=(나)이므로, 이슬점은 (가)=(나)이다.

④ (나)는 불포화 상태이므로 안개나 구름이 생기지 않는다.

⑤ 최대로 포함 가능한 수증기량은 (가)<(나)이다.

12 ㉠은 상대 습도, ㉡은 기온에 해당한다. 기온과 상대 습도는 반대 경향성을 나타낸다.

[바로 알기] ㄴ. 기온이 높아지면 상대 습도는 낮아진다.

ㄷ. 상대 습도는 새벽에 가장 높다.

13 고기압에서는 하강 기류가 생겨 구름이 생성되지 않는다.

> **한 번 더 확인하기 · 공기가 상승하여 구름이 생성되는 경우**
> • 지표면 중 일부분이 강하게 가열될 때
> • 기압이 낮은 곳으로 공기가 모여들 때
> • 공기가 산을 타고 오를 때
> • 따뜻한 공기와 찬 공기가 만날 때

14 단열 팽창하면 공기 덩어리 내부의 온도가 낮아진다.

> **한 번 더 확인하기 · 단열 변화**
> 공기 덩어리가 주위 공기와 열을 주고받지 않고 부피 팽창이나 수축을 하며 온도가 변하는 것
>
> | 구분 | 주위 기압 | 부피 | 기온 | 예 |
> | --- | --- | --- | --- | --- |
> | 단열 팽창 | 낮아짐 | 증가 | 하강 | 공기가 상승할 때 |
> | 단열 압축 | 높아짐 | 감소 | 상승 | 공기가 하강할 때 |

15 뚜껑을 열면 페트병 안의 공기가 단열 팽창하므로 온도가 내려간다. 온도가 이슬점보다 낮아지면 수증기가 응결하여 페트병 안이 뿌옇게 흐려진다.

16 향 연기는 수증기가 더 쉽게 물방울로 응결될 수 있도록 돕는 응결핵 역할을 하여 페트병 내부에서 일어나는 변화를 더욱 뚜렷하게 보여 준다.

17 구름은 공기가 상승하는 곳에서 만들어진다.

18 지표면의 공기 덩어리가 상승하면 단열 팽창하여 공기 덩어리의 온도가 낮아진다. 이때 공기 덩어리는 포화 수증기량이 감소하고 상대 습도가 높아진다. 공기 덩어리가 계속 상승하여 포화 상태에 이르면 공기 중의 수증기가 응결하여 구름이 된다.

19 저위도 지방은 구름의 온도가 0 ℃보다 높다. 따라서 얼음 알갱이가 없이 물방울들끼리 충돌해 커져서 무거워져 비가 되어 떨어진다.

1% 도전 문제로 실력 올리기

시험 대비서 24쪽

01 ① **02** ⑤ **03** ③ **04** ④ **05** ③

01 이슬점이 0 ℃인 공기는 A, B, D이고, A의 상대 습도는 $\frac{3.8\ g/kg}{7.6\ g/kg} \times 100 = 50\ \%$이다. B와 D의 상대 습도는 50 % 보다 낮다.

02 그래프의 값은 공기 1 kg을 기준으로 한 값이다. 공기 1 kg에서의 응결량은 14.7 g−7.6 g=7.1 g이므로, 공기 3 kg의 응결량은 (14.7 g/kg−7.6 g/kg)×3 kg=21.3 g이다.

03 기온이 낮아지면 포화 수증기량이 감소하여 응결이 일어나 뿌옇게 흐려진다.

[바로 알기] ㄱ. 이 실험은 외부에서 열을 얻고 외부에 열을 빼앗기므로 단열 변화가 아니다.

ㄴ. 기온이 낮아졌으므로 포화 수증기량이 감소하여 응결이 일어난다.

04 지표면은 기온이 30 ℃, 이슬점이 20 ℃이므로 그래프에서 A에 해당한다. h는 응결이 시작되는 높이로, 그래프의 A에서 기온이 낮아지다가 포화 상태에 도달하는 B의 온도(20 ℃)에 해당한다.

[바로 알기] ①, ② 지표면은 A 상태(기온 30 ℃, 이슬점 20 ℃인 공기)이다.

③ h 높이에서 공기는 B 상태(A에서 온도가 낮아지다가 이슬점에 도달하여 포화 상태인 공기)이다.

⑤ h 높이에서 공기는 B 상태이므로, 온도는 20 ℃이다.

05 영동 지방에서 공기가 상승하면 단열 팽창하여 구름이 만들어지고 비가 내린다. 이처럼 구름이 생성되는 과정은 (가)의 B 과정(단열 팽창)에 해당한다. 이후 태백산맥을 넘은 공기는 하강하며 단열 압축되어 온도가 높아지고 맑아지는데, 이는 (가)의 A 과정(단열 압축)에 해당한다. 영동 지방에서 비를 내린 후 영서 지방에서는 고온 건조한 바람이 분다.

[바로 알기] ① A는 공기가 단열 압축되는 과정이다.

② B에서는 단열 팽창이 일어나 페트병 내부 온도가 낮아진다.

④ 공기가 하강할 때는 단열 압축이 일어난다.

⑤ 영동 지방보다 영서 지방의 상대 습도가 더 낮다.

서술형 문제로 실력 완성하기
시험 대비서 25쪽

01 A~E 공기 중 현재 기온이 25 ℃인 공기는 C, D, E이고, C, D, E 중 이슬점이 15 ℃인 공기는 D이다.

모범 답안 (1) D

(2) 컵 주변의 온도가 낮아져 공기가 포화 상태에 도달해 수증기가 응결한 것이다.

	채점 기준	배점(%)
(1)	D라고 옳게 쓴 경우	30
(2)	알루미늄 컵 표면이 뿌옇게 흐려지는 까닭을 포화 상태와 관련지어 옳게 설명한 경우	70
	수증기가 응결했기 때문이라고만 설명한 경우	40

02 모범 답안 공기가 산을 타고 상승하면 주변 기압이 감소하여 단열 팽창하고 기온이 낮아진다. 기온이 이슬점에 도달하면 포화 상태에 도달해 구름이 만들어진다.

채점 기준	배점(%)
구름이 만들어지는 까닭을 단열 팽창과 관련지어 옳게 설명한 경우	100
구름이 만들어지는 까닭을 단열 팽창이라는 용어를 포함하지 않고 설명한 경우	50

03 구름 생성 실험에서 향 연기는 수증기가 더 쉽게 물방울로 응결될 수 있도록 돕는 응결핵 역할을 한다.

모범 답안 (1) 수증기의 응결이 잘 일어날 수 있게 도와 주는 응결핵 역할을 한다.

(2) 응결핵 역할을 하는 요오드화 은을 뿌려서 수증기가 응결핵에 달라붙어 구름이 잘 생기도록 한다.

	채점 기준	배점(%)
(1)	수증기의 응결을 돕는 역할을 한다고 옳게 쓴 경우	30
(2)	인공강우의 원리를 응결핵과 관련지어 옳게 설명한 경우	70
	요오드화 은이 비를 내리게 한다고만 설명한 경우	30

04 그림은 중위도나 고위도 지방에서 생기는 구름으로, 구름의 윗부분은 주로 얼음 알갱이로만 이루어져 있고, 중간 부분에는 얼음 알갱이와 물방울이 함께 있으며, 아랫부분은 주로 물방울로만 이루어져 있다.

모범 답안 수증기가 얼음 알갱이에 달라붙어 커지면 눈이 되고, 눈이 떨어지다가 녹으면 비가 된다.

채점 기준	배점(%)
네 단어를 모두 포함하여 옳게 설명한 경우	100
네 단어 중 세 가지만 포함하여 옳게 설명한 경우	75
네 단어 중 두 가지만 포함하여 옳게 설명한 경우	50
네 단어 중 한 가지만 포함하여 옳게 설명한 경우	25

03 날씨의 변화

시험 대비 정리 노트
시험 대비서 26쪽

㉠ 기압	㉡ 1	㉢ 낮아	㉣ 높아
㉤ 시베리아	㉥ 급하다	㉦ 고기압	㉧ 상승
㉨ 맑음	㉩ 여름		

기출 문제로 실력 확인하기
시험 대비서 27~29쪽

01 ②	02 ④	03 ⑤	04 ⑤	05 ③	06 ②	07 ④
08 ③	09 ⑤	10 ②	11 ⑤	12 ㄱ, ㄷ, ㅁ		13 ④
14 ②	15 ③	16 ②, ③	17 ②	18 ③		

01 [바로 알기] ㄱ. 기압은 모든 방향으로 작용한다.

ㄷ. 1기압은 수은 기둥 76 cm의 압력과 같다.

02 높이 올라갈수록 공기의 양이 줄어들기 때문에 기압이 낮아진다. 따라서 높이 올라가면 기압이 낮아지고 다시 산 밑으로 내려오면 기압이 높아진다. 그 결과 수은 기둥의 높이는 낮아지다가 다시 높아지게 된다.

> 한 번 더 확인하기 · 토리첼리 실험에서 수은 기둥의 높이
> • 1기압=76 cmHg
> • 높이에 따른 변화: 높이 올라갈수록 공기의 양이 줄어들어 기압이 낮아진다. ➡ 높이 올라갈수록 수은 기둥의 높이가 낮아진다.

03 유리관을 기울이거나 유리관의 굵기를 달리하여도 기압은 수은 기둥의 수직 높이와만 관련 있으므로 수은 기둥의 높이는 일정하다.

04 기압은 모든 방향으로 작용하고 있다. 그러나 생활에서 우리가 기압을 느끼지 못하는 까닭은 기압과 같은 크기의 압력이 몸속에서 외부로 작용하고 있기 때문이다.

05 기압은 높이 올라갈수록 낮아진다. 고도가 높아질수록 공기의 양이 줄어들기 때문이다.

06 바람은 기압 차 때문에 기압이 높은 곳에서 낮은 곳으로 불며, 기압 차는 지표의 성질에 따른 기온 차 때문에 생긴다.

[바로 알기] ㄴ. 기압 차이가 클수록 강한 바람이 분다.

ㄹ. 바람은 기압이 높은 곳에서 낮은 곳으로 분다.

07 물보다 모래가 더 빨리 뜨거워지므로 모래 쪽 기압이 더 낮아져 향 연기는 물에서 모래 쪽으로 이동한다.

[바로 알기] ① 바람이 부는 원리에 관한 실험이다.

② 물보다 모래가 더 빨리 뜨거워진다.

③ 식을 때에도 물보다 모래가 더 빨리 식는다.

⑤ 바람은 기압이 높은 곳에서 낮은 곳으로 분다.

08 낮에는 육지가 바다보다 빨리 가열되어 공기가 육지에서 상승하고, 바다에서 하강한다. 따라서 바다의 기압이 육지보다

높아져 바다에서 육지로 바람이 분다.

[바로 알기] ① 해풍이다.

②, ⑤ 해륙풍 중 낮에 부는 바람인 해풍에 해당한다.

④ 바다 쪽이 고기압, 육지 쪽이 저기압이다.

09 한랭 건조한 시베리아 기단이 비교적 따뜻한 황해를 지나면 황해로부터 수증기를 공급받아 이슬점이 상승한다. 또, 황해를 지나기 전보다 시베리아 기단의 성질이 습윤해진다.

[바로 알기] ㄱ. 시베리아 기단이 바다에서 수증기를 공급받아 습윤해진다.

10 [바로 알기] ② 북태평양 기단은 고온 다습하다.

11 A는 시베리아 기단, B는 오호츠크해 기단, C는 양쯔강 기단, D는 북태평양 기단이다. 여름에 북태평양 기단(D)은 세력을 확장하면서 북쪽의 찬 기단과 만나 우리나라에 많은 비를 내린다.

12 한랭 전선에서는 적운형 구름이 만들어지고 좁은 지역에 소나기성 비를 내린다. 한랭 전선 통과 후에는 기온이 하강한다.

13 [바로 알기] ④ 온난 전선보다 한랭 전선의 이동 속도가 빨라서 겹쳐진 것이 폐색 전선이다.

14 북반구 저기압에서는 시계 반대 방향으로 바람이 불어 들어오며, 중심에 상승 기류가 발달한다.

15 (가)는 저기압, (나)는 고기압 지역이다. 저기압 중심에서는 바람이 시계 반대 방향으로 불어 들어온다.

[바로 알기] ① (가)는 저기압, (나)는 고기압이다.

② (가)의 날씨는 상승 기류의 영향으로 흐리거나 비가 온다.

④ (나)의 중심부에는 하강 기류가 발달한다.

⑤ (나)에서는 날씨가 대체로 맑다.

16 [바로 알기] ① A~C 지역 중 B 지역의 기온이 가장 높다.

④ 온대 저기압은 편서풍의 영향으로 서에서 동으로 이동한다.

⑤ 온대 저기압은 중위도 지역에서 주로 발생한다.

⑥ C 지역에서는 넓은 지역에 지속적인 비가 내린다.

17 C 지역은 온난 전선 앞쪽으로 층운형 구름이 넓게 발생하고 넓은 지역에 지속적인 비가 내리며 기온은 비교적 낮다.

18 그림은 우리나라 초여름의 일기도로, 우리나라에 장마 전선이 놓여 있다.

1% 도전 문제로 《실력》올리기 시험 대비서 30쪽

01 ③ **02** ⑤ **03** ① **04** ②

01 낮에는 육지가 바다보다 기온이 높아서 기압이 낮아지고 바다에서 육지 쪽으로 해풍이 분다. 밤에는 바다의 기온이 더 높아

바다 쪽 기압이 낮아져 육지에서 바다 쪽으로 바람이 분다.

[바로 알기] ㄱ. 오후 4시 무렵에는 해풍이 분다.

ㄴ. 열용량은 육지보다 바다가 더 크다.

02 여름에는 대륙이 해양보다 빨리 가열되어 공기가 상승해 저기압이 되고, 겨울에는 대륙이 더 빨리 냉각되므로 고기압이 된다. 따라서 우리나라의 겨울에는 주로 북서 계절풍이 불고 여름에는 주로 남동 계절풍이 분다.

03 겨울철 차고 건조한 기단이 따뜻한 황해를 지나면 기단이 수증기를 공급받고 기온이 상승한다. 이후 다시 차가운 우리나라에 도달하면 수증기가 응결하여 눈이 내릴 수 있다.

04 그림에서 우리나라는 온난 전선과 한랭 전선 사이에 위치하며 기온이 높고 날씨가 맑다.

서술형 문제로 《실력》완성하기 시험 대비서 31쪽

01 모범 답안 고도가 높아질수록 공기의 양이 적어져 기압이 낮아지기 때문이다.

채점 기준	배점(%)
두 단어를 모두 포함하여 옳게 설명한 경우	100
두 단어 중 한 단어만 포함하여 옳게 설명한 경우	50

02 모범 답안 (1) 물에서 모래 쪽으로 이동한다.

(2) 물보다 모래의 온도가 더 빨리 높아지기 때문에 모래 쪽의 기압이 낮아지고 물 쪽 기압이 높아져 물에서 모래 쪽으로 공기가 이동한다.

	채점 기준	배점(%)
(1)	물에서 모래 쪽으로 이동한다고 옳게 쓴 경우	30
(2)	물과 모래의 온도 차에 따른 기압 차와 관련지어 옳게 설명한 경우	70
	물과 모래의 온도 차에 대해서만 설명한 경우	30

03 서고동저형의 기압 배치가 나타난다.

모범 답안 (1) 겨울

(2) A, 시베리아 기단, 한랭 건조한 특징을 나타낸다.

	채점 기준	배점(%)
(1)	겨울이라고 옳게 쓴 경우	30
	기호와 이름, 특징을 모두 옳게 설명한 경우	70
(2)	세 가지 중 두 가지만 옳게 설명한 경우	40
	세 가지 중 한 가지만 옳게 설명한 경우	20

04 모범 답안 (1) B

(2) 기온이 낮고 적운형 구름이 생기며 소나기성 비가 내린다.

	채점 기준	배점(%)
(1)	B라고 옳게 쓴 경우	30
	기온, 구름 형태, 강수 여부를 모두 옳게 설명한 경우	70
(2)	세 가지 중 두 가지만 옳게 설명한 경우	40
	세 가지 중 한 가지만 옳게 설명한 경우	20

III. 운동과 에너지

01 운동

시험 대비 정리노트

시험 대비서 32쪽

㉠ 평균 속력　　㉡ 속력　　㉢ 이동 거리　　㉣ 중력
㉤ 무게　　㉥ 9.8　　㉦ 아래　　㉧ 같은
㉨ 중력 가속도 상수　　㉩ 동시에

기출 문제로 실력 확인하기

시험 대비서 33~34쪽

01 ④　　02 ㄱ, ㄷ, ㅁ, ㅂ　　03 ②　　04 ④　　05 ㄱ, ㄷ, ㄹ, ㅇ
06 ③　　07 ②　　08 ④　　09 ③　　10 ④　　11 ①　　12 ①

01 [바로 알기] ④ 물체가 같은 거리를 이동할 때 걸린 시간이 짧을수록 물체의 속력이 빠르다.

02 물체와 물체 사이의 거리가 일정하므로 (가)와 (나)의 물체는 모두 등속 운동을 한다. 일정 시간 간격으로 찍은 연속 사진의 경우 물체 사이의 거리가 멀수록 속력이 빠르므로 (나) 물체가 (가) 물체보다 속력이 더 빠르다.
[바로 알기] ㄴ, ㄹ. (가)와 (나) 물체의 속력은 모두 시간에 관계없이 일정하다.

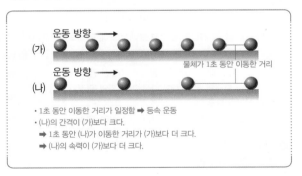

- 1초 동안 이동한 거리가 일정함 ➡ 등속 운동
- (나)의 간격이 (가)보다 크다.
  ➡ 1초 동안 (나)가 이동한 거리가 (가)보다 더 크다.
  ➡ (나)의 속력이 (가)보다 더 크다.

03 시간에 따른 이동 거리 그래프에서 직선의 기울기는 속력을 나타낸다. 따라서 A의 속력은 $\frac{80\,\text{m}}{2\,\text{s}}=40\,\text{m/s}$이고 B의 속력은 $\frac{40\,\text{m}}{2\,\text{s}}=20\,\text{m/s}$이다.

04 등속 운동에서 시간에 따른 속력 그래프는 시간축에 나란한 직선이며 그래프 아랫부분과 시간축으로 둘러싸인 넓이는 이동 거리를 나타낸다. 따라서 그래프에서 등속 운동을 한 구간은 B이고, 이때 이동 거리는 4 m/s×3 s=12 m이다.

05 [바로 알기] ㄴ, ㅂ, ㅅ. 번지점프, 자이로드롭, 스카이다이빙은 떨어질 때 속력이 증가하는 운동을 한다.
ㅁ. 엘리베이터는 속력이 점점 빨라지는 운동, 속력이 일정한 운동, 속력이 점점 느려지는 운동 등 다양한 운동을 한다.

06 물체에 작용하는 중력의 크기인 무게는 질량과 9.8의 곱과 같다. 이때 9.8을 중력 가속도 상수라고 하며, 자유 낙하 운동을 하는 물체는 속력이 1초마다 9.8 m/s씩 증가한다.
[바로 알기] ③ 질량이 클수록 작용하는 중력도 크지만 자유 낙하 운동에서 물체의 질량에 관계없이 물체의 속력 변화는 같다.

07 자유 낙하 운동을 하는 물체는 1초에 9.8 m/s씩 속력이 일정하게 증가하므로 시간에 따른 속력 그래프는 기울기가 일정한 직선 형태의 그래프이다.

08 자유 낙하 하는 물체에는 운동 방향으로 중력이 작용하여 속력이 1초마다 9.8 m/s씩 일정하게 증가한다.
[바로 알기] ① 물체의 무게는 9.8과 질량의 곱이므로 9.8×1=9.8(N)이다.
② 물체가 낙하 하는 동안 속력은 일정하게 증가한다.
③ 물체의 속력은 1초에 9.8 m/s씩 증가한다.
⑤ 물체가 1초 동안 이동한 거리는 점점 증가한다.

09 자유 낙하 하는 물체에 작용하는 중력의 크기는 9.8×질량이다. 따라서 질량이 10 kg인 물체가 받는 중력의 크기는 9.8×10=98(N)이다. 공기의 저항을 무시한다면 자유 낙하 하는 물체는 질량에 관계없이 1초에 9.8 m/s씩 속력이 증가한다.

10 자유 낙하 하는 물체에 작용하는 중력의 크기는 물체의 무게와 같으므로 질량이 클수록 크다. 따라서 쇠구슬이 더 큰 힘을 받지만 공기의 저항을 무시하면 깃털과 쇠구슬은 동시에 떨어진다.

11 자유 낙하 하는 물체는 질량에 관계없이 1초에 9.8 m/s씩 속력이 일정하게 증가한다. 따라서 쇠구슬과 깃털의 시간에 따른 속력 그래프의 기울기는 같다.

12 빗방울이 자유 낙하 운동을 할 때 중력을 받아 연직 아래 방향으로 떨어지면서 속력이 점점 증가하지만 공기의 저항 때문에 일정 속력에 이르면 더 이상 증가하지 않는다.

1% 도전 문제로 실력 올리기

시험 대비서 35쪽

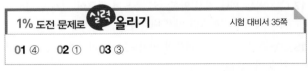

01 ④　　02 ①　　03 ③

01 기차가 다리를 통과하려면 기차의 길이와 다리의 길이를 합하여 500 m를 지나가야 한다. 따라서 다리를 완전히 건너는 데 20초가 걸렸다면 속력은 $\frac{500\,\text{m}}{20\,\text{s}}=25\,\text{m/s}$이다.

02 축구공의 운동을 0.1초 간격으로 나타내었으므로 축구공과 축구공 사이의 간격이 넓으면 속력이 빠른 것이고, 간격이 좁으면 속력이 느린 것이다. 그림에서 축구공이 이동하는 동안 축구공 사이의 간격이 점점 좁아지므로, 축구공의 속력은 점점 감소한다. 만약 축구공에 힘이 작용하지 않으면 축구공은 등속 운동을 한다. 그러나 그림에서 축구공의 속력이 감소하

므로 축구공에는 운동 방향과 반대 방향으로 힘이 작용한다.

[바로 알기] ① 축구공에는 운동 방향과 반대 방향으로 힘이 작용하여 축구공의 속력이 감소한다.

물체의 이동 방향과 힘의 방향이 같을 때 물체의 속력이 증가
→ 이동 방향   → 힘의 방향
1 m 1.5 m   2 m   2.5 m

물체의 이동 방향과 힘의 방향이 반대일 때 물체의 속력이 감소
→ 이동 방향   ← 힘의 방향
2.5 m   2 m   1.5 m 1 m

03 물체의 운동 방향과 같은 방향으로 물체에 힘이 작용하면 물체의 속력이 증가한다. 따라서 물체 A와 B에는 운동 방향으로 힘이 계속 작용한다.

ㄱ. 시간에 따른 속력 그래프에서 그래프 아랫부분과 시간축으로 둘러싸인 넓이는 이동 거리와 같으므로 A가 6초 동안 이동한 거리는 $\frac{1}{2} \times 6 \times 6 = 18(m)$에서 18 m이다.

ㄷ. 6초 동안 A는 6 m/s, B는 3 m/s의 속력이 증가하였으므로 속력 변화는 A가 B의 2배이다.

[바로 알기] ㄴ. A의 속력이 B의 속력보다 빠르므로 A와 B 사이의 거리는 멀어진다.

서술형 문제로 실력 완성하기
시험 대비서 35쪽

01 물체의 속력 = $\frac{물체의 이동 거리}{걸린 시간}$ 이므로 물체의 이동 거리 = 물체의 속력 × 걸린 시간이다.

모범 답안 공이 0.2초 동안 이동한 거리가 1 cm이므로 공의 속력은 $\frac{1 cm}{0.2 s} = \frac{0.01 m}{0.2 s} = 0.05$ m/s이다. 공이 등속 운동을 하므로 30초 동안 이동한 거리는 0.05 m/s × 30 s = 1.5 m이다.

채점 기준	배점(%)
공의 속력을 옳게 구하고 공의 이동 거리를 그 까닭과 함께 설명한 경우	100
공의 속력만 옳게 구한 경우	40

02 자유 낙하 운동에서 공기의 저항이 없다면 물체의 질량에 관계없이 물체는 속력이 1초에 9.8 m/s씩 증가한다.

모범 답안 공기 저항 없는 진공 중에서는 구슬과 깃털의 속력이 질량에 관계없이 1초마다 9.8 m/s씩 일정하게 증가하므로 동시에 떨어진다.

채점 기준	배점(%)
단어를 모두 사용하여 설명한 경우	100
단어를 세 가지만 사용하여 설명한 경우	60
단어를 두 가지만 사용하여 설명한 경우	30

03 모범 답안 (1) 물체의 무게는 물체의 질량에 중력 가속도 상수를 곱한 것이므로 질량이 큰 쇠공의 무게가 고무공보다 크다.

(2) 자유 낙하 하는 물체는 질량에 관계없이 속력이 증가하는 정도가 같기 때문에 달에서 쇠공과 고무공은 동시에 떨어진다.

	채점 기준	배점(%)
(1)	쇠공의 무게가 크다는 것을 그 까닭과 함께 설명한 경우	50
	쇠공의 무게가 크다고만 쓴 경우	25
(2)	쇠공과 고무공이 동시에 떨어지는 것을 그 까닭과 함께 설명한 경우	50
	쇠공과 고무공이 동시에 떨어진다고만 설명한 경우	25

02 일과 에너지

시험 대비 정리 노트
시험 대비서 36쪽

㉠ 일   ㉡ 이동한 거리   ㉢ 이동한 거리   ㉣ 수직
㉤ 에너지   ㉥ 전환   ㉦ 증가   ㉧ 위치에너지
㉨ 질량   ㉩ 속력   ㉪ 운동 에너지

기출 문제로 실력 확인하기
시험 대비서 37~38쪽

01 ④   02 진호>영희>철호   03 ㄷ, ㄹ, ㅁ   04 ③
05 ③   06 ⑤   07 ③   08 지면 기준: 58.8 J, 베란다 기준: 29.4 J   09 ②   10 ③   11 ⑤   12 ⑤   13 ④

01 수연이가 탁자에 작용한 힘은 60 N이고, 힘의 방향으로 이동한 거리가 2 m이므로 한 일은 60 N × 2 m = 120 J이다.

02 진호는 100 N × 1 m = 100 J의 일을 하였고, 영희는 50 N × 1 m = 50 J의 일을 하였다. 철호의 경우 힘의 방향과 상자의 이동 방향이 수직이므로 철호는 일을 하지 않았다.

03 에너지는 일을 할 수 있는 능력을 뜻하며, 단위로는 일의 단위와 같은 J(줄)을 사용한다. 에너지는 일로, 일은 에너지로 전환될 수 있다.

[바로 알기] ㄱ. 일을 한 물체의 에너지는 감소한다.

ㄴ. 일을 받은 물체의 에너지는 증가한다.

ㅂ. 에너지와 일은 서로 전환될 수 있다.

04 역도 선수가 힘을 주어 역기를 들어 올리면 역기를 들어 올리는 일은 역기의 위치 에너지로 전환된다.

05 추의 위치 에너지는 추의 질량과 높이에 각각 비례한다. 따라서 질량과 높이가 각각 3배가 되면 추의 위치 에너지는 9배가 되고 추가 할 수 있는 일의 양도 9배가 되므로 원통형 나무가 밀려나는 거리도 9배가 된다.

06 일 = 물체의 무게 × 들어 올린 높이이므로 196(J) = 9.8 × 10 × h에서 진수가 물체를 들어 올린 높이 h는 2 m이다.

07 ① 물체에 한 일의 양은 9.8×질량×들어 올린 높이이므로 물체에 한 일은 9.8×4×2.5=98(J)이다.

②, ④ 물체를 들어 올려 물체에 일을 해주면 물체는 위치 에너지를 갖는다.

⑤ 물체를 들어 올린 높이를 2배로 하면 물체의 위치 에너지도 2배가 되므로 98 J×2=196 J의 위치 에너지를 갖는다.

[바로 알기] ③ 물체에 작용하는 중력의 크기는 9.8×질량이고 물체의 질량이 4 kg이므로 9.8×4=39.2(N)에서 물체에는 39.2 N의 중력이 작용한다.

08 지면을 기준면으로 할 때 물체의 높이는 6 m이므로 물체가 가지는 위치 에너지=9.8×1×6=58.8(J)이고, 베란다를 기준면으로 할 때 물체의 높이는 3 m이므로 물체가 가지는 위치 에너지=9.8×1×3=29.4(J)이다.

09 운동 에너지는 수레의 질량과 속력의 제곱에 각각 비례한다. 따라서 질량이 $\frac{1}{2}$배이고 속력은 같으므로 운동 에너지는 $\frac{1}{2}$배가 되고 나무 도막에 할 수 있는 일도 $\frac{1}{2}$배가 되어 나무 도막은 2 m를 이동한다.

10 제동 거리는 운동 에너지에 비례하고 운동 에너지는 속력의 제곱에 비례한다. 따라서 제동 거리는 속력의 제곱에 비례하므로 속력이 2배가 되면 제동 거리는 4배가 된다. 속력이 60 km/h일 때 제동 거리가 18 m이므로 속력이 60 km/h의 2배인 120 km/h가 되면 제동 거리는 18 m의 4배인 72 m가 된다.

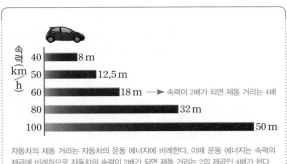

자동차의 제동 거리는 자동차의 운동 에너지에 비례한다. 이때 운동 에너지는 속력의 제곱에 비례하므로 자동차의 속력이 2배가 되면 제동 거리는 2의 제곱인 4배가 된다.

11 물체가 자유 낙하 할 때 중력이 물체에 한 일은 물체의 운동 에너지로 전환된다. 따라서 지면에 도달한 순간 물체의 운동 에너지는 중력이 물체에 한 일과 같다. 중력이 물체에 한 일=중력의 크기×낙하 높이이므로 중력이 물체에 한 일은 질량이 클수록, 높이가 높을수록 크다.

[바로 알기] ⑤ 중력이 물체에 한 일은 물체의 높이가 높을수록 크다.

12 중력이 물체에 한 일=중력의 크기×낙하 높이=(9.8×2) N×10 m=196 J이다. 이때 중력이 물체에 한 일은 물체의 운동 에너지로 전환되므로 지면에 도달한 순간 물체의 운동 에너지는 196 J이다.

13 운동 에너지=$\frac{1}{2}$×질량×(속력)²이므로 196 J=$\frac{1}{2}$×2 kg×v^2에서 지면에 도달한 순간의 속력 v=14 m/s이다.

1% 도전 문제로 실력 올리기　　　시험 대비서 39쪽

01 ②　**02** ②　**03** ①

01 물체의 속력이 $\frac{0.2\ m}{0.2\ s}$=1 m/s이므로 물체의 운동 에너지는 $\frac{1}{2}$×4 kg×(1 m/s)²=2 J이다.

02 중력이 한 일은 물체의 운동 에너지로 전환되므로 중력이 한 일=9.8×질량×낙하 높이=운동 에너지=$\frac{1}{2}$×질량×속력²이다. 따라서 낙하 높이가 클수록 속력도 크므로 물체의 질량과 관계없이 낙하 높이가 클수록 지면에 도달하는 순간 물체의 속력이 커진다.

03 위치 에너지는 물체에 작용하는 중력과 물체의 높이의 곱이므로 중력이 더 큰 지구에서의 공의 위치 에너지가 달에서보다 더 크다. 지면에 도달하는 순간까지 공의 위치 에너지는 공의 운동 에너지로 전환되므로 운동 에너지는 위치 에너지의 감소량과 같아 지구에서의 운동 에너지가 달에서보다 더 크다.

서술형 문제로 실력 완성하기　　　시험 대비서 39쪽

01 모범 답안　역기에는 연직 위로 힘이 작용하지만 역기가 이동하지 않았으므로 힘이 역기에 한 일은 0이다.

채점 기준	배점(%)
한 일의 양과 그 까닭을 모두 옳게 설명한 경우	100
한 일의 양만 옳게 구한 경우	50

02 모범 답안　(1) 힘의 크기×이동 거리=(9.8×2) N×1 m=19.6 J

(2) 중력에 대해 한 일이 위치 에너지로 전환되기 때문에 상자의 위치 에너지는 19.6 J로 같다.

	채점 기준	배점(%)
(1)	일의 양을 계산 과정과 함께 옳게 구한 경우	50
	일의 양만 옳게 구한 경우	25
(2)	일이 에너지로 전환되는 것을 이용하여 상자의 위치 에너지를 옳게 구한 경우	50
	상자의 위치 에너지만 옳게 구한 경우	25

03 모범 답안　자동차의 운동 에너지가 클수록 정지할 때까지 이동한 거리는 길어진다. 운동 에너지는 질량에 비례하고 속력의 제곱에 비례하므로 질량이 클수록, 속력이 빠를수록 운동 에너지가 커진다. 따라서 속력이나 질량에 따라 차간 거리를 다르게 권장한다.

채점 기준	배점(%)
단어를 모두 사용하여 설명한 경우	100
단어를 세 가지만 사용하여 설명한 경우	60
단어를 두 가지만 사용하여 설명한 경우	30

01 감각 기관

시험 대비서 40쪽

시험 대비 정리 노트

㉠ 망막	㉡ 맹점	㉢ 수정체	㉣ 홍채
㉤ 섬모체	㉥ 달팽이관	㉦ 반고리관	㉧ 고막
㉨ 기체	㉩ 후각 세포	㉪ 액체	㉫ 맛세포
㉬ 감각점			

기출 문제로 실력 확인하기

시험 대비서 41~43쪽

01 ②, ⑥	02 ⑤	03 ②	04 ②	05 (가) 쥐 (나) 맹점
06 ③	07 D, 달팽이관	08 ②	09 ②	10 ③	11 ①
12 ④	13 ④	14 ②	15 ③	16 ②	17 ③	18 ⑤

01 [바로 알기] B는 각막, F는 맹점이다.

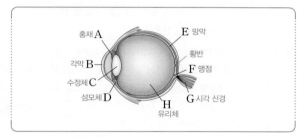

02 눈의 앞부분에 있는 각막은 홍채를 감싸고 있으며 빛을 통과시킨다. ⑤는 공막에 대한 설명이다. 공막은 흰색의 근육질 막으로, 안구의 형태를 유지한다.

03 홍채의 면적은 줄어들었고 동공의 크기가 커진 것으로 보아 주변이 어두워진 상황임을 알 수 있다.

04 먼 풍경을 바라볼 때에는 섬모체가 이완하여 수정체의 두께가 얇아진다.

05 오른쪽 눈으로 고양이를 볼 때 쥐의 상이 오른쪽 눈의 중앙에서 코 쪽 방향에 있는 맹점에 맺히면 쥐가 보이지 않게 된다. 맹점은 망막에서 시각 신경이 모아져 나가는 곳으로, 시각 세포가 없어서 상이 맺혀도 보이지 않는다.

06 내이에 있는 전정 기관과 반고리관은 평형 감각 기관이다. 전정 기관은 중력 자극을 받아들이고 반고리관은 회전 자극을 받아들인다.

07 소리 자극은 고막(E)을 울리고, 고막의 진동이 귓속뼈(A)에서 증폭된 후 달팽이관(D)의 청각 세포에서 수용된다. 청각 세포에서 받아들인 소리 자극은 청각 신경을 거쳐 뇌로 전달된다. B는 반고리관, C는 전정 기관, F는 귀인두관이다.

08 (가)는 귓속뼈, (나)는 귀인두관의 역할이다.

09 A는 전정 기관이다. 몸이 기울어짐에 따라 전정 기관에 있는 작은 돌이 움직이고 이 작은 돌이 감각 세포를 흥분시켜 몸이 기울어짐을 느낄 수 있다.

[바로 알기] ① 비행기가 이륙할 때나 높은 산에 올라갈 때 귀가 먹먹해지는 것은 기압이 낮아져서 고막이 바깥쪽으로 휘어지기 때문이다. 이때 침을 삼키면 귀인두관을 통해 공기가 빠져나가 고막 안쪽의 압력이 낮게 조절되므로 휘어졌던 고막이 회복되어 먹먹함이 사라진다.

③ 골전도 이어폰은 고막을 거치지 않고 소리의 진동을 귓속뼈로 전달하는 방식의 제품이다.

④ 소리는 달팽이관의 청각 세포에서 받아들인다.

⑤ 회전 감각은 반고리관에서 담당한다.

10 종이컵에 대고 소리를 내면 비닐 랩이 진동하는 것은 사람의 귀에서 소리에 의해 얇은 고막이 진동하는 것과 같다.

11 그림은 콧속의 천장에 분포하는 후각 상피(B)에서 후각 세포와 후각 신경(A)이 연결된 모습을 나타낸다.

[바로 알기] ㄴ. 5가지 기본 맛을 감지하는 것은 맛세포이다.

ㄷ. C는 후각의 적합 자극인 기체 상태의 물질이다.

12 [바로 알기] ④ 후각 상피는 콧속 천장에 있다. 유두의 옆면에는 맛봉오리가 있다.

13 혀 표면의 유두 옆에 있는 맛봉오리의 맛세포에서 액체 물질을 받아들여 미각 신경을 통해 대뇌로 전달함으로써 맛을 느끼게 된다.

14 [바로 알기] ㄱ. 미각의 자극원은 액체 상태의 물질이다. 기체나 고체 물질은 물이나 침에 녹은 상태로 맛세포에서 받아들인다.

ㄹ. 기본 맛에는 단맛, 짠맛, 쓴맛, 신맛, 감칠맛이 있다. 매운맛과 떫은맛은 피부 감각에 속한다.

15 피부 감각점은 내장 기관에도 분포하므로 복통이나 가슴 통증을 느낄 수 있다. 매운맛은 통각, 떫은맛은 압각에 해당한다.

[바로 알기] ③ 피부 감각점은 몸 전체에 고르게 분포하는 것이 아니라 부위에 따라 다르게 분포하는데, 감각점이 많이 분포할수록 그 감각점이 받아들이는 자극을 예민하게 느낀다.

16 피부 감각점에는 접촉을 느끼는 촉점, 압박을 느끼는 압점, 따뜻함을 느끼는 온점, 차가움을 느끼는 냉점, 통증을 느끼는 통점이 있다.

17 감각점이 많이 분포할수록 자극에 더 민감하게 반응하는데, 손가락 끝에는 다른 곳에 비해 감각점이 많이 분포한다.

18 후각이 작용하지 않으면 주스의 단맛밖에 느끼지 못하므로 오렌지주스와 포도주스를 구별하기 어렵다. 그러나 미각과 후각이 함께 작용하면 과일향의 차이를 쉽게 구별할 수 있기 때문에 다양한 주스의 맛을 감별할 수 있다.

1% 도전 문제로 실력 올리기

시험 대비서 44쪽

01 ② **02** ⑤ **03** ⑤ **04** ②

01 A는 홍채, B는 각막, C는 수정체, D는 섬모체, E는 황반이다.
[바로 알기] ② 눈 색깔을 결정하는 것은 홍채의 색깔이다.

02 몸의 기울어짐을 느끼는 것은 내이에 있는 전정 기관으로, 전정 기관에 들어 있는 작은 돌의 움직임에 의해 감각 세포가 흥분되어 몸의 기울어짐을 느끼게 된다.

03 ⑤ 손끝에서 두 점으로 느낀 최소 거리는 2 mm이므로 이쑤시개 간격이 3 mm일 때 손끝에서는 두 점으로 느낀다. 나머지 부위는 모두 두 점으로 느끼는 최소 거리가 3 mm보다 크기 때문에 한 점으로 느낀다.

> 한 번 더 확인하기 • 2개의 이쑤시개를 각각 다른 감각점에서 감각하면 이쑤시개를 2개로 느낄 수 있다. 감각점의 수가 많을수록 예민한 부위이며, 두 점으로 느끼는 최소 거리가 짧다.

04 [바로 알기] ② 매운맛과 떫은맛은 피부 감각의 일종이므로 피부 감각점을 통해 느낀다. 매운맛은 통점에서, 떫은맛은 압점에서 받아들인다.

서술형 문제로 실력 완성하기

시험 대비서 45쪽

01 A는 동공의 크기, B는 수정체의 두께이다.
모범 답안 (1) 밝을 때는 홍채의 면적이 늘어나서 A가 작아지고, 어두울 때는 홍채의 면적이 줄어들어 A가 커진다.
(2) 휴대 전화를 볼 때는 섬모체가 수축하여 B가 두꺼워지고, 먼 산의 경치를 볼 때는 섬모체가 이완하여 B가 얇아진다.

	채점 기준	배점(%)
(1)	밝을 때와 어두울 때 홍채와 A의 변화를 모두 옳게 설명한 경우	50
	밝을 때와 어두울 때 홍채와 A의 변화 중 한 가지만 옳게 설명한 경우	25
(2)	휴대 전화를 볼 때와 먼 산의 경치를 볼 때 섬모체와 B의 변화를 모두 옳게 설명한 경우	50
	휴대 전화를 볼 때와 먼 산의 경치를 볼 때 섬모체와 B의 변화 중 한 가지만 옳게 설명한 경우	25

02 귀는 소리를 듣는 청각기이자 평형 감각기이다. 청각을 감지하는 것은 달팽이관이고 평형 감각을 감지하는 것은 반고리관과 전정 기관이다.
모범 답안 (1) 피아노 소리는 귓바퀴 → 외이도 → 고막 → 귓속뼈를 거쳐 달팽이관의 청각 세포에서 받아들여지고 이후 청각 신경을 통해 뇌로 전달된다.
(2) 반고리관은 몸의 회전을 감지하고, 전정 기관은 몸의 기울어짐을 감지하는 평형 감각 기관이다. 또, 귀인두관은 고막 안쪽의 압력을 바깥쪽과 같게 조절하는 기능을 한다.

	채점 기준	배점(%)
(1)	소리 전달 경로를 고막, 귓속뼈, 달팽이관, 청각 세포, 청각 신경, 뇌를 포함하여 옳게 설명한 경우	50
	소리 전달 경로를 옳게 설명하였으나 청각 세포, 청각 신경, 뇌 중 한 가지 이상을 포함하지 않고 설명한 경우	25
(2)	반고리관, 전정 기관, 귀인두관의 기능을 모두 옳게 설명한 경우	50
	반고리관, 전정 기관, 귀인두관 중 두 가지만 옳게 설명한 경우	30

03 모범 답안 (1) 코의 후각 상피에 있는 후각 세포가 공기 중에 남아 있던 귤 향기를 포함한 기체 상태의 물질을 감지하였기 때문이다.
(2) 후각은 매우 예민한 감각으로 쉽게 피로해지는데, 교실에 있던 친구들은 계속 냄새 자극에 노출되어 있어서 그 냄새에 둔해졌기 때문이다.

	채점 기준	배점(%)
(1)	기체 상태의 물질, 후각 세포를 포함하여 옳게 설명한 경우	50
	기체 상태의 물질, 후각 세포 중 한 가지만 포함하여 옳게 설명한 경우	25
(2)	교실에 있던 친구들의 후각이 피로해졌기 때문이라고 옳게 설명한 경우	50
	교실에 있던 친구들이 냄새에 둔해졌다거나 냄새를 맡지 못해서라고 설명한 경우	30

04 모범 답안 오렌지주스와 포도주스에서 느껴지는 기본 맛은 비슷하기 때문에 미각만으로는 구분하기가 어렵다. 하지만 두 가지 주스의 향은 다르기 때문에 후각을 이용하면 두 가지 주스를 구분할 수 있다.

채점 기준	배점(%)
기본 맛, 후각을 언급하여 옳게 설명한 경우	100
기본 맛 또는 후각을 언급하지 않고 옳게 설명한 경우	50

05 모범 답안 따뜻함을 느끼는 온점과 차가움을 느끼는 냉점은 절대 온도를 느끼는 것이 아니라, 처음보다 온도가 높아지면 온점이 자극을 받아들이고 처음보다 온도가 낮아지면 냉점이 자극을 받아들이기 때문이다.

채점 기준	배점(%)
온점과 냉점에서 받아들이는 자극을 옳게 구분하여 설명한 경우	100
오른손에서는 온점이, 왼손에서는 냉점이 자극을 받아들였다고 설명한 경우	50

02 신경계

시험 대비 정리 노트

시험 대비서 46쪽

㉠ 가지 돌기	㉡ 축삭 돌기	㉢ 감각 뉴런	㉣ 운동 뉴런
㉤ 대뇌	㉥ 연수	㉦ 자율 신경	㉧ 무조건 반사
㉨ 대뇌	㉩ 척수		

기출 문제로 실력 확인하기

시험 대비서 47~48쪽

01 ④　**02** ④　**03** (나) 연합 뉴런　**04** ③　**05** ③　**06** ③
07 ③　**08** ③　**09** (가) D→C→A→B→F, 대뇌 (나) D→
E→F, 척수　**10** ⑥　**11** ③　**12** ①

01 뉴런은 신경계를 구성하는 기본 단위로 신경 세포이다. 신경 세포체(A)에는 핵이 있어서 다양한 생명 활동이 일어나며 신경 세포체에서 뻗어 나온 여러 개의 짧은 돌기를 가지 돌기(B), 한 개의 긴 돌기를 축삭 돌기(C)라고 한다. 가지 돌기는 자극을 받아들이고, 축삭 돌기는 자극을 다른 뉴런이나 반응기로 전달한다.

02 (가)는 감각 뉴런, (나)는 연합 뉴런, (다)는 운동 뉴런이다. 연합 뉴런은 가지 돌기가 발달되어 있으며 중추 신경계에 분포하여 감각 뉴런으로부터 받은 자극을 종합하고 판단하여 적절한 명령을 내린다.

03 연합 뉴런은 감각 뉴런과 운동 뉴런을 연결하며, 중추 신경을 구성한다.

04 A는 중추 신경계, B는 말초 신경계이다. 중추 신경계에는 뇌와 척수가 있으며, 연합 신경으로 구성된다. 말초 신경계에는 뇌신경과 척수 신경이 있으며, 감각 신경과 운동 신경으로 구성된다. 운동 신경은 체성 신경과 자율 신경을 구성한다.

05 체성 신경과 자율 신경은 말초 신경계에 포함된다.

06 [바로 알기] ③ 중간뇌(C)는 안구 운동을 조절하며 동공 반사의 중추이고, 무릎 반사와 회피 반사의 중추는 척수이다.

07 동공 반사의 중추는 중간뇌이다.

08 ③ 간뇌는 체온 조절 중추이다.
[바로 알기] ①은 연수, ②는 중간뇌, ④는 소뇌, ⑤는 대뇌가 중추이다.

09 (가)는 의식적인 반응이고, (나)는 무조건 반사이다. 벽을 더듬어 스위치를 만지는 자극은 피부에서 받아들여 감각 신경을 통해 대뇌로 전달된다. 대뇌에서 내린 반응 명령은 운동 신경을 통해 손가락 근육으로 전달되어 스위치를 켜는 반응으로 나타난다. 가시에 찔리는 자극은 피부에서 받아들여 감각 신경을 통해 중추로 전달되며, 자기도 모르게 재빨리 손을 움츠리는 반응은 척수에서 운동 신경을 통해 반응기로 명령이 전달되어 나타난다.

10 ①, ②, ④는 연수 반사, ③, ⑦은 척수 반사, ⑤는 중간뇌가 중추인 동공 반사이다. ⑥은 대뇌가 중추인 의식적인 반응이다.

11 무릎 반사는 무조건 반사로 대뇌의 판단을 거치지 않지만 고무망치의 자극은 대뇌로 전달되어 느껴진다.

12 눈으로 자가 떨어지는 것을 보고 잡는 반응이므로 대뇌가 관여하는 의식적인 반응이다.

1% 도전 문제로 실력 올리기

시험 대비서 49쪽

01 ①　**02** ②

01 (가)에서는 교감 신경이, (나)에서는 부교감 신경이 작용한다. 자율 신경은 대뇌의 직접적인 명령 없이 내장 기관의 운동을 조절하는데, 교감 신경은 심장 박동을 촉진하고 소화 운동을 억제하며, 부교감 신경은 교감 신경과 반대되는 작용을 한다.

02 [바로 알기] ㄴ. (가)는 후천적인 반응이고, (나)는 선천적인 반응이다.
ㄹ. (가), (나) 모두 팔의 근육을 움직이는 반응이므로 체성 신경이 관여한다. 자율 신경은 내장 기관에 연결되어 내장 기관의 운동을 조절한다.

서술형 문제로 실력 완성하기

시험 대비서 49쪽

1 모범 답안 (1) A는 감각 뉴런, B는 연합 뉴런, C는 운동 뉴런에 해당한다.
(2) B는 자극을 판단하여 적절한 명령을 내리는 중추 신경계에 해당하고, A, C는 중추에서 뻗어 나와 각각 감각기, 반응기에 연결된 말초 신경계에 해당한다고 볼 수 있다.

	채점 기준	배점(%)
(1)	A~C를 모두 옳게 쓴 경우	40
	A~C 중 두 가지만 옳게 쓴 경우	20
(2)	중추 신경계, 말초 신경계를 포함하여 A~C를 모두 옳게 설명한 경우	60
	중추 신경계, 말초 신경계를 포함하였으나 A~C 중 일부를 틀리게 설명한 경우	30

2 모범 답안 식물인간은 대뇌에 이상이 생겨 의식은 없지만 대뇌를 제외한 나머지 부분은 정상적으로 활동하는 상태이고, 뇌사는 대뇌, 간뇌, 중간뇌, 연수, 소뇌가 모두 기능을 잃어 스스로 생명을 유지할 수 없는 상태이다.

채점 기준	배점(%)
식물인간과 뇌사의 손상 부위와 증상을 모두 옳게 설명한 경우	100
식물인간과 뇌사 중 한 가지만 손상 부위와 증상을 옳게 설명한 경우	50

03 호르몬과 항상성

시험 대비 정리 노트

시험 대비서 50쪽

㉠ 항상성	㉡ 호르몬	㉢ 갑상샘	㉣ 이자
㉤ 뇌하수체	㉥ 생장 호르몬	㉦ 당뇨병	㉧ 인슐린
㉨ 글루카곤	㉩ 증가	㉪ 감소	㉫ 증가

기출 문제로 실력 확인하기 시험 대비서 51~52쪽

01 ①, ④ 02 ② 03 ④ 04 ② 05 ④ 06 (가) 생장 호르몬 (나) 티록신 07 ③ 08 ⑥ 09 ⑤ 10 ③ 11 항이뇨 호르몬, 콩팥

01 [바로 알기] ① 내분비샘에서 생성된 호르몬은 분비관이 없이 혈관으로 방출되어 혈액을 따라 온몸을 순환한다.
④ 호르몬은 신경에 비해 작용 속도가 느리고 효과가 지속적이다.

02 ①은 생장 호르몬, ③은 인슐린, ④는 성호르몬, ⑤는 항이뇨 호르몬에 의해 조절된다. 더울 때 겉옷을 벗는 것은 대뇌의 판단에 의한 의식적인 반응으로 신경에 의해 조절된다.

03 (가)는 호르몬에 의한 신호 전달을 나타낸 것이고, (나)는 신경에 의한 신호 전달을 나타낸 것이다. (가)는 (나)보다 작용 범위가 넓고 효과가 오래 지속된다.

04 A는 뇌하수체, B는 갑상샘, C는 이자이다. 뇌하수체에서는 갑상샘의 티록신 분비를 촉진하는 갑상샘 자극 호르몬이 분비되며, 티록신 농도가 증가하면 갑상샘 자극 호르몬의 분비는 감소한다. 뇌하수체에서 이자의 호르몬 분비를 자극하는 호르몬은 분비되지 않으며, 이자는 소화샘이기도 하므로 소화 효소를 분비하는 분비관이 연결되어 있다.

05 이자에서 분비되는 인슐린은 간에서 포도당이 글리코젠으로 전환되는 반응과 세포의 포도당 흡수를 촉진함으로써 혈당량을 낮추는 작용을 한다.

06 생장 호르몬의 분비 이상 질병에는 말단 비대증(과다 분비), 거인증(과다 분비), 소인증(분비 부족)이 있고, 티록신 분비 이상 질병에는 갑상샘 기능 저하증(분비 부족), 갑상샘 기능 항진증(과다 분비)이 있다.

07 [바로 알기] ㄴ. 티록신은 세포 호흡을 촉진한다.

08 A는 인슐린, B는 글루카곤이다. 인슐린은 간에서 포도당이 글리코젠으로 합성되는 과정을 촉진하므로 인슐린에 의해 간에서 글리코젠 합성량이 증가한다.

09 [바로 알기] ㄱ. 땀이 나면 땀이 증발할 때 기화열을 빼앗기므로 체온이 떨어진다.
ㄴ. 얼굴이 벌겋게 달아오르는 것은 피부 근처의 혈관이 확장되기 때문이며, 이때 열 방출량이 증가하게 된다.

10 [바로 알기] ㄱ. 체온 조절 중추 A는 간뇌이다.
ㄹ. (가)와 (나)는 모두 신경에 의한 반응이다. 호르몬에 의한 반응으로는 티록신 분비 증가로 세포 호흡이 촉진되어 체온이 증가하는 현상을 들 수 있다.

11 항이뇨 호르몬은 뇌하수체에서 분비되어 콩팥에서 수분의 재흡수를 촉진한다. 체액의 농도가 높아지면 항이뇨 호르몬 분비가 증가하여 오줌의 양이 줄어든다.

1% 도전 문제로 실력 올리기 시험 대비서 53쪽

01 ① 02 ③ 03 ②

01 부신에서 분비되는 아드레날린은 심장 박동을 빠르게 한다. 갑상샘에서는 티록신이 분비되어 세포 호흡을 촉진하며, 다른 내분비샘의 호르몬 분비를 조절하는 호르몬은 분비되지 않는다. 뇌하수체는 갑상샘 자극 호르몬과 같이 다른 내분비샘의 호르몬 분비를 조절하는 호르몬을 분비한다. 뇌하수체는 생식샘 자극 호르몬을 분비하여 생식샘의 호르몬 분비를 촉진하며, 2차 성징을 촉진하는 에스트로젠과 테스토스테론은 생식샘에서 분비된다.

02 [바로 알기] ③ 식사 후 혈당량이 높아졌기 때문에 정상인의 인슐린 분비가 증가한 것이다. 인슐린이 분비되어 혈당량이 증가한 것으로 볼 수는 없다.

03 [바로 알기] ② 공포를 느끼면 동공이 확장되는 것은 위기 상황에 대응하기 위한 교감 신경의 작용이다.

서술형 문제로 실력 완성하기 시험 대비서 53쪽

1 [모범 답안] (1) A는 인슐린으로 간에서 포도당을 글리코젠으로 합성하는 과정을 촉진함으로써 혈당량을 낮추는 역할을 하고, B는 글루카곤으로 간에서 글리코젠을 포도당으로 분해하는 과정을 촉진함으로써 혈당량을 높이는 역할을 한다.
(2) 식사 후에는 혈당량이 증가하므로 호르몬 A(인슐린)의 분비량은 증가하고, 호르몬 B(글루카곤)의 분비량은 감소한다.
(3) 운동을 하면 세포 호흡이 왕성해져 혈당량이 감소하므로 호르몬 A(인슐린)의 분비량은 감소하고, 호르몬 B(글루카곤)의 분비량은 증가한다.

	채점 기준	배점(%)
(1)	A와 B의 기능을 모두 옳게 설명한 경우	40
	A와 B 중 한 가지의 기능만 옳게 설명한 경우	20
(2)	호르몬 A, B의 분비량 변화를 타당한 근거를 제시하여 옳게 설명한 경우	30
	호르몬 A, B의 분비량 변화만 옳게 설명한 경우	20
(3)	호르몬 A, B의 분비량 변화를 타당한 근거를 제시하여 옳게 설명한 경우	30
	호르몬 A, B의 분비량 변화만 옳게 설명한 경우	20

2 [모범 답안] 피부 근처 혈관이 확장되고, 땀이 분비되어 기화열을 빼앗아 증발하므로 열 방출량이 증가하기 때문에 운동으로 높아진 체온이 평상시 체온으로 돌아올 수 있다.

채점 기준	배점(%)
네 가지 용어를 모두 사용하여 옳게 설명한 경우	100
네 가지 용어 중 두 가지 또는 세 가지만 사용하여 옳게 설명한 경우	50

01 세포 분열

기출 문제로 ^{실력}확인하기　시험 대비서 55~56쪽

01 ③　02 ⑤　03 ③　04 (가) 남자 (나) 여자　05 상동
염색체 06 22쌍 07 ③　08 ①　09 ④　10 4개　11 ④
12 ⑤

01 생물의 몸이 자라는 것을 생장이라고 하며 생장은 세포가 나누어져 그 수가 늘어나는 과정을 통해 일어난다.

02 A와 B의 부피는 8 cm³로 같지만, 표면적은 A는 24 cm², B는 48 cm²로 B가 더 크다. 부피 대비 표면적의 비가 클수록 표면에서 중심까지의 거리가 짧아 물질 교환 효율이 높다.

03 [바로 알기] ③ B에서 유전 정보가 저장되어 있는 일부 부위를 유전자라고 한다.

04 (가)의 성염색체는 XY, (나)는 XX이므로 (가)는 남자, (나)는 여자이다.

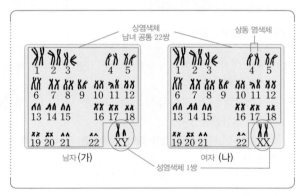

05 사람의 체세포에는 23쌍의 상동 염색체가 들어 있다.

06 사람의 체세포에는 22쌍의 상염색체와 1쌍의 성염색체가 들어 있다.

07 (가)는 말기, (나)는 중기, (다)는 전기, (라)는 간기, (마)는 후기이다.
[바로 알기] ③ 세포가 분열하기 전 간기에 유전 물질이 복제된다.

08 체세포 분열은 몸을 구성하는 세포가 분열하는 것으로, 1회 분열로 2개의 딸세포가 형성된다.

09 ㄴ. 분열기에 비해 간기가 길기 때문에 간기에 해당하는 세포가 가장 많이 관찰된다.
ㄹ. 아세트산 카민 용액은 염색체를 붉게 염색한다.
[바로 알기] ㄱ. 2가 염색체는 감수 분열 과정에서 관찰할 수 있다.
ㄷ. 묽은 염산은 조직을 연하게 하는 역할을 한다.

10 이 동물의 체세포 염색체 수는 8개이고 생식세포의 염색체 수는 체세포의 절반이다.

11 (가)는 감수 1분열 전기, (나)는 감수 2분열 중기, (다)는 감수 1분열 중기, (라)는 감수 2분열 후기, (마)는 감수 2분열 말기, (바)는 감수 1분열 후기이다.
[바로 알기] ④ (바)에서 상동 염색체가 분리된 후 염색체 수가 절반으로 줄어들고, (라)에서 염색 분체가 분리된 후에는 염색체 수가 변하지 않는다.

12 (가)는 체세포 분열, (나)는 감수 분열이다. 둘 다 유전 물질은 1회만 복제된다.
[바로 알기] ㄱ. 체세포 분열은 1회 분열로 2개의 딸세포를 형성한다. 2회 연속 분열은 (나)에서 일어난다.
ㄴ. 2가 염색체는 감수 1분열 전기에 관찰되며, 체세포 분열에서는 관찰되지 않는다.

한 번 더 확인하기 • 체세포 분열과 감수 분열의 비교

구분	체세포 분열	감수 분열
분열 횟수	1회	연속 2회
딸세포 수	2개	4개
염색체 수 변화	변화 없음	반으로 감소

1% 도전 문제로 ^{실력}올리기　시험 대비서 57쪽

01 ②　02 ④

01 물질의 이동 속도나 물질이 교환되는 원리는 세포의 크기와 무관하며, 세포의 크기가 커질수록 표면적이 증가하는 비율은 작아진다.

02 (가)는 감수 2분열 중기, (나)는 감수 1분열 중기이다. (가)의 염색체 수는 체세포의 절반이지만, 유전 물질의 양은 체세포와 같다. 감수 2분열이 완료되면 유전 물질의 양도 체세포의 절반이 된다. 이 생물의 염색체 수는 4개이다.

서술형 문제로 ^{실력}완성하기　시험 대비서 57쪽

1 간기에는 염색체가 실 모양으로 풀어져 있어 관찰되지 않는다.
[모범 답안] B. 세포 주기 중 분열기에 염색체가 막대 모양으로 응축되어 관찰 가능하기 때문이다.

채점 기준	배점(%)
B라고 쓰고 그 까닭을 옳게 설명한 경우	100
기호만 옳게 쓴 경우	30

2 **모범 답안** 부모의 생식세포가 수정하여 자손이 만들어지는데, 생식세포의 염색체 수가 체세포와 같다면 세대를 거듭할수록 염색체 수가 계속 늘어날 것이다. 감수 분열로 형성된 생식세포는 염색체 수가 체세포의 절반이기 때문에 세대를 거듭해도 종 특유의 염색체 수를 유지할 수 있다.

채점 기준	배점(%)
체세포와 생식세포의 염색체 수를 비교하여 옳게 설명한 경우	100
염색체 수를 유지하기 위해서라고만 설명한 경우	50

3 그림의 세포 분열은 생식세포 형성 과정에서 일어나는 감수 분열이며, (가)는 감수 1분열, (나)는 감수 2분열에 해당한다.

모범 답안 (가)에서는 상동 염색체가 분리되어 분열 결과 염색체 수가 절반이 되고, (나)에서는 염색 분체가 분리되어 분열 결과 염색체 수가 변하지 않는다.

채점 기준	배점(%)
(가)와 (나)의 염색체 행동과 수의 변화를 모두 옳게 설명한 경우	100
(가)와 (나)의 염색체 행동과 수의 변화 중 한 가지만 옳게 설명한 경우	50

02 수정과 발생

시험 대비 정리 노트
시험 대비서 58쪽

㉠ 정자 ㉡ 난자 ㉢ 수정 ㉣ 발생
㉤ 난할 ㉥ 착상 ㉦ 체세포 ㉧ 태아
㉨ 출산

기출 문제로 실력 확인하기
시험 대비서 59~60쪽

| 01 ⑤ | 02 (가) C (나) E | 03 ⑤ | 04 ④ | 05 난할 | 06 ① |
| 07 ③ | 08 ① | 09 ⑤ | 10 ⑤ | 11 ② | 12 발생 |

01 A, C에는 23개의 염색체가 있으며 정자와 난자는 수란관에서 수정된다.

02 (가)는 남자의 생식 기관이고 (나)는 여자의 생식 기관이며, A는 수정관, B는 부정소, C는 정소, D는 수란관, E는 난소, F는 자궁이다. 정자는 정소에서, 난자는 난소에서 형성된다.

03 [바로 알기] ⑤ 임신으로 판정할 수 있는 것은 착상 이후이다.

04 [바로 알기] ④ 수정 이후 수정란은 체세포 분열을 한다.

05 수정란의 초기 세포 분열을 난할이라고 한다.

06 난할은 체세포 분열이므로 각 세포의 염색체 수는 일정하게 유지되며, 세포의 생장기 없이 분열이 반복되므로 난할이 진행되어도 전체 배아의 크기는 수정란과 거의 차이가 없다.

07 난할이 진행되는 동안 세포 수는 늘어나지만 전체 배아의 크기는 변하지 않는다.

08 [바로 알기] ㄴ. 난할은 체세포 분열이므로 염색체 수는 일정하게 유지된다.
ㄷ. 자궁에 착상한 이후에는 모체로부터 영양분을 공급받아 조직과 기관이 형성되므로 배아의 크기는 점차 커진다.

09 착상할 때 배아는 안쪽에 빈 공간이 있는 포배 상태이다.

10 난소에서 배란된 난자는 수란관에서 정자와 수정(라)하고 자궁으로 이동하면서 난할(다)을 한다. 자궁에 착상(가)한 배아는 기관을 형성(나)하며 태아로 자란다.

11 ② 수정 후 8주가 지나면 대부분의 기관이 형성되고 이후 완성되어 간다.
[바로 알기] ① 심장은 초기에 만들어져 박동을 시작한다.
③ 수정 후 16주가 지나면 성별을 구분할 수 있다.
④ 수정 후 36주가 지나면 움직임이 둔해진다.
⑤ 뇌는 출산 후에도 계속 발달한다.
⑥ 1란성 쌍둥이는 하나의 난자와 하나의 정자가 수정한 후, 2세포배가 되었을 때 둘로 나누어져 각각 발생한 것이다.

12 수정란이 개체가 되기까지의 과정을 발생이라고 한다.

1% 도전 문제로 실력 올리기
시험 대비서 61쪽

| 01 ② | 02 A: 배란, B: 수정, C: 착상 | 3 ④ |

01 ① 난소에서 성숙한 난자가 배출되는 배란(A)은 약 28일을 주기로 일어난다.
③ 수정(B)에 참여하는 수억 개의 정자 중 단 하나의 정자만 난자와 결합한다.
④, ⑤ 수정란은 착상(C)할 때까지 난할을 하며 난자의 양분으로 살아간다.
[바로 알기] ② 난자가 배란된 후 정자를 만나면 곧바로 수정될 수 있다.

02 A는 난소에서 난자가 배출되는 배란, B는 난자와 정자가 결합하는 수정, C는 배아가 자궁 벽에 파묻히는 착상이다.

03 출산은 수정 후 약 266일 후에 일어나지만, 배란이나 수정은 확인하기 어려우므로 출산 예정일은 임신 전 마지막 월경 시작일로부터 280일 후로 계산한다. 월경 주기가 28일인 경우, 월경 시작일로부터 배란일까지가 약 14일이다.
[바로 알기] ④ 태아의 기관 형성 시기와 발달 속도는 기관에 따라 다르다.

서술형 문제로 실력 완성하기
시험 대비서 61쪽

1 **모범 답안** (1) 수정란의 상대적 크기가 10이라면 2세포배에서 16세 포배까지 배아의 전체 크기도 10으로 일정하다. 난할이 진행되는 동 안 세포의 생장기가 없어 세포의 크기는 점점 작아지기 때문이다.

(2) 수정란의 유전 물질의 양이 1이라면 2세포배에서 16세포배까지 세 포 하나에 포함된 유전 물질의 양도 1로 동일하다. 난할은 체세포 분 열 과정으로 딸세포의 유전 물질의 양은 모세포와 동일하기 때문이다.

	채점 기준	배점(%)
(1)	크기와 까닭을 모두 옳게 설명한 경우	50
	크기만 옳게 설명한 경우	25
(2)	유전 물질의 양과 까닭을 모두 옳게 설명한 경우	50
	유전 물질의 양만 옳게 설명한 경우	25

2 임신 초기의 흡연, 음주, 약물 복용 등은 기형아 유발 확률을 높일 수 있다.

모범 답안 착상 이후 임신 초기는 대부분의 기관이 형성되는 시기이 므로 흡연, 음주, 약물 복용 등이 기관의 형성에 좋지 않은 영향을 미 칠 가능성이 매우 높기 때문이다.

채점 기준	배점(%)
임신 초기는 기관이 형성되는 시기라는 점을 들어 옳게 설명 한 경우	100
임신 초기는 발달이 활발한 시기이기 때문이라고 설명한 경우	50

03 유전의 원리

시험 대비 정리 노트
시험 대비서 62쪽

㉠ 대립 형질   ㉡ 대립유전자   ㉢ 순종   ㉣ 타가 수분
㉤ 우열   ㉥ 우성   ㉦ 열성   ㉧ 분리
㉨ 독립   ㉩ 9 : 3 : 3 : 1

기출 문제로 실력 확인하기
시험 대비서 63~64쪽

01 ⑤   **02** ②   **03** ①   **04** ⑤   **05** ③   **06** ②
07 600개   **08** 분리의 법칙   **09** $\frac{1}{4}$(25 %)   **10** ④
11 ⑤   **12** ③   **13** 우열의 원리

01 [바로 알기] ① 대립 형질이 다른 순종 개체끼리 교배하여 잡종 1대를 얻었을 때 표현되는 형질을 우성이라고 한다.
② 잡종 1대에서 표현되지 않던 열성 형질이 잡종 2대에서는 나타난다.
③ 완두의 둥근 모양과 주름진 모양, 노란색과 초록색이 각각 대립 형질이다.
④ 겉으로 드러나는 형질은 표현형이라고 한다. 유전자형은 대립유전자 구성을 알파벳으로 나타낸 것이다.

⑥ 하나의 형질을 나타내는 대립유전자 구성이 같으면 순종, 다르면 잡종이라고 한다.
⑦ 대립 형질이 다른 순종의 개체를 교배하면 잡종 1대에서 어버이의 우성 형질이 나타난다.

02 대립유전자 구성이 같을 때 순종, 서로 다를 때 잡종이라고 한다.

03 [바로 알기] ① 완두는 한 세대가 짧아서 교배 결과를 비교적 빠르게 확인할 수 있다.

04 [바로 알기] ⑤ 특정 형질에 대한 한 쌍의 유전 인자가 서로 다 를 때, 그중 하나는 표현되고(우성), 다른 하나는 표현되지 않 는다(열성).

05 잡종 1대에서는 유전자형이 잡종인 둥근 완두만 나온다.

06 ㄱ. (가)의 유전자형은 YY, (라)의 유전자형은 yy로 둘 다 순종이다.
ㄹ. 완두의 색깔에서 노란색이 우성 형질, 초록색이 열성 형 질이다.
[바로 알기] ㄴ. (나), (다)의 유전자형은 Yy로, 표현형은 우성 형질인 노란색이다.
ㄷ. 잡종 1대의 유전자형은 Yy로 두 종류의 생식세포 Y, y 를 형성한다.

07 잡종 2대에서 우성 : 열성=3 : 1의 비율로 나타나므로 열성 인 초록색 완두가 200개라면 우성인 노란색 완두는 이론상 600개가 된다.

08 잡종 1대는 서로 다른 대립유전자로 구성된 잡종이므로 두 종류의 생식세포를 만든다.

09 잡종 2대에서 둥근 완두 : 주름진 완두는 3 : 1의 비율로 나 타난다.

10 ㄴ. 주름진 완두는 순종(rr)이므로 한 종류의 생식세포(r)를 만든다.
ㄹ. 잡종 2대에서 우성인 둥근 완두와 열성인 주름진 완두는 같은 비율로 나온다(Rr×rr → Rr, rr).
[바로 알기] ㄱ. 어버이의 둥근 완두는 순종(RR)이고, 잡종 1 대는 잡종(Rr)이므로 유전자 구성이 서로 다르다.
ㄷ. 잡종 2대에서 우성인 둥근 완두와 열성인 주름진 완두는 1 : 1로 나온다.

11 독립의 법칙에 따라 완두의 모양과 색깔 형질은 독립적으로 유전되므로 잡종 2대에서 둥근 모양 : 주름진 모양, 노란색 : 초록색의 비는 각각 3 : 1이다.

12 두 쌍의 대립 형질이 동시에 유전될 때 각각의 형질에 대한 대립유전자가 서로 다른 염색체에 있으면 두 가지 형질에 대 해 각각 우열의 원리와 분리의 법칙이 성립한다.

13 우열의 원리에 따르면 잡종 1대에서는 우성 형질만 나와야 하 는데 분꽃의 색깔은 우열 관계가 뚜렷하지 않아 잡종 1대에 서 중간 형질이 나왔다.

1% 도전 문제로 실력 올리기

01 ①   **02** ⑤

01 [바로 알기] ① 암술과 수술 주머니에 R, r로 표기한 바둑알을 각각 하나씩 넣었으므로 부모의 유전자형은 모두 Rr이다.

02 잡종 1대의 유전자형은 RrYy이고, 잡종 1대에서는 유전자형이 RY, Ry, rY, ry인 생식세포가 1 : 1 : 1 : 1의 비로 만들어진다. 주름지고 초록색인 완두는 열성 순종이므로 유전자형은 항상 rryy로 같다. 잡종 2대에서 모양과 색깔이 모두 우성인 완두는 둥글고 노란색인 완두로, 전체에서 차지하는 비율은 $\frac{9}{16}$이다.

생식세포	RY	Ry	rY	ry
RY	RRYY	RRYy	RrYY	RrYy
Ry	RRYy	RRyy	RrYy	Rryy
rY	RrYY	RrYy	rrYY	rrYy
ry	RrYy	Rryy	rrYy	rryy

서술형 문제로 실력 완성하기

1 [모범 답안] (가)의 유전자형은 Rr이다. 어버이는 둘 다 둥근 모양이지만 자손에서 주름진 완두가 나왔으므로 둥근 모양 대립유전자와 주름진 모양 대립유전자를 모두 가지기 때문이다.

채점 기준	배점(%)
(가)의 유전자형을 옳게 쓰고 그 까닭을 옳게 설명한 경우	100
(가)의 유전자형만 옳게 쓴 경우	40

2 (1) 유전자형이 AaBb인 두 개체의 교배 결과는 다음과 같다.

생식세포	AB	Ab	aB	ab
AB	AABB	AABb	AaBB	AaBb
Ab	AABb	AAbb	AaBb	Aabb
aB	AaBB	AaBb	aaBB	aaBb
ab	AaBb	Aabb	aaBb	aabb

(2) (가)의 생식세포 유전자형은 AB, aB이다.

생식세포	AB	Ab	aB	ab
AB	AABB	AABb	AaBB	AaBb
aB	AaBB	AaBb	aaBB	aaBb

[모범 답안] (1) 큰 키와 붉은색이 우성이고, 키와 꽃잎 색깔은 독립적으로 유전되므로 자손의 표현형은 큰 키, 붉은색 꽃 : 큰 키, 흰색 꽃 : 작은 키, 붉은색 꽃 : 작은 키, 흰색 꽃 = 9 : 3 : 3 : 1로 나타난다.

(2) 자손에서 큰 키 : 작은 키가 3 : 1이고 꽃잎 색깔은 모두 붉은색이므로 (가)의 꽃잎 색깔 유전자는 우성 순종(BB), 키 유전자형은 우성과 열성을 모두 가지는 잡종(Aa)이다. 따라서 (가)의 유전자형은 AaBB이며 표현형은 큰 키, 붉은색 꽃이다.

채점 기준	배점(%)
(1) 멘델의 유전 원리를 근거로 들어 표현형의 비를 옳게 설명한 경우	50
	표현형의 비만 옳게 설명한 경우	25
(2) (가)의 키와 꽃잎 색깔의 표현형과 유전자형을 타당한 근거를 들어 모두 옳게 예상한 경우	50
	(가)의 키와 꽃잎 색깔 중 한 가지의 표현형과 유전자형만 타당한 근거를 들어 옳게 예상한 경우	25

04 사람의 유전

시험 대비 정리 노트

㉠ 가계도   ㉡ 쌍둥이   ㉢ 상염색체   ㉣ 우성

㉤ 열성   ㉥ 복대립   ㉦ 우성   ㉧ A형

㉨ OO   ㉩ 성염색체   ㉪ X   ㉫ 열성

㉬ 보인자

기출 문제로 실력 확인하기

01 ⑤   **02** ②   **03** ①   **04** ④   **05** ②   **06** 보조개가 있는 형질   **07** ⑤   **08** 25 %   **09** ③   **10** ④   **11** ①   **12** 2, 7, 9   **13** 50 %

01 [바로 알기] ⑤ 사람의 형질은 수가 많고 복잡하며 환경의 영향을 많이 받는다.

02 유전자가 동일한 1란성 쌍둥이를 연구하면 특정 형질에 끼치는 유전과 환경의 영향을 알 수 있다.

03 1란성 쌍둥이는 하나의 수정란에서 발생하기 때문에 유전자가 동일하므로 성별도 동일하다.

04 [바로 알기] ④ 그림의 형질은 대립유전자가 상염색체에 있으므로 성별에 따라 형질이 나타나는 빈도에 차이가 없다.

05 준혁이는 부모와 다른 형질을 나타내므로 부모의 형질이 우성이고 준혁이의 형질이 열성이다. 따라서 분리형 귓불이 우성, 부착형 귓불이 열성이며, 부모의 유전자형은 둘 다 Aa이고 준혁이의 유전자형은 aa이다.

[바로 알기] ㄴ. 부착형 귓불은 열성으로 유전된다.

ㄷ. 분리형 귓불인 준혁이 여동생의 유전자형은 AA일 수도 있고, Aa일 수도 있다.

06 (다)와 (라) 사이에서 보조개가 없는 하영이가 태어난 것으로 보아 (다)와 (라)의 유전자형은 잡종이며, 잡종에서 표현된 형질이 우성이다.

07 그림의 정보만으로는 (마)의 유전자형이 우성 순종인지, 잡종인지 판정할 수 없다.

08 보조개 유전자형이 잡종인 사람과 열성 순종인 하영이 사이에서 보조개가 있는 자녀가 태어날 확률은 $\frac{1}{2}$이고, 딸이 태어날 확률도 $\frac{1}{2}$이므로 $\frac{1}{2} \times \frac{1}{2} = \frac{1}{4}$, 즉 25 %이다.

09 ① 1과 2 사이에서 O형인 4가 태어났으므로 1과 2는 대립유전자 O를 가지고 있다.
② 3과 4에게서 B형인 7과 A형인 8이 태어났고 4는 O형이므로 7과 8은 3에게서 대립유전자 B와 A를 각각 받았다. 따라서 3은 AB형이다.
④ 5와 6에게서 O형인 9가 태어났으므로 5와 6은 대립유전자 O를 가지고 있고 B형인 5의 유전자형은 BO이다. 또, 10은 6에게서 대립유전자 A를 받았으므로 6의 유전자형은 AO이다. BO × AO → AB, AO, BO, OO이므로 5와 6 사이에서는 AB형, A형, B형, O형의 4가지 혈액형이 모두 나올 수 있다.
⑤ 2와 6에게는 O형 자녀가 있고, 8은 O형인 어머니에게서 대립유전자 O를 받았으므로 2, 6, 8의 유전자형은 AO이다. 또, 10은 6에게서 대립유전자 A를 받았고 5에게서 대립유전자 O를 받았으므로 10의 유전자형도 AO이다.
⑥ B형인 1과 5는 둘 다 O형인 자녀가 있고, 7은 O형인 어머니에게서 대립유전자 O를 받았으므로 1, 5, 7의 유전자형은 모두 BO이다.
[바로 알기] ③ 3은 AB형, 4는 O형으로, 둘 사이에서는 A형과 B형만 태어날 수 있다. AB×OO → AO, BO

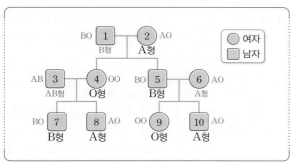

10 [바로 알기] ④ 아버지의 X 염색체는 딸에게만 전달되고 아들에게는 전달되지 않는다.

11 [바로 알기] ㄷ. C, G가 적록 색맹 대립유전자를 가지고 있는지 여부는 주어진 가계도만으로 확신할 수 없다.
ㄹ. F에게 적록 색맹 대립유전자를 물려준 사람은 D이고, B가 정상이므로 D는 A로부터 적록 색맹 대립유전자를 받았다.

12 6은 2로부터 적록 색맹 대립유전자를 받았고 3의 적록 색맹 대립유전자는 7에게 전달되었다. 6의 적록 색맹 대립유전자는 9, 11에게 전달되었으므로 9도 적록 색맹 대립유전자를 하나 가지고 있다.

13 11이 적록 색맹이므로 자녀 중 아들은 모두 적록 색맹이다.
$$X'X' \times XY \rightarrow XX', X'Y$$

1% 도전 문제로  실력 올리기   시험 대비서 69쪽

01 ①   **02** ④

01 ㄱ. (나)와 (다) 사이에서 미맹인 자녀가 태어났으므로 미맹은 열성 형질이다.
ㄴ. (가), (다), (라)는 미맹인 자녀가 있고, (마)는 어머니가 미맹이므로 유전자형이 모두 잡종이다.
[바로 알기] ㄷ. (마)의 유전자형은 잡종이고 남편은 미맹이므로 자녀 중 미맹이 태어날 확률은 $\frac{1}{2}$이다.
ㄹ. (바)의 유전자형은 우성 순종이거나 잡종으로 확실하지 않다.

02 유전병인 (가)와 (나) 사이에서 정상인 자녀가 태어난 것으로 보아 유전병이 정상에 대해 우성이며 (가)와 (나)의 유전자형은 잡종인 것을 알 수 있다. 우성인 유전병 유전자가 X 염색체에 있다면 유전병인 아버지를 둔 딸이 정상 형질을 나타낼 수 없으므로 유전병 유전자는 상염색체에 있다. 따라서 이 유전병이 나타나는 빈도는 성별에 따라 차이가 없다.

서술형 문제로 실력 완성하기   시험 대비서 69쪽

1 모범 답안 (1) 정상에 대해 열성이다. (가)와 (나)는 정상인데 그 사이에서 유전병이 있는 자손이 태어났기 때문이다.
(2) 상염색체에 있다. 만약 X 염색체에 있다면 정상인 아버지를 둔 딸에게 유전병이 나타날 수 없기 때문이다.
(3) 이 유전병은 열성이고 상염색체에 있으며 (가)와 (나)는 잡종이므로 이들에게 유전병이 있는 자녀 즉, 순종 열성 유전자를 가진 자녀가 태어날 확률은 $\frac{1}{4}$이다.

	채점 기준	배점(%)
(1)	열성이라고 쓰고 까닭을 옳게 설명한 경우	30
	열성이라고만 쓴 경우	10
(2)	상염색체라고 쓰고 까닭을 옳게 설명한 경우	30
	상염색체라고만 쓴 경우	10
(3)	확률을 옳게 쓰고 까닭을 타당하게 설명한 경우	40
	확률만 옳게 쓴 경우	20

2 모범 답안 적록 색맹은 정상에 대해 열성으로 유전하며 유전자가 X 염색체에 있다. 남자는 X 염색체가 하나이므로 적록 색맹 대립유전자가 1개만 있어도 적록 색맹이 되지만 여자는 X 염색체가 2개이므로 적록 색맹 대립유전자가 1개만 있으면 정상이다. 따라서 적록 색맹은 여자보다 남자에게 더 많이 나타난다.

	배점(%)
열성 유전, 남녀의 X 염색체 개수와 적록 색맹 대립유전자 개수를 관련지어 옳게 설명한 경우	100
열성 유전과 남녀의 X 염색체 개수 중 한 가지만 들어 설명한 경우	50

VI. 에너지 전환과 보존

01 역학적 에너지 전환과 보존

시험 대비 정리 노트
시험 대비서 70쪽

㉠ 운동 에너지 ㉡ 위치 에너지 ㉢ 감소 ㉣ 증가
㉤ 보존 ㉥ 운동 에너지 ㉦ 위치 에너지 ㉧ 보존
㉨ 보존

기출 문제로 실력 확인하기
시험 대비서 71~72쪽

01 ⑤ **02** ② **03** ③ **04** ④ **05** ⑤ **06** ④ **07** ①
08 ⑤ **09** ② **10** ⑤ **11** ㄱ, ㅁ, ㅇ

01 물체가 높은 곳에서 낮은 곳으로 이동할 때 위치 에너지가 운동 에너지로 전환된다. 따라서 C→D→E 구간에서 위치 에너지가 운동 에너지로 전환된다.
[바로 알기] ㄱ, ㄴ. A→B→C 구간에서 사람의 높이가 높아지므로 운동 에너지가 위치 에너지로 전환된다.

02 [바로 알기] ② C에서 속력이 0이므로 D에서의 속력이 C에서의 속력보다 빠르다.

03 A와 B 두 지점 사이에서 감소한 위치 에너지는 증가한 운동 에너지와 같다. 따라서 A와 B 두 지점 사이에서 증가한 운동 에너지는 $\left\{\frac{1}{2} \times 2\,\text{kg} \times (3\,\text{m/s})^2\right\} - \left\{\frac{1}{2} \times 2\,\text{kg} \times (2\,\text{m/s})^2\right\}$ $=9\,\text{J} - 4\,\text{J} = 5\,\text{J}$이다.

> **한 번 더 확인하기 · 자유 낙하 하는 물체**
> 자유 낙하 하는 물체는 높이가 낮아지면서 속력이 증가한다. 따라서 물체의 위치 에너지가 감소하면서 운동 에너지가 증가한다. 이때 공기의 저항이나 마찰을 무시하면 물체의 위치 에너지가 감소한 만큼 물체의 운동 에너지가 증가한다.

04 [바로 알기] ㄴ. 공의 위치 에너지와 운동 에너지의 합이 역학적 에너지이다. 이때 A 지점에서 운동 에너지가 0이 아니므로 역학적 에너지는 위치 에너지보다 크다.

05 A 지점에서 위치 에너지는 $9.8 \times 4 \times 10 = 392(\text{J})$이고, 운동 에너지는 $\frac{1}{2} \times 4\,\text{kg} \times (2\,\text{m/s})^2 = 8\,\text{J}$이므로 A 지점에서의 역학적 에너지는 400 J이다. 또한 A 지점의 역학적 에너지는 B 지점에서 모두 운동 에너지로 전환되므로 B 지점에서 운동 에너지는 400 J이다. 따라서 B 지점에서의 역학적 에너지도 400 J이다.

06 공기의 저항이나 마찰을 무시하면 낙하 하는 물체의 역학적 에너지는 항상 일정하게 보존된다. 따라서 낙하 높이에 관계없이 역학적 에너지는 일정하다.

07 [바로 알기] ① 공기의 저항이나 마찰이 없으면 위로 던져 올린 물체가 올라가는 동안 운동 에너지가 위치 에너지로 전환된다. 이때 역학적 에너지는 항상 일정하게 보존된다.

> **한 번 더 확인하기 · 위로 던져 올린 물체**
> 위로 던져 올린 물체가 위로 올라가는 동안 물체의 높이가 높아지면서 속력이 감소한다. 따라서 물체의 위치 에너지가 증가하면서 운동 에너지가 감소한다. 이때 공기의 저항이나 마찰을 무시하면 물체의 위치 에너지가 증가한 만큼 물체의 운동 에너지가 감소한다.

08 공이 위로 올라갈 때 증가한 위치 에너지는 감소한 운동 에너지와 같으므로 높이 h_1에서의 공의 운동 에너지 ㉠은 역학적 에너지－h_1에서의 위치 에너지와 같다. 이때 역학적 에너지는 $9.8mh$ 또는 $\frac{1}{2}mv^2$이므로 ㉠$=9.8mh - 9.8mh_1 = \frac{1}{2}mv^2 - 9.8mh_1$이다.

09 공이 위로 이동하는 동안 감소한 운동 에너지는 증가한 위치 에너지와 같고 위치 에너지는 9.8×질량×높이와 같으므로 $19.6 = 9.8 \times 1 \times h$에서 높이 h는 2 m이다.

10 처음 A와 B의 위치 에너지는 같다. 이때 A는 운동 에너지가 0이므로 역학적 에너지는 위치 에너지와 같다. 그러나 B는 위로 던져 올려 운동 에너지는 0이 아니므로 역학적 에너지는 B가 A보다 크다.(A<B) 역학적 에너지는 보존되므로 지면에 도달하는 순간 역학적 에너지도 B가 A보다 크다. 이때 A와 B의 위치 에너지는 0이므로 운동 에너지도 B가 A보다 크고 속력은 역학적 에너지가 큰 B가 A보다 더 빠르다.

11 쇠구슬이 운동하는 동안 공기의 저항이나 마찰을 무시한다면 역학적 에너지는 일정하게 보존된다. 따라서 쇠구슬은 계속해서 왕복 운동을 할 것이다.
[바로 알기] ㄴ. 쇠구슬의 속력은 B 지점에서 최대이다.
ㄷ. 쇠구슬이 높이는 B 지점에서 최소이다.
ㄹ. 공기의 저항이나 마찰을 무시하면 쇠구슬의 역학적 에너지는 보존된다.
ㅂ. A 지점에서의 운동 에너지와 C 지점에서의 운동 에너지는 0으로 같다.
ㅅ. 공기의 저항이나 마찰을 무시하면 쇠구슬의 역학적 에너지는 보존된다.
ㅈ. B 지점에서 C 지점으로 이동할 때 운동 에너지가 위치 에너지로 전환된다.

1% 도전 문제로 실력 올리기

시험 대비서 73쪽

01 ④ **02** ④ **03** ⑤

01 증가한 운동 에너지는 감소한 위치 에너지와 같으므로 운동 에너지는 낙하 한 높이에 비례하고 위치 에너지는 기준면에서의 높이에 비례한다. 따라서 위치 에너지 : 운동 에너지＝기

준면에서의 높이 : 낙하 한 높이=3 : 1이므로 A 지점의 기준면으로부터의 높이는 전체 20 m 높이의 $\frac{3}{4}$인 15 m이다.

02 속력이 $\frac{1}{2}$배가 되면 운동 에너지는 $\frac{1}{4}$배가 된다. 따라서 공의 속력이 7 m/s일 때 공의 운동 에너지는 속력이 14 m/s일 때 운동 에너지의 $\frac{1}{4}$배가 된다. 자유 낙하 운동에서 운동 에너지가 증가한 만큼 위치 에너지가 감소하고 감소한 위치 에너지는 낙하 한 높이에 비례하므로 증가한 운동 에너지는 낙하 한 높이에 비례한다. 따라서 속력이 14 m/s일 때 공이 낙하 한 높이가 10 m이므로 속력이 7 m/s일 때 낙하 한 높이는 10 m의 $\frac{1}{4}$배인 2.5 m이다. 따라서 공의 높이는 2.5 m 낙하 한 지점인 10 m−2.5 m=7.5 m 높이이다.

03 A와 B의 높이가 같으므로 위치 에너지도 같다. 또한 위치 에너지는 운동 에너지로 전환되므로 C와 D에서의 운동 에너지도 같다. 빗면의 길이에 관계없이 낙하 높이가 같으면 증가한 운동 에너지도 같다.

서술형 문제로 실력 완성하기
시험 대비서 73쪽

01 역학적 에너지는 위치 에너지와 운동 에너지의 합으로 공의 역학적 에너지가 294 J이고 5 m에서 위치 에너지가 98 J이면 운동 에너지는 294 J−98 J=196 J이다.

모범 답안 (1) 196

(2) 5 m 높이에서 공의 운동 에너지가 196 J이고 운동 에너지는 $\frac{1}{2}$×질량×속력^{2}이므로 196 J=$\frac{1}{2}$×2 kg×v^2에서 공의 속력 v=14 m/s이다.

	채점 기준	배점(%)
(1)	운동 에너지를 옳게 구한 경우	40
(2)	공의 속력을 풀이 과정과 함께 옳게 구한 경우	60
	공의 속력만을 구한 경우	30

02 **모범 답안** 롤러코스터의 높이가 낮아지고 속력이 빨라지므로 위치 에너지가 운동 에너지로 전환되어 위치 에너지는 감소하고 운동 에너지는 증가한다. 이때 역학적 에너지는 일정하게 보존된다.

채점 기준	배점(%)
네 단어를 모두 포함하여 옳게 설명한 경우	100
세 단어만을 포함하여 설명한 경우	80
두 단어만을 포함하여 설명한 경우	60

03 기준면으로부터 높이가 5 m인 곳에서 물체가 가지는 운동 에너지는 물체가 15 m 떨어지는 동안 감소한 위치 에너지와 크기가 같으므로 9.8×1×15=147(J)이다.

모범 답안 (1) 147 J

(2) 5 m 높이에서 물체의 위치 에너지=9.8×1×5=49(J)이고 운동 에너지는 147 J이므로 운동 에너지는 위치 에너지의 3배이다.

	채점 기준	배점(%)
(1)	물체의 운동 에너지를 옳게 구한 경우	40
(2)	운동 에너지가 위치 에너지의 3배임을 그 과정과 함께 옳게 설명한 경우	60
	운동 에너지가 위치 에너지의 3배임만 구한 경우	30

02 에너지 전환과 이용

시험 대비 정리 노트
시험 대비서 74쪽

㉠ 전자기 유도 ㉡ 유도 전류 ㉢ 전자기 유도 ㉣ 전기 에너지
㉤ 전환 ㉥ 에너지 보존 ㉦ 운동 ◎ 전기 에너지
㉧ 사용 시간(h)

기출 문제로 실력 확인하기
시험 대비서 75~76쪽

01 ③ **02** ㄴ, ㅂ **03** ㉠ 코일 ㉡ 전자기 유도 **04** ④ **05** ④
06 ④ **07** ② **08** ③ **09** 해설 참조 **10** 전자레인지−헤어드라이어−냉장고−전기다리미−백열등 **11** ⑤ **12** ②

01 자석을 코일에 가까이 하거나 멀리 하여 코일 근처에서 자석을 움직이면 전자기 유도에 의해 코일에 전류가 흐른다. 하지만 자석을 움직이지 않고 가만히 있으면 자기장의 변화가 없으므로 전류가 흐르지 않는다.

02 자석의 극을 바꾸거나 자석의 움직임을 반대로 하면 유도 전류의 방향이 바뀐다.
[바로 알기] ㄱ. 자석을 코일 속에 오래 넣어두면 코일에 전류가 흐르지 않는다.
ㄷ. 감은 수가 더 적은 코일을 사용하면 검류계 바늘이 움직이는 정도가 작아진다.
ㄹ. 자석을 코일 속에 빠르게 넣으면 검류계 바늘이 움직이는 정도가 커진다.
ㅁ. 자석을 코일 속에 느리게 넣으면 검류계 바늘이 움직이는 정도가 작아진다.

03 발전기는 영구 자석 사이에 있는 코일이 회전하면 코일을 통과하는 자기장의 세기가 변하여 코일에 전류가 흐르는 전자기 유도를 이용하여 전류를 얻는다.

04 코일 근처에서 자석을 흔들면 전류가 발생하는데 이를 전자기 유도라고 한다. 발전기는 전자기 유도를 이용하여 전기를 만든다.
[바로 알기] ㄱ. 역학적 에너지가 전기 에너지로 전환된다.

05 수력 발전소는 높은 곳에 있는 물이 아래로 떨어지면서 터빈을 돌려 터빈과 연결된 발전기에서 전기를 생산하므로 물의 역학적 에너지가 전기 에너지로 전환된다.

06 역학적 에너지로 25 %가 전환되므로 $3000 \text{ J} \times \frac{25}{100} = 750 \text{ J}$이 화학 에너지에서 역학적 에너지로 전환된다.

07 전기 에너지를 운동 에너지로 전환하는 전기 기구에는 선풍기, 진공청소기, 전기믹서 등이 있고, 전기 에너지를 열에너지로 전환하는 전기 기구에는 전기난로, 전기밥솥, 전기포트 등이 있으며, 전기 기구를 소리 에너지로 전환하는 전기 기구에는 스피커, 라디오 등이 있다.

08 전기포트에서는 전기 에너지가 주로 열에너지로 전환된다. 전기포트의 소비 전력이 1800 W이므로 전기포트는 1초에 1800 J의 전기 에너지를 소비한다.
[바로 알기] ㄷ. 전기포트가 10분 동안 소비한 전력량은 $1800 \text{ W} \times \frac{1}{6} \text{ h} = 300 \text{ Wh}$이다.

09 [모범 답안] 소비 전력은 1초 동안 사용한 전기 에너지의 양으로 (가)는 4800 J, (나)는 7200 J의 에너지를 사용하므로 소비 전력은 (가)가 더 작다.

채점 기준	배점(%)
(가)를 고르고 그 까닭을 옳게 설명한 경우	100
(가)만 옳게 고른 경우	50

10 소비 전력은 1초 동안 사용한 전기 에너지를 나타내므로 소비 전력이 클수록 단위시간 동안 소비하는 전기 에너지의 양은 크다.

11 [바로 알기] ⑤ 1 kWh는 1 W의 전력을 1000시간 동안 사용하였을 때의 전력량이다.

12 에너지 절약 표시는 에너지 효율이 뛰어나거나, 대기전력이 작은 가전제품에 표시한다.

1% 도전 문제로 실력 올리기 시험 대비서 77쪽

01 ⑤   **02** ②   **03** ④

01 스카이다이버가 낙하 하는 동안 위치 에너지는 점점 작아지고, 운동 에너지는 처음에는 증가하다가 속력이 일정해지면 운동 에너지도 일정해진다. 따라서 운동 에너지는 일정한데 위치 에너지는 감소하므로 역학적 에너지는 보존되지 않고 점점 감소한다는 것을 알 수 있다. 이때 공기의 저항이나 마찰에 의해 역학적 에너지의 일부가 열이나 소리 에너지 등으로 전환된다.
[바로 알기] ㄴ. 공기의 저항이나 마찰 때문에 역학적 에너지는 보존되지 않고 점점 감소한다.

02 떨어뜨린 공이 튀어오를 때 처음 높이보다 낮았다면 공의 역학적 에너지가 보존되지 않고 감소한 것을 뜻한다. 이때 튀어오른 공에서 운동 에너지가 위치 에너지와 열에너지로만 전환되므로 역학적 에너지−1.2 m에서의 위치 에너지=열에너지이다. 즉, 처음 위치 에너지와 나중 위치 에너지의 차이다. 따라서 $9.8 \times 5 \times 2 - 9.8 \times 5 \times 1.2 = 39.2 \text{(J)}$에서 열에너지는 39.2 J이다.

03 소비 전력이 600 W인 청소기의 전력량은 소비 전력이 60 W인 선풍기의 10배이다. 1 W의 소비 전력은 1초에 1 J의 전기 에너지를 소비한 양이므로 선풍기의 소비 전력인 60 W는 1초에 60 J의 전기 에너지를 소비한다.
[바로 알기] ㄴ. 10시간 동안 사용한 청소기의 전력량은 $600 \text{ W} \times 10 \text{ h} = 6000 \text{ Wh} = 6 \text{ kWh}$이다.

서술형 문제로 실력 완성하기 시험 대비서 77쪽

01 발전기는 자석과 코일로 이루어져 있으며 코일이나 자석이 움직이면 전자기 유도에 의해 코일에 전류가 흐른다.

[모범 답안] 손잡이를 돌리면 자석 사이에서 코일이 회전하면서 코일에 전류가 흐르므로 역학적 에너지가 전기 에너지로 전환된 후 전기 에너지가 빛에너지로 전환된다.

채점 기준	배점(%)
역학적 에너지가 전기 에너지, 빛에너지로 전환됨을 설명한 경우	100
전기 에너지로 전환된다고만 설명한 경우	50

02 소비 전력은 1초에 소비하는 전기 에너지의 양이므로 소비 전력이 클수록 같은 시간 동안 소비하는 전기 에너지의 양이 크다.

[모범 답안] 소비 전력은 1초에 소비하는 전기 에너지의 양이다. 이때 에어컨의 소비 전력이 선풍기의 20배이므로 에어컨 1대가 소비하는 전기 에너지는 선풍기 20대를 동시에 켰을 때 소비하는 전기 에너지와 같다.

채점 기준	배점(%)
소비한 전기 에너지의 양이 같아지는 선풍기 대수를 그 까닭과 함께 옳게 설명한 경우	100
소비한 전기 에너지의 양이 같아지는 선풍기 대수만 구한 경우	50

03 [모범 답안] 단말기에 교통 카드를 가까이 하면 전자기 유도에 의해 코일에 전류가 흘러 반도체 칩이 작동한다.

채점 기준	배점(%)
전자기 유도를 언급하여 교통 카드를 단말기에 가까이 하면 코일에 전류가 흐르는 것을 옳게 설명한 경우	100
전자기 유도 때문이라고만 설명한 경우	50

VII. 별과 우주

01 별

시험 대비서 78쪽

시험 대비 정리 노트

㉠ 시차	㉡ 연주 시차	㉢ 작다	㉣ 거리
㉤ 100	㉥ 겉보기 등급	㉦ 절대 등급	㉧ 표면 온도

기출 문제로 실력 확인하기

시험 대비서 79~81쪽

01 ③	02 ③	03 ⑥	04 ②	05 ④	06 ④	07 ⑤
08 ⑤	09 ④	10 ③	11 ㄱ, ㄷ, ㅂ		12 ④	13 ③
14 ⑤	15 ①	16 ①	17 ②	18 ⑤		

01 그림은 시차를 알아보는 실험이다. 팔을 구부리면 물체와 관측자 사이가 가까워지므로 시차는 커진다.
[바로 알기] ㄷ. 팔을 구부리면 두 눈에 보이는 연필 끝의 위치는 간격이 더 넓어진다.

02 별까지의 거리가 멀수록 연주 시차는 작아진다.

03 연주 시차는 비교적 가까운 거리(100 pc 이내)에 있는 별까지의 거리를 구할 때 이용한다.
[바로 알기] ① 지구에서 가까운 별일수록 연주 시차가 크다.
② 연주 시차를 이용하여 별까지의 거리를 구할 수 있다.
③ 연주 시차를 구하기 위한 최소한의 기간은 6개월이다.
④ 연주 시차가 1″인 별까지의 거리를 1 pc이라고 한다.
⑤ 연주 시차는 별이 실제로 움직인 것이 아니라 배경에 대해 달라져 보이는 것이다.

04 지구로부터 더 가까운 별 X는 별 Y보다 연주 시차가 크다.
[바로 알기] ㄱ. 연주 시차는 시차의 절반이므로 연주 시차가 0.1″인 별 X의 시차는 0.2″이다.
ㄷ. A에서 B까지는 6개월이 걸린다.

05 별까지의 거리(pc)$=\dfrac{1}{연주\ 시차(″)}$이므로 $\dfrac{1}{0.1″}=10$ pc이다.

06 지구가 태양 주위를 공전하기 때문에 별이 천구상에서 보이는 위치가 달라진다.

07 1 pc(파섹)은 연주 시차가 1″인 별까지의 거리이고, 1광년(LY)은 빛이 1년간 이동한 거리이다. 1 pc은 약 3.26 광년에 해당한다.

08 빛은 사방으로 퍼지며 거리가 멀어질수록 빛이 비추는 넓이가 거리의 제곱으로 늘어난다. 따라서 빛의 밝기는 거리의 제곱에 반비례한다.

09 빛을 받는 넓이는 10 cm일 때 한 칸, 20 cm일 때 4칸, 30 cm일 때는 9칸으로 거리의 제곱에 비례한다.

10 6등급인 별과 9등급인 별은 3등급 차이가 난다. 그림에서 3등급과 6등급의 밝기 차가 16배이므로, 6등급인 별은 9등급인 별보다 16배 밝음을 알 수 있다.

11 1등급당 약 2.5배의 밝기 차가 나고, 5등급 차는 약 100배의 밝기 차가 난다.
[바로 알기] ㄴ. 1등급보다 밝은 별은 0등급, −1등급, …으로 표시한다.
ㄹ. 겉보기 등급이 작을수록 우리 눈에 밝게 보인다.
ㅁ. 절대 등급이 작을수록 실제로 밝은 별이다.

12 겉보기 등급<절대 등급이면 10 pc보다 가까운 별, 겉보기 등급=절대 등급이면 10 pc 위치의 별, 겉보기 등급>절대 등급이면 10 pc보다 먼 별이다.
[바로 알기] ㄴ. (겉보기 등급−절대 등급) 값이 클수록 지구에서 멀리 있는 별이다.

13 별 A는 10 pc보다 가까이 있으므로 절대 등급이 겉보기 등급인 4보다 크고, B는 10 pc에 위치하므로 절대 등급은 겉보기 등급과 같은 2등급이다.
[바로 알기] ㄷ. 가장 밝게 보이는 별은 겉보기 등급이 가장 작은 B이다.

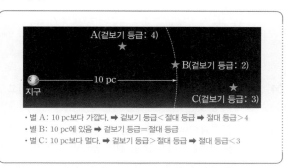

· 별 A: 10 pc보다 가깝다. ➡ 겉보기 등급<절대 등급 ➡ 절대 등급>4
· 별 B: 10 pc에 있음 ➡ 겉보기 등급=절대 등급
· 별 C: 10 pc보다 멀다. ➡ 겉보기 등급>절대 등급 ➡ 절대 등급<3

14 겉보기 등급이 작을수록 우리 눈에 밝게 보이고, 절대 등급이 작을수록 실제로 밝은 별이다.

15 절대 등급과 겉보기 등급이 같은 별 A는 10 pc 거리에 있다.
[바로 알기] ㄴ. 지구로부터 가장 가까운 거리에 있는 별은 겉보기 등급이 절대 등급보다 작은 별 C이다.
ㄷ. 연주 시차가 가장 작은 별은 지구로부터 가장 먼 별이므로, (겉보기 등급−절대 등급) 값이 가장 큰 별 B이다.

16 **[바로 알기]** ㄴ. 백색의 별은 청색 별보다 표면 온도가 낮다.
ㄷ. 표면 온도가 가장 높은 별은 청색을 띠는 별이다.

17 (가)의 연주 시차가 (나)보다 작으므로 더 멀리 위치한 별이다.
[바로 알기] ㄱ. 별의 표면 온도는 적색에 가까울수록 낮으므로 (가)가 (나)보다 표면 온도가 더 낮다.
ㄷ. (나)는 1 pc에 위치하므로 겉보기 등급이 절대 등급보다 작다.

18 별의 표면 온도가 높은 것부터 색을 나열하면 청색−청백색−백색−황백색−황색−주황색−적색 순이다.

01 ④   **02** ①   **03** ③   **04** ①   **05** ②

01 별 S의 시차가 0.04″이므로, 연주 시차는 0.02″이다. 별 S까지의 거리(pc)$=\dfrac{1}{0.02''}=50$ pc이므로, 50 pc×3.26광년≒163광년이다.

02 연주 시차가 0.01″인 별까지의 거리는 $\dfrac{1}{0.01''}=100$ pc이다. 이 별을 절대 등급의 기준 거리인 10 pc으로 옮긴다면 거리가 $\dfrac{1}{10}$로 가까워진다. 거리가 $\dfrac{1}{10}$로 가까워지면 밝기는 100배 밝아지므로 등급은 5등급 줄어든다. 따라서 별 S의 절대 등급은 3등급−5등급=−2등급이다.

03 [바로 알기] ㄷ. 프로키온의 (겉보기 등급−절대 등급) 값이 베텔게우스보다 작으므로 베텔게우스보다 더 가까이 있는 별이다.

별	겉보기 등급	절대 등급	겉보기 등급−절대 등급
시리우스	−1.5	1.4	−2.9
베가	0	0.5	−0.5
카펠라	0.08	−0.5	0.58
리겔	0.1	−6.8	6.9
프로키온	0.40	2.7	−2.3
베텔게우스	0.8	−5.5	6.3

(겉보기 등급−절대 등급) 값이 클수록 먼 별이다.

04 실제로 가장 어두운 별은 절대 등급이 가장 큰 별이고 표면 온도가 가장 낮은 별은 적색을 띠는 별이다.

05 겉보기 등급과 절대 등급이 5등급 차이가 나므로 밝기는 100배, 거리는 10배 차이가 난다. 절대 등급의 기준 거리인 10 pc의 $\dfrac{1}{10}$로 가까운 거리이므로 1 pc 거리에 위치하는 별이다.

01 [모범 답안] (1) 연주 시차

(2) 별 S까지의 거리가 멀수록 θ(연주 시차)는 작아진다.

채점 기준	배점(%)
(1)	연주 시차라고 옳게 쓴 경우	30
(2)	연주 시차와 별 S까지의 거리 관계를 옳게 설명한 경우	70

02 [모범 답안] (1) 절대 등급은 10 pc에 별이 위치할 때의 등급인데, 태양은 10 pc보다 가까운 별이므로 겉보기 등급보다 절대 등급이 크다.

(2) 별의 실제 밝기는 폴룩스보다 데네브가 더 밝다.

채점 기준	배점(%)
(1)	태양의 겉보기 등급보다 절대 등급이 큰 까닭을 거리와 관련지어 옳게 설명한 경우	50
(2)	별의 실제 밝기를 옳게 비교한 경우	50

03 연주 시차가 더 큰 별은 지구로부터 별까지의 거리가 더 가까운 별을 뜻한다.

[모범 답안] (1) 시리우스

(2) 시리우스의 (겉보기 등급−절대 등급) 값이 베가보다 작으므로 지구로부터 더 가까운 별이다. 가까운 별일수록 연주 시차는 더 크게 나타나므로 시리우스의 연주 시차가 더 크다.

채점 기준	배점(%)
(1)	시리우스를 옳게 쓴 경우	30
(2)	(1)의 까닭을 별까지의 거리, 겉보기 등급과 절대 등급, 연주 시차와 관련지어 옳게 설명한 경우	70
	시리우스까지 거리가 더 가깝기 때문이라고만 설명한 경우	40

04 [모범 답안] (1) 용암이 식으면서 색이 달라지듯이 (나)에서 별의 색이 다른 까닭은 별의 표면 온도가 다르기 때문이다.

(2) 리겔, 별은 표면 온도가 높을수록 청색, 표면 온도가 낮을수록 적색을 띠기 때문이다.

채점 기준	배점(%)
(1)	표면 온도가 다르기 때문에 별의 색이 다름을 옳게 설명한 경우	30
(2)	리겔과 그 까닭을 모두 옳게 설명한 경우	70
	리겔만 고른 경우	30

02 우주

㉠ 은하수   ㉡ 우리은하   ㉢ 암흑 성운   ㉣ 팽창
㉤ 대폭발 우주론(빅뱅 우주론)   ㉥ 우주 탐사

01 ③   **02** ㄱ, ㄴ, ㅁ   **03** ①   **04** ①   **05** ③   **06** ㄴ,
ㅁ, ㅅ   **07** ③   **08** ①   **09** ⑤   **10** ②   **11** ㄱ, ㄷ, ㄹ, ㅁ
12 ②

01 그림은 은하수를 나타낸 것이다. 우리나라(북반구)에서는 여름에 우리은하의 중심부를 바라보기 때문에 겨울보다 여름에 더 넓고 밝게 보인다.

[바로 알기] ① 은하수가 우주 팽창의 증거는 아니다.

② 중심 부분을 바라볼 때 더 밝게 보인다.

④ 검은 부분은 성간 물질에 가려진 부분이다.

⑤ 태양계는 우리은하의 중심부에서 벗어나 있고 은하면 안에 있기 때문에 지구에서 은하수가 띠 모양으로 보인다.

02 우리은하는 위에서 보았을 때 중심부에 막대 구조가 있고 막대 끝에 나선팔이 휘감겨 있는 모양이다. 우리은하는 중심부

가 더 두꺼우며, 태양계는 우리은하의 중심부로부터 약 8500 pc 떨어져 있다.

[바로 알기] ㄷ. 옆에서 보았을 때 중심부가 볼록한 원반 모양이다.

ㄹ. 두께는 은하 중심부가 더 두껍다.

ㅂ. 태양계는 우리은하의 중심부로부터 약 8500 pc 떨어진 나선팔에 위치한다.

03 태양계는 우리은하의 중심으로부터 약 8500 pc(약 3만 광년) 떨어진 나선팔에 있다.

04 별과 별 사이의 공간에 분포하는 가스와 먼지를 성간 물질이라고 한다. 이러한 성간 물질이 모여 성운이 된다.

05 A는 주변 별빛을 반사하고 있고, B는 뒤에서 오는 별빛을 가리고 있다.

한 번 더 확인하기 · 성운의 종류

방출 성운	반사 성운	암흑 성운
성간 물질이 주변의 별빛을 흡수하여 가열되면서 스스로 빛을 낸다.	성간 물질이 주위의 별빛을 반사하여 밝게 보인다.	뒤쪽에서 오는 별빛을 가로막아 어둡게 보인다.

06 구상 성단은 수만~수십만 개의 별들이 공 모양으로 빽빽하게 모여 있으며, 붉은색을 띠는 저온의 별이 많고 주로 우리은하의 중심부와 은하 원반을 둥글게 둘러싼 부분에 분포한다. 산개 성단은 수십~수만 개의 별들이 일정한 모양 없이 듬성듬성 모여 있으며, 파란색을 띠는 고온의 별이 많고 주로 우리은하의 나선팔에 분포한다.

07 짙은 가스나 먼지가 뒤에서 오는 별빛을 차단하여 어둡게 보이는 성운인 암흑 성운이다.

08 은하는 우주의 팽창으로 서로 멀어지고 있다.

09 팽창하는 우주에 특별한 중심은 없으며, 멀리 있는 은하일수록 더 빠른 속도로 멀어진다.

10 그림은 팽창하고 있는 우주를 나타낸 것이다. 우주는 모든 물질과 에너지가 모인 한 점에서 대폭발로 시작하였으며 지금도 계속 팽창하고 있다. 이때 우주는 특별한 중심 없이 모든 방향으로 팽창하고 있다.

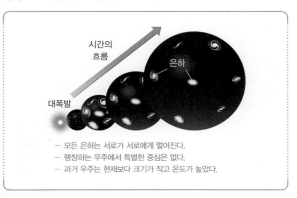

시간의 흐름

은하

대폭발

– 모든 은하는 서로가 서로에게 멀어진다.
– 팽창하는 우주에서 특별한 중심은 없다.
– 과거 우주는 현재보다 크기가 작고 온도가 높았다.

11 우주 탐사로 부족한 식량을 생산하지는 못하고 있으며, 현재까지 행성 탐사는 무인 탐사선으로 진행되고 있다.

한 번 더 확인하기 · 우주 탐사의 의의
• 우주에 대한 이해와 호기심 충족
• 우주 탐사를 통해 습득된 지식과 정보로 지구 환경과 생명에 대해 이해
• 우주 탐사로 발달한 과학기술은 산업 및 경제 발전에 기여함
• 우주 기술로 만들어진 제품이 일상생활에 적용되어 삶의 질 향상

12 큐리오시티는 화성에 착륙하여 화성의 대기, 토양 등을 조사하였다.

1% 도전 문제로 실력 올리기
시험 대비서 87쪽

01 ③   02 ②

01 우리은하의 모형을 나타낸 (가)에서 P 위치는 우리은하 중심으로부터 약 8500 pc 떨어진 위치의 태양계를 뜻한다.

[바로 알기] ㄷ. a 방향은 우리은하 중심의 반대 방향으로, 은하수가 희미하게 보인다.

02 은하 B나 C에서 보면 은하 A도 정지해 있는 것이 아니라 멀어지고 있을 것이다.

[바로 알기] ㄱ. 은하는 서로 멀어지고 있으므로, B나 C에서 보면 A도 멀어지고 있다.

ㄴ. 은하의 멀어지는 속도는 거리가 멀수록 빨라지므로 은하 A에서 C까지의 거리가 은하 A에서 B까지의 거리보다 멀다.

서술형 문제로 실력 완성하기
시험 대비서 87쪽

01 고무풍선이 팽창할수록 붙임딱지 사이의 간격이 멀어지듯이, 우주가 팽창할수록 은하 사이의 거리가 멀어진다.

모범 답안 (1) 붙임딱지 사이의 거리가 멀수록 팽창 전후의 거리 변화 값이 크다.

(2) 우리은하로부터 거리가 멀수록 더 빨리 멀어진다.

	채점 기준	배점(%)
(1)	붙임딱지 사이의 거리가 멀수록 거리 변화 값이 크다고 옳게 설명한 경우	50
(2)	은하까지의 거리가 멀수록 더 빨리 멀어진다고 옳게 설명한 경우	50

02 에어쿠션 운동화, 위성 위치 확인 시스템(GPS), 치아 교정기, 안경테 등은 우주 과학기술이 일상생활에 적용된 예이다.

모범 답안 우주 탐사로 개발된 과학기술이 일상생활에 적용된 예이다.

채점 기준	배점(%)
우주 과학기술이 일상생활에 적용된 예라고 옳게 설명한 경우	100
우주 탐사와 관련이 있다고만 설명한 경우	50

memo

과학,
개념에 응용을
더하다

싸플
Science +

중 학 교
과학 **3**

정답과 해설

Science +

여러분의 과학을 응원합니다.